한국 문단 작가 연구 총서

作家研究

2

작가연구 편

국학자료원

1997년 / 제10호   반년간

민족문학사연구

민족문학사연구소

값 10,000원

(주)창작과비평사 전화 718-0541~4, 716-7876 · 7 팩스 713-2403, 703-3843

잉얼

아내를 살해한 천재시인 꾸청
그가 자살 직전에 사랑의 광기로 써내려간 유서 같은 소설

상상 속의 사랑이 우리를 눈멀게 한다

이 소설을 읽으며 나는 몇 번이나 열에 들떴다. 마지막 책장을 덮고도 내내 꿈을 꾸는 것 같은 혼란으로 밤을 꼬박 지샜다. 이렇게 며칠을 꾸청의 사랑이 나를 괴롭혔다.
『잉얼』은 분명히 새롭고 낯선 소설이다.
　— 이경자(소설가)

"운명이 나로 하여금 다시 이 거대한 사회를 바라보게 하였다. 그리고 마침내 나는 광장에 이르렀다."
이른바 '몽롱시'의 대가로 불리는 꾸청의 말이다.
그의 삶은 프랑스의 시인 랭보를 연상시키는 광기와 천재성으로 차있다. 나는 『잉얼』이라는 이 기이한 소설을 통해 완벽하게 살아난 꾸청과 이야기를 나눈다.
　— 김영현(소설가)

중국 현대 '몽롱시'의 대표작가로 손꼽히던 꾸청의 충격적인 죽음이 「로이터 통신」을 타고 전세계로 전해지자 그의 마지막 작품이자, 그의 죽음을 이해하는 데 결정적인 도움이 될 『잉얼』에 세인의 이목이 집중되었다. 과연 그의 살인은 사랑이란 이름으로 속죄될 수 있는 것인가?

■ 꾸청 지음/김윤진 옮김 / 전2권/ 값 각권 6,000원

(주)실천문학　　서울 마포구 서교동 466-3(3층)　전화 322-2161~5　팩스 322-2166

한국 현대시의 리얼리즘과 모더니즘

박민수 / (양장본)신국판 / 값 17,000원(국학자료원)

우리 시에 대한 해석적 접근을 시도하면서 주로 다음과 같은 흐름의 두 줄기－리얼리즘과 모더니즘－에 관심을 가져왔다. 그 동안 논의되지 않은 문제들에 주로 초점을 두고 있다.

신문소설이란 무엇인가?

임성래 外 / 신국판 / 값 9,000원(국학자료원)

신문소설의 입장에서 본 <혈의 누>, 1930년대 한국 신문소설의 존재방식, 프랑스의 신문소설, 소오세키와 신문소설, 발자크와 신문소설, 프랑스 낭만주의와 대중문학, 프랑스 대중소설사 발생, 대중소설과 대중학문적 문학으로 꾸며져 있다.

한국 현대 소설사론

정호웅著 / 신국판, 값13,000원(새미)

1부는 이인직·현진건·엄흥섭·임화·김정한·손창섭, 2부는「흙」(이광수)·「광분」(염상섭)·「소시민」(이호철)을 분석했다. 3부에는 초기 경향소설의 전개 과정을 살핀 글과 해방 이후 지금에 이르기까지의 한국 현대문학 50년 연구사를 검토한 글을, 4부에서는 해방공간의 소설을 대표하는 자기비판소설을 다룬 논문을 각각 실었다

이카로스의 날개는 녹지 않았다(상·중·하)

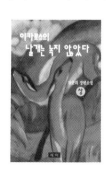

강준희 / 전3책, 신국판 / 각권 값 6,500원(새미)

예원아! 우리 그만 이카로스와 다이달로스처럼 백랍으로 만든 날개를 달고 이 미궁을 탈출해 태양을 향해 날아오를까? 그러다 태양열에 날개가 녹아 이카리아 바다에 떨어져 죽더라도…

내 마음의 영원한 이마고인 예원아! 내 가슴의 영원한 베아트리체인 예원아! 이제 우리는 눈앞에 물이 있어도 마시지 못하고, 머리 위에 과일이 있어도 따먹지 못하는 탄탈로스처럼 영원한 기갈(飢渴) 속에서 살 수밖에 없구나.

TEL (02)272-7949 FAX (02)291-1628

작가연구 제3호

1997년 상반기

주　간 : 서종택
편집위원 : 이상갑, 강진호
　　　　　 김윤태, 하정일, 한수영

기획 대담

창간호

특집 손창섭

편집위원 : 강진호, 김윤태, 이상갑, 한수영, 하정일

Studies on Modern Writers, 1996.

작 가 연 구

2호

특집 안수길

새미
☎2727-949, 2917-948   Fax 2911-628

작가연구

제3호

새 미

문학 연구자의 자세

현 시기를 총체적 난국의 시기로 진단해도 과장은 아닐 것이다. 이렇게 보는 근거는 정치의 중심이 상실되고 정권 교체가 진행되는 전환기라는 상황 때문만은 아닐 것이다. 한국 사회의 오랜 병폐였던 비리가 여전히 정경 유착이라는 형태로 존재하고 있으며, 전근대적인 정치 행태 또한 잔존하고 있기 때문이다. 그러나 더 큰 원인은, 상호주체적인 관점에서 활발한 토론과 시민의 의사를 창출해 내는 제도적 장치가 유명무실한 상황에 있거나, 아니면 시대 현실에 예민한 촉수를 준비하지 못한 우리 모두의 의식의 둔감에 있을 것이다. 그러나 혼돈 속에서도 나아갈 방향은 있는 법이다. 다만 그 방향이 어떠한 것이며, 그곳으로 나아가기 위한 우리의 자세가 어떠하냐가 더 중요할 것이다. 우리가 문학 작품을 연구하는 것은 단순히 연구자의 만족과 현학 취미는 아니며, 오히려 우리의 미래에 대한 근원적인 욕망 때문이라 할 수 있다. 바로 이런 측면에서 다양한 작가와 작품이 우리 앞에 놓여 있고, 우리는 또한 그 의미를 정당하게 평가해야 할 의무가 있다. 이런 작업은 대상에 대한 평가라는 단순한 의미를 떠나 우리 스스로를 위한 길이기 때문이다. 그러므로 우리의 열린 시각과 균형잡힌 안목이 더욱 요구된다 하겠다.

이번 3호에는 손창섭과 안수길에 이어 김용익을 특집 작가로 다루었다. 우리 나라 작가 중 근대문학사에서만 보더라도 외국에서 활동한 작가가 여럿 있지만, 김용익은 그 중에서도 좀 색다른 면모를 지닌 작가라 할 수 있다. 재외 작가를 다룰 때 국적이 먼저냐, 언어가 먼저냐 하는 문제가 아직 명확이 정립되어 있지는 않지만, 김용익의 경우는 이와도 좀 다르다. 그는 미국에서 영어로 된 세련된 문장을 통해 문명 (文名)을 떨친 뒤, 그 성과를 거의 대부분 한국어로 재창조하고 있기 때문이다. 이런 점에서 김용익 소설은 그 성과 여부를 떠나 그간 역사와 이념에 압도되었던 문학을 문학 본연의 토대에서 재음미하고, 동시에 예술혼을 불태운 한 작가의 정결성을 엿보는 기회가 될 것이다. 특집 논문으로는 4편의 글을 실었다. 먼저 홍기삼 교수는 재외 한국인 문학의 역사적 조건을 총괄적으로 다루면서 '언어 귀속주의'가 아닌 '작가' 쪽에 중심을 두고, 김용익 소설을 재외 한국인 문학의 가장 이상적인 전범으로 파악하고 있으며, 김윤식 교수는 '초벌과 재창조'의 의미 규정을 통해 김용익 문학의 성공과 실패를 계기적인 관점에서 고찰함으로써 김용익 문학에 접근하는 좋은 안내자 역할을 하고 있다. 또한 작품론에 해당하는 서종택 교수와 송창섭 교수의 글도 각각 한글로 발표된 작품과 영어로 된 작품을 면밀히 분석하고 있다. 서종택 교수는 김용익 문학을 향수와 페이소스의 세계로 규정하면서 한국 단편 미학의 전범으로 평가하고 있으며, 영어로 발표된 초기 작품 중에서 아직 번역되지 않은 「The Happy Days」(행복의 계절)과 「The Diving Gourd」(뒤웅박)을 검토한 송창섭 교수도, 김용익 문학은 한국 소설의 현장에서 비껴 서 있으며 사실적 경험보다 상상력에 의한 환상과 상징에 치중했다고 지적한다. 이 두 글 또한 김용익 문학을 이해하는 데 큰 도움이 될 것이다.

아울러 <이 작가, 이 작품>난에 '하근찬'에 관한 2편의 논문을 실었다. 총론에 해당하는 정희모의 글과 「왕릉과 주둔군」을 분석하고 있는 전승주의 글도 하근찬 문학을 이해하는 데 좋은 길잡이가 될 것이다. 특히 훼손되어 가는 세계에 대한 안타까움과 거부가 하근찬 문학의 변함없는 주제이며, 체험에 국한된 단편적인 세계인식과 형상화 능력의 부족을 한계로 파악한 정희모의 지적은 음미할 만하다. 「왕릉과 주둔군」이 외세와의 갈등과 분단 문제를 본질적인 측면에서 탐구하고 있지는 못하지만 선구적 의미를 지닌 것으로 평가한 전승주의 글도 도움이 될 것이다.

벤야민을 다룬 <오늘의 문화 이론>도 현재적 관점에서 우리 사회와 문학 현상을 이해하는 데 많은 도움을 주는 글이다. 이성에 대한 반성적 사고가 무정견적인 비판이 아니라 기술 우위의 생산 이데올로기 하에서 우리 스스로의 현실 토대에 대한 인식이 선행되어야 한다는 점을 고려할 때, 벤야민은 오늘날 우리에게 시사하는 바가 많다. 김영옥은 '근대 / 탈근대'보다 우리의 '근대'를 성찰할 필요성을 제기하면서 벤야민에 접근하고 있다. 벤야민은 신화와 진실, 유태교적 신비주의와 유물론적 역사관을 변증법적으로 매개하고자 했는데, 그의 이론은 정신적 불투명의 전환기에 표면적인 현상 배후의 근원적인 것에 대한 성찰을 가능하게 한다는 점에서 의미있는 작업임에 분명하다. 특히 진보에 대한 맹목적인 경도를 보인 통속 맑시즘을 뛰어넘어 영상 기술 등 근대적 산물에 대한 균형잡힌 인식까지 보이고 있다는 점은 필자의 지적처럼 강조되어 마땅하다.

이번 호에는 <대담>난에서 염무웅 교수를 모시고 50년대와 60년대의 계기적 고찰이라는 측면에서 60년대 문학의 형성 배경과 문단 풍토를 전반적으로 살펴보았다. 최근 60년대 문학 연구에 대한 고조된 관심을 염두에 둘 때, 이 대담은 4·19를 전후하여 등장한 소위 4·19세대의 내면 정신을 파악하는 데도 도움이 될 것이다. 그리고 <일반 논문>으로, 이상 시에서 깨어 있는 의식의 중요성을 강조한 이종대의 「이상

시의 세계인식 연구」, 박봉우의 시적 성과가 집약적으로 드러나는 초기 시를 '서정시의 현실 참여'의 전범으로 보면서 70년대 이후의 민중시파의 위치를 가늠하는 시금석으로 파악한 남기혁의 「박봉우 초기시 연구」, 박태원, 최인훈, 주인석 등의 「소설가 구보씨……」 제목을 달거나 차용한 작품들이 예술가의 존재론적 본질과 사회적 역할을 공통된 문제의식으로 하고 있음을 지적한 최현식의 「<소설가 구보씨의 일일>에 나타난 '소설(예술)론'의 위상」, 오상원 문학의 특질을 현실과의 긴장 관계를 희석시킨 추상적 휴머니즘으로 파악하고 있는 이봉범의 「젊음과 패기의 문학」, 이근삼 희곡의 놀이 기법을 분석하면서 이근삼 희곡이 '순환과 반복'의 시간성을 통해 현실과 환상을 동일시한 것으로 지적하고 있는 홍창수의 「이근삼 희곡의 놀이성 연구」는 다같이 연구자의 새로운 시각을 보여주고 있다.

이 외에도 이번 호에는 상허문학회의 세 번째 연구 성과인 『근대문학과 구인회』와 한수영의 평론집 『문학과 현실의 변증법』에 대한 서평을 실었다. 전자의 서평인인 이광호는 대상보다 연구의 태도가 중요함을 강조하고 있는 점이 시사적이며, 후자의 서평자인 박헌호의 인물 전형에 대한 문제제기 역시 새삼 음미할 만하다. 그리고 특별기고 형식으로 실린 일본의 대표적인 한국문학 연구자인 사에구사 토시카쯔 교수의 글은, 우리가 미처 보지 못한 한국문학의 특질을 확인하는 데 참고가 될 것이다.

끝으로 이번 호를 풍성하게 하기 위해 좋은 글을 보내주신 모든 필자분과 투고 원고를 보내주신 여러분께 감사드리며, 지면 사정으로 부득이 <문학사의 쟁점>난이 빠지게 된 데 대해 독자들의 양해를 구한다. 그리고 다음 호에서는 최근에 작고한, 준열한 리얼리스트이자 민족문학의 큰 기둥이었던 요산 김정한 선생의 문학세계를 특집으로 다룰 예정임을 알려 드리며, 독자 여러분의 관심을 바란다. 아울러 『작가연구』가 이번 호부터 학술지로 정식 등록되었음도 알려 드린다. 『작가연구』는 앞으로도 더욱 분발하여 좋은 글을 통해 시대를 꿰뚫어 볼 수 있는 새로운 시각을 마련하고자 하며, 이를 통해 독자의 기대에 보답하고자 한다.(이상갑)

1997년 3월

김 용 익

한국문학과 재외한국인문학

홍 기 삼*

1.

　민족문학 또는 국민문학의 영역과 범주를 설정하는 작업은 문학사 기술
에서는 특히 긴요하고도 기본적인 것에 속한다고 할 수 있다. 그러나 이러
한 문제는 종종 긴박한 문학적 현실에 압도된 채 잊혀지거나 은폐되는 경
우가 많다. 한국문학의 영역이라는 문제 역시 대체로 통념과 관습에 의존
해서 단순하게 처리하는 것이 보통이다. 한국 사람이 한국에 살면서 한국
어로 쓴 문학이 우리 민족문학이라고 주장한다면 이를 부당하다고 말할 수
는 없다. 그러나 민족 분단 이후 북한에서 창작된 많은 작품들을 우리 문학
사가 포함해야 하는 것이 당연한 것처럼, 재외한국인들이 외국에 살면서
발표한 작품들 역시 우리 문학사가 버려도 무방한 작품들은 아닐 것이다.
우리 문학 또는 문학사의 영역은 남북한을 토대로 한다. 그러나 세계 도처
에서 혹은 개인으로, 혹은 크고 작은 집단을 이루며 소수민족의 문학을 생
산하는 해외 한민족의 문학 역시 우리의 문학과 문학사의 영역을 이룬다.
우리 민족 문학의 영토 확장이라 할 수 있다. 그리고 우리의 범민족적 문학
의 세계지도를 만드는 일이야말로 '한국문학권' 또는 '한민족문학권'의 실
상을 이해하는 일이기도 한 것이다. 경제적 빈궁과 정치적 모순이 산출한

---

* 洪起三, 동국대 한국어문학부 교수, 주요 저서로 『상황문학론』, 『문학사의 기술과 이해』
『문학사와 문학비평』 등이 있음.

민족 이산의 비극이 이제 거꾸로 한국문학의 세계지도를 만들 수 있게 만들었다는 사실은 실로 어이없는 역사의 아이러니가 아닐 수 없다. 그러나 재외 한인의 문학작품에 구체적으로 접근할 경우 많은 난제가 기다리고 있다는 점을 먼저 유의해야 한다.

문학작품을 단지 향수하는 것에 목표를 둔 독자라면 재외 한인 작가의 전기적 사실을 구성하는 요소들, 예컨대 그의 국적이라든가 성장과정, 외국어 구사 능력 같은 사실들은 작품 자체보다 훨씬 덜 중요한 것이거나 아예 무관심한 대상일 수 있다. 그러나 문학을 연구하는 사람들의 경우, 그 중에서도 한 나라 문학사의 성격과 영역에 대해 말해야 할 사람들은 형편이 아주 다르다. 이 심난한 일을 해야 하는 사람들이라고 해서 작품보다 전기적 사실들이 더 중요한 것은 물론 아니지만 일상의 독자처럼 그런 것에 무관심해도 무방한 형편은 전혀 못되기 때문이다.

가령 미국에서 활동한, 또는 활동하고 있는 한국계 작가들이 사용하는 언어의 문제와 이들 문학에 대한 성격을 생각해 보자. 영어로만 글쓰기를 하는 김난영, 이창래, 이현실 및 과거의 강용흘, 그리고 미국에서 주로 우리말로만 글을 쓰고 있는 《미주문학》의 집필자들, 우리말과 영어로 함께 글쓰기를 하는 김용익, 김은국 및 시인 고원 같은 문인들의 경우는 결코 같은 범주에서 동일화할 수 있는 작가들이 아니다. 또한 이민 1세와 1.5세, 2세 및 3세가 동일할 수 없으며 가족동반 이주자와 유학생, 귀화자도 함께 다루어지기가 어렵다. 모국어를 모르는 사람과 이중언어 생활자도 그 편차는 다양하며 모국에 정치적 원한을 가지고 떠난 사람과 모국을 그리워하는 사람의 문학의 편차도 만만치 않다.

대체로 19세기부터 시작된 한국인들의 집단적인 외국이주는 이제 백 년을 넘기고 있다. 1994년 말 현재 세계 백여 국에 살고 있는 한인의 수는 5백만을 초과한 것으로 집계된다[1]. 이들 여러 나라 중에서도 이주의 역사가

1) 외무부, 『외교백서』 1994년판 참조. 중국, 일본 등 아주지역 15개 국에 265만 정도, 미국, 캐나다 등 북미 지역에 180만, 브라질 등 중남미 지역 22개 국에 8만 8천, 러시아 각국에 45만 8천, 독일 등 유럽 23개 국에 2만 5천,

오래되고 이민의 숫자도 많은 중국, 러시아, 미국 및 일본 지역은 재외 한인들의 문학이 활발한 성과를 거둔 4대 권역으로 평가할 만하다. 이미륵처럼 단기필마로 독일문학계에서 크게 이름을 떨친 예외적인 경우도 없는 것은 아니지만 외국에 거주하는 한인들의 문학적 성과는 대부분 4대 권역을 중심으로 해서 나타나고 있다. 중국의 경우 "연변작가협회의 조선족 정식회원"만도 3백여 명이나 된다.2) 러시아, 미국, 일본 등은 수에 있어서 중국에는 미치지 못하나 세계의 출판시장과 독자들의 주목을 받은 작품은 오히려이곳에서 생산되고 있다. 강용흘, 김용익, 김은국, 김 아나톨리, 김달수, 김석범, 이회성 등은 국내외의 많은 독자들을 확보한 작가들이다(독일의 이미륵과 호주의 김동호 등도 그렇다).

이주 1백년, 재외 거주자 5백만, 1천여 명의 재외 한인 문사들, 그리고 세계의 거대한 독서시장에서 국내의 어떤 작가 못지 않게 문명을 인정받고 있는 몇몇 작가의 작품들, 이창래와 유미리처럼 미국, 일본 등지에서 크게 주목받고 있는 신세대 작가들의 진출 등과 같은 사실들은 한국문학의 해외 진출이나 세계화 논의 못지 않게 많은 문제들을 제기하고 있다. 도대체 이러한 경우의 작품들은 한국문학 또는 민족문학의 범주에서 다루어질 수 있는 경우인가, 외국의 문학사 영역에 당연히 포함되는 것인가. 그들의 작품 중에서도 국문으로 창작된 것은 선별적으로 한국문학에서 다룰 수 있다면 외국어로 창작된 것은 해당 언어권에서 다루는 것이 타당한가. 재외 한인 작가들의 작품은 이미 이민의 역사와 함께 시작되었다고 할 때, 왜 최근까지도 그들의 작품에 대해서 관심조차 둘 수 없었는가 등, 실로 많은 문제들이 거기에 내재해 있는 것이다.

사우디 등 중동지역 12개 국에 218명, 남아공 등 아프리카 지역 12개 국에 1006명 등이다.
2) 한춘, 「중국 속의 한국문학과 문학인」, 『세계 속의 한국문학과 문학인』, ('96 문학의 해 기념, 한민족 문학인 대회 심포지엄 발표 초록), 1996. 10. 3. p.36.

2.

재외거주 한인들의 문학이 국내의 독자들에게 근자까지 읽혀질 수 없었던 까닭과 재외 한국인 문학의 성격이랄까 의의에 대해서 필자는 다음과 같이 요약한 바가 있다[3].

> 우리 동포들이 조국을 떠나서 쓴 문학작품, 남북 분단은 그것을 읽는 일조차 방해하였다. 심술궂은 재앙이었다. 동포들의 문학을 읽을 수 있도록 허락된 것은 1980년대 후반에 이르러서였다. 그들은 조국을 떠나 세계 각지에서 살아남기 위해 싸우는 한편, 조국의 작가들이 쓸 수 없는 문학, 쓰지 못한 이야기들을 썼다. 그들은 조국에 대한 아름다운 기억과 고향의 그리운 이야기를 써서 외국의 독자들에게 그것을 알렸다. 오히려 본국에서는 급격한 사회 변동에 따라 서서히 잊혀지고 몰각된 풍속, 전통적 특질들을 그 곳에서 남겼다.
>
> 조국을 등져야 했던 까닭과 조국의 참담한 정치적 사회적 형편도 그들은 자세히 썼다. 조선 사람이 조선인의 육신, 언어, 관습을 가지고 외국인들의 문화 속에서 맨몸으로 뿌리 없이 살아야 하는 고통이 어떤 것인지를 기록했다. 남북 분단 때문에, 본국의 작가들이 쓰지 못했던 이념의 횡포와 상처가 어떤 것인지도 알렸다. 1930년대 중국에서 활동한 조선의용군의 광복 투쟁, 해방기 좌우익 갈등의 실제적 양상, 4·3사건 등의 객관적인 기술도 그들의 몫이었다. 분단이 그들 재외 동포들에게 어떤 형태로 고통을 주는지 그 실상도 자세히 썼다.
>
> 이처럼 조국을 떠난 동포들은 본국의 문인들이 쓸 수 없는 문학사의 여백을 채웠고, 외국 체험 없이 쓸 수 없는 작품을 생산함으로써 우리 문학의 풍부화에 크게 기여한 것이다.

'재외한인문학'의 4대 권역으로 지적한 4개국 중 중국과 러시아의 경우는 두말할 것도 없이 6·25를 일으켰거나 그 전쟁에 참전하여 한국인들을 살

---

3) 홍기삼, 「재외 한국인 문학 개관─한국문학권의 영역문제와 관련하여」, 『문학사와 문학비평』, 해냄, 1996, pp.283~284.

상한 적성국가들이었다. 따라서 우리는 오랫동안 그들의 문학은 물론, 그곳에서 살고 있는 동족의 문학조차도 읽을 수가 없었다(간혹 그 나라 반체제 문인들의 문학이 소개되는 정도였다). 그러나 1980년대 중반을 지나면서 소비에트 러시아는 페레스트로이카 이후 공산주의 유일체제에서 다원적 정치체제로 전환되었고 '중공'과 수교하면서 그들은 우리에게 '중화인민공화국' 또는 '중국'으로 바뀐 교역국이 되었다. 그러한 변화에 따라 그곳에 이주한 한인들의 작품도 읽을 수 있게 된 것이다. 역시 1980년대 중반 이후의 일이다.

일본에서 문필활동을 하는 작가들의 경우도 조총련의 '조직'에 깊이 가담한 작가거나 느슨하게 관여하는 작가, 또는 '조직'에서 이탈하였으나 남한의 우익정권을 지지하지 못하는 작가들이 대부분이었다. 그런 작가들의 작품을 소개하기 시작한 것 역시 1980년대 중반 이후이다(월북작가에 대한 해금 등 일련의 개방조치가 단행된 일과도 관계가 있다). 단지 미국의 경우만은 예외여서 남한정부에 대한 반체제작가들의 활동을 제외하고서는 오래전부터 꾸준히 소개되어 왔다. 강용흘, 김용익, 김은국, 피터 현, 김난영, 이창래 등 그곳에서 영문으로 발표된 작품들이 번역 소개되는가 하면, 고원, 박남수, 마종기, 송상옥 등의 국문문학도 어렵지 않게 접할 수 있었던 것이다. 그러면 외국에 거주하고 있는 작가들은 그들 자신의 문학을 어떻게 생각하고 있는지 그 점부터 살펴보기로 한다.

중국 조선족 문학의 대표적인 한 문학사는 자신들의 문학적 성격에 대해 "조선족 문학은 중화민족 문학의 조성 부분인 동시에 조선 민족 '정체(整體)문학'의 일부분"이라 규정하고 "이처럼 이중 성격을 지닌 조선족 문학은 조선족 인민들의 생활 투쟁과 력사를 토대로 하여 고대 중세의 민족 문학 전통을 계승하고 외국, 타민족 문학의 영양분을 섭취하면서 자기의 좌표를 뚜렷이 하였고 고유한 민족 정기와 향기를 무르익혀 왔다"고 설명한다4). 이 문학사는 이어서 중국 조선족의 문학에는 조선족 인민들의 고유한 정서,

4) 조성일·권철 편, 『중국조선문학사』, 연변인민출판사, 1990, pp.7~8.

심리와 예술적 기호, 창조적 지혜와 재능이 깃들어 있으며 역사의 흐름과 더불어 끊임없이 계승 발전하면서 "다른 민족의 문학과 구별되는 독특한 품격과 선명한 특색을 이루게 되었다"고 강조한다. 그러니까 이 문학사는 중국 조선족의 문학이 중국문학의 일부분인 동시에 민족의 정체를 나타내는 조선문학의 일부임을 먼저 지적한 셈이다. 중국문학이면서 동시에 조선문학일 수밖에 없다는 이중성에 대한 지적은 그러나 문학의 내용을 구성하는 형성원리의 이중성을 의미하지는 않는 듯하다. 중국 조선족의 문학이 중국문학의 일부를 조성하기도 한다는 뜻은 조선족이 활동하고 있는 삶의 공간이 중국이라는 사실을 강조한 것으로 볼 수 있다. 달리 말하면 외국 땅에서 살아가고 있는 사람들의 불가피한 숙명적 상황일 수도 있고 남의 땅에서 살아가는 사람들의 '예절'이라 보아도 무방할 것이다. 이 문학사가 '중국문학의 일부'라는 점에 대해서가 아니라 '조선민족 정체문학의 일부'라는 사실을 누누이 강조한 그 관점들에서도 확인되는 바와 같이 비록 이국 땅에서 "타민족 문학의 영양분을 섭취하면서" 형성된 문학이기는 하지만 결국 "다른 민족의 문학과 구별되는 독특한 품격과 선명한 특색"을 이룬 조선문학이 그 기본적 성격임을 주장한 논리다.

그러나 같은 지역의 문인이라 하더라도 한춘의 경우는 주장하는 바가 매우 달라 보인다. 그는 "중국 조선족이 중국 사회의 축영(縮影)이라고 생각할 때 중국 조선문학을 알면 대체로 중국문학의 흐름새를 가늠할 수 있다"고 주장하고 있다5). 이어서 그는 '한국인'과 '중국 조선족'의 문화적 차이를 다음과 같이 지적한다. 첫째, 서로 다른 국가의 국민이기 때문에 민족의식에 차이가 있다는 점, 둘째, 서로 다른 교육을 받은 데서 오는 문화적 차이, 셋째, 서로 다른 경제발전 수준에 따른 문화적 차이 등을 지적한 뒤 "이상의 차이점을 모두어 말하면 중국 조선족 문화는 사실상 한국과 다르고 조선과도 다른 제3종의 조선족 문화로 고착되었다"고 주장한다. 그러나 한춘의 주장에는 납득하기 어려운 점이 더러 보이고 있다. 먼저 중국 조선

---

5) 주2)와 같음. p.35.

족이 '중국 사회의 축영'이 된다는 논리는 매우 과장된 것이어서 진실하지 못한 것으로 느껴진다. 또한 중국 조선문학을 알면 대체로 중국문학의 흐름새를 가늠할 수 있다는 진술은 중국 조선족 문학의 독자의 입장에서 수긍되지 않는다(그는 아마도 남쪽 여행자들이 연변 등지에서 저지른 잘못에 대해 격심한 분노를 느끼고 있는지도 모르겠다. 그는 발표문의 부제를 '중국 조선족 문학과 중한문학교류'라 쓰고 있고 남북한 사람을 포함한 외국인을 보면 "나는 중국사람이다"라는 생각을 강조한다고도 했고, '한국사람들'의 조급함과 향락적 태도를 꼬집은 뒤 조선족들은 중국의 넓은 땅, 12억의 인구, 한민족의 역사와 문화에서 영향을 받았다는 점을 상기시킴으로써 비록 외국에 살고 있지만 한국 사람들의 조급함과 물욕적 태도와는 다른 재중 조선족의 우월성을 강조하는 듯이 보인다). 조송일, 권천의 이론을 '양면적 성격론'이라고 한다면 한춘의 경우는 '제3문학론'이라 할 수 있겠다.

3.

재일 조선인의 문학과 민족문학의 관계에 대해서 이회성은 다음과 같은 견해를 밝힌 바 있다[6].

> 만일, 일본어로 쓰인 동포문학은 민족문학이 아니라고 주장하는 사람이 있다면 그 이는 대단한 애국주의자일 것입니다. 그 이는 아마 언어의 소속성이란 견지에서 그런 주장을 할지도 모릅니다.
> 하지만, 이런 식 주장을 하는 문인은 이 자리에는 한 사람도 없다고 생각합니다. 남의 나라 글로 씌어진 작품이라 하더라도 그 작품은 민족문학일 수 있지 않습니까? 우리 민족은 범민족적 존재입니다. 굳이 지난 100년 동안의 우리 나라 근대사를 돌이켜 보지 않더

---

6) 이회성, 「일본 속의 한국문학과 문학인」, 『세계 속의 한국문학과 문학인』, ('96 문학의 해 기념, 한민족 문학인 대회 심포지엄 발표 초록), 1996. 10. 3. pp.19~32 참조.

라도 그렇습니다. 해외동포들이 500만이라 하는데 우리 7,000만 민족 전체 속에 차지하는 비율은 8%에 해당합니다. 이런 해외 동포들의 존재, 그들의 존재를 바탕으로 삼고 그뿐만 아니라 동시에 인류세계 하고도 직접 대면하면서 그 삶의 현장에서 문학 창조를 하고 있는 해외동포 문학을 감히 무시할 수 있겠습니까?

이회성의 견해를 요약하면 "한국문학은 곧 범민족문학이다"라는 것이 된다. 그는 한국어로 쓴 문학은 한국문학이 되고 영어로 쓴 것은 영문학이 된다는 식의 속문주의(屬文主義)를 정면으로 부정하면서 외국에 거주하는 한인들이 쓴 문학은 그것이 어떤 언어로 쓰였던 간에 총괄해서 범민족문학으로 성격을 규정해야 한다는 것이다. 더구나 외국에서 활동하고 있는 작가들이 '우물 안 개구리'가 아니라 "인류세계하고도 직접 대면하면서 그 삶의 현장"에서 문학을 창작하고 있다는 점을 고려한다면 한국문학은 마땅히 그 폐쇄성을 버리고 재외 한인의 문학을 민족문학으로 포용해야 할 것이라는 논리다. 그는 폐쇄성의 한 사례로 대부분의 한국문학전집에 "해외 동포 문인들의 작품이 수록되지 않고 있는 현상"을 지적하면서 그것은 "범민족적 차원에서 한국문학을 보는 시각"이 결여되어 있기 때문에 나타나는 현상이라고 비판한다.

이회성은 재일 동포 문학이 "일본문학이나 한국문학에 양다리를 걸치고 있는 듯"이 보여지지만 그러한 양면성은 "재일 동포 문학의 본질과 현상과는 전혀 다른 어긋난 견해"에 불과하다고 주장하고 "재일 동포 문학은 그 자체로서의 존엄성을 지니고 있"다는 점을 첨가한다. 이를테면 일본 속에 자리잡은 소수민족의 독자성을 가진 문학집단이라는 뜻이 된다(그는 재일 동포문학의 그러한 성격을 '작은 존재'라고 부르고 있다). 그러니까 이회성의 이론은 일본 문학권에 위치한 독자적 존엄성을 가진 소수민족 집단의 문학이며 한국문학은 그것을 범민족적 차원에서 범민족문학으로 수용해야 할 문학이라는 뜻이 된다.

재일 한인 문학에 대해 많은 글을 발표한 일본의 평론가 가와무라 미나

토는 "극히 일반적인 어투로 말한다면 '재일 조선인(재일 코리안)'이 '일본어'로 '민족적 아이덴티티의 위기 속에서 그들의 고뇌와 저항'을 표현한 문학"이라고 정리한 바 있다[7]. 이 짧은 요약 속에는 '작가', '언어', '주제', '독자' 등 문학의 성격을 밝히는 데 긴요한 네 가지 요소들이 함축되어 있다. 재일 한인의 문학은 재일 한인이 그들의 민족적 정체성의 위기 속에서 그들의 저항과 고뇌를 표현한 문학이라는 가와무라의 지적은 남북한의 문학이나 일본문학과 구별되는 독자성을 인정한 논리가 된다.

역시 재일 한인 문학에 많은 관심을 기울이고 있는 평론가 하류우 이치로는 일본에서 일본어로 창작하는 한인 작가들을 깊이 감싸주고 있다. 그는 만일 한인 작가가 조선 민주주의 인민공화국이나 한국에서 해방이 된 뒤에도 일본어 창작을 계속한다면 비판받아 마땅하지만 제국주의 권력에 강제로 끌려 일본에서 살아온 사람들이나 2세, 3세의 경우는 전혀 처지가 다르다는 것이다. 그는 이어서 재일 한인 작가들이 일본 사회의 억압과 차별의 구조와 싸우면서 한편으로 분단된 조국의 역사와 전통의 연계에도 힘쓴다는 점, 강요된 '노예의 언어'로 글을 쓰는 자신들의 모순에 꾸준히 고뇌하고 있다는 점, 오늘날 일본문학이 상실한 개인, 가족, 사회, 민족에 대해 명확한 퍼스펙티브를 보여주고 있다는 점 등을 지적한 뒤 재일 한인의 문학은 "통일된 조선 문학의 귀중한 유산으로 평가되는 날이 반드시 온다는 것을 믿고 있다"고 단언하고 있다[8]. 하류우의 이론에 따르면 재일 한인의 문학은 통일을 이룬 한국문학사가 언젠가는 반드시 수용해야 할 문학, 즉 한국문학의 일부일 수밖에 없다는 뜻이 된다. 재일 한인들이 일본에서 사는 것도, 그들이 '노예의 언어'로 글을 쓰는 것도, 그들 자신이 선택한 것이 아니라 제국주의의 강제와 강압의 결과인 만큼 그들에게 책임을 물을 수도 없을 것이고 그들의 문학을 그들의 조국이 외면하는 것도 정당할 수 없다는 생각을 그는 가지고 있는 것이다. 이밖에도 오다기리 히데오(小田切

---

7) 川村湊,「在日朝鮮人文學とは何か」,《季刊 靑丘》9호, 1994 봄, p.27.
8) 針生一郎,「その批判は正當か —金達壽, 金石範の近作をめぐって」,《季刊 三千里》, 1979 겨울, p.77. 특집「재일 조선인 문학」중의 한편.

秀雄)처럼 재일 한인의 문학은 "조선민족의 문학인 동시에 일본문학의 하나"[9]라는 관점도 없는 것은 아니나 대체로 재일 한인의 문학은 일본문학권 속에서 성장하였음에도 불구하고 그 나름의 독자성을 가지고 있는 소수민족의 문학으로 분류되면서 언젠가는 통일조국의 문학에 편입될 것으로 생각하는 하류우 이치로의 견해도 그 위에 얹혀지는 것 같다.

4.

러시아 지역의 한인(고려인) 문학에 대한 러시아 거주 시인인 리진의 견해는 위의 이론과는 상당한 차이가 있다[10]. 물론 동포들이 살고 있는 나라의 형편에 따라, 사용하는 언어와 개인의 생각에 따라 이 문제를 판단하고 설명하는 방식에는 많은 차이가 있을 수밖에 없다. 리진은 매우 단호하게 "우리 민족의 해외 문학은, 적어도 그것을 우리 민족문학의 한 구성 부분, 혹은 한 갈래로 볼 때, 이민 1세, 망명 1세의 문학"이라 단언하고 "해외의 민족문학은 고향 땅에 탯줄을 묻고 이러저러한 이유와 원인으로 멀리 떠나 이역에서 살고 있는 사람들에 의하여 창작"되는 것이라고 거듭 강조한다. 해외에 살고 있는 한국인들의 문학을 한국문학의 범주에서 수용한다고 할 때 그것은 전적으로 1세, 즉 '고향 땅에 탯줄'을 묻은 사람들이 모국어로 창작한 문학에 국한되는 것이지 모국어를 모르는 2세나 3세는 이미 그 영역을 벗어난다는 것이다. 그의 이론대로라면 이민이나 망명이 계속되지 않는 한, 재외 한국인의 문학은 조만간 단절될 것이 틀림없고 재외 한국인이 외국에서 소수민족 집단을 이루고 살면서 그곳에서 문학권을 형성한다 하더라도 2세나 3세에 의해 창작되는 문학은 현지의 것이지 조국의 것은 이미 아니라는 뜻이 된다. 이러한 전망은 문학이야말로 언어 그 자체일 수밖

---

9) 주7)의 p.27에서 재인용.
10) 리진, 「러시아 속의 한국문학과 문학인」, 『세계 속의 한국문학과 문학인』, pp.55~62 참조.

에 없다고 생각하는 리진 개인의 판단에 일차적 연관이 있을 것이다. 그러나 중국, 일본 및 미국 등과 현저하게 다른 러시아 지역의 역사적 문화적 환경과도 무관할 수 없다. 그 어느 지역보다도 가혹한 시련에 고통받아야 했던 러시아 지역의 한인들은 소수민족의 문학집단을 형성하기조차 어려웠던 게 사실이다. 조국과의 문화적 단절은 그 어느 지역보다도 극심하였고 러시아말을 모르고서 그곳에서 살아남기는 불가능했을 것이다. 이 점은 중국이나 미국의 L.A.와 다른 것은 물론 일본보다도 그 정도가 훨씬 심했던 것으로 보인다. 그러므로 특히 러시아의 2세, 3세는 모국어를 폐기한 대신 모어(母語)인 러시아말로 성장하는 게 무엇보다 생존을 위해 긴요한 일이었음이 분명해 보인다.

이러한 조건들을 염두에 두고 러시아의 2세나 3세의 문학은 한민족문학의 범주에 수용할 성질의 문학이 아니라고 주장하는 리진의 논거를 정리해 보기로 하자. 그는 첫째로 김 아나톨리, 한 안드레이, 박 미하일, 허 로만 등 2세 이후의 작가군은 러시아의 수준 높은 문학어로 글을 쓰고 있으나 그들의 작품은 우리말로 옮겨 놓기 불가능한 러시아 문학 그 자체라는 것이다. 둘째, 그들의 작품에도 고려인이 등장하고는 있으나 그들의 외양이나 성(姓)만 고려인의 것이지 실제로는 소련 사람에 불과하다는 것이다. 가령 김 아나톨리의 「옥파밭」의 여주인공이나 캄차트카에 거주하는 임 올라지미르의 「한 줌의 대양」이라는 작품의 여주인공은 모두 한인이지만 그들은 "한인 여자의 형상에 집약된 소련 여자"에 불과하며, "그 여자가 한인이라는 것을 알 수 있는 것은 한인 가운데 그와 같은 성이 있다는 것을 아는 독자뿐"이고 그들에게서 한인의 특성이나 민족성 같은 것을 느낄 수는 없다고 주장한다. 따라서 그런 작품이 한민족문학의 범주에 속할 수 없다는 사실은 자명해진다는 뜻이 된다. 셋째로 "그들은 거의 모두 대러시아 문학의 강력한 전통의 날개 밑에 들어 있"어서 그들의 문학적 성장에 도움을 준 것은 조국이 아니라 러시아며 그런 점에서도 이들의 문학은 러시아에 속한다는 것이다. 리진은 세계관과 실제 생활에서 야기되는 혼혈의 문제,

아이덴티티 문제 등을 언급한 뒤 "카자흐인들이 카자흐말로 말하는 카자흐
스탄에서 2세의 한인이 러시아어로 창작한 작품은 어느 민족 문학작품"인
가를 묻는다. 그는 이 복잡하고도 혼란스러운 일체의 양상에 대해서 가장
간명한 결론을 내리고 있다. "문학에서의 언어는, 다시 말합니다. 단순한 매
개수단이 아닙니다. 그것은 문학작품, 문학 자체입니다. 언어의 예술인 문
학은 바로 언어를, 오늘의 세계에서 오직 민족어의 형식으로만 존재하는
언어를 기본 표징으로 하는 예술입니다."

국문과 영문으로 창작을 계속하고 있는 재미 시인 고원은 재미 한국문학
에 대해 이렇게 설명한다. "미국 국적을 가진 한국문인, 혹은 한국 배경을
가지고 미국에서 태어난 문인이 창작한 문학을 보통 Korean American
Literature라고 부릅니다만 한국어로는 적당한 말이 있을 것 같지 않습니다.
굳이 번역해서 불러본다면 '한국계 미국인 문학'이라고나 할까요."11) 고원
이 논의의 대상으로 삼고 있는 재미문학은 주로 '미국에서 영어로 창작'하
는 작가들에 국한되고 있다. 그러니까 근자에 이민을 갔거나 유학을 갔다
가 눌러앉은 뒤 일년에도 몇 번씩 조국을 왕래하는 문사들 또는 엊그제
L.A.에 도착해서 여전히 국문으로만 창작하는 작가들의 경우는 논외로 하
고 있는 셈이다.

고원은 김난영의 『토담(Clay Walls)』을 소개하면서 이 작품에 대한 세 가
지 관점을 설명한다. 첫째, '한국계 미국인 문학'에 꾸준히 관심을 기울이는
쎔 쏠버그(S.E. Solberg)는 이 작품이 이민 1세에서 2세까지 재미 한국인들
이 체험한 '미국 이민 신화'를 다루었다고 보았다. 둘째, 이 작품의 한국어
판 번역자인 김화자는 소설 전체에 흐르는 의식세계와 정서 및 대화나 문
체에서 상당히 농익은 한국적 체취를 지적한다. 셋째, 저자의 남편 리차드
한이 이 작품이 가진 보편적 가치로 지적한 것은 "인간의 본질적 가치와
내용, 인간의 추구와 희망, 성공과 실패 등 인간이라면 누구나 겪는 삶의

---

11) 고원, 「미국 속의 한국문학과 문학인-미국에서 영어로 창작하는 한국인의
    정체성」, 『세계 속의 한국문학과 문학인』, pp.45~51 참조.

전반적인 면"이라 본다는 것이다. 그리고 고원은 이 세 번째 관점이 "한국계 미국인 문학에서 한국 배경의 정체성을 생각하는 일에 중요한 의미를 가진다"고 했다.

이어서 『본토박이(Native Speaker)』를 발표해서 크게 평가받은 이창래에 대해 이렇게 언급하고 있다. "한국 이름을 고수하면서 창작 도구로서의 영어를 완벽하게 구사하고, 작품의 소재 내지 주제까지도 한국의 것, 또는 한국적인 것을 택하는 그의 모습에서 우리는 한국계 미국인 문학의 정체성 문제에 대한 답의 하나를 보게" 된다는 것이다. 이에 덧붙여 고원 자신의 문학적 체험과 유관한 네 가지 사실들을 소개하고 있다. 첫째는 미국식 이름을 사용하지 않고서도 별 불편없이 문학활동을 할 수 있었다는 것, 둘째, 시의 경우 한국식 영어가 오히려 "독자에게 상상의 공간을 넓혀준다"는 평가를 받기도 했다는 것, 셋째, 작품의 내용에서 한인들의 공동체험이나 공유하고 있는 문제들을 다루기도 한다는 것(아마도 한인동포 사회의 연대감 같은 것을 위해 문학이 기여하고 있다는 식의 얘기인 듯하다), 넷째, '한국적 맛'이 강한 시조를 영어로 쓰거나 영어로 번역한 결과 그 반응이 좋아 1996년 봄부터 『Sijo West』라는 영문시조 계간지가 발간되기 시작했다는 것 등을 소개하고 있다. 주장하려는 논리가 매우 완곡해서 쉽게 파악하기는 힘들다. 요약하자면 재미 한국인 문학은 보편적 가치의 추구와 함께 자기 정체성의 지속적 추구라는 두 개의 영역을 토대로 하고 있다는 뜻으로 이해된다.

5.

위에서 살펴본 바와 같이 지역에 따라, 사람에 따라 재외 한인들의 문학적 성격을 판단하는 태도는 매우 다양하다. 그것을 유형화하면, ①양면론(중국문학이면서 동시에 조선문학이라는 논리, 그러나 이 경우 전자는 문학 외적 구성요건에, 후자는 문학을 형성하는 실질요건에 연관되므로 '중국에서 창작된 조선문학'의 뜻이 강하다. 조성일, 권철의 견해다. 그러나 이와 반대되는 견해, 즉 양면성이 있기는 하나 궁극적으로는 조선문학이 아니라 그들이 살고 있는 나라의 문학이라는 뜻을 갖는 경우도 있을 수 있다), ② 제3문학론(한춘), ③범민족문학론(이회성), ④독자론(川村), ⑤한국문학론(현재는 재일 조선인 문학으로 머물러 있으나 통일 이후 조국의 문학사에 수용될 것이라는 주장. 針生), ⑥양면론(小田切), ⑦일세대 문학론(리진), ⑧한국계 미국인 문학론(고원) 등이다. 이것을 다시 압축하면, ①양면론(①과 ⑥), ②독자론(②와 ④), ③범민족문학론(③⑤ 및 ⑦, ⑦은 제한적 민족문학론으로 파악할 수 있음) 등 세 가지가 된다(⑧번은 이 세 가지 성격을 골고루 지적하고 있으나 양면론에 가까운 것으로 판단됨).

그런데 이러한 유형들을 다른 각도에서 보면, 재외 한인 문학은 궁극적으로 한국문학 또는 한국문학사와 무관한 것이다 라는 견해, 그것은 궁극적으로 한국문학 및 그 문학사가 수용할 대상이다 라는 견해 및 여러 특성이 있으나 두 나라가 공유할 문학이다 라는 세 가지 형태로 바꾸어 생각할 수 있다. 이것을 두 가지로 더 압축하면 '그것은 한국문학이 아니다'와 '그것도 한국문학이다'라는 관점이 된다. 이때 가장 흔하게 논의되는 기준은 그 작품이 어떤 언어로 창작되었는가 하는 언어문제이다. 실제로 우리 문학계에는 속문주의(屬文主義)랄까 언어귀속주의적 원칙을 주장하는 이들이 많은 형편이다.

언어귀속주의의 대표적인 사례로 필자의 「해방 50주년 기념 문학심포지엄」 발표12)에 대해 토론과정에서 제기된 문제들을 꼽을 수 있다. 한 참가자는 토론요지13)를 통해 '언어귀속주의의 원칙'에 따라 각 작품은 '씌어진 언어의 문학으로 보아야할 것'이라는 주장을 대단히 완강한 논조로 주장하고 있다.

---

12) 홍기삼, 「해외의 한국문학」, 대산재단 주최 『한국 현대문학 50년』, 1995. 9. 21. 발표요지 참조.
13) 『한국 현대문학 50년』, 민음사, 1995, pp.586~601 참조.

...... 그러나 문학이 언어예술인 한, 그 작품이 어떤 언어로 쓰여졌느냐 하는 것은 문학의 본질적 조건에 관계된다. 왜냐하면 작가들 누구든 언어를 통해서 한 가족이나 민족의 문화를 습득하고 거기에 동화되며 자신의 내적 세계를 형성하기 때문이다. 문학은 그렇게 형성되고 경험된 세계의 반영이며 그때 경험된 세계와 동일한 질서를 이루는 것이 바로 언어이다. 그러니까 작품 따로 언어 따로 별개의 질서를 이루는 이원적 또는 이항대립적 요소가 문학의 내부세계에 존재하는 것은 아니다.

이것은 그가 인용하고 있는 내 발표문의 일부다. 이처럼 문학과 언어의 본질적 관계를 여러 갈래로 언급한 뒤 나는 재외 한국인 문학의 성격을 규명하기 위해서 ①작가, ②언어, ③내용, ④독자 등 몇 가지 기준을 제시할 수 있으나 재외 한국인 문학의 성격이 매우 복잡하고 예외적이기 때문에 이 경우는 작가의 문제를 가장 중요한 기준으로 삼아야 된다는 요지로 발표했던 것이다. 만약 재외 한국인 문학이 언어에 의해서만 논의되어야 한다면 거의 대부분은 처음부터 논의의 대상조차 되지 못할 것이기 때문이다. 계속해서 나는 '언어귀속주의'의 원칙이 매우 중요하기는 하나 이 경우 "그들이 한국인이라는 엄정한 본질적 조건보다 중요하지 않다. 가장 중요한 조건은 재외 동포들의 본질이 한국인이라는 사실에 있다"고 하고, 재외 동포가 "다른 문화권이나 다른 민족으로 동화되지 않는 한 어쩔 수 없이 한국인이며 동포들"이기 때문에 그들의 문학은 한국문학의 "특수한 영역으로 수용"할 수 있다고 지적했던 것이다. 그러나 그러한 나의 논리는 위에서 문학과 언어의 관계를 설명한 내 논리와 배치된다는 것이다.

그는 "한 나라의 국어가 그 문학의 유일무이한 타당한 근거를 이룬다는 것이 서구의 국민문학사가들의 일반적인 시각"이라 소개하고 "다른 외국어로 된 문학을 국민문학 속에 수용하거나 편입하는 것은 부적합"하다고 주장한다. 이어서 단일어 사용국과 다중어 사용국의 몇 가지 사례를 검토한 뒤 "재외 한국인 문학은 아무래도 '언어귀속주의의 원칙'에 따라 각 작품이 씌어진 언어의 문학으로 보아야 할 것"이라 말한다. 이러한 주장에는 해외 이주의 역사적 불가피성에 대한 사회사적 고려는 제외되어 있을 뿐만 아니라 소수민족의 문화생성에 대한 학문적 관점 같은 것도 아예 배제되어 있다. 한국어로 쓴 것은 한국문학, 일어로 쓴 것은 일본문학이라는 언어귀속주의의 기계적 단순성은 후술하겠지만 그렇게 편리하기만 한 것은 아니다.

그는 또 인도의 샐먼 루시디, 인도 태생의 트리니다드의 나이폴, 나이지리아의 소잉카 등의 경우를 예시하면서 이들은 모국어가 아닌 영어로 창작하고 있는데 "이들의 작품은 영문학이나 미국문학 속에 편입되지 않고 '영어로 된 문학(들) Literatures in English'이라는 특정한 국민문학보다 더 광범한 범주 속에 들어간다"고 주장한다. 요컨대 영어가 모국어가 아닌 작가들이 영어로 글을 쓸 경우 그의 문학은 작가의 출신국가(조국)에 속하지 않고 어디까지나 언어에 의해서만 그 소속이나 범주가 결정된다는 주장이다. 이 역시 후술하겠으나 식민지적 시대와 문화에 대한 언어적 성찰이 수반되지 않은 견해여서 검토가 필요하다.

그는 "한 작가를 그가 사용한 언어에 따라서 그 언어로 된 국민문학에 귀속시키는 예는 서구 문학에는 허다하다"고 말하고 조셉 콘래드, 베케트, 나보코프 등의 사례를 그 증빙으로 삼고 있다(여기서도 개인 이주와 집단 이주, 개인의 활동과 소수민족의 문화적 성향 등은 고려의 대상에서 제외되어 있다. 그리고 논리의 토대는 주로 서구의 문학에 두고 있다). 끝으로 그는 "재외 동포문학은 한국문학과는 별개의 문학이다. 표현의 언어를 달리하는 문학끼리의 '합류'가 가능하다면 언어 외적인 요소들의 합류, 더 정확하게는 교류가 가능할 것이다. 그리고 문학과 문학간의 상호 영향이나 자극, 작가들의 교류 등은 비교문학의 차원에서 논의될 수 있을 것"이라 주장하고 "어떤 경우이든 국민문학의 언어와 민족주의 이데올로기는 분명히 구별되어야 한다"고 끝맺고 있다.

6.

한국문학사의 해묵은 쟁점 중의 하나가 속문주의다. 한국문학은 한글로 창작된 것에 국한되어야 하며 따라서 한문문학은 '조선문학의 범주 안에서 축출'되어야 한다고 주장한 대표적 인물은 춘원이다14). 그러나 전통적 가치와 사대부 문화에 극히 부정적이었던 춘원과 달리 대부분의 국문학자들은 춘원 등의 국문학 범주설정의 원칙을 부정함으로써 한국문학사 기술에서 속문주의 원칙을 폐기한 지는 이미 오래되었다. 임화는 만약 우리 문학사가 "이두문학과 언문문학만을 연결하야 조선문학사를 생각한다면 우리는 약 천년에 긍하야 조선인의 영위한 문학적 작품을 자기의 역사로부터 포기해야 한다. 이 결과 문학사는 거의 중단되다시피 한다"고 전제하고 "문학은 언어 이상의 것, 하나의 정신문화인 점을 생각할 때 한문으로 된 문학은 조선인의 문화사의 일 영역인 문학사 가운데 당연히 좌석을 점령치 않을 수 없다"고 하면서 "한문문학사는 조선의 유학사와는 별개의 것으로 조선문학사의 한 특수영역일 따름이다"라고 주장한 바 있다15). 임화는 속문주의와 관련해서 ①한국문학사는 실질적으로 중단되고 만다는 것, ②문학은 언어 이상의 포괄적인 문화의 산물이기 때문에 언어만 고집할 수 없다는 것, ③ 한문문학은 조선문학의 특수영역이라는 것 등을 강조한 셈이다.

조윤제는 그의 문학사에서 여러 관점을 제시한 뒤 "한국말로 된 한국문학은 한국의 고유문학으로서 이것을 순한국문학이라고 한다면 한문학은 그것이 아닌 한국문학이 되어서, 전기 순한국문학과 합해서 여기에 큰 한국문학이 된다"고 설명한다16). 한글로 창작된 문학을 '순한국문학'이라 한다면 한글문학과 한문문학을 합쳐 '큰 한국문학'이 된다는 것인데 이를 달리 말하면 순한국문학은 '협의의 한국문학', 큰 한국문학은 '광의의 한국문학'

14) 임 화, 「신문학사의 방법」, 『문학의 논리』, 학예사, 1940, p.820에서 재인용.
15) 임 화, 앞의 글 pp.820~821.
16) 조윤제, 『한국문학사』, 탐구당, 1984, pp.4~5.

이 될 수 있을 것이다.

조동일은 "일제의 식민지 통치에 맞서서 민족문학으로서의 국문학을 인식하고 평가하는 단계에 이르러서는 한문학 중심적인 사고방식을 스스로 청산하고, 국문으로 된 것만 국문학이라는 극단론까지 내놓았다. 이렇게 해서 잃은 것도 많다 하겠으나, 국문문학에 정통성을 부여하게 된 전환은 정당한 것으로 평가해야 마땅하다"고 지적한 뒤 "국문문학이 정통임은 재론의 여지가 없이 분명해졌으니, 구비문학이나 한문학을 국문문학과 같은 비중으로까지 다루어도 혼란이 생길 염려가 없다"고 주장한다17).

이처럼 우리문학사의 영역을 설정하는 데 필요한 논의는 계속되어 왔다. 한글로 창작된 문학작품들을 우리문학의 정통적 영역으로 인정하는 데는 논의의 여지가 없으나 언어귀속주의만을 고집하여 문학사의 단절을 초래하거나 우리문학사의 자원을 스스로 축소시키는 것에는 대부분의 문학사가들이 반대하였던 것이다. 속문주의에 대한 반대는 결코 문학에 있어서 언어의 본질적 가치에 대한 부정과 일치되는 것이 아니지만 언어를 절대화함으로써 빚어지는 혼란을 막아보자는 뜻에서 의미가 있다. 위르겐 슈람케는 "현대소설에 있어 언어경계(Sprachgrenze)란 거의 의미하는 바가 없다. 현대소설은 하나의 특정한 국민문학(Nationalliteratur)의 틀 안에서 형성된 것은 아니다"라고 지적한 바가 있다. 이는 속문주의자들이 주장하는 국민문학과 국어와의 관계에 대한 견고한 믿음이 과도하게 맹목적이어서는 사태를 그르칠 수 있다는 것을 지적한 셈이다18). 문학이나 문학사라는 것이 그토록 단순하고도 기계적으로 국민문학의 언어에 의해서만 처리되지 못하는 복합적 구성체라는 것에, 문학연구의 실제문제를 생각하는 사람들은 동의하지 않을 수가 없을 것이다.

가령 우리 문학의 중요한 성과로 꼽히는 박지원의 한문소설들의 경우만하더라도 그것이 한문으로 창작되었다는 이유 때문에 우리문학사에서 제외

---

17) 조동일, 『한국문학통사』, 지식산업사, 1982, p.15.
18) Jürgen Schramke, 『Zur Theorie des modernen Romans』, C.H. Beck München, 1974, S.7.

되어야 한다면 영·정조시대의 실학계 소설을 통해서 확인할 수 있는 자생적 근대성과 시대정신 같은 것은 무엇을 통해 대체논의가 가능할 수 있을 것인가. 그것은 불가능한 일에 속한다. 임화가 '문학은 언어 이상의 것'이라고 주장했을 때 그러한 주장은 문학사가 문학의 언어적 중요성을 경시해도 무방하다는 발언이 아니라 문학사기술이 필연적으로 포괄하는 시대정신과 가치의 수용이 어떤 형태로든 역사기술의 양상을 나타낼 수밖에 없다는 관점의 진술인 것이다. 반대로 박지원 등 한문으로 창작한 영·정조시대 문인들을 옹호하기 위하여 조선조 문인들의 사회 문화적 환경을 들어 무작정 옹호하는 태도에도 문제가 있을 수 있다. 왜냐하면 연암보다 무려 1백년이나 앞서 살았던 서포 김만중의 경우 이미 모국어 창작론의 중요성을 다음과 같이 말한 바 있기 때문이다. "이제 우리 나라 시인이란 것은 자기의 언어를 버려두고 남의 나라 말을 배워서 지어 놓으니 설령 십분 서로 닮았다 하기로서니 이것은 앵무새가 흉내내는 것에 다름없다. 그런데 시골 나무꾼이나 아낙네들이 주고받는 노래를 상스럽다 하나 어느 것이 참된가를 따진다면 샌님들이 소위 시부라 하는 것과 논란할 수 없는 것이다."[19] 이처럼 서포는 조선조의 시인들이 우리의 언어가 아닌 남의 나라 말로 시를 짓고 있는 사실을 지적하면서, 설령 중국의 문자로 시를 써서 중국의 시와 비슷하다 한들, 그것은 독창적 가치를 갖기는 커녕 앵무새처럼 남의 흉내나 내는 모방의 영역에 국한될 수밖에 없다고 비판했던 것이다. 그러한 앵무새식의 모방으로 만들어진 샌님들의 시부(詩賦)는 시골 나무꾼이나 아낙네들의 노래와는 비교할 수도 없이 무가치할 수밖에 없다는 주장이다. 그러니까 연암보다 1백여년 전에도 모국어에 대한 애착과 중요성에 대한 인식은 벌써 상당 수준 유포되어 있었음을 알 수 있다. 우리말로 글을 써야 할 문사가 우리말로 쓰지 않는 경우란 별로 흔한 일은 아니다. 그러나 보다 '중심'의 문학에 편입하기 위하여 자신의 언어를 부정하는 '주변'문학권의 작가들이 역사적으로 존재해 온 것은 사실이다. 그때 발생하는 문제를 비판

---

19) 김만중, 『서포만필』, 문림사, 1959, pp.81~82.

한 것이 서포의 모국어론이라 할 수 있다. 연암의 한문문학만을 국문학사에 포함시키기 위하여 당대의 사회 문화적 정황을 들어 예외적 가치를 인정한다면 그것은 그의 문학이 한문으로 기술되었기 때문에 한국문학사에서 제외되어야 한다고 주장하는 일만큼이나 부당한 판단이 될 수밖에 없을 것이다.

7.

재외 한국인 문학을 한국문학사에서 수용해 보자고 제의한 필자의 생각은 위에서 검토한 바와 같은 이유에 바탕을 둔 것이다. 한국어로 창작된 것은 한국문학이고 한문으로 창작된 것은 중국문학이라는 속문주의의 원칙은 이미 검토된 바와 같이 한국문학사기술에서는 폐기된 지가 오래다. 그것을 폐기했다고 해서 언어문제를 문학사기술에서 원칙의 밖으로 밀어 낸 것은 결코 아니다. 임화처럼 한문문학을 우리문학의 '특수영역'으로 본, 조윤제처럼 '광의의 한국문학'으로 본, 조동일의 지적과 같이 '국문문학이 우리문학사의 정통'이라는 사실을 부정하는 사람은 없을 것이기 때문이다.

재외 한국인 문학은 그것이 한글로 창작되었든 외국어로 쓰여졌든 간에, 그리고 1세의 문학이든 2,3세의 문학이든 일단 그것은 하나의 범주로 묶여진다. 그리고 한국문학사가 한문문학을 특수영역으로 수용한 것과 같이 재외 한국인 문학도 한국문학사의 특수영역으로 수용할 수 있다는 것이 필자의 생각이다. 재외 한국인 문학의 문제는 개인적인 이유 때문에 이민을 떠난 서양제국의 몇 명의 작가 문제와 동일한 것이 아니다. 또한 미국, 호주, 캐나다 같이 이주민들이 새로운 나라를 건설한 경우와도 같지 않다. 19세기부터 시작된 서구 제국주의 열강의 동북아 진출과 동북아 국가들 사이의 갈등관계로 해서 심화된 한인들의 비극적인 해외 이주는 일제강점기에 그 절정을 이루게 된 것이다. 5백만이 넘는 한인들의 해외 이주는 오래 전부터 여러 나라에서 한민족 문학권을 이루어 왔고 그들은 국문을 비롯한 여러 나라의 언어로 강대국 속의 소수민족이 된 자신들의 이야기를 썼다. 이것을 언어귀속주의의 원칙으로만 간단히 처리할 수 있다고는 생각할 수 없다. 이들의 문학이 한국문학의 풍부한 자원으로 평가될 수 있다든가 한국문학의 해외진출이나 세계화에 보탬이 될 수 있다든가 하는 종류의 타산적 관점은 극히 부수적인 문제들이다. 그러나 재외 한국인 문학의 논의에는 여기에 두 가지 관점에 의해서 제약될 필요는 있다. 하나는, 그것을 한국문학의 특수영역으로 인정할 경우 '한국문학권'으로 그 성격을 넓혀 이해하자는 것이다. 한국문학권이란 '정통문학'이나 '특수영역'을 좀 더 넓게 포괄하는 다소 느슨한 개념일 수 있다. 두 번째로, 모든 문학사가 그런 것처럼 문학사기술에 있어서 배제와 선택의 비평적 기준이 동일하게 적용된다는 점이다. 그러니까 한국문학권이라 부르든 범민족문학권이라 부르든 이 범주 안에 드는 작품들은 문학사가나 비평가에 의해 무조건 수용되는 식으로 일괄처리되는 것이 아니라 선택적 논의에 따라 배제될 수도 있고 '정통문학' 못지 않은 비중으로 수용될 수도 있을 것이다. 그리고 선택과 배제의 전 과정에는 텍스트에 대한 세밀한 언어적 접근과 섬세한 비평적 성과가 수반되어야 함은 물론이다. 다만 이러한 문제를 제기하는 것은 우리문학과 어떠한 관계도 없는 문학이니까 비교문학의 관점에서 다루거나 국제교류의 차원에서 교류는 할 수 있어도 한국문학의 범주 안에서 다루는 것은 부당하다고 보는 저 원천봉쇄론 때문이다.

이와 같은 원천봉쇄론의 가혹성 중의 하나는 재외 한국인들이 국어를 사용할 수 있는 권리와 자유를 상실한 채 살아야 했던 역사적 정황마저도 외면해버린다는 점이다. 가령 재일 동포들의 경우 그들은 자신의 조국과 가족과 역사에 대해서, 그리고 그들이 원수의 나라에서 살아갈 수밖에 없었던 사정과 조선인이기 때문에 겪어야 했던 고통에 대해 쓰고자 했을 때 그들이 사용할 수 있는 말은 대체로 모국어가 아닌 '노예의 언어'[20]일 수밖에 없었다. 이주 1세들은 대부분 글을 쓸 여력조차 없었고 2세 이후의 이주민

---

20) 釣生의 말, 앞의 글 참조.

후예들에게 있어 자유롭게 구사할 수 있는 말은 모어(母語)인 일본어였다. 간혹 모국어를 쓸 수 있는 사람들이 있었다 하더라도 일본인 독자들에게 일제의 죄악과 범죄를 고발하는 데 필요한 말은 일본어일 수밖에 없었다. 자신들의 조국에 대해 경멸감을 가진 일본인들에게 조국의 문화와 역사를 가장 효과적으로 알릴 수 있는 언어 역시 일본어였던 것이다. 이러한 언어적 기능을 전유(appropriation)라고 설명한 한 저서를 참고해 보자.

> 전유란 한 언어가 자신의 문화적 경험을 "담보"하는 과정을 의미하거나 혹은 라자 라오의 지적처럼 "모국어가 아닌 타자의 언어로 모국어의 정신을 전달하는 것"을 의미한다. 즉 그것은 상호 이질적인 문화적 경험들을 다양한 방식으로 전달하기 위해서 언어를 하나의 도구로 차용 및 선용하는 방식을 의미한다.21)

정치적 문화적 자율성을 박탈당한 식민지시대의 경험은 재일 한국인들에게 있어서는 이미 종결된 과거의 사안이 아니라 현재까지도 그들의 삶을 지배, 구속하고 있는 정치 문화적 조건이다. 이것은 탈식민지 문화를 추구하는 서울이나 평양의 문제와도 같은 것이 아니다. 그들은 모순에 가득 찬 자신들의 사회 문화적 상황에 대해, 모순 투성이로 일그러진 자신들의 모습에 대해, 고통과 방황에 대해, 자신의 아이덴티티와 조국의 문화에 대해 글을 쓴다. 이때 그들이 일본어로 글을 쓴다는 행위는 "모국어가 아닌 타자의 언어로 모국어의 정신을 전달하는 것"으로 볼 수 있다.

그곳의 대표적 작가 중 한 사람인 김석범은 자신이 일본어로 글을 쓰는 행위에 대해서 다음과 같이 술회한 바 있다. "재일 조선인 문학은 재일 조선인 문학인 것이다. 그런 것에 대해서 장황하게 말할 여유도 없으나 재일 조선인 문학이 '재일'이라는 모순의 특이한 토양에 태어난 하나의 부성(負性, 마이너스적 성질)을 짊어지고 있는 것은 틀림없는 사실이다. 나는 일본

---

21) 빌 애쉬크로프트 외, 이석호 옮김, 『포스트 콜로니얼 문학이론』, 민음사, 1996, p.66.

어로 쓰지 않을 수 없으며, 또 쓰지 않으면 안되는 '재일'이라는 상황에 있기 때문에 쓴다. 재일 조선인이 존재하는 한, 재일 조선인의 일본어 문학은 태어난다. 그것은 인간으로서 존재의 소리이며, 문제는 그 재일 조선인의 문학이 어떠한 성격을 가지고 어떠한 방향을 향해 가는가, 라는 구체적인 것에 있을 것이다".22)

김석범과 같이 '재일'이라는 모순 속에 살고 있는 작가들은 "모국어가 아닌 타자의 언어"로 글을 쓸 수밖에 없는 모순의 글쓰기를 지속해야 한다. 그들이 일본어로 글을 쓰는 것은 개인적 선택에 의한 것도 문화적 취향에 따른 학습의 구성적인 결과도 아니다. 그들은 운명적으로 타자의 언어에 의해 글쓰기를 지속하지 않을 수 없다는 점에서 '전유'의 글쓰기보다도 더 절박한 상황에 처해 있다고 볼 수 있을 것이다.

8.

이와 더불어 생각하고 넘어가야 할 문제는 '영어로 된 문학(들) Literatures in English'에 대한 관점이다. 위의 토론자는 가령 "한국에서 사는 시인이 일어로 시를 쓰고, 한국 작가가 영어로 쓴 소설을 발표했을 때, 그것을 저자가 한국인이기 때문에 한국 작품으로 보고 한국 문단에서 비평적인 분석과 해석을 가하고 한국 시, 한국 소설사 안에서 자리매김을 할 것인가. 그러지는 않을 것이다"라고 주장한 다음 "그렇다고 일어로 쓴 시는 일본문학, 영어로 쓴 시는 영문학"이 되는 것이 아니라 "작품적 가치를 인정받는 것"에 한하여 "일본어 문학"이나 "영어 문학"이 된다는 논리를 전개한다. 그러니까 한국에서 활동하고 있는 한국 작가가 일어나 영어로 글을 썼을 때 그리고 그 가치를 인정받았을 때, 그것은 "일본문학"아닌 "일어 문학", "영문학"아닌 "영어 문학"이 된다는 뜻이다. 이런 논의의 연장선상에

---

22) 金石範, 「民族虛無主義の所産について」, ≪季刊 三千里≫, 1979 겨울, p.87.

서 영어가 모어나 모국어가 아닌 작가들 가령 인도 출신의 샐먼 루시디, 인도 태생의 트리니다드의 나이폴, 나이지리아의 소이잉카, 남아공의 고디머, 서인도의 월커트 등의 작품은 영미문학에 속하는 것이 아니며 "특정한 국민 문학보다 더 광범한 범주", 즉 "영어로 된 문학(들)"이라는 범주에 속한다는 것이다.

먼저 한국 작가가 외국어로 글을 쓰는 경우 한국문학이 아니라 일어 문학, 영어 문학 등이 된다는 주장은 일면 타당한 바가 있다. 일어로 된 문학을 일어 문학이라고 부른다는 논리가 그것이다. 그러나 가령 한국의 A라는 작가가 외국어 작품을 썼을 때 궁극적으로 그것은 누구의 작품이 되는가. 두말할 것도 없이 그것은 A의 작품이 된다. 그러면 A는 어느 나라 문학에 속하는가. 물론 한국문학에 속한다. 그러니까 그것은 외국어로 쓰여진 A의 작품이며 동시에 한국문학 또는 한국문학권에 속한다고 볼 수 있다. 달리 말하면 그 작품은 한 작가의 작품을 해석 또는 분석하는 비평적 행위의 대상이 되고 문예학의 용어를 빌리면 '문제권'의 대상이 된다. (만약 비평가나 문학연구자의 외국어 해석능력을 문제 삼는다면 그것은 개인에 대한 개별적인 논의는 될 수 있어도 일반적인 논의방식에는 해당되지 않는다. 이 점은 특히 착오가 없어야 한다.) 이것은 "작품의 성립, 원천, 창조과정, 작품론과 사조" 등은 물론이지만 "작가에게 관련된 제반문제들은 문예학의 중심을 싸고 도는 하나의 광대한 문제권으로서 파악될 권리가 있는 것이며 또 파악하지 않으면 안되는 것"을 의미한다23). 이처럼 작자에게 관련된 하찮은 전기적 사실조차도 문제권에 포함시키지 않으면 안된다고 보는 것이 문예학의 입장이다. 하물며 한 작가가 국문 아닌 타국의 언어로 글을 썼다고 해서 그 작가의 작품이나 그 작가가 속한 나라의 문학이 아니라고 할 수 있겠는가.

더구나 "영어로 된 문학"의 범주와 성격 문제는 그렇게 간단히 규정될 성질이 못된다. "영어로 된 문학"이라는 말은 물론 부당한 것도, 용례가 없

---

23) 볼프강 카이저, 김윤섭 역, 『언어예술작품론』, 대방출판사, 1982, pp.20~21.

는 것도 아니다. 그러나 문제는 루시디, 나이폴 및 소잉카 등 이른바 영미출신이 아닌 제3세계 출신 작가들의 문학이 영문학이나 미국문학에 편입되지는 않으나 "영어로 된 문학(들)"이라는 "특정한 국민 문학보다 더 광범한 범주 속에 들어간다"는 범주설정 방식에 있다. 문제는 "영어로 된 문학"이라는 것이 아직은 분류와 범주설정을 기다리는 대기상태의 막연한 자료의 덩어리인가 아니면 범주 그 자체로 유효성을 가질 수 있는가, 하는 점이다. 예컨대 논리학에서 말하는 이른바 '종횡의 오류'와 같이 이질적 기준을 적용하여 범주설정의 오류를 저지르지 않고 언어라는 단일기준으로 문학의 범주를 논의하는 경우라면 그런 의미에서 유용성은 적으나 대단히 해이한 범주로서의 의미는 어느 정도 가질 수 있겠다.

　그런데 영어 문학에 대한 근자의 논의에서 주목되는 것은 "영어로 된 문학(들)"이라는 대단히 문제가 많은 이 고약한 범주를 해체하기 위한 노력이 광범위하게 검토되고 있다는 점이다. 영국이라는 식민지 본국을 제외한다면 "아프리카 국가들과 호주, 방글라데시, 캐나다, 카리브해 국가들, 인도, 말레이시아, 말타, 뉴질랜드, 파키스탄, 싱가포르, 남태평양의 섬나라들 그리고 스리랑카 같은 국가들의 문학이 모두 포스트 콜로니얼한 문학의 범주"에 속한다고 보고, 심지어 식민지 본국인 영국의 영어는 English, 포스트 콜로니얼한 문학의 영어는 english로 구분해서 표기하는 사례를 볼 수 있다[24]. 이와 같은 E와 e의 구분은 제국주의자들로부터 식민지 지배를 받은 나라들이 영국이라는 "제국주의 본국이 수행하는 동일화 논리"와의 "차별화를 선언함으로써 자신들의 존재를 주창"하기 위한 것이다. 동일화 논리란 어떤 것인가. 그것은 "제국주의적 교육제도는 '표준' 메트로폴리탄 언어를 규범으로 세워놓고 다른 모든 '변형' 언어들을 불순한 것으로 규정"하는 태도라 할 수 있다. 반대로 차별화란 피식민지 사람들을 통제하기 위해 제국주의적 전략으로 나타났던 영국문학이 '중심문학', '정전문학'으로서 누리는 '특권적 규범'을 부정하고 '중심으로의 수용', '중심의 복제'라는 강요된 글

---

24) 빌 애쉬크로프트 외, 앞의 책, p.13 및 <일러두기> 참조.

쓰기 방식을 거부함으로써 자신의 정체성을 드러내는 태도로 이해할 수 있을 것이다. "영어로 된 문학"을 하나의 의미 있는 범주로 이해할 것이냐, '국민문학'의 상위개념 또는 더 큰 개념으로 인정할 것이냐, 하는 문제는 다음과 같은 김성곤의 글도 참고가 될 것이다.

> 영국인들은 우선 식민지인들을 조종하고 훈련시키기 위해서 교양교육이라는 명목 아래 영문학을 가르치기 시작했다. …(중략)… 그 결과 영문학 텍스트들은 차츰 교양인을 위한 기호와 가치의 척도로 인정받게 되었으며, 드디어는 불후의 명작 또는 영원한 고전으로 군림하게 되었다. 즉 문화정책이라는 미명 아래 영문학과 영문학 연구는 정치권력과 결합하여 식민지문학을 억압하는 한 문화적 헤게모니의 수단이 되어버린 것이다.25)

그는 이어서 영어가 공식어로 뿌리를 내리게 된 식민지 국가에서는 "모든 사람들이 주변문화의 방언으로 밀려난 모국어 대신 중심문화의 언어인 영어로 글을 쓰게 되었다. 그래서 영문학 아닌 영문학이 생겨나게 된 것"이라고 그 배경을 설명한 바 있다. 그렇다면 적어도 "영어로 된 문학"이라는 범주는 어떤 종류의 실제적 구속력도 갖추지 못한 개념이거나 오랫동안 세계 도처에서 야기한 죄업을 심판 받기 위해 문학사의 법정에 회부된 불행한 사건의 이름인지도 모른다. 영어로 창작된 작품은 국민문학보다 더 광범한 범주인 "영어로 된 문학"에 속한다는 주장은 이제 더 이상 그것이 범주의 명칭이 될 수 없다는 사실을 이해할 수 있게 한다. 문학에 대한 분류의 범주논의가 언어라는 유일기준으로만 가능한 것이라면 얼마나 간편하겠는가. 노벨상을 받은 소잉카가 영어로 소설을 썼음에도 불구하고 그를 영국문학이나 미국문학 또는 영어로 된 문학의 작가로 부르지 않고 "나이지리아의 작가 월레 소잉카(Wole Soyinka)"로 분류하는 사례26)에서도 확인되

---

25) 김성곤, 「탈식민주의의 Post-Colonialism 시대의 문학」, 『외국문학』, '92 여름, p.18.
26) 주24)와 같음, p.34 참조, "영어로 된 문학"에 대한 명칭도 여러 가지가 있

는 것처럼 거대한 식민지의 영토로 불러들여 '보편'과 '중심'의 족쇄를 채워 두었던 여러 나라의 작가들을 지금은 그의 조국에 모두 되돌려주기 위해 곳곳에 산재하는 제국주의적 발상을 제거하는 노력을 기울이고 있는 것이다.

영어로 글을 쓰면서도 자기 중심성과 자기 결정성을 강조하는 샐먼 루시디가 "민족주의적 강성 발언을 통해, 혹은 중심과 주변을 양극화하는 유럽과 영국의 형이상학적 토대를 심문하는 급진성을 통해서, '제국의 글쓰기'가 직·간접적으로 제국주의적 '중심'으로 귀향하고 있다고 주장한다"는 지적이나, 코에체, 해리스, 나이폴, 래밍, 화이트, 아체베, 애트우드, 그리고 라이스 같은 작가들은 "포스트 콜로니얼한 시각으로 유럽의 '리얼리티'를 재구성한다는 입장을 가지고 '정전(Canon)'에 해당하는 특수한 저작들을 모두 다시 쓰기 시작했다. 그 다시 쓰기 작업은 단순히 계급적 질서를 전복하는 데 있는 것이 아니라 그 질서가 기초하고 있는 철학적 가설들을 심문하는 데 있다"[27]는 지적 등은 영어로 글을 쓴다고 해서 하나의 동류항으로 묶을 수 없는 사정을 잘 보여주고 있다. 포스트 콜로니얼한 작가들이 추구하는 것은 각 문화간의 차별성을 주장하면서 그것이 식민지 본토의 영문학 안에 묶이기는 커녕 그 차별화된 각 문화들이 '동등한 조건'으로 인정되기를 바라는 것이다.

9.

재외 한국인 문학의 성격을 이해하는 데 보태야 할 관점으로 에스니시티와 원격지 민족주의 같은 것을 생각할 수 있다(특히 "어떤 경우이든 국민문학의 언어와 민족주의 이데올로기는 분명히 구별되어야 한다"는 지적과

는데, terranglia, 코먼웰스 문학, 신 영문학, 제 3세계 문학, 식민문학, 포스트 콜로니얼한 문학 등이 그것이다 (pp.43~45).

27) 주26)과 같음, pp.58~59.

도 연관되는 문제다). 과거 이민을 떠난 개인이나 집단 이주자들은 시간이 지남에 따라 점차 자연스럽게 현지의 문화에 동화되어 자신의 정체성을 상실하는 경우가 적지 않았다. 우리 동포들의 경우도 예외는 아니다. 가령 임진왜란 때 풍신수길이 많은 조선인들을 강제로 끌고 가 "일본 각지에 조선인들의 마을이 형성되어 있었지만 명치까지는 그들의 대부분이 '일본인'이 되어버리고 말았다(예외로 도예가인 심수관씨 등이 있다)."[28]는 사례에서도 볼 수 있는 것처럼 강제 집단이주의 경우조차도 자신들의 출신, 언어, 관습 등을 지키지 못하고 현지의 지배문화에 동화되는 것은 대체로 불가피한 현상이었다.

그러나 교통, 통신, 언론 및 시장의 발전은 산업자본주의의 성장을 촉진하면서 여러 경로를 통한 지구상의 인구이동을(주로 노동력을 가진 사람들과 그의 가족들) 활발하게 하였다. 19세기까지는 이른바 가장 발전한 선진국에서조차도 "대다수의 사람들이 글을 쓰지 못했으며, 조상들이 살던 동네를 벗어나지 못하고 그곳에서 살다가 죽었다"[29]고 베네딕트 앤더슨은 말하면서 19세기 이후 시장이나 국가의 유인에 의하여 수많은 비유럽인들이 한 대륙에서 다른 대륙으로 이동한 사실을 다음과 같이 소개하고 있다. "중국인들은 캘리포니아와 동남아 그리고 호주로, 인도인들은 남아메리카, 아프리카, 동남아 그리고 오세아니아로 대량 이주하였다. 그 뒤를 이어 아르메니아인, 레바논인, 아랍인 그리고 그 밖의 수많은 나라 사람들이 대량으로 이주한다. 현재는 기차, 버스, 비행기 덕분에 이동하는 속도가 더욱 빨라졌다. 캐나다의 한국인, 이탈리아의 필리핀인, 일본의 태국인, 독일의 터키인, 영국의 서인도인, 프랑스의 알제리인…" 이들의 이주는 과거 전쟁포로나 기술 노동력을 가진 패전국의 기술 인력을 중심으로 한 강제 이주, 또는 노예 시장에서 팔려 가는 사람들과 근본적으로 다른 것이다. 이들은 노동현장이

---

28) 原尻英樹, 「在日韓國・朝鮮人―民族境界のダイナミズム」, 『文化人類學』 2, 京都アカデミア, 1985, p.181.
29) 베네딕트 앤더슨, 오문환 역, 「종족주의와 원격지 내셔널리즘」, 《대화》 제2호, 1994 여름, p.80.

나 시장을 중심으로 집단 거주지를 이루게 되면서 자연스럽게 종족화 (ethnicization) 현상을 만들어가기 시작한다. 그 결과 그들은 "형식적으로는 이주한 나라에서 안락한 삶을 누리는 국민이지만 그 나라에는 전혀 애착을 갖지 않고 멀리 떨어져 있는 상상 속의 고향 나라의 정치에 참여(투표가 아닌 선전, 돈, 무기 등의 방법으로)함으로써 자신의 정체성을 찾으려 한다" 고 앤더슨은 지적한 뒤 "아마도 그들을 '원격지 내셔널리스트'라고 부를 수 있을 것"이라 설명한다.

이러한 사실에서 우리가 유의해야 할 문제는 한두 가지가 아니다. 빈궁과 정치적 억압으로부터 벗어나 안락한 삶을 찾아 조국을 떠난 사람들의 이주현상은 위에서도 보아 온 바와 같이 한 두 나라의 문제가 아니라 전세계적인 문제로 점차 확대되어 왔다. 또한 그들은 집단을 이루며 살아가는 동안 그들은 그들이 어려서부터 경험한 제의, 풍습, 종교, 언어 등을 버리는 것이 아니라 공동체적 관습으로 현지에 재현하고 보존하는 본능적 욕망을 나타낸다. 과거 이민초기에는 조국을 떠나 미주의 사탕수수밭으로 이주해 간다는 것은 죽기 전에는 그의 조국 땅을 다시는 밟아보지 못한다는 것을 의미했고 가족과 친지도 그것으로 영영 생이별하는 것을 의미했다. 그러니까 과거의 이주자들은 현지에 살아남기 위해서라도 다시는 되돌아갈 수 없는 조국을 하루 빨리 잊어버리고 현지에 동화되는 것이 중요했다. 그러나 지금은 어떤가. 서울과 L.A.에서는 거의 시차없이 국내의 한글신문과 우리말 TV뉴스를 볼 수 있고 연속극과 가요 프로그램도 물론 지체없이 볼 수 있다. 전화, 전보 등 통신은 말할 것도 없는 데다 이제는 얼굴을 마주보며 화상통화도 가능하게 되었다. 미국에 살면서도 미국인으로 살기보다 한국인으로 살아가기가 쉬운 세상이 된 것이다. 언어, 복식, 각종 통과의례, 문화접촉 등 여러 분야에서 조국의 것을 그대로 받아들일 수 있게 되었다. 이러한 현상은 이들 이주자들이 조국과 단절되면서 현지의 지배문화에 일방적으로 종속, 동화될 수 없다는 것을 의미한다. 앤더슨이 말하는 '원격지 민족주의'란 이주집단이 소수 민족단위를 이루고 살아가면서 자연스럽게 형성한 민족적 성향을 설명한 것으로 풀이할 수 있다. 그렇기 때문에 그들이 만들어 내는 문학에 대해서도 이와 같은 관점을 원근법적으로 적용하지 않을 수 없다고 보는 것이 필자의 생각이다.

그러나 이러한 민족집단(ethnic group)은 이주나 이민에 따른 단순한 민족의 분가는 아니다. 그들은 "국민국가의 틀 속에서 다른 동종의 집단과 상호행위적 상황 아래서 출생과 문화와를 공유하는 사람들의 집단"[30]이다. 그러니까 이들은 다른 국민들이 국가를 이루고 살아가는 남의 나라에 들어가서 소수집단을 이루며 살아가고 있다는 것, 그러나 다른 민족과의 '상호행위적 상황' 아래 놓여 있어서 언제나 자신들의 문화만으로는 살아갈 수 없다는 것, 그럼에도 불구하고 자신들의 출생과 문화를 공유하는 사람들과 함께 집단을 이루고 있기 때문에 아이덴티티라는 심리현상도 공유하고 있다는 것을 유의하게 한다(민족이라는 개념이 정적이라면 '민족집단'이라는 개념은 동적이라 할 수 있다고 설명한 것 역시 민족집단의 상호행위적 상황과 관련된다 하겠다[31]). 이러한 '민족집단'이 나타내기 마련인 그들 자신의 고유한 전통문화라든가, 거기서 드러나는 상징적 행위 또는 인식의 체계를 '에스니시티'라 한다면 '원격지 민족주의적 성향'과 함께 이것은 재외 한국인 문학을 이해하는 매우 중요한 관점을 제공해 줄 것이다. 이 경우 에스니시티란 보편주의로 가장한 강자의 논리에 대응해서 평등주의를 바탕으로 한 약자, 마이너리티의 논리라는 점을 감안한다면 탈식민주의의 중심해체론과 상통하는 바도 이해할 수 있을 것이다.

재외 한국인을 비롯한 집단이주자나 각국의 소수민족들이 처한 이와 같은 상황은 공격적인 성향의 제국주의자, 민족주의자의 이데올로기와 같은 종류의 지배적 이데올로기를 창출해 내는 것이 아니라 자신들의 정체성을 유지할 것인가, 폐기해야 할 것인가 하는 질문과 성찰을 통해서 탄생하는 민족주의적 경향과 관계를 맺게 한다. 자신의 조국이 만들어주는 정적인

---

30) 주28)과 같은 책, 綾部恒雄의 「緖論」, p.14.
31) 주30)과 같은 책, 같은 사람의 「エスニシティの槪念と定義」.

민족문화의 평온한 틀 안에서 살아가는 사람들과는 상당한 대조를 이룰 수밖에 없다. 재외 한국인 문학이 자신의 정체성에 대해 꾸준히 확인하는 방법의 하나로 민족과 조국의 문제에 관심을 기울이는 행위는 너무도 당연한 것이다. 그 경우 민족적 형태를 띠고 나타나는 동적인 반응 중의 하나가 '원격지 민족주의' 같은 것일 수가 있고 문화인류학자나 민속학자들이 관심을 보이는 에스니시티, 즉 소수 민족들이 나타내는 집단에의 귀속의식이나 동류의식 또는 정체성 추구라는 형태로 나타날 수 있다. 이것은 어떤 민족주의 이데올로기에 의해서도 문학은 설명될 수 없다고 생각하는 사람들이나 고전적인 언어의 기능만으로 재외문학이 설명될 수 있다고 믿는 언어주의자들이 쉽게 간여하기 불가능한 민족집단의 생존 영역이라는 절실한 문제에 속한다. 민족주의 이데올로기의 경우도 이와 관련해서는 조심스럽게 판단할 필요가 있다. 가령 "세계의 많은 국민국가들은 그 국가를 구성하는 제민족 집단 중의 지배적인 민족 집단에 의해 대표되고 그 다수 민족 집단의 이데올로기가 밖을 향하여서는 국가를 대표하는 민족주의로 드러나고 있다. 그리고 국가 내에서는 국가의 통합을 지상명령으로 하는 형태로 지배적 그룹에 동화나 복종을 소수민족에게 강요하고 있다. 에스니시티 연구의 거의 모두는 이러한 소수민족의 존재를 적극적으로 밝히고 위치를 부여하는 태도를 가지고 있어서 '독선적'인 민족주의와 출발점을 달리하고 있는 것이다"라고 밝힌 綾部의 지적과 같이 독선적 지배적 민족주의 이데올로기와, 이주민들이 아이덴티티를 추구하면서 방어적으로 형성하는 민족주의에는 너무도 큰 차이가 있는 것이다. 그것은 그들이 살아남기 위한 전략적 지혜인지도 모른다.

이러한 연구 영역들을 포함해서, 민족간의 차별화를 통해 문화의 중심과 주변, 지배와 피지배의 관계를 극복하고 각 문화의 독자적 존엄을 옹호하려는 탈식민지문학의 관점은 본질적으로 민족주의적 관점에 토대를 둘 수밖에 없다.

포스트 콜로니얼한 문학이론이 단순한 반외세나 국수주의적 성향의 민족주의를 초월해 보다 더 포괄적이고도 복합적인 민족주의의 문제, 가령 "망명의식, 소유권 및 상속권 박탈의 문제, 파생과 제휴의 문제, 정체성의 위기, 중심 문학과 주변문학, 소속과 자리 뺏김의 문제, 그리고 지배문화의 불가시적 억압과 임의적인 정체성 부여 문제 등[32]을 다룬다고 할 때 가장 절실하게 해당되는 영역은 재외 한국인 문학과 같은 '민족집단'의 문학일 수밖에 없다. 어떤 경우이든 국민문학의 언어와 민족주의 이데올로기는 분명히 구별되어야 한다"는 이 단호한 주장은 그래서 더욱 이해하기 곤란한 것이다.

10.

재외 한국인 문학 중에서 가장 전형적인 성과라고는 말할 수 없어도 가장 이상적이고도 성공적인 성과 중의 하나는 김용익의 소설들이라고 생각된다. 재외문학이 작가의 전통적인 문화와 현지에서 체험하는 문화 사이의 갈등 속에서 자신의 정체성을 탐색하는 질문의 한 방식으로 태어나는 문학이라면 이회성, 이양지, 이창래 같은 작가의 작품들이야말로 그 전형을 이룬다고 말할 수 있겠다. 그러나 김용익의 경우는 그들의 경우와 달리 그 자신이 이주민이거나 이주민의 아이로 현지에 태어난 것이 아니라 그는 유학생으로 그곳에 살면서 모국어나 현지어를 문학의 언어로 자유롭게 구사할 수 있는 능력을 갖춘 작가다. 그는 미국에서 영어로 발표했던 소설들을 우리말 소설집으로 엮어 내면서 "영어로 쓰기 이전의 본연으로 돌아가 한국말로 재창작한 것을 단행본으로 준비하니 마치 산에서 혼자 오랫동안 노래 부르다가 마을 사람 앞에 처음 서는 것 같다"[33]고 술회한 데서도 확인할

---

32) 주25)와 같은 글, pp.16~17. 인용문 중 '파생(filiation)'과 '제휴(affiliation)'에 대해서는 같은 글 p.19의 주9)번을 참조할 것. 전자는 태어나면서 전자와 갖게 되는 관계, 후자는 후천적으로 주위 상황과 맺게 되는 관계를 의미.

수 있듯 그는 영어로 먼저 썼던 작품을 우리말로 번역한 것이 아니라 우리말로 '재창작'한 사실을 밝히고 있다. 재외작가들은 2개 국어 이상으로 작품을 발표하는 작가의 경우보다 한 가지 언어로만 작품을 발표하는 경우가 대부분이다. 중국의 경우는 대부분이 우리말로 글을 쓰고 있고 일본은 대체로 현지어로, 러시아와 미국은 현지어와 우리말로, 기타 지역에서는 거의 현지어로 작품을 발표하고 있다. 그러나 이들 중에서 모국어와 현지어를 문학의 언어로 사용한 사람들은 극히 적어서 일본의 김사량, 미국의 김용익, 김은국 등 불과 몇 명에 불과하다. 그리고 당연한 결과지만 현지어로 작품을 발표한 사람들에 한하여, 현지의 또는 국제적 평가를 받았다는 사실도 간과할 수 없을 것이다.

데뷔작인 단편 「꽃신(*The Wedding Shoes*)」으로 잘 알려진 김용익은 1920년 경남 충무에서 태어난다. 중앙중학교를 거쳐 일본 청산학원 영문과를 졸업한 뒤 1948년 도미 켄터키대 등에서 공부하고 다시 아이오와대 대학원 소설창작부에서 수학한다. 1957년에서 1964년 사이에 고대와 이대에서 강의하고 다시 도미, 캘리포니아대, 피츠버그대 등에서 소설창작 강의를 맡는다. 1976년 미국 국가 문학지원금을 받고 1981~82년에는 펜실베니아주 문학지원금 심사위원이 된다. 그의 『행복의 계절(*The Happy Days*)』(1976)은 미, 영, 독, 덴마크, 뉴질랜드 등에서 출판되자 1960년도 미국 도서관협회와 ≪뉴욕타임≫의 우수도서로 선정된다. 『푸른 씨앗(*The Blue in the Seed*)』은 서독 1966년 우수 도서로 선정, 덴마크에서는 교과서에 게재되며 이듬해엔 오스트리아 정부 청소년 명예상을 수상한다. 특히 그의 단편 「변천(*The From Below the Bridge*)」과 「막걸리(*The Village Wine*)」는 외국인이 쓴 우수 단편으로 선정되고 「해녀(*The Sea Girl*)」는 미국 중고등학교 영문학 교과서에 게재되었으며 이밖에도 여러 나라에 번역되어 크게 인정받은 바 있다.

김용익은 무엇보다도 우리말과 영어로 글쓰기를 계속한, 몇 안되는 작가

---

33) 김용익, 『꽃신』(소설집, 제1회 해외 한국문학 수상작), 동아일보사, 1984, 서문.

중의 한 사람이라는 점이 주목된다. 그의 영어 문장은 <미국 고등학교 영어 실력 테스트>에 사용될 자료로 <Test Bank>(Chicago Riverside Publishing Company)에 보관되어 있을 정도[34]이지만 우리말을 구사하는 문학적 능력 역시 최상의 것이다. "밤은 낮보다 움직이는 것이 많다. 개 짖는 캄캄한 골짜기에 개똥벌레가 날아다니고 시커먼 벚나무 가지가 바람에 물결친다. 하늘에도 별들이 반짝이고 흰 구름은 달 사이로 달아난다. 달 둘레에는 짙푸른 달무리가 걸려 있다"[35] 라는 자연 묘사라든지, "서리맞은 낙엽과 귀뚜라미 울음 속에 나는 내 생애의 가장 찬란한 순간을 예고해 줄 그의 발소리를 기다렸다. 언덕 위의 반짝이는 별들이 어찌나 가까이 보이던지 연이 닿을 것만 같았다"[36] 라는, 사랑에 빠진 젊은이의 기다리는 마음과 영롱한 별빛을 하나로 묶어내는 심리 묘사와 시적 진술은 놀랍기만 하다. 그는 "늦가을이 오기 전" 또는 "추수가 끝나기 전" 정도로 표현될 만한 대목을 "우리 집 처마 끝에 집을 짓고 사는 시끄러운 참새들이 수수밭으로 날아가기 전"이라고 말한다. 소년의 숙성한 성장을 "내가 울타리 높이만큼 클까 말까 했을 때"라 하고, "5년이 지나갔다"라는 정도의 평범한 사실을 "그 때부터 앵두꽃은 다섯 번이나 지고 둥근 열매를 맺었다"로 표현한다. 또 "가을이 지나갔다"와 "여름이 갔다"는, "가을이 언덕을 넘어 멀리 갔다", "여름이 추억 하나 남기지 않고 지나갔다"라고 쓴다. 그는 산문 속에 시의 정신을 결합시키고 단순한 사건과 인물의 심리를 예리하게 배합한다. 군더더기 없는 간결함, 아름다운 자연에 투영되는 미묘한 심리의 예리한 포착, 작품 전체를 지배하는 시적 정신, 자연과 하나가 되어 살아가는 순결한 동심 등은 이

---

34) 김용익, 단편집 『푸른 씨앗』, 샘터, 1991, p.206 참조. 그는 영어로 쓴 작품을 국내에 소개할 경우 자신이 직접 한글로 써 내고 있다. 그는 단편집 『꽃신』의 <작가 노트>에서 "나는 영어와 한국말로 글쓰는 것을 계속했다" 하고, 또 같은 책 자서(自序)에서 "영어로 쓰기 이전의 본연으로 돌아가 한국말로 재창작한 것을 단행본으로 준비하니 마치 산에서 혼자 오랫동안 노래 부르다가 내려와 마을사람 앞에 처음 서는 것 같다"고 술회한 바 있다.

35) 김용익, 같은 책, p.28. (단편 「푸른 씨앗」 중에서)

36) 김용익, 『꽃신』, 동아일보사, 1983, p.8. (단편 「꽃신」 중에서)

작가의 문학적 특색이 된다.

그의 시적이고도 아름다운 영어 문장은 위에서 본 그의 이력에서 나타나는 것처럼 미국인들조차도 인정하는 대표적 문학문장이 된다. 그러나 그러한 그의 문장은 단지 영어문장을 잘 쓰기 위한 학습의 결과만이 아니라 언어를 생각하는 그의 정신과 깊은 관련이 있어 보인다. 그는 이렇게 말한 적이 있다. "이 「꽃신」얘기는 한국 산간에 있는 백정이 망해 가는 꽃신집 어린 딸에게 적은 돈을 들고 오지만 늘 관대하니 많이 준다. 또 백정들의 눈을 통해서 그 얘기를 다룬다. 내 속으로 이 원한(꽃신)을 내 마음 가운데 <u>내 자신의 한국말의 리듬을 잡으려 하고 또 동시에 모든 것을 구체적 이미지로 표현함으로써 오해받을 찬스를 주지 않으려 애썼다.</u>[37](밑줄…인용자) 이처럼 그는 영어로 글을 쓸 때도 '한국말의 리듬'을 포착하는 일을 결코 잊지 않는다. 토속적인, 그래서 서양인들에게는 매우 낯선 것을 표현할 때는 '구체적 이미지'를 표현해서 오해의 여지를 남기지 않으려 애썼다고 했다. 조국의 언어를 외국의 언어로 표현하기 위한 그의 노력은 재외 한국인 문학의 가장 이상적인 전범을 이룬 것으로 볼 수 있을 것이다. 새미

---

37) 주33)과 같음, <작가 노우트>, p.288.

초벌과 재창조의 실험에 관하여
- 김용익의 경우

김 윤 식*

1. 김용익씨와의 만남

「꽃신」(1956)의 작가 김용익(1920~1995) 씨와 나는 두 번 만났다. 한번은 우연히 그리고 반갑게이고, 다른 한번은 의도적이고 또한 씁쓸하게였다.

첫번째 만남은 1983년. 문예진흥원의 무슨 회의차 들렸더니, 누군가가 소개시켜 주는 것이었다. 재미 작가 김용익 씨라고. 아마도 씨는 무슨 창작집 발간 지원 관계로 거기 들렸던 것이 아니었을까. 뜻대로 되었는지의 여부는 알 수 없었으나, 우리는 제법 긴 시간 동안 이런 저런 말을 나누었다. 택시가 잡히지 않아서였을까. 우리는 그곳을 나와 종로 5가까지 걸었다. 지금도 기억나는 것은 씨의 경상도 사투리. 미국의 모 작가촌에 머물며 창작에 열중하고 있다 했다. 창작 연구비를 받아 생활한다고 했다. 영어로 창작을 하는 이른바 현역인 이 작가에게 나는 이런 저런 궁금증이 발하는데, 매우 친절히도 씨는 별 망설임없이 내 호기심만큼 말해주는 것이었다. 그로부터 얼마 지나지 않아서였다. 어느날 뜻밖에도 씨의 전화를 받았는데 성난 목소리였다. 내가 쓴 씨의 작품평에 대한 불평이었다. 자기의 창작 의도를 제대로 파악하지 못했다는 것. <내가 언제 그런 소리를 했던가. 맘대로

---

* 金允植, 서울대 인문대 교수, 주요 저서로 『한국근대문예비평사연구』, 『북한문학사론』 등이 있음.

지어내어 말하지 말라>는 씨의 목소리를 접하고 그제야 나는 내 경솔함에
생각이 미쳤다. 매우 어리석게도 나는 씨의 창작을 마치 이 나라 작가들의
작품처럼 대하고 논평했던 것. 형식상으로 보면 이 점은 크게 틀리지 않을
지도 모른다. 씨의 작품들이 이 나라 문예지에 이 나라 말로 발표되어 있지
않았겠는가. 그러나 실상 그러한 작품도 알고 보면 영어로 먼저 쓴 것들이
었다. 잘 따져보면 씨의 우리말 소설들은 재창조라 해도 엄밀히 따지면 일
종의 번역물인지도 모를 일. 이 점에 나는 신중해야 했었다. 다음날 여의도
의 씨의 숙소(씨는 친지의 집에 머물고 있었다)로 찾아갔고, 근처 다방에서
이런 저런 문학론을 주고 받았다. 정확히 말하면 내가 경청하는 쪽이었다.
솔직히 말해 씨의 이러한 편협함에 나는 불만이었다. 그것이 씨 특유의 작
가적 외로움과 자부심의 일종임을 당시의 나로서는 잘 이해되지 않았던 까
닭이었다.

「꽃신」(『현대문학』, 1963.8) 「겨울의 사랑」(동, 1964.2) 「종자돈」(『문학춘
추』, 1964.4)을 비롯 「땅꾼」(『한국문학』, 1983.9) 「첫 선거」(『문예중앙』,
1984.가을호) 등이 김용익의 이름으로 발표되었다 함은 무슨 뜻일까. 「땅
꾼」이 발표되었을 때, 어떤 월평(『한국문학』, 1983.10)의 자리에서 나는 대
충 아래와 같은 발언을 한 바 있었다.

「순교자」(1963)의 작가 김은국 씨와 더불어 김용익 씨는 재미작가이다.
원칙적으로 그들의 문학은 한국문학일 수 없다. 영어로 쓴 작품을 우리말
로 옮긴 것이라면 번역문학이 아니겠는가. 반대로 한국어로 쓴 것을 영역
한 것이라면 영문학일 터이다. 그럼에도 유독 김용익 씨의 작품만이 우리
문예지의 창작란에 버젓이 실린 이유는 무엇인가. 숙고해 볼 문제가 아닐
까 라고. 숙고해 보아야 할 그 무엇에 대해서는 내 나름대로 자각적이었지
만, 지금 생각해 보면 그 논의의 밀도랄까 깊이에 대해서 덜 자각적이었다.
일종의 조급성이겠지만, 이 조급성은, 그로부터 많은 세월이 흐른 지금에
있어서도 내겐 여전하며 스스로 답답함을 느껴마지 않는다. 과연 김용익
씨의 <우리말 작품>은 번역문학인가 창작문학인가. 이 경우 <기다·아니

다>를 판별하는 기준도 중요할 터이다. 설사 그 기준을 내가 찾아내지 못한다 할지라도 이 물음 자체는 중요한데, 이 나라 문학사쪽에서도 처음 제기된 과제이지만 작가 김용익 씨에게도 처음인 까닭이다. 이 특이한 물음을 이 나라 문학판에 처음으로 던진 장본인이 바로 김용익 씨였다는 사실은 작가 김용익 씨에게도 운명적이었을 터이지만 이 나라 문학사에서도 운명의 냄새를 풍기고 있었다. 이 중 후자에 무게중심을 둔 것이 내 조급성의 근거를 이루었다.

2. 「초당」과 「압록강……」 섰던 자리들

일찍이 이 나라가 고난 속에 있었던 시절 미국 유수의 출판사에서 강용흘(姜鏞訖 : 1898~1972 그는 <홀>을 <힐>이라 표기했다)의 『초당』(*The Grass Roof*, Chares Scribner's Sons, 1931)이 출간된 바 있었다. 「초당에 일이 없어 거문고를 베고 누워 태평성대를 꿈에 보렸더니……」라는, 유성원의 시조에서 제목을 취한 이 소설이 나왔을 때 당시 문단의 태두 이광수가 썩 흥분된 음성으로 「강용흘 씨의 초당」(『동아일보』, 1921. 12. 10)을 쓴 바 있고, 월간 『삼천리』(1936.8)의 <조선문학의 정의>를 둘러싼 전 문단적인 앙케이트에서도 『초당』이 논의의 초점이 된 바 있었다. 장혁주나 김사량이 일본어로 일본 문단에 데뷔한 사실보다 『초당』의 등장은 훨씬 고무적이었던 것이다.

1903년 송둔지(월산 북쪽 마을)에서 태어난 강용흘은 12살 때까지 서당에서 배웠고, 4년간 일본 유학 후 미션계 학교에 들어가 3·1운동 사건으로 검거된 바 있고, 이듬해 도미, 하바드대학에서 공부했고, 대영백과사전 동양부 집필에 관여했고, 1929년엔 뉴욕 대학의 강사로 있었다. 같은 직장에 있던 유명한 소설가 토마스 울프의 도움으로 『초당』을 간행할 수 있었다(토마스 울프의 단골 책방이 바로 Charles Scribner's Sons사였고, 거기엔 유명한 편집인 M. 퍼킨스가 있었다). 초당은, 강용흘이 도미하기까지 17세 동안의 유년기를 다룬 자전적인 작품. 도입부에서 작가는 이렇게 적었다.

「마침내 내 붓으로 내 생애의 모든 진실이 밝혀지고야 말 것이다. 거긴 성공한 때문이라 해도 아무런 자만도 사랑도 없으려니와 또 실패한 구석이라 하더라도 조금도 숨김이나 가식이 없을 것임을, 그것이 명백한 사실임을 언젠가 미국 법정에서 본 적이 있는 성경을 두고 맹세한다. 나는 내 평생에 한번 달과 꽃을 두고 맹세한 적이 있었다. 그것은 보다 성스럽고 낭만적이며 또한 모험적인 맹세였던 것이다. 그러나 그것은 딴 이야기다. 나는 내 이야기가 서양 독자들에게 아무리 허황하고 진기한 것으로 보인다 할지라도 사실대로 그려나갈 것이다.」(제1장 「무릉도원」)

과연 이 작품 속엔 진기한 것으로 가득차 있다. 조선인이 개고기를 먹는다든가 이런 저런 풍속도가 그러하다. 윤선도의 「오우가」는 물론 이런 저런 시조와 한용운의 「님의 얼굴」, 「타고르의 시 Gardenisto를 읽고」, 「생의 예술」 그리고 기미독립선언서 전문이 들어 있다. 뿐만 아니라 무식한 숙모가 「황조가」를 읊어대기까지 하는 것이었다. 서평에서 이광수가 <서정시>라 한 것은 이와 관련되었을 터이다(졸고, 「한국문학과 세계문학」, 『사상계』, 1970. 3. 참조). 과연 이 작품이 조선인의 풍속이나 생활상 및 삶의 모습을 제대로 전달했는가의 여부는 별로 중요하지 않을지도 모른다. 소설로 씌어졌기에 특히 그러하다. 만일 미국측이 소설로 다루지 않고 한갓 조선 및 동양인의 풍속도로 받아들인다면 그 정확성 여부가 응당 문제될 것이다.

과연 『초당』은 어떤 작품일까. <근대 조선의 혼의 고민의 호소>(이광수)로 읽는 것은 우리쪽의 독법일 뿐 미국측의 독법은 어떠했을까. <오 아메리카의 혼이여!>라는 장으로 끝나는 이 소년의 모험담에서 주목되는 것은 책 날개에 실려 있는 자체 평가 선전문이 아닐 수 없다.

「이 소설은 존경받는 사람들 대부분이 시인과 철인(哲人)인 조선 땅에서 자란 소년의 이야기로 목가적인 모습을 띠고 있으나 일제의 침략으로 말미암아 비극적 드라머로 끝난다. 이 이야기에 등장하는 인물 중 그의 조모 숙부들, 친구들을 볼 때 <허클베리 핀>의 처음 부분과 흡사하다. 뿐만 아니라 소년의 모험성을 다룬 점에서 큰 공감을 자아낸다.」

그들이 『초당』을 미국문학의 전통 속에다 놓고 있었음이 위의 기록에서 잠시 엿볼 수 있다. 『허클베리 핀』의 모험을 저 유명한 호머의 『율리시즈』의 모험에 비견되는 것으로 추켜 세워 빈약한 미국문학 전통을 수립하고자 애써온 미국문학의 처지에 설 때, 비로소 『초당』의 나름대로의 의의가 있었을 터이다.

문학 작품으로 한국이 세계 속에 연결되는 두번째 뚜렷한 작품으로 이미륵(1899~1950)의 『압록강은 흐른다』(*Der Yald Flisst*, 1946)를 들 것이다. 뮌헨의 피퍼 출판사의 전후 첫 출판물. 전혜린(1959)에서 정규화(1982)에 이르는 한국어역이 여러 번 나왔고, 영역(함멜만, 1954)과 최근엔 불역(팔립 피키에사, 1994, 이사벨레 보동 역)까지 나와 있다. 이미륵 연구의 제일인자인 정규화 교수에 따르면 이 소설은 독일 중고등학교 국어 교과서에 실려 있다는 것(범우사판, 머리말).

이 작품 역시 3·1운동에 관여, 경성의전을 중퇴, 압록강을 건너고 중국 땅을 거쳐 마르세이유에 이르고, 마침내 뮌헨에서 동물학을 전공하는 한편 창작 생활에 관여한 작가의 유년기를 다룬 것. 황해도 한 사대부 집 외아들로 태어난 작가는 수암과 놀던 유년기에서 이런 저런 곡절을 거쳐 뮌헨에 정착, 어느 날, 누님으로부터 어머니의 죽음을 알리는 편지에서 끝나 있다. 이 역시 은둔의 나라 한 소년이 세계에 눈뜨는 혼의 모험이라는 점에서 보면 『초당』을 연상시킨다. 특히 시기적으로 그러하다. 그렇지만 이 작품의 분위기는 『초당』의 그 어수선함, 수다스러움, 과장된 몸짓, 그리고 무엇보다 걷잡을 수 없는 시적 범람이 전무함에 누구나 주목할 수 있을 것이다. 피퍼 출판사 쪽으로 보낸 작가의 고백에서도 이 점이 뚜렷하다. 곧, 자기의 이 소설은 소년 시절에 체험한 일들을 소박하게 그려 보인 것이며, 이러한 체험담을 서술함에 장애가 되는 모든 설명과 묘사를 피했다는 것. 동시에 동양인의 <내면 세계>에 적합하지 아니한 세계적인 사건들은 비교적 조심성있게 다루었다는 것.

「있는 그대로를 순수하게 그려냄으로써 한 동양인의 정신 세계를 제시하려고 시도한 것입니다. 이것은 나에게는 아주 친근한 것으로 바로 나 자신의 것입니다.」(1944. 3. 26)

이 편지에서 주목되는 대목이 지방주의라든가 토속주의와 구별되는 바로 <내면 세계>와 <정신 세계>라고 나는 생각한다. 그것은 <교양소설>이라는 특이한 장르를 창출해 낸 독일 고전주의 문학(철학)에 알게 모르게 관여된 것이 아니었겠는가. W. 하수젠 슈탄의 작품평이 이 사실을 증거하고 있어 인상적이다.

「이 책의 초개인적인 문제는 동양과 유럽의 접목에 있다. 그러나 독자적이고 내면적인 사상성은 소설가의 성격을 강조하지 않는 불혹의 동양적 현명함에서 발견할 수 있다. 그의 고상하고도 고결한 문체 속에는 동서양의 접촉을 수행하려는 작가의 은밀하고도 겸손한 태도가 나타나 있다. 이것은 진정한 소설이다. 격렬한 점이 없이 조용히 흐르는 산문이다. 이 사랑스런 책에 내포되어 있는 불변성과 인간적인 것에 대한 균일성은 위안을 준다.」

3. 서양인의 손으로 쓴「순교자」

『초당』이 미국문학의 전통에서 수용되듯,『압록강……』이 독일문학의 바탕 위에서 수용되었음이 이로써 조금 드러났지 않았을까. 그렇다면, 김은국의「순교자」(The Martred)의 등장도 이러한 논법으로 설명될 수 있을까. 이 물음은 단연 내겐 문제적이었다. 어째서 그러했던가. 이 물음에 대해 나는 나름대로의 작은 변명을 해 둘 필요를 느껴마지 않는데, 이는 내가 속한 이른바 전후 세대에 알게 모르게 관여되어 있다.

전후 세대란 무엇인가. 정확히 말해 전후 세대란, 전후 세대의식을 가리킴인 것. 전후 세대의 대변자 이어령은 평론 첫 줄에 이렇게 썼다.「엉겅퀴와 가시나무 그리고 풀무더기가 있는 황료한 지평 위에 우리는 섰다」(「화전민 지역」,『경향신문』, 1957. 1. 11)라고.「그리하여 우리는 화전민이다」라고. 6·25가 가져온 폐허 의식만큼 철저하고도 난감한 것이 따로 있었을까. 모든 것이 가능했고, 동시에 모든 것이 불가능했다. 『현대문학』(1955. 2)지는 창간 다음 호에 외국 특파원의 한국르포를 가감없이 실었다. 「현하 한국을 실제로 보지 않고는 이 나라 민족들이 품은 자기 나라에 대한 실망과 낙담이 어떠한 것인가를 판단할 수는 없을 것이다. 비참의 구렁에 떨어진 이 민족을 앞에 놓고 제 아무리 무정한 자일지라도 자신의 무력함을 탄식하지 않을 수 없으며……」(로우쥬 뱅 에크)라고.

이러한 폐허에서 돋아난 문학, 이른바 화전민 의식이랄까 불의 시련 속에서 탄생한 것이 전후문학이라면, 이 전후 세대에 있어 미국이란 무엇이었을까. 태평양 저쪽의 어떤 나라가 아니라 그 자체가 별 세계의 명칭이었다. 동굴과 다름없는 집에 살며 거지꼴인 5남매들의 한결같은 꿈이 <미국유학가기>임을 전후 세대의 간판 작가 손창섭이 「미해결의 장」(『현대문학』, 1955. 6)에서 절절히 읊어대지 않았던가. 그것은 꿈이되 영영 닿지 않는 환각이었다. 「순교자」(1963)는 이러한 허무의식을 여지없이 비웃듯 태평양 저쪽에서 무지개처럼 솟아올랐다.

전후 세대에 있어 이처럼 놀랍고도 고무적인 것은 많지 않았다. 그 놀라움은 우선 낯섦이기도 했다. <욥과 도스토예프스키와 알베르 카뮈의 위대한 전통을 이어 받은 작품>(『뉴욕 타임스』)이라든가, <거대한 업적이며 오래 남을 작품>이란 평가를 달고 있는 이 소설을 읽기도 전에 가슴 설레지 않는 사람은 많지 않았겠지만, 또한 C. 랭이 찍은 이 함흥산이며 상과대학 중퇴이자 한국 전쟁의 통역장교 출신의 작가 김은국(Richard E. Kim)(1932~)의 사진을 본 사람이라면 한번 더 가슴이 설레마지 않았을 것이다. 영락없는 동양인, 그것도 틀림없는 한국인의 초상이었던 까닭이다.

이 작품을 펼치면, 본문에 이르기 전에 두 개의 비석이 가로 막아선다. 카뮈에의 헌사가 그 하나. 「그의 <이상한 형태의 사랑>에 대한 통찰이 나로 하여금 한국 전선의 참호와 벙커에서의 허무주의를 극복케 해준 알베르 카뮈에게」가 그것. 여기서 말하는 <이상한 형태의 사랑>이란, 페스트 만연한 오랑시에 갇힌 사람들이 페스트와 싸우는 방식을 가리킴인 것. 소설 「페스트」에서 카뮈는 페스트와 싸우는 길은 정직함밖에 없다는 주인공인 의사 류의 행위를 그렇게 표현했었다. 이를 두고 흔히 신없는 시대의 성자 (聖者) 또는 무신론적 성자 개념으로서의 새로운 휴머니즘이라 불렀던 것. 세계문학사에서 보면 이러한 모랄관은 저 도스토예프스키의 <대지의 사상> 에 이어지는 것.

다른 하나는, 횔덜린의 「엠페도클레스의 죽음」에서 따온 다음 구절. 그러니까 카뮈의 평론집 『반항인』 서두에서 인용한 것. 「그리고 나는 이 괴로워하는 장중한 대지에게 숨김없이 내 마음을 바쳤다. 그리고 때로 거룩한 밤에 나는 대지를 향하여, 죽음에 이르기까지, 두려움 없이, 성실하게 대지와 그의 숙명의 무거운 짐을 함께 사랑해 주마고 약속했다. 그리고 또 그의 어떤 풀 수 없는 수수께끼도 멸시하지 않으마고 다짐했다. 이리하여 나는 죽음에 이르기까지의 유대로써 대지에 연결되었던 것이다.」(곽광수 역) 이는 대지(die Erde)의 사상이 집단의식(민족의식)으로 확대된 것으로 한층 뚜렷이 드러난 구절. 카뮈도 횔덜린도 기독교인이 아니었다. 그럼에도 그들은 기독교적인 이념에 내속(內屬)되지 않으면 안 되었을 터이다. 기독교도가 아니면서도 기독교적일 수밖에 없는 것, 이 기묘한 역설이 <이상한 형태의 사랑>이 아니었을까. 녹슬고 낡고 교조화된 기독교를 비판하고 되살리고 생기있게 하기 위한 방편으로 제시된 것이 <이상한 형태의 사랑>이 아니었을까. 도스토예프스키로 대표되는 대지의 사상, 그 연장선상에 카뮈가 놓여 있지 않았을까. 6·25 발발 직전 평양 당국은 목사 14명을 체포, 신을 부정하라고 강요하였다. 심한 고문에 그들은 미쳐버리거나 신을 저주하는 지경에 이르렀으나 오직 한 사람만이 끝까지 버티었다. 신목사가 그다. 평양 당국은 미친 한목사와 이 신목사만을 석방, 나머지는 사살해 버렸다. 문제는 이 신목사에게 있었다. 정작 신목사는 신을 믿지 않았던 까닭. 목사가 되었을 때 물론 그는 신을 믿었을 것이다. 그러다 어떤 이유에서 신을 믿을 수 없게 되었고, 체포되었을 때도 그러하였다. 그럼에도 그는 끝까지 신을 증언하고 있었던 것. 누가 과연 순교자일까. 신없는 성자의 문제점은 무엇일까. 신을 전제로 한 성자관에다 던진 카뮈, 도스토예프스키의 사상은 그러니까 문학을 초월하는 것. 서양 사상의 거대한 기둥의 하나에 대한 비판이 아니었을까. 비기독교도인 릴케의 대지의 사상도 이와 유사한 것이 아니었을까.

「순교자」에서 제일 내가 알기 어려운 점은 신목사의 배교(背敎)의 동기였다.

> 「나는 그의 입에서 대답이 나오길 기다렸다. 그러나 신목사의 답변은 내가 전혀 예기치 못했던 것이었다.
> <신의 개입 때문이었소.>
> 나는 침묵했다.
> <당신은 신을 믿지 않는 사람이죠?>
> 신목사가 시선을 떨구며 말했다.
> <그렇습니다.>
> <……>
> <그럼 운이 좋았다고나 해둡시다.>
> 목사는 체념조로 말했다.」(도정일 역)

신을 믿지 않는 신목사가 아니겠는가. 작품 「순교자」는 신을 믿지 않게 된 신목사가 6·25를 겪으면서 신을 다시 믿게 되는 얘기로 요약된다. 궁금한 것은 어째서 신목사가 신을 믿지 않게 되었던가에 관한 점. 작중 화자인 정보부 이 대위가 그토록 알고 싶은 것도 이 점이 아니었을까. 신목사가 제일 괴로워 한 것도 바로 이 대목. 「순교자」에서 제일 난해한 장면도 여기가 아니겠는가.

> 「그의 눈에는 다시 그 무서운 고뇌의 빛이 서렸다. 나는 그러한 고뇌를 일찍이 본 일이 없었다. 그는 얘기하기 시작했다. <난 느지막이 결혼을 했었지요. 그러나 첫 아이—아들이었죠. 그 첫 아이와 어미를 같은 해에 장사지냈소. 아내는 애가 죽은 지 몇 주일 안 가 숨을 거두었지. 병이 났던 거요. 그녀는 애를 잃어버린 것이 자기 잘못

이요, 자기 죄 때문이라 생각하고는 온종일 기도하고 단식했소. 나도 슬프기야 했지만 살아가야 할 생활이 있었고 그래서 난 아내의 신에 대한 그 노예적인 헌신과 기도가 맘에 들지 않았었소. 그래서 난 아내에게 말해주었던 거요. 우리가 죽어 이 세상을 떠나면 다시 만나는 게 아니다. 우리 아이들도 다시 만날 수가 없고 저승이란 존재하지도 않는다고 말이요.……> 신목사는 거기까지 얘기한 뒤 고통 속의 영혼처럼 신음소리를 냈다.」(제32장)

약한 인간(아내)에겐 천국에의 약속(희망)이 필요했던 것. 설사 거짓이라도 그런 약속이 필요하다는 것.

사실 여부를 떠나, 그런 약속이 필요하다고 신목사가 깨닫게 되지만, 그렇다면 여전히 신목사는 <진실>을 덮어두고 있는 것이 아닐까. 고통받는 약한 인간이나 민족에겐 환각(거짓)이긴 하나 구원의 약속(환각)이 필요하다면 <진실>이란 무엇인가. 또 어디 있는가.

이 대단한 물음에 시종일관 고문당하고 있는 인물이 바로 이 대위이긴 하나 작가는 끝내 이 물음을 덮어둔 채, 신목사를 신격화함으로써 이 소설을 끝내고 있다. 피난민 수용소에서 떠도는 소문이 그것. 피난을 거부한 신목사는 어떻게 되었을까. 평양에 그대로 있음을 목격했다는 사람도 있었고, 만주 국경의 소읍, 서해안 모처 또는 동해안 어느 어촌에서 보았다는 증인도 있지 않겠는가. 심지어 평양서 공개 처형되었다는 소문도 있을 지경. 이 모두는 결국 무엇인가. <성령의 동시적 발현 현상>이 아니었겠는가. 기독교 신자도 아닌 이 대위의 마음이 가벼워지는 이유도 이에 관여된 것이 아닐까. <진실> 여부보다도 희망, 약속, 구원이 앞선다는 것, 곧 <이상한 사랑> 그것이 먼저라는 인식 때문이 아니었을까.

「순교자」는 그렇다면 어느 나라 문학권의 전통에 이어지는 것일까. 노벨상 수상자 독일작가 H. 뵐(1972)은 「순교자」를 두고 이렇게 평가한 바 있다. 「이 소설이 다룬 기독교는 발가벗고 장식이 없다」라고. 녹슬지 않은 기독교라는 것. 유럽 문화의 매력인 속임수가 아니라는 것. 사람이 걸어다니고 식물과 장식용 악세서리를 다듬을 수 있는 옥토가 유럽이라면, 여기는 박토의 기독교라는 것. 뷜의 견해를 좀 더 분명히 한다면 「순교자」는 유럽 문학의 전통에 접했다는 것으로 될 것이다. 박토에서 돋아난 기독교 문학이긴 하나 적어도 기독교 문학권에 이어진다는 것. 그렇다면 이러한 서구적 보편성에 이르게 된 계기란 무엇일까. 물을 것도 없이 그것은 6·25이다. 뷜의 「김은국론」에서 인상적인 것은 평양을 탈환한 한국 정보부의 장 대령이 순교자들 처리 문제를 잘 다루도록 이 대위에게 말하는 다음과 같은 대목이다.

「나는 기독교도들과 언짢게 지낸다는 인상을 보여주고 싶지 않아요. 오늘날 이 나라에서 기독교도의 영향은 대단히 커요. 오늘날 모두 그리스도교도가 되려고 해요. 큰 유행입니다. 장자리에서 시작, 장관 장군 대령은 물론 아래로 사병에 이르기까지 모두 그리스도교도가 되려고 한단 말이오. 군에도 교회가 있어야 하는 거요. 그래야 미국 고문관 마음에 드는 거요」 (『문학사상』, 1972. 12. 재인용).

6·25와 기독교를 매개로 함으로써 「순교자」가 세계문학 속에 나름대로의 의미를 획득했다는 점에서 보면, 「순교자」와 『초당』 및 『압록강……』의 변별점이 뚜렷해질 터이다. 한갓 아오아 대학의 창작과 석사논문에 지나지 않는 「순교자」의 세계적 성공은 미국이 주도적으로 관여하여 치루어 낸 6·25전쟁과 분리되지 않는다. 적어도 미국을 포함한 서구문학 독자는, 한국전쟁 참전 장교인 토착민의 손으로 씌어진 <자기들의 얘기>를 「순교자」를 통해 읽고 있지 않았을까. 이런 상황에서 벗어난 작품 가령 군사혁명을 다룬 「심판자」(1968)나 일제 시대를 다룬 「빼앗긴 이름」(1970) 등에 대해 그들이 냉담했던 것도 이로써 조금 설명될 수 없을까. 욥과 도스토예프스키와 카뮈에 이어져야 그들은 안심할 수 있었는지도 모를 일. 그들은 동양의 한 은자의 나라 토착민으로 변장하여 자기의 재능을 스스로 기리고 있지 않았을까.

4. 「꽃신」과 한국 전쟁

『초당』도『압록강도……』도「순교자」도 각각 저마다의 특성, 명분, 그리고 그 존재 의의가 뚜렷하였다면, 김용익씨 출세작「꽃신」은 어떠할까. 이 작품이 발표된 것은 1956년이다. 씨의 주장에 따르면,『하피스 바자』(Harper's Bazaar)지에 발표되고, 이어『런던 바자』에도 전재되었으며, 아이노아 발레단은 이를 토대로 하여 춤을 만들었으며 1983년 현재 세계적으로 14번쯤 팔렸다는 것. 소년 장편소설『행복의 계절』(The Happy Days)은 60년도 미국 도서협회 우수 젊은이 도서로 선정되었고, 해녀를 다룬 장편『뒤웅박』도 썼고, 인종 문제를 다룬 장편『푸른 씨앗』은 덴마크의 교과서 및 미국 교육TV에도 방송되었다는 것(「최일남이 만난 사람—재미작가 김용익씨 편」,『신동아』, 1983. 9). 이러한 씨 자신의 간략한 자기 묘사에서 드러나듯 씨의 자랑스러움의 근거가 주로 교육에 관련되었음이 드러난다. 이 경우 교육이란 순결성의 다른 표현이다. 순결성 또는 정결성의 근거란 또 어떤 것일까.「꽃신」속에 그 해답이 깃들여 있을 것이라고 나는 생각한다. 교육적이라든가 순결성이란 다시 따지고 보면 미국적이자 인류(세계)적이라고 나는 생각한다.

먼저 나는 씨의 작품이 미국에서 발표되었음에 주목한다. 우리 식으로 말하면 미국 문단에 데뷔한 것이 아니겠는가. 다른 것은 잘 알기 어려우나 내가 읽어본 씨의 작품의 대부분은 <전쟁>에 알게 모르게 관여되어 있었다. 전쟁이란 물을 것도 없이 6·25이다. 우리가 6·25동란이라 쓰고 세계사에선 <한국 전쟁>이라 통칭하는 이 기묘한 전쟁은 미소 양극 체제가 낳은 전형적 산물이며, 그 주역의 한쪽이 미국이었다. 이 점에서「꽃신」의 작가의 미국 수용도「순교자」의 그것과 바퀴를 같이 한다. 씨의 작품들이「꽃신」을 비롯, 6·25를 배경으로 했음을 보이면 다음과 같다.

(A)「전쟁이 부산에 번져왔을 때까지 나는 꽃신 뒤축을 쫓는 것을

단념할 수 없었다. 부모는 끝까지 집에서 피신하여 내 곁에
와 살고 있었다. 쏟아지는 피난민, 다들 집 문을 닫았으니 […
…] 밀려오는 전쟁통에 농민들은 백정에게 개 값으로 소를 팔
았다.(「꽃신」)

(A ′) 「그애는 죽었다. 그애는 지난 여름 폭격에 죽었다.(「꽃신」)

(B) 「부산항구에는 생선과 색시들이 가득 차 있다. 그럼, 전쟁이 나
   고부터 더 많은 처녀들이 몰려왔지.(「겨울의 사랑」)

(B ′) 「학생복을 입은 소년이 미군 보급창고가 있는…….(「겨울의
   사랑」)

(C) 「미국 가려 했지만 미 대사관이 그런 여잘 보내주나요? 서울
   명동 일류 빠아 <텍사스>에 그 여자가…….(「주역과 T.S. 엘
   리어트」)

(D) 「전쟁이 끝난 지도 오랜데 내 예술가의 손에…….(「밤배」)

(D ′) 「이 거랭이같은 자식이 지가 미국서 왔다고 그래?.(「밤배」)

(E) 「그 난리통에 황소를 안 잃고 숨거둔 게 얼마나…….(「종자돈」)

(F) 「미 군정에서 불하받은 적산 배가 모터를 걸고…….(「첫 선거」)

이처럼 6·25 및 미군과 관련된 배경 아래 씨의 여러 작품이 구성되어
있다. 적어도 씨의 초기 작품에 있어서는 이 사실이 두드러진다. 씨의 독자
들이 일차적으로 미국인이고 보면 자연스러운 접근 방법이라 할 것이다.
그렇다면 「순교자」의 작가의 접근 방식과 다른 점은 무엇인가. 6·25와의
관련에서는 양자가 같다 해도 결정적인 차이점이 있는데, 「순교자」에 중심
과제로 바위처럼 놓여 있는 기독교가 여기에서는 없다는 점. 기독교라는
거대한 보물도 없이 무슨 힘이 김용익씨의 작품을 기독교도 중심의 미국
인의 가슴을 울리게 할 수 있었을까. 순결성 또는 정결성이 그 열쇠라고 나
는 생각한다. 데뷔작 「꽃신」(The Wedding Shoes)이 씨의 작가적 출발의 운
명을 가른 것으로 본다면 더욱 그러한 생각을 물리치기 어렵다.

「늦가을 채소 장수와 외롭고 미신을 좇는 얼굴을 하며 중얼거리
는 점장이 사이에 앉은 신 장수. 시장에 햅쌀을 찾아다니던 그 날
나는 이 노인을 보고 가까이 다가갔다. 내가 부산에 오기 전, 우리
집 울타리 뒤에 살던 신집(靴店) 사람이라 알았을 때 걸음은 멈춰졌

다. 전쟁을 피해 꽃신을 메고 온 그의 모습이 눈에 선하다.」

일곱 마을 중 제일가는 꽃신장이에겐 외동딸이 있었다. 그 이웃에 백정집이 있었고 그집엔 외아들이 있었다. 이름은 상도. 상도의 일인칭 시점으로 씌어진 「꽃신」의 줄거리는 실로 단순하다. 상도가 청혼했으나 꽃신장이로부터 여지없이 거절당했다는 것. 전쟁이 나자 꽃신장이는 몰락했고, 저자거리에 내놓은 꽃신이 잘 팔리지 않았다는 것. 드디어 꽃신장이는 마지막 두 켤레만은 궁핍 속에서도 끝내 팔지 않고 남겨 놓은 채 죽었다는 것. 부인이 그 마지막 두 켤레를 마저 팔기 위해 저자에 나 앉았다는 것. 그것이 흥정되기 전 상도가 달려가 샀다는 것.

두 가지 점이 쉽사리 지적된다. 하나는, 표층적인 것으로 꽃신장이와 백정의 처지가 전쟁으로 말미암아 역전되었다는 것. 꽃신장이나 백정을 계층상에서 따진다면 조선조의 관습에서 볼 때 천민이기는 마찬가지. 그렇지만 평화시에는 전자에 사람들이 많이 모아들고, 후자는 홀대받는다. 전쟁은 이 관계를 여지없이 역전시켰다. 다른 하나는 꽃신장이와 백정의 관계란 운명적 관계에 놓여 있다는 것. 꽃신의 재료란 다름 아닌 쇠가죽인 까닭이다. 이 운명적 본질적 관계를 파멸시킨 것이 바로 전쟁이기에 전쟁은 이중적으로 작용하고 있다는 것. 이 경우 전쟁이란 <한국 전쟁>이자 <전쟁 일반>이어서 또한 이중적이다. 특정한 전쟁이자 전쟁 일반이 지닌 비극이 거기 있었다.

물을 것도 없이 「꽃신」의 작가가 드러내고자 한 참주제는 따로 있었는데, 그 역시 이중적이다. 하나는 <꽃신>이 지닌 의미. 여기서 말하는 꽃신이란 혼례용의 신발을 가리킴인 것. 소중한 행사의 하나이기에 기쁨 그것의 대명사이기도 하다. 인간 기쁨의 예식에서 으뜸에 해당되는 장신구가 꽃신이었다 함은 무엇을 가리킴일까. 꽃신이 지닌 아름다움이란 그 자체가 최고의 미의식을 가리킴이 아닐 수 없다. 꽃신장이란, 백정과는 달리, 또는 그 어느 장인과도 달리 혼례식의 미의식을 창조하는 예술가라 하지 않을 수 없다. 단순한 장인에서 예술가로서의 자의식 획득이야말로 꽃신장이의 자존심의 근거였다. 꽃신장이의 이 자존심이란, 물을 것도 없이, 인간이 갖추어야 될 위엄 그것이 아닐 수 없다. 꽃신장이의 죽음도 이 사실에 알게 모르게 관련된 것이었다.

「꽃신」의 작가가 이 작품에서 주춧돌로 박아 놓은 것이 <장인=예술가>의 도식이며, 나아가 <예술가=최고의 인간의 위엄스러움의 구현자>였다. 이 주춧돌은 비단 「꽃신」에 멈추지 않고 씨의 전 작품에 어김없이 박혀 있음이 확인된다. 가령 미국서 화가로 성공하여 귀국한 주인공이 도지사로 출세한 형보다 월등히 우위에 서 있음을 늙은 아비로부터 확인받는 「밤배」의 주인공 상만이도 그러하였고, 마을에서 유일하게 대학을 나왔으나 피리 한 자루 달랑 갖고 귀향하여 아비로부터 조롱당하는 「첫 선거」의 주인공도 그러하였고, 피아니스트가 꿈이었으나 결국 그 꿈을 정년이 된 뒤에야 이루어보고자 꿈꾸는 「주역과 T. S. 엘리어트」의 신선생도 그러하였으며, 무식한 소작인의 11살 짜리 막내딸이 지주집 아들을 물리치고 붓글씨 시합에서 우승, 뭇 사람의 부러움 속에 동네 유지 약방 주인의 후계자로 뽑히는 「아시땅」에서도 이 주춧돌이 여실하다. 화가, 음악가로 표상되는 주인공을 등장시키고 그들이 주변에서 홀대받거나 오해받지만 결국 그 진가가 어둠 속에서도 드러난다는 것을 암시함으로써 이 작가의 글쓰기의 궁극적인 근거를 마련해 놓고 있었음이 이로써 조금 밝혀진 셈이다. 요컨대 김용익씨의 작가적 출발점과 그 지속성의 근거는 예술가되기에 있었다. 인간 가치의 최고의 수준에다 스스로를 올려 놓았던 것. 이 점은 모든 예술가의 공통된 운명이어서 굳이 씨만의 특징이라 할 수는 없다.

5. 「꽃신」에서 「땅꾼」까지

「꽃신」의 작가만의 특이성(독창성)이란 무엇인가. 「꽃신」속에 그 해답이 고스란히 잠겨 있다고 나는 생각한다. 여기서 내가 <고스란히>라 한 것은 <알맞게> 또는 <순박하게>로 바꿀 수 있는 그러한 표현이다. 혼례식이라는 인류의 가장 소박하고도 기본적인 제의(ritual)가 지닌 지방주의도 그것이다. 신부, 신랑, 그리고 중매쟁이까지 꽃신 3켤레로 한 세트를 이루는 이러한 풍습은 한갓 지방색에 지나지 않는 것. 그럼에도 이 지방주의는 보편성의 빛을 발하고 있다. 정결성 혹은 순수성이 그 주변을 에워싸고 있음에서 비로소 달성되는 이 보편성의 빛이란 무엇인가. 그것을 미의식이라 부르면 어떠할까. 개인과 민족(집단)의 매개항으로 설정된 것이 낭만적 미의식이듯, 지방주의와 인류를 잇는 매개항도 이러한 미의식의 일종이 아닐까. 미의식이기에 거기에는 절도가 제일 중요한 기준이 될 것이다. 가난한 꽃신장이가 딸을 턱이 둘 있는 기와집의 부엌아이로 보냈을 때 소년 상도의 내면 묘사도 그러한 기준의 하나일 것이다.

> 「학교에서 집으로 오는 길에 나는 기와집 옆을 지나가지만 안에 들어가지는 못했다. 나는 울타리하고 집 사이에 난 틈에서 발돋음을 하고 목을 뽑아 한번만이라도 그녀가 마당에 나올 것을 기다렸다. 특히 비라도 심하게 온 다음이면 겨우 꽃신만이 치마 밑에 보인다. 왔다갔다 하는 꽃신은 공중에 춤추는 것 같아 얼마나 아름다웠나! 나는 기와집에서 내 꽃신을 빼앗아갔다고 생각했다.」(「꽃신」)

「꽃신」이 센티멘탈리즘에 떨어지지 않는 것은 이 절제력 때문이다. 전쟁이 이 꽃신집의 비극을 가져온 직접적인 동기이지만, 그 전쟁을 아주 먼 전설처럼 배경에다 깔아 놓았기에서 이러한 절제력이 가능했다.

지방주의가 미의식으로 성립되는 조건이 이러한 절제성이라면 다시 말해 순진성이랄까 정결성이 지방주의의 속성으로서 또 그것이 미의식으로 작동하기 위해서는 절제성이 필수항이지만 만일 그 절제성이 파탄된다면 어떻게 될까. 작가 김용익씨가 어차피 부딪혀야 할 과제가 이것이었고, 또 이 과제에서의 씨의 시련도 능히 예견되는 것이 아니었을까. 이 예견에 대한 초조감이 씨의 성급한 한국 문단에의 개입의 근거를 이룬 것이 아니었을까.

그러한 징후의 작품으로 「겨울의 사랑」을 들 수 있겠다. 몽치라는 이름의한 시골 청년이 있었다. 불행히도 그는 언챙이. 아비가 주선해준 동네 처녀를 호박같다는 이유로 거부하고 피난지 부산으로 가서 다방 레지를 짝사랑한다. 언챙이임을 감추기 위해 마스크를 한 사랑이 끝장난 것은 그녀의 죽음과 동시에 마스크를 벗어야 하는 봄의 도래때문이었다. 누가 보아도 이 작품은 속임수에 가깝다. 아무리 촌구석 청년이라도 마스크를 벗지 않고 여인과 수작하는 짓이란, 그리고 미군부대 침입 사건이란 유치하기 때문이다. 지방색이 이 경우 그 순수성의 지나친 강조 때문에 미의식이 파탄 직전에까지 이른 것이었다. 다만 이 경우 6 · 25가 큰 얼굴로 그 지방주의를 어느 수준에서 견제하고 있었는데, 이는 문학 외적인 배경의 힘일 따름이다.

「종자돈」과 「동지날 찾아온 사람」의 경우에 오면 작가의 이에 대한 자각

증세가 뚜렷해짐을 쉽사리 알아차릴 수 있다. 6 · 25와는 별로 관련없는 자리에서 지방주의를 실험하기가 그것. 과부인 해녀집 아들인 바우라는 소년의 집에 암소가 있고 힘센 숫소를 가진 농부집엔 바우 또래의 소녀 송화가 있다. 어른들 몰래 둘이서, 이런 저런 곡절 끝에 비오는 어느 날 바닷가에서 소 홀레를 붙이기까지를 다룬 「종자돈」이 이효석의 단편 「돈」(1933)과 다른 것은 주인공이 어디까지나 어린이라는 점, 곧 순결성에서 말미암는다. 한편 「동지날에 찾아온 사람」의 경우는, 배경이 30년대 우리

나라로 되어 있음이 특징적이다. 처자를 버리고 만주 등지를 방랑하던 사내가 우연히도 귀가한 날이 바로 아들의 혼례날이었다는 것. 갑자기 아비

노릇하기에 나아갈 수밖에 없었는데, 이를 수용함이 인간의 도리라는 것이 주제로 되어 있다. 순박함이 깃들여 있긴 하나, 어른의 세계이기에 스스로 한계점이 주어져 작품의 밀도가 떨어지게 마련.

「아시땅」「땅꾼」으로 오면 사정이 좀 더 분명해지기 시작한다. 「아시땅」은 春日大吉(*Spring Day Great Fortune*)이란 한자를 내세운 제목으로, 미국의 계간지 『스와니 리뷰』(The Sewanee Review, 1978, 가을호. 고료 200불)에 발표된 것. 6·25를 배경으로 했든 아니든 씨의 대부분의 작품이 씨의 기억 속에 자리잡고 있는 1930년대의 한국적 지방색으로 물들어 있고 또 그것은 씨의 특권이자 한계이기도 하지만, 「아씨땅」에서만큼 씨의 지방주의가 선명히 드러난 작품도 드물다.

바다가 보이는 작은 마을, 술꾼 아비와 철부지 11살 짜리 딸(원작에는 수Soo, 한국판에는 보비)이 살고 있었다. 아비의 소원은 죽은 뒤 바다가 보이는 높직한 <술자리>라 불리는 자기 땅에 묻히기였다. <아씨땅>이란 경상도 사투리로 <최초의 땅>이란 뜻이었다.

> 「<보비야> 나를 불렀다.
> <여기 아시땅은 우리 산여. 예 높직한 술자리에 나 죽으문 갖다 묻거라 잉>」

이 대목의 원문은 이러하다.

> 「"Soo", he murmured toward the hillside. "This side of mountain we still own. When I die, I want to be buried at this high Wine Seat"」

「사랑 손님과 어머니」(주요섭, 1935)처럼 소녀의 시점으로 그려진 「아시땅」은 그 소녀(원작에는 Soo)의 총명함에 비례하여 지방주의가 선명히 부각되기 마련. 만일 이 지방주의를 막아내는 장치가 따로 설정되지 않는다면 저 미의식을 이루는 균형감각은 파괴되거나 뒤틀릴 것이다. 「아시땅」의 그 장치는 바로 여권주의였다. 재능만 있으면 아무리 동양의 여성 천시주의도 능히 극복될 수 있다는 것.

「땅꾼」(『한국문학』 1983. 9)에 오면 그러한 장치를 찾아낼 수 없다. 「땅꾼」(원작은 *Snakeman*, 계간지 『트리쿼틀리』에 발표된 것)은 한국적인 족보 있는 지방주의에서 완전히 벗어난 국적 불명의 작품이다. 뿐만 아니라 우리말의 표현조차 어색하기 짝이 없다. 「꿩과 사슴이가 사람을……」이란 표현이 있는가 하면, 뱀탕을 <보신탕>으로 적기도 하며, 분위기와 어울리지 않는 <망년회>란 용어까지 등장되어 있다. 아기를 낳기 위해 절에서 왕비가 백일기도를 한다든가, 도중에 땅꾼이 왕비에게 씨를 심는다든가, 왕이 땅꾼 마누라에게 씨를 심는다든가, 하는 줄거리는 민담적 수준이라 할 것이다. 작가는 또 땅꾼을 용으로 승천케 하여 이 기괴한 작품을 마무리짓고 있다.

고삐풀린 지방주의가 정결성 획득이기는커녕 그로테스크한 양상을 드러낼 뿐이었다. 이것이 지방주의의 필연적 종말일까.

6. 미적 형식의 존재 방식

「春日大吉」이 발표된 그 무렵 나는 일찍이 「꽃신」을 쓴, 그리고 그 후배 김은국씨가 석사논문으로 「순교자」를 쓴 아이오아대학 창작과 부설 국제작가워크숍(international writing Program)에 한 학기 동안 참가하고 있었다. 내게 제일 궁금한 것은 어째서 유독 김용익씨만이 한국 창작계 속으로 돌진해 들어오고 있는가에 있었다. 이는 일찍이 없던 기묘한 현상이어서 어떻게 이를 이해해야 좋을지 그때도 알지 못했지만 지금도 놀랍기와 이해할 수 없기는 마찬가지다. 내가 이 글을 쓰는 것도 단지 이 의문점 때문이다. 이 글이 「김용익론」일 수 없는 것도 이 사정에 관여되어 있다.

어째서 김용익씨는 집요하게도 이 나라 창작계로 쳐들어오고 있는가. 씨를 만났을 때 내가 물어본 것은 바로 이것이었다. 어째서 씨는 「After my mother died, my father often came home drunk and gave me coins easily.」라고 첫줄에 쓴 「春日大吉」을 「아시땅」이라 고치고 또 다음처럼 바꾸지 않으면 안 되었을까. 「약국 영감님이 내 붓글씨를 또 칭찬해줬다. 남들이 아버지를 <술독>이라 부르는 것은 안됐지만 어머니가 돌아가신 후 아버지는 술마시면 동전을 잘 준다」라고. 씨가 조심스럽게 내게 말한 것을 내 나름으로 옮겨 보면 이러하다.

「영어로 작품을 쓴 뒤에 반드시 이것을 나는 모국어(한국어)로 옮겨본다. 그러면 나도 모르는 모국어가 환기하는 잠재의식이 포착된다. 영어 작품엔 없는 또 다른 차원의 세계가 창조된다. 그러니까 영어로 먼저 쓴 작품은 그 나름대로의 완결된 것이지만, 일테면 <초벌> 작품이라고나 할까. 한국어로 <재창조>된 작품쪽이 한층 심화된 것이다」라고.

그렇다면 씨의 한국어 작품은 번역문학일 수 없다. 초벌과 완결의 관계인 까닭이다. 「약국 영감님이 내 붓글씨를 또 칭찬해줬다」쪽이 완결된 형태다. 결국 이 작품의 구성적 완결성은 동네 뭇 소년들을 물리치고 소녀 보비가 약국 영감의 조수로 발탁됨에 있기에 그것은 그러하다. 그렇다면 영어로 쓴 「꽃신」을 비롯한 초벌들은 엄격히 말해 한갓 미완성이며 따라서 별 볼일 없는 것일까. 영어 상용권의 독자들은 한갓 초벌작에 그토록 빠져든 머저리들일까.

지금도 이 점이 내겐 수수께끼가 아닐 수 없다. 더욱 수수께끼인 것은 작가 김씨의 내면풍경이다. 요컨대 씨는 이러한 수수께끼를 내게 던져놓고 떠나간 것이었다. 그러나 그 수수께끼를 풀 수 있는 실마리가 아주 없다고 단정하는 일은 삼가야 하리라고 나는 믿는다. 우리가 함께 공유한 인간의 운명(외로움) 속에 그 실마리가 깃들어 있지 않았겠는가.

동아시아 한반도 끝 통영에서 소지주의 둘째 아들로 태어난 한 소년이 있었다. 고향에서 소학교를 마친 그는 진주중학, 중앙고보를 거쳐 제국의 수도 토쿄에 있는 모대학 영문과를 다녔다. 부산에 있는 대학에 교편을 잡다가 도미한 것은 6·25 이전인 1948년도. 플로리다주의 모 대학과 아이오 대학 창작과를 다니기도 했다. 창작이야말로 그러니까 예술이야말로 전 인생을 걸 만한 것, 이른바 교과서에 나오는 그러한 세계가 거기 있었다. 세계 속에 그네의 얼굴을 드러내기, 그것은 오직 자질에 있음을 그는 믿었다. 가난한 유학생인 씨가 이 야망에 불타고 있을 때 거기에다 기름을 끼얹은 것이 6·25였다. 먼 조국이 세계 속의 제3차 대전으로 불타오르고 있지 않겠는가. 새벽에 일어나 글을 쓰는 버릇을 가진 씨가 어느 눈 오는 날 아침 음악을 틀어놓고 있다가 어떤 환상을 떠올렸다. 눈 위의 발자국이 꽃신 걸어가는 것처럼 보였던 것. 그 꽃신 임자가 누구일까를 상상한 것이다. 씨 자신의 고백을 그대로 보이면 이러하다.

「그런 마음으로 그로서리에 들러 작은 고기 덩어리를 달라고 했더니 주인이 <메리 크리스마스> 하면서 불과 20센트만 받고 큰 고기 덩어리를 안겨 주었다. 그때 <푸줏간 대 꽃신>을 떠올리고 상도라는 백정의 아들과 꽃신집 딸과의 혼담을 배경으로 전쟁이 주는 전도(轉倒)의 의미를 슬프고도 아름답게 그린 작품을 썼다.」(「최일남이 만난 사람」, 앞글)

새벽 눈길의 발자국→꽃신과 크리스마스→푸주간을 번개처럼 이어주는 매개항이 바로 6·25였던 것. 씨는 순종 한국이었던 것이다. 그러나 이것만이라면, 6·25와 더불어 씨의 상상력은 제한적임을 면치 못할 터. 6·25를 전쟁 일반으로 치부한다 할지라도 사정은 마찬가지일 터. 그렇다면 무엇이 문제적일까. <슬프고도 아름답게> 속에 그 중요성이 있지 않았을까. 나는 이것을 인간 김용익 특유의 <실존적 위기>라고 생각한다. 범속하게 말해 씨만이 감당해야 될 <외로움>이다. 창작(상상력)을 통해서 비로소 발견하고 또 구원으로 이를 수밖에 없는 인간 운명의 미적 형식이 그것. 이때 그 미적 형식은 이미 씨 개인의 것이 아니다. 인간 모두의 것이고 인류의 몫이 아닐 수 없는데 왜냐면, 그러한 형식의 창조를 통해서 개개인의 <실존적 위기>(허무의식)가 가까스로 치유될 수 있는 길이 열리기 때문이다.

눈이라든가 푸주간이라든가 꽃신의 감각적 이미지를 단순한 개인적 전기적 표상성에 환원시키는 정신분석 비평이나 전기 연구가들로부터 구출하여 이를 과거의 기능이 아니라 미래를 위한 기능으로 파악한 것은 G.바슐라르였다. 이미지의 표상성을 미래를 위한 상상력의 힘에 예속시킬 때 바슐라르는 이렇게 말한다. <이미지가 여가(與價)되었다.>(Valorisée) 라고. 그러니까 여가 작용이란 작가에 있어서는 창조 활동, 독자에 있어서는 울림에 해당되는 것. 바슐라르에 의하면, 개개인의 과거의 경험에 의해 형성된 이미지(표상성)가 4단계를 거쳐 상상력에 의해 변질된다는 것. 이를 역동적 상상력이라 부를 것이다(곽광수, 『가스통 바슐라르』 1995, 민음사 참조). 가치가 사실을 변질시키는 이 상상력에 의해 이루어진 문학 작품이 그것을 쓴 작가의 삶의 부수적 산물이라든가 작가의 투기(投企)를 위한 하나의 수단일 이치가 없다. 이때 슬픔과 아름다움은 동일한 것이다. 「꽃신」의 생성 과정이 이로써 조금은 설명되지 않았을까.

7. 기이한 실험―모국어의 울림 추적

결론을 맺기로 하자. 내게 있어 김용익씨의 작가적 문제점은 씨의 망설임없고 지속적인 한국 문단에의 진출에 있었다. 단편만으로 승부를 걸고자 한 것도 「꽃신」의 시적 상상력에 관련지어 설명될 터이다. 그것은 시적인 것이지 산문계 예술인 소설과는 썩 거리감이 있다. 만일 씨가 계속 이러한 시적인 이미지에 매달린다면 사정은 어떻게 될까. 6·25라는 현실과도 아주 관련 없는 「땅꾼」같은 그로테스크한 곳으로 떨어지는 길이 아니었을까. <인간적 실존의 위기>(「꽃신」)에서 벗어나 <작가적 위기>에 직면했을 때 귀국, 고대 교수 노릇도 했고 다시 도미, 시민권을 얻고 배수진도 쳤으나 결국 씨는 「땅꾼」에 주저앉지 않았을까. 이를 조급성이랄까 초조감이라고 나는 불렀다. 나는 씨의 이 <작가적 위기> 다시 말해 <초조감>을 기리고 사랑한다. 초벌작을 외국어로 쓰고 이를 모국어로 재창조한 기이한 실험을 감행한 전무후무한 작가인 까닭이다. 이 실험의 중요성은 성공 여부에 있지 않다. <실험자체>가 문제적이라고 나는 생각한다.

일찍이 이 나라 소설사의 초창기의 이인직은 당시의 일본 문체로 「혈의

루」(1908)를 썼다. 「약한 자의 슬픔」(1919)을 쓴 김동인은 이렇게 공언한 바 있다. 「착상은 일본어로 하니까 문제없으나 쓰기는 조선어로 쓰자니……」라고. 「표본실의 청개구리」(1921)의 작가는 태연히도 일본식 3인칭 단수 <彼는……>, <彼女는……>라고 썼다. 이러한 방식들은 소설이 근대적인 제도의 일종이었음을 증명하는 것이다.

김용익씨의 방식은 이와 전혀 다른 차원의 실험 곧, 초벌과 재창조의 개념으로 설정된 실험이었던 것이다. 요컨대 예술을 지향한 실험이었다. 이를 나는 시적 실험이라 부르고 싶었다. 모국어의 울림, 그러니까 모국어가 환기하는 잠재적인 상상력의 발굴로 요약되는 이 실험은 그 자체로 존중될 성질의 것이다. 씨가 할 수 있는 정직성이기에 그것은 그러하다. 그 실험이 「땅꾼」에로 나아감도 이로 보면 당연한 귀결일 터이다. 6·25를 넘어서고, 씨가 자랐던 유년기의 기억(「종자돈」)도 넘어선 모국어의 자리를 자꾸 거슬러 올라가면 샤머니즘에 닿고, 전설과 민담과 신화에로 나아갈 수밖에 다른 방도가 없었을 터이다. 여기까지 이르면 초벌쪽의 독자도 재창조쪽의 독자도 씨를 외면하기 마련이었다. 요컨대 씨는 별세계로 나아가고 있었다. 사람이 있어 이러한 실험에 주목한다면 이 나라 소설사에 어떤 경종이 될 수도 있을 것이다. 소설이란 무엇이겠는가. 이 나라 소설사가 자주 묻고 있는 것이 이 물음인 까닭이다. ■새미

향수와 페이소스의 세계

서 종 택*

1.

김용익(1920-1995) 혹은 그의 소설은 잘 알려져 있지 않다. 그는 4,50대 이후의 몇몇 관심있는 사람들에게 「꽃신」의 작가쯤으로 기억되고 있는 정도이다. 그의 소설이 잘 알려져 있지 않은 것은 무엇보다도 그가 해외에 거주하면서 그것도 외국어로 작품을 발표하였다는 점일 것이고, 아주 드물게 그 작품들은 작가 자신에 의해 우리말로 재발표되기는 했지만 그 활동 또한 지속적이지 못했다. 따라서 그의 소설은 독자나 연구자에게 크게 주목받지도 못했다.

1920년 경남 충무에서 태어나 28살에 도미, 생애의 중요한 시기를 거의 해외에서 보낸 그는 미국생활을 정리하고 돌아온 95년 12월 서울에서 사망했다. 유명한 외교관이었던 가형 김용식의 사망과 같은 시기였다. 그는 중앙중학과 일본 동경 청산학원 영문과를 졸업하고 1948년 도미, Florida Southern College에 유학했다. 한국전쟁이 발발하기 직전이었다. 이후 그는 The University of Kentucky, University of Iowa 등의 대학원 소설창작부에서 수학했다. Macdowell Colony, Yaddo, Huntington Hartford Foundation, Virginia Center for Creative Art 등 미국의 Artist Colonies에서 거주, Fellowship을 받

---

* 徐宗澤, 고려대 교수, 주요 저서로 『한국 근대소설의 구조』, 『한국 현대소설 연구』 등이 있음.

고 집필활동을 하다가 1957년부터 64년까지 고려대 이화여대 영문과에서 강의했다. 1964년에 다시 도미한 그는 Western Illinois University, University of California(Berkley)에서 소설창작을 강의했다. 그후 Duquesne University, Pittsburgh에서 소설창작을 강의하는 한편 1976년 미국 국가 문학지원금을 받았고, 81, 83년에는 Pensylvania주 문학지원금 심사위원을 역임했고 1990년에는 「꽃신」으로 한국문협의 제1회 해외 한국문학상, 충무시 문화상 등을 수상했다.

김용익은 청년기를 식민지 지배 하에서 성장했고 문학에 뜻을 품고 창작 공부를 위해 미국유학을 떠난 때가 28세, 37세에 귀국하여 대학 강단에 섰다가 44세 때 다시 미국으로 건너갔으니, 그의 한국 체류기간은 청년기를 빼면 대학에서 가르치던 1957년부터 64년까지 불과 7년에 불과한 셈이다. 김용익의 이러한 약력은 그의 소설의 특성, 특히 그의 소설의 한계를 설명해주는 빌미가 된다. 그는 한마디로 고국의 전쟁 소식을 먼 이국땅에서 접했으며 그가 겪은 시대의식이란 그 상흔이 남아 있던 50년대 후반의 한국 사회의 모습에서였고 군사정권이 들어서고 월남전이 벌어지기 전 다시 도미한 것이다. 한국인으로서의 그의 소설적 공간은 이렇듯 그 근거가 매우 빈약하고 좁다. 또한 첫 작품(「꽃신 The Wedding Shoes」, 『Harper's Bazzar』 1956.6)을 외국어로 써서 외국의 문예지에 발표함으로써 작가로 입문한데다 그 작품이 한국에 소개된 것이 그로부터 7년 뒤(『현대문학』.1963. 8)이었으니 이러한 그의 문단경력 또한 특이하다. 그가 작품활동을 시작할 무렵의 한국 문단에는 「카인의 후예」(53) 「소나기」(59) 「밀다원시대」(55) 「요한시집」(55) 「혈서」(55) 「암사지도」(56) 「불꽃」(57) 「잉여인간」(58) 「오발탄」(58) 「나무들 비탈에 서다」(60) 「광장」(60) 등이 발표되고 있었다. 현재 알려진 그의 작품으로는 단행본으로 「The Happy Days」(Boston:Little Brown,1960), 「The Diving Gourd」(New York:Alfred A. Knopf,1962), 「The Blue In The Seed」(Boston:Little Brown,1964) 「Love in Winter」(New York:Doubleday,1970), 「The Shoes from Yangsan Valley」(New York:Doubleday,1972) 등이 있고, 이밖에 한국의 세시풍속을 담은 「The Moons of Korea」 (Seoul:Korea Information

Service, Inc, 1959)가 있다. 이 가운데 「The Happy Days」와 『The Diving Gourd』는 국내에 소개되지 않았으며, 한국판으로는 소설집 『Love in Winter』(서울:고려대학교 출판부,1963), 『겨울의 사랑』(서울:정한출판사,1975), 「Blue in the Seed」(Seoul:Si-sa-yong-o-sa, 1990), 『겨울의 사랑』(백인무역)(서울:양우당,1983), 『꽃신』(서울·동아일보사, 1984), 『푸른 씨앗』(서울·샘터사, 1991) 등이 있다. 그의 단편들은 주로 『현대문학』『문학춘추』『사상계』『세계의 문학』『한국문학』『문예중앙』 등의 잡지에 번역/개작되어 국내에 재발표되었다.

특히 그의 소설 가운데 『The Happy Days』는 영국 서독 덴마크 뉴질랜드에서도 출판되었고, 미국 도서관협회의 1960년도 우수 청소년도서로, 『뉴욕타임즈』의 연말 '우수도서'로 각각 선정되었다. 『The Diving Gourd』는 인도에서 재출판되었으며, 『The Blue In The Seed』는 1966년 서독에서 '우수도서'로 선정되었고 덴마아크 교과서에 축소판으로 게재되는 한편 1967년 오스트리아 청소년 정부 명예상을 수상했다. 특히 그의 단편 「꽃신」「종자돈」(샘터사판에는 「씨값」)은 TV, 영화, 발레 등으로 세계 각국에 수차례 소개되었으며, 「변천 From Below The Bridge」과 「동네술(막걸리) The Village Wine」은 Best American Short Stories에 선정되었다. 「해녀 The Sea Girl」는 미국 중고등학교 문학교과서(People:Focus on Literature)에 수록되었고, 「달도둑 Moon Thieves」은 판 아시아 레퍼터리극장에서 Stage Reading되었다.

김용익의 이같은 이력서에는 그러나 그의 소설이 담고 있는 한두 가지의 특수성과 논점을 드러내고 있다. 그가 사용했던 언어와 그것으로 이루어진 작품의 귀속문제가 그것이다. 「한국말은 모국어이고 일본말은 일본 점령당시에 배운 말이고 영어는 중학부터 배우기 시작했으니 세째말」1)이라던 그가 일차적으로 사용한 언어가 영어였다는 점, 그래서 그것을 한국문학의 범주에 넣을 수 있느냐 하는 논의가 그것이다. 그는 왜 처음부터 영어로 소설을 썼는가. 거기에 따른 어떤 저항감은 없는가. 그는 이에 대해 고독과 향수의 표현으로, 한국말로 써가지고는 발표할 길도 없어 영어로 썼다고

---

1) 김용익, 「작가 노우트」, 『꽃신』(서울·동아일보사, 1990) p. 285.

했다.2) 그는 재일동포나 중국 조선족의 어떤 작가처럼 일본어 혹은 중국어로 쓸 수밖에 없는 상황에 처한 사람은 아니었다. 그는 미국 이민 2세도 아니었고 영문학을 위해 도미한 유학생이자 영문학자였다. 번역/개작의 과정을 거쳐 같은 작품을 최소한 두번 발표한 김용익은 자신의 작품에 쓰여진 언어나 국가에 대해서는 크게 의미를 부여하지 않은 채 다만 그 '예술성'에 유의했다.3) 그의 미국 시민권 또한 "형식"에 불과하고 "옷 한 벌 갈아입는 느낌"4) 이상의 의미는 아니었다.

김용익의 문학은 당연히 한국문학일 수밖에 없다. 그는 한국어 표현의 맛이나 토속의 아름다움을 영어로 표현하는 데 고심한 작가이지 영문학의 전통이나 문장의 뉴앙스를 살리려고 고심한 것은 아니다. 그는 산(미국)에서 "혼자" 노래부르다가 마침내 마을(한국)로 내려온 것5)이다. 그는 외국의 무대에서 한국인의 삶을 노래했으며 그 노래가락의 원천을 외국에 소개하기도 했다.6) 요컨대 그는 영어를 잘 구사했던 한국인일 따름이었고 그의 창작행위가 이루어진 공간이 미국이었을 뿐이었다. 따라서 외지에 살더라도 '반드시' 한글로만 써야 된다는 주장은 민족어에 대한 긍지와 애착의 소산일 수 있지만 그것은 문학의 "문화 사회적인 다양한 기능과 그것이 산출하는 활력을 외면한"7) 견해이다. 재외 한인문학을 논의하는 데는 쓰여진

---

2) 최일남, 「최일남이 만난사람―재미작가 김용익」, 『신동아』, 1983.9, p.426.

3) 한 작품이 최소한 두 나라 독자에게 읽혀진 사연에 대해서도 그는 "하지만 이것은 한국독자, 이것은 미국독자라는 식으로 생각하지 않습니다. 예술을 좋아하는 사람이 있으면 그만이고, 국가단위로 생각하는 것은 의미가 없습니다. 말만 다르다 뿐이고 예술은 공통하니까요."라고 말하고 있다. (최일남, 대담, pp.426-7.)

4) 최일남, 대담, p.434.

5) 그는 『꽃신』 머릿말에서 "나의 이야기는 내 밑바닥에 깔린 고향에 대한 시감이 원천이니 그것은 바로 나의 노래다. 영어로 쓰기 이전의 본연으로 돌아가 한국말로 재창작한 것을 단행본으로 준비하니 마치 산에서 혼자 오랫동안 노래부르다가 내려와 마을 사람 앞에 처음 서는 것 같다."고 썼다.

6) 그가 영어로 쓴 「Moons of Korea」는 한국의 월별 세시풍속을 소개한 논픽션으로, 한국의 민속과 전통적 정서에 대한 그의 관심을 잘 말해준다.

7) 홍기삼, 「재외한국인문학개관」, 『문학사와 문학비평』(서울:해냄, 1996), p.292.

언어와 그 작품의 독자가 우선 고려되어야 하겠지만, 무엇보다도 중요한 것은 그 작품이 "누구"에 의해 "무엇"을 썼느냐일 것이다. 이러한 기본 전제가 없는 논의는 편협한 언어귀속주의에 불과하다.

2.

초기의 김용익 소설의 시간적 배경은 상당 부분 한국전쟁과 연루되어 있으며, 공간적으로는 산간지방 혹은 바닷가의 뭍으로 형상화되어 있다. 작가는 "어린 시절을 보냈던 통영 부근, 어릴 적 시감을 주던 곳, 늘 감동의 바이브레이션을 주던" 그곳을 자신의 작가적 "영토(데리토리)"[8]라 하였다.

그의 소설에서 시대상황은 원경으로 처리되어 있고 전쟁이라는 특수한 상황보다는 거기에 놓인 사람들의 정서가 주로 서사의 대상이 되고 있다. 전쟁은 농민들에게 "개값으로 백정에게 소를 팔"(「꽃신」, p.14)게 했으며, "전쟁의 북새통에"(「금시계」, p.109) 집에 도둑아닌 도둑이 침입해 오고, 전쟁이 나고부터 "부산항구에는 생선과 색시들이 가득차 있"(「겨울의 사랑」, p.20)게 된다. 그리하여 마침내 미군부대 양공주 상대의 "번역사 사장"이 생기고(「번역사 사장」, p.89), 궁핍과 기아를 못이겨 양공주촌에 들어간 어머니를 목도하게 된 다리밑 움막집 소년(「변천」)이 있는가 하면 후퇴명령을 받은 읍장이 국군과 북군을 잘못 알아보고 낭패를 당하기도 하고(「동네술」), 맹아를 돕던 미군병사(「서커스 타운에서 온 병정」)의 이야기도 있다. 이처럼 전쟁은 작중인물의 행위와 그 굴절에 동기적 관련을 맺고 있으며 그는 특히 전후적 상황보다는 그러한 상황에 놓인 인간들에 더 많은 관심을 기울인 것 같다.

한편 「뒤웅박」「땅꾼」「종자돈(씨값)」「밤배」「해녀」「오좀고개 무지개」「동지날 찾아온 사람」「아시땅」 등에서는 전통적인 한국의 산간이나 섬과 뭍의 이야기를 토속의 빛깔로 채우고 있다.

---

8) 최일남, 대담, p.425.

김용익 소설의 배경은 시간적으로 전후적이요 공간적으로 토속적인 것으로 크게 나눌 수 있다. 전자가 변해버린 세상(時俗)에 대응하지 못해 하는 사람들의 안타까움과 상실감을 그렸다면, 후자는 본래적인 것에 대한 향수와 애정을 그린다. 데뷔작 「꽃신」은 이러한 작가의 문학적 성향이 어우러진 것으로 이후의 그의 소설 일반을 지배하고 있는 기법과 관념이 촘촘히 배어 있는 작품이라 할 수 있다.

  「꽃신」9)의 작중 1인칭 화자인 '나(상도)'는 어느 날 피난지의 시장터에서 낯익은 신장수 노인을 발견하게 되는데, "전쟁을 피해 꽃신을 메고 온"(p.5) 그 초라하고 남루한 노인은 과거 자신에게 아픈 상처를 남겨 주었던 산간마을 이웃집 신집 노인이었다. '나'는 그의 딸에게 청혼했으나 노인으로부터 "백정네 집 자식"이라는 이유로 거절 당한 바 있다.

  하나밖에 없는 신집 딸은 늘 꽃신을 신고 다녔다. 남들은 혼례 때 말고는 좀처럼 신어보기 힘든 귀한 그 신발은 '나'에게 늘 위안과 기쁨을 주는 것이었다. 꽃신에 대한 묘사는 이렇다.

> 다만 그녀가 신은 꽃신을 좋아했다. 그녀는 발이 부르틀까봐 흰 버선을 신었는데 학교로 가는 길에서 나는 가끔 그녀보다 뒤져가며 꽃신에 담긴 흰 버선발의 오목한 선과 배(木船) 모양으로 된 꽃신을 바라보았다. 그 선은 언제나 달콤한 낮잠을 자고 있는 느낌을 주었다. 비가 온 다음날 물이 괸 길에서 나는 그녀를 업고 넘어지지 않으려 애썼다. 그녀는 청개구리처럼 등에 꼭 매달렸는데 나는 내 허리 양켠에서 흔들리는 꽃신을 얼마나 사랑하였던가.10)

> 특히 비라도 심하게 온 다음이면 겨우 꽃신만이 처마 밑에 보인다. 왔다갔다 하는 꽃신은 공중에 춤추는 것 같아 얼마나 아름다웠나! (……) 그해 봄철 동안 청개구리가 논에서 울 때 나는 그 공중에 뜬 꽃신을 보러갔다.11)

---

9) 『현대문학』, 1963.8. 원제 「The Wedding Shoes」(『Harper's Bazaar』, 1956.6). 여기서의 본문 인용은 소설집 『꽃신』(서울:동아일보사, 1984)을 참조하였음.

10) 「꽃신」, p.10.

11) 「꽃신」, p.11.

"달콤한 낮잠을 자고 있는 듯" 혹은 "흔들리"며 공중에 떠 "춤추는 것 같은" 꽃신은 매우 환상적으로 묘사되어 있다. 아울러 그것은 작중의 서사적 자아가 세계에 대해 가지고 있는 욕망과 그리움의 구체적 상관물임을 보여주고 있다. '나'는 신집 딸을 좋아하지만 "백정의 자식"이었으므로 혼약이 쉽지 않고, 다만 손님이 끊겨 망해가는 신집에 쇠가죽을 그나마 외상으로 대주며 기회를 노릴 뿐이었다.

> "요즘 혼인은 매뚜기 헐레식이다. 혼삿날에 양화 고무신을 신거던. 내 딸은 고무신 백 날을 신기느니보다 단 하루라도 꽃신을 신기겠다."
> 그때서야 주문도 받지 않고 꽃신을 만들고 있는 것을 깨달았다. 꽃신의 코를 바라보고 있으면 무엇을 보고 있는지 잊어버린다. 아직 덜된 꽃신은 점점 커져서 해도 없는 바닷가에 사공 잃은 배가 떠내려가는 것 같았다. 나는 왜 농부들이 저렇게 아름다운 꽃신을 원치 않는지 알 수 없었다. 신집 사람은 목덜미를 붉히며 말을 이었다.
> "그놈들은 꽃신 한 켤레 값이면 고무신 세 켤레 살 수 있다고? 난 그들이 고무신 백켤레 갖다 주어도 내 꽃신 한 켤레 하고 바꾸지 않을꺼다."12)

신집노인의 이러한 고집은 이미 자신의 세계가 무너져가고 있다는 사실에 대한 불안감의 표현이다. 세상이 변하여 사람들은 혼인 때 신발을 사기보다는 고기를 더 필요로 한다. 그는 가난을 이기지 못해 딸을 남의 집 부엌데기로 보낼망정 "백정의 자식"에게는 줄 수 없다. 그는 "퇴물인 꽃신을 가지고 하늘값을 부르"(p.14)고 "꽃신이 두 켤레 남았을 때는 어린아이처럼 꽃신을 안 팔려고 고집을 부렸다."(p.17) 결국 그가 지키고자 한 것은 사라져가는 것, 밀려나는 것에 대한 집착과 애정이었다. 은유적 사물로서의 꽃신은 우리가 추구해야 할 지고지순한 어떤 가치나 이념임을 말해준다. "꽃신이 다 팔리기 전에"(소원대로) 노인은 죽고, 작중의 '나'는 신집 딸을 위

---

12) 「꽃신」, p.11.

해 신발값을 지불하지만 그녀 역시 이미 폭격에 죽었다고 했다. 결국 '나'는 "그것(꽃신)이 다 팔리기 전, 한켤레 신발을 위해 주머니를 다 털어"버렸지만 "결혼신발이 아닌, 슬픔을 사"(p.5)고 만 것이다. 상도가 이루지 못한 사랑의 이야기에서 꽃신은 "피난지의 남루한 사과궤짝 위에 얹혀짐으로써 더욱 인상적"이며 노인의 임종은 "소중하고 아름다운 것을 지키려는 열망이 좌절할 수밖에 없는 삶의 가혹한 현실"[13]을 일깨워준다.

「꽃신」에서 벌어진 사건들의 배후에는 아울러 피난민들로 우굴대는 저자거리의 가치 혹은 그들로 하여금 전도된 삶을 살도록 강요하는 어떤 힘—이른바 전쟁의 폭력이 도사리고 있었음을 알 수 있다. 백정/신집, 고무신/꽃신의 대립적 구조는 이러한 전도와 상실의 삶의 구도를 상징적으로 보여준다.

한편 「변천」[14]은 이와 같은 구도가 더욱 극명하게 드러난 것으로 그의 단편 가운데 가장 현실감이 넘치는 작품이다. 다리밑 움막집의 피난민 일가가 기지촌에서 당한 사건을 다룬 이 작품은 전쟁의 폭력성이 인간을 어떻게 관습과 윤리가 부재하는 세계 속으로 몰고 가는가를 잘 보여준다.

작중의 '아이'는 시장터에서 구두닦이를 하거나 "코 큰 병정"을 양색시한테 데려다주고 소개비를 받는 일을 한다. 아버지는 다리밑 움막집 신세를 청산하고 "고향 산골의 물맛"을 보러 가자고 우기는, 갓을 만드는 직업을 가진 망건 쓴 중년이다. 이 작품의 서두는 다음과 같은 묘사로 시작된다.

> 갓 쓴 초조한 얼굴이 강물에 비친 다릿가를 흘러가는 얼음조각에 부딪쳐 퍼졌다 일그러졌다 한다. 아이가 다리 밑에서 나와 햇빛이 따스한 모래 위에 구부리고 누운 누렁이한테 목줄을 맨다. 아이는 다릿전에 붙은 고드름을 피해 쪼그리고 앉은 채 옆으로 뛰었다. 이 다리를 지나간 피난꾼들의 얼었던 눈물이 녹아내리는 그림자처럼 다

13) 한용환, 『소설여행』(서울:답게, 1992) p.75.
14) 『사상계』, 1965.5. 원제 「From Below The Bridge」(『Mademoiselle』, 1958.4). 본문 인용은 소설집 『꽃신』(서울:동아일보사, 1984)을 참조하였음.

릿가 큰 고드름이 뚝뚝 떨어진다.15)

이 서두는 작품의 주제를 함축해 보이는 한편 앞으로 전개될 서사구조의 하강적 국면을 잘 암시해 주고 있다. "갓 쓴 초조한 얼굴"이 "다릿가를 흘러가는 얼음조각에 부딪쳐 퍼졌다 일그러졌다 하는" 모습은 왜곡 훼손될 수밖에 없는 작중의 아버지—전후의 우리의 초상화이다.

다리밑 움막집에는 미국 "코쟁이 말"을 곧잘 지꺼리는 아이, 머리 위를 밟고 지나가는 발자국 소리에도 상을 찌푸리고 "누가 자기 머리를 밟기나 하는 것처럼 두 손을 들어 머리 위를 떠받치는" 갓 쓴 아버지, 부산 시내에선 모두 배우겠다고 머리 싸매고 덤비는 코쟁이 말을 "금싸래기 말"이라고 우기는 어머니, 그리고 "비쩍마른" 늙은 개 누렝이—이렇게 네 식구가 산다. 아이는 구두닦이를 하거나 코 큰 병정과 흥정을 벌여서 소개비를 받고 거기서 얻은 미국 물건을 어머니에게 넘기면 그녀는 그것을 시장에 내다 판다. 갓 쓴 아버지는 이 난리통에 온 식구가 무사하고 늙은 개까지 안 죽고 고향가는 것이 것이 얼마나 다행이냐고 말하면서 "남 앞에 함부로 고갤 안 숙이구 위신을 지키믄 그 집안은 되여가는 집안"(p.139)이라고 말한다. 이에 대해 아이의 어머니는 아버지를 비웃는다.

> "시상이 거꾸로 뒤집힌 줄두 모르구 헛소리만 한디여. 멀쩡한 사람들이 모자 벗어 거꾸로 들구 남의 집 문전에 스는게 안 뵈서 그려? 연한 애들 머리다 대구 그 딱딱한 소리 그만 해유, 머리 안 숙이는 얘기만 하구 주린 배창자 얘긴 왜 안해유."
> 고향엘 가면 남의 눈이 있으니 여기서 다 털어놓을 것처럼 어머니는 투덜거린다.
> "그렇게 사리발르구 이치가 좋은 양반이 게우 열 한살벡이 주먹 빨어먹구 잘한 거여?"
> 아버지는 못 들은 채 짤막해진 갓 그림자를 짚신발로 쫓아간다.16)

---

15) 「변천」, p.137.
16) 「변천」, p.139.

선창가에 일을 나갈 때도 갓을 벗지 않고 코쟁이 말을 "개소리"라 하고 걸을 때도 자동차길 한 가운데로 걸어가는 아버지를 어머니는 "갓 망건 속에서 꿈을 꾸는"(p.140)가부다고 비웃는다. "시상이 거꾸로 뒤집힌 줄두 모르구 헛소리만" 하는 아버지는 "주린 배창자"보다는 "머리 안숙이는" 일만 챙긴다. 작품을 지배하고 있는 인물의 갈등과 변화의 과정이 언어적 문맥과 사회적 맥락 속에 잘 어우러져 있다. 아내의 비난을 못들은 채 "쨀막해진 갓 그림자를 짚신발로 쫓아"가는 아버지의 희극적 모습이 마침내 진지하고 비극적인 정황으로 바뀐다. 고향으로 가는 배에 개를 실을 수 없게 되자 아버지는 걸어서 가겠다고 고향쪽으로 사라졌고 남은 식구는 다시 다리 밑 움막으로 돌아왔으나 움막에는 이미 다른 피난민이 들어와 있다. 닭 뼈다귀에 얹힌 누렁이가 앓기 시작하고, 어머니가 "빨간 고추같이 입술은 바른 여자"와 무언가 얘기를 나누는 것을 본 아이는 "기분이 나빠서"(p.145) 강둑으로 나간다.

이날 밤 아이는 어두운 골목과 언덕 돌층계가 맞닿는 곳, 미군부대 클럽이 있는 데서 깽깽 우는 누렁이를 껴안고 있다가 문득 어둠 속에 서 있던 "목도리를 푹 눌러쓴 낯익은 여자"가 "몸을 오그리고 주저앉는"(p.147) 모습을 발견한다. 어머니의 목소리를 뒤로 하고 아이는 앞으로 뛰었다. 죽어가는 누렁이를 지나가는 달구지에 맡기고, 아이는 어머니와 함께 고향이 있는 북쪽을 향해 걷는다.

> 빗방울이 떨어지는 어두운 하늘을 올려보고 영감이 고개를 흔든다.
> "놔 두고 가거라. 내일 모래 죽으믄 내가 묻어주께."
> 달구지 바퀴소리가 멀리 사라지고 빗발이 애의 머리를 적셨다. 아버지가 간 북쪽 길로 돌아섰다. 한발마다 목구멍에 있는 감정이 빗물을 아니 먹으려고 악문 입을 뚫고 나오려 했다.
> 이 밤에 일어난 것을, 그 개가 보여준 일들을 커서도 아무데고 말해선 안 된다고 느끼자 애는 논두렁 개구리가 목 쉬도록 울고 있는 사이에서 소리를 내며 울었다.[17]

아이는 "이 밤에 일어난" "그 개가 보여준 일들"을 커서도 아무에게도 말해선 안 된다고 "느낀"다. 그것은 아이가 세상에 태어나 최초로 겪게 되는 비애에서 비롯되었으며 "몸을 오그리고 주저 앉는" 어머니의 모습은 "벼슬 없는 수탉"(p.143)처럼 갓이 벗겨져버린 아버지의 상투머리와 함께 전후의 피폐해진 삶의 정황을 더해 준다. 누렁이의 죽음은 이 다리밑 아이의 소년기가 끝나가고 있음을 암시한 것이며 아이의 통곡은 자신이 마침내 화해할 수 없는 세계로 진입하고 있음을 인지하는 입문식(initiation)이었다.

「동네술」[18]은 「꽃신」이나 「변천」에서 보여준 배경의 의미가 더욱 강화된 것으로 6.25전쟁이 작품의 표면에 직접 등장한다. 굶주린 미군 낙오병을 데려다가 마을 사람들은 그에게 먹을 것을 준다. 북군이 내려온다는 소식을 들은 읍장은 읍 직원들에게 피난갈 채비를 차리고 중요 서류만 남기고 다 태울 것을 지시한다. 읍장은 피난을 갈까 말까 망서린다. 그는 상황이 국군 쪽으로 기우는지 인민군쪽으로 기우는지 알 수가 없기 때문이다.

읍장은 미군 병사가 집에까지 흘러들어온데다 군사령부에서는 사람을 보내 후퇴명령을 전하자 이미 형세가 불리해졌음을 직감한다. 곧 떠나지

---

17) 「변천」, p.149.

18) 『현대문학』, 1976.8. 원제 『The Village Wine』(『The Atlantic』, 1976.5). 본문 인용은 소설집 『꽃신』(서울:동아일보, 1984)을 참조하였음. 작품집 『푸른씨 앗』(서울:샘터, 1991) 작품 연보에는 「막걸리」로 번역되어 있음. 여기서는 「동네술」보다는 「막걸리」가 온당한 번역으로 보인다. 이러한 번역/개작에서 오는 오류가 여러곳 보이는데, 가령 「땅꾼」에서는 '비얌탕'이라 할 것을 '보신탕'으로 옮기고 있으며, 「밤배」의 '此處看明月'은 '此處觀明月'로 옮겨야 할 것이다. 「종자 돈」은 「씨값」이 더 어울리며, 「변천」의 '애'는 '아이'가 적절하다. 이같은 부적절한 어휘와 어조는 가끔 번역문의 생경함을 드러낸다.

않으면 북군편인가 의심할 테니 빨리 떠나라는 읍 서기의 재촉에 읍장은 "동네물, 동네쌀로 빚은 술을 마지막 마시고 가겠다."(p.133)고 우긴다. 읍장은 옛 친구에게 "서로 다시 못 볼지도 모른다. 내 아버님 산소에 한 잔 올리고 거 바람맞이서 우리도 동네술 한 잔 하자"(p.133)고 제안한다. "읍장 아버지 묘소 앞에 두 사람은 서로 잡고 쓰러지더니 오랫동안 그대로 엎어져들 있었다."(p.133)

읍장과 그의 친구가 옛날처럼 신을 벗고 동네 애들처럼 발바닥에 침을 뱉고 나무 위에 기어 올라간다. 친구가 혼절하여 쓰러지고, 읍장은 일어나 피리불고 춤추라고 외친다. 친구가 의식을 잃자 읍장은 돌변하여 "떠나기 싫다. 못 떠나겠다!"(p.134)고 소리치고 갑자기 미군 병사의 목에 식칼을 대고 "북군이 오면 미군을 내가 잡았다고 할란다."(p.134)고 소리친다. 그러나 주위의 만류로 정신을 차린 읍장은 미군 병사를 옭아맨 오랏줄을 풀어주고 그를 도망가게 한다. 이튿날 읍장은 낯선 사나이들의 방문을 받는다.

> "협조를 받으러 왔소."
> "네, 저는 당신네 편입죠."
> 읍장의 숨찬소리다.
> "인민군은 당신이 협조하기를 바라오."
> 읍장 두 손가락이 등 뒤에서 꾸물럭댄다. 절을 하면서
> "네 지금도 말씀드린 바같이 저는 당신네 편입니다. 인민군 선봉대를 환영하려고 당 읍에서는 환영위원회를 준비했습니다. 오늘 내일 하고 기다리고 있었습니다."[19]

그들이 태극기를 단 찝차에서 내린 아군쪽 사람들이었음을 안 것은 바로 다음 순간이었다. "그후 읍장이 어찌 되었는지 알길이 없었다."(p.136) 다만 붉은 군대가 쳐들어오기 직전 후퇴하던 국군이 서둘러 없앴다는 풍문이, 쓰러진 읍장 친구의 장례에 나온 상여꾼에 의해 전해진다.

> "손에 묶여 끌려갈 적에 죽을 줄 안 모양이지. 집식구에게 할 말

---

19) 「동네술」, pp.135-6.

이 있는가 물으니까 목젖을 울리고 하는 말이 '우리동네 막걸리 한 잔만 꼭 마셨으면 좋겠소!'"

그 상여꾼이 입맛을 다시며 술을 더 부었다.[20]

이 결구에서의 반전은 소설적 기법이 아니라 현실의 사실적 재현이다. 동네 사람들의 성향을 탐지하던 방법으로 자주 사용하곤 했던 이 게임에 읍장이 걸려든 것이다. 읍장이 마지막으로 원했던 "막걸리 한 잔"은 동네 사람들과 나누었던 지난 세월의 인정과 풍정에 대한 갈증의 표현이다. 그러는 한편으로 작가는 이러한 비극적 정황을 "막걸리 한 잔"의 무게에 대비시킴으로써 상황을 야유하고 있으며 사태의 심각성마저 무화시키고 있다.

「금시계」[21] 역시 김용익 소설에서 자주 등장하는 반전의 기법 혹은 인물이나 가치가 전도된 상황에 놓인 세계를 그리고 있다. 이 작품은 대학교수인 화가와 전쟁 중에 부역한 한 거지 청년이 나누는 인간적 교감을 그린 것이다. 입장이 서로 뒤바뀌게 된 상황에도 불구하고 두 사람의 관계가 훼손되지 않고 일관되게 이어지는 힘이 무엇인가를 보여준다.

화가이자 대학의 신임교수인 '나'의 화실 문앞에 어느날 엉성한 넝마주이 젊은 거지가 서성거린다. 아내의 죽음으로 상심에 빠져 있던 '나'는 "양"이라는 이름의 그 거지청년에게 양말과 헌 구두를 신겨 보낸다. 아내의 죽음으로 인한 슬픔에서 벗어난 듯한 해방감을 느끼며 그를 근무하는 학교의 소제부 겸 수위로 취직까지 시켜준다. 목욕을 시키고, 옷가지를 챙겨주고, 서류에 필요한 제 증명, 보증을 서 준다. 양이 취직하고나자 양과 함께 모여살던 집 뒤 동산의 떼거지들의 출입도 없어졌다. 어느 날 '나'는 변소에 갔다가 실수로 아내가 사준 결혼선물인 금시계를 빠뜨린다. 양이 시계를 건져 뚜껑을 닦고 또 닦아 광을 내서 가져다 준다. 그러나 양이 학교 용품

20) 「동네술」, p.136.
21) 소설집 『꽃신』(서울:동아일보사, 1984)에 수록. 원제 『The Gold Watch』
(『Stories』, 1983.5).

을 밖으로 빼내 팔아먹다 들킨 사건이 터지고, '나'는 학교측에 사과하고 변제를 약속하는 한편 경찰서에 가서 그를 빼온다. 학교에서 쫓겨난 양은 이북에 있는 고모를 찾아가겠다며 돌아섰다. 전쟁이 터졌다. 완장을 두른 젊은패들이 들이닥쳐 집없는 "불쌍한 인민들"을 위해 혼자 사는 화가동무의 왜놈집을 "접수"하겠다고 다구친다. 주머니 수색을 당하던 중 금시계가 나오자 "인민의 피"인 그 시계를 압수하겠다고 하였다. 이때 "인민회의에 오려면 이 화가동무가 시간을 알아야 안 되나!" 하고 말하는 청년이 있었다. '나'는 그가 양이라는 것을 짐작한다. '나'는 이후의 신체검사에서 "불합격" 판정을 받거나 학교 교실에 수용되어 있다가 일부러 끌려가 도망치게 되었는데, 이 모두 양의 조작과 연극으로 된 것이었다. 집에 돌아오니 '나'의 집은 이미 동네 거지들이 차지하고 있었다. 화실에 들려 화지와 페인트를 몰래 주워 담고 나오다가 거지 아비에게 들킨다. 화구를 꺼내오는 대가로 '나'는 바지 주머니에서 시계를 꺼내 그에게 준다. '나'는 방공굴 앞에 앉아 그림을 그린다.

> 왜 그리는지도 모르게 금시계를 그리고 시계의 한 손은 아내의 고운 손, 또 한 손은 양의 투박한 손을 그렸고, 여백에다가는 전쟁의 흉칙한 잔재들, 일그러진 미제 빈 깡통, 넝마주이 망태, 빈 총알, 똥 덩어리, 송장을 그렸다.[22]

다시 전황은 바뀌어 해병대가 상륙해 오고 경찰이 집집마다 게릴라를 수색한다. 만일 그들을 숨겨주면 즉결로 총살이라 하지만, '나'는 양이 다시 찾아올 것만 같다. 밤이면 집 뒤 방공굴 있는 동산으로 올라가 본다. "'쓰레기와 금시계'라는 제목을 붙인 내 그림은 지금도 문 위에 걸려 있다. 나는 지금도 문 열쇠를 걸지 않고 자건만 밤손님은 지금까지도 아니온다."(p.128)

「변천」이 황폐한 세계에서의 황폐화한 윤리의 문제를 다루었다면, 「금시

---

22) 「금시계」, p.127.

계」는 이와 반대로 정치적 혼란과 무질서 안에서의 변하지 않는 인간적 신뢰를 그렸다. 이 작품에서 전쟁은 이들의 관계를 훼손하는 폭력적인 힘으로 작용하기보다는 이들의 인간적 유대를 강화시켜주는 보조적 장치가 되고 있다. 화자가 양에게 보인 따스한 시선이 다소 감상적으로 처리되어 있음에도 불구하고 이 작품은 김용익의 작중 현실과 인물들의 거리가 그득한 현실감을 얻고 있는 사례가 되고 있다.

「겨울의 사랑」[23]은 전란의 부산항구의 시장터가 서사공간으로 설정되었으나 그 시대적 의미보다는 한 불구 청년이 사랑을 찾아 헤매는 로맨틱한 분위기가 주조를 이루고 있다. '몽치'는 '푸른돛' 다방에서 일하는 색씨 '지안'을 사랑한다. 그러나 그는 그녀에게 내보일 수 없는 결함 때문에 언제나 방한 마스크로 입을 가리고 있다. 둘은 서로 사랑하게 되었으나 몽치는 자신이 언챙이라는 사실을 괴로워하고, 지안은 몽치가 마스크를 벗지 않은 것을 궁금해 한다. 어느날 지안은 몽치의 뒤로 다가가 마스크를 떼어낸다. 몽치는 지안을 뿌리치고 달아나고 지안에게 다시 가기가 어렵게 된다. 몽치는 돈만 있으면 언청이를 고칠 수 있다는 생선장수의 제안으로 미군 보급창고의 타이어를 훔치다가 보초병의 총에 맞아 죽는다. 죽어가며 그는 지안 역시 병으로 다방을 그만두었다는 소식을 듣는다.

이 소설은 김용익 소설의 두드러진 주조 가운데 하나인 상실의 정조가 강하게 반영된 작품이다. 도입부의 '겨울의 사랑'이라는 감상적인 노래는 이를 직접적으로 드러내 준다. "촛대처럼 단단하게/순이와 내가 만든/눈사람!/사흘밤 자고나니/간 곳이 없네/순이네집 문 두드리며/슬퍼할 때에/이웃사람 말이/순이도 갔다고./늙은 농부 한 분은/하늘을 우러러보며/봄날씨만 칭찬하네." 다방에서 들려오는 이 노래는 바로 몽치에 대한 예감을 담고 있다. "간곳이 없이" 녹아버린 눈사람, 그렇게 "순이도 갔"다. 이처럼 '죽고 떠나고 잃어버리고 없어지고 오지 않는' 것에 대한 지시어는 그의 소설 여러 곳에서 간단없이 등장하는데, 이는 김용익의 세계인식의 단서를 제공하

23) 『현대문학』, 1964.2. 원제 「Love in Winter」(『Botteghe Oscure』, 1956). 본문 인용은 소설집 『꽃신』(서울:동아일보사, 1984)을 참조하였음.

는 핵심어가 되고 있다.

> "그 애는 죽었다. 지난 여름 폭격에 죽었다."
> 아아 그러나 나는 이미 알고 있었다. 오래 전 내 예감은 그녀의
> 죽음.(「꽃신」, p.17)

> "<푸른 돛>에 있는 레지를 부르고 있었소,"
> 뚱뚱한 계집애는 다시
> "한 달 전에 그만 두었는데....."
> "지안이."(「겨울의사랑」, p.37)

> 그들은 돈을 묻어 놓은 모래무덤을 찾았다. 모래 위에 써 놓은 이
> 름이 안 보인다. 그들은 모래바닥을 허둥지둥 파헤쳐 보기도 하고
> 파도가 지나간 새 풀아래 모래줄기를 따라 미친듯 파헤쳐 보았으나
> 나오는 것은 다만 조개껍질, 자갈, 모래벌레뿐이었다.(「종자돈」, p.77)

> 한번은 플로리다 주 탐파시를 지나게 됐다. 그곳이 킴노박이 받은
> 편지가 온 곳이라는 기억이 났다. 그래서 지갑을 꺼내 봤다. 지갑 안
> 을 다 뒤져도 주소 쪽지가 없었다. 샅샅이 꺼내 놓고 봤으나 달러
> 지폐, 운전면허증, 수표, 씨어즈 로벅 크레딧 카드와 매스터촤지 뿐.
> 나는 큰 숨을 쉬었다. 아무러나 이름도 모르는 그의 딸아이 양부모
> 에게 뭐라고 킴노박 얘기를 할 것인가.(「번역사 사장」, p.106)

> 그러나 양은 끝내 찾아오지를 않았다. 밤이면 나는 방공굴 있는
> 집뒤 동산에 올라가 혹시나 양이 숨어살지 않는가 살펴봤다. 그곳에
> 사람 사는 기척은 없었지만 나는 어둠 속에서 "양! 양!"하고 큰소리
> 로 불러봤다. 그를 부르는 소리가 메아리쳐 들릴 뿐 그는 끝내 나
> 타나지 않았다.(「금시계」, pp.127-8)

위의 인용들은 모두 각 작품의 결말 부분에서 뽑은 것이다. 서사적 자아
는 그의 이상에 이르지 못한 채 다만 '죽고-떠나고-없어지고-오지 않는'
상황과 마주치며 세계와 화해하지 못한다. 이러한 연민과 비애-비화해적
결말에서 오는 페이소스의 정조는 특히 사회가 이동하는 과정 속에 놓인
인물들의 행태에서 자주 보이고, 「행복의 계절」「해녀」「뒤웅박」「동짓날

찾아온 사람」,「아시땅」,「오줌고개 무지개」 등 토속 향토성이 짙은 작품의 인물들과는 대조를 보인다.

「꽃신」의 '상도'가 신분적 장애에 의해 이르고자 하는 대상과 화해하지 못하는 것과는 달리,「겨울의 사랑」에서는 '몽치'의 신체적 불구성이 그 원인이 되고 있다.「땅꾼」의 사팔뜨기,「푸른씨앗」의 혼혈아 천복이도 모두 신체적 결함을 가진 인물들이다. 실제로 심한 사시였던 작가 김용익의 유년기 혹은 이후의 어떤 체험이 이러한 인물들을 설정하는 계기가 되었을지도 모른다. 그 인물들은 소외되어 있지만 순진 질박하여 자신의 삶에 적극적인 인물로 묘사된다.「꽃신」에서의 신발장수나 백정은 그 사회적 신분에서 크게 다를 것이 없지만 신발장수의 장인의식은 백정을 용납하지 못한다.「꽃신」이 신발장수나 백정의 사회적 문제를 다룬 것이 아니듯이,「겨울의 사랑」,「푸른 씨앗」의 신체적 불구성 또한 작중인물의 개인적 정황에 초점이 놓인다. 전쟁 혹은 시대의 완고성은 이들의 의식의 전환이나 행위의 굴절에 환경으로 작용하기보다는 배경으로 남아 있다.

> 그 여자(지안)는 금간 레코드판에 바늘이 걸린 것을 모른다. 음악은 한곳에 막히고 텅, 텅, 텅—되풀이되는 송곳 박는 소리가 몽치의 골머리를 쑤신다. 저 바늘을 누가 조금만 들어올려주면 '겨울의 사랑'이 계속할 것인데.[24]

그러나 레코드 판의 바늘을 "조금만 들어올려주"기 위해 '몽치'가 선택한 방법은 미군 보급창을 털기로 한 것이었다. 이와 같은 '몽치'의 의식은 그들로 하여금 그러한 삶을 살도록 강요하는 더 큰 테두리 — 이른바 사회의 울타리까지는 이르지 못한 것 같다. 전쟁/언쟁이라는 시대적 신체적 불구상황이 어울려 하나의 상징적 구도를 이루고는 있지만 이 소설의 작중인물은 다만 "멀리 날아가는 벌소리처럼 가버리"(p.38)는 음악에 귀를 기울이고 있을 뿐이다.「겨울의 사랑」의 무시간성은 이 상징적 구도를 외면한 서사구조에서 비롯된 것이다.

---

24)「겨울의 사랑」, p.37.

한편 「써커스 타운에서 온 병정」이나 「번역사 사장」, 「주역과 T.S 엘리어트」 등의 작품은 전후의 사회상을 배경으로 다양한 인간군상들의 생활의 애환을 그린 것이다. 「써커스타운에서 온 병정」[25]은 미군 병사와 부산 맹아학교 어린이들 사이의 인정담이다. 미군 병사 '딕'과 작중화자 '나'는 부산으로 피난 온 맹아학교를 찾았을 때 안 사이이다. '딕'은 아이들에게 자신의 고향인 '써커스 타운' 얘기를 들려주었고 아이들은 환호한다. 코가 크고 익살스러운 입을 가진 웃기기 잘하는 '클라운(clown)' 얘기를 들은 아이들은 딕을 '크라운(crown) 아저씨'라 부른다. 그는 "내가 미국에 가서 캔디, 좋은 양복, 새 구두를 많이 보내줄게. 남이 안 쓰던 헬로나라 새 물건을...."(p.154)라고 약속하고 미국에 오거던 무슨 일이 있어도 마중나갈테니 전보를 치라고 당부한다. 이 이야기는 작중화자인 '나'가 대학에 공부하러 가는 길에 만나본 미국에서의 '딕'의 난처한 모습이다. "보이지 않는 작별에 더 슬픈 얼굴들"이었던 맹아학교 어린이들에게 약속한 딕의 크리스마스 선물은 실현 불가능한 것임이 드러난다. 어렵게 찾아간 '딕'의 미국 집은 부산에서의 얘기와는 달리 "노오란 전등불이 쩔은 천장과 고르지 못한 마룻바닥을 비"(p.154)치고 있는 초라하고 외진 집이었다. 맹아원 아이들과의 약속을 위해 '딕'은 돈문제로 어머니와 다투고, 딕의 어머니는 "마음씨만 착한" "잘 사는 체 허세 잘 부리는" 아들을 불평한다. '딕'은 '나'와 어울려 바닷가를 거닐며 노래하고, 술에 취해 잠이 든다. '나'는 잠든 '딕'을 바닷가에 놔두고 딕의 어머니가 준 1불 25전으로 야자나무 열매 하나를 산다. 우체국에 들려 맹아학교 아이들에게 이 신기한 열매를 부치면서 발신인을 '클라운(clown)으로부터'라고 썼다가 아이들의 발음대로 '크라운(crown)으로부터'라고 고쳐 쓴다.

「써커스 타운에서 온 병정」은 인정많고 허풍좋은 한 미군 병사의 맹아원 아이들에 대한 깊은 인간애를 담고 있다. 그가 들려준 "지상 최대의 써커스 타운"인 고향의 '클라운(clown; 어릿광대, 익살꾼)' 얘기는 사실은 자신의

---

25) 『현대문학』, 1965.2. 원제 「They Won't Crack It Open」(1963) (1973년 『Asian American Heritage』 선집에 게재). 본문 인용은 소설집 『꽃신』(서울:동아일보사, 1984)을 참조하였음.

애기가 되고 말았다. 써커스 타운 이야기를 들려줄 때마다 아이들은 그를 '크라운(crown)아저씨'라 불렀고 자신은 그때마다 '클라운(clown)'으로 발음을 고쳐주었던 것이다. 이 작품에 구사된 언어적 아이러니는 재미있고 진지하다. 한 이국 병사가 전란의 맹아학교에 남기고 간 인간적 '허풍'에 작중 화자는 '왕관'을 씌워준 것이다.

「번역사 사장」26)은 미군부대 주변의 번역사 이야기다. 번역사인 '나'는 '한미번역사 사장 리차드 조, 히로시마대학 졸업'이라는 간판을 걸어 놓고 10년째 이 일을 하고 있는데, 주로 "미군 양갈보"들의 편지를 번역, 대필해 주고 돈을 받는다. 때로는 "장수를 늘쿼먹"거나 어려운 문귀는 "건너 뛰어가면서" 돈을 열심히 모으는 중이고, 언젠가는 미국에 건너가 식당이나 선물점을 차릴 계획을 갖고 있다. '나'는 '킴 노박'이라는 양색시의 편지를 번역, 대필해 주고 그녀와 가까이 지내는데, '킴 노박'은 미국에 입양시킨 딸이 있어 미국 말을 배워서 언젠가는 딸을 만나보는 게 소원이다. '내'가 "미국에서는 껌둥이 노란둥이 흰둥이—모두 평등 대우를 받"고 훗날 그녀의 딸도 "씨어즈 로빅 사장이 될 수 있다"고 미국서 온 편지를 꾸며 읽어주면 눈물을 흘리며 감격해 한다. '킴 노박'이 다시 아비를 모르는 아이를 배고, 자신의 아이라고 우기는 미군 병사와 싸움이 벌어지고, '나'는 사이에 끼어들어 그녀를 돕는다. 미군에게 머리를 강제로 깎인 '킴 노박'에게 가발을 사주고, 그녀를 자신의 집으로 피하게 해준다. '내'가 미국으로 떠날 때 그녀는 "내 머리 줘요, 내 머리 줘요 하고 꿈에 누가 나타나는" 가발을 팔아 '나'에게 가죽지갑을 선물한다. '나'는 미국에 건너와 온갖 일을 하다가 뉴욕 한국 도매상에서 가발상품을 받아 미국 곳곳을 돌아다니게 된다.

한번은 플로리다 주 탐파시를 지나게 됐다. 그곳이 킴노박이 받은 편지가 온 곳이라는 기억이 났다. 그래서 지갑을 꺼내 봤다. 지갑 안을 다 뒤져도 주소 쪽지가 없었다. 샅샅이 꺼내 놓고 봤으나 달러

26) 『현대문학』, 1979.5. 원제 『Translation President』(1980년 『The Hudson Review』지에 게재). 본문 인용은 소설집 『꽃신』(서울:동아일보사, 1984)을 참조하였음.

지폐, 운전면허증, 수표, 씨어즈 로벅 크레딧 카드와 매스터촤지 뿐. 나는 큰 숨을 쉬었다. 아무러나 이름도 모르는 그의 딸아이 양부모에게 뭐라고 킴노박 얘기를 할 것인가.

그날 밤이 깊도록 하이웨이를 달리는데 가발상자가 털털거리는 차 위에서 성난 목소리로 '내 머리 돌려줘요, 도와주는 게 뭐 있어요!' 하는 시골색시 목소린지 킴노박의 목소린지, 외치는 소리. 듣기 싫어 라디오를 최대한으로 크게 틀었으나 귓속에 울리는 성난 목소리를 몰아낼 수가 없었다.[27]

플로리다를 지나면서 '나'는 입양한 '킴 노박'의 딸을 기억해 내지만 그녀가 건네준 주소를 적은 쪽지는 지갑 안을 다 뒤져도 없었다. '죽고-떠나고-없고-오지않는' 이들 인물들의 욕망의 귀착점은 여기서도 반복된다. 그것은 서사일반의 구성원리로서가 아니라 상실감과 비애에 기초한 작가의 세계관이었다.

3.

「꽃신」, 「변천」, 「겨울의 사랑」, 「동네술」, 「써커스 타운에서 온 병정」, 「번역사 사장」, 「주역과 T.S엘리어트」 등의 작품이 한국전쟁과 동기적 관련을 맺고 있는 인물들의 변화와 갈등을 그린 것이라면, 「종자돈」, 「*The Diving Gourd*(뒤웅박)」, 「*The Happy Days*(행복의 계절)」, 「푸른 씨앗」, 「밤배」, 「아시 땅」, 「동지날 찾아온 사람」, 「땅꾼」, 「해녀」 등은 주로 한국인의 토속적 정서와 인정에 닿아 있다.

「종자돈」[28]은 김용익 소설의 토속성과 작품의 형식미가 어우러진 것으로 그의 단편 가운데 완성도가 매우 높은 작품이다. 작품의 서두는 학교를

---

27) 「번역사 사장」, p.106.
28) 『문학춘추』, 1964.4. 원제 「*The Seed Money*」(『The New Yorker』, 1958.1) 소설집 『푸른씨앗』(서울:샘터, 1991)에는 「씨값」으로 번역 수록. 본문 인용은 소설집 『꽃신』(서울:동아일보사, 1984)을 참조하였음.

파하고 돌아온 '바우'가 외양간의 소를 몰고 웃마을을 향하면서 "송아지를 얻을라카믄 보지도 못한 딴 놈하고 우리 암소가 와 젓가락같이 붙어야 할꼬?"라고, "차마 입밖에 내지는 못했으나" 마음속으로 어머니한테 묻는 것으로 시작된다. 생명의 탄생에 대한 바우의 이러한 근원적인 호기심은 같은 또래의 소녀 '송화'와 "무서운 꿈을 꾸고 난 것 같은" 한바탕 소동을 체험하면서 구체화된다.

'바우'는 '송화'네집 황소의 씨를 받기 위해 김과 미역을 들고 찾아가지만 송화네 아버지로부터 "늙은 암소"라는 이유로 거절당한다. 돈을 주지 않은 때문이라 생각한 바우 어머니는 '씨값'을 주어 다시 바우를 보낸다. 바우는 송화와 만나 전복 조개껍질을 줍거나 잠자리를 잡고 뛰놀다가 바다에 들어가기 전에 모래무덤에 '씨값' 이백원을 묻어두었는데, 나와 보니 이미 그 돈은 파도에 휩쓸려 가버리고 없었다.

집에 거짓말을 한 '바우'는 청개구리가 시끄럽게 울어대는 어느 날 저녁, 송화와 다음날 아침 비가 오면 각자 소를 끌고 서산 모퉁이에서 만나기로 약속한다. 이튿날 억수로 쏟아지는 비를 맞으며 바우는 암소를 끌고 서산 밑 바닷가로 나간다. 바닷가 절벽 밑에 멸치 삶는 오막 앞에 송화는 보이지 않고 "무시무시한 짐승이 비안개 속으로 보"이더니 그 황소는 "굽어진 뿔을 이쪽으로 돌리며"(p.86) 암소에게 돌진해 온다. 바우가 오두막 안으로 도망쳐 들어가니 아궁이 앞에서 송화가 알몸으로 벗은 옷에서 물을 짜내고 있었다.

> 바우는 문 쪽으로 갔다. 멸막 안에 서린 김과 멸막 밖에 내리는 빗속에 두 마리의 짐승이 하나가 되어 움직인다. 바우는 다시 불붙는 아궁이 앞으로 돌아와서 몸에 착 붙은 삼베 옷을 벗었다. 그는 불이 붙은 아궁이 앞에 서고 송화는 흙벽에 비친 불 그림자 앞에 서서 마주 본다. 둘은 바우의 저고리, 바지 한 끝을 몰아쥐고 새끼처럼 꼬아 비틀었다. 두 알몸 사이에서 물이 죽 흘렀다. 아궁이에서 나는 연기와 송화 옷에서 나는 김이 멸막에 후덥지근하게 찼다. 물고기처럼 팽팽한 두 몸이 가까와지며 아스스 떨었다.[29]

작품 전반을 지배하고 있던 성적 모티프가 정점을 향하면서 바우와 송화의 젖은 알몸을 묘사하는 데로 모아진 이 결구는 멸막 밖에서 벌어지고 있는 두 마리 짐승의 교합과 대칭을 이루고 있다. "불붙은 아궁이" "새끼처럼 꼬아 비틀어진 바지" "두 알몸 사이에 흐르는 물" "연기와 김이 서린 멸막 안" "아스스 떠는 두 몸"—이 묘사는 분명히 성적 관능이 과도하게 개입되어 있으면서도 그것은 추하거나 아름다운 어떤 것으로도 묘사되어 있지는 않다. 바우와 송화가 숨어든 내밀한 공간, 멸막 안의 후덥지근한 공간에는 다만 그들의 공포와 신비가 김처럼 서려 있다. 이들은 자신도 모르는 사이, 아마 생애 처음으로 존재의 가장 내밀한 곳을 열어보인 것이다. 그 결정적인 행위인 발가벗기에서 바우와 송화는 "새끼처럼" 꼬아진 서로의 존재가 교통하는 상태를 체험한다. 원초적이고 본능적이고 무의식적인 이 의식에서 이들은 밖에서 벌어지고 있는 두 마리 짐승의 의식을 예행하고 있는 것이다. 멸막의 주인인 어부가 다가오자 송화는 "황소 옆구리에 달라붙"(p.87)었고 바우도 "달아났다"(p.88). 이들이 느낀 이러한 막연한 죄의식은 자신들이 이미 금기의 세계 속으로 진입하고 있음을 의식한 행위이다. 금기가 죄라고 느끼는 것은 거기에 진입하기 이전의 상태에서는 일종의 신성일 수밖에 없다. 바우와 송화는 이 신성 앞에서 불안한 전율을 체험한 것이다.

> 송화는 바우를 떠나 노란 호박꽃이 핀 논두렁을 가면서 한번도 바우를 쳐다보지 않았다. 바우는 소를 몰고와 주어서 고맙다는 말을 송화에게 하고 싶었지만 먼 옛날, 무서운 꿈을 꾸고난 것만 같아서 도무지 말이 안 나왔다. 바우는 풀을 뜯는 소 옆에 우두커니 서 있었다. 새 풀이 자란 이곳에서 씨값을 잃어버렸던 것이다.[30]

먼 옛날 "무서운 꿈"을 꾼 것만 같아서 도무지 말이 안나와 소 옆에 우두커니 서 있는 바우의 행위는, 인간의 천성에 각인되어 있는 관능의 발견이자 신비의 체험이었고 그 공포이기도 했다. 그가 잃어버린 씨값은 이미

---

29) 「종자돈」, p.87.
30) 「종자돈」, p.88.

"새풀" 속에 묻혀버린 것이다. 「종자돈」은 「변천」「푸른씨앗」 등과 함께 김용익에 자주 보이는 이니시에이션의 한 전형을 보여준다.

「밤 배」[31]는 오랫동안 미국에서 지내다 돌아온 어느 화가가 고향집의 아버지와 해후하는 날 밤의 이야기다. 작가 자신의 자전적 요소가 엿보이는 이 작품의 작중의 '나'는 "10년 동안을 낮배로 돌아와서 고향사람들의 웃음이 가득찬 부두를 보기를 소원했건만"(p.233) 출세한 형에게 돈이나 얻어 화구를 사곤 했던 자신의 행색이 부끄러워 늘 "밤 배"를 타곤 했었다.

"그 배는 계절과 함께 쭈그러드는 것 같이, 고향으로 가지도 못할 것같이 내가 기억했던 것보다 아주 작아보인다."(p.232)라고 시작되는 이 작품의 서두는 작중화자의 외로운 귀향을 잘 암시해 준다. 많은 고향 사람들의 환영과 환송을 받으면서 으례 "낮 배"(p.233)를 타곤 했던 지사인 형과는 대조가 된다. 뱃사람들과 구두닦이와 생선장수와 김밥장수 할머니 등, 고향사람들 틈에 끼어 '나'는 오랫만에 정겨운 고향 사투리와 풍물을 구경하면서 승객들 틈에 끼어 앉는다. "미제 구제품 자켓"을 입고 잡지를 펴든 '나'의 행색을 그들은 이상한 눈으로 쳐다본다.

> 뉴스나 읽으려고 했는데 잡지는 저절로 내 사진과 그림 '성난 부엉이'가 선명하게 박힌 예술면으로 펼쳐졌다. 나는 이것을 아버지에게 보일 작정이다. 이것은 형이 국민학교 때부터 받아 모은 상장이나 통신부보다 더 좋다. 상장을 손에 들고 뛰어들어오던 형의 모습. 그것을 받아쥐고 어쩔 줄 모르며 흙벽에 붙이던 아버지. 손님이 오면 으례 그 흙벽을 쳐다보며 칭찬들을 했다.
> "우리 마을에 신동이 났소. 하! 이 집 큰 아들은 지 하고 싶은 대로 뭐든지 시키시소. 작은 놈이 농사일 하면 안 되오."
> 그럴 때마다 아버지 얼굴은 술 취한 것 같이 벌개지곤 했다. 내 것이라고는 붓글씨 한 장을 붙여봤을 뿐. 제일 잘 된 붓글씨였는데 그것도 반나절이 못가서 떼어버리고 말았다. 마을 주막 대문에 큼직한 글씨로 멋지게 흘려 쓴 '此處觀明月'이란 종이가 붙은 것을 보고

---

31) 『현대문학』, 1964.10. 원제 「*From Here You can See the Moon*」(1968년 여름 『*Texas Quarterly*』지 게재). 본문 인용은 소설집 『꽃신』(서울:동아일보사, 1984) 참조.

열심히 연습해서 형의 상장 위에 붙여놨다가 아버지에게 들켜서 매 맞고 말끔히 내 자신이 떼어냈다. 그때 일을 생각하면 지금도 뜨거운 피가 이마로 솟구친다. 그 다음부터는 몰래 숨어서 '此處觀明月'을 연습했고 잘된 것은 아버지 눈에 잘 띄는 서랍 속에 숨겨두었다.32)

'나'는 늘 칭찬받던 형의 그늘에 가려 외롭게 글씨연습을 하던 기억을 떠올린다. 이제는 성공한 예술가가 되어 돌아간다는 자신감도 있지만 그러나 한편으로 "반나절이 못가서" 붓글씨를 떼어버리던 아버지의 모습을 지울 수가 없다.

배가 도착하자 승객들은 모두 손을 내밀어 순경의 도장을 받은 후 귀가한다. 밤중의 통금시간 때문에 야경원에게 보일 증명이라는 것이다. '나'는 "예술가의 손에 이런 홈을 새겨 놓을 수 없다"고 우기고, 이내 순경과 실랑이가 벌어진다. 손도장을 면할 수 있었던 것은 결국 '내'가 지사의 아우라는 것이 밝혀지면서였고 순경은 경례를 붙여 사과한다. 가방을 지고 양산골 "오동나무집"으로 가던 늙은 지겟꾼은, 큰아들 조지사는 영감 찾아볼 틈이 없이 바쁘고, 마누라를 홀딱 벗기고 그림 그릴려다 이혼당한 작은 아들은 미국에서 돌아오질 않았다고 말한다. '나'는 십년 동안 편지 한장 없이 지냈던 것을 후회한다.

집에 도착하자, 허리가 구부러진 하얀 노인이 앞마루 큰기둥에 걸린 남포에 더듬거리며 불을 켰다. "네가 돌아왔나, 상만아. 못 믿을 일이지. 밤배 고동이 울 때 네 발소리가 들리더니......" 하얗게 센 머리가 턱에 닿았다. 이웃집 '고모'를 불러 밥을 짓겠다고 하자 '나'는 소리쳐 말린다.

> "그래 그러지. 뭐든지 네가 좋다는 대로 하자."
> 아버지는 내 구제품 자켓을 받아들었다. 꼭 옛날의 어머니 같다.
> "어머니처럼 그러지 말아요."
> 목구멍까지 꽉 차는 말을 참는다.
> 안방으로 들어가려다 나는 툇마루 앞에 서버렸다. 거기 남포불 바

---

32) 「밤배」, p.234.

로 위에 붓글씨가 붙어 있다.

"네 책상 서랍에 있길래 내가 꺼내서 붙였다. 붙인 지도 오래됐지."

아버지가 일러주는 말을 들었다. 날카롭게 삐친 내가 쓴 글씨를 읽어본다.

— 此處觀明月

밤배 고동소리처럼 커다란 울음이 터질 것 같아 방으로 뛰어 들어갔다.[33]

「밤배」가 보여준 이 화해는 감동적이다. 아버지는 이제 "뭐든지 네가 좋다는 대로 하자"고 말하고 작중 화자는 "어머니처럼" 변해버린 아버지가 그래서 더욱 슬프다. 아들의 붓글씨를 붙여 놓은 채 밤 배 고동소리에 귀를 기울이는 아버지는 이미 "한 평생 쌀 한줌 벌어보지 못한 손재주"(p.238)라고 소리치던 모습이 아니었다. '나'의 슬픔은 세월의 변화에도 마모되지 않은 부정(父情)에 있는 것이 아니라 아버지가 '나'에게 가했던 강제성을 순종으로 변하게 만들어버린 시간의 거대한 힘 때문이었다.

4.

문학사는 주로 문제되거나 주목되어야 할 작가나 작품들에서 서술의 재료를 얻게 된다. 김용익의 작품에도 문제되거나 주목되어야 할 부분이 많이 있으나, 문제거리나 주목거리라고 보지 않은 관점들에 의해 그의 소설은 등한시되었던 것 같다. 이는 먼저 그의 작품에서의 소위 현실과 역사가 어떻게 반영, 수용되어 있는가에 대한 논의와 관련되어 있었을 것이다. 우리 나라의 문학사는 특히 이 점을 가치평가의 척도로 삼는 오래된 관습이 있어서 김용익의 소설들은 이 대목에서 다소 거북해질 수 있다.

그러나 문학사는 사가의 관점에 의해 조작되는 역사이므로 거기에 기록

---

33) 「밤배」, pp.243-4.

되지 않은 가치있는 작가나 작품도 많다. 특히 문학이 정치 사회적 현상의 사실적 반영으로 전락되어 있는 우리 문학사의 형편에서는 사랑받았던 작가나 작품이 늘 문제되었던 작가나 작품의 뒷전에 물러나 있게 마련이었다.

이 글은 김용익 소설이 도달한 성과를 검토해 보고, 그의 소설이 독자들에 의해 온당한 평가와 비판을 받을 수 있는 단서를 마련하자는 뜻에서 씌어진 것이다. 잘 알려져 있지 않은 작가이므로, 장편과 단편 혹은 영문소설과 번역/개작소설을 나누어 소개하고 논의하는 것도 한 방법일 것이다. 「꽃신」에서 「땅꾼」에 이르기까지의 그의 주요 작품들을 검토했을 때 우리는 다음과 같은 몇 가지 특성을 지적할 수 있을 것이다.

첫째, 「꽃신」 「변천」 「동네술」 「겨울의 사랑」 「써커스 타운에서 온 병정」 「번역사 사장」 등 일련의 작품들은 소위 '전후소설'이라는 이름으로 문학사에 등록되어 있는 기왕의 작품들의 성향과는 또 다른 면에서 전후의 한국사회를 잘 묘사해 보이고 있다는 점이다. 이동해 가는 사회 안에서의 인간과 사물에 관한 정서나 의식의 변화는 그의 소설에서 탁월한 문학적 성취를 보이고 있다. 이는 <'전후'의 인간>보다는 <전후의 '인간'>의 모습을 그려보임으로써 전쟁체험이라는 역사적 사실이 어떻게 심미적 과정으로 형상화되었는가를 보여주는 사례다. 그의 인물들은 알게 모르게 전쟁과 동기적 관련을 맺고 있으면서 전쟁이라는 특수상황을 초월한 보편성을 유지하고 있다. 그는 전후사회 자체보다는 그 그림자를 그렸다. 역사와 현실의 부재라는 혐의도 여기에서 비롯되었지만 이 작품들은 그것을 내면화하는 데 성공하고 있다.

그의 소설들은 따라서 서사적 국면에서 취약성을 드러내고 있는데, 이는 그가 시를 좋아하며 산문을 쓸 때도 시적 느낌은 밑바닥에 깔려 있다고 술회하고 있듯이[34], 소설의 서정성과 형식미에 더 많은 가치를 부여한 때문인 것 같다. 그는 작품집을 묶어내면서도 "아직도 한 10년 들고 고쳤으면 싶다"[35]고 말하고 있는데, 이는 근본적으로 그가 소설의 사회적 의미보다

34) 최일남, 대담 p.438.
35) 『꽃신』(서울:동아일보사, 1984) 「책머리에」 참조.

는 언어예술로서의 그것에 집착하고 있음을 보인 것이다. 그는 마치 "실패한 시인"36)처럼 비유와 상징과 어조와 리듬에 매달리고, 고쳐 쓴다. 인물의 과거와 현재는 최대한으로 삭감되고 행동의 크기는 암시되거나 짧게 서술된다. 이러한 김용익의 장인적 기질은 그의 여러 고전적인 단편들에서 주제와 문체와 표현이 긴장과 통일성을 얻고 있는 데서 잘 드러난다.

그러므로 본질이 "시감"에 기초해 있는 소설의 약점 또한 자명해진다. "시감의 원천"이었던 섬, 물, 산골이라는 그의 서사공간은 상당수가 시대와 무연한 것이어서 소설이 갖는 당대적 의미를 크게 의심받게 하고 있다. 그의 인물들의 가치의 지향점은 시간적으로 지금/여기보다는 그때/거기에 쏠려 있으며 「해녀」 「땅군」 「아시땅」 「오좀고개 무지개」 「동짓날 찾아온 사람」 등의 작품은 다만 토속적 정서와 전래적 인정에 회귀하고 있을 뿐 그 무시간성을 드러내고 있다. 그는 '지방성과 보편성'을 자신의 문학적 성취로 보았지만37) '지방성'을 '역사성'으로 대체하거나 그렇게 할 만한 현실적인 공간 속에서의 삶을 누리지 못했다. 그의 '지방성'은 다만 과거회귀로서의 지방성에 불과한 것이었으며 삶의 현장성과는 많이 비껴나 있었던 것이다. 그의 오랜 출타는 과거를 지향하게 했지 현실을 거머쥐게 하지는 못하게 한 것 같다.

---

36) 포오크너와 같은 몇몇 작가들은 단편소설의 중요성을 인정하는 자리에서 자신의 문학적 생애의 패턴을 "나는 실패한 시인이다. 아마도 모든 소설가들은 최초에는 시를 쓰려고 했다가 안 되는 것을 알고는 단편소설을 쓰려고 했을 것이다. 그런데 단편소설은 시 다음으로 힘드는 것이다. 그런데 그것도 안되니까 장편소설에 손을 대게 된다."라고 말하고 있는데, 이는 국내의 몇 작가들----예를 들면 황순원 오영수 김승옥 서정인 오정희 등, 주로 짧은 형식의 서사체에서 높은 완성도를 보인 작가들의 경우를 상기케 해 준다.

37) 그는 앞의 대담에서 문학에 있어서의 세계성과 지방성에 대해 말하면서 "센스 오브 로케이션(Sence of Location)"과 "보편성"의 조화를 강조했다. 이 두 요소가 합해졌을 때 훌륭한 작품이 된다는 것이다. 그러면서 자신의 작품 「아시땅」을 예로 들어 글씨 잘쓰는 여자를 주인공으로 삼으면서도 한편으로 외국의 여성해방운동을 생각하면서 썼다고 했다. 자신의 작품이 충무를 배경으로 글을 쓰면서도 세계적으로 팔린 것은 다소 보편성이 강했던 때문이라 했다(p.436)

따라서 우리는 세계와의 불화 속에서 시대성과 보편성을 달성한 이동하는 사회의 인물들을 다룬 소설들에서 우리는 그의 문학적 성취를 거론해야 할 같다. 이 작품들에 보이는 꽃신/쇠고기, 미인/언청이, 갓/상투머리, 검은 눈/푸른눈, 선지피/비암탕, 붓글씨/기생질, 꼿꼿한 머리/주린 배— 등의 상징과 대칭물은 이동하는 사회 속의 가치나 이념의 전도의 의미를 잘 드러내주며, 이러한 그의 상상력의 공간은 과거에의 회귀보다는 현재의 삶과 마주쳤을 때 더욱 높은 성취를 보이고 있다.

그럼에도 불구하고 김용익 소설의 본질은 향수와 페이소스의 세계에 기초해 있다. 그의 이러한 정조는 이태준의 상고주의나 황순원의 한과 토속성, 오영수에 보이는 인정주의 등 한국문학의 전통적 정서와 닿아 있으면서도 과장되거나 치우쳐 있지 않다. 그가 성취한 이러한 균제된 아름다움은 우리 나라 단편미학의 한 전범을 이룬다.

김용익은 문서에 기록되기보다는 마음속에 기억되어야 할 작가이다. 연대기와 가족사와 당대적 문제들에 매달렸던 '야심적인 현장인'들의 작품들로 채워진 우리 소설사의 여로에 그는 작은 쉼터를 마련한 것이다. 그의 짧은 형식의 언어예술이 보여준 옛것에 대한 아련한 그리움의 정서와 현실과의 대결에서 마침내 맛보게 되는 그득한 상실감—그 한국적 향수와 페이소스는 사라져가는 '꽃신'의 환영처럼 애처럽고 '밤배' 고동소리처럼 크게 울린다. 새미

상징의 닫힘과 열림
─ 「행복의 계절」, 「푸른 씨앗」, 『뒤웅박』

송 창 섭*

1. 머리말

김용익(1920-1995)은 작품을 미국에서 영어로 발표한 뒤 나중에 한국에서 번역하여 재발표해 나간 특수한 경력의 작가이다. 그는 한국의 삶을 다루는 단편들을 미국의 『뉴요커New Yorker』, 『하퍼스 버자Harper's Bazzar』같은 대중지와 문예지 등에 발표했고, 다시 한국에서 번역하여 발표하거나 단행본으로 묶는 경로를 밟았다.[1] 김용익 문학의 전개과정을 시기별로 구

---

* 宋昌燮, 경희대 영문과 교수, 주요 논문으로 「셰익스피어의 역사의식과 아우얼바하의 문체론적 리얼리즘」, 「밀턴의 '리시다스'와 시적 구조의 심리적 통일성」 등이 있음.

[1] 이러한 김용익의 문학을 한국문학에 포함시킬 수 있는가의 문제는 1995년에 대산재단의 주최로 열린 <한국 현대 문학 50년> 심포지엄에서 기본적인 논의의 골격이 정해졌다. 「재외 한국인 문학 개관」이라는 주제 논문을 발표한 홍기삼 교수는 "가장 중요한 조건"으로 "재외 동포들"의 본질이 "한국인이라는 사실"을 들어 재외 한국인 작가들의 문학을 한국 문학에 포함시켜야 한다고 주장한다. 그러나 김용권 교수는 작가가 사용한 언어에 따라서 그 언어로 된 국민문학에 귀속시키는 예들을 제시하면서 "언어귀속주의 원칙"에 따라 김용익이나 그와 비슷한 경력의 김은국같은 작가들을 "한국계 미국문학"의 범주에 포함시켜야 한다고 주장한다. 홍기삼 교수가 인용한 가와무라 미나토라는 일본 비평가의 논의틀은 크게 '누가(작가론),' '무슨 언어로(용어론),' '무엇을(주제론)'의 세 개의 조건과 네 번째의 조건 '누구에게 읽히는 것인가'로 구성되어 있는데, 홍기삼 교수는 재외 한국인 작가의 귀속 문제를 '누가'의 범주에, 김용권 교수의 경우는 '무슨 언어로'의 범주

분하기는 어렵다. 그의 작품은 6.25 전쟁 전후를 시공간으로 하면서 토속적 삶을 다룬 것과 도회지에서의 경험을 다룬 것으로 구분할 수 있는데, 이 두 경향의 작품들이 1950년대 후반에서 1980년대 전반에 걸쳐 혼재하기 때문이다. 그러나 주제 대신 창작년대를 기준으로 삼으면 단편 「꽃신」을 발표한 1956년에서 청소년 소설 「푸른 씨앗」을 발표한 1964년까지를 전기로 보고, 10년 정도의 공백이 있은 다음, 중편 「양산골에서 온 신발」을 발표한 1972년에서 단편 「오줌고개 무지개」를 발표한 1984년까지를 후기로 볼 수 있다.[2] 이렇게 시대구분을 하면 전기를 구성하는 작품들은 예외가 적지 않

에 국한시킨 다음 주제론(무엇을)과 독자대상(누구에게 읽히는가)의 문제는 논의의 문맥에서 제외한다. (유종호 외, 『한국 현대 문학 50년』, 민음사, 1995에서 홍기삼, 「재외 한국인 문학 개관」, 507-525 쪽; 김용권, 「'재외 한국인 문학 개관'에 대한 토론」, 586-591쪽 참조)

　김용익을 논할 때 작가의 민족적 아이덴티티와 언어의 문제 못지 않게 중요한 것은 그가 다룬 주제와 독자 대상의 문제이다. 그의 작품은 6.25 전쟁 전후의 한국의 삶을 다루고 있기 때문에 작품의 내용을 분류의 기준으로 삼으면 그의 문학은 홍기삼 교수의 주장대로 한국 문학에 귀속시켜야 한다. 그러나 독자대상의 문제에 있어서 김용익이 원래 의도한 독자는 미국인들이었다고 보면, 김용권 교수의 '언어귀속주의'에 의한 주장대로 우선 미국 문학의 범주에 포함시켜야 옳을 것 같기도 하다. 그러나 여기서 김용권 교수의 언어 귀속주의에 의한 분류를 선뜻 따르기도 어려운 것은 김용익이 자신의 작품을 스스로 번역하여 한국의 독자들을 대상으로 재발표했다는 데 있다. 작가 자신이 독자 대상을 한국의 독자들로 재설정한 이상 적어도 그의 '번역' 문학은 독자 대상을 분류의 기준으로 삼을 경우, 일단 한국문학의 범주에 포함시키되, 미국독자가 읽는 김용익 문학과 한국독자가 읽는 김용익 문학의 차이가 무엇인지 고찰해야 한다. 동일한 영문 텍스트라고 하더라도 미국독자가 읽는 김용익과 한국독자가 읽는 김용익은 다르다. 한국 어판의 김용익은 영어판 김용익과 더욱 다르다.

　재외 한국인 작가로서의 김용익 문학을 한국문학에 귀속시키는 문제는 문학사가의 전문적인 연구에 맡겨버릴 수도 있지만, 그러한 전문적인 성격의 연구가 이루어지기 위해서는, 서지작업, 김용익의 년보 작성 등의 기초적인 작업과 더불어 김용익의 작품 읽기와 비평이 있어야 한다. 그러한 기초작업의 한 부분으로서 이 글은 김용익의 두 편의 청소년 소설 「행복의 계절」, 「푸른 씨앗」과 장편 소설 『뒤웅박』을 다룬다.

2) 한국에서 발간된 소설집 등의 단행본에 정리된 김용익의 연보 등의 자료는 오류가 적지 않다. 전체적인 연보의 정리를 여기서 시도하기는 어렵고 부분

지만 토속적인 삶의 재현이 주류를 이루고, 후기는 도회지를 배경으로 한 실존적 개인의 경험의 재현이 주류를 이룬다. 김용익은 1984년 이후에 더 이상 새로운 작품은 쓰지 않다가 1991년에 「푸른 씨앗」 등을 묶어 『푸른 씨앗』이라는 제목의 소설집3)을 출간하여 1995년에 타계하기까지 그의 작품 세계를 결산한다.

청소년 소설 「행복의 계절」, 「푸른 씨앗」과 장편소설 『뒤웅박』은 위의 분류에 따르면 모두 김용익이 토속적 삶의 재현에 치중했던 전기에 해당하는 작품들이다. 「행복의 계절」은 1960년에 미국의 리틀 브라운 출판사를 통해 출간되었는데, 우리말로는 전편이 아직 번역되지 않았고 1991년에 샘터사에서 나온 『푸른 씨앗』에 그 마지막 장이 「상량」이라는 제목으로 번역 개작이 되어 실려 있다. 「푸른 씨앗」은 1964년에 역시 리틀 브라운 출판사를 통해 발표되었는데, 1990년에 「푸른 씨앗」과 기타 단편들이 거의 변형

적으로 그의 작품세계를 시기별로 정리해본다. 1964년에서 1972년까지의 10년 정도의 공백기를 중심으로 김용익의 작품세계는 연대순으로 다음과 같이 정리된다. 영문제목과 한글제목이 상당히 틀린 경우도 있으므로 같이 표기하고 작품발표 햇수를 괄호 속에 집어넣기로 한다. 1)전기:「꽃신The Wedding Shoes」(1956), 「겨울의 사랑Love in Winter」(1956), 「종자돈The Seed Money」(1958), 「변천From Below the Bridge」(1958), 「해녀The Sea Girl」(1959), 「행복의 계절The Happy Days」(1960), 『뒤웅박The Diving Gourd』(1962), 「밤배 From Here You Can See the Moon」(1963), 「동지날 찾아온 사람After Seventeen Years」(1963), 「서커스타운에서 온 병정They Won't Crack It Open」(1963), 「Till the Candle Blew Out(미번역)」(1963), 「푸른 씨앗Blue in the Seed」(1964). 이중에서 「해녀」는 1978년에 미국고등학교 영어 교과서에 처음 실린 것으로 알려져 있으나 한국을 소개할 목적으로 1959년에 간행된 논픽션 형식의 The Moons of Korea (Seoul: Korea Information Service, 1959)에 실렸다. 따라서 발표연대를 1959년으로 보아야 한다. 2)후기:「양산골에서 온 신발The Shoes from Yang San Valley」(1972), 「동네술Village Wine」(1976), 「아시땅Spring Day, Great Fortune」(1978), 「번역사 사장Translation President」(1980), 「주역과 T. S. 엘리어트American Love Song」(1981), 「금시계The Gold Watch」(1983), 「땅꾼The Snake Man」(1983), 「양과 지미와 나The Sheep, Jimmy and I」(1983), 「오줌고개 무지개Gourd Dance Song」(1984).
3) 김용익, 『푸른 씨앗』(서울: 샘터, 1991).

되지 않은 채 국내의 시사영어사에서 영문판으로 묶여 나왔다. 그리고 1991년에 전편이 번역되어 샘터의 『푸른 씨앗』에 실려 한국 독자에게 소개된다. 「푸른 씨앗」의 기본적 모티프는 눈이 푸른 소년 주인공의 정체성 상실과 회복이다. 신체 일부분의 선천적 비정상성은 김용익이 1956년에 발표한 단편 「겨울의 사랑」에서 이미 다룬 모티프이다. 「겨울의 사랑」은 언청이 입의 주인공 청년의 결혼문제와 그 비극적 결말을 다룬 단편이다. 억척스런 해녀 보선의 삶을 다루는 『뒤웅박』은 1958년에 발표된 단편 「종자돈」을 장편으로 개작한 것이다. 『뒤웅박』은 1962년에 미국의 알프레드 노프 출판사에서 나왔는데, 「종자돈」에 해당하는 첫 두 장을 제외하면 그 전편이 아직 번역되지 않은 셈이다.

김용익의 창작과정을 살펴볼 때 두드러진 특징 중의 하나는 청소년 소설의 모티프와 (성인) 소설의 모티프가 근본적으로 유사할 때, 유사한 모티프를 장르적 특성에 따라 신축적으로 작품의 구성에 활용한다는 것이다. 청소년 소설은 그 장르적 특성상 인물묘사, 줄거리의 구성, 해피 엔딩식 결말 등에 있어서 작위성/허구성이 (성인) 소설보다 강하다. 미숙한 자아의 성장과정과 경험에 초점을 맞출 때, 「행복의 계절」, 「푸른 씨앗」, 그리고 『뒤웅박』의 모태가 된 「종자돈」의 공통분모는 작가의 유년기 또는 청년기의 자전적이고 사실적인 경험일 수도 있다. 그러나 김용익은 독자가 추정할 수 있는 바의 자전적 사실적 경험을 서사의 허구적 틀로 옮겨오면서 장르적 특성에 따라 사실과 허구의 경계를 허물어버린다. 김용익의 작품세계를 추적하는 데 있어서 청소년 소설의 검토는 그의 문학의 서사적 특질을 밝히는 디딤돌로서의 의의를 갖는다. 청소년 소설의 장르적 규약에 따른 허구적 변형의 양식은 작가의 창작 원리를 조명하는 데 도움을 줄 수 있기 때문이다. 독자는 김용익의 청소년 소설을 어른의 '순진하지 않은 눈'으로 읽어서 (성인) 소설에 연결고리를 만들어 볼 수 있다.

김용익으로 하여금 작위성/허구성이 강한 「행복의 계절」이나 「푸른 씨앗」을 쓰게 만든 작가의 현실 의식이나 모국 바깥의 사회문화적 조건을 여기서 소상하게 밝히기는 어려울 것이다. 그러나 한국의 현실에서 거리를 둔 김용익에게 모국의 사실적 경험은 그다지 중요하지 않았던 것 같다. 김용익은 「책 쓰는 모험」4)이라는 에세이에서 데뷔작인 「꽃신」을 예로 들어 자신의 창작 원리에 대해 흥미로운 암시를 하는데, 이 암시에 따르면 창작은 경험에서 출발하는 것이 아니라 환상에서 출발한다. 그는 1950년대에 미국의 아이오와 시에서 창작수업을 하며 작품을 영어로 발표하는 것이 지극히 어려운 일임을 경험하고 좌절을 겪던 중, 눈오는 어느 날 꽃신의 환상을 본다.

> 이상한 환상이 나타났다. 한국 꽃신 한 켤레가 나타나더니 눈 오는데 자꾸 나로부터 멀어지고 있는 것이다. 내가 마음 가운데서 그 꽃신을 자꾸 따라가는데 그 꽃신 신은 사람의 뒷 모습만 보고 조그마한 조각배 같은 흰버선 신은 꽃신의 뒤축을 내가 자꾸 보고 있었다. 그 비단 꽃신이 먼 산을 자꾸자꾸 걸어가고 있고 대체 그 신을 신은 여인이 누군가 보고 싶은데 그 신 신은 아가씨와 그 신은 도무지 돌아서지 않고 볼 수가 없었다.5)

김용익은 이 환상 속의 신의 임자를 한 번 보면 "진짜(real) 얘기"6)를 쓸 수 있겠다고 생각한다. 환상에서 깨어 정신을 차린 김용익은 식품점에 들러 고기를 사는데, '우육상butcher'이 무슨 연유에서인지 값을 적게 매긴 것에 비해 턱없이 많은 양의 고기를 주는 것을 보고 의아해 한다. 그 우육상은 그 뒤로도 고기를 사러 가면 단돈 몇 푼에 똑같이 많은 양의 고기를 주는 것이었다. 김용익은 단순히 암시하는 차원에서 자세한 내막을 흐려버리지만 이 친절한 우육상은 「꽃신」 속에서 기묘하게 '백정butcher'으로 변형되어 등장한다: "이 「꽃신」 얘기에는 한국 산간에 있는 백정이 망해가는 꽃신

---

4) 김용익, 「책 쓰는 모험」, 『꽃신』(서울: 동아일보사, 1990), 283-289쪽. 김용익의 이 글은 원래 영문으로 발표되었다. Kim Yong Ik, "A Book-Writing Venture," *The Writer*, Boston, October, Vol. 78, No.10, pp.28-30.
5) 「책 쓰는 모험」, 287쪽.
6) 같은 곳.

집 어린 딸이 적은 돈을 들고 오지만 늘 고기를 관대하니 많이 준다. 또 백정들의 눈을 통해서 그 얘기를 다룬다."[7] 「책 쓰는 모험」의 번역판에는 우육상과 백정으로 구분되어 있지만 영문판의 표현은 다같이 'butcher'이다. 김용익은 미국에서의 경험을 한국에서 실제로는 없었던 경험의 틀에 이식하고 있는 것이다. 꽃신의 임자는 누구인지 정확하게 밝혀지지 않고 이야기 속에서 직접 등장하지 않는 가운데 「꽃신」은 김용익의 출세작이 된다. '꽃신'은 청년기 주인공 자아의 욕망의 대상 또는 상징적 사물로서의 기능을 갖는다. 미국과 한국의 이질적인 문화적 배경상 착종적인 성격의 경험 세계를 상징적 사물에 초점을 맞추어 상징구조에 가두는 것은 김용익의 일관된 기법이다. 그리고 그의 전기를 장식하는 두 편의 청소년 소설 「행복의 계절」, 「푸른 씨앗」은 미숙한 자아의 탐색과정을 실체가 불확실한 이상 또는 상징의 구조에 가두어 두고자 한다. 『뒤웅박』은 장편으로서 청소년 소설이나 단편보다 구조적으로 더 복잡하지만 작품 속에 존재하는 갈등의 해결은 역시 상징에 의존한다. 그러나 김용익의 상징이나 상징구조는 불안하다. 그것들은 현실과 거리를 두면서 자족적인 체계를 유지하려고 하지만 스스로 허구적인 성격을 드러내기 때문이다.

2. 「행복의 계절」, 「푸른 씨앗」, 『뒤웅박』

「행복의 계절」, 「푸른 씨앗」, 또는 『뒤웅박』은 충무 근처의 시골 마을의 삶을 배경으로 하고 있는데, 가족사적으로 공통적인 요소들을 지니고 있다. 김용익의 소설에서 아버지는 아마 6.25 전쟁 때문에 사망했거나,[8] 아니면 가장의 구실을 제대로 하지 못하는 무능력자이다. 어머니는 아버지가 없는 자리에서 아들의 미래를 걱정하거나 아들의 성장에 결정적 역할을 한다.

---

7) 같은 글, 288쪽.
8) 작품 속에서 막연하게 암시되기 때문에 확실한 원인을 알 수 없다. 다만 시간적 배경이 6.25전쟁인 것으로 보아서 전쟁으로 인해 사망했다고 추정할 수 있다.

가령 「푸른 씨앗」에서 청소년 주인공의 자아는 선천적으로 타고 난 '푸른 눈' 때문에 주어진 환경에 적응하지 못하다가 어머니를 통해 심리적 충만 감을 경험하고 자기의 정체성을 찾거나, 「행복의 계절」의 경우, 이상적인 목표에 도달하는 것처럼 보인다. 김용익의 실제 삶에 대한 연구가 없는 상 태에서 이 작품들을 자전적 성격의 작품으로 읽는 것은 위험하지만 적어도 공통적으로 관찰되는 가족사적인 문제는 김용익의 삶에 대한 역추적을 가 능하게 해주기도 할 것이다. 그러나 그의 실제 삶이 어떠했든 간에 김용익 의 작가적 의식은 닫힌 양식의 심미적 구조를 지향하면서도 그것을 넘어서 는 글쓰기의 지평을 향해 열려 있다는 것이다. 그것은 한편으로는 그의 완 결되지 않는 글쓰기의 형식과 과정, 곧 끊임없는 고쳐쓰기의 욕망을 통해 드러나고,[9] 다른 한편으로는 닫혀 있는 것 같은 심미적 상징구조의 열림의 형태로 드러난다.

「행복의 계절」[10]

「행복의 계절」의 시간적 배경은 6.25 전쟁 직후이다.[11] 주인공 소년 상

---

9) 김용익은 동아일보사 간 『꽃신』의 「책 머리에」를 통해 다음과 같은 개작에 대한 소신을 밝혔다. "나의 이야기는 내 밑바닥에 깔린 고향에 대한 시감이 원천이니 그것은 바로 나의 노래다. 영어로 쓰기 이전의 본연으로 돌아가 한국 말로 재창작한 것을 단행본으로 준비하니 마치 산에서 혼자 오랫동안 노래 부르다가 내려와 마을 사람 앞에 처음 서는 것 같다. 겁도 난다. 왜냐 하면 작품 하나 하나를 다시 보니 아직도 한 10년 들고 고쳤으면 싶다."

10) Kim Yong Ik, *The Happy Days*(Boston: Little, Brown and Company, 1960). 이하 *HD*로 줄여서 표기함.

11) 「행복의 계절」의 시공간은 6.25 전후의 한국의 시골 마을이지만 이러한 시공간이 김용익의 재현양식에서 등장인물들의 삶에 절대적 영향력을 미 치는 것으로 묘사되지는 않는다. 6.25 전쟁이나 그 이전의 한국 근대사의 곡절은, 제대로 밝혀지지 않은 아버지의 사망, 제대군인 도리 선생의 등 장, 부모를 따라 만주에 갔다가 돌아와서 지독한 빈궁을 벗어나지 못해 만주라는 이름이 붙어버린 아이 등을 통해 먼 원경으로 처리될 뿐이다. 일제부터 박정권까지의 역사를 영어로 재현하는 것을 작가의 출발점으로 삼았던 김은국의 경우와 대조적으로 김용익은 한국의 근현대사를 먼 배경

천은 제주도로 어머니와 함께 피난갔다가 전쟁이 끝난 뒤 뭍으로 돌아온다.[12] 나이가 11살로 추정되는 상천은 외톨이 고아로 등장한다. 아버지는 아마 전쟁으로 사망했고, 어머니는 제주도의 바다에서 해산물을 채취해 생계를 유지하던 중 바위에서 미끄러져 병을 얻어 앓다가 사망한 것으로 묘사된다. 따라서 어머니도 살아 있는 인물로 등장하는 것은 아니고 상천의 기억 속에 남은 어머니로서 작품 속에 등장한다.

전쟁이 끝나고 '행복의 계절'이 오면 육지에 가서 학교에 다닐 수 있다고 상천의 엄마는 제주도에서 해산물 채취로 생계를 이어가던 때 상천에게 늘 입버릇처럼 말했다. 3년간의 전쟁 때문에 학교가는 것이 3년이나 늦어져 읽지도 쓰지도 못하는 상천의 취학문제가 엄마에게는 큰 걱정거리였다. 어머니가 죽은 뒤 상천은 이웃의 도움으로 뭍의 할아버지 집에 가서 그 '행복의 계절'을 찾아 나선다. 그러나 할아버지가 사는 마을에 학교는 없었다. 제대 군인인 이발사 도리 선생(Teacher Doree)은 자신의 이발소에서 야학을 운영하면서 정식학교를 세울 꿈에 젖어 있는 인물이다. 그림에 재능이 있는 사촌형 구(Koo)와 함께 상천은 도리 선생이 학교를 세우는 데 아이들이 할 수 있는 일을 하며 돕는다. 상천을 돕는 친구들은 피난왔던 서울 청년이 남기고 간 피리를 부는 소녀 미자, 늘 굶주려 있는 만조(Manchu-Boy),[13] 박서방 집의 쌍둥이 딸 등이다. 학교를 세우는 일은 힘들고, 이들을 좌절하게도 만들며, 사촌형 구의 죽음 등 비극이 뒤따르기도 하지만 마을 전체가 학교를 세우는 일에 참여하면서 학교 건물은 완공되고 '행복의 계절'은 찾아온 것같이 보인다. 그러나 '행복'의 의미는 확실하게 밝혀지지 않는다.

1960년에 미국에서 출간된 「행복의 계절」은 같은 해에 미국의 도서관 협

으로 처리하면서 토속적인 삶과 무기력한 도시인이 겪는 일상적 체험의 재현에 중점을 두었다.

12) 「행복의 계절」, 「푸른 씨앗」, 『뒤웅박』은 똑같이 섬과 뭍이라는 대조적 공간을 배경으로 전개된다.

13) 김용익은 「행복의 계절」의 마지막 장을 「상량」으로 번역 개작하면서 '만조'라고 표기했다.

회에 의해 우수 청소년 소설로 선정되었고 그 뒤에 잇따라 영국과 뉴질랜드에서 출간되고, 독일어와 화란어로 번역되었을 뿐만 아니라, 독일어 번역본은 1965년에 최우수 청소년 도서로 선정되기도 했다. 작가가 원래 의도했던 미국의 독자들은 이 작품을 동양의 한 구석에 대한 문화지리적 호기심 또는 작품의 형식적 완성도 등의 심미적 기준을 척도로 해서 읽었다.[14] 미국과 구미에서 문화지리적 소개의 우수한 사례, 등장인물들의 뚜렷한 성격 창조같은 형식적 완결성으로 호평을 받은 「행복의 계절」은 그 형식과 내용상 꼭 완벽한 것은 아니다. 김용익이 원래 의도했을 미국독자들은 작품 속에서 수시로 묘사되는 한국의 특수한 문화적 관습과 습속을 '나'가 아닌 '타자'의 것으로 의식하면서 읽어 내려간 것 같다. 그리고 타자의 생경한 문화에 대한 이들의 호기심은 형식이나 인물묘사에 있어서의 부자연스러움을 이질적인 문화의 특성과 혼동하게 만들었을 수 있다.

14) 가령 「위스콘신 도서관 회보」는 「행복의 계절」이 "한국의 시골 마을에서 함께 일하고 뛰노는 아이들을 배경으로 어린 시절의 작가의 경험이 배어 있는 뛰어난 이야기"(*Wisconsin Library Bulletin*, Vol.57, No.1, Jan.-Feb., 1961, p.56)라고 말하고 있으며, 『북 리스트』는 "진행은 완만하지만 읽을 만한 이야기다. 전후 한국의 한 지방, 그리고 사람들의 삶과 관습을 뛰어나게 잘 묘사한다"(*Booklist*, Vol.57, Sept. 15, 1960, p.72)고 말하면서 문화적 소개, 형식미를 기준으로 한 관점에서 이 작품을 접근하고 있다. 필리스 페너Phillis Fenner라는 비평가는 좀 더 자세하게 다음과 같이 말하고 있다: "이 이야기는 장소, 극중 인물, 이들 사이의 갈등에 있어서 따스한 현실성을 느끼게 해준다. 등장하는 아이들은 각자 개성이 있다. 이야기를 전달하는 데 간결하면서도 미적 감각이 풍부하다. 그리고 별로 힘을 들이지 않는 것처럼 보이기 때문에 그 전달력은 더 호소력이 있다"(*The New York Times Book Review*, Sept. 18, 1960, p.62). 『혼 북 매거진』은 작품의 형식적 완결성에 대해서는 유보적 입장을 취하면서도 작품의 내용에 대해서는 위의 사례들과 마찬가지로 이질적인 문화에 대한 접근의 수단으로서 「행복의 계절」을 읽는다: "이 작품은 흔한 유형은 아니지만 확실한 성격의 인물들로 가득 차 있다. 비극이 표면을 뚫고 나와도 갑작스럽게 느껴지지는 않는다. 표면 밑의 흐름은 일상적인 삶의 흐름 밑에 늘 도사리고 있기 때문이다. 한국을 소상히 아는 상태에서 씌어진 이 작품은 생소한 세계로의 문을 열어준다. 그러나 이야기의 흐름이 완만할 때도 있고 아이들에게 읽히려면 관심을 가진 어른들이 도움을 주어야 할 때도 있다"(*The Horn Book Magazine*, Vol.36, Oct. 1960, p.404).

김용익은 「행복의 계절」을 쓰면서 미국독자에게는 이질적인 문화적 관습이나 습속을 풀어쓰려고 한 흔적이 많다. 이질적 문화의 관습이나 습속에 대한 작가의 풀어쓰기는 작중 인물의 심리와 알맞게 어울리는 경우도 있다. 예를 들어 화자는 상천의 할아버지 집에서 치르는 제사를 다음과 같이 묘사하는데, 미국독자에게 이질적인 제사의 묘사와 상천의 욕구의 묘사가 서로 어울린다.

> 청동촛대와 놋그릇에 담긴 여러 가지 제사음식은 윤기가 흐르는 제사상에서 빛을 발했다. 가족들은 나이 순으로 열을 지어 섰는데, 상천은 맨 끝에서 두 번째였다. 가족들은 조상들에 대한 공경의 뜻으로 절을 하기 시작했다. 상천은 조상들을 공손한 마음으로 기려야 한다는 것을 알고 있었다. 그러나 상천의 눈은 상위에서 밝은 빛을 내는 떡, 야채류, 생선, 밤, 호두, 과일류 등에 가 있었다.[15]

그러나 「행복의 계절」이 '한국계 미국인'이 쓴 미국 문학일 뿐만 아니라 한국 문학이면서 한국의 독자를 대상으로 한다는 점을 인정하면, 문화적 관습이나 습속의 풀어쓰기는 한국독자에게 불필요한 묘사일 경우도 있다. 가령 제사가 끝나고 배가 부르자 상천은 사촌형과 함께 뜰에서 제기를 차게 되는데 화자는 제기차기의 습속을 설명하고 넘어가야 하는 부담을 안는다. 「행복의 계절」에서 사건의 진행이 완만하게 느껴지는 이유는 문화적 관습이나 습속의 풀어쓰기가 서사의 진행을 수시로 방해하기 때문이다.[16]

한국의 토속적 관습과 습속의 풀어쓰기가 「행복의 계절」의 서사적 흐름을 지루하게 만드는 부담스러운 요소라면, 청소년 소설의 장르적 규약으로서 해피 엔딩은 등장 인물의 설정이나 성격 묘사에 또 다른 부담으로 작용한다. 해피 엔딩을 의식하는 「행복의 계절」은 등장 인물들의 욕망이나 갈

---

15) *HD*, p.31.
16) 앞에 인용한 서평의 사례들 중에서 이야기의 흐름이 완만하다는 평을 한 비평가는 그 원인을 단순한 형식상의 문제로 돌리고 있는 것 같다. 각주 15번 참조.

등을 단순화해서 화해/조화의 방향으로 유도하는 경우가 많기 때문이다. 「행복의 계절」의 '학교만들기'는 갈등의 핵이다. 도리 선생이 학교를 세우는 데 필요한 땅을 제공해줄 수 있는 사람은 상천의 할아버지다. 관대한 할아버지는 이 작품 속에서 구세대의 문화관습적 질서를 대표하면서도 교육의 필요성을 이해하는 인물이지만, 그의 아들, 곧 상천의 숙부는 새로운 교육의 의미를 이해하지 못하고 학교세우는 계획에 제동을 거는 인물로 그려진다. 그는 그림에 소질있는 아들 구(Koo)가 학교에 다니는 것보다는 읍내의 자개농 공장에 다니면서 기술을 배우는 것이 돈벌이에 훨씬 효과적이라고 믿는 나머지 아들을 도리선생의 야학에도 못가게 한다. 이러한 성향의 숙부가 아버지가 학교짓는 데 땅을 내놓자 그 토지를 상속받을 기회를 포기하면서 도회지에서 직업을 찾기 위해 마을을 떠나는 것은 청소년 소설의 이상적인 구도에 꿰어맞추는 식의 인물 설정이라는 느낌을 지우기 어렵게 만든다.

등장인물의 설정이나 묘사가 부자연스런 또 하나의 예는 제주도에서 상천의 엄마가 죽고 난 뒤 상천을 돌보아주는 갓 만드는 아저씨이다. 상천이 제주도를 떠나려고 할 때 갓아저씨의 아내는 상천을 위해 엄마가 남겨 놓은 돈을 상천에게 주려고 한다. 갓 만드는 일이 쇠퇴해 가는 상황에서 갓아저씨는 전업을 하려고 하는데 그때까지 생활비로 쓰기 위해서 아내의 반대에도 불구하고 이 돈을 상천에게서 빌리고자 한다. 상천은 기꺼이 돈을 빌려주고 섬을 떠나 잊어버리고 있었는데, 이 아저씨는 나중에 상천에게 이국적인 과일 코코넛을 우편으로 부쳐주는가 하면 나중에는 제주도에서 아무 기별도 없이 상천이 사는 마을을 갑자기 찾아와 돈을 갚는다. 갓아저씨가 갑자기 방문하는 이유는 그가 상천과의 약속을 지키는 도덕적인 인물이기 때문일 것이라는 식으로 설명할 수밖에 없다. 독자가 필연적인 것으로 공감할 만한 동기가 없기 때문이다. 상천에게 부쳐 온 코코넛은 학교 세우는 문제로 상천의 집안과 도리 선생 사이에 불화가 생긴 시점에서 상천이 학교를 가지 않던 중 이들을 화해시키는 신기한 사물로서의 역할을 한다.

갓아저씨가 나중에 갚는 돈은 학교를 세우는 데 작은 도움을 주는 것으로 묘사된다. 그러나 갓아저씨는 상천의 숙부와 도리선생 사이의 갈등을 해결하는 주체로서 뚜렷한 성격을 갖지 못한다. 그는 다만 코코넛과 돈이 갈등을 화해의 방향으로 유도하는 역할에 부수적인 인물로밖에 독자에게 다가오지 않는다.

특히 갓아저씨가 시장에서 만조와 나누는 대화는 그가 확실한 성격보다는 특수한 문화적 관습을 일시적으로 전달하는 기능적 역할의 담당자에 머물고 있음을 보여준다. 갓아저씨와 갑자기 친해진 만조는 시장에서 상천의 할아버지를 예로 들어 갓을 쓴 사람은 으례히 옛날애기거리가 많은 것이냐고 묻는다. 갓아저씨는 "아마 애기거리를 많이 기억하고 있기 때문이겠지"라고 말한 후 다음과 같이 만조가 던진 질문의 요지를 벗어나는 대답을 한다.

> 너도 알겠지만 아주 옛날에 선비들이 말총과 대나무로 갓을 만들어 냈지. 그러다가 사람들 사이에 퍼지게 되었다. 사람들은 근사하고 값비싼 갓을 걸치면 갓이 뭉개질까봐 서로 싸움을 자제할 것이라고 생각했다. 갓을 쓰지 않은 사람이 무시당한 것은 바로 이 때문이다.[17]

묻지도 않은 말에 대한 갓아저씨의 대답은 앞에서 지적한 대로 특수한 문화적 관습이나 습속의 풀어쓰기가 서사의 흐름에 침투하여 인물의 성격을 약화시킬 뿐더러 내용과 형식을 부자연스럽게 만드는 예가 된다.[18]

---

17) *HD*, p.188.

18) 통일성을 깨뜨리는 저자의 실수 또는 무감각은 김용익의 재현양식의 문제적 징후로 읽어낼 수도 있다. 청소년 소설로서의 「행복의 계절」은 서사의 역사 정치적 상황에 애써 무심한 입장을 취한다. 그러나 김용익의 정치적 무의식은 청소년 소설로서의 서사의 구조의 틈새에서 살며시 고개를 내민다. 한갓 사물로서의 갓에 서려있는 계급의 문제는 작가의 무의식 속에 각인되어 있다가 엉뚱한 기회를 타고 스며나온 것은 아닌가. 그리고 이 '토속적' 의상으로서의 갓은 숙부와 도리 선생의 갈등을 해소하는 '이국

내용과 형식의 구성상의 문제점에도 불구하고 「행복의 계절」은 단편 「꽃신」과 더불어 김용익의 출세작이다. 「행복의 계절」의 성공이 김용익에게 갖는 의미는 각별하다. 그는 「책 쓰는 모험」에서 미국문단에 진출하기까지의 험난했던 과정을 회고하는데, 가죽장정의 「행복의 계절」을 리틀 브라운 출판사가 기념으로 보내 온 것을 언급하면서 글을 끝맺는다. 가죽장정의 「행복의 계절」은 김용익의 글쓰기가 인정받은 결과의 상징이다.19) 김용익에게 「행복의 계절」은 글쓰기를 인정받은 '행복'을 의미하고, 작품 「행복의 계절」에서 상천은 '행복'을 찾아간다. 그러나 「행복의 계절」은 '행복'의 의미가 선명하게 제시되는 서사가 아니다. 그리고 김용익은 선명하지 않은 행복의 의미를 확실하게 닫아두지 못한다.

김용익은 자신의 작품의 상당수를 스스로 번역했지만, 성공작이자 출세작인 「행복의 계절」의 번역에는 손을 대지 않았다. 그런데 「행복의 계절」의 마지막 장, 즉 학교 건물이 완성되고 상량식을 치르는 부분이 「상량」이라는 제목의 단편으로 번역/개작되어 1991년 샘터간의 『푸른 씨앗』에 실렸다. 영문판과 이 번역/개작판을 대조하면 '행복의 의미'에 대한 김용익의 고쳐쓰기의 손길을 관찰할 수 있다.

김용익의 고쳐쓰기는 두 갈래 방향에서 진행되었다. 첫째, 원래의 영문판이 문화적 관습이나 습속의 풀어쓰기를 통해서 문화의 이질감을 해소하는 데 중점을 두었다면, 「상량」으로의 개작은 풀어쓰기의 과정없이 토속적인 언어와 역사를 전달하는 쪽으로 진행되었다.20) 둘째, 김용익은 「행복의 계

---

19) 「행복의 계절」에서 상천이 어머니의 욕망대로 '글씨쓰기'를 배워서 해변에 흩어져 있는 고깃배들의 옆구리에 칼로 자기 이름을 새기는 장난(HD, p.111)은 상천이 찾는 행복으로 가는 의미있는 '사건' 중의 하나이다. 이는 김용익이 자기 이름이 새겨진 가죽장정의 「행복의 계절」을 받는 것과 평행관계에 있다.

20) 도리선생은 학교 지을 터의 유래에 대한 꿈을 꾼 다음 이를 마을사람들에게 설명해준다. 이 대목은 영문판에 없는데 「상량」에 삽입되어 있다. 효과적인 번역이 용이하지 않은 토속적인 지명이나 인명들임을 쉽게 알 수 있

절」에서 불확실한 행복의 의미를 「상량」에서 삭제해버린다. 첫째 방향의 개작은 우리 문화의 토양을 의식하면서 진행되었고, 둘째 방향의 개작은 불확실한 행복의 의미를 서사의 바깥으로 밀어내는 방향으로 진행되었다고 볼 수 있다.

적어도 작품의 도입부에서 상천의 엄마가 생각한 '행복의 계절'의 의미는 확실하다. 그것은 전쟁이 끝나서 상천이 학교에 다닐 수 있게 되는 날이다. 그러나 상천이 야간학교나마 도리 선생의 학교에 다니게 된 것이 행복의 의미라는 암시는 작품에서 주어지지 않는다. 행복의 계절은 그 의미가 학교 건물의 완공 뒤로 미루어진다. 우여곡절 끝에 건물이 완공되고, 영문판에서 상천의 행복 탐색은 다음과 같이 끝난다.

From a distance came snatches of a song that had been intercepted by the wind. The Sang Rang ceremony was over. The people of Songwaji, proud of their Songwaji Stone School as they saw it would be someday, were singing:

'The Pines are strong, brave, and free;
We will breast the storm and snow . . .'

'The happy days are coming, Mother,' whispered Sang Chun.[21]

다. "뒷뿔안산의 '뒷'도 역시 뒤에 장차 올 부루구내 단군, 즉 후단군을 예언한 곳이었고, 북단골은 즉 부루구내 단군의 골이요 남북의 북당이 아니라고 깨달았습니다. 여러분들, 이렇게 외진 피난골인 이 산속에 이 뜻깊은 이름들을 누가 어떻게 지어준 것이겠습니까. 장차 올 후단군 뒷부루를 예언한 곳, 그곳이 우리의 뒷뿔안산 학교자리입니다"(「상량」, 『푸른 씨앗』, 95쪽).

21) *HD*, p.214.

단편 「상량」에서 이 부분의 번역을 김용익은 영문판의 '행복'에 관한 마지막 행을 삭제한 채 다음과 같이 처리하고 있다.

바람결 타고 노랫소리가 들렸다. 상량잔치를 마치고 그 자리에 설 뒷뿔안산 학교를 생각하며 사람들은 소리높여 노래하고 있었다.

남산 위의 저 소나무 높고 푸르듯이
바람 이슬 불변함이 우리 기상일세 ——.[22]

학교 건물의 완성이 상천의 행복찾기의 종결임을 예측했던 독자의 읽기는 작품이 마무리되고서도 완결되지 않는다. 작품이 독자의 기대를 저버리고 겉으로는 닫아 놓은 결말을 다시 열어 놓아 의미를 지연시키기 때문이다. 더욱이 행복의 계절이 오고 있다고 말함으로써 서사의 진행을 선명하게 닫아 놓은 영문판의 종결은 번역/개작본에서 삭제되어 버린다. 그리고 영문판에서는 어색하지 않았던 노래가, 번역판에서는 애국가로 밝혀지면서 작품은 불완전하게 마무리된다. 영문판을 읽는 독자는 짐작하기 어려운 애국가가 한국의 독자를 대상으로 한 번역판에서 갖는 의미는 무엇인가. 영문판의 노래가사에서 소나무의 끈질긴 생명력의 이미지는 행복찾아가기라는 이상적 구도 속에 자리잡고 있다. 그러나 번역판 「상량」에서 애국가는 행복에 대한 상천의 말이 사라진 문맥에 어색하게 매달려 있다. 「행복의 계절」에서 확실한 것 같이 보였던 행복은 「상량」에서 자취를 감춘다. 지연되는 '행복'의 의미를 강제로 닫아 놓은 「행복의 계절」은 그 구조를 「상량」에서 열어 놓는다.

「푸른 씨앗」[23]

「행복의 계절」은 실체가 불확실한 '행복'을 형식과 내용의 구성원리로

22) 「상량」, 『푸른 씨앗』, 98쪽.
23) 김용익, 「푸른 씨앗」, 『푸른 씨앗』(서울: 샘터, 1991), 99-203쪽.

삼는다. 불확실한 '행복'의 주위를 부유하는 상천은 뚜렷한 동기를 지닌 욕망의 주체로 느껴지지 않는다. 주인공의 내면적인 갈등보다는 외적 환경에의 적응과 조화에 초점을 맞추는 「행복의 계절」과 비교했을 때, 「푸른 씨앗」은 선천적으로 타고난 푸른 눈의 주인공이 갖는 소외감, 그리고 그 주인공과 주어진 환경의 갈등에서 출발한다. 「행복의 계절」의 진행이 완만한 것은 문화적 관습과 습속의 풀어쓰기라는 형식적 장애요소 이외에, 상천에게 심각한 갈등을 유발할 만한 결함이나 비정상적인 요소들이 없기 때문이다. 「푸른 씨앗」은 「행복의 계절」보다 훨씬 극적인 전개의 과정을 보여준다. 극적인 갈등을 일으키는 출발점은 주인공 천복의 푸른 눈이다. 「푸른 씨앗」은 원래 타고난 푸른 눈 때문에 극도의 소외감을 경험하면서 자기의 정체성을 찾아나가는 천복을 보여준다. 천복의 정체성 찾기도 해피 엔딩의 닫힌 구조 속에서 진행된다. 그러나 김용익의 작품세계에서 「푸른 씨앗」의 닫힌 구조는 비슷한 모티프를 지닌 「겨울의 사랑」에 의해 열린다고 볼 수 있다.

「푸른 시간」의 시간적 배경은 확실하지 않은데, 공간적 배경은 「행복의 계절」과 같이 섬과 뭍이 대조되는 구조를 갖고 있다. 천복의 푸른 눈은 어머니, 더 멀리는 외할머니 대를 통해 물려받은 것으로 막연하게 암시된다. 동네 의원 영감은 우연한 기회에 천복에게 다음과 같은 얘기를 들려준다.

> 내 조부님께서 말씀하시는 것을 들은 일인데 옛날에 푸른 눈에 노랑 수염 어부가 어드메 먼 곳에서 파선을 당하고 태풍에 실려 그녀의 섬으로 떠들어왔다더라. 그 노랑 수염 사람을 해녀 한 여편네가 구원을 해주고 동네 속에서는 못살고 산 위에 올라가서 같이 살았더란다. 처음엔 풀 뿌리 나무 열매만 먹고 살다가 하루는 그 여편네가 옷보따리 속에서 호박씨 하나 찾아서 그걸 심어 호박국을 먹고 살았다더라.[24]

---

24) 「푸른 씨앗」, 『푸른 씨앗』, 143쪽. 이 삽화적 소재는 「행복의 계절」에서 갓아저씨가 상천에게 들려주는 이야기와 비슷하다. "배가 난파해서 바다 위를 떠돌다가 해변에 닿는데, 거기서 섬의 여자들을 만나 함께 살게 된

천복의 어머니는 「행복의 계절」에서의 상천의 어머니와 비슷하게 천복의 학교문제로 고민한다. 천복이가 자신과 엄마의 푸른 눈 때문에 학교에서 섬마을의 친구들한테 "새눈깔"이라고 놀림을 받으며 당하는 수모와 소외감을 견딜 수 없어 학교에 가려고 하지 않기 때문이다. 천복의 엄마는 할머니의 반대를 무릅쓰고 뭍으로 이사가서 천복에게 새로운 환경을 마련해주려고 한다. 죽은 남편을 생각나게 한다면서 엄마는 집의 황소를 팔아버린 다음 섬을 떠나려고 하지만 기를 쓰고 황소를 키우려는 천복 때문에 황소를 데리고 가게 된다.

그러나 뭍의 새 학교에서도 정란이라는 여자 반장아이를 빼면 같은 반 친구들의 놀림은 계속된다. 자신의 푸른 눈 때문에 아이들한테 놀림을 당하는 것을 알고 있는 천복은 정란에게는 자신의 신발이 짚신이라서 학교에 가기 싫은 것이라고 거짓말을 한다. 정란은 이 말을 믿고 친구들과 함께 돈을 모아 천복에게 운동화를 사라고 건네준다. 천복은 이 돈으로 검은 색안경을 산다. 천복이 색안경에 자신의 푸른 눈을 감춘 다음 거울과 냇물에 비추어 보는 장면은 여러 차례 반복된다. 그리고 남은 돈으로는 소의 징을 박는 데 쓴다. 이를 안 학교 친구들은 천복을 질책하면서 싸움을 거는데 이들과 싸움을 벌이는 와중에 천복은 소를 잃어버린다. 천복은 어머니한테 혼날 것이 두려워 집을 나가 헤매다가 밤중에 산의 절간을 찾아들게 된다. 절간의 노스님은 "마음의 눈"이 중요하다고 말하면서 마음의 눈을 잃지 않으면 잃었던 소를 곧 찾을 수 있을 것이라고 말한다. 천복은 단오날 시장터에서 자기 소가 소싸움에 나온 것을 발견한다. 부산 사람이 천복의 소를 자기 소인 것 같이 소싸움터에 출전시켰던 것이다. 천복은 쇠징을 박았던 아저씨와 앞에서는 적대적이었던 친구들의 도움으로 소를 되찾게 된다. 천복은

화란선원들의 이야기"(*HD*, p.19). 김용익은 동일한 삽화적 소재 또는 모티프를 서로 다른 작품들 속에서 반복하여 사용하는데, 푸른 눈의 천복은 『뒤웅박』에서 푸른 눈의 바우로 이어지기도 한다.

여기서 소를 데리고 집으로 돌아오다가 독사한테 물리는데 자기를 가장 괴롭혔던 팔민과 다른 친구들의 도움으로 집에 들려와 사경을 헤매다가 다행히 살아나게 된다. 쇠징 아저씨가 자신의 푸른 눈 때문에 사건의 전말을 짐작하고 도움을 주었다는 것을 깨달은 천복은 자신의 푸른 눈이 절간의 노스님이 말한 마음의 눈이라는 생각을 하게 되고 어머니의 푸른 눈을 마주보면서 마음이 푸근해진다.

잃어버린 황소를 찾는 「푸른 씨앗」의 서사적 골격은 절간에 가면 흔히 보게 되는 심우도(尋牛圖)에 부분적으로 의존한다. 원래 심우도의 구도는 그 서사의 종결점이 소라는 물리적 대상을 구하는 데 있는 것이 아니라 스스로 마음을 비우는 득도를 하는 데 있다.[25] 「푸른 씨앗」의 서사의 종결점은 잃어버렸던 대상으로서의 소를 되찾고, 어머니의 푸른 눈이 갖는 심리적 의미를 깨닫는 데 있다. 「푸른 씨앗」의 전체적 구도는 대상을 떠난 동양적인 심성의 탐색과 대상을 향한 서양적 자아의 탐색이 혼합된 성격의 것이다.

우화적 구도의 「푸른 눈」은 구체적 공간을 설정하지 않는 까닭에 그 현실성이 희박하다고 볼 수 있지만, 김용익은 「푸른 씨앗」의 의미가 사회적 현실에서 완전히 동떨어져 있다고 생각하지는 않았던 것 같다. 김용익이 「푸른 씨앗」과 함께 다른 단편들을 소설집으로 엮어내면서 한 다음과 같은 말은 「푸른 씨앗」이 "인종차별"이라는 현실적 갈등을 의식하면서 씌어졌음을 알려준다.

분주해 하지 말고 고요한 마음으로 자연의 절로 됨과 인간사의

---

25) 아이가 소를 잃어버렸다가 되찾는 심우도는 그 서사의 구도가 10단계로 이루어져 있다. 1) 소를 찾는다(尋牛) 2) 그 자취를 발견한다(見跡) 3) 소를 본다(見牛) 4) 소를 얻는다(得牛) 5) 소를 먹인다(牧牛) 6) 소를 타고 집으로 돌아온다(騎牛歸家) 7) 소는 잃고 사람만 남는다(忘牛存人) 8) 사람과 소 모두를 잃는다(人牛俱忘) 9) 원래의 자리로 되돌아 온다(反本還源) 10) 장터에서 손을 편안히 내린다(入鄽垂手).

갈등을 관조하고 「푸른 씨앗」에 나오는 천복이 같이 눈빛이 다르다 하여 구박을 받는 등 형제싸움 같은 인종차별로서 다투지 말고, 인류의 앞날엔 우리네의 지난 세월보다 더 평화롭게 상부상조하여 조화의 삶을 살게 되기를 축원하는 나의 꿈을, 이야기로 엮어 싣고자 애쓰던 20여 년 전 나의 젊은 날의 정열이 생각하면 눈물겹다.[26]

김용익은 천복이 겪는 갈등이 인종차별 문제 때문이라고 넌지시 말하는데, 인종차별의 현장은 구체적으로 미국인가 한국인가. 김용익은 「꽃신」에서와 같이 두 개의 서로 이질적인 문화를 자신의 이야기 속에서 접합시킨 것은 아닌가. '푸른 눈'은 우리에게 전쟁의 부산물로서 혼혈아 문제에 대한 비유일 수도 있으나, 미국의 인종차별과 견줄 만한 큰 문화사회적 이슈는 아니다. 무엇보다도 전반적인 인종차별의 주체가 서양임을 볼 때 우리 또한 인종차별의 대상이자 피해자이지 주체나 가해자가 아니기 때문이다. 김용익은 크게는 특수한 문화적 환경을 뛰어넘는 알레고리적 보편성을 의도했던 것으로 볼 수 있고 좁게는 미국의 인종차별 문제를 의식하고 있는 것 같다. 어쨌든 김용익은 위의 진술로 미루어 갈등을 의식하면서도 갈등에서 떨어져 멀리서 보려고 한다. 그리고 이상적인 종결을 지향하는 청소년 소설의 닫힌 구조가 이러한 '관조적' 태도를 가능하게 만들어 준다고 할 수 있다.

그러나 화해/조화를 지향하는 김용익의 욕망은 상징적 구조의 닫힌 공간 안에 안주하지 않는다. 그의 경험세계의 재현 작업은 청소년 소설의 장르적 특성 안에 단순히 갇혀 있지 않기 때문이다. 우리는 「푸른 씨앗」과 비슷하게 기형적 자아의 모티프를 지닌 「겨울의 사랑」을 분석하면서 청소년 소설의 이상적 종결과 닫힌 공간이 어떻게 해체되고 열리는지 살펴볼 수 있다.

「겨울의 사랑」[27]에서 결혼할 나이에 이른 주인공 몽치는 선천적으로 입

---

26) 김용익, 「머리말」, 『푸른 씨앗』, 4쪽.
27) 김용익, 「겨울의 사랑」, 『꽃신』(서울: 동아일보사, 1984), 19-38쪽.

이 언청이다. 나락이 스무섬나는 땅을 가진 아버지는 몽치를 자기 "목에 걸린 가시"라고 생각하고, 그나마 이웃집 멸치장수 딸과 혼사가 오가는 것은 자신의 재산 때문이라고 말한다.[28] 아버지와 불화를 겪으면서 몽치는 도회지 부산의 색시를 고를 생각을 하고 부산으로 간다. 「푸른 씨앗」에서 자주 등장하는 거울 이미지는 「겨울의 사랑」에서도 중요한 모티프로 작용하는데, 가령 「푸른 씨앗」의 천복이 푸른 눈을 검은 색안경에 가리듯이 몽치가 언청이 입을 가리기 위해 시장에서 마스크를 사서 쓰고 거울에 비추어보는 장면이 다음과 같이 묘사된다.

> 옷가지를 파는 가게에 이르자 곧장 방한 마스크가 있는 데로 갔다. 입을 가리기에 꼭 알맞은 삼각형의 푸른 헝겊 마스크를 집어 양 끈을 귀에 걸었다. 후끈 마스크 안으로 따뜻한 숨결이 몰린다. 천천히 고개를 들어 벽에 걸린 거울을 보았다. 잘 생긴 얼굴이 거기 있었다. 넓은 이마, 짙은 눈썹 아래 큰 두 눈이 부드럽고 슬프게 자신을 보고 있다.[29]

몽치는 부산의 '푸른 돛' 다방에서 '레지' 지안을 만나게 된다. 몽치는 자주 다방을 찾아가 지안과 가까워지지만 마스크를 한 번도 벗지 않는 몽치를 지안은 이상하게 생각한다. 그러던 어느날 몽치는 미군부대의 보급창고에서 타이어를 빼돌려 파는 생선장수의 유혹을 받는다. 생선장수는 자기가 시키는 대로 일을 해주고 그 대가로 돈을 받아 언청이 입을 수술하라고 유혹한다. 몽치는 생선장수가 시키는 대로 하지만 보초에게 발각되어 총에 맞는다. 몽치는 죽어가면서 지안을 찾는데, '푸른 돛'에서 불려온 다른 레지는 지안이 폐병으로 다방을 떠났음을 알려주면서 이야기는 종결된다.

「푸른 씨앗」과 모티프와 구도가 유사한 「겨울의 사랑」은 시공간에서 뚜렷한 차이를 보인다. 「푸른 씨앗」은 특수한 시공간을 떠나 무역사적인 공

---

28) 김용익의 작품 속에 아버지가 등장하면, 어머니와는 달리 주인공과 심각한 갈등관계에 놓이는 것으로 제시된다.
29) 「겨울의 사랑」, 21쪽.

간 속에서 전개된다. 「겨울의 사랑」은 도회지 부산에 주둔하는 미군부대를 중심으로 전개된다. 여기서 미군부대의 보급창고는 한국 현대사를 결정짓는 외세의 상징으로서 작용한다. 그러나 미군의 보급창고는 몽치에게 자신의 언청이 입을 고쳐줄 매개라는 의미 이외에 다른 의미는 없다.

장르적 요청에 따라 김용익의 창조적 힘은 신축적으로 움직이지만 청소년 소설로서의 「푸른 씨앗」과 (성인) 소설로서의 「겨울의 사랑」을 관통하는 동일한 모티프는 선천적인 비정상성에 따른 자아의 동일성의 상실감과 그것의 회복에 대한 욕망이다. 「푸른 씨앗」에서 천복의 욕망의 실현은 어머니의 품 안에서 자신의 푸른 눈을 어머니의 푸른 눈과 동화시켜 심리적인 일체감과 충만감을 느끼면서 이루어진다. 어머니의 푸른 눈은 천복이 찾아가는 욕망의 대상의 은유적 형상이고, 전체적인 서사는 이 푸른 눈의 형상을 찾아 흘러간다. 그 공간은 무역사적인 성격의 좁은 시골마을을 크게 벗어나지 않는다. 이 공간은 시끄러운 소리가 들리는 역사적 현장에서 멀리 떨어져 있는 공간이다. 그러나 「겨울의 사랑」은 신체적 이상에 따른 정체성 찾기의 시공간을 도회지로 옮겨가서 보여준다. 몽치는 개인적 문맥에서 더 넓은 지평으로 인식을 넓혀가는 의지를 지니고 있는 것은 아니지만, 「겨울의 사랑」은 개인의 개체적 욕망의 실현이 더 넓은 지평의 사회적 공간으로 불가피하게 빠져들 수밖에 없음을 암시한다.

『뒤웅박』30)

김용익의 유일한 장편 『뒤웅박』은 단편 「종자돈」을 늘려쓴 것이다.31)

---

30) Kim Yong Ik, *The Diving Gourd*(New York: Alfred Knopf, 1962). 이하 *DG* 로 줄여서 표기함.

31) 김용익, 「종자돈」, 『꽃신』, 39-68쪽. 김용익은 『푸른 씨앗』에 「종자돈」을 다시 실으면서 제목을 「씨값」으로 바꾸었다. 『뒤웅박』의 모태가 된 「종자돈」은 황순원의 「소나기」를 연상시키는데, 성을 알듯말듯한 나이의 바우와 송화의 만남을 아름답게 형상화한 단편이다. 어린 소년과 소녀의 만남이지만 이 이야기는 「소나기」보다 성을 묘사하는 데 있어서 더 사실적이다. 송화네 황소 씨를 바우네 암소에게 전하기 위해서 만난 이들의 순진

『뒤웅박』은 아들과 자신의 생계를 위해 억척스럽게 일하는 해녀 보선의 이야기다. 『뒤웅박』은 토속빛 짙은 시골마을을 배경으로 하고 있지만, 이 이야기가 다루는 여자와 남자의 갈등의 양상은 현대적이다. 섬에 살던 해녀 보선은 주정뱅이 남편을 떠나 아들과 함께 늙은 암소를 데리고 뭍으로 이사한다. 보선의 삶은 복합적인 갈등 구조에 얽혀 있다. 전통적으로 남성이 지배하는 사회구조 속에서 무능한 남편과의 갈등은 보선으로 하여금 스스로 노동의 의미를 찾아나서게 만든다. 암소의 씨를 받는 과정에서 황소를 가진 이웃마을 안씨와의 사이에 생기는 불화와 갈등으로 인해 보선의 개인적 삶은 남편 이외의 남성 세계와의 갈등, 그리고 윗마을과 아랫마을 사이의 갈등으로까지 확대된다. 보선은 남성들이 중심인 공동체에서 여성의 삶의 의미와 원리를 찾아간다. 『뒤웅박』은 주체적인 여성의 삶을 형상화한 작품인데, 김용익은 『뒤웅박』에서 여자와 남자의 갈등을 사실적인 차원에서 접근하기보다는 보선의 '뒤웅박'과 안씨의 '황소' 사이의 대립이라는 상징 구도 속에서 재현하려고 한다. 그러나 이 상징 구도는 모든 주체의 욕망을 포섭하지 못하는 불안한 구도다.

『뒤웅박』에는 보선을 비롯해서 남자가 없는 여자들이 등장한다. '참새소리Song Sparrow'라는 별명이 붙은 이웃 꼽추아낙네, 아들에 대해 이상한 소문이 떠도는 '참나무집 엄마'에게는 남자가 없다. '3월 과부승Three Months Widow Nun'은 시집간 지 3개월만에 결혼생활이 파경을 맞아서 절에 들어간 여자다. 보선은 이들 여성의 삶의 중심에 서있다.

보선은 과거 어린 시절에 밥벌이로 술집에서 허드렛일을 한 적이 있다. 바우에게 들려주는 애기에 따르면 술집 주인 여자는 어느 날 어린 보선에게 나이 든 손님과 잠자리를 같이 할 것을 강요한다. 보선이 손님에게 적극적으로 반항하자 손님은 주인 여자에게 화풀이를 하고 주인 여자는 보선에게 다시는 남자 손님과 잠자리를 같이 할 것을 강요하지 못하게 된다. 이때부터 보선은 바닷일을 배우게 된다. 보선은 바닷일, 그리고 남자같이 건장

한 만남을 어른이 개입하여 곡해하기 때문이다.

한 몸매 덕택에 술집여자가 되는 것을 피할 수 있었다고 말한다.

보선은 바구니집의 아들과 결혼한다. 결혼생활을 하던 어느 날 남편은 보선에게 바닷일을 그만하라고 말한다. 여자는 일을 하면 몸매가 망가진다는 것이 이유였다.[32] 여자를 성적 대상으로 생각하는 보선의 남편을 비롯한 남성인물들은 여성에 대해 억압적이다. 무능한 술주정뱅이 남편이 섬에서 억압적인 남성의 역할을 한다면, 뭍에서 이러한 역할을 하는 남성은 송화의 아버지이자 윗마을 아랫마을을 통틀어서 유일한 황소를 갖고 있는 안씨이다. 보선의 아들 바우와 안씨의 딸 송화에 의해 안씨의 황소 씨는 보선의 암소에게 전해진다. 보선의 암소에게서 태어난 숫송아지가 튼튼하게 자라는 것을 보자 안씨는 자신의 황소 새끼임을 짐작하고 보선을 집요하게 괴롭힌다. 황소는 윗마을과 아랫마을에서 남성적인 힘과 권력의 상징으로 작용한다. 그리고 뭍이 안씨가 권위적인 힘을 행사하는 공간이라면 바다는 보선의 노동의 현장이면서 남성의 힘이 꺾이는 공간이다.

안씨와 보선 사이의 갈등은 안씨가 황소 문제를 둘러싸고 아들 바우와 다투다가 보선이 개입하면서 극적인 장면의 연출로 이어진다. 안씨가 바우에게서 소의 고삐를 낚아채려고 하면서 몸싸움이 일어난다. 남자같은 보선은 안씨를 밀어서 바닷물에 빠뜨린 다음 안씨를 궁지에 몰아넣는다. 보선은

> 물개처럼 튀어서 안씨를 향해 몸을 날렸다. 두 사람은 물 속으로 들어갔다가 떠올랐다. 안씨는 콜록거렸다. 보선은 안씨를 다시 잡아 끌었고 두 사람은 몸을 웅켜잡은 채 물속으로 들어갔다 나왔다 했다. 그러다가 보선은 그의 머리를 손으로 잡고 다시 끌어서 물 속으로 집어넣었다.[33]

그러나 보선은 단순히 남자를 힘으로 제압하는 억센 여자로 그려지지는

---

32) 남편은 보선에게 "닭들을 닭장에 가둬 놓으면 고기가 연해지고 맛이 좋아지지. 여자와 물질은 어울리지 않는단 말씀이야"라고 말한다. *DG*, p.60.
33) *DG*, p.94.

않는다. 안씨를 바닷물 속에서 힘으로 이긴 보선에게 동네 남자들이 못된 안씨를 혼내준 자기를 추켜세우자 보선은 이들을 질책한다. "남자를 때리는 여자한테 좋을 게 뭐가 있소? 속없는 사람들…… 허연 옷은 입었지만 속은 시커먼 사람들 같으니. 길을 비키시오."[34] 보선의 욕망은 힘에 의한 남성의 제압에 머무르지 않는다. 자신의 물리적 행동에 대한 단순한 해석을 부정하는 보선의 의식은 확실한 삶의 원리에 대한 여성의 욕망으로 확장한다.

여성의 삶의 원리에 대한 추구는 남자들의 본능적이고 권위적인 삶의 양태와 뚜렷하게 대비된다. 보선의 남편은 자신은 무능하면서도 바닷일을 나가는 보선을 노동의 주체가 아닌 성의 대상으로 생각한다. 안씨와 안씨의 동생은 『뒤웅박』에서 남성적 권력의 상징인 황소를 중심으로 움직인다. 특히 안씨는 이 권력의 상징이 보선의 소에게 옮겨가는 것을 경계한다. 삶의 정신적인 원리가 없는 가운데 이기적이고 본능적인 남성의 의식은 안씨가 종교를 단순화시켜 왜곡하는 데서 드러난다. 가령 안씨는 꼽추아낙네의 집을 "여자가 예수쟁이들같이 말많은 집"이라고 부르며, 불교에 대한 입장을 다음과 같이 승려들의 행실을 지적하며 밝힌다.

중이 보통사람보다 고기를 두 배나 많이 먹고 마누라도 두 명인 걸 본 적이 있다니까. [……] 중놈들은 일을 하지 않으니까 밤에 잠이 안와. 그래서 오밤중에 일어나서 이상한 것들을 생각해내고 우리에게 생각해보라고 말한다니까. 나는 일단 생각하기 시작하면 이미 알고 있는 것들도 도로 모르게 돼. 그래서 화가 나는 거지.[35]

종교에 대한 안씨의 비뚜러진 시각은 여성들의 종교에 대한 태도와 대조적이다. 불교는 여성들에게 남성들한테와는 전혀 다른 의미를 갖기 때문이다. 아들이 문둥이라는 소문이 떠도는 것에 대해 참나무집 엄마는 이 아들을 "부처에게 빌고 나서 얻었다"[36]고 말하며, 3월 과부승은 결혼 3개월만에

---

34) *DG*, p.95.
35) *DG*, p.80.

결혼이 파경에 이르자 불교에 귀의하면서 새로운 삶의 의미를 찾은 여성이다.

보선에게도 불교는 흐트러진 삶을 정리할 수 있는 지표다. 바우는 보선과 다투고 집을 나가 예전에 살던 섬으로 아버지를 만나러 간다. 보선이 바우를 찾기 위해 집을 비운 사이에 도둑이 들자 보선은 마을 사람 전체를 증오하기에 이른다. 보선은 바우와 송화의 아이를 안아보는 꿈을 꾸자 자기가 "미친여자"가 되는 상상을 하기에 이른다.[37] 보선은 3월 과부승처럼 불교에 귀의해 여승이 되려는 마음을 먹게 된다. 남성들의 피해자로서 보선을 비롯한 여성들은 삶의 원리로서의 불교를 찾아나서는 것이다. 보선은 심지어 자신을 찾아온 아들 바우도 이 산 속의 여자들의 삶에 훼방을 놓아서는 안된다고 생각한다.

보선의 욕망과 외적 환경의 갈등은 불교에서 해결의 실마리를 찾는다. 그러나 보선은 불교에 쉽사리 자신을 맡기지 못한다. 보선의 종교적 욕망은 다시 현실적 욕망과 충돌한다. 여기서 보선의 현실적 욕망은 구체적인 형태로 재현되는 것이 아니라 상징으로서의 '뒤웅박'의 표상력에 의존한다. 가령 절간에서 동네에 갔다오는 3월 과부승이 전해주는 소식을 듣는 보선은 다음과 같이 '뒤웅박'을 생각한다.

> 보선은 여승이 입밖에 내보지도 않는 것이 그리웠다. 변덕스런 바다 물결에 떠 있는 뒤웅박이었다. 보선이 바다에 있다면 뒤웅박은 바다에서 건져 올린 해산물을 담아 놓는 바구니를 붙든 채 떠다닐 것이었다. 그리움의 대상을 잊으려고 애쓸수록 뒤웅박이 떠다니며 물결에 휩쓸리는 모습은 더 선명해졌다. 보선은 부처 앞에 잠자코 앉아서 기도할 수 없었다.[38]

뒤웅박은 여성의 공간으로서의 바닷물과 떼어 놓을 수 없는 관계에 있

---

36) *DG*, p.109.
37) *DG*, pp.180-181.
38) *DG*, p.187.

다. 가출했다가 자신의 소식을 듣고 절간을 찾아와 하룻밤을 지낸 바우에게 보선은 바닷물을 두고 다음과 같이 말한다.

> '사내자식이 이렇게 조용한 산 속에서 하룻밤을 보냈으면 됐다. 산이란 인생의 짠 맛을 본 여자들에게나 어울리는 장소지.' 보선은 물론 견디기 어려운 고통을 말한 것이었다. 그러나 보선은 바닷물의 짠 맛이 생각나서 입에 침이 고였다. 보선은 무슨 까닭에 짠 맛을 말했는지 몰랐다. 짠 맛은 보선이 싫어하는 나쁜 맛이 아니었기 때문이다.[39]

보선은 자신의 구체적 경험의 세계를 언어의 전통적인 질서에 의한 비유에 따라서 표현할 수가 없음을 발견한다. 그리고 언어의 이러한 질서는 바닷일을 싫어하는 남편과 같은 남성들의 편견이 세워 놓은 질서일 수 있었다.

종교적 선택과 현실적 선택 사이에 갈라져 있는 보선의 욕망은 종교의 필요성을 의식하는 만큼 현실을 의식하게 되는 상황에 부딪힌다.

> 보선은 바우의 아버지가 집을 찾아왔다는 말을 듣고서 바다에 훨씬 더 들어가고 싶었다. 머리를 깎고 여승이 되어 인간의 인연을 남김없이 포기해버려야 할까? 아니면 산을 내려가서 바우의 아버지를 집에서 쫓아내야 할까? 쉽게 결단을 내릴 수 없는 보선은 절간을 오후 내내 서성거렸다.[40]

보선은 바우를 산에서 쫓아내면서 자신은 머리를 깎고 절에서 살테니 찾아오지 말라고 이른다. 그러나 부처에게 밤새 기도를 드릴 생각으로 부처 앞에 앉자,

> 첫 번째로 떠오른 생각은 미역값을 갚지 않은 윗마을 농부집 여

---

39) *DG*, p.190.
40) *DG*, pp.190-191.

자였다. 바우와 송화의 발자국까지 머리 속에 아른거렸다. 보선은 기도할 말을 찾아 입을 달싹거려보려고 애썼다. 부처에 대한 경건한 마음 뿐이지 말이 되어나오지는 않았다. 보선은 골짜기 마을의 일들이 쉴 새 없이 떠오르는 것을 떨쳐버릴 수 없었다. 보선은 부처에게 등을 돌리고 울었다.41)

종교에 귀의하려고 마음 먹은 보선이 막상 부처 앞에 앉자 생각나는 것은 사소한 일상사이다. 종교와 속세, 절과 마을 사이에서 확실한 결단을 내리지 못하는 보선은 산을 내려갔던 바우가 송화의 아버지와 소 문제로 다시 다투다가 크게 다쳤다는 말을 송화가 전하자 마을로 향한다.

보선과 안씨의 갈등은 윗마을과 아랫마을의 대립과 갈등으로 번진다. 대립과 갈등의 와중에서 위기에 처한 보선에게 결정적인 도움을 주는 인물은 참나무집의 아들이다. 참나무집 아들은 여기서 문둥병 환자인 것이 처음으로 확실해진다. 참나무집 아들의 진물이 흐르는 손은 안씨의 위협과 접근을 손쉽게 저지한다. 보선과 안씨, 윗마을과 아랫마을의 대립과 갈등은 안씨집 소와 보선의 소의 싸움으로 이어지고 이 소싸움은 보선의 소의 승리로 끝난다. 차츰 마음의 안정을 되찾은 보선은 산 속의 절이 아니라 "바다가 자신의 절간"42)이라고 말한다. 한편 참나무집 아이는 이 사건으로 인해 부산의 수용소로 가게 된다.

보선과 안씨, 보선과 외적 환경, 윗마을과 아랫마을의 갈등은 피상적인 텍스트에서 해결과 화해의 구도 속에 포용된다. 이러한 포용의 구도를 보선의 편에서 성립시키는 역할을 하면서 이러한 구도에서 동시에 소외당하는 것은 참나무집 아이다. 소외당하는 주체가 있다는 점에서 이 해결과 화해의 구도는 완벽한 구도가 아니다. 보선의 욕망은 자신의 소의 안씨의 소에 대한 승리, 그에 따라 가능해진 갈등의 해결에 만족하지 않는다. 보선의 소는 승리의 증표로 귤색깔의 비단 천을 두르게 되는데 보선은 황소를 데리고 참나무집 아이가 부산을 향해 떠나는 항구로 달려간다.

---

41) *DG*, p.193.
42) *DG*. p.213.

보선은 아이에게 반갑게 인사를 건네려고 했지만 말이 나오지 않았다. 아이의 뭉툭한 손가락들이 소의 목에 걸린 방울 언저리의 큼직한 심줄을 어루만졌다. 뿔 사이를 문지르자 황소는 기분이 좋은 듯이 큰 눈을 감았다 떴다. 보선은 비단 천을 풀어서 문둥이 아이에게 건네주었다. '오늘 우리 소가 이겼다. 상은 네꺼다.'[43]

보선의 소의 승리는 보선의 안씨, 더 넓게는 그녀에게 적대적인 외적 환경에 대한 승리일 수도 있지만 보선의 욕망은 갈등의 이러한 해법 안에 갇혀 있지 않다. 갈등의 해결/조화는 소싸움의 종결, 바우와 송화의 결합 등에 의해 암시되지만 보선의 욕망은 자신의 좁은 가족사적 문제해결의 틀을 벗어난다. 즉 「종자돈」에서 출발한 아들 바우와 송화의 로맨스의 성사과정은 장편『뒤웅박』에서 어머니 보선의 욕망의 중심을 차지하지 않는다. 「푸른 씨앗」에서 가능했던 어머니와 아들 사이의 심리적 동화는, 『뒤웅박』에서 어머니와 아들 사이의 갈등으로 문제의 초점이 이동하고 좁은 가족의 테두리를 벗어나 참나무집 문둥이 아들에 대한 연민의 정으로 전이된다.

화해의 구도에서 소외당하는 참나무집 문둥이 아들을 의식하는 『뒤웅박』의 결말은 사실적이라기보다는 상징적이다. 안씨의 불만이 여전한 상태에서 상징적인 결말은 '뒤웅박'이 화해의 상징인 달과 함께 겹쳐지면서 다음과 같이 처리된다.

보선은 뒤웅박 모양의 큰 달덩이가 떠오르면서 바다에서 분리되기 전에 손을 뻗쳐 안고 싶었다. 그러나 보선은 기진맥진했다.
안씨는 입을 크게 벌린 채 달을 바라보았다. 한약방 주인은 자리를 뜨면서 조용히 말했다. '사람은 누구나 해를 보면 얼굴을 찡그린다네. 달을 볼 때는 그러지 않아. 달을 보는데도 얼굴이 밉거나 생각에 잠기지 않은 것 같은 사람을 난 본 적이 없다네.'[44]

---

43) *DG*, p.234.
44) *DG*, p.242.

화해의 상징으로서의 달 또는 뒤웅박에 갇히고자 하는 『뒤웅박』의 결말은 불완전하다. 안씨가 불만을 스스로 삭이지 않았고 보선과 화해하지 않은 가운데 안씨가 어떻게 바우와 송화의 결합을 묵인하는지 작가는 크게 고민하지 않은 것 같다. 따라서 허구적 공간 속에서의 상징적 결말은 그 공간에 갇혀 있기를 거부하는 현실과의 거리를 전제로 한다. 김용익의 토속적 경향의 작품의 사실성이 떨어지는 것은 바로 이런 데 기인한다. 그러나 김용익은 현실의 복잡한 갈등구조를 보선과 같이 억압받는 여성의 입장에서 접근하고 있고 그 갈등의 문학적 해결에서 참나무집 문둥이 아이와 같이 소외되는 주체가 있음을 의식하고 있다. 김용익의 창조적 정신은 토속적인 단편이나 장편에서 적극적인 실천의 동기를 결핍하고 있다고 하더라도 더 긴박한 역사적 현장을 향해 있다고 볼 수 있다. 그의 후기 단편들은 토속적인 환경을 떠나 도회지적인 환경으로 이동하면서 자아탐닉적인 자아의 고뇌가 6.25를 전후한 한국의 역사와 뒤섞이는 상황을 보여준다.

3. 맺음말

김용익은 한국의 현실을 떠나 미국을 그의 삶의 터전으로 삼은 작가다. 그의 실제 삶은 단순한 경력상의 문제가 아니라 그의 문학에도 영향을 미친다. 김용익은 1948년에 미국에 유학을 하게 되면서 역사적 소용돌이의 현장은 떠나 있게 되었지만 한국근현대사에서 가장 중요한 일제와 6.25전쟁을 체험한 세대에 속한다. 그러나 실제경력이나 문학적 형상화의 과정에 있어서 김용익은 자신의 전반기에 토속적인 삶의 재현에 치중함으로써 한국 근현대사의 현장을 멀리서 보려고 했다.[45] 필자의 분류에 따른다면, 김용익 문학의 전반기에 해당하는 「행복의 계절」은 그 시공간이 6.25전쟁 전

---

45) 앞에서도 말했듯이 예외가 없는 것은 아니다. 그의 전반기 문학 중 「겨울의 사랑」, 「변천」, 「서커스 타운에서 온 병정」은 주인공이 의식하지 못하는 가운데 6.25전쟁이 개체적인 삶에 미치는 영향을 보여준다.

후를 구체적 배경으로 하지만 그 현장성을 느낄 수 없다. 역시 전반기에 해당하는 「푸른 씨앗」이나 『뒤웅박』은 구체적인 시공간을 짐작하기도 어렵다. 「꽃신」의 창작과정에 얽힌 김용익의 일화는 창작이 사실적 경험보다는 상상력에 의한 환상의 구성에서 출발할 수도 있음을 암시해준다. 김용익이 전반기에 시도해서 성공을 거둔 청소년 소설은 그 허구성/작위성이 뚜렷한 장르적 특성상 김용익의 이러한 심미적 취향과 맞아 떨어진다. 김용익에게 창작의 출발점으로서 중요한 것은 실제의 경험세계보다는 형식과 방법의 문제였다. 한 작품에서 사용한 삽화적 소재를 다른 작품에 다시 삽입시킬 수 있었던 것은 그의 쓰기 작업이 사실적 차원보다는 방법적 차원에서 진행되었음을 암시한다. 김용익에게 기억의 창고에 저장된 재료의 사용은 그 자체로서 경험적 의미를 지니는 것이 아니라 형식의 틀에 맞추어 배치하는 방법적 문제다.

김용익이 미국대학에서의 창작수업을 통해서 터득한 방법의 하나는 상징적 구도 짜기다. 김용익의 소설에서 사물은 고유한 상징적 의미를 갖게 된다. 「행복의 계절」에서 '갓'은 위계질서에 의한 계급적 차별을 의미하며, '코코넛'은 '이국적' 과일로서 상천 할아버지의 마을에 발생한 '내부적' 갈등의 해결을 가능하게 하는 상징적 역할을 한다. 「푸른 씨앗」에서 '푸른 눈'은 '마음의 눈'의 상징이며 '황소'는 자아탐색의 대상이라는 상징적 의미를 갖는다. 『뒤웅박』에서 '뒤웅박,' '달'은 화해/조화의 상징이고, 황소는 남성적 권력의 상징이면서 보선의 욕망이 개입할 때 대립과 갈등을 야기한다. 그리고 땅은 남자, 바다는 여자의 상징이다. 이 상징들은 특히 『뒤웅박』의 경우, 작품 속에서 구조적으로 대립한다. 작품 내의 구조적 대립은 대립과 갈등의 해결, 그리고 그에 따라 가능한 조화의 더 큰 구도 속에 포용된다.

그러나 김용익의 상징적 구도는 근본적으로 불안하다. 상징적 구도는 「행복의 계절」의 경우, 주체의 욕망의 단순화, 또는 「푸른 씨앗」의 경우 비슷한 모티프를 지닌 (성인) 단편에 의한 상징적 구도의 해체 때문에 틈새가 생겨나고, 장편 『뒤웅박』의 경우 소외되는 주체가 있기 때문에 생겨난다.

「행복의 계절」의 「상량」으로의 고쳐쓰기는 완벽해 보이는 것 같았던 상징적 구도를 스스로 해체하는 작업의 사례다. 김용익의 작품세계는 작품들이 비슷한 모티프나 소재를 공유하면서도 상호대치적인 역학관계에 놓인다고 할 수 있다.

상호대치적인 역학관계라는 관점에서 보면, 김용익 문학의 후반기는 토속적인 삶의 재현에 치중했던 전반기의 경향을 부정하고 탈피하려는 시도로 볼 수 있다. 단편 「번역사 사장」, 「주역과 T. S. 엘리어트」 등은 6.25 전쟁의 영향이 피부에 와 닿는 도회지에서 지식인이 겪는 갈등을 보여준다. 「번역사 사장」의 주인공은 미군 위안부가 미국에 입양된 자식에게 보내는 편지를 번역해준다. 주인공은 위안부 여인의 삶을 인정할 수 없으면서도 미군과 갈등이 생겼을 때 어쩔 수 없이 여인의 편에 서게 되며, 자식을 찾아달라는 여인의 절규에 가까운 목소리를 미국에 이주하고서도 환청으로 들으면서 괴로워한다. 「주역과 T. S. 엘리어트」는 정년퇴임한 지식인 교사가 고향 출신의 술집마담을 서울에서 만나 하루를 같이 보내는 이야기다. 주로 미군을 상대하는 이 술집마담은 자식을 미국에 보내고 괴로운 생활을 하다가 마약에 중독된 여자다. 피아노를 사려고 했던 퇴직금을 이 여인 때문에 날려보내는 주인공은 여인을 미워하다가 연민의 정을 가질 수밖에 없게 된다. 토속적 삶을 다루는 전반기의 작품이 갈등을 해결과 화해의 방향으로 이끌어서 상징적 구도안에 가두어두는 것과는 반대로, 도시적 취향의 후반기 단편들은 갈등은 해결되지 않은 채 주인공의 어쩔 수 없는 무력감을 암시하면서 불완전한 결말을 맺는다. 한국현대사의 중요한 시점으로서 6.25 전쟁이라는 사회역사적 사건은 김용익의 작품에서 재현되는 실존적 개인의 삶에 끼어든다.

김용익 문학의 전개과정을 작가의 나이와 대비했을 때 전기(1956-1963)는 30대 후반부터 40대 전반에 해당하고, 10년 정도의 공백기가 있는 다음, 후기(1972-1984)는 50대 전반부터 60대 전반에 해당한다. 전기의 재현대상은 자전적이든 허구적이든 간에 대개 유년기/청년기 자아의 토속적 환경 속에서의 삶이었고, 후기의 재현대상은 청년기/장년기 자아의 도시적 환경 속에서의 삶이었음을 알 수 있다. 전기와 후기를 통틀어서 관찰할 수 있는 작가적 경력상의 특징은 김용익이 재현의 대상을 늘 과거에서 찾았다는 것이다. 전기의 작품들은 유년시절에 대한 회고의 문학적 형상화라는 관점에서 접근할 수 있다. 후기의 작품들은 6.25전쟁의 개인적 경험을 20년 뒤늦게 1972년부터 재현한 것으로 볼 수 있다. 김용익은 전기(1956-1963)에 한국의 현대사에 대한 실존적 경험의 재현을 뒤로 미루고 과거의 유년기로 돌아갔으며, 후기(1972-1984)에 한국의 현대사에 대한 실존적 경험의 재현을 뒤늦게 시도한 셈이다. 김용익의 문학에서 빠져 있는 것은 미국에서 그가 살아야 했던 현재적 삶의 재현이다.46) 김용익은 미국문화의 재생산 구조47)에 편입하는 데 성공했으면서도 재현의 대상은 기억 속에 남은 한국의 삶일 수밖에 없었던 작가였다. 그는 1984년 이후 더 이상 새로운 작품을 쓰지 않거나 쓸 수 없었다. 그의 바깥에 재현의 현재적 대상이 과연 없었던 것일까. ■

---

46) 이러한 예가 없는 것은 아니다. 앞에서 예로 든 「번역사 사장」, 「서커스 타운에서 온 병정」 등은 미국에 건너가서 자리를 잡기까지의 주인공 청년의 행적을 희미하게나마 보여주기는 한다. 그러나 한국계 미국인으로서의 작가가 이질적인 문화의 토양에서 겪는 심각한 갈등을 다룬 작품은 전혀 없다고 보아도 된다.

47) 1962년에 『뒤웅박』에 대한 서평을 쓴 포비언 바우어스Faubion Bowers라는 비평가는 아시아권 작가의 육성이 미국문화산업의 필요에 따른 것이었음을 지적한다. "지난 10년간 출판업자와 편집자들은 아시아 인이 쓴 작품 중에서 국경을 초월하는 문학적 가치를 지니면서 미국에 이식할 만한 작품들을 집중적으로 탐색해 왔다. 한 가지 방안은 미국시장을 위해 영어로 쓸 수 있는 작가들을 육성하는 것이었다." Faubion Bowers, *The New York Times Book Review*, Nov. 4, 1962, p.55.

김용익 연보

1. 생애 연보

1920 경남 충무시에서 출생. 중앙중학을 거쳐 일본 동경 청산학원 영문과
     졸업.
1948 도미. 남플로리다 대학, 켄터키대학교, 아이오아대학교 대학원 소설
     창작부에서 수학.
1957 고대, 이대 영문과에서 강의.
1964 다시 도미. 서일리노이대학교, 켈리포니아대학교에서 소설 창작을
     강의.
1976 미국 국가 문학 지원금을 받음.
1981 펜실베니아주 문학 지원금 심사위원.
1983 펜실베니아주 문학 지원금 심사위원.
1990 「꽃신」으로 한국문협에서 주관한 제1회 해외 한국문학상 수상.
     충무시 문화상 수상.
     미 듀켄 대학 영문학 교수직 정년 퇴직.
1995 작고(12월).

2. 작품 연보

「꽃신」, 『현대문학』, 1963.8.
「겨울의 사랑」, 『현대문학』, 1964.2.
「종자돈」, 『문학춘추』, 1964.4.(단행본 『푸른 씨앗』에서는 「씨값」으로 발표)
「밤배」, 『현대문학』, 1964.10.
「써커스 타운에서 온 병정」, 『현대문학』, 1965.2.

「변천」,『사상계』, 1965.5.

「동네 술」,『현대문학』, 1976.8.

「아씨땅」,『세계의 문학』, 1978.6.

「오줌고개 무지개」,『한국문학』, 1978.11.

「번역사 사장」,『현대문학』, 1979.5.

「주역과 T.S 엘리어트」,『현대문학』, 1980.2.

「동지날 찾아온 사람」,『세계의 문학』, 1980.6.

「땅꾼」,『한국문학』, 1983.9.

「첫선거」,『문예중앙』, 1984.9.

「상량」,『푸른 씨앗』(단행본), 1991.(장편『The Happy Days』마지막 장의 번
　　역 개작)

3. 연구 서지

유병천,「이민 작가의 한계와 문학 전통-강용흘, 김용익, 김은극」,『신동아』
　　　3권 11호, 1966.11.

김윤식,「세계 속의 한국 문학-김은국, 김용익의 경우」,『중앙』, 1980.4.

이형기,「전통에 대한 향수」,『한국단편문학대계』, 삼성출판사, 1982.

장문평,「한국적인 토속성의 아름다움」, 양우당, 해설, 1983.

최일남,「최일남이 만난 사람-재미 작가 김용익 씨 편」,『신동아』, 1983.9.

박철희,「자아 발견과 고향에의 회귀」,『현대한국단편문학전집』, 금성출판
　　　사, 해설, 1984.

4. 작품집 출간 내역

『겨울의 사랑』, 정한출판사, 1975.

『겨울의 사랑』(백인무 역), 양우당, 1983.

『인간. 꽃신 외』,『현대한국단편문학전집』20, 금성출판사, 1981.

『꽃신』, 동아일보사, 1984.

『푸른 씨앗』, 샘터사, 1991.

5. 영문 소설 및 작품집

Love in Winter(「겨울의 사랑」으로 한국에서 발표), Botteghe Oscure, 1956 봄.

The Wedding Shoes(「꽃신」으로 한국에서 발표), Harper's Bazaar, 1956.6.

The Seed Money(「종자돈」으로 한국에서 발표), The New Yorker, 1958.1.

From Below The Bridge(「변천」으로 한국에서 발표), Mademoiselle, 1958.4.

The moons of Korea, Korea Information Service, 1959.

The Happy Days, Boston:Little Brown, 1960.(소년 장편소설)

The Diving Gourd, New York : Alfred A.Knopf, 1962.(장편) 「종자돈」의 개작.

Love in Winter, Seoul : Korea University Press, 1963과 1964년에 발간.(단편집)

Till the Candle Blew Out, ? , 1963.

The Blue In The Seed, Boston : Little Brown, 1964.(청소년 소설)

From Here You can See the Moon(「밤배」로 한국에서 발표), Texas Quarterly,
       1968 여름.

Love in Winter, New York : Doubleday, 1970.(단편집)

The Shoes from Yang San Valley, New York : Doubleday, 1972.(중편)

They W'ont Crack It Open(「서커스 타운에서 온 병정」으로 한국에서 발표),
       Asian American Heritage, 1973.

The Village Wine(「동네 술」로 한국에서 발표), The Atlantic, 1976.5.

The Sea Girl(「해녀」로 작품집 『꽃신』에 수록), People, 1978.

『春日大吉』(*Spring Day, Great Fortune* —「아씨땅」으로 한국에서 발표), The
       Sewanee Review, 1978 가을호.

Translation President(「번역사 사장」으로 한국에서 발표), The Hudson
       Review, 1980 여름.

American Love Song(「주역과 T.S엘리어트」로 한국에서 발표), Mid-American
       Review, 1980 가을.

After Seventeen Years(「동지날 찾아 온 사람」으로 한국에서 발표), Short
       Story International, 1981 가을.

The Gold Watch(「금시계」로 작품집 『꽃신』에 수록), Stories, 1983.5.

The Snake man(「땅꾼」으로 한국에서 발표), Triquartery, 1983 가을.

The Sheep, Jimmy and I(「양과 지미와 나」로 작품집『꽃신』에 수록), Yankee, 1983.9.

Guard Dance Song(「오줌 고개 무지개」로 한국에서 발표), Confrontation, 1983 겨울.

Blue in the seed and other stories, Seoul, si-sa-yong-o-sa, 1990.(단편집)

*출판 년도와 출판사 미확인 영문 작품

Moon Thieves, ?, ?.

일상과 역사의 만남, 그 서사적 상황의 힘
― 하근찬 론

정 희 모*

1. 서론―평가의 복합성

일반적으로 하근찬은 일제 말기와 6.25와 같은 역사적 전환기에 농민이 겪은 수난의 현장을 잘 묘사한 작가로 알려져 있다. 그의 작품은 1957년 데뷔작인 「수난이대」로부터 1970년대 대표작인 『야호』나 『산에 들에』에 이르기까지 한결같이 식민지 말기와 6.25전쟁을 배경으로 하여 전쟁이 농민들에게 미친 영향과 의미를 그리고 있다. 이런 그의 작품 경향은 1980년대 이후부터 일상사의 가벼운 신변잡기나 도시의 시정세태를 그리는 경향으로 바뀌고 있지만 그것이 그의 문학의 본류가 아니고 보면 그를 세상의 평가대로 '농촌작가', '농민작가'라 불러도 크게 틀린 말은 아닐 것이다. 그는 자신의 창작기간 대부분을 역사적 변환기에 농민들이 겪는 애환, 슬픔, 한(恨) 같은 것을 사실적으로 표현해 내는 작품을 쓰고 있는 것이다.

하지만 그의 이런 농민 취향의 소설도 일반적인 농민 소설과는 다른 몇 가지 특징을 안고 있다. 우선 그의 소설은 일제 말기와 6.25전쟁이라는 특

---

* 鄭偆謀, 연세대 강사. 주요 논문으로는 「한국 전후 장편소설연구」, 「현실에의 환멸과 삶의 의지 - 박경리의 〈표류도〉론」 등이 있음.

정한 시기만을 대상으로 하되, 그것도 작가의 체험을 근거로 해서만 작품을 꾸미고 있다는 것이다. 데뷔작 「수난이대」로부터 「홍소」, 「왕릉과 주둔군」, 「산울림」 「붉은 언덕」과 같은 5,60년대 작품은 주로 6.25전쟁과 관련된 개인적 체험을 다룬다면, 『야호』와 「족제비」, 「일본도」로 시작되는 70년대 작품은 시대를 거슬러 올라가 일제말 시기의 농촌 풍경을 다루고 있다. 따라서 그의 주요 작품은 대부분 이 두 시기의 역사적 배경과 그에 대한 개인적 체험을 밑바탕에 깔고 있는 셈이다.1) 하근찬이 자기 소설의 주된 모티브를 실제 삶의 체험으로부터 따온다는 것은 그의 소설이 갖는 독특한 분위기와 관련하여 볼 때 중요한 의미를 지닌다. 하근찬에게 있어 역사적 체험은 자기의 주된 관심 분야인 전쟁을 묘사할 때 민중적 측면에서 전쟁의 구체적 영향을 사실적으로 형상화할 밑바탕이 된다. 사실 그의 소설은 일제말과 6.25전쟁 시기의 농민의 일상사에 대한 상세한 디테일과 풍부한 일화를 바탕으로 하고 있고, 이는 하근찬 소설만이 지닌 뛰어난 장점이 되고 있다.2)

---

1) 하근찬의 작품세계는 3시기로 나누는 것이 일반적이다. 첫째는 6.25전쟁을 배경으로 한 작품으로 1957년부터 1970년 무렵까지가 이 시기에 해당한다. 데뷔작 「수난이대」를 비롯하여 「산중우화」, 「나룻배 이야기」, 「흰종이 수염」, 「홍소」, 「왕릉과 주둔군」, 「산울림」, 「붉은 언덕」, 「삼각의 집」, 『야호』 등이 이 시기의 대표작이다. 두 번째 시기는 시대를 거슬러 올라가 일제말엽 소년 시절의 체험을 다룬 것으로서 1970년 무렵부터 1980년 무렵까지가 이 시기에 해당한다. 「족제비」, 「일본도」, 「죽창을 버리던 날」, 「기울어지는 강」, 「32매의 엽서」, 「임진강 오리떼」, 「조랑말」, 「그해의 삽화」, 『월례소전』, 『산에 들에』가 이 시기의 대표작이다. 세 번째는 80년 이후 일상생활의 인정세태나 전통적 정서의 소중함을 강조하는 소품들을 창작해 낸 시기이다. 「조상의 문집」, 「화가 남궁씨의 수염」, 「공예가 심씨의 집」 등이 이 시기의 대표작이다. 이 글에서는 세 번째 시기의 작품이 그의 작품 전체를 통틀어 볼 때 큰 의미가 없다고 보아 첫째 시기와 둘째 시기를 초기소설과 후기소설로 나누어 평가하고자 한다.
   하근찬, 「전쟁의 아픔을 증언한 이야기들」, 『한국문학』, 1985.4.
   천이두, 「전쟁의 공분과 평화의 찬가」, 『산울림』, 한겨레 출판사, 1988 참고.
2) 대부분의 하근찬 소설 속의 배경은 그의 직접 체험과 밀접하게 관련된다. 그는 1931년 경북 영천에서 출생하여 국민학교 시절에 대동아 전쟁을 경험하고 스무살 무렵 국민학교 교편을 잡고 있을 때 6.25전쟁을 경험한다. 「일

두 번째로 그의 소설은 대상 세계를 군더더기 없이 압축적이고 객관적으로 묘사해 내는 독특한 서사적 기법을 지니고 있다는 점이다. 그의 문체는 특이한 단문주의와 사실적 묘사, 보여주기의 수법, 작중 인물에 대한 작가적 개입의 철저한 배제[3]를 중심으로 이루어져 있다. 따라서 그의 소설은 벌어진 사건에 대한 각 인물들의 행동을 사실적으로 묘사해 내는 '이야기'의 담론에 가깝다. 말하자면 마치 일어난 사건을 제3자가 본 대로 서술하는 객관적 관찰의 형태를 띠고 있다는 것이다. 일종의 '설화'적 담론 형태인 이런 유형은 그의 소설이 순박한 농촌 사람들의 생활세계와 생활감정을 소박한 형태로 제시하는 데 크게 기여한다. 마치 과거에 있었던 일을 아무런 감정의 동요 없이 객관적으로 이야기하는 그런 방식은 읽는 이로 하여금 대상에 대한 확고한 객관성과 사실성을 심어주게 되고, 이것이 역사적 현상에 대한 비판적 힘으로 작용하게 된다. 만약 우리가 하근찬의 작품을 리얼리즘 소설로 평가할 수 있다면 이는 아마도 역사의 거대현상을 가장 구체적이고 사실적인 국면에서 객관적으로 묘사해 내는 그 힘 때문이라고 할 수 있을 것이다.

이렇게 보면 하근찬이 지닌 소설 창작방법의 묘미는 자신의 체험을 바탕으로 깔끔하고 간략한 문제를 통해 무거운 역사적 상황을 생동감있는 구체적 공간으로 바꾸는 데 있다고 하겠다. 하지만 이런 창작 방법 속에 담겨져 있는 문제는 그렇게 간단한 것은 아니다. 우선 하근찬의 소설의 체험적 방식은 사실의 구체성이란 면에서 큰 효과를 발휘하지만 그것이 언제나 제한된 범위의 것이고 고정된 시각의 산물이라는 점에서 어떤 한계성을 지니고 있다. 그의 소설은 작가 자신이 겪은 일제시기와 6.25전쟁의 구체적 상황을

本도」, 「그해의 삽화」, 「조랑말」 등이 일제시기 국민학교 시절의 체험을 그린 것이라면, 「죽창을 버리던 날」, 「32매의 엽서」등이 해방되던 해의 중학교 시절을, 그리고 『야호』의 전쟁 배경은 청년 시절의 6.25전쟁 경험을 그리고 있다. 이처럼 그의 모든 작품은 작가 스스로가 밝히듯이 자신의 직접 체험으로부터 비롯되고 있다.
하근찬, 「전쟁의 아픔을 증언한 이야기들」, 『한국문학』, 1985.4 참고할 것.
3) 조남현, 「상흔 속의 끈질긴 생명력」, 『산울림』, 한겨레 출판사, 1988, p.411.

근거로 하여 형상화되기에 소설은 한 사건에 대한 상세한 디테일과 풍부한 일화를 확보하지만 반면에 전체적인 면에서 보자면 이런 일화적 상황 자체가 주는 일반적 의미 이외는 특별한 것을 발견하기가 어렵다. 말하자면 하근찬 소설이 노리는 효과는 「수난이대」에서 보듯 특별한 상황(전쟁에 상처 입은 두 부자의 상봉) 속에 미적으로 환원되는 사회역사적 의미라고 보겠는데, 이것도 사건 자체에 대한 작가적 해석과 분석을 삭제한 것이기에 단지 상황의 분위기가 던지는 알레고리적 의미만을 얻을 수 있다는 것이다. 그럼으로 해서 그의 소설은 역사적 상황의 전체적 의미 구현보다는 상대적으로 인고(忍苦)하는 민중들의 수난사에만 그칠 가능성도 많다. 더구나 그의 소설은 이런 사건과 일화가 몇 개의 모티브 속에서 끊임없이 반복되는 경향을 보이고 있다. 그가 일제말기나 6.25전쟁을 배경으로 하여 쓴 대부분의 작품은 몇 개의 모티브가 끊임없이 반복되어 스토리를 형성한다. 예컨대 「수난이대」의 상이용사 모티브, 『야호』에서 보여주는 부역, 징병, 정신대 모티브, 「죽창을 버리던 날」과 같은 부자(父子)의 정한(情恨) 모티브 등이 이에 해당하고, 이런 모티브들이 몇 개가 반복되면서 소설의 중심 스토리가 형성된다. 이런 점에서 보자면 그의 소설 대부분은 「수난이대」가 지닌 문제의식과 서술방법(역사적 상황의 구체화, 징병, 징용 모티브의 활용)으로부터 한걸음도 나아간 것이 없는 것으로 볼 수도 있다. 한 평론가가 지적하듯 "체험하지 않은 것은 허구화하지 않겠다는 것"[4]이 하근찬 소설의 특징이며, 이런 특징이 단순히 체험적 사건과 인물의 형태에만 초점을 맞추는 자연주의적 경향을 만들어 내고 있는 것이다.

또 하나 주의깊게 바라보아야 할 것은 그의 소설에 드러나는 전원적이고 목가적인 풍모이다. 어떻게 보면 동화적인 분위기와 원시적 폐쇄성이 함께 수반되어 있는 모습이라고 하겠는데, 이런 점들이 그의 소설을 평가하기가 어렵게 만든다. 그의 소설 중 많은 작품이 어린아이를 화자로 내세우는 것

---

4) 장사선, 「전쟁의 여진과 전통에의 향수」, 이주형 외, 『한국현대적가연구』, 민음사, 1989, p.105.

이다. 아마도 소설은 이런 화자를 통해 상황이 주는 객관성과 이야기 전달의 용이함을 얻게 되는 것 같다. 하지만 어린 아이가 화자로 등장하는 경우, 특히 그것이 체험과 관련된 것이라면 소설은 다분히 회고적 분위기를 띠게 될 것이다. 그리고 이런 회고적 분위기 속에서 향토적 서정성을 추구하는 묘한 향수적 취향을 수반하게 된다. 물론 하근찬 소설의 이런 목가적 분위기가 오유권이나 박경수, 오영수처럼 바로 전원성으로 돌아가는 것은 아니다. 하근찬의 소설에는 전쟁과 역사적 수난의 사회사적 배경을 안고 있고, 그런 점에서 그의 소설이 역사적 구체성을 확보할 충분한 가능성을 가지고 있다. 그렇지만 이런 역사성 속에는 분명히 향토적 서정성의 추구나 토속적 공동체에 대한 선망, 전원적 목가인(牧歌人)에 대한 찬양이 내재되어 있다. 따라서 그가 추구하는 역사적 비판은 역사적 현실 자체의 문제라기보다는 그가 사고하는 역사적 공간 (꿈꾸는 이상적 세계)에 대한 반응에서 비롯된 것이고 그런 면에서 소설의 주제는 현실에서 유래하는 것이 아니라 작가의 정신적 세계에서 유래하고 있다. 예를 들어 그의 소설이 지닌 궁극적 비판의 힘은 어떤 특정한 상황(역사성과 민중성이 독특하게 결합하는 어떤 특정한 국면)이 던져주는 유우머와 아이러니 속에서 환기된다. 뒤에 다시 설명하겠지만 이런 유우머는 한편으로 현실의 모순을 꿰뚫는 날카로운 풍자가 되지만 한편으로 현실을 일회적 우화 속에 집어넣어 추상화하는 역효과를 낳기도 한다. 더구나 그것이 대부분의 소설을 통해 반복되는 것이고 보면 이런 유우머적 상황은 웃음과 함께 묘하게 상황의 회고적인 낭만성 속으로 귀의하는 양상까지 벌어지는 것이다.[5] 이는 작가가 체험적 과거를 역사적 공간으로 바라보는 것과 회고적 서정의 의미로 바라보는 것 사이의 모순된 태도의 결과라 할 수 있다.

그렇다면 우리는 하근찬의 소설을 어떻게 평가해야 할까. 그의 소설은 일제 말기의 수탈과 6.25전쟁의 비극성을 민중사적 측면에서 훌륭하게 형

---

5) 김병익은 이를 '소년기의 에피소드를 카타르시스하는 것'이라고 평가하고 있다.
　김병익, 「작가의식과 현실」, 『문학과 지성』, 1973년 봄호, p.202.

상화한 것으로 볼 수도 있으며, 반면에 체험적인 경험을 통해 역사적 의미를 단순히 수동적인 민중의 수난사로 전락시킨다고 볼 수도 있다.[6] 소설 속에 제기되는 풍부한 민중들의 일상적 디테일은 때로는 역사적 수난과 함께 민족적 의미로 상승되기도 하지만 때로는 과거의 반추하는 회상의 아련한 동화적 서정성으로 전환되기도 한다. 이런 상반된 경향은 하근찬의 소설을 바라보는 기존의 평가에서도 극명하게 드러난다. 유종호는 하근찬 소설을 "전후에 나온 가장 탁월한 반전문학"으로 꼽고, "힘없고 가진 것 없는 농촌사람의 눈"으로 "전쟁의 야수성"을 고발하고 있다고 평가한다.[7] 반면에 이보영은 하근찬의 소설이 "토속적인 농촌을 소재로 인고(忍苦)의 공동체의식"을 나타내지만, 그것은 근대적인 주체의식 없는 과거적인 것이며, 그래서 그에게 부족한 것이 "지식인으로서의 작가상"이며, "역사의식"이라고 말한다.[8] 물론 이런 평가의 양면성은 작품을 보는 시각의 차이에서 비롯되겠지만 근본적으로는 그의 작품이 이런 모호한 양쪽 측면을 지니고 있기 때문이라는 점 역시 부정하기 어렵다. 하근찬 소설을 평가하기가 어렵다는 것은 동일 평론가에게 나오는 이중적인 평가 잣대에서도 쉽게 느껴진다. 예컨대 장사선은 하근찬이 극적 묘사와 긴밀한 구성을 통해 "기법으로서의 리얼리즘"을 확립한 훌륭한 작가라고 칭찬하지만, 이어 그의 소설이 지나치게 체험에만 의존함으로써 인물이나 사건배경이 매우 단조롭고, 새롭게 현실을 조명해 보려는 시도(저항의식, 고발의지, 개혁의욕)가 없다고 비판하고 있다.[9] 이런 평가 방식은 조남현, 김병익, 권영민에게도 지속된다.

---

6) 이런 점은 그의 소설을 우리 민족의 전통적 정서인 '한(恨)의 예술적 승화'로 평가하는 데서 잘 드러난다. 이런 경우 한(恨)을 소극적 저항으로 긍정적으로 평가할 수도 있다. 하지만 그 속에는 여전히 상황에 대한 수동성과 역사적 의미와 개인적인 서정성이 묘하게 혼합되어 있음을 부정하기 어렵다. 대표적으로 아래와 같은 논문이 있다.
   유종호, 「농촌 사람의 눈으로」, 『산울림』, 한겨레 출판사, 1988.
   이경수, 「한의 예술적 승화」, 권영민 엮음, 『한국현대문학사』, 문학사상사, 1991.
7) 유종호, 「농촌 사람의 눈으로」, 『산울림』 한겨레 출판사, 1988, p.374.
8) 이보영, 「소박한 정한(情恨)의 세계」, 『현대문학』, 1981. 2, pp.272-273.

이렇게 한 작가나 작품을 놓고 장, 단점의 입장을 모두 말해주는 것이 하근
찬 작품을 평가하는 일반적인 방법이 되고 있다. 이것은 결국 그의 작품 속
에 상반되는 독특한 특성이 함께 내포되어 있음을 말해주는 것은 아닐까.
하근찬 작품에 대한 평가의 공통점은 전쟁의 수난을 민족사적 경지에서 다
루고 있다는 점과 그럼에도 그것이 어딘지 모르게 한(恨)과 같은 민족적 서
정을 품고 있다는 것이다. 이런 두 성격은 각자 특이한 문학적 경향을 추구
한다. 따라서 그의 소설은 탁월한 리얼리즘 작품처럼 보이기도 하고, 토속
적 삶의 충만함을 지향하는 서정적 작품처럼 보이기도 한다. 기실 그의 작
품은 이 두 가지 성격을 다 포용하고 있다. 그래서 그의 작품을 올바로 평
가하는 길은 이 시기를 이해하고 한(恨)의 정서에 공감하는 독자의 '경험과
정서의 보편성'에 기대는 것뿐이다.

이 글은 하근찬의 작품에 대한 평가를 시도하기 위한 것은 아니다. 다만
그의 작품이 지니고 있는 독특한 특성과 성격을 규명해 보고자 하는 것이
다. 이 글은 하근찬 소설의 특징이 되고 있는 객관적 묘사에 의한 이야기
구조의 성격과 아이러니의 역할, 그리고 작품 내면에 담지되어 있는 역사
성, 토속적 폐쇄성의 의미를 살펴보고 이와 관련된 하근찬의 정신세계를
따져 볼 것이다. 그럼으로 해서 그의 작품에 내재되어 있는 다양한 속성들
을 하나씩 자리매김하고자 하는 것이 이 글의 목적이다. 하근찬의 작품을
읽으면서 끊임없이 일어나는 의문들, 예컨대 대상에 대한 분석없이 담담하
게 이야기체로 사건을 묘사하는 그의 작품 속에서 어떻게 역사적 의미가
환기되는가? 그럼에도 왜 그의 소설은 인간 내면의 성장, 역사 의식의 확
장, 사회, 역사에 대한 폭넓은 시선이라는 면에서 한계를 가지는가? 어떻게
보면 상반된 질문 같은 것임에도 그의 소설들은 이런 의문을 안고 있다. 이
런 의문은 역시 그의 작품 분석을 통해서만 해결될 수 있다. 그것은 아마도
그가 근대화가 집중되던 6.70년대에 현실의 문제와 동떨어져 있는 민중의

---

9) 장사선, 「전쟁의 여진과 전통에의 향수」, 이주형 외, 『한국현대작가연구』,
   민음사, 1989, pp.103-104.

역사적 수난사에 관심을 쏟는 그의 내면세계와 밀접한 관련을 가질 것이다.

2. 서사적 상황의 힘과 이야기적 진술방식

우선 하근찬 소설의 일반적인 특성으로부터 이야기를 시작해 보자. 하근찬의 소설이 지닌 일반적인 특성은 민족사의 수난을 농민이 겪는 일상사와 긴밀하게 접목시켜 그 의미를 독자로 하여금 상기하게 만드는 것이다. 그의 소설은 대부분 농촌을 배경으로 하되 농촌의 목가적 의미가 역사성과 결부되는 특수한 배경을 밑 바탕에 깔고 있다. 무엇보다 그의 소설의 주된 배경을 살펴보면 이런 특성이 확연히 드러난다. 일제말의 징용과 정신대 차출, 6.25전쟁 중의 징병과 부상 등은 그의 소설의 주된 모티브인데, 이런 모티브들은 모두가 일상과 역사가 만나는 구체적 국면을 포착한 것이다. 소설은 무지하고 평범한 농촌 사람들이 문뜩 역사의 어두운 그림자를 만나는 장면을 포착하는데, 이런 장면은 어찌보면 평범하고 단순한 것임에도 불구하고 상황 자체가 주는 역사적 의미 때문에 결코 단순치 않는 의미로 상승하게 된다. 말하자면 소박하고 일상화된 농촌사람의 삶의 형태가 한순간에 민족사적인 수난의 의미로 전환하게 되는 것이다. 그런 점에서 그는 과히 "민족의 비극과 사회병리를 그 급소에서 포착하여 형상화"[10]하는데 남다른 능력을 발휘하고 있다고 보아도 좋을 것이다.

우선 이를 구체적으로 살펴보기 위해 「수난이대」를 살펴보자. 「수난이대」는 주제와 소설형식적인 면에서 이후 소설의 원형이 되는 작품이다. 이후의 작품은 대부분 「수난이대」 속에 나타난 인물 구성방법, 스토리 형성방법을 그대로 반복하거나 동일화하고 있기 때문이다. 「수난이대」의 중심 모티브는 아들과 아버지의 상봉이다. 그런데 이들 부자(父子)는 일제말 징용과 6.25를 통해 역사적 상처를 안고 있는 인물들이다. 아버지 박만도는

---

10) 장사선, 「전쟁의 여진과 전통에의 향수」, 앞의 책, p.101.

일제말 남양군도로 징병을 가 한쪽 팔을 잃었고, 아들 박진수는 6.25전쟁 중에 한 쪽 다리를 잃은 상이군인이다. 소설은 이 부자(父子)가 오랜 기간 헤어져 있다가 서로 만나는 장면을 중심 스토리로 초점화시키고 있는데, 이들 부자의 상봉은 결국 평범한 사람의 일상사에 미치는 역사적 힘의 냉엄함을 자연스럽게 상기시켜 준다.

소설은 이런 역사적 의미를 좀 더 구체화시키기 위해서 두 가지 장치를 쓴다. 우선 하나는 아버지가 아들을 만나는 기쁨, 미래에 대한 희망과 기대를 반전시키는 극적 순간을 만들어 내는 것이다.

> 「아부지」
> 부르는 소리가 들렸다. 만도는 깜짝 놀라며 얼른 뒤를 돌아보았다. 그순간 만도의 두 눈은 무섭도록 크게 떠지고 입은 딱 벌어졌다. 틀림없는 아들이었으나, 옛날과 같은 진수는 아니었다. 양쪽 겨드랑이에 지팡이를 끼고 서 있는데 스쳐가는 바람결에 한쪽 바짓가랑이가 펄럭거리는 것이 아닌가. 만도는 눈앞이 노오래지는 것을 어쩌지 못했다. 한참동안 그저 멍멍하기만 하다가 코허리가 쩡해지면서 두 눈에 뜨거운 것이 핑 도는 것이었다.
> 「에라이 이놈아」
> 만도의 입술에서 모질게 튀어나온 첫마디였다. 떨리는 목소리였다. 고등어를 든 손이 불끈 주먹을 쥐고 있었다.[11]

인용문은 아버지와 아들이 극적으로 상봉하는 장면이다. 하지만 상봉의 기쁨은 간데 없고 아들의 부상에 대한 실망과 한탄이 소설의 전면을 메우고 있다. 소설은 이런 극적 순간의 고양을 위해 첫머리부터 "진수가 돌아왔다"로 시작하여 아버지가 아들을 만나는 기쁨, 즐거움의 행위 묘사를 이어나간다. 그래서 자연스럽게 아들과 상봉하는 장면의 의미, 예컨대 기대와 소망이 좌절과 부정으로 이어지는 극적 반전을 노리게 된다. 하지만 엄밀하게 놓고 볼 때 아버지와 아들의 상봉 자체가 어떤 역사적 의미를 만들어 낸다고 볼 수 있을까. 그렇지는 않다. 「수난이대」에서 부자의 상봉은 그 이

---

11) 하근찬, 「수난이대」, 『산울림』, 한겨레 출판사, 1988, p.24.

전에 이들의 상처가 지닌 역사적 의미가 존재하지 않는다면 큰 의미는 없다. 사실상 상봉에 앞서 이들이 갖는 상처 속에 이미 역사적 의미가 전제되어 있다. 한 쪽 팔을 잃은 아버지와 한 쪽 다리를 잃은 아들은 대동아 전쟁과 6.25 전쟁이 미친 민족적 수난의 개별적 징표가 되고, 따라서 이들의 만남은 만남 자체의 의미를 넘어 자연스럽게 역사적 의미로 상승하게 되는 것이다. 말하자면 상처 속에 내재된 역사성의 '추상적 의미'가 부자의 상봉으로 인해 '구체적 의미'로 환원하게 되는 셈이다.

두 번째로 역사적 수난의 엄청난 고통에도 불구하고 등장인물들을 평범하고 순박한 삶의 태도와 가치인식을 지닌 인물로 만든다는 점이다. 사실 박만도나 박진수가 지닌 인물적 캐릭터는 소박하고 토속적이다. 그들이 관심을 갖는 것은 전쟁에 대한 원망이나 한탄이 아니라 앞으로 어떻게 살아갈 것인가 하는 소박한 현실인식이다. 소설 말미에 "살기는 왜 못 살아"라고 외치는 박만도의 모습 속에 이런 삶의 태도를 잘 보여준다. 뿐만 아니라 소설은 박만도가 외나무 다리에서 당한 망신이나 주막에서 벌이는 행태를 통해 이들이 지닌 순박함이나, 무지함, 단순함 등을 한층 더 극대화시킨다. 따라서 소설은 엄청난 전쟁(대동아전쟁, 6.25전쟁)의 수난을 다루면서도 그것과 전혀 무관한 소박한 사람들의 삶의 문제를 다루는 듯 보인다. 그렇지만 이런 소박한 삶의 모습은 곧 부자의 상봉이 가져다 주는 내재적 의미에 의해 결코 가볍지 않은 의미로 환원된다. 말하자면 무지한 농민이 갖는 소박성의 강도만큼 역사적 무게는 더 짙게 느껴진다는 것이다. 그래서 소설은 두 부자의 만남과 우스꽝스러운 행동 속에 역사적 무게에 짙눌린 민중의 한(恨)을 자연스럽게 스며나오도록 만든다.

「수난이대」의 이런 특성은 하근찬 소설의 창작 방법이 무엇인가를 극명하게 보여준다. 우선 하근찬의 소설은 역사성의 의미가 구체적으로 드러나는 어떤 극적인 국면을 포착한다는 것이다. 「수난이대」에서 보여준 부자 상봉과 같은 장면이 그것이다. 이런 장면은 평범한 삶 속에 역사의 의미가 순식간에 고양되는 어떤 순간을 의미한다. 소설은 이런 순간을 통해 평범하면서도 평범하지 않는 어떤 의미를 만들게 되는 것이다. 그런데 여기에서 우리가 한 가지 깨달아야 할 것은 이런 극적 순간이 등장인물의 고유한 성격이나 행위에 의해 이루어지는 것이 아니라는 점이다. 「수난이대」에서 보듯이 박만도와 박진수는 역사적 상황에 의해 자신들의 운명이 규정되어 있는 인물들이다. 징용과 전쟁, 부상 등은 이미 그들의 몫이 아니라 역사의 몫이다. 그런 점에서 소설에서 의미를 만들어 내는 것은 그들의 의식, 행동이 아니라 상처받은 두 인물이 만나는 아이러닉한 상황이 된다. 이런 극적 상황이야말로 태평양 전쟁과 6.25전쟁을 하나로 응축하는 역사적 의미를 띠고 있는 것이다.

이처럼 하근찬 소설의 등장인물은 대부분 구체적이고 개별적인 성격을 갖지는 않는다. 일반적으로 그들은 무지하거나 평범하고, 혹은 소박하고 토속적이다. 그런 점에서 그들에게는 내면적 갈등이나 반성적 의식이 없다. 그래서 소설에서 드러나는 서사적 상황은 인물들이 지닌 반성적 힘에 의해서가 아니라 역사와 일상이 만나는 부대낌 속에서 자연스러운 상황의 힘으로 이루어진다. 말하자면 소박한 일상성 속에 역사성이 개입하는 부분을 극적 상황 순간으로 포착하고, 그 속에서 평범하고 무지한 농촌사람이 겪는 삶의 애환을 민족이 겪는 수난사의 의미로 환원시키는 것이다. 따라서 극적 순간은 이미 역사와 일상이 만나는 상황 속에 내재되어 있는 것으로써 등장인물의 성격과 무관한 소설적 배경의 소산이기도 하다. 이런 문제를 좀 더 자세히 살펴보기 위해서 「흥소」에서 나타나는 서사적 상황을 분석해 보자. 「흥소」의 주제는 전쟁이 토속적 농촌에 가한 역사적 충격과 그 의미이다. 이런 충격적 의미는 소설 후반부 주인공인 우체부 판수가 배달하다 남은 전사통지서 9장을 냇물에 띄워 보내는 행위 속에서 잘 드러난다. 우체부 판수가 전사통지서를 냇물에 버리는 것은 농촌의 순수한 삶을 파괴하는 역사성에 대한 거부로서, 이른바 일상적 삶이 역사적 비판의 의미로 고양되는 극적 순간이기도 하다. 그리고 이런 극적 순간이야말로 이전까지 진행된 상황적 모순, 곧 순박한 삶에 침범한 역사의 부정성이 하나의 비판적 의미로 고양되는 지점이 된다. 따라서 판수의 행동은 순전히 상황 속에서 잉태된 것이지, 그 자신의 독특한 성격이나 무슨 특별한 이상을 지향하는 내면성으로부터 촉발된 것은 아니다. 오히려 판수의 행동은 전사 통지서를 배달한 이전 상황과 밀접하게 관련되어 있다. 전사통지서를 받아든 영감과 죽은 사람의 아내인 듯한 젊은 아낙네의 고통과 절망에 찬 넋두리를 들으면서 그는 그것을 마치 자신의 책임인 듯이 느끼게 되는 것이다. 따라서 그가 전사통지서를 버리는 행위는 일상성과 역사성의 결합에서 생기는 모순과 그 상황에 대한 무지한 그의 감상(感傷)에서 비롯된 것이지, 개별적인 그의 독특한 성격에서 비롯된 것은 아니라고 할 수 있다.

우체부 판수의 무지함과 순박함은 그의 소설의 주된 배경이 되고 있는 농촌 공동체의 소박함을 대변한다. 다시 말해 하근찬 소설에서 등장인물들의 순진함, 혹은 무지함, 순박성은 농촌이 갖는 토속성, 소박성에 상징적인 등가물이면서, 그것 자체가 냉엄한 역사성과 대비되는 소박한 일상성의 보편적인 상징이 되고 있다. 따라서 소설 속에서 우체부 판수의 무지함은 전사통지서를 받고 울고 한탄하는 일반 농촌 사람들의 즉물성과 하등 다를 바 없으며, 이런 인물적 특성은 그의 다른 소설에서 동일하게 드러나는 보편적 특성이 된다. 이런 특성은 아마도 농촌 사람의 순박함은 보편적 선(善)이라는 긍정적 가치로, 상대적으로 그것을 침범하는 역사성은 보편적 악(惡)이라는 부정적 가치를 띠므로서 가능할 것이다. 그리고 이런 이분법적 사고는 그의 소설을 단순하게 만드는 커다란 약점이 되기도 하지만, 반면에 소설에서는 역사의 무지막지한 힘보다는 상대적으로 순수하고 연약한 보편적 인간을 돋보이게 하는 역할도 하고 있다. 그래서 우체부 판수의 행위는 개별적 행위가 아니라 역사성에 저항하는 토속적 순수함의 상징적 행위가 되는 셈이다.

하근찬 소설에서 역사적 의미가 극적 상황 속에 이미 내재되어 있다는 점은 무엇보다 작가가 평균적인 일상성 속에 역사적 의미로 고양되는 어떤 순간을 날카롭게 포착할 수 있는 능력이 있다는 것을 의미한다. 요컨대 그의 소설에서 작가적 능력은 평범과 일상의 가장 낮은 진부함 속에서 역사적 의미가 구체화될 수 있는 상황을 포착하고, 그것을 사실적 묘사와 간략하고 긴밀한 구성 속으로 몰아 넣어 그 의미를 구체화하는 데서 나타난다. 따라서 그의 소설은 대부분 이런 극적 상황, 즉 진부한 일상성과 역사성이 만나는 고양된 순간을 필요로 한다. 예컨대 징용을 가서 팔 하나를 잃은 동길이 아버지가 생활을 위해 궁여지책으로 극장의 선전원으로 취직하여 거리에서 아들과 조우하는 「흰종이 수염」이나, 사공 삼바우가 마을 청년이 온통 징병으로 끌려가게 되자 징병용지를 들고 오는 우체부를 나룻배에 태우기를 거절하는 「나룻배 이야기」, 아이들이 금을 캐기 위해서 언덕을 파다 수류탄에 의해 희생되는 「붉은 언덕」 등은 모두 극적 상황 자체가 역사의 비극을 감지하겠끔 만들어져 있는 작품들이다. 극장 간판원된 아버지와 아들이 조우하게 되는 장면이나, 우체부의 요구에도 배를 돌리는 삼바우의 행위, 보물을 캐다 폭탄을 만나 목숨을 잃는 장면들은 역사성에 의해 파괴되는 순수성의 의미가 고양되는 순간으로 그 자체가 소설적 주제를 환기시키게 된다. 말하자면 공동체적 순수성이 역사성에 의해 파괴되는 순간을 아이러닉한 상황 속에 집어넣어 그 의미를 독자가 환기시키게 만드는 것이다. 「수난이대」에서 보여주는 상봉의 장면 역시 바로 역사성과 일상성이 만나는 고양된 비극의 순간, 즉 극적 순간의 의미를 잘 드러낸 예라고 할 수 있겠다.

그렇다면 극적 의미가 인물의 성격이나 행동에서가 아니라 역사와 일상이 만나는 서사적 상황 속에서 고양되는 방식은 어떻게 해서 가능할까? 우리가 일반적으로 알고 있는 소설의 행동방식, 즉 인물의 독특한 성격이나, 혹은 성장과 굴곡에 의해 행위양식이 결정되고 그것이 하나의 소설적 '드라마'를 만들어 내는 방식과 하근찬 소설은 상당히 다르다. 여기서 가능한 한 가지 대답은 그가 자신의 소설이 역사에 대한 농민의 수동적 반응을 철저하게 객관화하여 이야기 형식[12](구술적 담화방식)으로 만들고 있다는 것

___
12) 물론 여기에서 말하는 '이야기 방식'이란 문자문화와는 다른 구술문화적인

이다. 그의 소설은 대상으로부터 거리를 두고 오로지 작가가 대상을 관찰하는 방식으로 전개된다. 따라서 인물들이 갖는 내면의 갈등이나 고민, 절망과 같은 대상의 인식 주체적인 성격은 철저하게 삭제된다. 그럼으로써 소설은 역사와 일상이 만나는 특별한 상황을 필요로 하고, 그것을 어떤 고양된 반전의 순간 속에 집어 넣어 전체 주제의 의미를 만들게 된다.

사실 하근찬 소설의 이야기 방식은 특별히 숨겨진 것은 아니다. 이미 몇몇 평론가들이 하근찬 소설에 담겨 있는 이야기적 기능에 대해서 언급을 한 바 있다. 가령 유종호가 하근찬의 소설에서 민요적 특성이 강하게 나타난다고 말한 것[13]이나, 김선학이 하근찬 소설의 특징을 "이야기의 순조롭고 막힘없는 진술의 방식"에서 찾은 것[14]도 이런 구술담화적인 특성을 염두에 둔 것이다. 특히 김선학이 하근찬 소설의 인식 방식이 리얼리즘적 대상 인식과는 차이가 있다고 밝힌 것은 앞의 이야기 특성과 관련하여 볼 때 중요한 의미가 있다. 왜냐하면 하근찬은 대상적 가치를 냉엄한 분석과 반성적인 사유를 통해서 파악하기보다는 밀착된 생활세계의 상황적 의식구조를 통해서 파악하기 때문이다. 다시 말해 하근찬의 소설은 대상적 의미를 축적되고 보존된 경험적 사고유형을 통해 드러낸다는 것이다. 이는 대상을 분석적 인식구조에 놓은 것이 아니라 동질적 인식구조 속에 놓고 보는 것을 말한다. 그의 소설세계가 특별히 역사적 상황에 대응하는 순박한 농촌 사람들의 생활태도에 관심을 갖는다는 것도 이와 관련될 것이다. 유종호는 이를 "농촌에 대한 혈연적 동정"[15]이라고 표현했지만, 어쨌든 그는 농촌사

성격을 가지고 있음을 뜻한다. 일반적으로 하근찬의 문체는 '말하기(서사)' 보다는 '보여주기(묘사)'에 능숙하다고 평가하는데 이는 대상에 있는 그대로, 혹은 경험 그대로 작가가 이야기하려는 경향과 일치한다. 말하자면 대상에 개입하여 원근법적인 플롯 구성을 하지 않고 대상을 있는 그대로 서술한다는 점에서 전체적으로는 구술문화적 특성이 강하고, 문체적인 면에서는 '묘사'에 가까운 것이다.
조남현, 「상흔 속의 끈질긴 생명력」, 『산울림』, 한겨레 출판사, 1988, p.411 참고.
13) 유종호, 「농촌사람의 눈으로」, 『산울림』, 한겨레 출판사, 1988, p.370.
14) 김선학, 「이야기로서의 소설」, 『한국문학』, 1985.3, p.304.

람을 하나의 대상으로 바라본 것이 아니라, 같은 처지의, 같은 동향의 사람처럼 대한 것만은 틀림없는 사실이다. 그래서 그의 소설은 농민에 대한 따뜻한 애정과 신뢰를 보여주며, 수난 속에서도 원시적인 공동체의 생명력을 드러내게 된다.

그의 소설에서 농촌사람들의 일상적 세태가 풍부하게 드러나는 것도 이야기적 진술방식과 긴밀하게 연관된다. 「나룻배 이야기」에서 징용에 앞서 농악을 노는 장면이나, 『야호』에서 시골마을 사람들의 활동사진 구경 장면과 혼례식 장면16), 「그해의 삽화」나 「붉은 언덕」, 『산에 들에』에 나오는 아이들의 농촌학교 생활 모습들은 눈에 선하듯 세밀하게 묘사되고 있다. 실제 그가 사용하는 토속적 단어와 간략한 문장은 마치 하나의 몸짓, 목소리, 얼굴 표정까지 드러내듯이 농촌생활의 사실감을 높여주고 있다. 그의 소설 세계는 대상에 대한 동질적인 인식구조로 인해 인간적이고 실제적인 생활환경 전체를 포괄하고 있다. 그래서 그의 소설에서 배경적 상황은 마치 하나의 동심의 세계처럼, 또한 과거가 마치 현실로 살아온 듯한 따뜻함을 느끼게 한다.17) 하근찬 소설에 악인(惡人)이 없다는 것도 이런 세계 인식과 밀접하게 관련될 것이다.

그러면 구술적 담화형식이 서사구성에 어떤 영향을 미칠까. 우선 단편에서 눈에 띄는 것은 앞에서도 누누이 말했지만 전체 서사가 다분히 상황중심적인 구조를 보인다는 점이다. 이런 점은 아마 대상에 대해 분석적, 사유적(내면적) 접근을 하지 못하기 때문에 소설적 서사 전체를 하나의 단편적 일화로 대체함으로써 일어난 현상일 것이다. 그의 소설은 인물간의 갈등이나 내면적 성장이 없기 때문에 일상성과 역사성이 만나는 고양된 순간을 필요로 한다. 그래서 이야기 구조 속에 비판적 의미를 환기할 극적 상황이

---

15) 유종호, 앞의 글, p.368.
16) 『야호』에 나오는 세밀한 묘사에 대한 것은 아래의 글을 참고할 것.
　　이경수, 「한의 예술적 승화」, 권영민 엮음, 『한국현대작가연구』, 문학사상사, 1991, pp.166-169.
17) 구술적 세계 인식에 대해서는 아래의 책을 참고할 것.
　　월터 J. 옹, 『구술문화와 문자문화』, 문예출판사, 1995, pp.52-122, 209-231.

요구된다. 평론가들은 흔히 이를 "정통적인 묘사를 통해 빚어지는 구체적 국면들이 역사의식을 스스로 드러내는 것"[18]이라고 이야기하지만, 실제 그 것은 역사가 침범하는 구체적 일상사를 하나의 이야기, 삽화처럼 들려주게 되면서 나타난 현상이라 할 수 있다. 이런 삽화적 구성 방식은 장편에서 더욱 뚜렷해진다. 장편은 마치 우리의 판소리처럼 각 장면들이 삽화들로 구성되며, 각 삽화들은 일정한 극적 구성이 있고, 그 구성의 완결성을 위해 상황에 대한 장황한 묘사와 사설이 첨부된다. 이것은 판소리가 상황적 의미와 정서를 추구하면서 빚어진 현상일텐데, 하근찬의 소설도 이와 크게 다르지 않다. 예컨대 그의 대표작 장편인 『야호』를 보자. 『야호』는 일제말과 6.25전쟁의 비극을 갑례라는 한 처녀의 수난을 통해 서사시적 상황으로 펼쳐 놓은 작품이다. 그런데 『야호』는 자세히 살펴보면 몇 개의 중요한 삽화가 길게 하나로 연결되어 전체 스토리가 형성된 듯 보인다. 주인공 갑례와 마을 총각 영칠이의 연분, 사랑의 실패(갑례의 정신대 차출로 인한 것)와 태석이와의 결혼, 영칠이와 갑례의 재결합, 태석이의 귀국과 영칠이의 사망, 갑례의 귀향 등의 개별 삽화는 하나의 이야기이면서 그것이 갑례의 수난사를 중심으로 길게 펼쳐진 모습을 보여준다. 각 개별 삽화는 나름대로 이야기의 극적 구성을 갖는다. 이런 점은 소설 속의 중요 모티브들, 즉 갑례와 영칠이의 연분, 갑례의 정신대 차출과 도피, 태석이와 영칠이의 징병, 영칠이의 국군입대 후 사망 등은 이미 단편 「수난이대」나 「나룻배 이야기」, 「분」, 「필례 이야기」 등에서 이미 나타난 삽화라는 점에서도 쉽게 알 수 있다. 이처럼 『야호』는 역사상황(일제발, 6.25전쟁)에 따라 농촌에서 일어날 수 있는 개별 삽화를 길게 연결하는 방식을 취하면서 전체적으로는 갑례를 중심으로 어려웠던 시기를 견뎌 왔던 민중의 수난사를 이야기하고 있다. 갑례의 운명과 행동방식은 철저하게 역사적 상황(정신대 차출, 영칠이의 징용, 남편 태석이의 징병, 영칠이의 국군 징집)에 수동적으로 종속되

---

18) 천이두, 「전쟁의 공분과 평화의 찬가」, 『산울림』, 한겨레 출판사, 1988, p.416.

는데, 이는 이야기를 이끌어 가는 실제적인 모멘트가 바로 개별 삽화(체험에서 비롯된 개별적인 역사상황)에 있음을 보여주고 있다.

『산에 들에』에 오면 이런 삽화적 서술 상황은 더욱 뚜렷해진다. 『산에 들에』는 1부에서 4부까지로 나누어지는데, 1부는 사랑하는 사람을 두고 징병 대상자인 이웃마을 총각에게 시집가는 봉례의 이야기, 2부는 만주에서 돌아온 삼촌 달출이의 이야기, 3부는 서낭당 철거에 얽힌 이야기와 야마구찌 선생과 아오끼 소위의 사랑(랭가이) 이야기, 4부는 해방 당시의 이야기 등으로 구성되고 있다. 그런데 이런 이야기들은 모두 개별적인 삽화들로서 이전의 단편이나 장편에서 반복된 이야기들이다. 예컨대 1부는 「필례이야기」나 『야호』에서, 2부는 『야호』의 최서방 이야기에서, 3부는 「그해의 삽화」에서, 4부는 「죽창을 버리던 날」에서 나왔던 삽화들인 것이다. 소설은 이런 삽화를 화자인 용길이의 시각 속에서 길게 연속시키고 있다. 물론 각 삽화는 나름대로 극적 구성을 가지지만 궁극적으로는 구술적 담화방식이 지니고 있는 이야기적 입김에 의해 전체 서사로 통합된다. 따라서 스토리를 움직이는 힘은 시간의 흐름(이야기적 서술)과 단편적 삽화를 움직이는 역사적 변동만이 가능하다.

이렇게 보면 하근찬 소설의 특징은 농촌적 일상 속에 역사가 침입하는 순간을 날카롭게 포착하되 그것을 옆에서 넌지시 관찰함으로써 핵심을 환기시켜 주는 이야기 방식을 취하고 있음을 알 수 있다. 하근찬 소설에 나타나는 농촌생활의 풍부한 일상과 사람들의 소박한 삶의 태도도 바로 그들의 삶을 동일자적 시각에서 우리에게 환기시켜 주는 이야기 방식에서 나오고 있는 것이다. 뿐만 아니라 이런 방식은 역사와 접한 평범한 일상을 가장 평범하게 서술하게 만드는데, 소설은 이를 통해 일제말과 6.25전쟁과 같은 역사적 외압이 어떻게 농촌의 구체적 삶을 파괴하게 되는지, 그리고 그들의 수난이 어떻게 민족사적 수난으로 상승하는지를 보여주게 된다. 말하자면 세련되고 꽉 짜인 기교적 플롯의 소설과는 다르게 하고픈 이야기를 슬슬 풀어 나가는 무기교적인 이야기 방식이 오히려 대상을 더 비판적으로 보게 만드는 기교를 만드는 것이다. 그래서 하근찬의 매력이 "무기교의 기교를 최상의 기교"로 만드는 "능란한 이야기꾼의 솜씨"에 있다는 지적19)도 있다. 반면에 우리는 이런 이야기 소설이 안고 있는 문제점 역시 간과할 수는 없다. 이야기 방식은 대상에 대한 동일성이나 친화성은 높일 수 있지만 대상이 안고 있는 문제의 본질까지 접근하지는 않는다. 대상을 해체하고 분석하는 것이 아니기에 그것은 다분히 본질에 대한 정조와 느낌, 분위기만을 우리에게 전해줄 뿐이다. 그래서 그의 소설은 민족적 수난을 다룬 소설처럼 보이기도 하고, 농촌의 공동체적 순수성과 삶의 따뜻함을 일깨우는 소설처럼 보이기도 한다. 이야기 소설의 근원은 체험에 있기에 이런 체험이 강화되면 소설은 사소설처럼 보이기도 하고, 비판의 칼날은 무뎌져서 단지 생활의 보고서처럼 자연주의로 흐르기도 한다. 하근찬 소설의 다양한 특성은 이야기 방식 속에 담겨져 있는 이런 양면성들이 착종되면서 나타난 결과이다.

3. 체험적 소설의 한계와 아이러니적 효과

이야기 소설의 밑바탕은 역시 체험이다. 이야기가 상황적 서술을 기본으로 한다면, 이런 상황은 체험이 환기해주는 세계가 존재하지 않으면 구성되기 힘들다. 이야기는 과거의 것이고, 그 과거는 체험한 자의 존재영역에 해당한다. 그래서 이야기는 끝없이 과거를 반추해 내는 의식의 매개고리를 갖는다. 말하자면 환기되는 의식과 의식을 연결하는 매개고리야말로 이야기의 근원적 플롯이 된다는 것이다. 따라서 체험에서 환기되는 이야기 방식은 즉자적이지, 반성적이지는 않다. 하근찬의 이야기체 소설은 대부분 이런 체험을 바탕으로 하고 있다. 그의 소설은 현실의 문제를 응축하고 그것을 추상 속에 재구성하는 방식을 취하는 것이 아니라 대상을 이야기 중심

---

19) 김선학, 「이야기로서의 소설」, 『한국문학』, 1985.3, p.303.

으로 펼쳐 놓아 대상에 포함된 상황 자체의 의미를 독자가 환기하도록 만들고 있다. 그런 점에서 그의 소설은 작가의 의식 속에 환기되는 이야기적 상황이 바로 소설적 공간과 플롯이 되는 독특한 의미를 안고 있다. 말하자면 그의 소설은 이야기되는 상황 자체에 무게 중심이 놓여 있는 즉자적 담화형식의 일종이라 말할 수 있을 것이다. 따라서 하근찬의 소설에서 무엇보다 중요한 것은 체험에서 환기되는 이야기적 상황이다. 그의 소설이 이야기 방식에서 나오는 친근감을 유지함에도 나름대로 의미 있는 역사성을 띠는 것은 그가 선택하는 소설적 상황에 중요성이 있기 때문이다. 요컨대 그에게는 이야기 대상을 어떻게 잡느냐가 소설의 성패를 결정짓는 관건이 되고 있는 셈이다.

그가 소설적 대상으로 삼은 체험은 일제말의 암울했던 어린 시절과 6.25 전쟁의 청년시절이다. 작가는 일곱 살 나던 해에 중일전쟁을 겪었고, 국민학교 4학년 때인 11살 무렵에는 대동아 전쟁을 경험했다. 작가가 스무살 무렵 어느 산골 국민학교에서 교편을 잡고 있을 때 6.25전쟁을 치루었고 그 와중에 부친을 잃었다. 결국 대동아 전쟁과 6.25전쟁의 혼란이 그의 작품의 주된 모티브가 되고 있는 셈이다. 작가 역시 이런 점을 부정하지 않는다.

> 자기 작품을 논하는 자리에서 먼저 이렇게 네 가지 전쟁(만주사변, 중일전쟁, 대동아전쟁, 6.25전쟁-인용자)을 들먹인 것은 어쩌면 나는(나뿐만 아니라 같은 연배는 다 마찬가지이겠지만) 전쟁의 그늘 속에서 태어나 전쟁과 함께 자랐고, 또 꿈많은 시절을 전쟁 때문에 괴로움으로 지샌 것만 같이 회상되기 때문이다. 그리고 그런 결과인지는 모르겠으나, 지금까지 내가 발표한 작품들이 전쟁과 무관한 것이 아니기 때문이다. 한마디로 내 작품들의 성격을 규정한다면 <전쟁 피해담>이라고 할 수 있을 것 같다.
>
> 그 동안 발표한 내 작품들을 크게 두 갈래로 나눌 수가 있는데, 첫째는 6.25를 소재로 한 것들이고, 둘째는 일제 말엽의 이야기들이다. 물론 그와는 성격이 다른 것들도 없지 않으나, 대체로 그렇다는 이야기다. 6.25는 말할 것도 없고, 일제 말엽 역시 태평양 전쟁이 발발하여 일본 군국주의가 패망으로 치닫고 있던 전쟁의 암흑기이다. 6.25때는 직접 우리 땅이 전쟁의 현장이 되었었고, 태평양 전쟁 때는

바다 밖의 싸움에 우리 백성들이 끌려나갔었다는 차이가 있을 뿐이다. (중략) 전쟁이나 역사의 흐름 같은 것과는 아무 상관도 없는 시골 사람들, 무고한 농촌 사람들이 겪은 수난을 말하자면, 나는 증언하듯이 소설을 쓴 셈이다.[20]

위의 인용문에서 볼 수 있는 것은 두 가지 측면이다. 우선 작가가 민족사의 중요 수난인 대동아 전쟁과 6.25전쟁을 중점적 대상으로 삼고 있다는 점과 두 번째로 마치 "증언하듯이" 소설을 써 왔다는 점이다. 이 두가지의 문제는 역시 작가의 체험과 관련된다. 작가가 성장시절 체험했던 전쟁을 작품의 구체적 대상으로 삼는 것인데, 대동아 전쟁과 6.25전쟁이 농촌 사람들의 구체적 삶에 영향을 미치는 국면을 포착하고 이를 형상화한다는 것이다. 특히 그가 "증언하듯이" 소설을 썼다는 것은 민족사의 중요한 국면들이 자신의 체험 속에서 이야기 방식으로 서술되고 있음을 구체적으로 보여준다. 따라서 그의 소설이 단순하면서도 깊은 의미를 가질 수 있는 것은 역사의 중요 국면(일제 말엽, 6.25전쟁)과 구체적 일상(소박한 농촌적 삶)이 만나는 지점을 소재로 선택하고 그것을 체험 속에서 생생하게 묘사할 수 있었다는 점 때문일 것이다. 하근찬 소설에서 체험이 지니는 중요성도 바로 이런 점에 있다.

그런데 체험이 소설의 뿌리가 된다고 해서 바로 그것이 소설적 형상화를 대신해 주는 것은 아닐 것이다. 문학이 현실을 반영한다고 할 때 문학적 형상이 바로 구체적 현실이 되는 것은 아니다. 문학적 형상은 실제 현실에 내재된 모순 구조와 내적 삶의 질서를 전체적인 면에서 모방한다. 그래서 문학적 형상은 구체적 현실의 여러 문제들과 내적인 상호관계를 유지하게 되고, 창조된 것임에도 더 생생한 현실의 문제를 재현할 수가 있는 것이다. 체험이 중요하게 부각되는 것도 이 지점에서이다. 현실과 삶의 여러 문제들은 작가의 주체적 삶 속에 잉태되어 있는 것이고, 이런 경험을 밑바탕으로 하지 않는 한 소설의 주제의식은 살아 나올 수가 없다. 생생한 경험과

---

20) 하근찬, 「전쟁의 아픔을 증언한 이야기들」, 『한국문학』, 1985.4, p.66.

이를 문제화할 수 있는 주체화 과정이야말로 소설이 소설다운 의미를 띨수 있는 첫걸음이 되는 것이다. 그런 점에서 소설의 창작은 가공되지 않은 체험으로부터 삶의 진실을 내포한 창조된 현실로 바뀌어지는 과정을 말한다.

하근찬의 소설이 체험을 바탕으로 한다는 말은 현실 반영의 원리로서 이런 근원적 체험을 의미하는 것은 아니다. 오히려 체험이 소설에서 직접적 소재가 되는 양상을 말하는 것이고, 소설 구성원리에 직접적으로 관여하게 되는 것을 말한다. 물론 체험이 구성원리가 된다는 말은 앞의 이야기적 방식과 밀접하게 관련될테이지만, 그것보다 재미난 것은 작가 스스로가 작품 속의 상황이 구체적 체험에서 유래한다는 것을 밝히는 데 있다. 작품이 징용과 정신대 차출, 징병의 한정된 모티브를 반복하여 사용하고 있음도 그러하거니와 상황의 세세한 국면을 물흐르듯 서술하는 묘사의 수법에서도 그런 점은 여지없이 드러난다. 그의 소설이 작가의 감정개입 없는 이야기체의 묘사임에도 불구하고 체험 아니면 알 수 없는 세세한 국면을 그대로 제시함으로써 소설적 상황이 체험된 현실임을 암암리에 작가가 드러내고 있다.

하지만 문제는 하근찬 소설이 체험적 소설이냐 아니냐에 있는 것은 아니다. 소설 속에서 현실 체험의 생생한 묘사는 때로는 긍정적 기능을 할 수도 있고, 때로는 부정적 기능을 할 수도 있다. 따라서 문제는 소설에서 체험을 어떤 방식으로 사용하느냐 하는 점이다. 체험을 긍정적으로 사용하는 경우는 하근찬의 초기 소설을 보면 알 수 있다. 실제 그의 초기 소설은 한 편 한편 따로 분리해 보았을 때 실체험이 작품에 개입한 흔적을 찾기란 쉽지 않다. 그만큼 그의 초기 소설은 구조적으로 완벽한 형태를 보여주고 있다는 뜻이다. 그의 초기소설은 체험을 기본골격으로 하고 있음에도 이를 적절한 형상화 과정과 접목시킴으로써 주제의식을 선명하게 부각시킬 수 있었다. 6.25전쟁이나 일제말엽의 역사적 배경을 바탕으로 체험은 일상의 구체적인 삶 속에 녹아 들어가 있고, 그것이 극적 구성을 통해 적절한 주제를 환기시켜 주고 있다. 체험적 대상은 언제나 허구적 대상과 긴밀하게 결합되고 전체 주제를 향한 형상화의 원리 안에서 종속된다. 작가의 관념적 개입 없이 역사적 사건을 일상 속에 펼쳐 보임에도 주제를 향한 통일되고 일관된 구조원리가 작동하고 있는 것이다.

이런 점은 무엇을 말하는 것일까. 적어도 초기 소설은 체험을 바탕으로 하고 있으면서도 그것을 작가가 통제하고 조절할 수 있음을 말하는 것이 아닐까. 초기 소설에서 작가는 체험을 단지 체험 자체로만 사용하지 않고 형상화의 원리로 사용하고 있다. 말하자면 체험 속에 드러난 다양한 사건들, 인간들, 풍경들을 소설적 세계 속에서 그것의 결합원리에 따라 예술적 구성물로서 응축해 내고 있다는 것이다. 그래서 체험은 개인적 범위를 넘어서 시대적이고 역사적인 보편성으로 상승하게 된다. 「수난이대」나 「왕릉과 주둔군」, 「붉은 언덕」, 「삼각의 집」과 같은 초기 소설들이 이야기적 재미와 함께 탄탄한 주제의식을 보여주는 것도 이런 형상화의 힘 때문일 것이다. 하지만 그렇다고 하여 초기 소설이 체험소설이 지니는 문제점을 모두 벗어난 것은 아니다. 그의 초기 소설은 뛰어난 주제 환기력에도 불구하고 벌어지는 사건과 이에 대한 인물의 반응에만 초점을 맞춤으로써 여전히 대상 자체의 깊이있는 분석이 결여되어 있다. 또한 인물의 내면 세계와 갈등관계를 보여주지 못함으로써 구성되는 세계는 단순함과 일면성을 벗어나기가 어렵게 되어 있다. 그의 소설이 언제나 역사에 수동적으로 대처하는 인물들의 수난사만을 보여주는 것도 이런 점과 관련될 것이다. 체험적 인물이라 하더라도 그의 내면세계와 갈등, 고민을 새롭게 구성하지 않으면 안된다. 회상되는 인물의 겉모습만으로는 역사와 세계의 복합성을 설명해 주지 못하는 것이다.

또 하나 주목해 볼 만한 것은 체험이 갖는 소재의 빈약성이다. 「수난이대」나 「나룻배 이야기」, 「흰종이 수염」, 「분」, 「붉은 언덕」 등에서 보여주었던 참신한 소재들은 이후 발표되는 소설이 늘어나면서 반복된 소재로 전락하게 된다. 그의 소설이 일제말과 6.25 전쟁의 시대적 한계를 벗어나지 못했던 점은 익히 알려진 사실이지만, 그 속에서도 비슷한 소재를 반복해서 사용한다는 점은 여전히 큰 문제가 된다. 일제말의 징용과 정신대, 일제말의 교육현장, 6.25전쟁의 징병 등의 소재는 그의 소설 대부분을 포괄한다. 따라서 초기 소설을 벗어나면 더 이상 참신하고 의미있는 소설 세계를 보여주지 못한다는 점이 하근찬 문학의 한계가 된다.

체험 소설이 갖는 문제점을 우리는 70년대 이후 소설에서 쉽게 찾을 수 있다. 작가 자신의 말에 의한다면 1969년 「낙발」이라는 작품 이후 제2기의 문학에 해당하는 것[21](여기서는 후기 소설로 지칭하겠다)으로 대부분 일제 말엽 소년 시절의 체험을 그린 것이다. 이 시기에 오면 이전에 보여주었던 구성의 탄탄한 힘이나 주제를 향한 집중력 등은 모두 빛을 잃는다. 소년 시절 겪었던 일제 말엽의 생활상이 체험 그대로 소설의 전면을 차지하게 되며, 소설은 경험의 보고서와 같은 무미건조한 상태를 보이게 된다.

이를 검증하기 위해 이 시기 작품의 특징을 간단히 살펴보자. 이 시기 대부분의 작품은 소년을 주인공으로 내세워 성장기에 겪게 되는 일상의 사건들을 관찰하고 보고하는 방식으로 되어 있다. 소년이 주인공이니만치 서사의 중심에 설 수가 없고, 따라서 소설은 어린 동심을 내세워 역사의 수난기에 일어나는 다양한 사건을 호기심있게 바라보는 관찰자적 시각을 지니게 된다. 이 시기 소설에서 동심적 세계나 동화적 분위기가 초기 소설보다 더 증가하는 것도 이 점과 관련된다. 어디까지나 회상 자체를 소설의 전면에 내세우는 것이기에 소설은 동심이 지닌 천진난만함, 순수성, 단순성을 밑바탕에 깔고 있을 수밖에 없다. 반면에 초기 소설에 보여주었던 사건 중심의 극적 계기와 비판성은 훨씬 사라진다. 서사의 대부분은 일상에서 어린아이가 겪을 수 있는 평면적인 이야기로 채워지고, 일제에 대한 비판의 의미는 결말에서 아이러니적 상황이나 유우머를 통해 가벼운 냉소와 조소로 바뀌게 된다. <어려웠던 시기에도 잃지 않는 어린아이의 천진난만함, 일제에 대한 가벼운 조롱과 조소>가 이 시기 소설이 지닌 일정한 패러다임이

---

21) 하근찬, 앞의 글, p.71.

다. 초기소설이 체험과 이야기적 방식을 유지함에도 성공할 수 있었던 것은 농촌의 평범한 일상과 냉엄한 역사(전쟁)가 만나는 지점을 날카롭게 포착했기 때문이라면(「수난이대」가 지닌 기막힌 역사적 상황의 의미를 상상해 보라), 후기 소설은 이런 날카로움을 잃고 무미건조한 어린 시절의 회상만을 소설에 가득 채우게 되는 것이다. 체험만을 의존하는 소설적 소재가 한계에 부딪힐 때 돌아 간 것은 어린 시절의 아련한 추억과 회상의 세계뿐이다.

이 시기의 대표작들은 「족제비」, 「그해의 삽화」, 「일본도」, 「죽창을 버리던 날」, 「32매의 엽서」, 「조랑말」, 「필례이야기」, 『월례소전』, 『산에 들에』 등이다. 이 중에서도 「죽창을 버리던 날」, 「32매의 엽서」, 「필례 이야기」 등은 작가의 자전적 삶이 그대로 소설에 배여 나오는 것으로, 국민학교 교사였던 어버지와 국민학교, 혹은 중학교에 다니던 작가 자신의 이야기로 소설이 구성된다. 따라서 이런 소설에서 우리가 얻을 수 있는 것은 일제 말기의 평범한 풍속도 외는 별 것이 없다. 김병익은 이 시기의 소설을 "비범한 현실의 통찰에서 응고된 과거에의 탐닉으로 돌아가고 있으며, 이러한 현상은 심리적으로 보다 좌절된 현재를 극복하는 것이 아니라 소년기의 에피소드를 카타르시스하는 것"22)이라고 평가하는데, 이 말은 아마 체험 자체가 바로 스토리가 되는 비소설적 규범을 비판한 것일터이다. 그만큼 소설은 과거의 기억 속에 반추되는 아련한 추억과 동심의 세계로 들어가고 있으며, 일제시기의 고난을 누구나 겪었을 어린 시절의 고생으로 대체하고 있다. 이를테면 <역사적 구체성>이 <회고적 낭만성>으로 변질되어 있는 것이다.

하지만 「족제비」와 「조랑말」은 그 성격이 조금 달라진다. 이런 소설은 체험성이 강하게 드러난다는 점에서 앞의 소설과 크게 다를 바 없지만 역사적 비판력과 소설적 구체성이 어느 정도 살아 있다는 점에서 차이가 있다. 「죽창을 버리던 날」처럼 아버지와 나의 실제 이야기를 소설화하던 보

---

22) 김병익, 「작가의식과 현실」, 『문학과 지성』, 1973, 봄, p.202.

고적 방식을 벗어나고, 소설적 형상력을 되살리고 있다는 점에서 이 소설들의 가능성을 감지할 수 있지만, 그럼에도 이 소설 역시 체험을 바탕으로 한 것은 분명하다. 그리고 이야기 역시 한 소년의 일상을 바탕으로 하고 있다. 그렇다면 이런 소설에서 최소한의 비판적 효과를 만들어 내는 힘은 무엇일까. 다시 말해 체험적 회상이나 기억 속에서 환기되는 이야기를 재미있고 의미있게 만드는 요소는 무엇일까. 하근찬의 후기 소설이 평범한 일상사를 서술한다면 이런 평범 속에 필연을 만들 수 있는 감각적 요소가 필요하다. 그리고 이 감각성을 대변하는 것이 바로 그의 소설에서 빈번히 등장하는 유우머와 아이러닉한 풍자이다. 앞에서 한 물음, 즉 「족제비」나 「조랑말」이 나름대로 비판적 효과를 얻게 되는 것도 바로 이런 유우머와 아이러닉한 풍자적 상황에서이다.

하근찬 소설에서 유우머가 갖는 기능에 대해서는 강진호의 논문에서 잘 나타나 있다. 강진호는 하근찬 소설에서 유우머가 왜곡된 현실을 인식케 하는 기능과 대상에 대한 조롱과 비판의 기능을 지니고 있다고 말한다. 「산울림」이나 「분」에서 보듯이 유우머가 격화된 감정을 순화시키고 대상에 대한 거리감을 확보하여 왜곡된 상태로부터 정상적 상태를 희구하거나, 「족제비」와 「조랑말」에서 보듯이 신비화된 대상의 본질을 폭로하는 데 사용된다는 것이다.[23] 사실 유우머와 아이러니의 경계선은 모호하지만 그것이 내포한 의미 면에서는 분명한 차이가 있는 것으로 보인다. 유우머는 근본적으로 대상에 대한 회화화를 특정으로 하지만 이데올로기적, 미학적 측면에서는 다양한 편차를 수반한다. 예컨대 웃음과 미소는 그것 자체로 대상에 우호적이며 선의적인 것을 표현하는 것이 될 수 있고, 이상(理想)에 모순되는 대상의 비속함, 하찮음, 추함의 폭로나 비판이 될 수도 있다. 따라서 유우머는 삶과 생활 속에 내포된 인간의 희극적 본성을 드러내는 것이지만 그것이 내포한 심리적, 내용적 측면에 따라서는 다양한 의미로 나

23) 강진호, 「민중의 근원적 힘과 '유우머'」, 『광산 구중서선생 화갑기념 논문집』, 태학사, 1996, pp.575-576.

뉘질 수 있는 성격의 것이다. 반면에 아이러니는 보다 극적인 성격의 것으로, 그것이 내포한 이데올로기나 비판의 성격은 훨씬 뚜렷해 보인다. 그것은 대상의 속성을 외면적 가상 속에 감추어 그것의 부정성을 폭로하는 방법으로 이미 그 형식 속에 비판과 냉소, 경멸의 의미를 품고 있는 것이다. 앞서 말한 강진호의 언급은 잘못된 현실에 대한 폭로, 거부, 비판, 비웃음의 의미로 유우머 속에 아이러니의 성격을 포괄하고 있는 듯 보인다. 그런 점에서 그가 하근찬 소설의 유우머를 이상과 실재의 모순, 그 속에서 잘못된 현실에 대한 폭로, 또한 그로부터의 회복과 해방을 꿈꾸는 것이라고 본 것은 전적으로 타당한 견해라고 할 수 있다.

그렇지만 하근찬 소설의 유우머가 단지 현실에 대한 비판의 성격만 지니고 있다는 데 대해서는 달리 생각해 볼 수도 있다. 사실 하근찬 소설에서 유우머는 대상에 대한 폭로뿐만 아니라 대상에 대한 애정과 공감을 표현하는 데도 쓰인다. 무지한 농촌 사람들의 엉뚱한 행동이라든가, 어린아이들의 순박한 행동에서 나오는 웃음은 이미 대상에 대한 애정과 공감이 그 속에 내포되어 있다. 그래서 그의 소설을 "전쟁문학이면서 잔잔하고 담담하고 따뜻한 인정 속에 놓여있는"24) 것으로, "살짝 드리운 역사의 그림자"와 함께 "따쓰한 인정"이 있는 작품25)으로 평가되는데, 이는 작가가 회상 속의 대상을 비판과 애정, 질책과 동정의 중층 구조 속에 넣어 바라보기 때문인 것이다. 따라서 강진호가 말하듯 유우머는 현실의 모순을 폭로하는 계기가 될 수도 있으며, 이보영이 말하듯 유우머는 "작가의 토속적인 소박성"26)을 대변해 주는 계기가 될 수도 있다. 말하자면 유우머는 대상에 대한 비판과 애정, 원망과 동정이 한 곳에 섞여진 전형적인 한국인의 정서, 비극과 희극을 한데 어울려 드러내는 한(恨)를 표출해 내는 기제가 되는 셈이다.

하지만 우리가 여기서 말하려고 하는 것은 이런 유우머의 성격에 관한 것은 아니다. 오히려 유우머나 아이러니가 발화되는 방식, 그것이 소설 내

---

24) 김선학, 「이야기로서의 소설」, 『한국문학』, 1985.3, p.305.
25) 구중서, 「소재와 상상력」, 『창작과 비평』, 1980년 봄호, p.334.
26) 이보영, 「소박한 정한의 세계」, 『현대문학』, 1981.2, p.261.

적으로 체험양식과 관계맺는 방식에 관한 것이다. 초기 소설에서 유우머는 상황 자체가 주는 무거움을 완화시키면서 대상이 갖는 비판적 속성을 독특하게 강화시키는 역할을 한다. 예컨대 「수난이대」에서 박만도와 아들 진수의 소변보는 모습이나 개울을 건너는 광경, 「흰종이 수염」에서 동길이 아버지의 우수꽝스러운 모습, 「분」에서 덕이네가 면사무소에 똥을 누는 장면, 「왕릉과 주둔군」에서 왕릉에서 할례를 붙는 미군의 모습 등은 상황 자체가 유우머에 바탕을 두면서도 주제가 갖는 비판적 의미와 독특하게 결합된다. 이들의 우수꽝스러운 모습은 인물 자체의 개별 성격에서 유래한다기보다는 역사적 상황과 특이하게 관계맺음에 의해 파생된 것이다. 이들의 모습은 한편으로 동정심과 애정심을 유발시키고 한편으로 그것을 만들어 낸 상황 자체에 대한 비판적 시선을 돌리게 만든다. 초기 소설이 순박한 농민과 역사적 상황의 관계맺음에 바탕을 둔다는 것은 앞에서도 누누이 지적해 둔 바가 있다. 유우머 역시 이런 상황적 의미를 순박한 농민의 입장에서 바라보게 하는 소설의 독특한 장치가 되는 것이다.

1970년대 이후의 소설에 오면 이런 유우머적 비판의 특성은 현저하게 사라진다. 유우머는 유우머적인 본래의 특성, 말하자면 대상에 대한 동정과 애정, 동심에의 아련한 추억을 회상하는 기제로 변모한다. 「필례이야기」에서 야학과 필례에 얽힌 나의 행동이나, 「그해의 삽화」에 나오는 수업광경과 아오야기선생과 일본군 소위의 <랭가이(연애)>이야기 등은 모두 따뜻한 웃음을 자아내는 동심의 환기와 얽혀 있다. 이런 웃음은 모두 소설을 아늑한 동화의 세계로 이끌고 있는 기능을 하고 있다. 반면에 「족제비」, 「조랑말」, 「일본도」에서 보듯이 평이한 이야기를 한순간에 반전시키는 아이러닉적 풍자의 수법은 훨씬 강화된다. 「족제비」의 끝 부분 하시모도농장 주인 하시모도가 족제비의 모습을 하고 등장하는 것이라든지, 「조랑말」에서 거덜먹거리는 "껨뻬이"가 조랑말 빌빌이에 밀려 말에서 떨어지는 모습은 일상적 이야기의 끝 부분을 비틀어 의미를 자아내는 후기 소설의 특징을 그대로 보여준다. 이야기가 체험에 바탕을 두는 우연적인 것이라면 이 우연을 필연으로 만드는 한순간의 반전이 필요하고, 이런 반전은 소설적 상황이 지닌 매개적 성격 없이 개별을 보편성의 수준으로 고양시키게 되는 셈이다. 앞에서도 이야기했지만 이런 소설의 이야기 중심은 동심에 찬 아이들이 세상을 보는 시각이다. 그 속에는 일제 말의 어려웠던 세상살이의 풍경들이 녹아 있지만 궁극적으로 그것은 소년적 호기심과 동심 속에 묻혀버린다. 「족제비」에서 "콧구멍 생원" 고생원의 우스꽝스러운 모습이나 「조랑말」에서 "조선밥 먹고 일본 똥 뀌노"식의 아이들의 배일감정은 단편적인 일상성 속에 사라지고 소설은 이상하게도 일제시기를 아늑한 어린 시절의 우리 고향마을쯤으로 여기게 된다. 그래서 소설은 최소한도의 의미 구현을 위해 일본인을 우스꽝스럽게 만들어 버리는 반전의 순간을 필요로 하는지도 모른다.

체험적 소설이 갖는 한계는 역시 체험 이외의 것을 벗어나면 새로운 공간적 의미를 만들지 못한다는 점에 있을 것이다. 자칫 체험을 강조하다 보면 체험이 갖는 선험적 세계 인식 속에 소설적 상황이 알게 모르게 규정되어 버린다. 따라서 소설은 인물이 갖는 다양한 행위적 역동성을 잃어 버리고 이미 주어진 세계의 자연적 속성에 그대로 포섭된다. 이런 경우 소설의 의미를 만들어 내기란 막연해 보인다. 하근찬 후기 소설이 평범하고 단편적인 이야기 끝에 비판적 대상을 한순간에 풍자화해 버림으로써 소설적 의미를 확보하는 것도 기실 이런 사정에 기인한 것이다. 그렇지 않으면 「33매의 엽서」나 「죽창을 버리던 날」처럼 소설은 평범한 일제말의 풍속도로 낙후되어 버리고 만다. 그렇다면 작가 역시 자신의 소설이 체험에 바탕을 둔다고 인정하고 있는 시점에서 그에게 부족한 것은 무엇일까. 체험을 근간으로 하면서도 풍부한 대상세계를 보여줄 수 있는 방법이 없었을까. 초기 소설이 그런 가능성을 풍부히 보여주고 있지만 소재가 한계에 부딪쳤을 때 오히려 체험 자체 속으로 빠져들면서 소설은 더욱 좁은 세계로 달려가 버리고 말았다. 체험을 소설의 소재나 배경으로 사용하지 않고 창작의 근원적 체험으로 대상을 새롭게 재구성할 힘을 잃어 버린 것이다. 루카치는 소설이 현실과 이상의 간극에서 그 간극을 바라보는 작가적 통찰에서 비롯된다고 보았다. 이 때 작가적 통찰은 모순된 세계를 바라보고 그것을 표현해 내는 작가적 세계인식을 말한다. 그리고 그런 세계인식으로부터 소설의 형식이 만들어지는 것이다. 형상화의 의미도 이런 관점에서 유추해 볼 수 있을 것 같다. 형상화는 단지 현실을 모사(模寫)해 내는 것이 아니라, 작가가 문제삼는 세계인식을 드러내는 방식이다. 모순된 세계와 그것이 지향해야 할 바의 세계를 하나의 완결된 형식 속에 담아내는 추상(抽象)의 힘, 그것이 형상화의 본 모습이다. 그렇다면 하근찬이 바라본 세계는 너무 단편적이지는 않았을까. <전쟁의 억압과 일반 민중의 수난>이라는 주제는 그것이 가진 구체적인 의미, 곧 민중이 역사에 종속되면서도 역사를 넘어서는 다양한 삶의 원리들, 역사와 민중의 다양한 결합방식을 전제로 하지 않는다면 너무 일반화된 단편적 지식이 된다. 따라서 하근찬이 체험에 사로잡혀 형상화의 힘을 잃어 버리는 것은 궁극적으로 보편화된 일반 상식에만 의존하는 그의 세계인식에도 문제가 있는 셈이다.

4. 결론—전통지향적 보수주의와 복고적 향수

하근찬의 세계 인식을 극명하게 보여주고 있는 작품은 「왕릉과 주둔군」이다. 이 작품은 두 개의 상반된 가치 인식이 서로 대립하는 형국을 표면화하고 있다. 그 하나는 박첨지로 비롯되는 보수적이고 전통적인 가치관이며, 다른 하나는 서양병정으로 대표되는 서양적이고 외래적인 가치관이다. 그런데 실상 소설에서 다루고자 하는 것은 두 가치관의 팽팽한 대립이 아니라 한쪽에 의해서 한 쪽이 무너지는 실상과 현실이다. 박첨지는 자신의 존재기반이며 의미이기도 한 왕릉을 지키고자 하지만 왕릉은 서양병정의 놀이터가 되고 급기야 할례를 붙는 불경스러운 장소가 된다. 그의 딸 금례는 박첨지의 뜻과는 상관없이 양색씨로 전락하여 집을 떠나기도 한다. 그런 가운데 변하지 않는 것이 있다면 박첨지의 완고한 가치관이다. 박첨지의 가치관은 봉건적 윤리관을 견지하는 것, 그리고 선대로부터 이어져 오는 집안의 권위주의를 지켜가는 것이다. 그런데 재미난 것은 박첨지의 봉건적 가치관은 소멸되어 가고, 또한 소멸될 수밖에 없는 것임에도 불구하고 소설에서는 어떤 절대적 가치를 함의한다는 것이다. 그것이 봉건적 가치인가 아닌가가 문제가 되는 것은 아니다. 문제의 초점은 그것이 새로운 가치에 의해 몰락되어 간다는 점이다. 따라서 그것은 자연히 현실적 훼손에 대응하여 지켜야만 할 어떤 본원적 가치를 대변해 주게 된다. 다시 말해 소설 속에서 박첨지의 봉건적 가치관은 세상의 변화에도 불구하고 변해서는 안 될 인간 본연의 '그 무엇'을 상징하는 하나의 내적 표상으로 변하고 있다.

<훼손되어 가는 세계에 대한 안타까움과 거부>는 하근찬 소설의 변하지 않는 주제이다. 일제말과 6.25전쟁을 다룬 소설에서도 관심의 초점은 어디까지나 공동체적 순수성이 파괴되는 상황의 안타까움에 있다. 그래서 그의 소설은 민중들의 순박함과 우직함을 두드러지게 내세우고 그것이 훼손되는 데에 대한 책임을 전쟁, 혹은 근대문명에 씌우고 있다. 전쟁은 자연적 순수성을 파괴하는 문명적 이기(利器)의 상징이기 때문이다. 그렇다면 하근찬 소설에서 지켜야 할 세계와 이를 파괴하고자 하는 세계의 구체적 내용은 무엇일까. 「왕릉과 주둔군」에서 보듯 지켜야 할 세계는 전통적 가치관일 수도 있고, 「나룻배 이야기」에서 보듯 공동체적 순수성일 수도 있으며, 「33매의 엽서」에서 보듯 따뜻한 부성애의 모습일 수도 있다. 말하자면 하근찬의 소설에서 지켜야 할 세계의 모습은 어떤 일관된 상태를 가지고 등장하지는 않는다는 것이다. 오히려 그것은 파괴하는 세계(예컨대 전쟁, 근대문명)의 상대편에 있는 '그 무엇', 지켜야 할 순수함의 다양한 표상들을 의미하고 있다. 하근찬 소설의 초점은 파괴하는 것, 예컨대 상대적으로 뚜렷해 보이는 근대문명이나 역사, 전쟁에 있는 것이 아니라 소멸당하는 것, 희생당하는 것의 편에 서 있으며, 따라서 소멸과 희생의 종류도 다양할 수밖에 없다. 그런데 이처럼 소멸되는 세계에 대한 다양성은 그가 대상을 어떻게 낭만적으로 바라보고 있는가 하는 점을 구체적으로 보여준다.

근대문명에 대한 비판과 토속적 공동체에 대한 예찬이 첨예하게 나타난 것은 「산중우화」에서이다. 「산중우화」의 세계는 원시적 공동체이다. 아니 공동체라 할 것도 없는 두 노인만의 첩첩산골이다. 그런데 여기에 전쟁이 개입하게 되고 이들의 안락한 삶은 한순간에 무너진다. 총탄을 이상한 쇠붙이로, 비행기를 큰 새로 받아들이는 이런 원시성을 작가는 전쟁과 문명에 대비시킨다. 그리고 원시적 공간의 순수성에 전쟁에 의해 소멸되어 가는 것의 상징성을 부여하고자 애쓴다. 1980년 이후의 작품인 「조상의 문집」에서는 어려웠던 살림 속에서 선조의 문집을 편찬하겠다고 고집하는 노인과 이를 받아들이지 못하는 아들이 나온다. 소설은 노인이 우여곡절 끝에 선조의 문집을 출판하는 것으로 끝나지만 중심은 역시 그런 전통적 가치관을 받아들이지 못하는 개인적이며, 물질주의적인 세태에 대한 안타까움에 있다. 소멸되고 사라지는 것에 대한 그리움은 「전차구경」에서도 나타난다. 남산에 있는 전시된 낡은 전차를 보면서 옛 향수에 젖는 노인의 모습에서 작가가 어떻게 과거를 받아들이고 있는가를 잘 보여준다.

원시적 공간이나 조상의 문집, 낡은 전차는 모두 사라진 것들에 대한 표상들이다. 그러나 그것들 속에는 어떤 내재된 의미가 있는 것은 아니다. 원시적 공간이 순수하다든지, 조상을 생각하는 것이 가치가 있다든지, 옛 문물의 가치를 예찬하기 위한 것이 아니라는 것이다. 그리고 이런 것들이 모두 가치 있는 대상이라고 말할 수도 없다. 그것은 모두 과거를 반추하면서 나타난 것이고, 현재를 부정하면서 나타난 대안물이다. 따라서 하근찬의 시선은 훼손된 것에 대한 성격의 탐색에 있는 것이 아니라 잃어버린 것에 대한 막연한 '향수'에 있다. 잃어버린 것은 언제나 회상 속에 아름다운 대상으로 등장하고 이런 것들이 그의 작품에서 동심이나 따뜻한 인정, 유우머를 만들어 내는 근본 요소가 되는 것이다. 그리고 이를 통해 작가가 꿈꾸는 대상이 바로 어린시절과 같은 안온한 평화의 세계, 자연적인 순수의 세계임을 짐작해 보게 한다. 그리고 이를 그가 추구하는 전통지향적 보수주의라면 그렇게도 부를 수 있을 것이다. 하근찬의 세계 인식이 단순하면서도 대립적으로 드러나는 것도 이와 관련된다. 그의 소설에서 보듯 전쟁, 근대 문명과 토속적 순수성은 언제나 선, 악의 대립적인 이분법 속에 놓여 있다. 훼손되는 것은 선이며, 훼손하는 것은 악이라는 관점은 초기 소설이든, 후기 소설이든 변하지 않는다. 그럼으로 해서 선과 악이 서로 교호될 가능성도 사라지며, 그 속에 합리성, 주체성과 같은 계몽의 논리도, 도구적 이성과 같은 반계몽의 논리도 자리 잡을 수 없게 되는 것이다.

체험을 다루는 그의 관점도 크게 다르지 않을 것이다. 천이두는 하근찬의 후기 소설에서 보이는 작가의 관점을 두고 일제말기를 바라보는 기묘한, 모순된 감정이 수반되어 있다고 말한다. 작가에게 일제 시기는 세계와 자아에 비로소 눈뜨기를 시작한 소년의 꿈이 서려 있는 노스탤지어의 대상이 되지만, 반면에 일제의 가혹한 수탈과 억압 속에서 험난한 성장의 시기를 보내야 했던 참혹한 기억들의 대상이 되기도 한다는 것이다.[27] 이런 의식의 이중성은 나름대로 의미를 갖는다. 작가의 말에서도 드러나듯이 <전쟁 피해담>이란 어차피 회상 속에서 드러나는 것이고 그 회상 속에는 험난했던 시절의 피해담과 함께 꿈많았던 시절의 추억도 들어가게 마련이다. 따라서 과거를 바라보는 이런 아이러닉한 관점이 바로 하근찬의 독특한 문학 세계가 되는 셈이다. 과거를 향수하는 힘은 전통에 대한 애착과 묘한 상동관계를 이루고, 전쟁은 그 과거의 전통을 파괴하는 힘으로 상대편에 존재하고 있다. 그의 작품 속에는 과거에 대한 향수와 과거를 파괴한 전쟁에 대한 증오가 함께 내재되어 있으며, 그것이 드러나는 묘한 긴장관계가 초기 소설과 후기 소설의 특징을 나누고 있다. 초기 소설이 파괴되는 민중의 세계와 역사적 상황에 초점을 맞춘다면 후기소설은 과거의 회상과 추억의 반추에 초점이 모아져 있다. 체험적 입장에서 보자면 초기 소설은 체험적 향수가 약화되어 있고, 후기 소설은 체험적 향수가 강화되어 있다. 그런 점에서 초기 소설은 역사의 억압과 민중의 수난이라는 주제의식이 살아있다면 후기 소설은 일제말의 수난 속에 어린시절을 반추하는 묘한 동심과 향수가

---

27) 천이두, 「어둠 속에서의 눈뜸」, 『현대문학』, 1985. 3, p.138.

살아나 있다.

이 글의 서두에서 하근찬의 소설을 평가하는 데 어려움을 이야기했다. 「수난이대」나 「흰종이 수염」, 「분」, 「붉은 언덕」, 「삼각의 집」등이 지닌 뛰어난 형상화와 탁월한 주제의식은 어떤 작가도 흉내낼 수 없는 영역을 확보하고 있지만, 「죽창을 버리던 날」, 「33매의 엽서」, 「일본도」 등에 오면 소설은 그만그만한 단편적인 회상의 이야기로 떨어져 버린다. 한 작품 안에 나타나는 독특한 양면성도 무시할 수 없다. 눈물나는 냉엄한 현실임에도 소설은 어느덧 유우머와 목가적 분위기로 빠져 버린다. 소박한 사투리와 유머적 행동 속에서 인물의 생동감은 살아나지만 성격의 내면성과 갈등이 없음으로 해서 인물의 사실감은 죽어버린다. 하근찬 소설의 이런 특성들은 역시 역사적 대상을 전체적 시각에서 파악하지 못했던 작가의 단선적 세계관에 기인하는 바가 크다. 체험이나 일화를 통해 보여주는 관습적 세계는 어차피 고립적이다. 그런 세계는 역사와 그 속에 부침(浮沈)하는 인간 운명에 대한 연결고리를 찾기가 힘들다. 또한 자칫 잘못하면 역사적 구체성을 자연주의로 묘사하여 단순히 '하층일반'의 추상적 관찰물로 용해시켜 버릴 수도 있다. 그의 소설이 체험에서 우러나오는 생생한 이야기적 생동감을 유지하면서도 뭔가 부족함을 주는 것도 바로 이런 점 때문이 아닐까. 새미

점령지 백성의 운명
― 하근찬의 「왕릉과 주둔군」

전 승 주*

1.

　오늘날 분단에 대해 관심이 날로 고조되는 것은, 한반도의 분단이 세계사적 모순의 가장 첨예한 대립의 산물이었다는 사실뿐만 아니라 지금도 여전히 우리 삶의 질곡으로 작용함으로써 민족사 최대의 해결 과제로 상정되고 있기 때문이다. 해방 이후 반세기 동안 이루어져 온 많은 연구 성과에 의해 분단이 한편으로는 민족 내부의 이념적, 계급적 이해관계의 차이와 대립에 의해서, 또 한편으로는 외세의 한반도 분단 정책에 의해 이루어졌다는 사실은 이제는 어느 정도 분명해진 터이지만 그 해결의 길은 아직도 제대로 보이지 않는 상태다.

　따라서 분단에 결정적 힘을 미쳤던 외세의 본질에 대한 명확한 인식의 필요성이 제기되지 않을 수 없다. 물론 분단의 모든 원인과 책임을 외세에 전가함으로써 결과적으로 관념론적 민족론에 의한 명분과 구호만의 민족 대동단결과 허울뿐인 화합[1]만을 낳게 되어서는 안된다. 그렇지만 분단의 실제적 원인이 우리 민족 내부의 모순과 이념적 대립뿐만 아니라, 일제의

---

* 田承周, 서울대 박사과정 수료, 주요 논문으로 「1930년대 순수문학의 한 양상-김환태론」, 1960년대 순수 참여논쟁 전개과정과 그 문학사적 의의」 등이 있음.
1) 임헌영, 「분단극복의지와 민족의식」, 『민족의 상황과 문학사상』, 한길사, 1986, 235면.

패망과 함께 이 땅에 점령군으로 들어왔던 미, 소를 중심으로 한 외세에 의한 분단 경계선의 획정이라는 사실을 생각한다면, 분단 문제의 해결에 있어 이들 외세의 본질에 대한 인식은 필수적이라 할 수 있다. 가시적으로는 남북한 단독정부 수립과 이후 전쟁을 겪으면서 고착된 것처럼 보이는 분단이 사실상 8.15와 함께 이루어졌다는 주장이 가능한 것도 이 때문이다.2)

그런데 민족의 분단과 그 과정에서 결정적인 역할을 했던 전쟁의 문학적 형상화 작업의 경우, 이러한 외세의 본질에 대한 인식과 그 극복으로까지 나아간 작품을 찾아 보기 어려운 것이 사실이다. 민족 내부의 계급적, 이념적 이해관계의 대립을 중심으로 분단의 과정을 보여주는 『태백산맥』의 성과는, 그 자체로 소중한 것이지만 이러한 인식이 분단을 강요한 외세에 대한 인식과 그 극복으로 이어지지 않는다면, 그 성과도 반감되고 말 것이다.

이처럼 민족의 분단과 전쟁을 단순한 소재로 삼는 차원을 넘어서서, 민족 내부의 이념적 갈등과 대립과정에 개입하여 분단을 기정사실화한 외세의 실체에 대한 문학적 형상화가 그리 쉬운 작업이 아니라는 것은 분명한 사실이다. 미군이 우리의 해방자가 아니라 이 땅의 점령군이라는 역사적 사실을 명백히 인식하는 것으로부터 출발해야 할 뿐만 아니라, 또 비록 분단의 원인을 외세의 개입에서 찾고 또 이들의 실체를 객관적으로 인식했다 하더라도 감정적이고 추상적인 외세 극복의 차원을 넘어선 전망의 제시가 실로 난감하기 때문이다. 특히 전 국토를 초토화시키면서 민족분단을 완전 고착시킨 전쟁 이후 초래된 남북간의 극단적인 이념과 체제의 대립이, 외세에 대한 비판은 고사하고 남한을 완전한 이념의 공백과 반외세의 무풍지대로 만들어 버린 까닭에, 전쟁직후인 50년대를 장식했던 전후문학의 경우, 우선 눈앞에 드러나는 현실적 비참함의 무게에 눌려 전쟁에 대해 그 본질적 원인을 묻지 못하고 다만 비극성의 폭로나 체념적인 현실과의 화해로 끝나는 경우가 대부분이었던 것이다. 감정적이고 자기파괴적인 복수의 방식으로 이루어져 진정한 외세극복으로까지 나아가진 못했지만, 반외세문학

---

2) 김윤태, 「분단극복과 반외세문학」, 『실천문학』 88년 여름호, 62면.

의 한 전형을 제시하면서 몰외세의 미몽에서 눈뜨게 하는 계기[3]를 이루었던 남정현의 「분지」가 60년대 중반에야 가능했던 것도 그러한 이유 때문일 것이다.

2.

민족과 국토의 분단에 대한 인식과 그 극복을 위한 문학적 형상화의 노력 역시 이 땅의 분단과 함께 시작된 것이라고 말할 수 있다. 비록 본격적인 반외세의식을 보여주지는 못한다 해도 민족주체성의 회복과 확립에 중점을 둔 노력이 해방직후부터 있었기 때문이다. 물론 해방의 감격에서 완전히 벗어나지 못했을 뿐만 아니라 이론적 현실 인식 능력도 뒷받침되지 못한 상태였지만 식민지의 고통을 겪었던 작가들은 해방 후의 일상생활 속에서 피부에 와 닿는 외래세력에 대한 일정한 견제의식을 드러낸다. 염상섭의 「양과자갑」, 채만식의 「미스터 방」과 「논 이야기」, 「역로」 등은 미군이 처음부터 점령군으로 이 땅에 들어 온 것이며 이들의 진주가 결코 남한 민중의 생활상의 더 나은 변화를 가져오지 않았다는 점을 말하고 있다. 특히 「역로」에서 텅 빈 미군 전용열차를 바라보며 던지는 "마마손님은 떡시루나 쪄놓고 배송을 한다지만 이 프랜드나 저 북쪽 따와라시치들은 어떻거면 쉽사리 배송을 시키누?"와 같은 질문은 민족의 완전한 독립과 자주의 출발이 어디서부터 시작되어야 하는가에 대한 의미심장한 발언이 아닐 수 없다. 물론 이러한 대화 몇 마디에서 말 그대로의 반외세의식을 읽어 내는 것은 무리이겠지만 미군이 시혜자가 아니라는 점과 함께 이 땅에 들어 온 외세가 과연 어떤 존재인가 하는 점에 대한 문제제기로서는 충분하다 할 것이다. 단지 총독부에서 군정청으로, 왜놈에서 양놈으로 지배자가 바뀌었을 뿐이라는 인식은 결코 이들이 우리의 진정한 독립을 실현시켜 주는 것

---

3) 같은 글, 68면.

이 아니라는 외세에 대한 일정한 거리감을 나타내기에 충분한 것이다.

그러나 이러한 인식은 전쟁이 한반도를 휩쓸고 그 이후 남북간의 이데올로기적 대립의 격화 속에서 자취를 감추고 만다. 공산 침략자들로부터 이 땅을 지켜 준 미군에게는 그 어떤 비판도 할 수 없는 특권이 부여되고 친미 반공 이데올로기는 이 땅을 지키는 유일한 이론이 되었다. '일본의 지배로부터 벗어나게 해 주었고 공산세력으로부터 우리를 구해 준 국가로서의 미국'이 당시의 공식적인 입장이었으므로 이들의 행위에 대해 어떠한 문제를 제기한다는 것 자체가 사회적으로 터부시되어 왔기 때문이다.

우리 현대문학의 출발이었다고도 할 전후문학은 바로 이처럼, 해방공간에서 이루어졌던 활발했던 이념 모색이 불가능해진 자리에서, 또 모든 것을 폐허로 만든 전쟁의 상처를 안고 시작되었다. 그리하여 대부분의 전후 작가들의 경우, 해방공간의 이데올로기적, 정치적 대립과 그 속에서 모색되었던 모든 가능성의 좌절을 충격적으로 느끼게 한 전쟁의 참상 앞에서 절망할 수밖에 없었다. 전쟁이 그들의 모든 삶과 사회 자체를 규정하고 있었기 때문이다.

따라서 유례없는 대참상을 겪은 뒤 작가들이 무엇보다도 인간 존재의 의미에 대해 심각한 질문을 던지게 된 것은 당연한 일이 아닐 수 없다. 그들은 때로는 전쟁 자체의 고통을 보여주기도 하고, 극한 상황 속에서의 인간 존재란 과연 무엇인가 하는 질문을 던지기도 했다. 또 한편으로는 기법의 혁신과 변혁을 시도하여 새로운 문예미학의 정립을 위한 노력을 기울이거나, 신비평의 수용을 통한 문학에 대한 분석적 접근의 시도가 없었던 것은 아니지만 이러한 예술적 노력만으로는 전후의 현실적 참상에서 오는 좌절감을 감당할 수는 없었다. 그리하여 서구의 실존주의 사상에 기대어, 개인적인 존재의 의미와 삶의 양상에 대한 주시와 반영이라는 하나의 뚜렷한 경향으로 나아가게 되고, 현실에 대한 좌절감과 불안감을 곧 허무주의로 표출시키기도 한다. 하지만 이를 전후문학 전체의 특성으로 규정할 수는 없는 일이다. 전쟁의 참상 속에서도 여전히 사회적 부조리와 모순이 또 다시 이 사회를 지배하는 현실 앞에서 작가들은 그러한 부조리와 모순에 대한 조소와 비판을 던지기도 했다. 물론 전후사회의 부조리한 현상을 있는 그대로 고발하고 폭로하는 수준에 머물거나 민족의 고통을 겪게 했던 전쟁의 근원에 대한 질문은 던지지 못하고 마는 경우가 다반사였지만, 전쟁 중 혹은 전쟁 직후 전쟁의 객관적 역사성을 파악하는 것이 사실상 불가능할 뿐만 아니라, 우선은 생명의 존재 자체가 문제될 수밖에 없는 상황 자체가 모든 것을 지배하고 있었던 당시를 생각한다면, 이러한 고발과 폭로는 구체적인 현실 인식에의 노력으로 실로 소중한 인식이 아닐 수 없다.

3.

50년대가 서서히 지나가면서 야기되는 사회적 모순의 격화는 사회적 현실에 대한 문학적 관심을 더욱 불러일으키게 되고, 그 과정에서 미군 기지 주변의 생활을 통해 당시 민중의 생활의 비참함과 미군의 비인도적인 모습을 드러냄으로써 미군에 대한 인식을 간접적으로 보여주는, 이후 이른바 '양공주'계열이라고 불리는 작품이 나오게 된다. 굶주림에 시달리는 어린아이들은 미군의 쵸콜릿과 껌을 얻기 위한 필사의 노력을 하고, 젊은 여인들은 몇 푼의 달러를 위해 몸을 바치고, 가족을 먹여 살려야 하는 가장은 미군의 구호물자를 조금이라도 더 얻기 위해 육박전을 벌여야 했던 미군부대 주변의 삶을 통해 당시의 생활이 적나라하게 그려진다. 미국이 시혜자인가 아니면 점령군인가 또 남한을 통치하는 이들의 군사적 논리가 무엇인가 하는 거창한 논리보다는 한 끼의 밥에 더 관심을 기울일 수밖에 없는 이들이 하루하루 생존을 위한 몸부림을 치는 가운데 피부로 느끼게 되는 미군에 대한 감정과 인식을 우회적으로 드러낸다. 이러한 대표적인 작품으로 송병수의 「쑈리 킴」을 들 수 있다. 그는 이 작품에서 미군에 기생해서 살아가는 양공주와 또 이들에게 붙어 살아가는 똘마니가 양산되는 기지촌 주변의 생활을 통해 잔혹한 전쟁의 피해자가 누구인지를 드러낸다. 특히 여기서는 고통을 겪고 살아가야만 하는 인물들로 양공주, 고아 등 이념적 대립이나 논리와는 전혀 관계없이 살아가는 인물들을 내세움으로써 민족적 참상이 어느 정도인지를 말한다. 이들은 전후의 암담한 현실 속에서 오직 생존을 위한 일상의 반복 속에서 육체적으로 병들고 죽어갈 뿐 아니라 정신적으로도 인간성의 상실이라는 비극을 맞게 된다. 특히 딱부리가 5달러를 내고 따링 누나에게 덤벼드는 장면은 물질적 궁핍과 함께 정신세계의 훼손이 의식없는 어린아이들에게까지 어떻게 나타나는가를 잘 보여준다. 그러나 쏘리킴과 그를 동생처럼 여기며 양공주로 연명하는 따링 누나는 자신들의 이름조차 잃고 현실의 가장 추악한 면을 매일 접하며 살아가지만 내면적으로는 소년다운 천진함과 누이의 따스함을 잃지 않은 인물로, 소년들에게 자위행위를 강요하거나 싸움을 붙여놓고 이를 즐기는 미군들과 대조적으로 설정됨으로써, 점령지 백성의 처지를 단적으로 대변하고 있다.

특히 작가는 이들의 삶의 전개과정을, 소년을 작중 주인공이자 화자로 내세움으로써 체험의 한계와 자의식으로 인해 전쟁과 이후의 현실을 객관적으로 규명하기 어려운 어른의 세계와는 다른 차원에서 세계를 굴절시키지 않고 있는 그대로 보여준다. 쏘리킴의 의식에 비친 인물의 묘사와 중간 중간에 펼쳐지는 객관적인 사건의 전개를 통해 이들의 삶을 가능한 한 객관적으로 제시하고자 애쓰고 있는 점이 바로 그러하다. 물론 이러한 서술 방식은, 소년의 의식이 전쟁에 대한 판단이나 규정 자체를 내리기 이전의 단계에 머물러 있기 때문에 세계를 파편적으로 드러내게 될 소지도 있지만 다른 한편으로는 주관적인 가치판단이나 규정을 배제한 채 현실을 있는 그대로 나타내기에 훨씬 유리할 수도 있는 것이다.

미군기지 주변의 양공주들과 그들에게 붙어 살아가는 어린 소년의 삶을 형상화한 이러한 작품이 물론 그 제재 자체만으로 새로운 것이라거나, 혹은 미군이 우리에게 어떤 존재인가를 다 말해줄 수 없는 것은 당연한 일이다. 또 기지촌의 삶을 그리는 것은 어떤 측면에서는 당대 현실의 암담함을 드러내기 위한 하나의 방편에 지나지 않는 것일 수도 있다. 그럼에도 특히 여기서 주목하고자 하는 것은 한국을 공산주의로부터 지키고 해방시키기 위해 들어 온 미군이 사실은 점령군으로서 이 땅에 어떤 피해를 주고 있는가를 객관적으로 보여주고 있다는 점이다. 미군의 유흥과 순간적 쾌락을 위한 행위가 이들의 주변에서 살아가는 이 땅의 민중들에게는 육체적, 정신적 생명을 걸게 만드는 치명적인 것으로 나타날 수밖에 없음을 목도하게 되는 것이다. 마지막 장면에서 쑈리킴이 이제는 양키부대도 싫을 뿐만 아니라 그들이 왕초보다도 더 무섭고 미운 놈들이라는 생각에 빨리 떠나야겠다고 결심하는 것은, 비록 이지적이고 역사적인 인식과는 거리가 멀다 하더라도 육체적, 정신적으로 삶을 피폐하게 만드는 미군에 대한 구체적 인식의 계기를 이루는 것이라 할 것이다. 혈혈단신 쑈리킴의 이후 서울 생활이 자신의 생각처럼 따링 누나를 만나 '저 산 너머 햇님' 노래를 부르며 마음놓고 살아갈 수 없게 되리라는 것은 충분히 짐작할 수 있는 일이지만, 이러한 희망이라도 가지지 않고서는 미래의 삶을 꿈꾸지조차 못할 비참한 생활을 강요하는 것은 도대체 무엇이며 누구인가 하는 의문을 떠올리게 되는 것이다.

이처럼 기지촌 주변의 삶을 통해 미군에 대한 회의와 그들의 비인간적 만행을 고발하는 작품은 백인빈의 「조용한 강」, 천승세의 「황구의 비명」, 이문구의 「해벽」 등 이후 70년대까지 계속 이어진다. 양공주로 살아갈 수밖에 없게 된 여성과 그들 주변의 삶의 비애를 통해 민족적 참상과 울분을 간접적으로 드러내고 있는 이들 작품들은, 미군들의 점령지 주민에 대한 고압적인 자세와 강제적인 성행위에 의해, 약소민족의 참상이 물리적인 피해와 손상으로 그치는 것이 아니라 결국에는 인간성의 상실과 민족의식의 훼손까지 입게 됨을 고발하고 있다.

그러나 이들 작품들은 그런 현실이 왜 이루어지게 되었는가 하는 본질적 질문으로는 나아가지 못한다. 다만 점령지의 백성들이 얼마나 참혹하게 당하고 있는가를 분노와 무력감과 동정으로 보여주고 있을 따름이다. 결국에는 "양공주가 될 수밖에 없도록 내 몬 사회적 현실에 대한 고발 이상의 것이 되기는 어려운 소재적 한계"⁴⁾를 노정함으로써 미군으로 대표되는 외세에 대한 본질적인 문제제기라는 역사적 시각을 갖춘 주제의 확립으로까지는 나아가지 못하고 마는 것이다. 하지만 생활의 전반을 압도해 버림으로써 역사적인 안목의 구비를 불가능하게 만들었던 전쟁 자체의 강렬한 비극성으로 인한 이러한 한계에도 불구하고, 현실적 부조리와 외세에 저항하고 이를 폭로하는 강렬한 고발정신으로, 인간 존재와 그 내면세계의 해명이라는 또 다른 한 유형과 함께 전후문학의 뚜렷한 특성을 이루게 된다.

4.

이처럼 양공주에 의탁하여 반인간적인 점령군의 만행과 이로 인한 육체적, 정신적 손상에 대한 폭로라는 방식으로 제시되었던 반외세의 문제는, 하근찬에 이르면 민족의식의 차원에서 문화적 이질감의 차원에서 외세와의 대립과 갈등으로 그려지게 된다.

하근찬 역시 다른 전후 작가들과 마찬가지로 전쟁으로 인해 벌어지는 비극과 사회적 병리 현상을 일관적으로 그려 온 작가라고 할 수 있다. 데뷔작인 「수난2대」에서 60년대 중반의 「삼각의 집」에 이르기까지 그리고 단편들에서 그려 온 주제의 집대성이라고 할 장편 『야호(夜壺)』에서도 주로 전쟁의 상처를 받고 그 혼돈 속에서 삶을 위해 애쓰는 무고한 민중들의 이야기를 그리고 있다. 특히 그 스스로 단편집 『수난2대』의 후기에서 말하고 있듯이, 대부분의 전후작가들이 전쟁의 폐허 속에서 물리적 상처보다 더 큰 마음의 상처를 입고 인간 존재 자체와 지식인적 내면세계에 대한 고민을 거듭했던 것과는 달리, 전쟁의 상처를 안고 살아가기 위해 몸부림치는 향토성 짙은 농촌의 필부들의 삶을 통해 민족적 수난을 사실적으로 보여주는

---

4) 황광수, 「민족적 열패감의 극복을 위하여」, 문동환, 임재경 외, 『한국과 미국』, 실천문학사, 1986, 244면.

데에 더 큰 관심이 있었음을 알게 해 준다. 따라서 그의 소설에는 직접적인 전장의 모습은 그려지지 않는 가운데서도 전쟁의 여파로 인한 비극적인 삶의 양상이 역사적으로 제시된다. 특히 그가 그려내고 있는 농촌은 사회적 변화에서 유리된 자연적인 공간이 아니라 오히려 역사적 수난과 고통을 가장 절실하게 쌓아 온 삶의 현장이다.5) 이러한 농촌에서의 삶을 역사적 상황에 대응시켜 민족적 수난으로 그려내고 있는 작품이 그의 데뷔작이자 대표작으로 일컬어지는 「수난이대」이다. 여기에서 그는 식민지 시대에 징용에 끌려가 한쪽 팔을 잃은 아버지와 전쟁에서 다리를 잃은 아들의 두 세대에 걸친 수난을 동시에 포착함으로써 이들의 상처를 비극적인 역사의 순환에 따른 민족의 상처로 훌륭히 그려낸다. 이처럼 직접적인 전쟁의 피해자들이 이후의 삶을 꾸려 나가는 과정을 통해 전후의 암담한 현실을 보여주었던 하근찬은 「흰종이 수염」에서 주체적인 민족 의식과 외래적인 것의 갈등 양상을 내비친 뒤 「왕릉과 주둔군」에서는 해방과 전쟁 이후 주둔한 미군으로 인한 우리 사회의 변모양상을 단순한 피해의 나열이나 고발에 그치지 않고 문화와 생활양식의 변화라는 차원에서 그려냄으로써 농촌사회의 물질적, 정신적 붕괴양상을 적나라하게 제시한다.

「왕릉과 주둔군」의 박첨지는 손바닥만한 논을 부치며 외동딸 금례와 함께 겨우 목숨을 연명하면서도 조상이 왕이었다는 긍지 속에서 왕릉을 돌보는 것을 필생의 사명감과 보람으로 여기며 하루하루를 살아가는 봉건적인 노인이다. 그리하여 비가 오나 눈이 오나 하루에도 몇 차례씩 왕릉에 나가 주변을 가꾸며 능의 위용을 우러러 보지 않고는 견디지 못한다. 그런데 어느 날 미군이 이 곳 왕릉 주변에 주둔하면서 문제가 생기기 시작한다. '고양이 눈깔'에 얼굴 전체를 다 차지하고 있는 길쭉한 코, 짧은 인중에 합죽한 입을 가진 한 마디로 '더럽게 생겨 먹은' 미군들은 왕릉의 돌제단에 음식을 차려놓고 마치 소풍나온 사람들처럼 놀기만 할 뿐 아니라 왕릉 꼭대기에서 예사로 애무하는가 하면 사람들이 다 보는 데서 왕릉에 소변을 보

5) 권영민, 『한국현대문학사』, 민음사, 1993, 163면.

는 등 박첨지를 분노하게 만든다. 이처럼 무례한 미군과 함께 박첨지의 속을 썩이는 것은 이들 미군 병사들의 뒤에 항상 꼬리처럼 따라다니며 이들의 음식 부스러기에 목을 매달고 있는 동네 조무래기들이다. 서양 군사들이 왕릉 주변에 자리를 잡은 관계로 이들을 맴도는 아이들이 늘상 왕릉 주변을 드나들며 어질러 놓기 때문이다. 그러나 이보다 더 박첨지의 심사를 어지럽혀 놓는 것은 이들 미군을 따라 마을로 들어 온 양공주들의 얌전치 못한 행실과 이런 양공주와 친하게 놀아나며 점점 이들을 닮아가는 외동딸 금례의 변화이다. 날씨가 더워지면서 왕릉숲이 이들 미군 병사와 양공주가 수작을 벌이는 장소가 되어가고 있다는 말에 밤에도 왕릉을 돌보러 나가기 시작한 이후 어느날 밤 박첨지는 왕릉 위에서 정사를 벌이는 장면을 보고 분노와 충격을 느낀다. 대책 마련에 밤새 고민한 박첨지는 문중의 박진사를 부추겨 마침내 왕릉 주위에 담을 쌓는 공사를 벌이기로 하고 그 공사의 책임을 맡게 된다. 다시 박첨지가 활기를 느끼며 분주하게 공사에 매달리는 동안 금례는 아버지 박첨지의 감시를 완전히 벗어나 제멋대로 놀아나면서 날이 갈수록 양공주를 닮아가게 된다. 그러던 어느 날 참으로 의외의 일이 발생하는데 그것은 바로 왕릉 옆에 주둔했던 미군이 하루 아침에 깨끗이 사라져 버린 일이었다. 이들과 함께 양공주들도 다 떠나가게 되자 박첨지가 열성으로 매달리던 담공사도 서너뼘 높이에서 그쳐 버리고 만다. 공사에 나오지 않는 이들을 두고 조상도 모르는 놈들이라 욕을 해보지만, 진정으로 그를 충격과 분노에 휩싸이게 만든 것은 돈을 벌어 오겠다는 쪽지만 남긴 채 금례가 양공주들을 따라 집을 나가 버린 일이었다. 이로써 데릴사위를 얻고 또 그에게서 난 외손주로 하여금 대대로 이 왕릉을 지켜 나가게 하리란 꿈도 완전히 무산되고 말았다. 한숨과 함께 모든 것을 팔자 소관으로 돌리고 살아가는 박첨지를 완전히 고꾸라지게 만든 것은 딸 금례가 머리와 눈이 노릿노릿한 혼혈 외손주를 낳아 마을에 돌아 온 것이었다. 이로써 세상의 변화에도 군건히 자신의 봉건적 윤리의식과 가치관을 고수하던 박첨지의 몰락의 과정도 끝이 나게 된다.

한편 이러한 보수적인 가치관의 박첨지에 대비되고 있는 딸 금례의 변모 과정은 어떠한가? 이미 아버지 박첨지의 낡은 의식과 가치관과는 결별한 새 세대의 젊은 처녀인 금례는 새로운 세계에 대한 호기심을 가지고 적극적으로 덤벼든다. 양공주들과 친해지면서 그들의 세계에 점점 더 익숙해져 가던 금례는 밤길에 술취한 미군에게 봉변을 당하고 나서도 겁을 내기는커녕 오히려 으슥한 골목길을 혼자 걸으면서 다시 한 번 서양병사와 부딪혀 보았으면 하는 생각을 은근히 가져보는 대담성까지 가지게 된다. 박첨지가 왕릉의 보존을 위한 담공사에 매진하는 동안 자유로이 양공주의 방에 출입할 수 있게 된 금례는 점점 양공주들을 닮아가게 되는데, 금례의 이러한 변화는 물론 어려서부터 몸에 익혀 왔던 낡은 가치관의 타파라는 점에서 박첨지 세대의 몰락과 그로부터의 결별을 의미하는 것이지만, 새로운 가치관의 정립을 보여주는 것이라고 말하긴 어려운 것이 사실이다. 따라서 그녀 역시 전후의 혼란한 현실을 헤쳐 나갈 수 없는 것이라는 점이 분명해진다. 돈을 벌어 오겠다는 쪽지만을 남긴 채 양공주가 되어 마을과 박첨지 곁을 떠나지만 외국병사와의 사이에 생긴 혼혈아를 낳아 마을로 돌아오게 되는 것이 이를 증명한다. 따라서 금례가 가족의 생계문제와 같은 어쩔 수 없는 상황에 의한 희생양으로 양공주가 되는 것이 아니라 스스로 자신의 인생을 선택했다 하더라도, 이러한 선택이 세상의 변화에 대한 객관적 인식을 바탕으로 이루어진 것이 아니라 혼란하고 무질서한 현실적 상황의 혼돈에 의한 필연적인 결과라는 점에서 그녀 역시 박첨지와 조금도 다를 것 없는 역사의 희생자라고 할 것이다. 결국 박첨지와 금례 두 사람은 세상에 대한 인식과 대응에서 상이한 양상을 보이지만 밀려드는 외래의 힘 앞에 속절없이 무너지고 마는 희생자의 운명을 벗어날 수 없는 것이다. 이러한 운명에 놓여 있는 박첨지이기에 제단 앞에 음식을 늘어놓고 놀던 미군들이 마을 아이들을 희롱하는 것을 보고 "이마에 거꾸로 여덟 팔자를 세우며 작대기를 번쩍 쳐들"고 "어린애 주먹만한 상투도 곤두" 세워가며 느끼는 분노는 한편으로는 단순히 왕릉 훼손에 대한 것일 뿐만 아니라 미군의 비인간적인 행위에 대한 마음 속에서 치솟아 오르는 적대감에 가까운 것이기도 하지만, 다른 한편으로는 변화하는 세상과 밀려드는 외래문화를 인식할 수 없는 낡은 세대의 몰락을 알리는 역설적인 표현이기도 하다. 따라서 이러한 분노는 현실적으로는 아무런 힘을 가질 수 없다. 능 위에서 정사를 벌이던 미군이 박첨지의 출현으로 중도에 그치게 되고, 욕설을 하면서 조롱하는 미군 앞에서 박첨지가 줄행랑을 치지 않을 수 없는 현실이 이를 잘 드러내 준다. 박첨지가 미군에 대해 느끼는 분노는 인간의 탈을 쓰고는 차마 행하지 못할 '무례한' 행위와 또 그러한 행위가 그가 그토록 자랑으로 여기는 왕릉에서 이루어지기에 표출되는 것일 뿐이지, 자신들의 생활 전반을 뒤흔드는 외래세력의 본질에 대한 인식에서 비롯되는 것이 아니기 때문이다. 박첨지가 느끼는 미군이란 능 주위의 담장공사 때 미군이 중장비를 동원하여 공사를 도와주는 장면과 어느 날 갑자기 미군이 철수한 뒤 박첨지가 내뱉고 있듯이 '좌우간 이상한 작자들' 이상의 것이 아니기 때문이다.

결국 이처럼 박첨지가 미군과 양공주들의 온갖 무례한 행위에 분노하면서도 현실적인 힘 앞에 무력함을 느끼고 그저 세월 탓만 하다 거꾸러질 수밖에 없는 것이나 딸 금례가 그러한 아버지의 완고한 보수적 틀을 벗어나서도 결국에는 시대의 희생자가 되고 마는 것은 비록 무지하지만 순박한 이 땅의 백성이 어떻게 외세의 힘에 의해 몰락해 가는가를 잘 보여주는 것이 아닐 수 없다. 특히 작품의 결말에서 가장 보수적인 박첨지가 혼혈 손자를 얻게 되는 것은 그들의 삶이 바로 그 자신의 의지와는 전혀 관계없이 이루어지게 된다는 점을 잘 말해주는 것이다.

이상에서 보듯이 「왕릉과 주둔군」은 전쟁 이후 이루어지는 생활상의 구체적인 변화를 한 시골 마을에 주둔한 미군의 존재라는 구체적 힘의 설정을 통해 보여주고 있다는 점에서 우선 두드러진다. 물론 주둔 미군에 대한 인식이 봉건적 의식에서 깨어나지 못하는 박첨지의 시각에 의해 이루어지고 있는 점이나 이들의 '무례한' 행위를 드러내는 도구가 왕릉으로 설정되어 있는 점 등은 외세의 본질을 드러내기에 불충분한 것임에 틀림없지만, 생활의 변화와 상처를 안겨 준 실체를 어느 정도 분명하게 미군이라는 것으로 설정하고 있다는 점, 그리고 양공주로만 거론될 수 있었던 미군에 대한 비판의식을 전통적인 문화나 민족감정과 외래세력과의 갈등으로 설정한 것은 전쟁 직후의 참담한 생활의 폭로와 고발의 수준을 넘어 선 것이라 할 것이다. 뿐만 아니라 미군에 기대어 살아가는 양공주 문제를 박첨지라는 보수적 윤리의식의 소유자를 등장시켜 문화적 이질감의 차원에서 대조적으로 드러냄으로써 점점 비참해져 가는 전후 현실에 대한 단순한 고발과 폭로에 그치지 않고 풍속의 변화, 사고방식의 변화라는 문제로 제기6)하고 있다는 점에서 더욱 그러하다.

또한 이 작품은 이른바 현실 고발이나 사회 현실에의 깊은 천착을 표방하는 작품에서 드러나기 십상인 공식성이나 작가의 의도를 밖으로 내세우지 않음으로써 애초 의도했던 바를 더욱 효과적으로 전달하고 있다. 이러한 특징은 하근찬의 여타의 작품에서도 동일하게 찾아볼 수 있는데 이는 가급적 작가의 개입없이 객관적 현실을 있는 그대로 보여주려는 하근찬의 서술방법7)에 근거하고 있다. 작가의 뚜렷한 주관과 주장이 빠져 있는 객관적 상황제시의 경우 작품의 깊이를 만들어 내는 데 어려움이 따르기 마련이고 따라서 보다 큰 설득력을 갖기 어렵다는 약점을 지니지 않는 것은 아니지만, 작가의 성급한 개입이나 공식적인 목소리가 커짐으로써 빠지기 쉬운 대안없는 현실과의 화해나 추상적인 극복의 위험에 빠지지 않고 있는 점이 오히려 이 작가의 특장이라 할 것이다.

이러한 객관적인 서술방법은 그의 인물들의 특성과도 매우 관련깊다. 그가 그리고 있는 인물들은 대체로 주어진 삶의 환경을 그대로 받아들이는 순응론자들이다. 「수난이대」나 「흰종이 수염」의 인물들이 모두 그러하다. 「왕릉과 주둔군」에서의 박첨지는 끊임없는 불평과 불만을 늘어놓기도 하고

6) 조남현, 「단문과 보여주기의 저력」, 『지성의 통풍을 위한 문학』, 평민사, 1985년, 168면.
7) 같은 글, 167면.

또 금례는 자신의 인생을 스스로 선택하는 적극성을 보이기도 하지만 이들 역시 자신들의 상처나 그러한 상처를 안겨준 주변세력을 역사적 테두리 속에서 바라봄으로써 자신들의 삶을 민족 전체의 삶으로 승화시켜 바라보지 못한다는 점에서는 매한가지이다. 그의 인물들은 전쟁의 원인은 무엇이며 우리 생활의 변화를 가져온 외래세력의 본질은 무엇인가 하는 어렵고 복잡한 질문을 하는 대신, 다만 지금껏 살아 온 삶의 방식대로 생활하는 것으로 역사와 전쟁이 남긴 상처에 마주 대한다. 많은 전후작품의 경우 전쟁의 상처를 적극적으로 치유하려는 노력을, 자의식으로 가득찬 지식인의 현실에 대한 좌절이나 현실과의 타협을 통해 드러내고 있는 것과 비교해 볼 때, 확실히 하근찬의 인물들은 독특하다 하지 않을 수 없다. 박첨지와 그의 딸 금례는 자신의 사고와 행위에 대해 조금도 되돌아보거나 반성하는 경우가 없다. 특히 박첨지의 경우 언제나 자신의 보수적인 가치관이 옳다고 믿는다. 금례 역시 기존의 보수적인 의식을 거부하지만 자신이 새롭게 받아들이고 있는 가치관에 대해 그것이 과연 어떤 것인지 생각해 보지는 않는다. 따라서 이들은 손쉽게 현실과 화해하거나 심각을 가장한 절망의 몸짓을 드러내는 경우가 없다. 이는 이들 인물들이 역설적이게도 가장 평화롭고 무구한 선의의 인물들이기에 그러하며 또한 이들에게는 그 어떤 허위의식도 존재하지 않기 때문이다. 작가가 이들의 삶에 전혀 개입하지 않고 단지 이들의 삶을 있는 그대로 보여주기에 충실한 것은 이처럼 역사적 상처를 있는 그대로 받아들이는 일종의 체념을 통해 다시 자신의 생활을 꾸려 나가는 인물들의 삶을 제시하는 것이 어떤 의미에서는 고민하는 지성보다 그 상처를 좀 더 명확하고 진솔하게 보여주는 것일지도 모르기 때문이다.

5.

대개의 전후 소설이 궁극적으로 의도하고 있는 것은 전쟁으로 인해 무너진 가치 회복과 평화로운 일상으로의 복귀이다. 물론 상처만이 남은 현실에서 이러한 소원이 쉽게 이루어지지 않으리라는 것은 너무나 분명한 일이다. 그러기에 많은 갈등과 대립이 이루어지고 그 과정에서 좌절과 절망에 빠지기도 하고, 더러는 거짓 화해에 도달하기도 하며 또 더러는 관념적인 극복으로 현실을 이겨내기도 한다. 당장 시급한 것은 눈앞의 생존문제를 해결하고 어떤 폐허 속에서도 살아남는 강한 생명력을 견지하는 것이다. 그러나 이것만으로는 삶에 적극적 의의를 부여할 수 없다. 육체적 생명보다 더 소중한 것은 인간적인 삶을 보장하는 그 어떤 정신적 가치의 회복이기 때문이다. 전쟁으로 인해 망가진 삶과 자신의 자아를 원상으로 돌리는 것이 불가능해진 마당에 남는 것은 새로운 가치의 발견이다. 하지만 이러한 가치의 발견은 그들의 삶을 피폐하게 만든 전쟁과 이후 그들의 생활에 직간접으로 영향력을 행사하는 외래세력에 대한 통찰과 극복이 없이는 이루어지지 않는다.

이러한 점에서 하근찬의 「왕릉과 주둔군」은 그 어느 작품보다도 전후 현실의 변화를 외세와의 갈등이라는 측면에서 잘 부각시키고 있는 작품 중의 하나라 할 것이다. 비록 외세와의 대립과 갈등을 극복하는 주체와 외세의 본질에 대한 명확한 제시가 불충분하며 또 이 갈등이 어떻게 해결, 극복되어야 한다는 해결책도 제시하지 못하고 있는 것이 사실이라 할지라도, 외세와의 갈등과 분단문제를 사회 체제적 입장에서 바라보고 그 본질적 측면에 대한 탐구가 본격적으로 이루어진 것이 80년대부터였다는 점을 생각한다면, 그 나름대로의 몫을 다한 것으로 생각해도 좋을 것이다. 새미

근대를 바라보는 '벤야민'의 시선

김 영 옥*

들어가는 말

오늘날 역사의 종말에 대한 다양한 말들이 오고 간다. 변증법적 유물론이 역사의 흐름에 객관적 의미를 부여하고자 했던 인류의 마지막 시도였다면, 그와 함께 역사의 행보를 규정하는 요소로 작용하던 마지막 형이상학도 사라진 셈이다. 1989년 동독이 무너졌을 때, 그것이 단순히 시장경제논리와 생산 합리성의 승리로 기록될 수밖에 없다는 사실에 그 충격은 더 뿌리깊었다. 파시즘적 템포로 진행되고 있는 기술의 진보와 그에 따른 삶의 전반적 영역에서의 생산 합리화는 서구에서 계몽주의 이래 근대가 유토피아 건설의 기획을 세우면서 그 실현의 중심점으로 삼았던 이성적 주체를 거대하고도 복잡한 기계조직의 한 보잘것없는 부품으로 전락시키고 있다. 그리하여 "정신적 불투명성"(하버마스)의 지배하에 있는 이 전환기에 불가해한 사회관계 속에서 행위 가능성은 체계적으로 소멸되고 인간은 단지 무력감 속에 빠져 허우적거리고 있을 뿐이다. 이것은 예술의 경우도 마찬가

---

* 金英玉, 서울대, 숙명여대 독문과 강사. 주요 논문으로 「타인의 텍스트를 통해 본 자화상 - 발터 벤야민의 카프카 읽기」, 「해체적 글쓰기의 한계 - 최수철론」 등이 있음.

지이다. 다른 영역과 마찬가지로 예술 또한 절대화된 특정 형태의 합리성에 지배당하고 있으며 그로써 부정의 힘을 기반으로 기존 사회를 지배하는 경제적 생산 패러다임에 대항하던 예술적 근대는 그 근본에서부터 위협당하고 있다.

서구와는 달리 이제 막 근대를 본격적으로 논하고자, 그 유토피아적 자유실현의 정신을 구체화시키고자 준비운동을 끝낸 우리 사회가 이러한 현실에 직면하여 겪게 되는 갈등과 혼란은 서구와는 비교가 될 수 없을 정도이다. 수많은 실험과 시행착오를 반복해 가면서 철저하게 근대(Moderne)를 통과하지 않고 서둘러 입장하게 된 탈근대(Postmoderne)에서 보여지는 것은 거의 신적 절대성을 획득하기에 이른 생산의 이데올로기와 행위하는 주체의 전면적 무기력감뿐이라고 해도 크게 과장하는 것이 아니리라.

이러한 맥락에서 근대를 다시 얘기하고 근대와 탈근대의 연계성을 곰곰히 따져보는 태도가 요청된다. 그리고 실제로 적지 않은 사람들이 이러한 작업을 지속적으로 실행하고 있다. 이 글이 발터 벤야민(1892-1940)의 근대에 대한 개념들을 살펴보고자 한다면 그것 또한 이러한 작업의 일환임은 당연한 일이다. 벤야민 스스로 말했듯이 과거의 상은 현재와의 찰나적 교우 속에서 인식되고, 그로써 인용가능한 것이 되고자 우리의 주변을 섬광처럼 스쳐 지나가기 때문이다.

1. 벤야민 철학에 대한 일반적 사항

벤야민 사유의 양대 축을 이루고 있는 것은 언어신학적으로 매개된 형이상학과 역사적 유물론이다. 일견 모순되어 보이는 이 현상은 그러나 두 방향이 서로 관계맺는 변증법적 방식에 의해 어느 정도 해명된다.

신학적－형이상학적으로 각인되어 있던 초기의 사유방식은1) 맑스주의자

---

1) 벤야민은 45세 때 쓴 이력서에서 학창시절 자신의 주된 관심은 '문학적 저

인 아동연극가 라시스와의 만남 (1924), 모스크바 체류 (1926/27), 루카치의 『역사와 계급의식』 독서, 그리고 브레히트와의 친교 (1929) 및 파시즘 정치권 내에서의 유대인 좌파 지식인으로서의 곤핍한 실존이 가져다준 개인적 체험 등을 통해 역사적-변증법적인 유물론에로 방향전환을 꾀하게 된다. 벤야민 자신에 의해 "완전한 변혁의 과정"으로 일컬어지기도 했던 이러한 방향전환은 그러나 결코 그의 초기 사유를 지배했던 언어신학적 형이상학의 포기를 대가로 하고 이루어진 것은 아니었다.[2] 즉 브레히트식 유물론에의 경도에서 친구의 형이상학적 정신을 구출해 내고자 노력을 아끼지 않았던 숄렘(그리고 아도르노)의 판단과는 달리 벤야민에게 있어 형이상학과 유물론은 결코 포기될 수 없는, 인간이 꿈꾸어 왔던 유토피아적 구원의 실현을 위해서는 궁극적으로 서로 밀접하게 연계되어야만 하는 두 노선을 의미했다. 이 두 노선을 변증법적으로 연결시키고자 하는 '거대한 시도'의 문학비평적 실천을 가장 단적으로 보여주고 있는 것이 20년대 후반부터 자살로 생을 마감하던 1940년까지 지속되었던 브레히트 연구와 카프카 연구이다. 그는 브레히트와 카프카로 대변되는 두 세계에서 자신의 사유를 관통하는 길들의 교차점을 보았던 것이다.

> "자네 걱정의 저변에 깔려 있는 양자택일이 내게는 일말의 생명력의 그림자도 지니지 못한다네. … 오히려 브레히트의 작품이 내게 의미하는 바를 특징짓는 무엇이 있다면 그것은 그의 작품이 내가 개의치 않는 그 양자택일 중 하나가 아니라는 바로 그 사실일세. 그리고 카프카의 작품이 내게 브레히트의 작품과 똑같은 비중의 의미를 지닌다면 그것은 공산주의가 정당하게도 투쟁하고자 하는 입장들 중 하나를 그의 작품이 취하지 않고 있기 때문은 결코 아닌 것일세."[3]

술과 예술형태들의 철학적 내용' 그리고 '언어철학'이었다고 밝히고 있다.
2) W. Benjamin, Briefe, hrsg. u. mit Anm. vers. v. Gershom Scholem und Theodor W. Adorno, 2 Bde, Frankfurt/Main 1966, S. 659 참조.
3) Walter Benjamin und Gershom Scholem, Briefwechsel 1933-1940, hrsg.v. Gershom Scholem, Frankfurt/Main 1980, S. 140.

벤야민이 그의 마지막 원고가 된 역사철학 에세이 "역사의 개념에 관하여"로써 스탈린-히틀러 협약이라는 정치적, 역사적 테러에 답변하고자 했을 때-그는 이 테러에서 근대 기획의 결정적 좌초를 보았다-그는 자신의

이러한 시도가 실패했음을 이미 인정하고 있었다. 그러나 이 실패는 개인사에 관련된 것이 아니라 시대사에 의해 규정된 것이라고 볼 수 있다.

카프카 작품세계의 아름다움을 좌절한 자의 아름다움으로 규정하면서 벤야민은 그 좌절의 이유들을 카프카 자신의 사적인 능력여부가 아닌 역사적 맥락에서 기인하는 것으로

W. 벤야민

설명해 낸 바 있다.

> "문학을 교리로 전이시키고, 파라벨로서의 문학에 견고성과 소박함을 되돌려주고자 했던 그의 위대한 시도는 실패했다."[4)

벤야민이 자신과 카프카를 여러 면에서 동일시했다는 점, 그리고 자신의 40번째 생일에 자살을 계획하며 자신의 글쓰기 작업을 '작게 보아 성공이지만, 크게 보아 실패'한 것으로 평가내렸던 점 등을 고려해 볼 때 카프카에 대한 이러한 판단은 벤야민 자신의 지적-창조적 활동에도 적용된다고 할 수 있다. 여기서 카프카나 벤야민의 시도를 실패로 이끈 역사적 맥락은 넓게 보아 근대의 아포리아로 읽어낼 수 있을 것이다. 즉 모더니티의 두 얼굴이 궁극적으로 근대의 기획을 좌절로 이끈 것이며, 그것을 막고자 하는 여타의 시도들 또한, 바로 그 시도들의 역사성 때문에, 좌절할 수밖에 없었

---

4) W. Benjamin, Über Kafka. Texte, Briefzeugnisse, Aufzeichnungen, hrsg. v. Hermann Schweppenhäuser, Frankfurt/Main 1981, S. 27.

다고 보아야 할 것이다.

좌절의 당위성에도 불구하고 그는 유서처럼 쓰여진 이 마지막 글에서 한 번 더 그 "웅대한 시도"의 절박한 당위성을 논하고 있다. 벤야민의 텍스트 중 가장 많이 회자되고 있는 제1테제의 '역사적 유물론'이라 불리는 인형과 신학을 상징하는 곱사등이 난쟁이에 관한 파라벨은 그 당위성을 뛰어나게, 그리고 그에 못지않게 수수께끼의 형태로 형상화하고 있다. 이미 많이 인용되었지만 여기에서도 한번 더 인용해보자.

> "사람들 말에 의하면 어떤 장기 자동기계가 있었다고들 하는데, 이 기계는 어떤 사람이 장기를 두면 그때마다 그 반대 수를 둠으로써 언제나 이기게끔 만들어졌었다. 터어키 의상을 하고 입에는 물담배 파이프를 문 인형이 넓은 책상 위에 놓여진 장기판 앞에 앉아 있었다. 거울로 장치를 함으로써 이 책상은 사방에서 훤히 들여다 볼 수 있다는 환상을 불러일으키게 하였다. 그러나 실제로는 장기의 명수인 등이 굽은 난쟁이가 그 책상 안에 앉아서는 줄을 당겨 인형의 손놀림을 조종하였다. 우리는 철학에서도 이러한 장치에 대응되는 것을 상상할 수가 있다. 항상 승리하게끔 되어 있는 것은 소위 '역사적 유물론'이라고 불리어지는 인형이다. 이 역사적 유물론은, 만약 그것이 오늘날 왜소하고 못 생겼으며, 그렇기 때문에 어떻게 해서라도 그 모습을 밖으로 드러내어서는 안 되는 신학을 자기의 것으로 이용한다면, 누구하고도 한판 승부를 벌일 수가 있을 것이다."[5]

이 파라벨을 해석하면서 '역사적 유물론'과 '신학' 둘 중 궁극적으로 누가 주인이고 누가 하인인가에 대한 논의가 많았다. 그러나 여기서 강조되고 있는 것은 둘의 공동작업 그 자체, 혹은 그것의 당위성일 뿐이다. 벤야민은 이미 비유적 장치를 통해 '역사적 유물론'과 '신학' 사이의 서열에 대한 논의를 무의미하게 만들어 놓고 있다. 앞에서도 언급했듯이 이 둘은

---

5) W. Benjamin, Gesammelte Schriften, unter Mitwirkung v. Theodor W. Adorno u. Gershom Scholem, hrsg. v. Rolf Tiedemann und Hermann Schweppenhäuser, Bd. I ff, Frankfurt/Main 1972 ff, hier: Bd. I, S. 693. 이후 GS로 축약되어 권수 및 쪽수와 함께 본문의 인용문 옆에 병기됨.

그에게 있어 서로 상보관계를 맺는 필수불가결한 두 사유방향을 이루고 있기 때문이다. '언제나 승리를 거두는' 역사적 유물론은 인류의 역사상 존재하지 않았다. 근대의 기획이 결정적으로 좌초되는 위기의 순간에 벤야민은 다시 한번 '승리를 거두는' 역사의 모습을 꿈꾸었던 것이며, 그 꿈의 실현을 위해 '역사적 유물론'과 '신학'이라는 두 정신적 태도의 만남을 실현시켜 보고 있는 것이다.

2. 근대를 바라보는 벤야민의 시선

하버마스나 푸코, 혹은 코젤렉을 비롯한 여러 학자들의 의견을 따르자면 근대 (또는 현대, die Moderne)는 1750년을 기점으로 시작된 서양의 계몽주의 이후의 시기이다.(하버마스는 역사적 근대의 시작을 신대륙 발견, 종교개혁, 계몽주의 그리고 프랑스 혁명 등의 사건에서 보고 있다.) 그리고 근대성 (또는 현대성 die Modernität)은 이 시기에 중점적으로 태동된 정신적 태도, 즉 '관습적인 것을 부정하는 질적 범주'6), 또는 '자기 자신을 자발적으로 갱신하여 활성화시키는 시대정신'7)이다.

현대가 지니고 있는 자기수정 및 자기분화의 능력, 그리고 이 능력을 바탕으로 이룩해 낸 전통과의 단절, 그리고 과학, 도덕, 예술의 합리화는 근대에 대한 비판의 시각이 아무리 날카롭다고 하더라도 그 존재가치가 손상될 수 없는 영역이다. 프랑크푸르트 사회연구소를 중심으로 형성된 비판이론 또한 이 점을 잘 인식하고 있었다. 독자적인 사유방식 및 표현방식으로 비판이론과는 거리를 취했던 벤야민도 예외는 아니다. 근대적 사유의 핵심을 이루고 있는 창조적 정신과 그 정신에 의한 창조의 완성에 대한 시민사회 예술관의 전형적인 모범을 보여주는, "완성 다음에"라는 제목이 붙어 있

---

6) Theodor. W. Adorno, Minima Moralia, Frankfurt/Main, 1987, S. 292.
7) Jürgen Habermas, Kleine politische Schriften I-IV, Frankfurt/Main 1981, S. 446.

는 텍스트를 읽어보자.

"사람들은 종종 위대한 작품의 탄생을 출생의 이미지로 생각하였다. 이 이미지는 변증법적이다. 즉 이중의 측면을 지니고 있는 과정을 포함한다. 그 한 측면은 창조적 수용과 관련되어 있으며 창조적 정신에 있어서의 여성적인 것에 해당된다. 이 여성적인 것은 (작품의) 완성과 더불어 끝난다. 그것은 작품을 생명으로 이끈 다음 소진해서 죽는다. 대가 안에서 완성된 창조와 더불어 죽어버리는 것은 대가의 한 부분, 즉 창조를 받아들인 바로 그 부분이다. 그러나 이제 작품의 이 완성은 죽어버린 그 무엇이 아니다. 그리고 이로써 (작품 탄생) 과정의 두 번째 측면이 시작된다. 이 두 번째 측면은 외부로부터 도달될 수 없는 것으로서 조탁과 수정도 이것을 강요할 수는 없다. 이 두 번째 측면은 작품 자체의 내부에서 수행된다. 그리고 여기서도 우리는 출생에 대해 이야기할 수 있다. 즉 창조는 완성 속에서 창조자를 새로이 잉태하는 것이다. 창조가 받아들여진 여성성에 따라서가 아니라, 그 남성적 요소에서 말이다. 행복에 겨워 그는 자연을 추월한다. 왜냐하면 그가 처음으로 모태의 어두운 심연에서 받아들인 이 현존재에 대해 이제 보다 더 밝은 제국에 감사해야 하기 때문이다. 그가 태어난 곳이 그의 고향이 아니다. 그는 그의 고향이 있는 곳에서 태어난다. 그는 그가 언젠가 받아들였던 작품의 장자이다."(GS IV.1, S. 438)

이 글에서 벤야민은 예술가를 양성적 존재로 파악하고 있다. 다시 말해 이념을 받아들여 작품의 현존을 우선 가능케 하는 것은 예술가의 여성적 힘이며, 이렇게 해서 존재하게 된 작품을 그러나 '참된' 작품으로 완성시키는 것은 예술가의 대가로서의 남성적 능력이다. 창작과정의 정점은 이 여성적 수태, 즉 자연의 흔적을 지우는 데서 시작된다. 즉 예술가의 남성적 능력은 자연을 "모방"해 보다 더 지고한 존재로 "번역"해 냄으로써 자연적 잉태의 완전한 대치를 이룩해 낸다. 이렇게 완수된 창조는 자율적 주체로서의 예술가의 자기창조와 동일한 의미를 지닌다. 불완전하고 무상한 자연의 품인 모태, 그 물질적인 육신을 떠나 정신은 모태없는 탄생을 스스로 실현시킨다. 자연으로부터의 완전한 탈골이야말로 예술가가 비로소 보다 더

위대한 존재로 탄생할 수 있기 위한 필수불가결한 관건이 되는 것이다.

벤야민에 의해 사유적 이미지(Denkbild)라고 명명된 짧은 텍스트들 중의 하나인 이 텍스트에서 목소리를 내고 있는 주체는 의혹의 여지없이 시민사회의 이상주의적 예술관을 대변하고 있다.[8] 주체와 객체, 받아들임과 창조 사이의 대립을 남성적 주체에 의해 극복한다는 이념을 담고 있는 이 예술관은 자연을 정신에 의해 궁극적으로 극복되어야 하는 대상으로 파악하고 있다. 탄생과 소멸의 영원한 순환을 보여줄 뿐인 자연의 정력학(靜力學)에 이성의 힘에 의해 그 진행이 규정되는 역사의 동력학이 대비되고 있는 것이다. 자연은 이러한 순환구조 속에서 무상함, 즉 죽음을 대변하며, 이 무상함은 정신의 우월성에 의해 극복되어져야 한다는 것이다.

그러나 사유하는 주체의 절대성에 대한 형이상학적 믿음에도 불구하고 근대를 바라보는 벤야민의 시선은 그렇게 안정되어 있지만은 않다. 오히려 역사의 선형적(線形的) 진보에 대한 낙관주의에 기반을 둔 여타의 근대적 사유에 대해 내려지는 그의 판결은 대단히 부정적이다. 잘 알려져 있다시피 근대에 대한 벤야민의 가장 날카롭고 철저한 비판은 역사철학적으로 준거지워져 있는 진보의 믿음에 향해져 있다.

벤야민은 인류의 역사가 실제로는 출발지점에서 한 발자국도 앞으로 진보하지 않았다는 극단적인 견해를 피력하면서 근대의 역사적 상황을, 고대 역사학자 바흐오펜이 "모계법"에서 실제 존재했었던 인류역사 발전의 초기 단계로 증명해 보이고자 했던 전사(前史), 즉 난혼(亂婚)적 성문화에 의해 특징지워지는 '창녀적 늪의 세계'로 상징화하기까지 한다. 바흐오펜의 "모계법"에 대한 벤야민의 관심은 일차적으로 신화와 현재의 관계에 대한 그의 관심에 의해 매개되어 있다. 그는 계몽의 양면성에 대해서 뿐만 아니라 신화의 양면성에 대해서도 철학적 숙고를 하였는 바, 현재를 여전히 신화적 폭력에 의해 지배당하는 전사적 시대로 평가내리는 반면, 도구적 이성

---

8) 양성적 예술가에 대한 시민사회의 이상주의적 예술관과 남성적 자아에 의한 (타자로서의) 여성적 요소의 흡수에 대해서는 Lena Lindhoff, Einführung in die feministische Literaturtheorie, Stuttgart/Weimar 1995, S. 21-25 참조.

으로 전락한 이성의 수정을 위해 신화를 유용하게 전환시키는 가능성을 탐색하기도 하였다. 자체내 논리적, 내용적 모순을 담고 있는, 그리하여 상이한 사상적 진영에서의 수용을 가능케 했던 바흐오펜의 "모계법"을 수용하면서 벤야민은 신화와 진실을 변증법적으로 매개하고자 하는 역사철학적 시도를 도모했던 것이다. 그러나 역사에 대한 벤야민의 진단을 더욱 명료하게 담고 있는 개념은 "자연사(自然史)" 개념이다.

2.1. 자연사(die Naturgeschichte)-알레고리-폐허

벤야민은 "자연사"라는 개념으로 헤겔 이후 시민사회를 이끌었던 진보 낙관주의 및 역사철학에 날카로운 비판을 가한다. 역사를 수난사로서 파악하는 시각은 이미 헤겔에게서도 나타나고 있지만 역사의 단선적 진보를 부인하고 실천적 이성의 카테고리 내에서 근대 기획의 해방적 관심을 실천적으로 완수해 내고자 하는 태도는 사실상 비판이론에 와서 분명해진다고 볼 수 있으며, 이러한 비판적 태도를 핵심적으로 드러내고 있는 개념이 바로 "자연사" 개념이라고 할 수 있을 것이다. 벤야민의 "자연사" 개념은 역사철학과 진보 낙관주의의 위기를 표현하고 있는데9), 자연과 역사의 관계를 더 이상 정력학과 동력학의 의미에서 규정할 수 없다는 인식은 유물론적 역사관의 공통된 요소였다.10) 자연을 영원히 동일한 것의 정적인 반복으로, 그리고 역사를 헤겔처럼 "자유에 대한 의식 속에서의 진보"로서 파악하는 그러한 이분법적 사고방식은 이제, 역사의 동력학 자체 내에 있는 야생적인 것과 정적인 것을 가리키고 그럼으로써 즉 제 2의 자연으로 경직되어버린 그것을 역사적 유동체로 변환시키고자 하는 태도에 자리를 내주게 된 것이다. 이로써 헤겔에게서 정착된 근대의 역사철학적 해방의 비판적 자기확인은 파국의 자의식으로 전환된다.

벤야민은 "독일 비극의 원천"을 기술하면서 "자연사" 개념에 천착한다.

---

9) 여기에 대해서는 역사에 관한 제13테제 (GS I, S. 700)를 참조할 것.
10) K. Marx/Fr. Engels, Werke, Berlin 1956 ff, Bd. 3, S. 18 참조.

바로크 비극에 대한 벤야민의 관심은 바로크 시대와 19세기가 역사적 유사성을 지녔다는, 그리고 그 유사성이 몰락의 시대에 놓여 있다는 인식에서 출발한다. 바로크 비극을 고찰하면서 벤야민은 알레고리라는 다분히 잊혀져 왔던 수사학을 재발굴해 17세기 고찰의 일반적 방법론으로까지 승격시키고 있는데, 이것은 상징과 달리 알레고리가 지니고 있는 의미의 파편성 내지는 다층성 때문이었다. 의미가 다층적일 수 있다는 것, 즉 총체성이 아닌 파편성을 그 기반으로 하고 있다는 것이야말로 알레고리가 총체적 역사관이 가능하지 않은 바로크 시대 및 19세기를 설명해 주는 적합한 도구가 될 수 있음을 보장해 주는 것이었기 때문이다.

바로크 알레고리에서 몰락의 순간에 자연과 역사가 일치하듯이, 그리하여 역사가 "경직된 태고의 풍경으로서" 읽히듯이, 진보에 대한 낙관주의가 팽배하던 19세기는 자연적 몰락의 순간에서 나타난다. 19세기의 대도시, 파리의 인상에서 이러한 몰락의 징후를 읽고자 했던 것이 바로 미완으로 남겨진 "아케이드" 작업이다. 벤야민은 대도시의 얼굴을 진보와 융화된 몰락의 알레고리로 읽고자 했던 것이다.

> "상징에서는 몰락의 변용과 함께 자연의 변용된 얼굴이 구원의 빛 가운데 순간적으로 현현되는 반면, 알레고리에서는 역사의 죽은 얼굴이 경직된 태고적 풍경으로서 관찰자의 눈앞에 놓여 있다. 역사는, 역사가 처음부터 지니고 있는 미성숙한 것, 고통에 찬 것, 실패한 것, 이 모든 것으로서 한 얼굴에, 아니 한 죽은 자의 얼굴에서 특징적으로 드러난다. 그리고 그러한 얼굴에는 표현이 지니는 모든 '상징적' 자유가, 형태의 모든 고전적 조화가, 그리고 모든 인간적인 것이 결여되어 있다 할지라도, 단지 인간현존 일반의 본질뿐만 아니라 개개인의 전기적 역사성이, 자연의 몰락이 최상에 이른 이 모습에서 의미심장하게 수수께끼로서 드러나고 있는 것이다. 이것이 알레고리적 고찰의, 즉 역사를 세상의 수난사로 보는 바로크의 세속적 구상의 핵심이다. 역사는 그 몰락의 지점들에서만 의미를 지닌다. 치명적으로 몰락한 만큼 의미를 지니는 것이니, 죽음이 자연과 의미 사이에 가장 깊숙이 경계선을 긋기 때문이다. 그러나 자연이 옛날부터 치명적인 몰락성을 지닌다면 자연은 또한 옛날부터 알레고리적인 것

이다. 의미와 죽음은 구원의 은총을 아직 받지 못한 피조물의 죄악의 상태에서 씨앗으로서 서로 밀접하게 맞물려 있듯이, 역사적인 전개과정에서 함께 성숙한다."[11]

역사는 그것의 가장 극단적인 대척점인 죽음에서 몰락으로 나타난다. 위 인용문이 보여주듯이 역사철학적 카테고리로서 알레고리는 이렇듯 "자연과 역사의 어떤 특수한 교착"[12] 을 통해 인류의 역사가 전체적으로 상승한다는 역사철학적 이념을 부조리한 것으로 폭로한다. 그러나 벤야민이 알레고리적 역사 고찰방식이나 "자연사" 개념을 통해 비판하는 것은 단지 역사의 진보에 대한 이념뿐이 아니다. 그는 "몰락의 시대"에 대해 말하는 것 또한 무의미하다고 판단한다. 그에게 있어 "'진보'라는 개념과 '몰락의 시대'라는 개념의 극복은 단지 동일한 사실의 양면을 가리킬 뿐"(GS V, S. 575)이기 때문이다.

몰락에서 자연과 역사가 일치하는 것을 현상의 세계에서 구현하고 있는 것이 바로 폐허이다. "자연의 얼굴에 '역사'는 무상함의 기호로 쓰여져 있다. 바로크 비극을 통해 무대에 올려지는 자연사의 알레고리적 인상은 실제로 폐허로서 현존한다."(GS I, S. 353) 한 때 견고했던, 정신의 성공적 창조의 결과인 실체의 파편은 자연과 역사의 변증법적 교착을 알레고리적으로 드러낸다. 즉 자연에 대한 정신의 우월성 자체가 무상한 것으로 폭로되며 그럼으로써 그 가상성을 지적받게 된다. 가장 새로운 것 또한 "경직된 태고의 풍경"을 품고 있다는, 즉 자연의 순환의 법칙에 굴복할 수밖에 없다는 인식비판적 시각은 파리를 통해 19세기의 태고사를 읽어내고자 하는 "아케이드" 작업에서도 그 토대를 이루고 있다.

바로크 비극의 연구가 17세기를 통해 현재를 조명하고자 하는 시도라면

---

11) W. Benjamin, Ursprung des deutschen Trauerspiels, Frankfurt/Main 1978, S. 145.
12) Ebd.

"아케이드" 작업은 19세기를 통해 현재를 조명하고자 하는 시도이다. 두 세기 간의 유사성은 몰락-자연사-알레고리 등의 방법론적 기제를 통해 확인된다. (GS V, S. 133 참조) 기술이 가져다 준 놀라운 승리의 전시품들은 폐허의 잔해로, 다시 말해 몰락과 쇠퇴의 징후로 읽힌다. "역사에 대한 맑시즘의 이해가 반드시 구체성의 값을 치루고 얻어져야 하는 것인가?"(GS V, S. 575)라는 질문을 하면서 체계적 기술 대신 몽타쥬 기법을[13] 취했던 벤야민은 스스로 아케이드를 산보하는 산보자가 되어 폐허의 잔해를 수집한다.[14]

2.2. 유행과 예술

가장 새로운 것이 이미 낡은 것일 수밖에 없는 교환논리 속에서의 상품적 성격을 가장 잘 표출하고 있는 것은 유행이다. 그러나 예술 또한 이 메카니즘에서 자유롭지 못하다. 19세기에 이미 뚜렷한 자취를 남기기 시작한

---

13) 벤야민에게 중요했던 것은 "작은 개별적 동기들을 분석함으로써 총체적 사건의 결정(結晶)을 발견하는"(GS V, S. 575) 것이었다. 경제가 그 문화적 표현을 얻고 있는 구체적인 역사적 형태들에서 자본주의 생산의 일반적 본질을 더 적확하게 파악할 수 있다는 벤야민의 이러한 믿음은 아도르노에게 있어서는 벤야민 사유에 내재한 특유의 고유성이면서 동시에 인식비판적 관점에서 볼 때 극복되어야 할 비판의 대상이기도 했다. 그러나 아도르노가 '초현실주의적 철학'이라 명명하기도 했던 벤야민의 이미지적 몽타쥬 글쓰기는 총체성에 기반을 둔 보편사(普遍史) 대신 파국과 불연속의 연속 속에서 유일한 보편성을 보았던 그의 역사철학이 요청한 형식이었으며, 지금까지도 많은 독자들의 철학적 상상력을 자극하는 매력의 원천인 것이다.
벤야민의 이러한 모방적-구체적 몽타쥬 방식이 가지고 있는 특수한 유물론적 특성에 대해서는 R. Tiedemann, Dialektik im Stillstand. Versuche zum Spätwerk Walter Benjamins, Frankfurt am Main, 1983, S. 29 참조.
14) 벤야민은 '아케이드'라는 구체적인 근대의 건축물을 통해서 자본주의 사회의 자기전시를 명시적으로 드러내고자 한다. 고대 건축물의 인용 및 철제와 유리의 재료를 통해 이미 포스트 모던적 건축양식을 선보이고 있는 아케이드는 상품들이 도취적 축제를 벌이는 환영(幻影)의 신전으로 들어가는 과도기적 공간이다.

경제력의 미학화에 봉사하기 시작한 유행과 예술이 벌이는 제의(祭儀)는 그러나 벤야민에게 있어 이중적 의미를 지닌다. 그것은 교환가치의 절대화에 복종하는 자본주의 사회의 지옥같은 모습 자체의 알레고리이며, 동시에 그러한 자본주의 사회의 무상함에 대한 알레고리이기도 한 것이니, 유행은 방금 탄생한 새로운 것의 끊임없는 파괴이기 때문이다. 벤야민은 "유행은 새로운 것의 영원한 회귀이다"라고 말하며 "그럼에도 바로 그 유행에 구원의 동기가 있을까?"(GS I, S. 677)라고 질문한다. 이 질문은 물론 부정성 속에서만 답변될 수 있을 뿐이다. 물신화된 상품들의 찰나적 자기전시의 반복적 성격을 '영원한 회귀'라는 신화가 표현해 주고 있다면, 이것은 제자리 걸음을 하고 있을 뿐인 진보라는 신화의 이면에 지나지 않는 것이다. "진보의 개념은 파국의 이념 속에 그 기반을 두고 있다. '계속해서 그렇게' 지속된다는 것, 그것이 바로 파국이다. 파국은 목전에 있는 것이 아니라, 주어져 있는 것"이며, 그러므로 구원은 "지속되는 파국 가운데에서의 가장 작은 도약에 매달리게" 된다.(GS I, S. 683) 이 작은 순간이 바로 역사가 꿈에서 깨어나는 순간이다. "산뜻한 경악"(GS IV, S. 434 f.)이라고 벤야민이 표현한 바 있는 이 깨어남은 그러나 순간적으로만 가능하다. '구원의 찰나적 선취'라는 유대교의 사상적 전통에 빚지고 있는 벤야민의 이러한 구원의 구상은 범상한 일상의 문맥에서 볼 때 역설적으로 대담한 정치적 결단력과 지속적인 정신의 깨어있음을 요청한다. "언제나 극단적으로, 결코 일관되지 않게", "모든 결정적인 안타는 왼손에 의해 이루어진다" 등의 명제가 후기 벤야민의 정치적 무정부주의 및 그 철저한 결단력을 증명하고 있다면, 유대교의 전통에서 계시의 교리 대신 경건함의 태도를 선택하고자 했던 그의 태도는 또한 대단히 윤리적이기도 한 것이다. "파괴적 성격"의 창조적-건설적 측면을 강조하고, 비극적 영웅의 장엄함보다 희극적 주인공의 명랑성을 더 높이 평가했던 그의 "파국의 이론"은 그래서 대단히 허무주의적이면서도 희망을 길러내고 있다.

2.3. 파국과 깨어남

1990년은 벤야민이 사망한지 50년이 되는 해였다. 이것을 기념하기 위해 베르크분트 아히브(Werkbund-Archiv)는 1990년 12월 28일부터 1991년 4월 28일까지 베를린에서 "곱사등이 난쟁이와 역사의 천사. 발터 벤야민. 근대의 이론가"라는 이름의 전시회를 열었다. 벤야민의 사상을 벤야민식으로 전시한다는 취지에 맞게 전시장 공간은 "파국과 구원" / "파국과 깨어남"이라는 양 극단의 관계가 드러날 수 있는 방향으로 구성되었다. 그중 첫 전시장의 5개로 나뉘어진 공간은 각각 "유년기-넝마주의-파괴적 성격-범속한 트임-혁명적 행위와 메시아적 시간" 등의 주제에 바쳐졌으며, 이 모든 주제들은 또한 "신화와 계몽, 신학과 맑스주의, 메시아적 시간과 경험주의적 시간, 꿈의 시간과 깨어남"이라는 대립쌍의 긴장된 관계 속에서 형상화되었다.15) 이러한 구성을 통해 전시회를 준비한 사람들은 벤야민의 비체계적이며 모방적-구체적인 사유방식과 극단적 현상들의 몽타쥬식 배열을 통한 이념의 기술(記述)방식에 충실하고자 했던 것이다. 여전히 신화적 폭력의 관련망으로 파악되고 있는, 폐허의 잔해만을 쌓으며 파국을 향해 치닫는 현재는 그러나 자체 내에 구원의 섬광을 품고 있다. 유대교의 메시아주의는 역사의 매 순간을 메시아가 나타나 그 왜곡을 바로잡을 수 있는 문으로 이해한다. 그리고 탈무드는 현세의 삶의 타락이 그 마지막 밑바닥에 다다랐을 때 메시아가 나타난다고도 지적한다. 벤야민은 역사를 중단없이 죽음에 내맡겨진 자연사로 간주하면서, 바로 그렇기 때문에 거기서 역설적으로 구원의 가능성을 본다. 어차피 구원을 모르는 자연으로서의 역사라면 빨리 파괴될수록 구원에 다가가는 것이기 때문이다. 그래서 "파괴적 동력이 강한 것처럼, 참된 역사 서술에서 구원의 동력은 강하다(GS I, S. 1242)"라는 진술이 가능해진다. 이 구원의 순간이 역사가 잠에서 깨어나는 순간이다.

벤야민은 한 시대를 읽어내는 시각을 위해 꿈의 모티브를 사용한다. 사

---

15) Bucklicht Männlein und Engel der Geschichte. Walter Benjamin Theoretiker der Moderne, Werkbund-Archiv, Berlin 1990, S. 13.

람의 꿈 속에서 욕망과 공포가 수수께끼같은 형태로 나타나듯이 한 시대도 자신의 본래 모습을 유행과 건축물, 키취와 광고 등의 암호를 통해 드러낸 다. 이 암호들은 단순히 보여져서는 안 된다. 읽혀지고 풀려져야 한다.(GS V, S. 491 f. 참조) 꿈 속에 나타난 개별적 이미지들이 그렇듯이 시대의 암 호들도 일정한 배열을 통해서만 어떤 하나의 "의미"로 독해될 수 있다.

꿈과 깨어남의 중간지대에 살면서 꿈에 나타난 이미지들을 깨어남의 상 태로 수집해 나르는, 즉 구출해 내는 작업을 수행하는 사람이 바로 "대도시 산보자" 혹은 "넝마주의"이다. 꿈 속과 깨어남의 문지방에서 이루어지는 인 지작용은 죽음의 문턱에 서 있는 사람의 눈앞에 그림책처럼 순식간에 펼쳐 지는 생의 중요한 단계들을 닮았으며, 벤야민이 "범속한 트임의 예비교육" 이라고 불렀던 도취적 상태가 가능케 해주는 경험과 유사하다. 대도시의 미로를 어슬렁거리는 산보자에게 밀려드는 이미지들과 인상들 또한 그와 동일한 인식구조를 지닌다. 신화와 합리성 사이를 오가는 이 상이한 이미 지들을 배열해 하나의 몽타쥬로 배열해 내는 것, 그것이 바로 대도시를 배 회하는 사람이 할 수 있는, 아니 해야 하는 일이다. 넝마주의의 모습은 그 러면 어떠한가? 넝마주의가 주워담는 것은 문명이 버린 쓰레기들이다. 사회 의 제도 안에서 제 기능을 잘 발휘하는 것들은 그의 관심사가 아니다. 그의 세심한 주의력을 끄는 것은 사용 불가능해진 것들, 주변적인 것들이다.

바로 그러한, 일정한 문맥에서-그것이 경제적인 것이든 문화-사회적인 것이든- 떨어져나온, 일견 서로 아무런 상관이 없는 듯 보이는 상이한 "쓰 레기들"에서 시대의 각인을 읽어낼 수 있다는 믿음은 이미 벤야민의 "독일 비극의 원천"에서도 주요한 인식론적 방식으로 작용하고 있다. 그에 따르면 이념은 "일회적이고 극단적인 것"(GS I.1, S. 215)들의 연관관계, 즉 배열에 서 드러나며, 바로크 예술의 연금술적 기술은 역사의 폐허 속에 놓여 있는, 일견 서로 모순된 파편들을 알레고리적으로 구성해 어떤 새로운 전체를 세 우는 데 놓여 있다. 파편들은 풍부한 의미의 잠재력을 지닌 자료이기 때문 이다.(GS I.1, S. 354 참조)

몰락의 시대일수록 파편을 알레고리적으로 구성하는 일의 중요성이 증대한다. 그리고 벤야민에 의하면 그가 살고 있는 20세기 초는 바로크 시대와 마찬가지로 몰락의 시대였던 것이다. 그러니까 관건이 되는 것은 의미를 많이 내장하고 있는 극단적인 파편들을 제대로 수집하여 새로운 구성물로 형상화시키는 일이다. 이때 요청되는 것이 바로 신화와 무의식의 세계를 포함하는 꿈과 합리성의 원칙에 바탕을 둔 현실 사이의 중간지대인 것이다.

> "발자크는 부르주와지의 폐허에 대해 말한 최초의 사람이다. 그러나 초현실주의에 와서 비로소 이 폐허에 대한 시야가 활짝 열리게 되었다. … 모든 시대는 다음 시대를 꿈꿀 뿐만 아니라 꿈꾸면서 깨어나고자 노력한다. 모든 시대는 자신의 종말을 자기 안에 간직하고 있으며─이미 헤겔이 인식했듯이─꾀로써 그 종말을 전개시킨다. 상품경제의 충격과 함께 우리는 부르주와지의 기념비들을 아직 그것들이 무너져 내리기 전에 폐허로 인식하기 시작한다." (GS V, S. 59)

물신적 성격 속에는 기만과 거짓, 그리고 조작 뿐만 아니라 꿈 속에서인양 유토피아적인 것이 숨겨져 있다는 것, 다시 말해 전체적으로 상품의 전시를 위해 배열된 대도시가 꿈에서 깨어나고자 노력하는 시대의 모습으로 읽힐 수 있다는 인식은 미완으로 끝난 "아케이드" 집필을 관류하는 흐름이었다.

3. 매체적 관점에서 본 벤야민의 예술론

아도르노가 여전히 자신의 전 미학이론을 '작품'의 개념에 몰두시키고 있었을 때, 벤야민은 예술영역의 확장(영화, 라디오 등)을 지지했을 뿐 아니라, 점차 그 윤곽을 뚜렷이 하기 시작하는 매체혁명을 내다보며 전통적인 자율적 작품, 즉 그가 아우라라는 개념으로 특징지웠던 작품과 이별을 고

한다. "울지 말 것. 비판적 진단의 어리석음. 이야기 대신 영화"(GS II, S. 128). 이 짧은 스타카토식 문구보다 벤야민의 미학적 입장을 더 잘 표현해 주는 것이 있을까? 이미 30년대 이래로 ("기술복제 시대의 예술작품") 벤야 민은 예술을 매체기술적 측면에 강조점을 두고 고찰하기 시작한다. 상이한 주제들, 즉 대도시-문학비평-언어철학-매체분석 등을 역사철학적으로 다루면서, 다시 말해 비판적인 역사성찰의 기반 위에서 천착하면서 벤야민 은 잠재되어 있는 의미가 현재화되어 다시금 중요성을 획득하게끔 한다. 이와 같은 비판적 해석학의 시선으로 그는 과거에 쓰여진 텍스트를 읽고, 보들레르를 탄생시켰던 19세기의 파리와 자신의 유년기를 읽으며, 그리하 여 마지막으로 영화와 라디오의 기호 속에 이루어지는 "활자시대"와의 종 말을 앞두고 이 새로이 등장하는 매체들을 이해하기에 이르른 것이다. 벤 야민은 인간이 이룩해 낸 문화적 업적을 역사적 변화 속에 있는 기술(技術) 로 이해한다. 다시 말해 끊임없이 변신하며 지양되는 기술 말이다. 이것을 잘 보여주는 것이 이야기 전통의 소멸과 소설 및 저널리즘의 출현을 분석 하고 있는 "이야기꾼"(1936) 에세이이며, 예술작품의 존재위상을 그것의 발 생맥락과 기능, 그리고 생산수단 하에서 질문하는 "기술복제 시대의 예술작 품"이다. 물론 벤야민이 (특히 채플린의 영화를 보면서) 영화기술에 부여했 던 "예술의 정치화"(GS I.2, S. 508)에 대한 기대, 즉 근대적인 대극장에 모 인 관객대중이 새로운, 비판적이고 성찰적인 공통체로 형성되고 그리하여 새로운 사회적 태도가 생겨날 것이라는 기대는, 모두가 너무나 잘 알고 있 듯이, 실현되지 않았다. 관객대중은 비판적 잠재력을 폭발시키지도 않았으 며, 필름이 돌아가는 곳 또한 명실상부한 대중이 집결하는 대극장이 아니 라, 약간의 관객들이 모이는 작은 공간이었다. 밀실에서 홀로 고독하게 활 자를 따라가는 소설의 독자처럼 이제 사람들은 뿔뿔이 흩어져 케이블 TV 나 비디오 앞에 앉아 있다. 쉬임없이 물흐르듯 흘러가는 화면 위의 영상들 은 사고 자체를 불필요한 것으로 만들어버린다. 그러나 벤야민은 모든 것 을 암호로 "읽는" 방식을 실천했었다. 그의 방식대로라면 적어도 영상의 흐름을 중지, 반복시킬 수 있는 비디오는 그나마 독법의 가능성을 제시한다고 볼 수 있다. 어차피 "구텐베르크-갈락시" 시대는 사라졌고, 영상매체는 감각인지의 코드를 바꾸어 놓았다. 문제는 "시간 속에서의 인지의 조직화"(GS I.2, S. 478)인 것이다. 따라서 우리는 영상기술 및 음향기술이 소위 예술작품의 조직화에 끼치는 영향은 무엇인가, 우리의 보는 습관이 그로써 어떻게 바뀌는가, 또는 벤야민이 영화의 뛰어난 방식으로 강조한 바 있는 충격효과는 어떤 반응을 유도하는가, 등에 대한 질문에 직면하여 이념의 역사나 기술의 역사와 나란히 벤야민이 필요하다고 여긴 "감각인지의 역사"에 대한 기술(記述)을 고려해 볼 수도 있을 것이다.

나가는 말

"정신적 불투명성"의 전환기에 시대가 꾸는 꿈의 암호들을 해독함으로써 시대를 악몽에서 깨울 수 있다고 믿은 벤야민의 낙관주의는 일종의 방법적 태도로 받아들여질 수 있을 것이다. "역사를 기술한다는 것은 역사를 인용한다는 것을 의미한다. 인용이라는 개념 속에는 그러나 그때마다의 역사적 사건이 그것의 관련망으로부터 찢겨져 나온다는 의미가 포함되어 있다."(GS V.1, S. 595) 진보와 지속에 대해, 그리고 도달할 목표에 대해 끊임없는 환상을 생산해 내는 역사주의나 통속 맑시즘에 반대하여 "파국의 이념 속에서"(GS V.1, S. 591) 역사를 "구성"(GS I.2, S. 701)하고자 했던 벤야민을 다시 읽는 것도 역사를 인용가능한 것으로 만들고자 하는 의지에서 나오는 것이리라. 새미

1960년대와 한국문학

대 담 : 염무웅(영남대 교수/독문학, 문학평론가)
진 행 : 김윤태(본지 편집위원, 문학평론가)
일 시 : 1997년 1월 29일(수요일)
장 소 : 대구 영남일보 회의실

김윤태 : 안녕하십니까? 선생님과 더불어 <작가연구> 대담을 가지게 된 것을 더없는 영광이라고 생각합니다. 선생님 덕분에 오랜만에 대구 구경까지 하게 되어 즐거운 마음이 더합니다.

오늘 다룰 중심 주제는 거칠게 보면 60년대 문학 전반에 대한 것입니다. 선생님께서 "60년대는 4.19 혁명으로부터 비롯된다"고 하신 글을 읽은 바 있는데, 아무튼 4.19에 대해서는 여러 가지 말들이 많습니다. 혁명이냐 의거냐 라는 논란에서부터 자체완결적이냐 미완적이냐 라는 문제에 이르기까지 4.19를 바라보는 관점은 다양한 스펙트럼을 가지고 있습니다. 이와 관련하여 먼저 4.19에 대한 성격 규정을 먼저 해주시고, 그리고 60년대 문학과 관련해서는 요즘 이런 견해가 있는 듯합니다. 가령 평론계 일부에서는 한글세대니 4.19세대니 하는 이름으로 이전 세대와의 차별성 부각을 통해, 꼭 단절이라고 하기는 곤란하긴 하지만, 다소는 단절론 내지 세대론적인 혐의를 가진 견해가 있었고, 지금에도 젊은 평론가들 가운데 이런 논리를 이어받아 자신의 입지를 견지하려는 사람들도 있는 것 같습니다.

그에 비해 저희 <작가연구>에서는 50년대와의 연속선상에서 문학사를 보려고 하는 견해입니다. 창간호에서 한수영씨가 50년대의 진보당 사건이나 정태용의 민족문학론이라든지, 작가로서는 하근찬·오영수·박봉우·신동문 같은 이들을 주목하면서 연속성의 문제를 제기한 셈이지요. 또 역시 창간호에서 50년대 문학을, 유종호 선생님과의 대담을 통해 이미 어느 정도 정리한 바 있는데, 이번 대담도 그 연장선에서 이루어진다고 할 수 있습니다.

선생님께서는 개인적으로 보자면 4.19와 더불어 대학 시절을, 가장 젊음이 왕성한 시기를 보내신 것으로 알고 있습니다. 당시의 민족현실이라든지 국내외적인 상황을, 4.19를 중심으로 풀어주시면 좋겠습니다.

4.19의 민족사적 혹은 문학사적 의의

염무웅 : 50년대와 60년대 사이에 어떤 단절이랄까 차별적인 측면이 더 많은가, 아니면 연속적이 측면이 강하냐 하는 문제제기를 하셨는데, 그에 앞서서 저는 50년대, 60년대만 이 아니라 멀리 구한말부터 일제 식민지시대를 거쳐 오늘에 이르는 전체적인 역사의 흐름 속에서 우리 시대를 바라보아야 한다고 생각합니다. 아시다시피 우리 조선 왕조가 망해가고 제국주의 외세가 침략해 들어오고 하면서 근대적인 각성이 일어나고, 그런 과정의 일환으로 근대적인 의미의 민족운동 및 민족문학운동이 점차 본격화되는데, 그러한 민족역량과 그 민족역량에 반대되는 것--그것이 외세일 수도 있고 국내 매판세력 내지 사대주의 세력일 수도 있지만--그런 서로 적대적인 두 세력 사이의 끊임없는 밀고 당기기의 연속이 우리 근대사였다고 볼 수 있지 않겠는가. 그리고 그런 관점에서 민족세력의 점진적인 성장과 승리의 과정, 아직 완전히 승리했다고 보기는 지금도 어렵지만 우리의 주체적 역량이 반민족·비민족세력을 이겨 나가는 과정으로 큰 줄기를 볼 수 있지 않겠는가. 그렇게 생각해 볼 때 일제 식민지 시대라든가 6.25전쟁이라든가 이런 것들은 분명히 우리 민족역량의 성장과 발전에 일대 타격을 가한 기간이었고, 또 그런 사건이었다고 보아야 할 것입니다. 우리가 일제 식민지로 되었다는 것 자체가 외세의 침략을 민족의 주체적인 힘으로 극복하는 데 실패함으로써 식민지가 된 것이고, 또 해방 후 외세에 의해서 분단된 것도 민족역량이 분단을 이겨낼 만큼 충분히 성숙하지 못했기 때문에 전쟁이라는 참화까지 겪었던 것 아닙니까?

특히 50년대라고 하는 것은, 그런 민족사적 관점에서 볼 때, 저로서는 가장 암담한 기간이었다고 생각합니다. 친미의 옷으로 갈아입은 친일파를 기반으로 한 이승만 독재정권의 부패라든가 탄압, 이런 것들이 아주 심했고, 그래서 사회 전체적으로 6.25 직후의 절대적인 빈곤과 혼

"4.19에서 더 중요한 측면은 민족주의적인 것이고, 또 민주주의를 위한 투쟁이 아닌가 합니다. 그것이 70년대를 거쳐서 오늘에 이르는 민족문학의 물꼬를 튼 것이 아니겠는가……"

염무웅 : 1941년 강원 속초 생. 영남대 교수. 평론집으로 『민중시대의 문학』『혼돈의 시대에 구상하는 문학의 논리』등이 있음.

란, 여기에 겹쳐서 사상적인 경직이라든가 이런 측면에서 50년대의 전체적인 분위기는 암울했던 것 같애요. 문학 내지 문화적인 측면에서도 반공냉전 이데올로기가 너무나 압도적이어서 그것과 다른 목소리, 다른 눈으로 보려고 하는 관점들은--물론 산발적으로 없지는 않았지만--전체적으로 볼 때는 참으로 빈약하기 짝이 없었던 것 같애요. 물론 50년대 중후반경에 조봉암 씨의 진보당 운동이 있기는 했지만, 사실은 조봉암 자신이 정통적인 사회주의 진보세력의 계승자라기보다는 제1공화국 초기 이승만 밑에서 농림부 장관을 한 사람이고, 물론 양심적인 정치가였다고 알기는 하지만 이승만체제를 전면적으로 개혁할 대안적 비젼을 가진 세력의 대표로 볼

수는 있겠는가. 그러나 그런 정도의 진보적인 세력마저도 이승만 정권에 의해서 사형이라는 최악의 운명을 맞이했죠. 하여간 50년대가 문학적인 측면에서 보더라도, 물론 신동문 씨나 박봉우 씨 같은 시인들이 있었고 뭔가 다른 목소리를 내는 분들이 있기는 했지만, 오늘날의 눈으로 볼 때는 소박한 정의감 이상의 것이라고 보기는 어렵지 않겠는가 하는 생각이 들어요.

그런 점에서 저는 4.19에 의해서 열려진 60년대는 일단 50년대에 대한 거부라고 보는 것이 옳다고 봅니다. 다시 말하면 친미·반공 일변도의 이승만체제에 대한 반대, 그것의 거부로서 60년대의 역사적 의의를 봐야지 않겠는가 생각합니다. 물론 4.19 자체는 여러 가지로 평가를

"새로운 민족문학적인 기운이 본격화되는 것은 60년대 후반부터라 할 수 있겠고, 그 점에서 4·19가 문학사적인 의미를 획득하면서 그 결실로 맺어지는 게 그 무렵이 아닌가 합니다."

김윤태 : 1959년 경북 김천 생. 서울대 국문과 박사과정 수료. 주요 논문으로 「4·19혁명과 민족현실의 발견」, 「이상화론」 등이 있음.

할 수 있죠. 예방혁명이라는 말도 있고, 미완혁명이라는 말도 있고, 기타 여러 면에서 본격적으로 그 의미가 해석되어야 하겠지만, 여하튼 분명한 것은 4.19는 이승만 정권의 침체된 분위기를 일신해서 이제 우리도 민주주의를 할 수 있다는 자신감을 온 국민들에게 심어 줬죠. 50년대만 하더라도 어떤 외신 기자가 "한국에서 민주주의를 바라는 것은 쓰레기통에서 장미꽃이 피기를 바라는 것이나 마찬가지다"라는 말을 했을 정도로 절망적인 분위기가 팽배했습니다. 그런데 4.19와 더불어 자신감이 생겼고 희망이 살아났어요. 그 이후 물론 1년 남짓만에 5.16이 일어나서 4.19의 민주주의적·민족주의적인 지향을 짓밟았지요. 그러나 5.16 주체세력인 군사정부조

차도 4.19가 지향했던 자유와 민주주의, 민족주의적인 측면들을 정면으로 공공연하게 거부하지는 못했습니다. 다시 말하면 우리 사회에서 이제는 그 누구도 거부할 수 없는 가치를 심어준 것이 4.19였다고 생각합니다. 특히 저는 대학교 1학년 때 4.19를 맞이했고 그후 4.19에 의해서 양성된 자유로운 대학 분위기에서 학창생활을 보내면서 그때 흡수한 자양분, 이것이 지금까지 40년 가까운 제 삶의 원천이고 기준이고, 그때 심어졌던 마음이 지금도 저에게는 문학적인 측면에서만 아니라 살아가는 데 있어서도 근원적인 동력의 역할을 한다고 느낍니다. 그런 점에 있어서는 저로서는 50년대와 60년대를 연속적으로 보는 것보다는 오히려 50년대의 암울했던 분위

기를 깨고 새로운 것을 여는 사건으로 4.19를 보아야만 60년대 이후 지금까지 전개되어 온 활기에 넘친 민족운동, 민족문학운동이 뜻을 가지지 않겠는가 생각합니다.

김 : 문학사적인 측면에서 보자면 어떻겠습니까? 다시 말해 50년대말 일부 문인들에게서는 이미 4.19를 예감이라도 하는 듯한 글들을 내놓곤 했습니다만, 4.19를 계기로 문학사적으로 달라지는 것이 무엇인가를 따져보는 일이 필요할 것 같습니다.

염 : 물론 50년대 후반쯤에 가면 50년대적 분위기로부터의 일탈현상들을 산발적으로 목격할 수 있습니다. 박봉우 씨의 「휴전선」이라는 시도 그렇고 김수영 씨의 시들도 그렇고, 신동엽 시인도 59년에 조선일보에 데뷔를 했죠. 뿐만 아니라 60년대에 와서 본격화된 최인훈이라든가, 남정현·이호철·서기원… 이런 작가들도 이미 50년대 후반에 등장을 합니다. 신경림 씨도 이미 50년대에 등장을 했고요. 그렇기는 하지만 그들이 50년대를 전면적으로 거부하고 새로운 민족문학의 전망을 가지고 등장했던 것은 아니었다고 봅니다. 뭔가 막연하게 이거는 아닌데 하는 정도의 불만이 표출되었던 것이지, 50년대적 질서에 대한 대안적인 전망을 가지고 나왔던 것은 아니라고 봅니다.

4.19와 그 이후 6.3사태라든가 70년대, 80년대까지 이어져 온 민족운동, 민주화운동, 또 민족문화운동과 비교했을 때 4.19가 가지는 결정적인 약점은 그것이 운동적 측면이 약했다는 점이지요. 6.3사태와 3선 개헌 반대투쟁 및 이후 80년대로 이어지는 민주화운동들은 지속적인 운동의 형태로 전개됐죠. 그러나 4.19는 어떤 의미에서 본다면 단발적인 사건의 측면이 더 강했죠. 또 그것과 연관되지만 6.3사태 이후의 민족운동들은 문화운동과 연계되어 있습니다. 말하자면 의식혁명운동을 거느리고 있었어요. 6.3사태만 하더라도 김지하 같은 사람이 거기에 주동적으로 참여하면서 풍물이라든가 노래패들을 동원했을 뿐만 아니라 문인, 지식인, 예술가들이 한일회담 반대 서명도 하고 그랬어요. 그래서 박두진 선생이라든가 이양하 선생이라든가… 이양하 씨는 잘

모르겠는데 이런 분들이 교직에서 쫓겨나고 그랬었죠. 종교인들도 그랬고요. 종교인, 교수, 예술가를 포함하는 지식인운동과 학생운동의 결합이야말로 70년대 민족운동의 성과입니다. 물론 80년대에는 여기서 한걸음 더 나아가지요. 가령 87년의 6월항쟁만 보더라도 단순한 학생운동, 지식인운동, 중산층운동에 국한되는 것이 아니라 그것들을 포괄하면서 당시로서 가능한 최대치의 대중성을 획득합니다. 또 분야별로 보더라도 호헌조치를 철폐하고 직선을 쟁취하자는 정치적인 측면에만 제한되지 않고, 노동운동·문화운동 등과의 다방면적인 연결을 이룩합니다. 이에 비하여 4.19는 그렇지 못했죠. 4.19는 거의 순수한 학생운동이었어요. 거기에 촉발되어서 후에 문화운동으로, 또는 일반 민주화운동 및 통일운동으로 확산되기는 했지만, 4.19 자체는 학생운동이었거든요. 그런 점에서 4.19는 한계를 가진다고 말할 수 있습니다. 그러나 4.19는 좁게는 1960년 4월에 있었던 일이지만 넓게는 3.15 또는 그 이전 2.28… 그때 2월 28일에 대구에서 고등학생들이 했죠. 2.28로부터 시작해서 6.3사태… 그러니까 60년대 내내 4.19가 지속되고 있었다고 본다면 그런 점에서는 넓게 볼 수 있는데, 적어도 60년 4월 그 자체는 학생운동이고 제한된 운동이었다고 봐야 할 것입니다.

그런데 원래 질문으로 돌아와 문학사적인 측면에서 살펴볼 때, 의식화되지 않은 형태로 젊은 시인과 작가들에 의해서 산발적으로 일어났던 움직임들이 4.19를 계기로 해서 중심을 찾고, 지난 50년대의 어용문학·관변문학을 극복하고자 하는 좀 더 조직적이고 지속적인 작업이 4.19에 의해서 열리지 않았는가, 저는 그렇게 봅니다. 가령 김수영 같은 시인을 예로 들어 봅시다. 물론 50년대에도 사회 현실에 대해서 상당한 정도 비판적인 의식을 갖고 있었지만 그것이 결정적으로 본격화된 것은 4.19라는 계기를 통해서였습니다. 60년대 김수영의 빛나는 활동은 4.19가 맺은 열매라고 생각합니다. 또 신동엽의 경우 김수영과 달리 처음부터 진보적인 의식을 갖고 있었죠. 신동엽 시인이 작고한 뒤 부여에 가서 들은 얘기인데, 처음에 신동엽 시비를 부소산성에 세울려고 했다고 그래요. 그런데 부여 유지들이 반대했다고 합니다.

신동엽이 젊은 날 좌익활동에 연루되었다고 들고 일어나는 바람에 그의 시비가 금강가로 밀려났다는 것이거든요. 그러나 어떻든 그의 민족문학적 지향 역시 4.19라는 계기를 만났기 때문에 개화할 수 있었던 것이 아닌가, 즉 4.19라는 햇빛과 물을 받았기 때문에 꽃을 피우고 열매를 맺었던 것이 아닌가, 그렇게 봅니다. 그런 점에서 4.19가 가지는 민족사적, 문학사적 의의는 마치 3.1운동이 일제시대사에서 그러하듯이 적어도 해방 후 남한 역사에서는 결정적인 전환점이었다고 봅니다.

김 : 주로 시인들의 예를 들어셨는데, 소설의 경우는 어떻습니까? 선생님께서 예전에 쓰신 5,60년대 문학을 평가한 어느 글을 보면 오영수나 하근찬 같은 작가들을 새롭게 주목할 필요가 있다는 말씀을 하셨습니다. 50년대 작가로서, 젊은 연구자들도 재미있게 읽은 작가가 오영수 선생이라고 할 수 있습니다만...

염 : 오영수 선생의 문학은 그런 역사적인 문맥에서 본다면, 글쎄요,

어떻게 평가를 해야 할지 저로서는 좀 망설여지는 바가 있습니다. 오영수라든가 전광용, 김광식 같은 분들은 말하자면 '지체된 등장'을 한 작가들입니다. 나이로 볼 때는 40년대에 데뷔했어야 할 작가들인데, 일제 말의 암흑기와 해방 후의 혼란을 겪는 동안에 늦게 등장을 했죠. 손창섭 씨도 그렇고 장용학 씨도 그렇습니다. 그러니까 거의 비슷한 세대로 우리가 알고 있는 서기원·이호철보다는 오히려 김동리·황순원과 더 가까운 연배의 작가들이죠. 다만 굴곡이 많은 우리 역사를 살다보니까 뒤늦게 등장한 작가들이죠. 오영수씨 자신은 6.25 직전에 데뷔를 했을 겁니다.

그리고 처음부터 끝까지 거의 일관된 경향이랄까 작품적인 성향을 견지했다고 보는데, 그 어떤 다른 사람과도 달리 끝내 단편 작가로서만 머물렀고, 또 우리의 60년대 후반 이후 산업화에 의해서 파괴되고 유린된 민중정서를 수채화같은 수많은 단편들로 아름답게 그려냄으로써 적어도 가령 50년대적 수준에서 본다면 당대의 유행사조들, 실존

주의라든가 주지주의 같은 서구 유행사조에 오염되어 있지 않은 작가죠. 일제시대의 이태준이나 김유정, 더 올라가서 나도향 등에 연결된다고 할 수 있겠는데, 비록 적극적으로 민족문학을 추구하지는 않았을지 모르지만 서구 일변도로 편향되어 있는 우리 문단 풍토에서 상대적으로 돋보이는 역할을 했다고 봅니다. 더군다나 오영수씨의 말기의 작품들은 파괴적인 산업화 현실에 대한 강력한 거부의사를 함축하고 있지요. 마지막 작품집에 보면 그 나름의 유토피아를 꿈꾸는 작품들이 나옵니다. 그러니까 도시화, 산업화는 사람이 살 세상이 못된다는, 그래서 상상적 낙원 속으로, 부서지지 않은 자연의 속으로 돌아가는 모습들을 보여 주는데요. 그것이 왜곡된 산업화에 대한 진정한 대안적 비판은 되지 않을지 모르지만, 그러나 독자들에게 사람답게 사는 것이 무엇인가에 대한 끊임없는 환기작용을 함으로써 그 나름의 비판적인 의의를 갖고 있다고 보거든요.

제가 오영수 선생의 작품을 완전히 통독한 것도 아니고 그나마 오래 전에 읽어 기억이 희미하기도 해서 단정적으로 말하기는 어렵지만, 그의 문학은 문단의 어떤 주도적인 흐름과 대비됨으로써 빛을 발하는 그런 세계가 아닌가 합니다. 가령 시로 말하면 박재삼과 같은, 전통적인 서정시들의 소설적 대응, 그런 측면이 있는 것 같아요. 어떤 면에서 하근찬 씨와도 일맥상통하는 측면이 있죠. 하근찬 씨는 좀 더 의식적이지만, 그런 따뜻한 농촌정서 내지 서민정서, 이런 것을 간직한 작가로서 너무 파묻혀 있는 분이 아니냐 하는 느낌을 갖죠.

김 : 그런데 하근찬의 경우는 민중정서를 그리면서도 현실과의 긴장이 소설 속에 존재하지 않습니까? 오영수는 그런 점이 다소 부족하지 않은가 싶기도 한데요?

염 : 이건 누군가에게 들은 이야긴데, 하근찬 씨의 부친이 국민학교 교장을 하시다가 6.25 때 공산당한테 당했다고 그래요. 그러니까 그의 의식 의 밑바닥에는 계급적 이념에 대한 공포심과 적개심이 있으리라

고 짐작합니다. 그런데 하근찬 씨의 뛰어난 점은 그런 개인적 경험의 한계를 극복하여 민족적 현실과 민중정서의 세계를 차분하게 자신의 문학 속에 담아낸 점입니다. 요컨대 그의 소설에는 어떤 이념적 편향이 없어요. 요컨대 힘없는 백성들의 설움과 분노가 단편 형식에 알맞는 규모로 형상화되어 있습니다. 그런데 『야호』라는 장편을 쓰기 시작하면서 70년대 이후 하근찬 씨의 작업들은 대개 회고적인 방향으로 나가죠. 더 이상 밀고 나갈 수 없는 것이 보이기 시작합니다. 그러나 50년대 말부터 60년대까지 하근찬의 소설들은 그 당시로서는 최량의 업적이라고 생각합니다.

당대의 문학적 풍경과 문학 수업

김 : 제가 하근찬이나 오영수를 주목한 것도 50년대에서 60년대로 넘어가는 시기에서 비교적 견실하고 양심적인 작가들이 아니었는가 하는 점 때문이었습니다. 그러면 화제를 약간 바꾸어 좀 개인적인 질

문입니다만, 선생님의 독서체험, 그러니까 문학을 공부하게 된, 어떤 원체험으로서의 독서 편력이 궁금해집니다.

염 : 문인들이 대개 그렇겠지만 어려서부터 소설을 아주 좋아했어요. 그런데 유감스럽게도 촌에서 살았기 때문에 주위에 책이 많지 않았어요. 소년 시절 이광수, 김내성, 정비석, 이런 대중작가들을 많이 읽었지요. 『삼국지』니 『수호지』니 하는 것은 물론 몇 차례씩 읽었고요. 그리고 특이하게도 제가 어려서 주위에서는 19세기의 통속소설이라고 할 수 있는 『옥루몽』 같은 것을 열심히 읽었어요. 그런데 중학생 때는 이상하게도 김내성의 소설에 빠져서 그의 작품을 거의 전부 구해 읽었어요.

그러다가 중학교를 졸업하고 고등학교에 들어가기 전에, 그게 1957년 초인데요. 대학 입시생이 우리 집에 잠시 하숙을 했는데, 그 사람이 시험을 보러 오면서 사과 상자로 몇 상자 책을 가지고 왔더라고요. 나는 이렇게 책이 많은 사람이

있나 깜짝 놀랐죠. 후에 알았지만 그는 고등학교 때 천승세, 최하림 같은 동기생들과 동인활동까지 한 문학청년이었습니다. 아무튼 그때 얼마 동안 집중적인 독서를 했는데, 특히 손창섭 씨의 「비오는 날」을 읽고서는 커다란 충격을 받았어요. 그 암울한 세계가 그 동안 읽어 온 이야기로부터 본격적인 문학으로 돌리게 되는 하나의 계기가 되어서 그때부터는 책을 무척 많이 읽었죠.

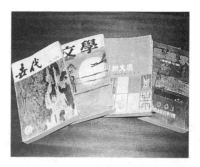

특히 <사상계>나 <현대문학> 같은 것들은 거의 매달 봤어요. 그때 몰두했던 것이 함석헌 선생인데, 그의 글이 연재되던 1958년에는 <사상계>가 나올 무렵이면 책방에 가서 오늘 나오나 내일 나오나 기다리다가 사가지고 집에 오는 동안 읽기도 하고 그랬던 기억이 나요.

김 : 선생님, 어디서 고등학교를 다니신 겁니까?

염 : 충청남도 공주입니다. 공주 사대 부고를 다녔는데, 그때는 자동차가 거의 없으니 길 가면서 책을 읽을 수 있었어요. 소설책들은 대개 대본점에서 빌려다 봤고, 욕심나는 건 아버지한테 거짓말을 해서 돈을 타서 샀지요. 백수사(白水社)란 출판사에서 나온 세 권짜리 단편선집을 샀을 때엔 얼마나 기뻤던지요. 당시로서는 아주 호화판이었습니다. 62년인가에 다섯 권짜리로 다시 나왔는데, 그건 못봤어요. 하여간 고등학교 때는 손창섭, 선우휘, 오상원, 추식, 그런 작가들에게 매혹이 되었습니다.

김 : 외국작가들의 경우는 어떻습니까?

염 : 그때는 번역판이 많지 않았습니다. 언젠가 「좁은 문」을 읽었는데 재미가 없더라고요. 그리고 싸르트르니 까뮈니 하는 작가들이 유행을 했죠. 마침 그 무렵 까뮈가 노벨

상을 타서 그의 「전락」을 읽는데, 아주 고역이라고 생각하면서 겨우 읽었어요. 그리고 역시 당시 <사상계>에 안병욱씨가 '현대사상강좌'라고 해서 매호마다 실존주의, 분석철학 같은 것을 연재를 했는데, 그것도 아주 탐독을 했죠. 그래서 철학과를 가느냐 국문과를 가느냐 고민하다가 그 절충으로 독문과를 갔어요.(일동 웃음) 왠지 독일어를 하면 문학과 철학을 동시에 할 수 있을 것 같고, 또 당시는 취직난이었던 시절이니까 독일어 선생으로 취직을 하면 어떨까 하는 생각도 있고 해서 독문과를 갔죠.

김 : 소설을 그렇게 즐겨 읽으셨으면 응당 소년기에 창작을 해보고 싶은 충동도 없지 않으셨을 것 같은데요?

염 : 물론 문학한다는 사람 치고 한두 편 안 써 본 사람 없겠죠. 평론을 하든 뭐를 하든… 그런데 나는 그게 안맞는다는 것이 느껴지더라고요. 구체적인 묘사를 못하겠어요. 자꾸 개념적 어휘들이 나와요.

그렇게 하면 안되잖아요. 체험이 너무 없고… 형상적 묘사를 해야 하는데. 영화를 보거나 소설을 읽고 나서 요약을 할 때도 개념적으로 요약이 되지, 형상적으로 재미있게 얘기가 옮겨지지 않아요. 그래서 이건 안되겠구나 싶어… 물론 대학시절까지 끄적거리기는 했습니다. 60년대 초에 서울 문리대에서 나온 <새세대>라는 신문이 있는데, 거기에 시를 발표하기도 했어요.(웃음)

김 : 그러면 선생님 대학 시절의 독서체험에 대해서도 말씀해 주시죠.

염 : 대학시절에 와서는 상당히 달라졌어요. 아무래도 독문과를 들어가게 되니까… 전부터 읽던 <사상계>는 계속 읽었고, <현대문학>을 끊은 대신에 <새벽>이라는 잡지를 구독했습니다. 최인훈씨의 「광장」이나 선우휘씨의 「깃발없는 기수」 같은 긴 작품을 일거에 전재하기도 하고 그랬어요. 아주 파격적인 편집을 해서 상당히 호응을 많이 받았죠. 원래 <새벽>이라는 잡지는 30년

대에 나온 홍사단 계통의 <동광> 후신으로서, 장이욱씨가 발행인이고 주요한씨가 편집인, 김재순씨가 편집장으로 되어 있어요. 그게 어떤 맥이냐면 바로 홍사단 계통이죠. 정치적으로 말하면 민주당 신파입니다.

당시 우리가 1학년 때는 영문과, 독문과, 불문과가 한 교실에서 1년간 교양과목을 들었어요. 그때 영문과에는 박태순·홍기창·정규웅이 있었고, 불문과에는 김승옥·김현·김치수가 있었고, 또 독문과에는 이청준·김광규·김주연이 있었죠. 다 한 교실에서 배웠죠. 그러다 보니까 서구적인 분위기가 조성되고… 오히려 고등학교 때는 우리 문학에 몰두해 있었다면, 대학 와서는 아무래도 외국문학을 공부할 수밖에 없었는데, 가난하니까 다 아르바이트하고 그러느라고 충분히 공부할 시간이 없었습니다.

그 무렵 나 혼자 열심히 읽은 이론서로 말하면, 한스 세들마이어라는 미학자 겸 미술사가의 『현대예술의 혁명』 『중심의 상실』 같은 책들입니다. 또 후고 프리드리히의 『근대시의 구조』도 노트에 번역까지 해가면서 읽었지요. 영어로 읽은 것은 I.A.Richards의 의미론적인 계통의 책을 좀 봤고… 그러니까 대학시절에 내가 받은 이론적 영향은 형식미학적인 것, 양식사적인 이론들, 그리고 의미론적인 그런 쪽입니다. 김현, 김승옥 등의 친구들과 <산문시대>라는 동인을 하면서 거기에 「현대성 논고」라는 글을 연재했는데, 그게 사실은 독창적인 글이 아니라 세들마이어에 바탕해서 그것을 내 식으로 정리한 레포트 같은 것이지요.

김 : 선생님, 제가 알기론 <산문시대>가 그리 오래 가지 않았던 듯싶은데, 그 글을 끝까지 다 실으셨습니까?

염 : 아니요. 두 번 싣고서 5호에서 끝났을 겁니다. 첫번째 권은 62년에 나왔죠. <산문시대>는 처음 김현, 김승옥, 최하림, 세 사람으로 시작했을 겁니다. 그러다가 매 호 내면서 한 사람씩 늘어났죠. 나는 3호인가 4호부터 동인이 돼서 두

호 더 내고 끝이 났어요. 그러니까 대학 시절에 공부한 문학이론은 소년 시절에 심취했던 함석헌이라든가, 선우휘·손창섭과는 다른, 말하자면 완전히 이론의 세례를 받은 것이죠.

김 : 그 「현대성 논고」의 마지막 귀절에 "순수문학이라는 것이 불가능하다"라고 하셨는데…

염 : 그거 말하자면 베낀 겁니다. 그걸 복사해 오셨습니까? 어디 좀 봅시다. 나도 까맣게 잊어버린 것인데… 한번 써놓으면 영원히 원수처럼 따라 다니는구나.(일동 웃음) 거창한 계획을 세워놨네.

거창하게 계획을 세웠지만 두 번으로 중단됐어요. 순수성 문제 역시 한스 세들마이어의 『현대예술의 혁명』에 나오는 이론을 그냥 내가 집어온 거죠. 오래 전에 읽은 거라서 다 잊어버렸는데, 한스 세들마이어는 문학이나 그림이나 음악 등 여러 예술 분야를 다루면서 현대 예술이 근본적으로는 네 가지 경향을 보이고 있다는 거예요. 그 중의 하나가 순수성의 추구인데, 이 순수성의 추구라는 현대 예술의 경향이 본질적으로 벽에 부딪치고 있다는 얘기를 하죠. 그러니까 가령 그림에 있어서의 원근법이라는 것도 근대 미술에서부터 시작한 것인데, 원근법에 의해서 그림이 입체감을 갖는 것은 조소적인 요소가 그림에 도입된 거라는 겁니다. 그리고 아기를 안고 있는 어머니의 그림을 그려놓고서 거기에 「모정」이라는 제목을 붙여놓았다면 그 그림에는 문학적인 요소가 들어있다는 거죠. 그런데 20세기에 들어와서 칸딘스키 이후의 현대 회화는 그런 조소적인, 문학적인 요소를 그림으로부터 축출해 내고 순전히 회화적인 요소로서만 그림을 구성하려고 한다, 이게 말하자면 순수성의 추구라는 거죠. 현대시와 소설에 다 그런 경향이 있다는 겁니다. 그러나 특히 소설은 그것이 어렵다는 거죠. 사람 사는 얘기를 피할 수 없고, 그러다보면 아무래도 순수하게 소설적인 요소만으로 소설을 구성할 수 없는데, 그 예로 앙드레 지드의 「사전꾼들」을 예로 들었던 것 같아요. 지드가 어떻게 하면 소설적인 요소만으로, 즉 시적인 요소라든가 다른 사회적, 역사적인 요소를 다 배제하고 소설적인 요소만으로 순수한 소설을 구성해 보려고 하는데 잘 안 되더라. 시의 경우, 가령 다다이즘이나 초현실주의 시에서는 다른 음악적 요소, 회화적 요소들을 전부 배제하고 순수한 언어적인 요소만으로 시를 만들어볼 수 없는가 하는 엄청나게 실험적인 시들이 있어요. 그런데 결국은 실패합니다. 그러니까 순수한 것을 추구하는 것이 현대 예술의 한 경향이기는 한데, 이것이 벽에 부딪치더라는 겁니다. 우리 문단에서 통용되는 순수문학이니 순수시니 하는 것과는 개념이 상당히 다르죠.

김 : 그러면 그 글은 당시 순수문학에 대한 비판과 어떤 연관이 있지 않은 셈이군요?

염 : 그렇죠. 사실 저는 우리 문단의 움직임에 대해서는 둔감했어요. 작품 읽기는 좋아했지만 이론서적 읽기는 좋아하지 않았어요. 이어

령 씨의 글 정도를 재미있게 읽었어요. 그렇지만 딱딱한 이론책은 많이 읽지 못해서 김동리 씨라든가 이런 분들이 얘기한 순수문학의 개념은 제대로 파악하지 못했어요. 명색이 비평가로 데뷔하면서 그런 걸 차츰 알게 됐지요.

김 : 당시 대학에서의 학풍은 어땠습니까? 가령 선생님보다 조금 앞 세대분들은 뉴크리티시즘을 상당히 공부하신 걸로 압니다만, 특히 국문학의 경우 뉴크리티시즘을 백철이 소개하고 정병욱 선생님이 이걸 국문학에 적용하는 등 대단한 열풍이었다고 들었습니다. 그래서인지 그로부터 거의 20년 가까이 지난 저희 또래들도 자연 그런 영향을 받으며 공부할 정도였지요. 독문과나 영문과의 사정은 어땠습니까?

염 : 뉴크리티시즘은 방금 김선생이 얘기했다시피 백철 씨가 앞장서서 소개했어요. 그 분이 58년에 미국에 1년 가 있으면서 클리언스 브룩스 등의 뉴크리틱스들을 만나고 와서 계몽적인 글을 썼습니다. 그러

나 백철 씨의 비평활동 자체가 뉴크리티시즘의 방법론을 제대로 활용했다는 증거는 별로 없는 것 같아요. 오히려 서울대학 국문과를 중심으로 해서 실질적인 업적이 나왔을 겁니다. 그러나 불문과나 독문과는 별로... 영문과도 제가 보기에는 그렇게 대단한 열풍이 아니었다고 봐요. 오히려 국문과의 외국문학 컴플렉스와 연관이 있을 겁니다. 정병욱 선생과 백철 선생은 사실 개인적으로 가까운 사이이고 신구문화사 그룹인데, 그분들이 중심이 돼서 뉴크리티시즘을 했고, 외국문학과에서는 뉴크리티시즘에 대해서 시큰둥하게… 적어도 우리 독문과하고 불문과에서는 뉴크리티시즘 얘기는 없었어요.

우리 독문과에서 대학 시절에 선풍을 일으킨 분은 이동승 교수였습니다. 저에게 한스 세들마이어나 후고 프리드리히를 소개해주신 분이 바로 이동승 선생입니다. 또 파울 첼란이라든가 잉게보르흐 바하만, 하인리히 뵐 같은 전후 독일의 새로운 문학세계를 소개한 것도 그분이었어요. 그리고 60년대 전반기의

독문과에서는 빌헬름 엠리히나 볼프강 카이저 같은 문예학자나 이론가들을 읽었죠. 물론 그들이 뉴크리티시즘과 관계가 없는 것은 아닙니다. 넓은 의미에서 그들은 러시아 형식주의의 후예들이고, 루카치를 비롯한 맑시즘 미학과 대척적인 위치에 있었다고 말할 수 있지요.

김 : 그러면 선생님께서는 공부하실 때 모더니즘이나 실존주의 이론은 많이 보신 편입니까?

염 : 그 무렵 엘리엇이나 싸르트르의 글 한두 편을 읽지 않은 문학도는 없을 겁니다. 나도 번역을 통해서이긴 하지만 꽤 읽었지요. 따라서 실존주의의 개념이랄까 사고방식에 어느 정도 영향을 받았을 겁니다. 그렇지만 내가 의식적으로 실존주의 위에 서 있다는 생각을 해본 적은 한번도 없어요. 그리고 모더니즘이라는 개념이 그때는 70년대 이후와 같이리얼리즘과의 대립구도 속에서 정착되기 이전이었기 때문에, 서양의 새로운 이론들은 다 흥미를 가지고 이것도 보고 저것도

보고 했죠. 그 무렵 나를 사로잡은 학과목은 실은 미학과 심리학이었습니다. 내가 첫번째 쓴 평론이 「죄인훈론」인데, 정신분석학적인 방법을 적용해서 쓴 글이예요. 64년도 경향신문 신춘문예 당선작인데…

선대비평가 중에서 제일 영향을 받았달까 매력을 느낀 사람은 역시 이어령 씨죠. 그건 부인할 수 없습니다. 그런데 50년대 말경의 이어령 씨는 저항문학의 기수였어요. 「왜 저항하는가」「작가의 책임」 등 싸르트르의 앙가주망 이론에 근거해서 작가의 사회적 책임을 강조하고 저항적인 뉘앙스를 풍기는 글들을 썼었죠. 이어령 씨의 첫 평론집 제목이 『저항의 문학』 아니어요? 거기에 매력을 느꼈고요. 하지만 지금 읽어볼 때는 아주 역겨워요. 외래어와 외국어도 너무 많고, 또 이어령 세대만 해도 일본어의 영향을 많이 받았기 때문에 일본문체 냄새가 많이 나지요. 그러나 당시 읽을 때는 아주 매력적인 문장이었죠.

김 : 이어령 선생에 대한 언급이 나온 김에 50년대 비평가들 얘기를 좀 하죠. 잘 알려지지 않았지만 정태용 같은 분은…

염 : 정태용씨는 저는 주목을 못 했었어요. 최일수 · 이철범 · 정창범 · 홍사중, 이런 분들이 50년대 후반에 활동을 많이 한 비평가들인데, 참 답답하고 재미가 없더라고요. 이어령 씨 같이 쌈빡하게 끄는 것이 없었어요. 이어령 씨 다음에는 역시 유종호 씨죠. 중후하고 신뢰성이 가고… 그러니까 이어령 씨한테 화끈하게 매혹이 됐다가 실망하면서 유종호 씨 비평이 신뢰감이 가는구나, 이런 쪽으로 바뀌게 된 거지요.

신구문화사 시절과 현실에의 관심

김 : 아까 <산문시대>에 대해 잠깐 말씀하셨는데, 거기에 참여하시게 된 계기를 말씀해 주시지요?

염 : 아까도 말했다시피 교양학부 시절에 같이 배운 친구들이 여럿이 있었는데, 그 중에 제일 먼저 문단

에 데뷔한 것이 김승옥이에요. 「생명연습」이라는 작품으로 62년 한국일보에 당선했어요. 같은 해에 김현이 평론으로 <자유문학> 신인상에 당선됐고요. 김현과 같은 목포 출신의 최하림이 조선일보에 시가 당선되어, 이 세 사람이 동인을 만들었죠. 그 무렵 다들 가난했는데, 김현만이 꽤 여유가 있어서 동인지 만드는 자금을 댔을 겁니다. 이리(지금의 익산)의 가림출판사 사장이 또 아주 협조적이었다고 들었어요.

나는 당시 어렵게 고학하면서 공부하는 데 바빴고, 아직 문단에 나간다는 생각은 전혀 할 형편이 못 됐는데, 그 이듬해인 63년 초인가에 나보다 앞서서 김치수·강호무 등이 거기에 들어가고, 그리고 63년 초라고 기억되는데 하여간 3학년에서 4학년으로 올라갈 무렵에 김승옥이 강권을 하더군요. 처음에는 거절을 했죠. 나도 문단에 등장한 뒤에 같이 하겠다고 했어요. 그러나 결국은 <산문시대> 4집부터 참가를 했어요. 그래서 63년부터 4,5년 간 김현, 김승옥, 김치수 등과 이틀이 멀다 하고 같이 몰려 다니면서 술

마시고 떠들고 그야말로 희로애락을 같이 했죠. 그때는 굉장히 가깝게 지냈어요.

김 : 그 외에 더 참여하신 분은 없습니까? 이청준·박태순 선생 같은 분들은?

염 : 있습니다. 이청준이나 박태순은 안 들어왔고요. 저보다 더 늦게 들어온 사람이 김성일이라는 소설가입니다. 본명은 김두일인데, 서울 공대 기계과를 다니는 동안 <현대문학>에 「흑색시말서」라는 작품으로 추천받은 사람입니다. 또 서정인 씨도 늦게 들어왔죠. 서정인 씨는 우리보다 상당히 선배로서, 이미 「후송」을 가지고 <사상계>에 데뷔했는데, 군대갔다가 여러 해만에 복학을 해서 학교를 1년쯤 같이 다녔어요. 나이는 우리보다 5년쯤 위이죠. 김현·김승옥과 함께 삼선교에 있던 서정인 씨 하숙방을 찾아갔던 기억도 납니다. 그리고 불문학을 하던 곽광수도 들어왔어요. 64년에 나는 학교를 졸업하고 김현과 같이 대학원을 다니고 있었고, 김지하·

김승옥·박태순은 휴학하느라고 졸업을 못했는데, 우리가 아직 학생 신분이었지만 그래도 꽤 주목을 받았어요.

김 : 그런데 선생님께서는 그 후에 <산문시대>의 주요 동인들과는 상당히 다른 길로 나가신 셈인데, 그 경위를 말씀해 주시겠습니까?

염 : <산문시대>의 중심이 김현이라면 그런 셈이죠. 그러나 김승옥·최하림·서정인·곽광수 등 각자 자기의 길을 가게 된 겁니다. 그런데 그렇게 되기에 앞서서 얘기할 만한 것이 저로서는 '신구문화사' 시절입니다. 저는 64년에 경향신문에 평론을 투고해서 당선됐는데, 난생 처음 고백하자면 당시 내가 평론을 두 개를 써서 하나는 동아일보에 냈고 하나는 경향신문에 냈어요. 동아일보에 낸 것은 아까 말한 「현대성 논고」와 연관된 글인데, 20세기 서구문학의 사조를 정리한 것이었어요. 지금 생각하면 하나가 떨어지기가 천만다행입니다. 하여튼 당시 경향신문 논설위원이었던 이

어령 씨가 평론 심사를 했어요. 그리고 이어령 씨의 소개로 신구문화사라는 출판사에 64년 1월 말쯤에 취직을 했어요. 여기에서 빠뜨릴 수 없는 것이 학생 때 우리에게 커다란 영향을 끼친 책 중의 하나가 신구문화사에서 1960년 경 열 권으로 발간한 『전후문학전집』입니다. 그게 4.19 직후의 분위기와도 맞아 떨어졌고, 장정도 아주 모던했고 내용도 기성의 문협체제에서 만들어 낸 상투적인 것과는 다른 신선한 것이어서 당시 대학생들에게 선풍적인 매력과 인기를 끌었어요. 그 신구문화사의 고문 비슷한 일을 이어령 씨가 했어요.

내가 거기 들어가서 처음에 한 일이 뭐냐면... 당시 신구문화사에서 50년대 말 경에 『한국시인전집』이란 것을 대여섯 권쯤 내다가 완간하지 못하고 그만둔 것이 있어요. 본 적이 있습니까? 당시로서는 아주 호화판으로 책을 냈어요. 그걸 편집한 실무자가 『친일문학론』을 낸 임종국 선생입니다. 그분이 원래 자료 조사에는 탁월한 능력이 있으니까 대학원생급에 해당하는 사람들을

동원해서 국립도서관, 고대도서관, 연대도서관을 돌면서 잡지를 전부 뒤져가지고 카드 작업을 했어요. 그러니까 몇 년 몇 월 호 시면 시, 희곡이면 희곡, 대강 이런 것들을 한 작품에 한 카드로 만든 식인데, 그게 라면 상자 같은 것으로 수십 상자가 있었어요. 일제 때의 소설을 필사해 놓은 것도 수십 상자가 있더라고요. 그래서 내가 한 일은 그걸 정리하는 일이었어요. 그러니까 작가별 연대별로 정리하여 목록을 만들고, 필사해 놓은 작품들을 읽고 하는 작업인데, 이건 말하자면 국문과 대학원생들이 할 만한 일을 제가 출판사 직원으로서 일로 한 거예요. 후에 신구문화사에서 67년인가에 낸 『국어국문학사전』 뒤에 보면 작품 목록이 나오죠? 그걸 내가 만든 거죠. 아마 일제 시대의 소설·시·희곡 총목록은 아직 불완전한 것이기는 하지만 처음 만든 것일 겁니다. 원래 신구문화사가 의도한 것은 일제 시대 소설들을 가지고 『한국시인전집』에 연결되는 『한국소설전집』을 만들려고 했던 것 같애요. 그런데 결국 흐지부지되고

말았어요. 그 대신 65년쯤부터 3년 간에 걸쳐서 『한국현대문학전집』이라는 것을 18권을 만들었어요. 전체적인 윤곽을 만들고 한 것은 신동문 선생이었지만, 편집의 실무는 전적으로 제가 맡았어요. 그러느라 해방 후 등장한 작가들이 20년 가까이, 즉 65년까지 활동한 작가의 작품들은 거의 통독을 했죠. 그리고 신구문화사의 방침에 따라 작가론을 청탁하고, 대표적인 작품 서너 개를 골라서 작품해설을 부탁하고, 해설 맡을 평론가를 선정하는 것도 제가 했죠. 일제 시대 문학이나 해방 후 60년대 중반까지의 작품을, 물론 빠진 것이 많기는 하지만, 전체적으로 섭렵할 수 있는 기회를 그때 가진 셈이예요.

김 : 문학 공부의 기본이 작품 읽기라고들 하는데, 거기서 한국의 근현대문학에 대한 공부를 단단히 하신 거군요.

염 : 그렇죠. 취직해서 밥 벌어서 먹기 위해서 한 일이지만, 저로서는 그 이후 평론가로 활동하는 데 큰

자산이 됐고, 또 하나는 웬만한 문인들은 그때 다 알게 돼서 이것이 후에 <창작과비평>(이하 <창비>로 줄임) 편집을 할 때 또 자산이 됐죠.

신동문 선생과는 개인적으로도 아주 친했는데, 그분은 바둑을 좋아하시니까 명동에 '송원기원'이라고 조남철 씨가 하던 기원에 자주 갔었죠. 퇴근하고 거기 가서 신선생이 바둑 두시는 걸 두어 시간 쭈그리고 앉아서 보고 있으면 우리 같은 젊은 사람들이 많이 모여요. 신동문 사단이었던 셈이지요. 신동문 선생이 글은 많이 남기지 않았지만, 인품이 좋아서 그 주위에 많은 시인·작가들이 몰려 들었어요. 고은 씨, 이호철 씨, 김수영 씨도 오고. 바둑이 끝나면 곱창 굽는 집에 가서 소주 마시고 얘기하고 그런 문화가 있었죠. 내가 67년 말까지 꼭 4년간 신구문화사에 근무를 했는데, 그때 몇 년 간 신동문 선생과 보낸 것이 아주 즐거운 추억이예요. 그 무렵에는 김치수가 신구문화사에 같이 있었으니까 김현이나 김승옥도 자주 찾아와서, 신구문화사가 문인들의 가장 큰 사랑방이었죠. 백낙청

씨를 처음 알게 된 것도 신동문 선생 때문이죠.

김 : 백낙청 선생님이 선생님보다 얼마나 연배가 위이십니까?

염 : 3,4년 위입니다. 백낙청 씨는 제가 학부를 졸업한 직후인 64년에 서울대학에 전임으로 왔을 겁니다. 하지만 <창비>가 창간될 무렵만 해도 저는 그를 몰랐어요.

그런데 <산문시대> 이야기는... 아무튼 64년 경 종합지로서 <세대>, 문학지로서 <문학춘추> 등이 창간되어서 우리에게 발표 기회가 주어졌어요. 그러니까 자연히 동인지 활동은 흐지부지됐죠.

김 : 그 다음에 <68문학>이란 게 있지 않았습니까? 어디서 듣기로 독일의 '47그룹'를 흉내냈다는 말도 있던데, 선생님은 여기에는 참여를 안하셨는지요?

염 : 아니, 거기에 글을 냈어요.

김 : 그것도 일종의 동인지였습니

까?

염 : 준동인인데, <68문학>이라는
것이 구 <산문시대>와 황동규·정
현종이 하던 <사계> 동인의 결합이
예요. 그때까지 저는 김현·김치수
와 아주 가깝게 지내서 생각은 조
금씩 달라지고 있었지만, 「김동리
론」 비슷한 걸 거기 발표했습니다.

김 : 그러면 그후 선생님께서는
<창비> 쪽으로 가시고, <문학과지
성>(이하 <문지>로 줄임)이 70년에
창간되는데 여기에는 참여하지 않
으신 걸로 압니다만, 아무튼 그 동
인들이 서로 다른 행보를 한 셈인
데... 현실인식이랄까 흔히 말하는
의식화랄까, 선생님의 '의식화(?)'
과정이 궁금해집니다.(웃음)

염 : 학부 시절 서구적인 것에 쏠
렸다가, 신구문화사에 취직해서 『한
국문학전집』 편집도 하고 그러면서
다시 차츰 민족적인 것이랄까 우리
현실 문제에 다시 관심이 돌아오게
됐어요. 그러다가 67년 경에 백낙청
씨의 청탁을 받아서 하우저의 『문

학과 예술의 사회사』 번역을 맡게
됐죠. 사실 처음에 백낙청 씨에게
부탁을 받을 때는 '현대편'을 전부
제가 번역을 하기로 했는데 힘이
딸리기도 하고, 또 나도 글을 쓰기
도 해야겠고 해서 결국은 백선생과
둘이 교대로 번역을 하기로 했는데,
그 번역을 하면서 정말 공부를 많
이 했어요. 번역이라는 것이 단순히
말을 옮기는 것만은 아니거든요. 그
건 번역자가 원저자의 입장이 되어
원저자의 사유를 번역자의 언어로
되풀이하는 겁니다. 나 자신이 한번
하우저가 되어야 제대로 번역이 되
는데… 그러니까 내 입장에서는 하
우저를 번역하면서 대학원 2년 다
닌 것만큼 공부를 했다고 생각합니
다. 그러나 하우저 때문에 생각이
달라졌다기보다는 내 현실을 표현
할 수 있는 개념을 발견했달까, 생
각이 어느 정도 정리되었달까...

하여튼 근본적으로는 60년대
후반의 우리 현실 자체가 제 사유
의 토대였던 겁니다. 경제개발계
획이니 뭐니 해서 본격적인 산업
화에 접어들고, 또 박정희 1인독
재체제가 점점 굳어져 가고, 그러

니 민족현실이랄까 민중현실을 배제하고서는 자기 생각을 전개시킬 수 없도록 시대가 강요했던 것 아닙니까? 이런저런 계기가 있기는 하지만, 그런데 한 가지... 현실이 그렇지 않은데 책만 읽어서 생각이 바뀔 수는 없지 않겠는가 하는 겁니다.

김 : 현실 문제를 말씀하셨는데, 생각을 바뀌게 만든 계기가 되는 구체적인 사건 같은 것이 개인적으로 없었습니까?

염 : 사건이라기보다는… 68년에 서울대학교에 교양과정부라는 게 개설되면서 거기 독문과 조교로 갔어요. 불문과의 김현과 함께 갔지요. 그런데 그때 학생들이 교련반대 데모를 많이 했어요. 뒤이어 삼선개헌 반대 데모도 하고. 그럴 때마다 조교 하는 친구들은 학생들 뒤를 쫓아다녀야 했어요. 그러다보니 최루탄도 맞고 그 현장을 많이 보게 되죠. 저는 사실 대학 시절에는 데모 같은 데에 참가한 적이 거의 없었어요. 관심이 없었다기보다 여유가

없는 생활이었죠. 밤에는 가정교사를 하고 낮에는 강의실과 도서관에 묻혀 지냈습니다. 그러다가 조교 노릇을 하면서 학생운동의 현장을 접하게 된 겁니다.

그런데 하우저 번역을 하고 <창비> 편집에 관여하면서 적극적인 의미에서 사회의식을 갖게 됐는데, 그 무렵 김지하가 자주 저를 찾아왔어요. 돌이켜보면 그게 상당히 의도적인 접근이었던 것 같아요. 아무튼 그를 통해서 김현·김승옥과는 전혀 다른 세계에 접하게 되고 급속도로 거기 빨려들어가게 되었죠. 저로서는 말하자면 방향전환을 한 것인데, 그러고서 처음 쓴 글이 <창비> 67년 겨울호의 「선우휘론」입니다. 그 글 때문에 선우휘 씨한테서 '사회과학파'라는 지칭을 듣게 됐고, 그후 오랫동안 일종의 사상 시비에 휘말리게 됐습니다.

김 : 그럼 좀 더 노골적으로, 대학 시절에 맑스주의 쪽 서적을 읽으신 적이 있으신지요?

염 : 우리 대학 시절에는 책 구하

기가 참 어려웠어요. 그게 대학 시절이었는지 대학을 졸업한 뒤였는지는 분명치 않지만, 백효원인가 하는 사람이 번역한 『문학원론』이라는 걸 읽은 기억이 나고요. 또 루나차르스키의 『창작방법론』이라는 것을 마분지 책으로 읽은 것 같고요. 그리고 67년쯤에 김지하를 통해 이용악 같은 월북시인들을 알게 되었지요. 그의 시집 『오랑캐꽃』과 해방 직후 번역된 레닌의 책을 신동엽 시인과 서로 바꿔보았는데 되돌려주지 못하고 그 양반이 돌아가셨어요.

그러나 체계적으로 맑스주의 이론 공부를 한 바는 없어요. 루카치 정도만 하더라도 우리 학부 시절에 이름은 들었지만, 그런 이론 공부는 하나도 못했어요. 이념적 성향이 있는 책은 강의실에서 한번도 다루어진 적이 없어요. 그러니까 나같은 사람은 그야말로 오랜 암중모색 끝에 어렴풋이 "아, 맑스주의가 이런 거로구나, 사회주의 문학이론이 대충 이런 윤곽을 가진 거구나" 하고 짐작을 했지요. 이중삼중의 독법, 말하자면 행간을 읽어서 짐작을 한

거지요. 루카치 책은 70년에 들어와 얼마간 구했는데 그걸 제대로 공부하기도 전에 잡혀가서 다 뺏겼어요. 대학원 다니고 할 무렵에 동대문이나 인사동 다니면서 월북작가들 책도 상당히 많이 모아놨는데 그것도 일시에 뺏겼고요. 그러나 체계적 독서가 아닌, 우여곡절의 과정을 통해서 얻은 관점은 쉽게 허물어지지 않는 또다른 강점이 있죠. 난독의 경험 없이 계획적인 독서를 한 사람들의 경우 금방 거기에서 빠져나오는 것 같은데.

김 : 선생님의 글을 읽다보니까 프리체도 언급이 되던데요? 또 엥겔스의 '전형론'도 나오고요.

염 : 프리체 책도 후에 읽었죠. 『예술사회학』이라는 것인데 1920년대인가에 러시아에서 나온 책일 겁니다. 그게 해방 직후에 번역됐는데, 하우저의 『문학과 예술의 사회사』를 읽어보면 정말 대단하잖아요? 어떻게 이처럼 많은 독서를 했을까 싶은데, 러시아나 이런 쪽에서 문예사회학 내지 예술사회학적 연구의

축적이 있었기에 그 바탕 위에서 하우저의 그런 책이 나올 수 있었던 것 같애요. 그리고 프리체를 언급할 때 리얼리즘과 아이디얼리즘으로 구분하는 것은 허버트 리드와도 관계가 있습니다. 허버트 리드도 예술의 기본적인 방법론을 아이디얼리즘과 리얼리즘으로 나누었어요. 그의 어느 책에서 읽었는지 지금 기억이 아리송합니다만. 엥겔스의 경우도 엥겔스의 저작을 읽은 것은 아니고 간접적으로 하우저라든가 루나차르스키의 문맥을 통해서 알게 되었고, 그런 걸 보면서 내 속에서 재구성을 해본 것들이죠.

김 : 선생님께서는 특히 독문학을 하셨으니까, 60년대 서구의 스튜던트 파워라든지 프랑크푸르트 학파라든지 그런 것들에 대한 동향을 주시하시거나 공부하신 일은 없으셨습니까?

염 : 그것도 많이는 못봤어요. 우리 학교 다닐 때 마르쿠제라든가 에리히 프롬이라든가, 말하자면 프랑크푸르트 학파 중에서도 미국화

가 많이 됐달까, 이런 사람들의 책은 많이 읽혔지만; 아도르노나 벤야민의 책은 아직 알려지기 전이예요. 하버마스의 글은 대학원 시절에 한두 개 읽었어요. 서울대학교 도서관에 하버마스의 초기 논문집이 일찍 들어와 있었어요. 하버마스의 박사학위 논문이라고 하는 「공공성의 구조 변화」라는 책은 사놓고도 너무 어려워서 못읽겠습디다.

김 : 좀전에 루카치를 잠깐 말씀하셨는데, 그의 경우는 어떻습니까?

염 : 루카치는 60년대 말이나 70년대 초쯤… 그때 제일 먼저 읽은 것은 『독일문학소사』라고 후에 번역되어 나왔는데, 언제인가 강두식 교수님 집에 인사삼아 놀러 갔다가 그게 있습디다. 그런데 제가 루카치를 알아서가 아니라 독문학도로서 『독일문학소사』라고 제목이 되어 있으니까 그걸 빌려다가 봤죠. 처음에는 좀 의외였어요. 왜냐하면 문학 얘기를 기대했는데 정치적인 소리가 많아요. 2차대전 이후 제국주의가 어쩌고 평화공존이 어쩌고 하는

데, 왜 정치적인 얘기만 하지 하면서 나는 오히려 반발을 했었죠. 얼마쯤 읽다가 돌려드리지 않고 그냥 먹어 버렸어요.(웃음)

그러다가 루카치를 본격적으로 공부하려고 『이성의 파괴』니 『역사와 계급의식』이니 미학 책 몇 권을 샀는데 그건 후에 다 뺏겨 버렸죠. 요즘 내가 갖고 있는 것은 80년대 후반에 우리 나라에서 복사본으로 만든 『루카치 선집』입니다. 거기에 중요한 글들은 대충 다 있습니다. 제 글에서 잠시 나왔던 「오해된 리얼리즘」인가 하는 논문은 한스 에곤 홀투젠이라는 시인과의 논쟁 중에 씌어진 글이죠. 홀투젠이라는 시인은 전후 독일의 전위시인으로서 발터 옌스, 잉게보르흐 바하만, 파울 첼란과 함께 이동승 교수한테 소개받은 시인인데, 아까도 얘기했

다시피 나는 처음에는 루카치의 리얼리즘론에 대한 홀투젠의 문학주의적 반론에 공감이 갔어요.

1960년대 문단 동향과 민족문학론의 정립

김 : 이제 60년대 문단 상황을 좀 짚어보도록 하지요. 요즘도 그런 편입니다만, 아무래도 문단 동향은 문학 잡지들의 출간을 떼놓고 말하기 어려울 듯합니다. 선생님께서 60년대 후반에 <창비>에 참여하신 것과 관련해서 우선 당시 문학지들의 동향에 대해 들려 주십시오. 특히 젊은 연구자들에게 생소한 <한양>이나 <청맥>, <상황> 등에 대해서도 말씀해주셨으면 합니다.

염 : 먼저 전제로 해야 할 것은 제가 생각하기에는 역시 60년대에서 가장 중요한 잡지는 <사상계>이고, 그 다음에 <현대문학>입니다. 그게 문단의 주류적인 잡지였죠. 그리고 <현대문학>과 상대될 수 있는 문예지들이 단속적으로 이어졌는데, 63년 경까지는 <자유문학>, 60년대

중반에는 <문학춘추>, 그리고 후반에는 <문학>이 있었죠. <문학>이라는 잡지는 원응서 선생이 주간이었는데, 그분은 50년대에 <문학예술>을 주간한 분이죠. 그러니까 평양쪽에서 내려온 월남 문인들이 주간한 잡지인데, 그 맥을 이은 것이 <문학>이라고 볼 수 있죠. 그런데 그것도 경제적인 뒷받침이 약해서 한 2년 정도밖에 못했죠. 그러다가 70년 말경에 문협 기관지로 <월간문학>이 창간됐죠.

이런 기성문단의 테두리 밖에 있는 잡지들이 <한양> <청맥>일 겁니다. <한양>은 재일동포가 일본에서 만든 잡지로서, 재일 문인들과 국내 필자들을 반반쯤 실었어요. 그런데 알다시피 74년에 이호철씨 등 '문인 간첩단' 사건의 빌미가 됐죠. <청맥>은 잘 모르기는 하는데, 아마 분단과 6.25에 의해서 파괴된 진보적 내지는 사회주의적인 맥을 잇는 거의 첫번째 잡지일 겁니다. 이걸 하던 분들이 후에 '통혁당' 사건과 더불어 사형도 되고 감옥에도 가고 했지요.

<창비>는 66년 초부터 나왔는데,

아무래도 처음에는 범문단적인 잡지라기보다 동인지적 성격이 강했습니다. 그러나 <한양> <청맥>과는 달리 남한체제 안에서의 비판적 지식인을 대변하고자 했다고 보아야 할 것입니다. 그리고 아까 저보고 <창비> 쪽으로 갔다고 했는데, 사실 그것은 정확한 표현이 아닙니다. 김현·김주연·조동일 등이 나보다 먼저 <창비> 필자로 등장했어요. <문지>는 아직 창간되기도 전이었으므로, 적어도 60년대 후반의 <창비>는 소위 <문지>와의 대립구도 속의 어느 한 축을 대표한다기보다 기존의 보수적인 문협체제에 반대하는 비판적 문인들의 연합체적 성격을 가지고 있었다고 보아야 할 겁니다.

김 : 네, 그렇겠습니다. 그런데 <창비>는 신구문화사에서 낸 적도 있고, 또 어떤 호는 일조각으로 되어 있는데…

염 : 애초에는 일조각이 아니에요. 처음에는 문우출판사에서 내다가 일조각으로 옮겨 왔죠. 그러다가

69년도에 백낙청 씨가 다시 미국으로 가면서 창작과비평사로 독립을 했어요. 발행인은 신동문 씨였죠. 독립은 했지만, 제작·배포를 신구문화사에서 담당을 해줬어요. 그래서 신구문화사의 방 한 귀퉁이를 빌려서 <창비>를 만들었죠. 그러다가 72년쯤에 백낙청 씨가 미국에서 귀국하고, 또 74년 말쯤 백교수가 서울대 교수직에서 파면당하면서 <창비>는 신구의 품으로부터 벗어나서 완전히 독립을 했죠. 그리고 신구문화사가 70년대에 들어서면서 출판에서는 점점 손을 떼고 신구전문대라는 교육사업으로 옮겨가는 바람에 출판은 거의 정지상태가 되어 버렸죠.

김 : 그 당시 <한양>이나 <청맥> <상황>의 필자들을 보면, 특히 <상황> 동인들, 가령 구중서 선생이나 임헌영 선생 같은 분들은 상당히 민족주의적인 시각이 강하고 반제 논리가 선명하지 않았습니까? 그에 비해서 <창비>는 초창기에 그런 시각이 도드라져 보이지 않았던 것 같습니다. 선생님께서는 당시 그들

잡지에서 제기하였던 문제들에 대해 어떤 생각을 하시었는지요?

염 : 백선생은 어땠는지 모르지만, 저는 <한양>지의 문제의식이 시야에 충분히 들어오지 못했다는 것이 솔직한 고백일 겁니다. 물론 60년대에 <창비>도 '실학의 고전' 시리즈 등을 통해 민족문화의 전통에 관심을 기울이려고 하기는 했지만, 그러나 그것은 우리 고전에 대한 새로운 관심이었지, <한양>이 표방했던 것과 같은 반제의식이라든가 강렬한 민족의식의 차원에서 그렇게 했던 것은 아니었죠. 그러다가 백선생이 미국을 가고 제가 편집의 전적인 책임을 맡으면서부터 <한양>이나 <청맥>과는 다르지만 좀 더 민중적이고 민족적인 쪽으로 방향을 좀 틀었다고 생각해요. 그래서 새로운, 좀 더 강렬한 비판의식을 가진 필자들을 많이 끌어들이고 서구지향적인 냄새를 떨어내는 것이 70년대에 접어들면서부터 아닌가 생각합니다.

김 : 그러면 그것을 <창비>의 방

향전환으로까지 보기는 힘들겠지만, 아무튼 진일보랄까 그런 변화을 하게 된 셈인데, 그들 그룹의 문제제기에 영향을 받으신 것인지, 아니면 나름대로 독자적인 인식 변환이었는지요?

염 : 방금 전에 <청맥>이나 <한양>지의 문제의식이 당시 제 시야에 충분히 들어오지 않았다고 말했는데, 사실 그건 수사적인 언명이고 실제로는 거기서 영향도 받고 깨우침도 얻었다고 해야 할 겁니다. 그러나 그럼에도 불구하고 저는 <청맥>이나 <한양>에 대해 근본적인 이질감을 떨칠 수 없었어요. 제가 독문학을 전공해서 서구주의적인 잔재가 남아 있었기 때문일지도 모르지요. 그러나 그것은 자기반성의 일환으로서 해보는 생각이고, 좀 더 본질적으로는 <청맥>이나 <한양>지의 현실감각에 동조하기 어려웠기 때문입니다. 말하자면 남한의 구체적인 현실대중들의 생활감각과 일정하게 격절된 관념적 주장을 한다고 느껴졌어요. 80년대 후반의 NL이니 PD니 하는 데서도 저는 그런 관념성을 느꼈습니다. 개별적인 주장들 자체야 옳은 것이지만, 그것을 과연 우리의 현실적 조건에 맞게 구체화한 것이냐에 대해서는 의심이 들거든요. 간단히 말해서 저는 해방 직후, 4.19 이후, 그리고 80년대 말의 남한 현실에서 노동자계급이 주도하는 사회주의 국가를 건설할 역량이 우리에게 갖추어져 있었다고 생각하지 않습니다. 뭐랄까요, 그 이전의 기초적인 준비작업을 하는 것이 여전히 우리의 과제가 아닌가 하는 생각을 했던 겁니다. 물론 내 생각이 곧 <창비> 생각이라는 것은 아니지만, 하여간 그런 점에서 창비에는 현실주의적 측면이 있죠.

김 : <청맥>은 선생님께서 쭉 보시지 않으셨습니까?

염 : 대강 봤죠. <청맥>에 한 두 번 글을 쓰기도 했어요.

김 : 그러면 교호작용이 있었을 법도 한데요.

염 : 개인적인 차원에서 없지는 않았겠지요. 그러나 분명하게 일선

을 그은 상태였습니다.

김 : 60년대 문학에서 또 하나 그냥 지나칠 수 없는 것이 '순수참여 논쟁'입니다. 선생님께서도 일목요연하게 정리해주신 적이 있는데, 그 논쟁을 당시 비평계의 성숙 과정, 즉 이론훈련 과정으로 파악하신 것에 대해 공부가 일천한 저도 많은 공감을 했습니다. 선생님께서도 그 논쟁의 어느 측에 서 계셨던 것은 아닌지요?

염 : 60년대 참여논쟁의 주역들은 내 글에도 약간 정리했지만, 한 쪽으로는 가령 최일수·김우종·김병걸·신동한·임중빈·조동일, 이런 분들이 있고, 반대되는 쪽에 김동리·김상일·이형기·원형갑·김양수, 이런 분들이 있어서 60년대 내내 논쟁이 이어졌지요. 특히 60년대 말에 김붕구 씨가 '작가와 사회'라는 글을 발표해서 다시 불붙였는데, 그러나 저는 참여문학 논쟁에서는 비켜 서 있었죠. 물론 관심은 예민하게 갖고 있었지만요. 그리고 내가 글을 쓰는 방식이 순수한 이론적 전개보다는 작품분석을 통해서 구체적으로 접근해 가자는 생각을 하

고 있었고, 그게 또 내 체질에도 맞고요. 그래서 가령 당시 우익적 관점의 대표 중의 하나인 선우휘 씨에 대해서도 그를 이론적으로 논박하기보다는 그의 작품세계를 분석함으로써 간접적으로 문학과 현실과의 유기적인 연결을 드러내려고 했지, 참여하자는 말을 한 적은 없어요.

50년대 말의 이어령 씨나 60년대의 참여론이나 그 이념적 뿌리가 말하자면 싸르트르의 앙가주망 이론 아닙니까? 그런데 60년대 참여문학 논쟁을 겪으면서, 물론 60년대 후반 김붕구 씨의 글에까지 싸르트르가 중요한 논쟁의 매개를 제공하고 있지만, 제가 보기에는 그러한 서구 이론을 바탕으로 전개되는 논쟁이 결국은 자기 현실의 발견으로 가게 해서 자기 이론구성을 하도록 촉구했을 것 아닙니까? 참여든 뭐든 간에 우리 현실에 바탕해서 우리 이론을 가지고 논쟁하는 방향, 그런 점에서 본다면 싸르트르라는 외국 이론가에게 젖줄을 대고 있던 비평적 상태로부터 70년대 이후 우리 토양으로부터 생겨나는 민족문학론으로 전환·발전하는 과정에서의

이론적 성숙 과정으로 볼 수가 있지 않겠는가 하는 거죠.

김 : 결국 순수참여논쟁이 리얼리즘과 민족문학론으로의 이행과정의 전단계라는 말씀이신데, 민족문학론으로 치자면 이미 50년대에 최일수나 정태용의 민족문학론이 존재했잖습니까?

염 : 글쎄요. 그건 제가 자신있게 말할 수 없군요. 물론 해방 직후 임화의 민족문학론이 있었습니다. 그러나 50년대의 정태용·최일수 씨가 임화를 어느 정도 계승·발전시켰다고 말할 수 있을까요? 분명한 것은 정태용 씨의 민족문학론이 50년대의 우리 문단에서 아무런 반향도 얻지 못 했다는 것이지요. 다만 그것은 최원식 씨와 같이 학구적인 사람에 의해서 80년대의 눈으로 재발견된 것이죠.

김 : 그렇다면 해방 직후 민족문학론과의 관계는 어떻습니까?

염 : 해방 직후 임화의 민족문학론도 60년대의 시점에서 우리 같이 젊은 사람들에게는 직접적으로 계승되었다고 보기는 어려울 겁니다. 솔직히 말해서 우리가 처음 비평활동을 시작하던 60년대 중엽에는 우리는 해방 직후의 치열한 이론투쟁의 실상을 잘 몰랐어요. 80년대 후반 월북문인이 해금되면서 그 광맥과 바로 이어지는구나 하는 것이 새삼 발견되죠. 사실 80년대 말 조정환씨의 '민주주의 민족문학론'은 바로 임화 민족문학론의 복사판 아닙니까? 그 무렵 민중적 민족문학론 또는 민족해방 민족문학론들이 대체로 자기 목소리라기보다, 다시 말해 현실에 대한 이론적 숙고로부터 태어났다기보다는 어떤 기성품적 이론을 풀어 번안한 것 같은 느낌을 주는데, 그것은 공부하는 동안에는 그럴 수 있지만 자기 이름을 내걸고 공공연한 장소에 글을 쓰는 사람이라면 자기의 사색으로, 자기의 언어로 말을 해야죠.

김 : 제가 계속 이런 질문을 드리는 이유는 선생님의 「민족문학론의 모색」이란 글을 보면, '근대적 의미

의 민족문화' 혹은 '근대적인 민족문학', 이런 용어를 쓰셨다는 점 때문입니다. 그런데 당시 대부분이 그냥 민족문학 내지 민중문학을 얘기하는데, 선생님께서는 그걸 상당히 강조하시더라고요.

염 : 19세기 후반 이후 우리의 역사적 과제가 하나는 봉건체제랄까 봉건제도의 극복이고, 다른 하나는 제국주의 외세의 청산이라고 볼 수 있지 않아요? 반봉건이라는 단어 대신에 좀 더 포괄적으로 근대적이라는 말을 쓴 것이고, 반제라는 말 대신에 좀 더 적극적인 개념으로 민족이라는 말을 쓴 거죠. 그런 것이 늘 염두에 있었어요. 그리고 반제반봉건 하면 벌써 색깔이 확 드러나서 스스로의 입지가 좁아들잖아요.

김 : 그러면 내용적으로는 반제반봉건을 목표로 했던 임화의 '민주주의 민족문학론'과 별반 차이가 없는 듯한데요?

염 : 상당히 이어지죠. 그러나 나는 임화를 통해서 문제의식에 도달한 것은 아닙니다. 사실 저도 임화를 상당히 뒤늦게 읽었는데, 지금도 임화에 대해서는… 언젠가 그런 글도 썼는데, 일제 시대의 임화는 찬성하기 어렵지만, 30년대 말 신문학사를 공부하기 시작한 이후의 임화의 문제의식은 정당하다고 생각해요. 그걸 이어나가야 한다고 생각하죠. 말하자면 비판적으로 또 발전적으로 계승해야 한다고 생각합니다.

김 : 그러면 이제 구체적인 작품 얘기로 넘어가야 할 것 같습니다. 그전에 하나만 더 여쭙겠습니다. 60년대에 선생님께서 평론 활동을 하실 때 리얼리즘 대 모더니즘이라는 구별 의식이 있으셨는지요?

염 : 60년대까지 적어도 저에게는 없었어요. 그 점을 설명하기 위해 한 가지 일화를 소개하지요. 내가 글 때문에 치명적인 필화를 입은 것은 1969년 12월호 <시인>이라는 잡지 때문입니다. 조태일 씨가 주관한 시전문지로서, 그 잡지를 통해서 김지하·양성우·김준태 같은 시인들이 문단에 나왔지요. 그때 조태일

씨와는 아주 친했어요. 지금도 친하지만 그때는 더욱이나 친했는데, 마지막 69년 12월호니까 60년대 시를 정리하는 글을 쓰라고 했어요.

그런데 60년대를 다 정리하기는 어렵고, 그래서 전통적인 서정시랄까 한국적인 정서를 내세우는 대표로 서정주, 그 다음에 모던하고 실험적인 것의 대표로 송욱, 그 두 사람을 일종의 샘플로 잡아서 시를 읽었어요. 저는 69년까지 발표된 서정주의 시를 그 전까지는 띄엄띄엄 읽다가 그때 비로소 통독을 했어요. 그것을 보고 서정주 씨가 지향하는 관념은 미신적인 것도 있고 몽매한 것도 있지만, 시는 굉장히 감동적으로 다가오고 그때그때의 우리 민중들의 한이라든가 이런 것을 절창으로 노래했다는 생각이 옵디다. 그래서 서정주와, 서정주에 묶여질 수 있는 사람들 있잖아요? 아주 소박하지만 우리의 전통적인 감성에 기반한 시인들… 이게 물론 우리가 지향하는 근대문학은 아니지만 그러나 버릴 수는 없는 거다 하고 상당히 긍정적으로 평가를 했어요. 반면에 송욱 씨의 두 권 시집 『유혹』과 『하여지향』은 기대와 달리 아주 실망스러웠어요. 초기작인 「장미」인가 그런 시는 아주 싱싱한데, 그 이후에 쓴 시들은 도저히 납득할 수가 없더라고요. 장난 같고. 그래서 송욱 씨에 대해서는 통렬한 비판을 가했죠.

그러니까 60년대 말의 제 생각 속에서 우리 시란, 넓게 본다면 우리 문단은 전통적이고 민족적인 정서에 기반한 문학들과, 서구의 실험적인 모더니즘적인 영향을 받은 두 그룹이 주류이고, 그러나 이제 우리들에 의해서 그와는 전혀 다른 문학이 자라나고 있다 라는 의식, 말하자면 서정주 식의 문학도 극복의 대상이고 송욱 식의 문학도 청산의 대상이라는 그런 의식을 가지고 쓴 거죠. 아까 잠깐 얘기했던 반제반봉건의 틀을 가지고 60년대 시단을 바라본 것인데, 그러니까 제 머리 속의 구도는 세 가지였습니다. 나머지 하나는… 이를테면 60년대 후반 문학을 얘기하면서 빠뜨릴 수 없는 것이 김정한 선생의 재등장이란 말입니다. 그분이 66년에 <문학>이라는 잡지에 「모래톱 이야기」를 발표하면서 문학활동을 재개했는데, 그분과 김수영·신동엽을 비롯하여 60년대 중반부터 쓰기 시작한 이문구라든가 방영웅·이성부·조태일·신경림 등등의 문학은 서정주 식의 문학이나 송욱 식의 문학이 아니라, 그야말로 민중적이면서도 민족적인 현실에 바탕을 두되 복고적인 것이 아닌, 그리고 인간의 현실에 관심을 가지고 현대적인 세례를 받아야 하지만 그러나 서구에 종속되는 것도 아닌, 그런 문학을 머릿속에 그리고 있었던 거죠.

그러니까 60년대 말의 상황에서 제가 판단한 문단 판도는 삼자라고 볼 수가 있죠. 재래적인 복고주의적인 성향, 그리고 모더니즘이라고 후에 묶여질 수 있는 그런 것, 그리고 리얼리즘이랄까 민중문학으로 가게 될 방향으로 본 거죠. 따라서 리얼리즘 대 모더니즘이라는 루카치적 구도는 70년대에 들어와서 형성된 겁니다.

김 : 선생님, 아까 필화라고 하신 건… 그래서 그 글로 인해 무슨 일이 있었던 겁니까?

염 : 아, 그렇게 해서 서정주와 송욱에 관한 글을 발표했어요. 그때 제가 서울대학교 조교를 하다가 전임으로 상신됐어요. 그래서 단과대학 인사위원회에서는 통과가 되고 대학 본부에 서류만 내면 될 입장이었는데, 송욱 씨가 들고 일어났어요. 제 글에다 밑줄을 그어서 청와대에까지 투서를 했다는 얘기를 들었어요. 두세 달 동안 소용돌이에 휘말려 있다가 결국 본부 차원에서 보류가 됐어요. 그러니까 거의 전임이 다 됐다가 쫓겨난 거죠. 그게 70년인데, 그 당시 서울대학에서는 공개적으로 사건화되지는 않았지만 꽤 유명했어요. 이제 30년 가까운 세월이 지나 돌이켜보면 당시의 제가 철이 없었던 면이 많았다고 반성되기도 합니다.

김 : 네. 그런 씁쓸한 일이 있었군요. 선생님의 『민중시대의 문학』에 실린 「서정주론」인가가 그러면 그 글입니까?

염 : 그렇죠. 그 중에서 반을 잘라가지고 「서정주 소론」이라고 하

면서 그 뒤에다 한마디 덧붙였죠. 그 후에 덕성여대에 취직할 때까지 2,3년 동안은 정말… 그때 갓 결혼해서 애도 낳고 그럴 때인데 무척 고생을 했죠. 그렇다고 해서 타협하거나 그런 적은 없어요.

김 : 선생님 말씀을 들으면서 느껴지는 것이, 새로운 민족문학적인 기운이 본격화되는 것은 60년대 후반부터라 할 수 있겠고, 그 점에서 4.19가 문학사적인 의미를 획득하면서 그 결실로 맺어지는 게 그 무렵이 아닌가 하는, 그런 짐작입니다. 그런데 가령 김승옥의 소설에서 "우리는 4.19세대다"라는 어떤 세대적 정체성 같은 걸 찾는 이도 평론계에는 있는 듯한데, 선생님께서 생각하시는 4.19의 문학사적 의의를 간략하게 정리해 주시죠.

염 : 어떤 역사적 사건이든지 여러 가지로 해석되는 것 아닙니까? 가령 1789년의 프랑스혁명도 부르조아 혁명이라고 보기도 하고, 오히려 농민들이 더 주동적인 역할을 했다고 보기도 하고, 관점이 다 다르죠. 흔히 4.19의 역사적 지향을 민주주의와 민족주의로 보지만, 저는 거기에 자유주의도 추가될 수 있다고 봅니다. 서구식 자유주의를 모델로 삼았던 측면이 하나 있다고 봐요. 그러니까 4.19를 자기의 정신적 고향이라고 느끼는 사람들 중에는 자유주의적 방향으로 가는 것이야말로 4.19 계승이라고 느끼는 사람이 있다는 것을 저는 부정하지는 않아요.

그것은 가령 김수영 선생의 경우도 마찬가지입니다. 김수영의 문학정신을 잇고 있다고 생각하는 민음사의 '김수영문학상'이 제가 보기엔 김수영과 다른 길로 가는 것 같은데, 그러나 주관적으로 그들이 김수영의 문학정신을 잇고 있다고 느낀다면 그것은 그럴 수 있겠구나 할 수밖에 없는 것 아닙니까? 그런 점에서 저는 <사계>라든가 <68문학>을 거쳐 <문지>로 가는 김현 그룹들이 자기 나름대로 4.19의 어떤 맥을 잇고 있다고 생각하는 것에 대해서 말도 안되는 소리 하지 말아라 하고 말할 수는 없다고 봅니다.

그러나 제가 보기에는 역시 그래도 4.19에서 더 중요한 측면은 민족주의적인 것이고, 또 민주주의를 위한 투쟁이 아닌가 합니다. 그것이 70년대를 거쳐서 오늘에 이르는 민족문학의 물꼬를 튼 것이 아니겠는가. 이렇게 보는 것이… 그런 점에서 저는 <문지>적인 4.19 계승보다는 민족문학운동이 좀 더 적자라고 생각하는 거죠.(웃음)

1960년대의 작가들, 그 뒷이야기

김 : 4.19 얘기가 다시 나왔으니까 자연스럽게 작품 쪽으로 화제를 돌려보지요. 아무래도 최인훈의 「광장」이 제일 먼저 떠올려지는데, 「광장」이 60년 11월호 <새벽>지에 실린 것으로 알고 있습니다. 이게 처음 본격적으로 분단현실을 다뤘다는 점에서 요즈음도 많이 평가를 하고 그러는데, 당시에는 어떠했습니까?

염 : 저는 상당히 감동했어요. 당시 기성 평론가들 중에서 백철 씨같은 분은 상당히 호평을 했고, 최인훈 씨와 같은 <자유문학> 출신의 신동한 씨는 너무 과평을 했다고 「광장」의 문제점이랄까 결함을 지적했죠. 그런데 지금 시점에서 돌이켜보면 「광장」은 그 나름의 역사적 의의, 즉 분단을 처음 본격적으로 다루었다는 의미에서뿐만 아니라 한 젊은이의 지적 성장을 다룬 성장소설로서도 상당히 의미가 있지만, 그러나 관념적 한계랄까 그런 것이 지적되어야 한다고 봅니다. 그 이후에 최인훈 씨가 「광장」을 여러 번 개작했는데, 사실 나는 개작한 뒤의 것은 별로 못봤어요. 그렇기 때문에 개작된 뒤의 것은 언급할 자격이 없지만, 잡지에 빠진 것을 200장 가량 보충해서 정향사라는 출판사에서 낸 것까지는 봤죠. 하여간 나는 아주 좋아했죠.

김 : 흔히 「광장」을 문학사적으로 획기적인 것으로 평가하기도 하는데, 그에 부합한다고 보시는지요?

염 : 하여간 4.19라고 하는 공간이 허용한 한계 안에서는 의미있는

작업이었다고 생각합니다.

김 : 그럼 가령 이호철의 「소시민」과 비교하면 어떻습니까?

염 : 「소시민」은 아주 다르죠. 「소시민」은 부산 피난 시절의 이호철 씨 자신이라고 짐작되는 월남한 젊은이의 관점으로 그린 피난 수도 부산의 풍경화랄까 삶의 모습들을 세태소설적으로 묘사한 것이지, 본격적으로 이념문제, 말하자면 분단문제를 다룬 작품은 아니라고 생각합니다. 물론 분단현실을 배제하고 이 소설이 성립될 수는 없지만요. 간접적으로는 분단문제가 이호철 초기 작품에 다루어지기는 하지요. 이호철 씨 초기의 단편들 중에 좋은 작품들이 많아요. 「빈 골짜기」라든가 「만조」 「탈향」, 이런 작품들은 분단에 의해서 뿌리뽑힌 젊은이들의 삶과 그들의 감정세계를 아주 절실하게 묘사했죠. 당시 평론가들에 의해서 많이 거론됐던 작품들은 실존주의니 뭐니 유행사조와의 연관 속에서 높이 평가되고 초기 단편들은 무시됐지만, 제가 보기에는 6.25 직후의 분위기를 이호철 씨 초기 단편들이 잘 보여주고 있어요. 그러니까 물론 「소시민」도 간접적으로는 분단문제를 떠나서는 얘기할 수 없지만, 「광장」처럼 정면으로 분단 자체를 다룬 것이라고, 더군다나 이념문제까지 아울러서 다뤘다고 보기는 어렵지 않은가, 상당히 다른 작품이지 않은가 싶은데요.

김 : 거기에 보면 노동운동했던 정씨에 대한 얘기가 나오지 않습니까? 그런데 작가가 정씨에 대한 애정을…

염 : 글쎄요. 작품을 옛날에 읽어서 구체적인 예를 들면서 얘기하기는 어려운데, 당시에 작가가 노동운동, 계급적 문제까지 염두에 두면서 글을 썼으리라고는 그때는 의식하지 못하고 읽었어요. 분단문제를 의식적으로 다루기 시작한 것은 70년대 이후라고 생각합니다. 처음에 짤막한 단편으로 발표했던 걸 장편으로 개작한 『문』이라든가 『남녘사람 북녘사람』이란 단편집이라든가 이게 본격적으로 분단문제를 다룬 거

죠.『판문점』만 하더라도 사실 제목이 주는 것과는 조금 차이가 있죠.

김 : 60년대 소설에서 또 하나 우리에게 주목되는 것이 남정현의「분지」입니다. 거기에서는 본격적인 의미에서 반미문제가 제기된 셈인데요. 더구나 필화사건까지 당한 작품이고 보면 결코 예사로울 수 없다고 봅니다만.

염 : 남정현 선생의 소설이 담고 있는 문제의식은 대단히 중요하다고 생각합니다. 그걸 부정할 수는 없는데, 그러나 솔직히 말해서 저는 그 분의 소설의 예술적 성취에 대해서는 늘 회의적이었어요. 소설적 형상화라고 요약할 수밖에 없는 소설적 밀도랄까 사람이 살아가는 모습을 구체적으로 묘사하는 측면이랄까 늘 여기에 걸렸어요. 말하자면 엥겔스가 경향소설을 비판할 때와 같은 비판적 관점을 가지게 돼요. 그러나 물론 남정현 선생이 어떤 측면에서는 늘 선구적인 관점을 갖고 있었던 것은 사실이죠.

김 : 「분지」가 쓰여졌던 배경에는 반미문제를 그렇게 들고나올 만한 어떤 계기가 당시에 있었습니까? 아니면 혹시 평지돌출로 나온 겁니까?

염 : 평지돌출은 아니겠죠. 지금도 지속되는 현실이지만, 미군들이 여기 수만 명이 주둔하고 있으니까 한국인 폭행사건이라든가 양공주를 어떻게 한다든가 하는 사건이 끊임없이 계속되고 있어요. 우리가 잊을 만하면 그런 사건들이 일어나서 우리의 민족적 상황들을 환기시키잖아요. 그러니까 민감한 작가라면 미군이 주둔하고 있고 우리 주권이 제한되고 있고 작전권이 우리에게 있지 않고… 이것이 독립국가인지 반식민지인지에 대한 회의가 끊임없이 드는 거고, 더욱이 4.19를 겪었잖아요? 우리 나라의 경우 반미의식은 자연발생적으로 생성될 소지가 항상적으로 존재한다고 볼 수 있고, 오히려 그게 미약한 것이 이상하다면 이상한 일입니다. 그런 점에서 남정현 씨의 「분지」는 평지돌출이라고 볼 수는 없죠.

하근찬 씨의 소설들 중에도 그런 걸 암시하는 작품들이 몇 편 있지요. 신동엽 시인의 시도 그렇고. 그는 「진달래 산천」이란 작품 때문에 붙들려가서 조사도 받았죠. 빨치산을 찬양한 시라는 거였어요.

김 : 60년대 문단의 총아로 떠오른 건 아무래도 김승옥이라고 봅니다. 선생님하고는 젊은 시절 함께 동인활동도 하시던 분이니 그분에 대해 속속들이 잘 아실텐데, 등단하자마자 굉장한 주목을 받았고, 유종호 선생님은 "감수성의 혁명"이라고 호평을 하고 그렇잖습니까? 그런데 한편으론 지나친 평가라는 견해도 없지않아 있는 듯하고요. 지난 시절 문학적 동료로서, 또 엄정한 비평가로서 그를 평가한다면 어떻다고 보십니까?

염 : 김승옥 씨의 경우는 60년대 문학에서 핵심적인 부분이죠. 저는 개인적으로도 김승옥의 문학사적 의의를 제대로 짚어보고 싶은 욕심이 있어요. 2년 전에 민예총 문예아카데미에서 김승옥 소설만 가지고 한 번 강의를 한 적이 있어요. 그래서 그걸 원고로 2,30장을 써놨는데, 이걸 구체적인 작품을 전거로 들면서 제대로 된 글로 만들려고 방치

해 두었습니다. 금년 중에는 한번 써볼까 하는 생각이 있어요. 『김승옥 전집』도 나오고 해서…

60년대의 시점에서 김승옥이 문체나 문장, 감성에서 뛰어난 점이 있죠. 선배 세대들의 답답하고 관념적인 세계를 넘어서는 측면이 있기는 한데, 저는 그래도 역시 문학사의 어느 단계에서 가지는 의미도 중요하지만, 결국 작가라는 것은 그가 써낸 작품 전체가 어떤 높이에 이르렀는가, 이것도 봐야 한다고 생각합니다. 가령 박경리·황석영·조정래·박완서·김원일·이문열 같은 작가들을 떠올려 보면, 이들이 각기 다른 길을 가지만 자신이 가진 재능과 노력, 이런 것을 전면적으로 투입해서 어떤 우람한 문학세계를 이루어 우리 민족문학의 큰 자산이 되고 있잖아요? 그런 점에서 김승옥은 자기의 뛰어나고 발랄한 재주를 충분히 발휘했다고 보기는 어렵다고 봅니다. 뭔가 미완의 작가 같은 생각이 들고요.

그리고 흔히 한글세대의 문체와 감성에 대해 거론하는데, 물론 우리가 한글세대인 것은 사실이지만 이태준의 문장이나 벽초의 문장이 한

문세대의 문장인가요? 일본세대의 문장인가요? 그렇지 않거든요. 물론 해방 후에 한글로 교육받았지만, 제가 보기에는 벽초의 문장이나 이태준의 문장, 정지용의 문장, 이것은 한글세대 누구의 문장 못지않게 우리 문장의 맛과 깊이에 깊이 젖어 있다고 생각해요. 오히려 나는 요즘 젊은 작가들의 문장을 보면 이건 우리 문장이 아니라는 생각이 들어요. 무슨 놈의 한글세대를 내세웁니까? 김승옥의 문장은 어떤 면에서 일본 문장의 냄새가 난다고 느낍니다.

김 : 어떤 연구자들은 김승옥의 작품세계를 자본주의적인 산업화와 연관시키기도 하는데, 그건 어떻습니까? 당시 경제개발계획 같은 게 진행되고 했으니...

염 : 김승옥이 한창 소설을 쓰던 60년대 중반기만 하더라도 아직 우리나라는 본격적인 산업화에 진입하기 전이고, 본격적인 자본주의화의 준비단계였다고 봅니다. 도시화 초기이고 아직 이농이 본격화되기 전이죠. 본격적인 산업화의 시작은 저는 65년 정도로 보는 것이 옳다고 봐요. 50년대 사회에서 마치 55년이 분기점이 되듯이, 60년대 사회에서는 65년이 분기점이죠. 한일협정이 타결되고, 월남파병이 되고, 경제개발계획이 본격적으로 가동이 걸리고, 그러면서 농민분해가 일어나고 도시가 비대해지기 시작하고 이렇거든요.

그런데 김승옥은 그런 본격적인 작업이 시작되기 직전이예요. 오히려 김승옥 체험의 핵심은 시골을 떠나서 대학생 신분으로 서울로 온 거죠. 노동자나 빈민으로서 도시 변두리로 온 것이 아니라 대학생으로 온 겁니다. 그의 체험의 근본구조는 농촌적인 공동체 정서가 남아 있던 시골로부터 서울이라고 하는 도시로 왔다는 것, 그러나 자본주의화 때문에 이농에 의해서 서울 변두리로 와서 산업예비군으로 편입된 것이 아니라 학생으로서 온 거죠. 자본주의와 바로 연결시키는 것은 저는 무리가 있다고 봐요. 오히려 60년대 후반의 작업으로 박태순 씨의 '외촌동' 시리즈라든가, 70년대 초황석영의 「돼지꿈」이라든가 이런 것이 도시화·산업화와 연관된다고 봅니다. 아무튼 김승옥의 문학세계에서 본질적으로 중요한 것은 사회적 변화라기보다 개인적 체험이 아니겠는가, 저는 그렇게 봅니다.

김 : 결국 김승옥의 소설세계가 농촌공동체에 속했던 사람이 겪은 도시체험의 문학적 형상화라는 말씀이시군요. 혹자는 가령 「무진기행」의 경우 출세한 촌놈의 사회학이라고 보기도 하던데요?

염 : 그렇게 해석될 측면이 있지요. 그러나 김승옥 또는 김승옥의 주인공들을 출세라는 관점에서 보는 것은 너무 세속적이 아닐까요?

김 : 앞에서도 잠시 거론되었습니다만, 당시 중요한 작가로 작년에 작고하신 요산 선생님이 계십니다. 66년에 「모래톱 이야기」로 근 30년 만에 문단에 복귀를 하시는데, 요산 선생님의 재등장이 우리 소설사에서 어떤 의미를 가지는지를 따져보고 싶습니다. 그것과 관련해서 리얼

리즘이라든가 민족문학이란 말도 앞에 나왔는데요. 당시에 혹시 요산 선생님과는 사적인 친분 같은 건 없으셨나요?

염 : 그때까지 사적인 관계는 없었고요. 다만 김정한 선생의 「모래톱 이야기」가 <문학>지에 발표됐을 때, 저는 바로 그 잡지의 소설 월평을 담당하고 있었어요. 당시 저는 아직 제대로 사회의식에 눈뜨기 전이었고 리얼리즘에 대해서도 상투적인 견해 이상의 것을 가지기 전이었음에도 불구하고, 「모래톱 이야기」가 발표된 바로 다음호에 즉각 호평을 했어요. 어떤 이념이나 이론을 떠나서 작품 자체에 감동했기 때문입니다. 후에 <창비> 편집을 하게 되면서 기회 있을 때마다 김정한 선생님의 작품을 청탁해서 실었지요. 그 이후 농민문학론이라든가 민중문학론, 리얼리즘론이라든가 민족문학론으로 이어지는 이론적 발전의 배후에는 김정한 선생 같은 분들의 작품적 실천이 튼튼하게 뒷받침됐기 때문에 가능한 것이었다고 생각해요. 그분의 「수라도」 「인

간단지」, 「지옥변」 이런 작품들은 나올 때마다 감동을 받고, 저같은 사람의 인간적 또 이론적 성장과정에서 큰 가르침을 받았다고 생각합니다.

그리고 개인적으로 빠뜨릴 수 없는 것은 김수영 선생과의 인연인데, 그분도 신구문화사에 들락거리다가 67년 경에 알게 됐어요. 어느 글에 쓰기도 했는데, 김수영 선생이 돌아가시기 전 1년 남짓 동안은 그 누구보다도 가깝게 만나고, 제가 모셨다고 봐야죠. 저보다는 20년 정도 위인 분인데 그야말로… 조지훈 하면 마치 오래된 시인 같고 김수영 하면 젊은 시인 같이 느끼잖아요? 그런데 두 분 나이가 한 살 차이예요. 거의 동년배죠. 그런데 김수영은 펄펄 살아있는 젊은이 같은 열정을 가진 분이었습니다. 글도 빛나지만 한 잔 하면서 열변을 토할 때면 그야말로 황홀했어요. 제가 갖고 있던 교육과정이나 집, 학교에서 받은 고정관념이라든가 이런 것들이 그냥 깨져나가고 벗겨져나간다는 느낌을 받고 그랬어요. 제가 60년대 후반에 뭔가 달라진 데는 하우저니 이런

것도 있지만, 그보다는 김수영 선생과의 인간적 접촉, 또 하나는 김정한 선생의 소설을 읽은 것, 이런 것들이 상당히 중요한 정신적 바탕이 됐다고 볼 수 있죠.

김 : 그런데 고은 선생 책을 읽어보니까, 김수영은 굉장히 소심하고 겁이 많은 사람이라고 되어 있던데요? 김수영으로 학위논문을 쓴 김명인 씨도 그가 참 겁많은 사람이라는 얘기를 했거든요.

염 : 제 경험에 의하면 진정으로 용기있는 일을 하는 사람들의 공통점은 겁이 많다는 것입니다. 깡패 비슷하게 껄렁껄렁하고 거센 체하는 그런 사람들은 정말 힘든 일은 못해요. 대개 겁많은 사람들이 합니다. 문제는 자기와의 싸움이거든요.

김 : 선생님 말씀을 듣고보니 딴은 그렇네요. 그럼 김수영과의 일화 중에 기억에 남는 것은 없으십니까?

염 : 일화가 많죠. 66년인가 문화방송이 인사동 네거리에 처음 생

겼을 때입니다. 그때 PD를 하던 박수복 씨라는 분이 있었어요. 이 여성이 굉장히 진보적인 의식을 갖고 있었지요. 후에 드라마작가로서 베를린 영화제인가에서 두 번인가 특별상을 받았어요. 그 박수복 씨의 『소리도 없다, 이름도 없다』는 원폭 피해자들의 문제를 처음으로 조사를 해서 쓴 책일 겁니다. 양공주 문제를 다룬 드라마도 있었고, 원폭 피해자 문제를 다룬 드라마도 있었고요. 그런 문제를 가지고 있던 분인데…

김 : 당시에요?

염 : 아니, 그건 70년대에 와서 그렇고요. 그때는 국제신보 기자 하다가 문화방송에 와서 일하고 있었는데, 우리들과 친했죠. 지금은 벌써 일흔 가까이 되는 할머니가 됐는데, 김수영 선생과 다 친했죠. 그 무렵에 그분이 문화촌에 조그만 아파트를 가지고 있었어요. 그때는 아파트가 몇 군데 없을 때인데, 문화촌에 아파트가 있었어요. 어느 날 저녁 저는 김수영 선생과 그 박수

복 씨의 아파트에 가서 잘 얻어먹고 느지감치 나왔는데, 김수영 선생이 종로 3가를 가자는 거예요.(일동 웃음) 그런데 저는 사실 그때 순진하기 짝이 없었거든요. 그러나 종삼 가자는 말씀이 마치 제게는 의형제를 맺자는 의미로 즉각적으로 다가오더라고요. 그래서 두말없이 따라갔죠. 저는 밤새 잠 한 잠 못자고 못난이처럼 벌벌 떨기만 했는데, 김수영 선생은 그 다음날 아주 싱싱한 얼굴로 새벽에 나옵디다. 광교 네거리 맘모스라는 다방에 가서 커피를 한 잔 하고 말없이 헤어졌지요. 맘모스는 60년대 후반에 커피 잘 하기로 유명해, 김현승 시인이 자주 가던 다방이에요. 새벽에 거기를 갔는데 세라복을 하얗게 입은 여중생, 여고생들이 재잘재잘 하면서 가고 청소부들이 빗자루로 길을 쓸고 하던 풍경이 지금도 기억나요.

김 : 대체로 작가들을 살펴보았는데, 마지막으로 선생님의 동년배 작가들에 대해 말씀해 주시죠. 현재 문단에서 누구도 흉내내기 힘든 독특한 자기 세계를 구축하고 있는

이청준이나 박상륭 같은 분들이라든가, 선생님과 역시 개인적인 교분이 있으신 박태순 선생 등등…

염 : 이청준씨의 초기 작품들은 대개 읽었고, 그가 문단에 데뷔할 때도 저도 약간 거들었어요.

김 : 대학 동기이시죠?

염 : 그렇습니다. 그때가 65년 무렵인데 저는 제 동생들을 데리고 대흥동에서 자취를 하고 있었고, 이청준 하숙집도 이화여대 건너편 쪽에 있어서 자주 만났죠. 그 친구가 사상계에 데뷔했을 때 내 일처럼 좋아하고 그랬죠. 그런데 차츰 세월이 지나면서 이청준의 문학세계가 저로서는 뭐랄까, 하여간 맘에 안들었어요. 너무 정신유희적인 쪽으로 가고, 관념적인 도식이 있고, 그래서 중요한 작품들은 내가 못읽은 것이 참 많아요. 만난 것도 상당히 오래 되고…

박상륭의 경우는 「열명길」이라는 단편이 발표됐을 때, 제가 <문학>지에 월평 쓸 때인데 상당히 세심하게 평을 했어요. 그랬더니 이문구를 통해서 들려온 얘기가 제 평에 격려와 고무를 많이 받았다고 그런 얘기를 합디다. 그러나 그 뒤에 나온 긴 소설들은 읽기가 상당히 어렵고, 요즘은 짧은 글조차 읽기가 참 어렵습디다. 특이한 문학세계임에는 확실한 것 같은데, 뚫고 들어가기가 아주 어려워요. 그리고 요즘 어느 잡지에 쓴 짤막한 글을 보니까 곤란하다는 생각이 들 정도로 문장이…

김 : <문학동네>에 실린 글을 말씀하시는 건가 보군요.

염 : 그런 사람이 한 사람쯤 있는 것이 나쁠 건 없지만, 하여간 저는 그 난삽한 세계를 고생고생하면서 짤막한 글이니까 겨우 읽기는 읽었는데, 고생한 만큼 얻은 것이 없다는 느낌이 오더라고요. 분명히 말하거니와 박상륭의 문체와 문학세계 그 자체는 존중되어야 하겠지만, 그를 지나치게 고평하는 데는 단연코 반대합니다. 박상륭이 정말 양심적이라면 지난 20여 년 동안 국내에

남아서 여러 가지 고초를 겪은 동 년배들에 대해 겸손한 존중심을 가 져야 해요. 그런데 최근 그의 글에 는 그런 게 없어요. 이건 말이 안되 지요.

그리고 저와 같은 연배의 작가 중에서 요즘 많이 잊혀진 사람이 박태순 씨입니다. 박태순 씨가 60년 대 후반부터 70년대까지는 아주 좋 은 작품들을 많이 썼거든요. 「무너 진 극장」이라든가 '외촌동' 시리즈 도 있고, 「정든 땅 언덕 위」 등 이 런 작품들이 아까 얘기한 산업화 초기의 도시 변두리의 세계를 아마 최초로 본격적으로 다룬 업적일 겁 니다.

김 : 실제로 한때 거기에 사셨다 고 들었습니다만, 그곳이 아마 지금 서울 신림동의 '난곡'이라는 데일 겁니다. 박태순 선생의 어느 후기엔 가 보니, "난민촌이야말로 나같이 고향을 잃어버린 사람들의 현실이 고, 거기서부터 우리 시대를 조망해 야 한다"는 요지의 말씀을 남겼더군 요.

염 : 취재하러 가서 살았을지 몰

라요. 박태순은 원래 황해도에서 피 난나온 집안이고, 그 아버지가 박우 사라는 출판사 사장이었거든요. 학 생 때, 62년쯤에 박태순네 집에 가 봤는데 2층집이고 타자를 치고 있 더라고요. 저는 타자기를 그때 처음 구경을 했어요. 우리 같은 시골 출 신의 가난뱅이에 비하면 중산층이 지. 그런데 이 친구는 그렇기 때문 에 거꾸로 시골여행도 많이 다니고 국토기행도 하고, 빈민가에도 가보 고 이런 탐구행로를 많이 걸어서 '외촌동' 시리즈를 쓸 때는 자기 삶 의 반영이 아니라 공부하고 답사해 서 쓴 거에요. 그러나 박태순이 아 주 초기에 쓴 것은 그렇지 않아요. 데뷔작은 오히려 그 당시 신세대들 의 생태를 다룬 거지요.

그런데 박태순이 70년대를 경과 하면서 '자유실천문인협의회' 활동 을 본격적으로 시작하고, 역사의식 이랄까 사회의식이라는 것이 머리 에 들어오기 시작하면서부터 소설 이 점점 안되는 것 같아요. 그게 참 문제예요. 훌륭한 소설가가 되기 위 해서는 분명히 역사의 앞날에 대한 개념적인 전망도 있어야 하지만, 도 리어 이것이 예술가에게 간섭을 해서 작품을 못쓰게 하는 작용을 하는 것 같아요.

최근의 문학적 상황과 문학의 미래

김 : 이제 어느 정도 마무리를 해야 할 것 같습니다. 많은 시간이 지났습니다. 그럼 요즈음의 문학적 상황과 관련해서 몇 가지 여쭙고 끝맺도록 하겠습니다.

우선 최근 선생님의 민족문학론에 대해 여쭙자면, 저는 선생님의 글에서 90년대에 밀어닥친 세계사적 변환에 대한 아주 곤혹스러운 표정을 읽었습니다. "가보는 데까지는 가보는 수밖에 없지 않겠느냐"라는 말씀을 하셨더군요. 그 글을 읽고 저도 마음이 무척 착잡해지더라고요.

다음으로는 세계인식 지평의 변화와 관련해서 거대이론이 무너지거나 침체된 반면, 새롭게 페미니즘이나 환경론적 시각들이 마치 대안처럼 아주 중요하게 부각되고 있다고 봅니다. 이것들을 정말 대안으로 여기는 분들도 분명 존재하는데, 그것이 불가피한 선택이라는 관점도

있는 것 같고 단지 시류에 따른 것인 경우도 있는 것 같고... 제가 생각하기엔 그렇습니다.

염 : 저는 인류의 장래에 대해서 참 비관적이에요. 제동장치가 망가진 이 자본주의체제의 진행이 우리의 삶을 어디로 끌고가게 될지 두려움을 느낍니다. 지난 시절 그런 것에 제동을 걸던 것이 사회주의운동이라든가 민족해방운동이었는데, 결국 이제 다 자본주의 안에 흡수되어 버렸고. 그러니 앞으로 적어도 10, 20년 동안은 자본주의가 점점 강화될 것이고, 따라서 우리가 지켜오던 민족적인 지향이라든가, 아니 그보다 훨씬 더 원초적인 우리의 생각과 생활, 이런 것이 점점 기반을 잃어버릴 것이라고 생각해요. 자본의 논리를 타지 못하는 학문이나 종교, 예술활동 이런 것들은 주변으로 밀려날 거라고 봅니다. 대학에서도 밀려날 거예요.

오늘 아침 신문을 보니까 미국 대학에서 셰익스피어 강의를 안할 거라고 하던데, 앞으로 점점 더 그런 추세가 강화될 겁니다. 그러면 셰익스피어 연구는 누가 하느냐, 누

가 할 거예요? 그 동안 어느 정도 경제적 여유가 있는 유한층이 해왔는데, 취직을 목적으로 학교 다니는 사람이 셰익스피어 공부 하겠어요? 셰익스피어는 하나의 예에 불과하고, 인문학의 암울한 미래를 그것이 보여준다고 봅니다. 그러니까 민족문학이 아니라 문학 그 자체가 설 자리를 잃어가고 있다는 거죠. 다시 말하면 우리의 정신활동이 물질적 기능으로 전화되면서, 그 물질적 기능과 다른 전래의 인문사회적인 활동들은 급속도로 쇠락하지 않겠는가 하는 생각이 들어요. 특히 그것이 우리의 경우 지난 백여 년 이상 지속되어 온 민족운동의 위상에도 심대한 타격적인 영향을 미치리라고 봅니다. 그런 비관적인 생각이 들어요.

물론 전체적인 방향이 그렇다는 뜻이고. 그러나 자본주의의 손아귀에 완전히 장악될 수 없는 작은 영역들이 많이 있죠. 소영역들이 있는데, 예를 들면 단편소설이라든가 대부분의 시라든가 이런 것들은 자본주의화가 되기 어려운 장르들이죠. 그리고 어떤 종류의 논문들이라든가 글들은 작지만 온갖 혼이 들어가 있는, 길이나 원고료로 평가될 수 없는 것이 있죠. 그런 것이 사라질 수는 없죠. 여러 방면에 여러 가지 방식으로 존재할 겁니다. 그리고 그런 것들이 불씨처럼 남아 있다가 뭔가 자본주의 세계 전체가 달라지면 불을 일으키는 불씨가 될 거라고 생각하는데, 그렇기는 하지만 최소한 앞으로 중단기적인 기간 안에 그런 불씨들이 자본주의 전체와 맞설 만한 커다란 힘으로 다시 불길이 되살아나리라고는 당분간 예상하기 어렵지 않겠는가 그런 생각을 해요.

그리고 페미니즘적인 것, 생태주의적인 삶, 이런 것들이 있지요. 저는 사실 페미니즘은 잘 모르기도 하거니와, 거기에 양가적인 감정을 느껴요. 말하자면 한마디로 가정파괴범적인 요소가 있는 것 같고…(웃음) 물론 여성이 해방되어야 하고 남녀가 평등해야지요. 그런 원칙론에 반대하는 사람이 어디 있겠어요? 대의에 동감하죠. 그러나 오늘날 여성해방론이 인류사회에 가져 온 결과를 볼 때, 제가 보기에는 이래서는 안되겠다 하는 생각이 드는 것이 참 많아요.

김 : 대서사담론의 대안으로서 작금의 페미니즘 이론을 인정하기 어렵다는 말씀이신가요?

염 : 전혀 아니라고 생각해요. 그 다음에 생태주의 문제는... <녹색평론>이란 잡지가 있죠. 거기서 하는 일은 그냥 일반적인 생태주의와는 구별하고 싶어요. <녹색평론>의 경우는 근본적인 시각을 가지고 있어요.

김 : 저는 한편으론 그 근본주의적인 시각이 우려되기도 하던데요?

염 : 그러나 그렇게 근본주의적이기 때문에 원천에서부터 다시 생각해 보는 일을 가능하게 합니다. 저는 <녹색평론>을 100% 지지하지는 않아요. 그렇지만 그걸 읽을 때마다 원천에서부터 내 삶과 문학, 모든 것을 다시 생각해보게 돼요. 그런 점에서 <녹색평론>은 이 시대에 있어 우리 사회의 빛과 소금이지요.

김 : 저도 김종철 선생님이 쓰신 창간사를 교양과목 시간에 학생들에게 읽히곤 했는데, 학생들도 그런 문제에 대해 너무 둔감한 것 같더라고요.

심지어 자연과학도들 가운데는 과학기술혁명이 환경 파괴로부터 우리를 구원해줄 거라고 굳게 믿고 있는 눈치였습니다.

염 : <녹색평론>의 지향 중의 하나가 농업적 세계관이랄 수 있잖아요? 농업공동체를 이상적으로 보는 것이죠. 그런데 <녹색평론>에 서평도 났지만 『녹색세계사』라는 책을 보니까, 환경파괴가 본격화된 것은 신석기혁명, 즉 수렵과 채취에 의한 구석기 시대의 삶으로부터 농업과 목축을 중심으로 하는 신석기 시대의 정착생활로 전환되면서라는 거예요. 땅을 밭으로 일구어서 풀이니 다른 잡초들은 다 배제하고 일정한 식물만 자라게 하는 농업이야말로 자연스러운 생태적인 조건에 가장 반한다는 겁니다. 그러니 그건 <녹색평론>의 입장보다 훨씬 근원적인, 다시 말하면 인간의 의식, 문명, 다 포기하고 짐승의 수준으로 후퇴해야 자연과 더불어, 생태계와 더불어 자연수명을 누릴 수 있다는 것 아

니예요? 물론 이 지구가 무한히 계속되는 것이 아니고 언젠가 태양계와 더불어 끝나는데, 그런 자연수명을 누리자면 구석기 시대의 수렵과 채취, 그 방법밖에 없다는 거야. 농업이 발생하면서 자연파괴가 본격화됐다는 거예요. 그러면서 여러 예를 들어요. 다만 역사상 유일한 예외가 중국이라고 합니다. 중국만이 왕조가 끊임없이 망했다가 살아나고 망했다가 살아났는데, 바빌론이니 이집트니 과거에 찬연했던 고대문명들이 다 땅의 힘, 지력을 파먹고나면 다 망했다는 겁니다.

김 : 엄청난 견해네요. 그런데 김종철 선생의 경우 그 생태적 관점에서 기왕의 리얼리즘론에 대해 비판적 시각을 견지하고 계신 것 같은데요? 백낙청 선생님이나, 선생님과는 일정한 거리가 느껴지는...

염 : 7,80년대의 리얼리즘론을 고스란히 견지하는 사람이 지금 누가 있겠어요?
저는 어느 글에도 비슷한 얘기를 썼는데, 진정한 대안은 남다르게 비상한 정신력을 가진 사람이라든가 철저한 종교적 신념을 가진 사람들만 믿고 따르고 실천할 수 있는 그런 것이 아니라, 평범한 보통사람도 과도한 희생 없이 마음으로 공감하고 생활 속에서 구체적으로 실천할 수 있는 것이어야 한다고 생각합니다. 비근한 예로 <녹색평론>에서 늘 주장하듯이 자동차, 그걸 포기할 수 있겠는가? 저는 포기하겠어요. 그러나 천만 대에 이른 자동차들은 아마 포기하기 어려울 겁니다.

자동차뿐만 아니라 우리의 주거환경을 보세요. 지금 시골 벽촌까지 전부 기름보일러입니다. 산골짜기에 있는 조그만 암자에까지 기름보일러가 들어가요. 기름자동차가 갈 수 있도록 다 길을 닦아났어요. 나무 때는 집도 적고 석탄 때는 집도 드물어요. 작년에 우리의 기름 수입량이 230억 달러였고, 금년에는 3백억 달러에 육박한답니다. 기름 수입량이 세계 4위예요. 아파트는 기름을 때더라도 열손실이 적은데, 시골 집들은 열손실이 엄청나요. 기름보일러를 때도 추워요. 그리고 전부 수세식 화장실인데, 소변 보고 한 번

누르면 물이 확 내려가잖아요. 그 물을 어떻게 만듭니까? 아파트식으로 변해 있는 우리의 주거구조, 이거 얼마까지 유지할 수 있을까요? 기름도 물도 몇 년 후에 고갈될지 모르잖아요. 자동차와는 전혀 다른 측면에서 아파트를, 아니 아파트뿐만 아니라 우리의 모든 생활환경을 살펴보면 지금과 같은 방식은 결코 지속가능한 것이 아니지요. 음식도 마찬가지고 모든 것이 다 그래요.

최근에 읽은 책 중에 깊은 감동을 받고 통독한 것이 권정생씨의 「우리들의 하느님」인데, 거기 보면 권정생 선생은 유일하게 가능한 대안으로서 좁은 방에서 옛날처럼 가족이 몸 비벼가면서 가난하게 사는 길밖에 없다는 겁니다. 나무나 석탄도 땔 수 없고, 석유도 안되고… 나무나 석탄을 때더라도 좁은 방에서 한 사람당, 예를 들면 두 평 정도의 개인공간을, 지금은 대개 한 사람당 개인공간을 대여섯 평씩 갖잖아요. 그걸 한 두 평 정도로 해서 살아야 한다는 거예요. 제가 생각해도 권정생 선생의 해답밖에 없어. 다른 길이 없어요. 그런데 문제는 그 권정생 선생의 옳은 답을 우리가 받아들이지 못한다는 데 있는 거야. 누가 실천하겠어요? 그러니까 사는 데까지 살아 보는 거지요.

김 : 오늘날 자본주의의 욕망구조는 크게 부풀려져 있는데, 그게 겸손과 절제만으로 과연 극복될 수 있겠는가 하는 의문이 들기도 합니다만.

염 : 겸손과 절제. 가난을 일상화하고 험한 음식을 먹고 일상적으로 불편해야 하고, 늘 병균에 노출해 있어야 하고 그런 거에요. 그래서 인구조절을 하고… 그런데 우리의 일상적 생활감정이 그걸 받아들이지 못하잖아요. 설사 내 개인은 그렇게 하더라도 옆에 있는 가족과 친구들이 그걸 방해하고 교란시키고요. 아니, 가족과 친구 탓을 하는 것도 잘못된 거지요. 내가 먼저 시작하면 되는데 그게 잘 안돼요. 고통을 견디는 정신의 힘이 허약하다는 걸 스스로에게 절실히 느낍니다.

그런데 문제는 오늘의 문학이 절제와 겸손, 관용과 청빈의 삶에 기여하기보다 그 자체가 욕망의 분출형식으로 변해버린 것 아닌가 하는 점입니다. 우리 모두 목소리를 낮추고 말을 아낄 필요가 있어요. 지금 문학의 위기가 거론되는데, 그것은 바로 우리 삶의 기반이 허물어질지 모른다는 근본적 위기의 징후입니다. 미래는 어떤 모습으로 다가올 것인가. 아무도 확답을 못할 겁니다. 분명한 것은 커다란 불안이 우리를 감싸고 있다는 겁니다. 참으로 두려울 뿐입니다.

김 : 네. 오랜 시간 동안 좋은 말씀해주셔서 대단히 고맙습니다. 아직도 선생님께 듣고 또 함께 나누고 싶은 이야기가 많이 남아 있습니다. 아쉽지만 끝을 맺을까 합니다. 선생님의 건강과 학문이 더욱 흥성하시길 바랍니다. 감사합니다. 새미

원고를 기다립니다

『작가연구』가 참신하고 진지한 문제 의식이 담긴 글들을 기다리고 있습니다.

『작가연구』는 진보적이면서도 유연한 미학, 엄정하면서도 개방적인 문학사를 지향합니다.

『작가연구』는 이론적 깊이와 비평적 통찰을 겸비한 문학 연구를 통해 우리 시대의 주요 작가들을 새롭게 조명하고자 합니다.

더 나아가 『작가연구』는 '문학의 위기'가 유행어가 되어 버린 이 시대에 우리 현대문학의 전통을 끈질기게 성찰함으로써 문학의 위엄을 되찾고 민족문학의 또 한 번의 도약을 이루는 데 일익을 담당하고자 합니다.

『작가연구』의 이러한 편집 취지와 뜻을 같이 하는 분의 글이라면 어떤 것이나 환영합니다.

여러분의 애정어린 관심과 적극적 동참을 부탁드립니다.

*원고 마감 ; 1997년 7월 10일
*접수된 원고의 게재 여부는 편집위원회에서 결정하며, 채택된 원고에 대해서는 소정의 고료를 지급합니다. 원고의 반납에 대해서는 책임지지 않습니다.
*원고는 디스켓과 함께 보내거나 통신을 이용하십시오.(천리안: KH 058)
*주   소 ; 133-070, 서울시 성동구 행당동 28-7 정우 BD. 402호

(도서출판) 새 미

전화 ; 2917-948, 2727-949, FAX ; 2911-628

★ 문학평론, 고전문학 관련 논문은 수록하지 않습니다.

이상 시의 세계인식 연구

이 종 대*

1. 머리말

이상(李箱)은 사회의 모순과 갈등을 그 자신의 것으로 환치시켜 묘사한 최초의 시인이다. 그는 과거의 문학전통을 부정하면서 시작된 근대문학과 그 담당계층의 내면, 특히 자본주의의 급격한 도래와 기존의 가치체계였던 주자학적 세계관의 붕괴, 제국주의와 나라상실 등을 체험한 세대들의 정신 풍경을 성찰함에 있어서 중요한 몫을 차지한다. 만일 이상의 문학적 초상 을 현대시의 형성 시기에 으레 등장하는 모험과 좌절의 청년 시인으로만 여기고, 그의 문학을 서구의 다다·초현실주의와 연관지어 부조화·착란·이 단의 문학으로만 간주한다면 그가 한국문학에서 차지할 역할은 제한될 것 이다. 후대의 문학연구자들이 무엇보다도 주목했던, 실험정신으로 일컬어지 는 그의 낯설고도 다양한 시작(詩作) 방법은 새 것에 대한 경사를 의미하는 것이 아니라 표현되어야 할 것과 표현해야 하는 기교 사이에 조성된 긴장 의 산물이다.

* 李鍾大, 동국대학교 국문과 강사, 주요 논문으로 「김수영 시의 모더니즘 연구」, 「신경 림 시의 서사성 연구」, 「정지용 시의 세계인식」 등이 있음.

그의 시작 방법은 분명 과거의 문학 전통과 거리가 있고, 동시대의 문학관습과도 다르다. 글쓰기의 기본 질서인 띄어쓰기를 무시한 것은 물론이거니와 시의 장르적 특성으로 꼽는 율격조차 배제하고, 심지어 언어를 거부하고 온갖 기호나 숫자로 '제작'된 그의 시가 문학적 '사건'임에는 틀림이 없다. 시도 사람과 사람의 대화라는 평범하지만 간과하기 쉬운 사실과 그것을 통하여 즐거운 감동을 체험하려는 독자를 감안하면 그의 시는 쉽게 추문화(醜聞化)될 수도 있다. 그럼에도 불구하고 그의 시는 당대는 물론 현재에 이르기까지 시 논의의 중심에서 크게 벗어나지 않았다. 특히 90년대에 들어서는 포스트모더니즘과 연관지어 그의 시를 종래와는 다른 시각으로 읽으려는 시도가 보이기도 한다.[1]

이상 시에 대한 이러한 관심은 그의 시가 미로에서의 출구찾기, 혹은 숨은 보석찾기의 형태를 지녔다는 점과 연관된다. 시읽기의 일차적 단서가 되는 축자적 의미의 파악에서 출발할 때 대부분의 그의 시는 읽어낼 수 없다. 뿐만 아니라 늘 마주 대하던 사물들의 낱낱의 이미지가 시인의 상상력으로 통합될 때 독자들이 느끼는 서늘한 감동이나 언어의 미적 가공을 시 형성 원리의 첫째로 꼽았던 동시대의 통념에 따르면 그의 시는 시가 아니다. 「오감도」가 발표된 『조선중앙일보』의 독자들로부터 "미친 놈의 잠꼬대"라는 비난을 받은 사실이나 "어린애의, 의미조차를 분명히 알 수 없는 더듬이말"이라는 김억의 혹평 등이 그것을 말해준다.

대체로 난해하다는 평가를 받는 시나 미적 가공을 거치지 않은 시, 이를테면 인간 존재의 심연에 대한 천착 혹은 현실주의에 몰입한 시를 대할 때 우리가 공감을 느끼게 되는 경우는 논리적 사고에 힘입는 것이 보통이다. 다시 말해 우리는 언어의 미로를 헤쳐 나온 뒤 비로소 그 의미를 깨닫고 머리를 끄덕이게 되는 것이다. 그것은 마치 복잡한 미로에서 출구를 찾는 일과 흡사하다. 시를 읽는 즐거움은 정서환기의 체험에서도 비롯되지만 축

---

1) 이승훈, 『포스트모더니즘시론』, 세계사, 1991, 138쪽. 김춘수, 「질서와 혼돈-포스트모더니즘 특집」, 『현대시』, 1990.7.

자적 의미로는 알 수 없는, 그래서 객관적·분석적·조직적 사고를 동원하여 원하는 바를 얻었을 때의 의미도 소중하다는 판단 때문인 듯하다. 더욱이 이상의 시가 등장한 시기가 종래의 문학관습에서 벗어나 새로운 문학을 추구하던 시기와 맞물려 있어서 그의 난해한 시에 대한 관심은 더욱 증폭되었을 것이다. 특히 그의 기행(奇行)과 병력(病歷)에 이은 요절은 증폭의 정도를 더욱 깊고 넓히는 요인으로 작용했을 것이다. 이상 시에 대한 관심은 당대에는 물론 그후로도 지속되어 70년대에는 문학 이외의 예술분야는 물론 인문·자연과학의 이론을 적용시켜 그의 시를 읽어 내려 한 시도가 보이기도 한다. 「동물의 이미지를 통한 이상의 상상적 세계」[2], 이상 문학에 있어서의 수학」[3], 「화가로서의 이상」[4], 「이상문학의 초의식 심리학」[5] 등이 그것이다.

그러나 언어의 배제를 포함한 '표현해야 하는 기교'의 다양함도 현대시 형성과정에서 시사하는 바가 크지만 그것은 '표현되어야 할 것'에 대한 인식이 전제되어야 유효하다. 이것은 너무나 당연한 일이면서도 가장 지난한 일이다. 가령 김수영의 경우, 형식과 내용 혹은 예술성과 현실성으로 용어가 바뀌어져 있긴 하지만 "우리들은 시에 있어서의 내용과 형식의 관계를 생각할 때, 내용과 형식의 동일성을 공간적으로 상상해서, 내용이 반, 형식이 반이라는 식으로 도식화해서는 안된다. 예술성이 무의식적이고 은성적이기는 하지만, 그것은 반이 아니다. 예술성의 편에서는 하나의 시작품은 자기의 전부이고, 현실성의 편에서도 하나의 작품은 자기의 전부이다."[6]라는 주장을 편다. 그는 비판적 현실인식과 심미성이 긴장의 관계를 유지해야 '시다운 시, 새로운 시'가 된다고 지속적으로 그리고 일관되게 주장한다. 굳이 김수영의 판단에 힘입지 않더라도 '표현해야 하는 기교'와 '표현되어

2) 오생근, 『신동아』, 1970.2.
3) 김용운, 『신동아』, 1973.2.
4) 오광수, 『문학사상』, 1976.6.
5) 정귀영, 『현대문학』, 1976.7-9.
6) 김수영, 「시여, 침을 뱉어라」, 『김수영전집2』, 민음사, 1981, 251쪽.

야 할 것'의 긴장관계, 그 둘은 말 그대로 둘이 아니라는 사실은 부정하기 어렵다. 특히 그것은 모더니즘 세계관의 요체이기도 하다.

이상의 시를 모더니즘 계열의 작품으로 이해할 경우 그 필요성이 더욱 절실함에도 불구하고 그에 대한 연구는 "치열한 실험의식"이나 "현대화 시도"[7]를 읽어내려는 의도 아래 '표현해야 하는 기교'에 지대한 관심을 보인 반면 '표현되어야 할 것'에는 소홀했다는 판단을 떨치기 힘들다. 그리고 부차적 사실이긴 하지만 30년대 모더니즘 연구도 예외가 못된다.[8] 요컨대 이상을 모더니스트로 평가할 때 그 판단의 중심은 '표현의 기교'이지 비판적 현실인식이 아니었다. 오히려 거기에서 이상의 시는 배제되기 일쑤였다. 그러나 그것이 부당하다고 탓할 수만은 없다. 그의 시는 일본에서 다양한 형태의 '현대시'를 읽은 것으로 짐작되는 정지용조차 "그저 진기했으니까"[9]라고 추거(推擧) 이유를 밝힌 것처럼 파천황(破天荒)의 형태를 지녔고, 그것만으로도 주목받을 만했기 때문이다.

이상의 현실인식에 주목하지 않은 또 다른 이유는 '표현되어야 할 것·내용·현실성·비판적 현실인식' 등으로 일컬어지는 것의 세목에 소홀한 데서 찾아진다. 30년대의 현실은 우리 민족을 질곡에 빠뜨리기에 충분한 것들이었다. 특히 나라상실은 민족 전체에게 직접적 고통을 가하는 것이어서 30년대의 현실을 일컬을 때면 으레 가장 대표적인 것으로 여겼다. 그러나 구체적 개인의 입장에서 보면 나라상실의 고통도 엄청난 것이지만 아무런 준비없이 급격하게 찾아온 격변의 소용돌이, 이를테면 과거에는 볼 수 없었던 근대문물, 자본주의로 인한 새로운 계층의 등장과 빈부의 격차[10], 누구

---

7) 김용직, 「1930년대 모더니즘시의 형성과 전개」, 『현대시사상』, 1995.가을, 104쪽.
8) 이종대, 「근대적 자아의 세계인식」, 『근대문학과 구인회』, 1996, 60쪽.
9) 정지용, 『정지용전집2』, 민음사, 1988, 295쪽.
10) 1920-30년대는 1910년대에 실시된 토지조사사업의 결과로 배타적 토지소유권이 확정되고 화폐경제 체제 아래 토지의 상품화가 더욱 촉진되어 농민이 토지로부터 분리되는 식민지적 지주제가 확립된 시기다. 더욱이 1918년에 실시된 신지세령으로 자작농은 소작농으로, 소작농은 농촌에서 쫓겨나 도시의 빈민노동자로 전락하게 된다.(『동아일보』, 「3·1운동과 민족

나가 평등하다고 선전하는 사회주의, 자유연애로 포장된 성의 개방풍조, 성의 상품화[11] 등도 한 개인의 일상적 삶을 바꾸어 놓을 만한 것들이다. "電氣機關車의 미끈한 線·鋼鐵과 유리·建物構成·銳角" 등과 같은 근대문명의 산물이 그 아름다움을 발휘하기 위해서는, 바로 그 근대문명의 심각하고 비극적인 또 하나의 산물인 "추악한 노예"들과 결부되지 말아야 되는데 사실은 그렇지 못한 현실이 30년대의 상황이다. 이런 점에서 "箱의 경우에 있어서 가장 내면적인 고뇌를 표현하는 시구(詩句)와 인간의 냄새를 풍기지 않는 과학적 언어의 유희가 서로 병행하고 동일한 시기에 생산되었다"[12]는 지적은 대체로 타당한 것으로 보인다.

이상은 동시대인들의 삶과 무관한 시인이 아니다. 오히려 그의 시는 30년대 삶의 세목에 대한 진단이다. 민족전체가 처한 공동의 현실보다는 개인과 개인에게 도래한 일상의 변화를 주목하고 거기서 파괴되거나 훼손된 자신과 자신의 이웃을 발견한다. 그는 그 앞에서 절망[13]했으나 분노하지 않았고, 더욱이 그것을 소리 높여 외치는 대신에 자신의 내부에 재구하여 관찰하고 진단한다. 그러나 이러한 판단은 적어도 우리말다운 우리말을 구사한 시에서 가능하다.

통일 심포지움」, 1989.2.18)
11) 기록에 따르면 이 땅에 매춘업이 들어선 것은 1900년대 초이며 초기의 매춘부는 모두 일녀(日女)였다. "그들은 한국에 거주하는 일인(日人)을 상대로 매춘을 시작했으나 차츰 한국인들도 매춘부들을 찾기 시작했고 그 수요가 증가하자 끝내 한국여성도 매춘부로 등장하게 된다. 정부의 강력한 단속에도 불구하고 돈만 내면 즉석에서 성을 즐길 수 있다는 편리함으로 한국 남자들에게도 급속도로 전파되었으며, 결국 매춘행위를 하는 한국여성이 급격히 증가되었다."(손정목, 「개화기 한국거류 일본인의 직업과 매춘업·고리대금업」, 『한국학보』18집, 1980, 98-116쪽).
12) 정명환, 「부정과 생성」, 김용직 편, 『이상』, 문학과 지성사, 1977, 83쪽.
13) 정명환은 "그는 오직 자기가 당면한 직접적인 사회적 상황하에서, 그리고 그 상황 때문에 절망"한 것이라며 그 절망의 원인을 신구사상의 대립, 속악한 삶의 환경, 이룩될 수 없는 대타관계 등 세 가지로 들고 있다(정명환, 위의 논문, 71쪽).

2. 자아와 세계의 균열

1910년대부터 1930년대까지의 이른바 '신흥문예'로 통칭되던 문학적 세계관은 자아와 세계와의 균열을 절실하게 지각한 데서 비롯된다. 아울러 균열의 근인(近因)과 원인(遠因)을 어떻게 파악했느냐에 따라, 그리고 그로 인한 비전의 제시에 따라 모더니즘과 리얼리즘이라는 서로 다른 문학적 축으로 구분된다. 여기서 종래에 지녔던 질서체계가 붕괴되었다는 것은 동일성을 추구하여 융합의 관계를 유지하던 자아와 세계의 관계가 더 이상 지속되지 못한다는 것을 의미하며, 그것은 세계의 변화에서 비롯된다. 잘 알려진 바와 같이 20세기에 들어서면서 인류는 역사상 유례를 찾아볼 수 없는 급격한 변화와 위기에 직면하였다. 특히 서구에서는 그 변화와 위기의 극단적 폭발인 두 차례의 세계대전을 치르면서 그때까지 쌓아 온 문화와 문명에 회의를 갖게 되었고, 삶의 질이 획일화된 교환가치에 의해서만 이루어지는 현상을 묵묵히 지켜볼 수밖에 없었다. 더욱이 한국을 포함한 제3세계에서는 여기에다가 제국주의와 자본주의의 급격한 도래로 인한 충격과 그로 인한 이데올로기의 대립까지 겹쳐 더욱 무질서하고 부조리한 '현대'를 맞게 된다.

자아와 세계의 균열은 이러한 현실에서 결코 잃어버려서는 안되는 소중한 것들을 상실하면서, 바꾸어 말하면 있어야 할 것과 있는 것의 전도에서 비롯되며, 그것을 지각했을 때의 반응은 두 유형으로 나누어진다. 첫째는 균열의 원인으로 변화된 사회구조를 들어 그것의 부당함을 외침으로써 개혁을 지향하는 유형이고, 둘째는 균열의 직접적 동인으로 자아를 설정하고, 자아에 관심을 쏟음으로써 그 균열을 메우려는 유형으로, 이상의 문학적 세계관으로 지목되는 '모더니즘의 속성'14)이기도 하다. 또한 주관적 내면세

---

14) 김준오,「한국모더니즘 시론의 사적 개관」,『현대시사상』 1991. 가을, 113쪽. 김명렬,「모더니즘의 양면성」,『세계의 문학』 1992. 가을, 민음사, 31쪽. 김욱동,『모더니즘과 포스트모더니즘』, 현암사, 1993, 68-76쪽, 백낙청,「모더니즘 논의에 덧붙여」,『민족문학과 세계문학』, 창작과 비평사, 1985, 461

계와 내적 경험에 보이는 관심도 대체로 두 가지의 양상을 보인다. 하나는 자아와 외부세계와의 완전한 단절로, 다다이즘이나 초현실주의로 형상화된다. 초현실주의가 다다이즘과는 달리 인간의 회복을 위해 건설적인 입장을 취하기는 하지만 그 둘은 현실에 대한 부정에서 출발하여 자아의 내부로만 침잠한 형태이다. 또 하나의 양상은 현실을 인정하고 비판함으로써 자아와 외부세계의 긴장관계를 유지시키는 경우로, 자신의 내면세계에 주목하지만 그것은 내면세계로의 도피가 아니라 궁극적으로는 외부세계의 개혁을 위한 방법으로 삼는 경우다.15) 김수영이 후자의 경우라면 이상은 부조리한 외부세계를 거부하고 자신의 내면세계에 몰두한 시인의 유형에 속한다. 어쩌면 그는 자신의 내면 풍경에 몰두했다기보다는 자신이 체험한 외부세계를 고스란히 내면으로 옮겨 놓은 것인지도 모른다. 다만 그것에 나름의 가공방법을 구사한 것뿐이다.

거울속에는소리가없소
저렇게까지조용한세상은참없을것이오

거울속에도 내게 귀가있소
내말을못알아듣는딱한귀가두개나있소

거울속의나는왼손잡이오
내握手를받을줄모르는——握手를모르는왼손잡이오

거울때문에나는거울속의나를만져보지를못하는구료마는
거울아니었던들내가어찌거울속의나를만나보기만이라도했겠소

나는至今거울을가졌소마는거울속에는늘거울속의내가있소
잘은모르지만외로된事業에골몰할께요

쪽. 전홍실, 『영미모더니스트시학』, 한신문화사, 1990, 22-23쪽. 이종대, 『김수영시의 모더니즘연구』, 동국대대학원, 1993, 96-120쪽 참조.
15) 이종대, 위의 논문, 96-120쪽 참조.

거울속의나는참나와는反對요마는
또꽤닮았소
나는거울속의나를근심하고診察할수없으니퍽섭섭하오

「거울」(1933. 10), 전문16)

종래의 시적 전통을 거부하여 난해한 시인으로 알려진 이상이지만 이 작품은 띄어쓰기를 지키지 않았다는 점을 제외하면 동시대의 시적 관습에서 이탈된 시라고 하기 어렵다. 오히려 이미지 단위로 행과 연을 구분한 점이나 자아와 세계에 대한 반성적 숙고를 보여준다는 점에서 모더니스트 이상의 시적 세계관을 선명하게 보여주는 시편이다.

잘 알려진 것처럼 '거울'은 이상 시의 기본 모티프에 속한다.17) 따라서 그의 시에 거울은 여러 번 등장하지만 그가 거울을 제목으로 내세워 정면으로 다룬 시는 「거울」(1933. 10)과 「명경」(1936. 5) 뿐이다. 일상적 의미와 존재론적 의미의 대응을 거울에서 찾고 있는 「시제8호」(1934. 7)나 "나는거울없는室內에있다"로 시작되는 「시제15호」(1934. 8) 등의 시에서도 거울이 지배소임에는 틀림이 없으나 「거울」이나 「명경」만큼 선명한 이미지를 지니지 못한다.

우리 문학에서 거울은 대체로 다음과 같은 이미지를 지닌다. 첫째, 거울은 현실반영의 가장 구체적인 비유가 되며, 인간의 자기검증의 비유적인 매개가 된다. 둘째, 거울은 흔히 현실 세계의 모사(模寫)로서보다는 초자연적인 마법의 세계로 표상된다. 셋째, 거울은 '명경(明鏡), 명경지수(明鏡止水)'에서 알수 있듯이 심성(心性), 역사·윤리의 비유가 된다. 넷째, 거울은 '파경(破鏡)이라는 말에서 짐작할 수 있듯이 사랑의 상징이며 여성의 삶의

---

16) 이 상, 『이상문학전집1』, 이승훈 편, 문학사상사, 1989, 187쪽. 앞으로 이상의 시는 이 책에서 인용하며, 표기·맞춤법도 이 책의 체제를 따른다.

17) 염무웅, 「잃어버린 날개의 추념」, 『한국인간상』5, 1965.6, 참조. 김준오, 「자의식과 자기분열」, 『가면의 해석학』, 이우출판사, 1987, 130쪽 참조. 김주연, 「시문화의 의미와 한계」, 『이상』, 문학과지성사, 1977, 135-138쪽. 이승훈, 『이상시연구』, 고려원, 1987, 25-30쪽. 김용직, 「이상, 현대열과 작품의 실제」, 『이상』, 앞의 책, 38쪽 참조.

표상(表象)이다. 다섯째, 거울은 자아인식이나 자아분석은 물론 현대적 심리 현상의 정신과적인 징후의 상징이 되기도 한다.[18] 그러면 이상 시의 경우는 어떠한가. 그 동안 이상 시에서 거울은 자의식의 세계[19]·꿈[20]·자아분열[21]·‘나’와 ‘내’를 분리시키는 도구[22] 등으로 파악되어 왔다. 다시 말해 위의 유형을 따른다면 지금까지 이상의 거울은 자아인식이나 자아분석의 관점으로 이해된 셈이다. 그러나 그러한 생각이 이상 시의 이해에 어느 정도 도움은 주겠지만 충분하지는 않다는 생각이다.

거울은 객관적으로 자신의 모습을 확인할 수 있는 도구다. 굳이 외국의 신화를 상기하지 않더라도 그것은 자신의 모습을 객관적으로 확인시켜줌으로써 자신의 모습에 대하여 호기심을 지닌 사람들에게 조금의 가감도 없이 그것을 보여 주어 자신에 대한 자부심이나 실망을 유발시키는 도구임에 틀림이 없다. 더욱이 거울은 거짓말을 하지 않는다는 묵시적 동의를 얻고 있기 때문에 자신의 모습을 보려는 사람이 거울을 찾는 것은 당연한 일에 속하고, 그들은 그곳에 비친 자신의 모습을 믿을 수밖에 없다. 그런 점에서 거울은 자기검증의 비유적인 매개가 된다.

그러나 ‘거울 앞의 나’와 ‘거울 속의 나’가 일치하지 않는다는 사실, 더욱이 거울 앞의 나와는 반대의 모습과 행동을 한다는 것을 깨달았을 때 거울 앞에 선 화자는 혼돈에 빠지게 된다. 그것은 있어야 할 것과 있는 것의 균열을 지각했을 때의 충격과도 같다. 이 시는 거기서 출발한다. 다만 그 균열을 지각했을 때의 충격에서 벗어나 그러한 현상에 대한 세밀한 관찰 결과를 감정의 가감없이 보여주고 있을 뿐이다. 다시 말해 자아와 세계로 치환될 수 있는 ‘거울 앞의 나’와 ‘거울 속의 나’의 이질적인 속성을 밝히는

---

18) 이재선, 『우리 문학은 어디에서 왔는가』, 소설문학사, 1986, 108-112쪽. 참조.
19) 염무웅, 「잃어버린 날개의 추념」, 『한국인간상』5, 1965.6, 참조. 김준오, 「자의식과 자기분열」,『가면의 해석학』, 이우출판사, 1987, 130쪽 참조.
20) 김주연, 「시문화의 의미와 한계」, 『이상』, 앞의 책, 135-138쪽.
21) 이승훈, 『이상시연구』, 고려원, 1987, 25-30쪽.
22) 김용직, 「이상, 현대열과 작품의 실제」,『이상』, 앞의 책, 38쪽 참조.

데 그 관심이 쏠려 있다. 또한 이것이 「거울」의 지배소로 기능하고 있다는 판단 아래 연구자들도 깊은 관심을 보인다.[23] 그 관심의 공통인자는 초현실주의와 연관시켜 거울을 중심으로 나누어진 두 개의 '나'를 현실적 자아와 이상적 자아로 이해하고 있다. 특히 김춘수를 제외하고는 모두 거울 앞의 나를 현실적 자아로 지목하고 있다. 그 이유를 분명하게 밝히지는 않았지만 '거울 밖의 나'가 실제로 생명이 있고 각종의 생리작용을 한다는 점을 감안하면 타당한 지적이다. 그러나 이상의 시가 자신이 목격한 외부의 사물 일체를 자신의 내면으로 옮겨 그곳에 재구한 것 혹은 "이상의 문학은 내향성의 문학, 즉 대상을 자기 속으로 흡수하는 문학"[24]이라는 점을 상기하면 그의 내면에 존재하는, 많은 연구자들이 현실적 자아와 이상적 자아로 지목한 두 개의 자아는 현상적 화자로서의 이상 자신과 그가 진단한 세계이다. 바꾸어 말하면 거울은 현실반영의 가장 구체적인 비유가 된다.

거울이 대상을 객관화시키는 도구임에는 틀림이 없지만 한편으로 그것은 굴절현상을 유발시키는 대표적인 도구이기도 하다. 화자가 보려는 자아는 굴절현상을 거쳐 그 모습이 전혀 다른 형태가 되버린 거울 속의 모습이 아니라 그것의 실체다. "거울 때문에 나는 거울 속의 나를 만져보지를 못하는구료마는 / 거울 아니었던들 내가 어찌 거울 속의 나를만나보기만이라도 했겠소"에서 알 수 있듯이 거울은 그것을 방해하는 장애물이면서 동시에 자아를 확인하고 싶은 욕망을 유발시키는 단초로도 작용한다. 그 결과 화자는 세계 앞에 선 자신과 그 세계 속의 자신이 일치하지 않는다는 데서 비롯되는 절망을 감지하지만 그것은 말 그대로 '감지'일 뿐이지 분노라든가 절규의 모습이 아니다. 다시 말해 이 시의 현상적 화자인 '나'는 함축적 화자인 내부의 '나'에게 거울로 인하여 생긴 두 개의 자아에 대하여 가치판단

23) 반성적 자아와 일상적 자아(김춘수, 「이상의 시」, 『문학예술』, 1956.9.참조.), 현실아(現實我)와 진아(眞我)(원명수, 『모더니즘시연구』, 계명대출판부, 1987, 194쪽), 일상적 자아와 본래적인 자아(임종국, 「이상의 생애와 예술」, 『이상시집』, 정음사, 1973), 자의식의 객체와 주체(김준오, 앞의 책, 130쪽), 현실적 자아와 이상적 자아(이승훈, 앞의 책, 25-28쪽).
24) 정명환, 「부정과 생성」, 앞의 책, 69쪽.

을 요구하거나 어느 것을 지향하는 태도를 보여주는 것이 아니라 그 균열 현상의 지각을 요구하는 태도다. 그리고 그것은 굴절을 거치지 않은 거울 속의 나의 실체를 확인하는 전제가 된다.

「거울」에서의 거울이 자아와 대립되는 현실 세계라면 다음의 시에서 거울은 자아와 대립되는 지나간 시대의 정신 풍경이라고 할 수 있다.

여기 한 페-지거울이 있으니
잊은 季節에서는
엎은 머리가 瀑布처럼 내리우고

울어도 젖지 않고
맞대고 웃어도 휘지 않고
薔薇처럼 착착 접힌
귀
들여다 보아도 들여다 보아도
조용한 世上이 맑기만 하고
코로는 疲勞한 香氣가 오지 않는다.

만적 만적하는대로 愁心이 平行하는
부러 그러는 것 같은 拒絶
右편으로 옮겨 앉은 心臟일 망정 고동이
없으란 법 없으니

설마 그러랴? 어디 觸診……하고 손이 갈 때
指紋이 指紋을 가로 막으며
선뜩하는 遮斷 뿐이다.

5月이면 하루 한 번이고
열번이고 外出하고 싶어 하더니
나갔던 길에 안 돌아오는 수도 있는 법

거울이 책장 같으면 한장 넘겨서
맞섰던 季節을 만나련만
여기 있는 한 페-지

거울은 페-지의 그냥 표지-

「명경」(1936. 5), 전문

「거울」과 더불어 이상 시의 기본 모티프인 거울을 제목으로 삼아 그것을 정면으로 다룬 시다. 「거울」에서의 거울과 거울 속의 나가 부조리한 당대 현실이라면 여기서의 거울은 지나간 과거의 정신 풍경이다. "얹은 머리"가 '단정하게 빗어 올린 머리'라는 점, 그리고 그것이 존재하는 공간이 "잊은 계절"이라는 점에서 그렇다. 더욱이 거울로 비유된 책이 "도서관·박물관 같이 과거의 지식·문화 등의 집적물로서 전통을 표상한다"25)는 점을 상기하면 더욱 그렇다. 그러므로 책 속에 단아하게 정리된 과거가 이제는 더 이상 현실 속에서 어떠한 영향력도 발휘하지 못한다는 판단은 과거의 질서 곧 전통에 대한 그의 태도를 보여주는 것이기도 하다.

오랜 동안 세계를 유지시키고 그것의 흐름을 통어하여 전통으로 불리우는 과거의 지식들이 급격하게 도래한 격변의 소용돌이 속에서는 아무런 쓸모가 없다는 것을 자각한 새로운 문학담당층의 대표적 인물이 이상이지만 그가 목격한 현실은 어느 쪽으로도 피할 수 없는 암담한 것이었다는 점에서 이상은 과거의 사유체계를 만나고 싶었는지도 모른다. "들여다 보아도 들여다 보아도 / 조용한 세상이 맑기만 하고 / 코로는 피로한 향기가 오지 않는다."에서 보여주는 책에 대한 긍정적 태도도 그렇거니와 시의 경우와는 그 성격이 조금 다르겠지만 그의 소설에서 "문제는 왜 허다한 소재 가운데서 그가 되풀이 아내의 부정에만 매달렸는가 하는 점에 있다. 되풀이 아내의 부정에 제재를 택한 작품을 남겼다는 것, 그리고 그 작품 속에 예외없이 자신에 대한 열등의식이 잠재해 있음을 발견케 된다는 사실은 곧 그가 낡은 윤리나 도덕관에 사로잡혔음을 말해준다"26)는 지적, 동생들에게 보낸

---

25) 이종대, 앞의 논문, 44-45쪽. 하스캠프(J.T.Harskamp)는 모더니스트들이 박물관이나 도서관 등의 문화유산을 전수하기보다는 오히려 예술창조를 속박한다고 생각하여 그것을 거부하는 것을 그들의 문학적 세계관의 토대로 삼았다고 지적한 바 있다. J.T.Harskamp, <Past and Present in Modernist Thinking>, *British Journal of Aesthetics* 24(Winter 1984), pp.30-33.

편지내용27), 가령 "우리 삼남매는 모조리 어버이 공경할 줄 모르는 불효자식이다", "인자의 도리를 못 밟는 이 형이다" 등의 구절을 보더라도 그가 전시대의 가치체계에서 완전히 벗어났다고는 말할 수 없다. 특히 그 편지에 부모형제에 대한 진솔하고도 애틋한 정이 듬뿍 담긴 것을 고려하면 이러한 판단은 무리가 아니다. 이상은 소위 "19세기적 유산"에 극단적으로 반발하는 매저키스트적인 태도를 보였지만 실상은 그렇지 못했다. 그는 떨쳐 버리기 위해 몸부림쳤던 19세기적 삶에 지배당할 뿐더러 스스로 그것을 바라는 모순된 태도를 동시에 지닌 것으로 보인다.

그러나 책으로 표상되는 전통에 대한 관심은 그것으로부터 "거절"당하고 거울 곧 현실로부터는 "차단"된다. 근대문물과 그로 이루어지는 세계에 강한 호기심과 더불어 새로운 삶의 비전을 기대했던 근대적 자아는 「거울」을 통하여 그것이 얼마나 소박한 것이었는가를 생생하게 목격하고 지나간 과거를 돌이켜 본다. 자신이 벗어났다고 판단한 지나간 시대의 삶의 질서에서 완전히 벗어나지 못했기 때문인지 혹은 급격한 삶의 전환의 실패인지는 명확하게 드러나지 않지만 근대적 자아가 몸담은 현실은 온갖 갈등으로 채워진, 벗어나고 싶은 질곡이었으리라. 그 지점에서 화자가 회상한 과거 속의 삶은 '조용하고 맑고 삶의 피로가 없는' 것이라고 판단한 듯하다. 비록 한때는 화자가 "맞섰던", 그래서 거부하고 빠져나오기 위해 몸부림쳤던 전통의 삶이었지만 현재에서 겪는 절망과 불투명한 미래는 과거를 회상시켰을 법하다. 그러나 현실은 거기에 가까이 가고 싶어하는 화자에게 족쇄로 작용한다. 지나간 시대의 삶은 단아하게, "그냥 표지"로 책 속에 정리되어 있을 뿐이다.

그러면 이상이 목격한 현실, 거울 앞의 나와 상반되는 거울 속의 실체는 어떠한 모습이기에 그는 그토록 거기서 벗어나고 싶어했고, 전통은 쓸모없는 것이 되고 마는가.

---

26) 김용직, 앞의 글, 57쪽.
27) 이　상, 『이상문학전집3』, 문학사상사, 1993, 215-222쪽.

3. 무사(無事)한 세상과 병원

내 키는 커서 다리는 길고 왼다리 아프고 안해 키는 작아서 다리
는 짧고 바른 다리가 아프니 내 바른 다리와 안해 왼다리와 성한 다
리끼리 한 사람처럼 걸어가면 아아 이 夫婦는 부축할 수 없는 절음
발이가 되어 버린다 無事한 世上이 病院이고 꼭 治療를 기다리는 無
病이 끝끝내 있다 (띄어쓰기 필자)

「紙碑」(1935. 9. 15), 전문

「거울」,「명경」과 더불어 빛나는 시다. 그럼에도 불구하고 주목을 받지
못한 시편이다. 아마 이상 시 특유의 '현대적'인 것과 거리가 있고, '유별
난' 형태가 아니어서, 혹은 보물찾기의 매력이 덜하다는 판단이 그 원인이
아닌가 싶다. 그러나 이상시에서 찾아보기 힘든 우리말의 우리말다운 구사
와 이미지의 선명한 대조가 돋보이는 시편이다. 이상은 잘 알려진 것처럼
일상의 언어보다는 숫자나 기호, 그림 등으로 시를 '제작'한다. 일상의 언어
를 구사해도 "나의아버지가나의곁에서조을적에나는나의아버지가되고또나는
나의아버지의아버지가되고그런데도나의아버지는나의아버지대로나의아버지
인데"(「시제2호」) 등과 같이 수수께끼로 만들어 버리거나 "익은불서 목불대
도(翼殷不逝 目不大覩)"(시제5호) 처럼 언어유희[28]를 즐긴다. 그러나 이 시
는 띄어쓰기만 제대로 하면 언어의 정제와 압축, 선택과 결합이 돋보이는
시다.

"안해" 역시 이상 시의 기본 모티프로, 그의 시에서 화자가 주체적 자아

---

28) 익은불서 목불대도(翼殷不逝 目不大覩)는 『장자』의 「산목편(山木篇)」의
"익은불서 목대불도(翼殷不逝 目大不覩)"의 변형으로 원뜻은 '날개가 커도
날지 못하고 눈이 커도 볼 수 없다'이다. 이상은 "목대불도(目大不覩)"를
"목불대도(目不大覩)"로 위치와 글자(覩와 覩)를 바꾸어 '날개가 커도 날지
못하고 눈은 크게 볼 수 없다'는 뜻으로 변형시켰다. 일종의 언어유희
(pun)이다.(이승훈, 앞의 책, 27쪽).

라면 안해는 객체적 자아이면서 세계를 표상한다. 이상 작품에서 대부분 그렇듯이 여기서도 화자는 안해를 세밀히 관찰하고 그와 조화를 꾀하려는 태도를 보인다. 그러나 키가 크고 작다는 어쩔 수 없는 사실, 더욱이 상처 받아 훼손된 다리마저도 서로 반대라는 현실을 상기하면 그들의 조화는 원 천적으로 봉쇄되어 있음을 짐작할 수 있다. 군이 부창부수(夫唱婦隨)라는 말을 상기하지 않더라도 남편과 아내는 삶의 동반자이다. 남편과 아내를 하늘과 땅에 비유하는 것이 비유로서의 생명을 다한 시대이긴 하지만 경제 적 협력이라든가 정서의 제공이라는 지극히 합리적이고 타산적인 관점에서 도 남편과 아내는 삶을 같이 한다. 누구나 삶의 굽이굽이에서 어렵고 힘들 때를 만나기 마련이다. 그때 우리가 받을 수 있는 위로와 격려 중에서 가장 효과적인 것은 아마도 이성으로부터 오는 위로와 격려일 것이다. 남편과 아내는 삶의 비참과 기쁨을 함께 하여 그것을 잊게 하거나 증폭시켜 주는 서로에게 소중한 존재이다. 그런 점에서 아내라고 부를 수 있는 사람은 자 기가 아내라고 부르는 사람에 대하여 누구보다도 잘 안다는 것은 상식에 속한다. 그러나 이상 시에서 아내는 화자가 가장 이해할 수 없는 존재, 화 자와 대립하고 갈등을 불러 일으키는 존재다. 화자가 자신이 목격한 세계 를 아내로 치환시킨 것은 그러한 역설의 효과를 고려한 것으로 보인다. 결 국 아내는 이상이 주목한 세계의 실체이다.

화자의 세계인식과 동시대인들이 지니고 있는 그것과 차이가 있다는 화 자의 고백 속에서 그러한 불균형의 원인을 찾을 수 있다. 불균형 혹은 균열 을 깨달아야 그것의 수정을 요구하거나 벗어나기 위하여 애쓸텐데 불행히 도 이상의 눈에 비친 동시대인들의 세계인식은 그렇지 못했던 것 같다. "무 사한 세상이 병원이고 꼭 치료를 기다리는 무병이 끝끝내 있다"는 역설이 이러한 판단을 뒷받침한다. 동시대인들이 알고 있었던 세계는 무사한 개인 과 사회이며, 이상이 알고 있는 세계는 병든 사회와 개인이기 때문이다. 그 의 시에서 병원, 진료, 해부, 진찰, 수술대 등의 시어를 쉽게 발견할 수 있 는 것도 이와 유관할 것이다. 병은 육체의 언어이다. 그것은 자신의 이익에 따라 조절할 수 있는 것이 아니라 감출 수도 무시할 수도 없는 정직한 언어이다. 그것을 무시할 때는 생명을 포기하겠다는 것을 전제로 해야 한다. 건강할 때 우리는 육체를 의식하지 않는다. 자신의 육체에 이상이 있다는 것을 알았을 때 우리는 약을 복용하지만 정도가 심해지면 우려와 걱정을 갖고 병원을 찾아 치료를 받는다. 그래도 완치의 보장은 없다. 문제는 "꼭 치료를 기다리는" 심각한 병이 있음에도 불구하고 자신이 "무병"하다고, 그것도 "끝끝내" 믿는 것이다.

이상은 자신이 살던 시대가 중병에 걸렸다고 진단한다. 「시제4호」(1934.7.28)는 "환자의 용태에 관한 문제"로 시작되어 "이상 책임의사 이상(以上 責任醫師 李箱)"으로 끝난다. 그리고 그 사이에는 1부터 0까지의 숫자가 거울에 비친, 다시 말해 좌우가 전도된 형태로 열한 번 나열되어 있다. 숫자의 전도에 주목하여 많은 의미들을 캐내지만29) 「시제4호」는 거울·병(病)·환자·병원 등과 연관되는 시다. 이상이 아니더라도 새로운 학문과 교섭한 동시대의 청년·문학담당층들이 당대가 겪는 문제를 인식하는 일은 시대적 책무에 속한다. 더구나 이상은 '현대화의 시도'를 시를 포함한 그의 글 곳곳에서 보여준 바 있다. 그것을 상기하면, 그리고 마지막 연인 "이상 책임의사 이상"을 보더라도 「시제4호」는 이상이 거울을 통해서 바라본 현실에 대한 진단이라고 할 수 있다. 그 결과는 2행부터 12행까지 계속된, 거울에 비친 모양의 숫자가 시사하듯이 정상이 아니라는 것이며, 의사의 정상이 아니라는 판단은 곧 병이 있다는 의미일 것이다. 그러나 문제는 "무사한 세상이 병원이고 꼭 치료를 기다리는 무병이 끝끝내 있다"는 그의 역설로 드러난다. 중요한 것은 구성원의 일부가 병에 걸렸다는 사실이 아니라 전체가 중병을 앓고 있다는 것이며, 그보다 더욱 심각한 것은 환자가 그러

---

29) 「시제4호」의 2연부터 12연까지를 이승훈은 거꾸로 된 숫자판이라고 했지만 정확히 말하면 그것은 거꾸로 된 것이 아니라 숫자의 좌우가 바뀐 형태라는 것이 더 옳다. 그리고 그것의 의미에 대해서는 "가치체계의 전도"(임종국), "욕구와 현실의 균형붕괴"(정귀영), "원순열의 선순열로의 치환"(송기숙), "내면에서 대상을 보는 것(김용운), 수적 환상과 양가치적 표현(김종은) 등이 있다(이상, 『이상문학전집1』, 앞의 책, 25쪽).

한 사실을 모른다는 데 있다.

이상은 그가 몸담고 있는 시대를 병원으로 간주한다. 그것이 그가 목격한 현실이다. 그 현실이 무사하다고, 무병(無病)하다고 믿는 사람들과 함께 살아야 하는 것 또한 그의 현실이다. 그런 점에서 병이 없다는 진단을 받았음에도 불구하고 화자 자신이 환자라고 생각하는 윤동주의 시, "나도 모를 아픔을 오래 참다 처음으로 이곳에 찾아왔다. 그러나 나의 늙은 의사는 젊은이의 병을 모른다. 나한테는 병이 없다고 한다. 이 지나친 시련, 이 지나친 피로, 나는 성내서는 안된다."30)는 시도 시사적이다.

아픔을 견디지 못하고 병원을 찾은 젊은 화자에게 의사는 병이 없다고 한 대목은 많은 것을 생각하게 한다. 늙음과 젊음으로 대비되는 세대간의 단절을 읽어낼 수도 있고 나아가 사람과 사람 사이에 형성된 의사소통의 장벽을 짐작할 수도 있다. 그러나 병이 병으로 발견되지 못하는 상태라면 회복은 불가능하다. 화자의 병이 육체의 병이 아니라 정신적인 것에 속하는 것이라 해도 사정은 마찬가지다. 오히려 그것이 더 심각한 사태를 초래할 수도 있다. 육체의 병이란 갈등의 산물이며, 갈등은 원하는 바 혹은 지향하는 것을 이루지 못했거나 있는 것과 있어야 할 것의 균열을 지각할 때의 현상으로 삶의 비전과 관계되기 때문이다. 그러나 아픔을 오래 참다 병원을 찾았으나 병이 없다라는 판정을 받는 경우보다는 환자가 자신은 병이 없다고 생각하여 병원을 찾지 않는 것이 더 절망적일 것이다.

어쩌면 동시대의 문학담당층들이 낯선 근대문명에 거는 기대를 이상은 애초부터 갖고 있지 않았는지 모른다. 그가 파행의 현실을 누구보다도 먼저 체험했으면서도 그것에 대한 조금의 호기심이나 기대를 갖고 있지 않았다는 사실은 그 세계의 실체를 이미 알았기 때문이라고 짐작할 수도 있다. 이상이 일상의 언어질서조차 거부한 것도 이와 연관될 것이다. "어느시대에도 그현대인은 절망한다. 절망이 기교를 낳고 기교때문에또절망한다"31)는

---

30) 윤동주, 「병원」, 『하늘과 바람과 별과 시』, 정음사, 1981, 14-15쪽.
31) 이 상, 『시와 소설』, 창문사, 1936, 서문.

그의 반성적 숙고가 이를 뒷받침한다.

4. 맺음말

"무사한 세상이 병원이고 꼭 치료를 기다리는 무병이 끝끝내 있다"에 내재된 이상의 세계인식도 소중한 것이지만, 그것이 마비된 의식과 깨어있는 의식의 차이를 보여준다는 점에서 그의 진술은 오늘날에 더욱 값지고 소중한 것이다. 60년대의 김수영이나, 80년대의 이성복도 그런 반열에 서 있지 않나 싶다. 예컨대 "……그날 태연한 나무들 위로 날아 오르는 것은 다 새가 / 아니었다 나는 보았다 잔디밭 잡초 뽑는 여인들이 자기 / 삶까지 솎아내는 것을, 집 허무는 사내들이 자기 하늘까지 / 무너뜨리는 것을 나는 보았다 새占 치는 노인과 便桶의 / 다정함을 그날 몇 건의 교통사고로 몇 사람이 / 죽었고 그날 市內 술집과 여관은 여전히 붐볐지만 / 아무도 그날의 신음 소리를 듣지 못했다 / 모두 병들었는데 아무도 아프지 않았다"[32] 같은 시편에서의 현실도 온통 병든 사람들로 가득하다. 아울러 이상의 시에서 처럼 병이 들었는데도 아픈 줄을 모르는 것 또한 변함이 없다. 다만 사람들의 병이 깊어지고, 그들로 인해 병들지 않은 사람들의 고통이 더욱 조직적으로 광범위하게 진행된다는 차이뿐이다.

이상의 시는 아쉬움을 남긴다. 시에서 작품의 균질성을 찾기 힘들고, 따라서 작품 전체를 통합하는 데까지는 나아가지 못했다. 앞에서 읽은 작품을 포함하여 그의 작품 가운데에는 선명한 이미지 구사로 사물의 속성을 새롭게 환기시키는 좋은 시편들이 있지만 그것은 일부에 지나지 않고 대다수의 시들은 거기서 비껴나 있다. 앞에서 통념을 벗어난 이상의 시읽기를 미로 빠져나가기나 보물찾기에 비유했지만 어쩌면 애초부터 보물이나 출구가 없었을지도 모른다. 오히려 이상 시의 보물, 그것이 있다면 그것은 우리

---

32) 이성복, 「그날」, 『뒹구는 돌은 언제 잠 깨는가』, 문학과지성사, 1984, 63쪽.

말을 우리말답게 구사하고 언어의 정제와 우리 모두의 시적 통념을 고스란
히 지닌 시에서 발견될 것이다. 그런 점에서 이상은 그의 짧은 생애를 추문
(醜聞)을 만드는 데 소모했다는 느낌을 떨쳐버릴 수가 없다.

그러나 이상은 동시대인들의 삶의 세목과 무관한 시인이 아니다. 우리는
흔히 지나간 시대의 시를 읽으면서, 특히 그를 둘러싼 현실과 관련지어 읽
을 때 그가 당대의 모순과 부조리를 명쾌하게 지적하고 거기서 벗어나기
위해 무장해 줄 것을 기대한다. 또는 일상의 삶에서 느낄 수 없는 정서를
불러일으켜 주기를 기대한다. 그렇게까지는 아니더라도 삶의 동반자로서의
임무를 수행해주기를 바란다. 아마도 그것은 시가 교훈적이든 풍자적이든
감동적이든간에 상투적인 허위의식에 매몰돼 있는 우리들의 낡은 의식이나
정서를 일깨워 주는 것이란 생각 때문일 것이다. 한 편의 시 혹은 어느 한
시인이 그 책무를 완벽하게 수행하기란 어려운 일이다. 그러나 어느 시대
건 그것의 단서를 제공하는 시인은 늘 있는 법이다. 아마 우리들 곁에 그들
이 함께 있다는 것을 발견하는 일이 우리의 의식을 일깨우는 출발이 될 것
이다. 새미

박봉우 초기시 연구

남 기 혁*

1. 서 론

분단이 우리에게 어떠한 의미를 주는가 하는 물음은 우리의 삶을 규정하는 제반 조건들에 대한 반성적 사유의 문제를 제기한다. 이 분단의 원인을 냉전을 축으로 하는 미소 양대국의 세계체제 정책에서 찾든, 혹은 민족 내적 모순으로서 계층문제를 둘러싼 좌우대립에서 파악하든 간에[1], 우리는 운명처럼 분단을 자신의 불가피한 삶의 조건으로 받아 들이지 않을 수 없다. 이 말은 분단의 현실이 우리에게 어떤 선택의 가능성도 열어 놓지 않고 있다는 것을 의미한다. 왜냐하면 분단은 우리의 모든 욕망의 자연스러운 표출을 억압하는 원억압이며, 개인의 내면의 차원에서 보면 분단의 고착화가 이데올로기의 선택과 형성·발전·내면화의 다양성을 그 근저에서부터 박탈하는 힘의 자장을 형성하고 있기 때문이다. 더군다나 분단의 문제는 한국전쟁[2]이라는 미증유의 무력적 충돌의 경험과 결부될 때 일층 더 뚜렷

---

* 南基赫, 서울대 국문학과 박사과정 수료, 서울대 강사, 주요 논문으로 「임화 시의 담론 구조와 장르적 성격 연구」, 「민중 공동체의 서사시적 탐색」 등이 있음.
1) 한국전쟁에 대한 이러한 대립된 견해를 각각 전통주의, (신)수정주의라고 하는데, 최근에는 이 양자의 대립을 지양하는 견해로서 수정주의를 전통주의적 시각으로서 결합하고자 하는 연구 결과가 나오고 있다. 하영선(편), 『한국전쟁의 새로운 접근』, 나남, 1990. 참조.
2) 6·25에 대한 명칭은 사변·동란·내란·분쟁·전란·전쟁 등의 여러 가지 용어로 사용되어 왔다. 한국전쟁의 명칭에 대하여는 다음의 논문에서 잘 정

한 억압으로 우리에게 다가오는 역사적 실체가 된다.

한편 이러한 현실의 논리를 서정시의 논리와 연결시켜 생각해 볼 수 있을 것이다. 왜냐하면 문학은 현실로부터 자신의 상상력의 가능성과 한계를 동시에 규정받고 있기 때문이다. 돌이켜 보면 부정적이든 혹은 긍정적이든 간에 분단문제는 전후시에 일정한 상상력을 제공하였고 또한 훌륭한 시적 소재로 사용되어 왔다. 이 점은 분단문제가 우리의 서정시를 규정하는 조건이자 원억압의 하나였다는 것, 그리고 지금 이 순간에도 현재형으로 지속되고 있는 동시대의 문학적 과제의 하나라는 것을 말하여 준다.

전후의 서정시는 분단·한국전쟁·통일에 대하여 취하는 시인의 정치적 입장이나 개인사적 경험의 진폭에 따라, 혹은 시인의 상상력에 따라 매우 다양하게 나타난다[3]. 전쟁의 공포와 상실 체험을 바탕으로 실존주의적 경향의 포우즈를 취하거나, 아예 전쟁의 현실을 의식적으로 기피하여 순수 언어의 세계나 전통적 토속미의 세계로 탈출하여 자기 안위를 도모한 경우도 있었고, 반공 이데올로기의 편향된 틀을 가지고 전쟁의 현실을 노래한 전쟁시의 연장선상에서 벗어나오지 못한 경우도 있다. 이런 상황에서 박봉우의 출현은 문학사적 입장에서나 세대론적 입장에서 볼 때 매우 낯설고

리되어 있다. 오세영, 「6·25와 한국 전쟁시 연구」, 『한국문화』13, 1992, p.239.

한편 '한국전쟁'이라는 용어는 대표적으로 커밍스에 의하여 사용되었는데, 최근에는 이 명칭이 일반화된 듯하다. B. 커밍스, 『한국전쟁의 기원』, 청사, 1986.

3) 한국전쟁 이후의 한국시는 대체로 세 가지의 경향으로 전개되었다. 전통적 서정의 세계를 일구어 나간 전통시파, 전위적인 언어실험과 문명비판적 입장에서 전후의 부정적인 현실에 접근한 모더니즘의 시, 그리고 한국전쟁과 4·19체험을 바탕으로 부정적인 사회현실에 적극 참여하여 이후 70년대의 민중시파를 선도한 참여시파가 있다. 이러한 삼분법은 기존의 연구자들에게 대체적으로 수용되고 있는 듯하다.

김용직, 「해방 50년 한국시의 전개」, 『시대문학』, 1988. 봄-여름.

김윤식, 「해방공간의 시적 현실」, 『한국문학』, 1988.8-9.

윤여탁, 「한국전쟁후 남북한 시단의 형성과 시세계」, 『한국현대시사의 쟁점』, 시와 시학사,1991.

한형구, 「1950년대의 한국시」, 『1950년대 문학 연구』, 예하, 1991.

신선한 사건이라고 말할 수 있다.

1956년 조선일보 신춘문예에 「휴전선」이 당선됨으로써 문단에 데뷔한 박봉우(朴鳳宇)는 분단의 문제를 자신의 고유한 시적 영역으로 삼고, 그 극복의 문제를 서정시 창작의 출발로 삼았다. 물론 그는 도중에 내적으로 침잠하기도 하였고, 특히 정신병으로 인하여 정상적인 시작 활동을 하지 못한 시기도 있었다4). 하지만 그의 시는 분단과 통일에 대한 반성적 사유와, 더 나아가 분단과 통일을 감싸고 있는 사회문제-예를 들어 4·19의 체험과 이를 좌절시킨 부정적인 사회현실-에 대하여 끊임없는 관심을 보여 주었다. 그의 이러한 작업은 선시집을 제외한 5권의 시집 즉 『휴전선』(1957), 『겨울에도 피는 꽃나무』(1958), 『4월의 화요일』(1962), 『황지의 풀잎』(1976), 『딸의 손을 잡고』(1987) 등으로 그 결실을 맺었다.

이러한 사실은 박봉우가 분단 문제가 시대적 모순을 해결하는 거멀못이라는 사실을 뚜렷하게 인식하고, 그 해결의 가능성을 모색한 선구적 시인이었음을 말해준다. 특히 70년대의 민족문학 논의나 80년대의 민중문학 논의에 있어서 분단과 통일의 문학적 형상화가 중요한 문학적 과제로 제기되었던 점을 고려할 때, 50년대의 암울한 상황에서 분단의 문제를 시적 주제로 삼아 뚜렷한 성과를 이루어낸 박봉우의 시에 대한 면밀한 검토와 가치 평가가 필요하다. 특히 그의 시창작이 시대에 대한 부정과 저항 의식을 중요한 정신적 기반으로 삼았던 점을 고려한다면, 60년대 참여시의 선구자로서 박봉우의 위치를 자리매김하는 작업도 필요하다.

그러나 전후시에서 박봉우가 차지하는 시사적 중요성에도 불구하고, 기존의 연구는 박봉우의 시에 대한 진지한 접근이 이루어지지 못하였다. 전후시의 흐름을 개관하는 몇몇 연구에서 참여시파 시인으로 분류되어 짤막하게 언급되거나, 기껏해야 그의 시사적 중요성에 대한 강조5)에 그치고 말

---

4) 정신병에 시달린 박봉우의 삶에 대하여는 동료문인들의 회고에서 잘 나타나 있다. 이근배, 「겨레의 아픔 시로 터뜨린 박봉우」(『시와 시학』, 1992. 여름)와 박봉우의 선시집 『나비와 철조망』(미래사, 1991)에 실린 정창범의 「박봉우의 세계」가 그것이다.

왔다.

따라서 본고는 박봉우의 초기시6)를 세밀하게 분석함으로써, 그의 시 세계가 지니고 있는 방법적 특성과 현실 인식을 분석함을 주된 목적으로 삼는다.

2. 분단의 현실과 그 극복 의지:『휴전선』

1950년대에 박봉우의 시의 주제는 조국의 분단에 대한 비판적인 고발과 이의 극복에 관한 문제로 일관하고 있다. 이러한 강렬한 주제의식은 자칫하면 서정시의 작품 수준을 저하시킬 위험성을 지니고 있는데, 박봉우는 이 문제를 '풀잎' '꽃' '철조망' '황무지' '나비' 등 일련의 상징적인 이미지를 도입함으로써 해결하고 있다. 이를 구체적인 작품분석을 통하여 살펴 보도록 하겠다.

산과 산이 마주 향하고 믿음이 없는 얼굴과 얼굴이 마주 향한 항
시 어두움 속에서 꼭 한 번은 천동 같은 화산이 일어날 것을 알면서

---

5) 가령 한형구는 1950년대의 한국시에서 나타나는 모더니즘과 전통시의 대립 구도가 '가짜 대립'이었으며, 한국시사가 추구해야 할 변증법적 합명제는 결국 참여시의 명제였다고 결론짓고, 그 대표적인 근거를 박봉우의 시에서 찾고 있다. 한형구, 앞의 논문, pp.106-107 참조.
한편 윤여탁은 1950년대 신진시인들의 시세계가 서정적인 것과 현실적인 것의 조화를 추구하면서, 현실의 부조리와 모순적 삶을 드러내는 다양한 방법을 모색하였다고 평가하고, 그 대표적인 예로서 박봉우의 작품을 제시하고 있다. 윤여탁, 앞의 논문, p.424 참조.
6) 박봉우의 초기시는 대체로 정신병에 걸리기 이전의 세권의 시집『휴전선』(정음사, 1957), 『겨울에도 피는 꽃나무』(백자사, 1959), 『4월의 화요일』(성문각, 1962)에 수록된 작품들인데, 사회현실에 대한 참여의식이나 시적 형상화에 있어서 그의 시세계의 본령을 이루고 있다. 그의 후기시는 시적 정신에 있어서나 형상화 수준에 있어서 초기시에 비하여 현저히 낮은 수준일 뿐만 아니라 양자를 일관하여 파악하는 것이 본고의 논의의 틀을 벗어나므로, 본고는 우선 그의 초기 시만을 연구 대상으로 삼고자 한다.

요런 자세로 꽃이 되어야 쓰는가.

저어 서로 응시하는 쌀쌀한 풍경. 아름다운 풍토는 이미 고구려
같은 정신도 신라 같은 이야기도 없는가. 별들이 차지한 하늘은 끝
끝내 하나인데……우리 무엇에 불안한 얼굴의 의미는 여기에 있었던
가.

모든 流血은 꿈같이 가고 지금도 나무 하나 안심하고 서 있지 못
할 광장. 아직도 정맥은 끊어진 채 휴식인가 야위어 가는 이야기뿐
인가.

언제 한 번은 불고야 말 독사의 혀같이 징그러운 바람이여. 너는
이미 아는 모진 겨우살이를 또 한 번 겪으라는가 아무런 죄도 없이
피어난 꽃은 시방의 자리에서 얼마를 살아야 하는가 아름다운 길은
이뿐인가

산과 산이 마주 향하고 믿음이 없는 얼굴과 얼굴이 마주 향한 항
시 어두움 속에서 꼭 한번은 천둥 같은 화산이 일어날 것을 알면서
요런 자세로 꽃이 되어야 쓰는가.

<휴전선> 전문

남성적으로 느껴지는 유장한 내적 리듬과 남도 사투리를 통하여 전달되
는 이 작품의 메시지는 다분히 예언적이다. 물론 이러한 예언이 40년 가까
이 지난 지금에까지 시적 긴장감을 잃지 않고 있지만, 분단의 현실을 '휴
전선'이라는 시어를 통해 이토록 현장감있게 제시한 것은, 이 작품이 발표
되었던 1956년의 시점에서는 매우 이례적인 것이다. 한국전쟁의 현실을 편
향된 우파적 이데올로기의 시각에 가두어 놓거나 혹은 전쟁의 현실을 애써
외면하고 시인의 내적 세계로 침잠하던 당시 시문학의 정신적인 구도를 감
안한다면[7] 그 상황을 짐작할 수 있다.

---

7) 한국전쟁기의 남한의 대부분의 전쟁시가 여기에 해당한다. 이에 대한 연구
는 오세영 교수의 「6·25와 한국 전쟁시 연구」를 참조할 수 있다.

이 시에서 '휴전선'은 단순한 고유명사에 그치지 않는다. 그것은 시간의 흐름이 정지된 "어두움 속"(1연)의 세계이며, "꼭 한 번은" 다가올 무서움의 순간 즉 "천둥과 같은 화산이 일어날"(1연) 순간을 예감하는 긴장의 공간이다. 물론 이러한 예감은 이데올로기적인 편향에 의하여 왜곡되어 있지 않다. 즉 시인이 취하는 '이념적 차원의 시점'[8]을 살펴볼 때, 시인은 이념적으로 가치중립적인 태도를 취하고 있다. 이것은 시인이 초월적인 위치에서 "서로 응시하는 쌀쌀한 풍경"(2연)을 조감하고 있는 것에서 손쉽게 확인할 수 있다. 초월적인 위치에서 분단의 현실을 조감한다는 것은 "고구려와 같은 정신도 신라와 같은 이야기도 없는가"(2연)라는 반문에서 나타난 바와 같이, 이데올로기에 의해 민족이 분열되기 이전의, 즉 민족적인 가치가 훼손되지 않고 보존되던 신화적인 시대의 관점에서 분단의 현실을 비판한다는 것을 의미한다. 이어지는 진술에서 시인의 시점이 "끝끝내 하나"인 "별들이 차지한 하늘"(2연)로 이동하는 것도 이 때문이다. 요컨대 '휴전선'의 상징적 의미는 민족 분단을 뛰어 넘어, 상대적으로 보편적인 가치를 지닌 '민족적인 것'에 정향되어 있다.

이러한 이념적 탈색은 물론 좌우의 편향된 이데올로기를 극복하려는 의도에서 나온 것이다. 이때 우리는 '휴전선'을 감싸고 있는 허위 의식들, 즉 휴전선을 고착된 현실로서만 인식하거나, 일방적인 피해의식이나 편협된 반공 이데올로기의 시각에서 민족의 한편을 매도하는 그릇된 의식들에 대한 시인의 비판적 태도를 확인할 수 있다. 이 비판적 태도는 동족간의 이념적 분열과 대립을 민족이라는 이름으로 화해시켜 공동체의 통합적 일관성을 지향하는 것이라고 할 수 있다.

---

8) 일반적인 문예물에서 '이념적 차원의 시점'point of view on the ideological plane이란 자기가 묘사하는 세계를 이념적으로 가치평가하고 감지할 때 작가가 상정하는 시점을 말한다. 이념적 시점은 공공연하게 인지되거나 혹은 숨어 있을 수도 있으며, 작가 자신의 것일 수도 혹은 타자의 것일 수도 있다. 우리가 이것을 서정시에 적용할 경우 시인의 시점이란 대상을 취급하는 데서 나타나는 시인의 가치평가적 시야를 의미한다. B. Uspensky, *A poetics of composition*, (California: Univ. of California Press, 1973), pp.8-16 참조.

이러한 인식의 가능성을 뚜렷하게 보여 주는 것이 바로 '꽃'의 상징이다. '모든 유혈'과 '모진 겨우살이'(3연)를 겪어 낸, 그러나 "아무런 죄도 없이 피어난 꽃"(4연)은 바로 전쟁으로 인하여 가장 모진 아픔을 당한 민중(민족)이다. 그러나 이 민중은 아픈 생채기를 쓰다듬으며, 고구려의 정신과 신라의 이야기로 표상되는 훼손되지 않은 가치를 지향한다.

이러한 현실인식은 한편으로는 전후 신세대-「신세대의 자세와 황무지의 정신」이라는 시론적(詩論的)인 산문에서 박봉우 스스로 신세대의 일원으로서 자신의 위치와 역할을 역설하고 있다9)-로서 시인 박봉우의 예민한 세대감각을 증명하는 것이다. 현실에 대한 신세대의 발언이 기존의 이념적 대립을 초월하는 위치('아름다운 길'(4연))에 선다는 것은 전후시의 새로운 차원을 열어 보이는 것이기 때문이다. 즉 박봉우는 황무지로 표상되는 전후의 비극적 상황 속에서 이데올로기적 중립의 위치를 지킴으로써 구세대가 보여주었던 좌편향 혹은 우편향의 이데올로기를 동시에 비판할 수 있었다. 이러한 중도적 입장은 탈이데올로기적 포우즈라고 할 수도 있으며, 1950년대의 시대적 상황을 고려한다면 이는 역설적으로 가장 예민하면서도 진보적인 정치적 감각을 드러내는 것이다. 이러한 정치 감각이 새로운 의미에 있어서 참여시의 가능성을 제시하고 있음은 의심할 여지가 없다.

예를 들어 "헐어진 도시 또 헐어진 벽 틈에 한 줄기 하늘을 향하여 피어난 풀잎은 무엇을 의미하는가"(「신세대」 중에서)라는 시적 진술에서 우리는 적어도 두 가지의 측면을 읽어낼 수 있다.

첫째는 문명비판적 시각으로서 '헐어진 도시 또 헐어진 벽'의 메타포와 관련된 문제이다. 헐어진 도시와 벽은 당연히 두 가지의 지성 즉 좌우의 이데올로기의 대립이 몰고 온 전쟁의 파괴성을 함의하고 있는데, 여기서 시인은 전쟁의 광포성에 대한 이데올로기적 평가를 유보함으로써 좌우의 이데올로기적 편향성에 대한 무언의 항의를 제기10)하고 있다.

---

9) 박봉우, 「신세대의 자세와 황무지의 정신」, 『전후문제시집』(신구문화사, 1961), p.367. 참조.
10) 박봉우가 "오늘날 현대시는 매카니즘의 혼잡한 상황과 세계 두 사상의 조

이러한 전후의 현실을 '황무지'라고 말하는 것은 그리 낯설지 않은 메타 포이지만, 이 메타포를 희망의 공간으로 흡인하는 힘을 주목해야 한다. 즉 우리가 읽어낼 두번째 의미로서 '풀잎'의 상징이 문제가 되는데, 그것은 바로 '신세대' 혹은 신세대 의식을 의미한다. 신세대란 '난해한 황무지', 즉 "실존적·종교적 그렇지 않으면 저항적 방향으로 문명비평에 대한 도전, 신에 대한 구원, 인간에 대한 불신임 등 살벌한 정점"11)에 서 있는 시인들을 지칭한다.

그러나 문제가 되는 것은 이 '풀잎'이 동경하는 세계가 '황무지적인 현대'가 아니라 '하늘'이라는 점이다. 그 뿌리를 땅에, 분단의 현실에 두고 있으면서 '하늘'을 지향한다는 것은 그 자체로 낭만적인 속성을 드러내고, 그래서 시인의 비극적인 숙명성을 예감케 하는 것이지만, 다른 한편으로는 그 이념적 순결성을 한껏 과시하는 것이기도 하다. 여기서 이념적 순결성이란 이데올로기적 대립의 현실, 고통의 현실을 화해와 초월의 이미지로 감싸고 뛰어넘으려는 통일에의 의지를 의미한다.

이러한 '꽃'과 '풀'의 상징과 또 다른 축에 놓인 상징이 '나비'의 상징이다. 이 '나비'는 시인 자신의 분신일 수도 있고 조국일 수도 있고 민중일 수도 있다. 그러나 이 나비의 형상은 항시 상처입고 지친, 그럼에도 불구하고 끝없이 어디론가 날아가야만 하는 '여로 위의 나비'이다.

> 지금 저기 보이는 시푸런 강과 또 산을 넘어야 진종일을 별일없이 보낸 것이 된다. 서녁 하늘은 장미빛 무늬로 타는 큰 눈의 창을 열어…… 지친 날개를 바라보며 서로 가슴 타는 그러한 거리에 숨이 흐르고.

류 속에서 한 「지성의 신음」이 멸망해 가느냐 그렇지 않으면 어떤 건강한 바람을 불어주느냐 하는 단계에 있읍니다"라고 밝힌 점에서도, 그가 좌우익의 편향된 이데올로기에 대해서 비판적인 태도를 취하고 있음을 확인할 수 있다. 박봉우, 앞의 글, 참조.
11) 박봉우, 앞의 글 참조.

모진 바람이 분다. 그런 속에서 피비린내 나게 싸우는 나비 한 마리의 생채기. 첫 고향의 꽃밭에 마즈막까지 의지하려는 강렬한 바라움의 향기였다.

앞으로도 저 강을 건너 산을 넘으려면 몇 <마일>을 더 날아야 한다. 이미 날개는 피에 젖을 대로 젖고 시린 바람이 자꾸 불어간다. 목이 바싹 말라버리고 숨결이 가쁜 여기는 아직도 싸늘한 적지.

벽, 벽⋯⋯처음으로 나비는 벽이 무엇인가를 알며 피로 적신 날개를 가지고도 날아야만 했다. 바람은 다시 분다 얼마쯤 날으면 我方의 따시하고 슬픈 철조망 속에 안길,

이런 마즈막 <꽃밭>을 그리며 숨은 끝나지 않았다 어설픈 표시의 벽. 旗여⋯⋯

<나비와 철조망> 전문

이 시는 시 「휴전선」의 경우와 마찬가지로 행의 구분 없이 다만 몇 개의 연으로만 구성된 산문시체의 형식을 취하고 있다. 이 작품에서 시인의 시선은 철조망을 향한 힘겨운 귀환의 여로에 있는 한 마리의 나비에 모아지고 있다. 물론 이 나비의 상징은 즉물적 이미지로 제시된 김기림의 나비[12]와는 달리 철저히 역사화되어 있으며, 공동체 지향적인 의미를 함축한다. 그것은 바로 분단조국의 현실에 대한 투쟁인 동시에 그 현실에 대한 초월 의지인 것이다.

1연에서 시인은 표현 대상인 나비의 시점을 통해 휴전선의 현실을 조감(鳥瞰)하고 있다. 이러한 조감 시점The Bird's-Eye View[13]은 시적 주체와 대상 간의 완벽한 융화[14]를 전제로 하는 것인데, 시인이 취한 나비가 공동체로서의 민중의 형상을 지니고 있다는 점에서 이 작품의 이념적 지향을 손

12) 김윤식, 「정지용과 김기림의 작품세계; '향수'와 '바다'와 나비」, 『근대시와 인식(시와시학사, 1993), pp.358-363 참조.
13) B.Uspensky, 앞의 책, pp.63-65.
14) E.Staiger, Grundbegriffe der Poetik, 이유영(외) 역(삼중당, 1976), p.98 참조.

쉽게 확인할 수 있다. 한편 어법적 층위에서 볼 때 1연에서 주목할 점은 '넘어야'라는 가정법의 서술어가 주는 마력이다. 그러나 이 서술어는 단순한 가정어로 보기 어렵다. 그것은 "진종일을 아무 별일없이 보낸 것이 된다"라는 언술과 관련지어 볼 때, 강력한 조건의 의미를 내포하고 있는 양보절의 구문으로 파악해야 한다. 즉 '넘어야'라는 서술어와 이어지는 구문 사이의 긴장관계에서 우리는, 나비의 여로가 아주 멀고 험난한 것이었으며, 그 여행은 상처와 분투로 점철한 것이었고, 이 여행을 완수해야만 겨우 "진종일을 별일 없이 보낸" 꼴이라는 의미를 읽어낼 수 있다. 그것은 결국 나비의 하루가 "진종일을 별일 없이 보"내지 못한 것이었다는 것을 강력하게 암시한다. 나비의 하루는 바로 지친 날개를 파닥거리며 서로 피흘리며 싸워 온 우리 자신의 모습, 동족상잔의 시대이기 때문이다. 이때 "진종일을 별일 없이 보낸 것"이 된다는 것은 한국전쟁이라는 대립과 상극 이전의 평화적 상태를 회복한다는 것을 의미한다. 그러나 이 평화의 상태 역시 잠정적인 원상 회복에 불과하며, 결국 '나비'는 현재의 상극과 투쟁을 지양한 통일 조국의 세계로의 초월을 지향하고 있다고 말할 수 있다.

이러한 세계를 시인은 "첫 고향의 꽃밭"으로 표현하고 있다. 또한 갈등과 상극의 광풍이 불기 이전의 훼손되지 않은 세계, 세속적 이데올로기의 대립이 생기기 이전의 잃어버린 유토피아에 대한 회복 의지를 "강렬한 바라움의 향기"로 표현하고 있다. 물론 이러한 초월에 대한 염원이 과거적인 것에 대한 회고의 차원에 머물거나, 현실의 논리에 대한 주관적인 거부의 울타리 내에서 벗어나지 못할 경우, 그것은 낭만적 아이러니에 머물고 말 운명을 그 안에 내포하고 있는 것이다.

한편 2연에서 시인은 공간적으로 하강하여 시적 대상인 나비를 관찰하고 있다. 반면에 3연에서 시인은 1연에서와 마찬가지로 나비의 시점과 자신의 시점을 완벽하게 일치시킨다. 이러한 시점의 교체는 대상을 내면화하는 시인의 작업이 서정적 고양을 이루어 냄으로써 가능한 것이다. 가령 3연의 가파른 호흡과 위기의식을 동반한 절망적 어조는 나비의 현실을 자신의 현실로 동일시함으로써, 현실의 부정성을 일순간에 폭로하는 방법을 보여준다. 때문에 3연에서 시인의 초월의지는 냉엄한 현실에 대한 비판적 인식("여기는 아직도 싸늘한 적지")에 바탕을 두게 된다.

4연에서 시인은 다시 나비를 관찰하고 있다. 이와 함께 시인은 '꽃밭'과 함께 이 작품의 주제 도식을 형성하는 이항대립으로서 '벽'의 상징을 만들어 내고 있다. 이 '벽'은 다른 작품들에서는 "너와 나의 가슴 속에 이 착각의 금(線)"(「사미인곡」에서), '열리지 않는 창'(「窓은」에서), "녹슬은 철조망"(「겨울에도 피는 꽃나무」에서) 등으로 변주된다. 불활성의 사물인 이 '벽'은 시인의 상상력을 거치면서 고도의 정신적인 의미를 함의하게 된다. 그것은 바로 개성의 자유, 자연스러운 생존에 대한 인간적 본능과 욕망을 그 기저에서 부정하고 억압하는 원억압으로서의 '휴전선'(혹은 분단)과 등가의 의미를 지니고 있다. 이러한 벽의 의미를 알고도("처음으로 나비는 벽이 무엇인가를 알며"), 그 벽을 넘어서 피로 적신 날개를 가지고 나비는 "我方의 따시하고 슬픈 철조망 속", "마즈막 <꽃밭>"(5연)에 안기고자 하는 애절한 비원과 자기 확인을 보여 주고 있다.

시인 박봉우가 '나비'를 통하여 형상화하고자 한 것의 요체는 무엇인가. 그것은 분단시대에 사는 사람들의 삶과 정신적 세계를 억압하고 이 억압을 제도화하는 일체의 것—물론 여기에는 분단을 인식하는 주체들의 허위의식도 포함된다—에 대한 부정과 극복의 한 표현으로서, 공동체적 삶의 회복 즉 낙원찾기의 염원인 것이다.

이 나비는 "나는 나와의 치열한 전쟁에서 인류애에 향하는 시론과 꿈과 사랑"(「창은」에서)을 종알거리는 시인 자신을 상징하기도 하며, "이 孤島에 당신과의 벽과 철조망을 헐고 부수어서" 마침내는 "통일과 자유란 바다"(「창은」에서)에 도달하고자 하는 1950년대의 진보적인 지성의 양심을 상징하기도 한다. 한편 그것은 정신의 '완숙'에 대한 갈망(「능금나무」에서)이기도 하고, 전쟁의 상처를 극복하고 '살아보겠다'(「수난민」에서)는 생명의지의 표출이기도 하다. 이러한 숱한 변주를 거쳐 시인은 마침내 하나의 선명하고 간결한 나비의 모습을 완성해 낸다. 그것은 바로 경건한 기도체의 어조로 이루어진 시 「도(禱)」이다.

> 섬 하나 없는 바다에 한 마리 나비가
> 날고 있다고 생각해보십시오.
>
> 어데로 향하야 어떻게 날아갈 것인가
> 저리도 연약한 나래를 가지고……
>
> 모든 아해들로 피어 잠자는 꽃밭으로,
> 구름밭으로 찾게 해주십시오.
>
> 저어 풍랑 많은 바다에 던져지기 전에
> 한 마리 나비를 어서 가게 해주십시오.

3. '신'의 부재와 내성화 경향 : 『겨울에도 피는 꽃나무』

박봉우는 『휴전선』의 격렬한 리듬감과 남성적 어조로부터 차츰 내성화의 방향을 취한다. 이 내성화를 통하여 그는 일상적 삶에 대한 감상적 사유와 자신의 삶의 조건에 대한 회의적 반성의 담론을 찾아 나간다. 이 결실이 『겨울에도 피는 꽃나무』(1959)이다.

우선 「사수파(死守派)」(1959)는 초기시의 창작방법을 그대로 유지하면서, 부정적인 시대 현실에 대한 비판적 시각을 보여주고 있다. 그러나 시인 정신의 변모와 관련하여 이 작품은 부정적 현실의 초월방법으로서의 '신' 혹은 신의 구원에 대한 염원을 담고 있다는 점에서 주목된다. 시인은 "피는 흘러도 붕대를 감아줄 병실 없는 싸움터"인 이 세상에서 스스로를 "모든 것에서 버림받"은 존재라는 실존적 자각에 도달하고, 이러한 존재론적 고독에서 그를 구원할 신의 출현에 대한 갈망을 제시하고 있다.

이러한 풍랑치는 자리에 신의 눈은 없는가. 우리를 돌봐줄 신의
손은 없는가 황량한 저 벌판이 신의 눈이다. 질서없이 몰아쳐 오는
성난 파도 같은 저 바람이 신의 손이다. 끝없는 사랑을 위하여 죽어
가는 날개 위에 무덤 무덤인들 병은 아닌가.

<이상 「사수파」 3연>

이 시점에서 시인 박봉우가 '신'의 구원을 모색하게 된 주된 이유는 분
단의 현실에 대한 시인의 부정적 인식과, 이를 바탕으로 한 '잃어버린 낙
원' 찾기에 대한 욕망이 현실적으로는 충족될 수 없는 것이기 때문이다. 그
러한 초월의 가능성은 현실의 논리에서는 한낱 주관적 비원(悲願)에 불과하
며, 그 욕망의 충족 불가능성을 확인할 때 시인의 내면에는 절대자로서의
신의 존재에 대한 갈망이 생겨난다. 결국 신이란 분단의 극복과 통일 조국
에 대한 시인 자신과 민중 공동체의 염원을 다른 방식으로 표현한 것이라
할 수 있다. 그러나 '신의 눈'에 대한 갈망에도 불구하고 "우리를 돌봐줄
신"은 어느 곳에서도 자신의 형상을 드러내어 보인 적이 없다. 그 신은 골
드만식으로 말하자면 항상 '숨은 신'으로서만 존재할 뿐이다. 이 '숨은 신'
은 타협하거나 인정할 수 없는 세계에 대하여 인간(시인)에게 아무런 해결
책도 주지 않는다. 즉 "신의 목소리는 더 이상 인간에게 직접적인 방법으
로 말하지 않는다."[15] 따라서 숨은 신은 현존하는 신도, 그렇다고 부재하는
신도 아니며 다만 '언제나 현존하며 언제나 부재하는 신'이다. 이러한 숨
은 신에 대한 갈망은 일종의 비극적 세계관에 해당하는 것이다.

한편 초월자에의 갈망은 시인이 외부의 현실로부터 내면 세계에로 침잠
하고 있다는 표징이 되기도 하다. 여기서 초월자에의 갈망과 내면세계로의
침잠이 동시에 일어난다는 것은 두 가지를 암시한다. 하나는 「휴전선」에서
의 창작방법이 이 시점에 이르러서는 그 이념적 차원과 형상화의 차원에서
한계에 도달하였다는 것이며, 다른 하나는 초월자에의 갈망이 현실초월의

---

15) L.Goldmann, *The Hidden God*, (New Jersey:The humanities Press, 1977),
p.22-39 참조.

진정한 방법이 되지 못한다는 사실이다. 이 사실은 『겨울에도 피는 꽃나무』의 시들이 대체로 1인칭의 시점으로 모아지고 있으며, 이러한 발화 형식이 다시 서정시의 주제를 시인 자신의 사적 감상성의 문제로 제한하고 있는 점에서도 손쉽게 확인할 수 있다.

> 내 영혼이 시달리는
> 시가지에도
> 내 고독이 회색되어 가는
> 자유항에도 눈물같은
> 봄은 내린다
> (중략)
> 울어도 끝없이 울어도
> 울 가난한 시민을 위해
> 그 누가
> 보듬어줄 것인지……
> 내 영혼은
> 지치고 시달린 시가지에서
> 빛나는 아침 해를
> 안아보고
> 싶은데
> 자꾸만 의미를 잃은 계절이
> 나의 주변 가까이 와서
> 악의 꽃씨를 뿌리게 한다.
>
> <이상 「악의 봄」 일부 인용>

이 작품의 특성은 정제된 형식에 있다. 그러나 『휴전선』의 산문시체가 그러한 시문체에 합당한 호흡과 정신적 깊이를 간직하고 있었던 것에 비하여, 이 작품은 다소 안정되고 정제된 형식에 상응하는 절제된 정신과 시적인 음악성을 확보하지 못하고 있다. 문제의 핵심은, 박봉우의 『휴전선』에서 나타나는 산문시체가 현실의 영역을 시에 수용함으로써 모종의 시적 긴장을 유발하고, 이를 통하여 긴장감 있는 음악성을 확보하고 있었던데 비하여, 두 번째 시집의 시들은 대체로 외적으로 드러나는 형태적 안정성에 비하여 긴장감 있는 내적 음악성을 제대로 확보하지 못하였다는 데 있다. 이러한 사태의 근본적인 원인은 안정된 시 형식에 상응하는 안정된 세계인식, 사유의 풍요로움과 현실성이 결여되어 있기 때문이다. 그의 세계인식은 감상주의("울고만 싶은 들녘의 기도/ 그것은 나의 사랑의 말이다" :「사랑의 말」에서)에 채색된 죽음의식("자살하고 싶은 사람들이 억지로 사는 도시엔" :「표정」에서)과 패배의식("원숙한 것들 앞에서/내 눈은 /피곤한 오후가 된다" :「표정」에서) 뿐이다. 그리고 죽음충동이 현실을 초월하는 하나의 방법으로 등장한다는 것은 50년대 말의 시점에서 시인의 정신세계가 패배주의적 시각에 침몰하고 있음을 의미한다. 따라서 시인이 "모두 추워서 돌아가면 / 혼자라도 긴 밤을 남아 / 모진 바람과 눈보라 속에서 / 뜨거운 뜨거운 화롯불을 피우리"라고 외쳐도 '겨울에도 피는 꽃나무'라는 역설은 나쁜 의미에 있어서 하나의 신화의 차원에 머물고, 그것의 진정성이란 현실의 거대한 파도 앞에서 큰 힘을 지닐 수 없었을 것이다.

4. 4·19체험과 참여시의 전개 :『사월의 화요일』과 그 이후

박봉우의 세 번째 시집 『사월의 화요일』(1962)은 4·19를 체험한 시인의 환희와 좌절이 간결한 시형태를 통하여 형상화된 소중한 결실이다. 이 시집에서 박봉우는 시적 사유의 진정성을 회복하고 있다. 여기서 시적 사유의 진정성이란 비극적 세계관을 극복하고 직접 시대의 현실에 참여하는 것을 의미한다. 그의 참여시는 구체적으로 제2 시집에서 나타난 '숨은 신'의 관념적 허울을 벗고 역사적 실재로서의 신을 찾아 나선다.

이 작업이 4·19 혁명으로 대변되는 현실의 진정성을 통해서 가능하게 되었다는 것은 많은 것을 암시해준다. 현실의 진정성이란 무엇인가? 그것은 일당독재의 파시즘이 지니고 있던 모든 공식적 비공식적 억압 기제들을 민중의 단결된 힘에 의하여 일거에 제거해 버림으로써 얻어지는 것으로서, 현실 속에 유토피아를 실현시키는 것이라고 말할 수 있다.

따라서 4·19 혁명은 박봉우에게 있어서는 눈앞의 현실에 직접적으로 체현한 신인 것이다. 즉 예감과 기대의 차원에 머물러 있던 신의 재림이 눈앞의 현실로 실현된 것이다. 그것은 형체없는 '신'이 역사라는 이름으로 물질화되는 순간이며, 연약한 나비가 신화라는 이름으로 현실에 군림하는 '정신'으로 전화되는 순간이다. 즉 역사 자체가 신화가 된 것이다. 우선 시집의 제목 자체가 4·19를 상징하는 『사월의 화요일』인 점이 4·19 혁명이 시인에게 미친 영향을 암시한다.

우리의 숨막힌 4월은
자유의 깃발을 올린 날.

멍들어버린 주변의 것들이
화산이 되어
온 하늘을 높이 높이 흔드는 날

쓰러지는 푸른 시체 위에서
해와 별들이 울었던 날.

詩人도 미치고,
민중도 미치고,
푸른 전차도 미치고,
학생도 미치고,

참으로 오랜만에,
우리의 얼굴과 눈물을 찾았던 날
<이상 「소묘」33 전문>

4·19에 대한 찬가의 형식을 지닌 이 작품에서 시인은 이전의 시에서 보기 어려운 절제되고 긴장감 있는 형식에 4·19가 지닌 역사적 의미를 감격적인 어조로 형상화하고 있다. 시적 주체의 고양된 정서와 대상의 충일한 만남이 다시 한번 회복되는 순간이며, 『휴전선』의 세계가 변증법적 지양을 맞이하는 순간이다. 이것은 다른 말로 하면 시인의 정신세계와 사회 현실

의 행복한 화해라고 볼 수 있다. 시인 박봉우는 역사 앞에서, 실현된 신화 앞에서 진실하고 겸허하게 그것을 긍정하고 찬양하고 있다. 요컨대 박봉우에게 있어서 4·19 혁명이 가져 온 일시적인 환희는 그에게 명징한 서정시의 언어를 가능케 한 것이다. 이러한 신화 앞에서 시인이 자기 반성의 담론을 찾는 것은 지극히 당연하고 성실한 자세가 아닐 수 없다.

> 四月을 너무나도
> 잘못 살아온 火曜日인
> 고향의 멍든
> 모든 것들이여……
>
> 도시 은잔을 모르는
> 地平 밖의 神話도 모르고
> 살아온 원죄여……
> 병들지 않는
> 징역의 시간의
> 침몰해도, 침몰해도 솟아날
> 나이든 몸부림이여……
>
> 四月을 너무나도
> 잘못 살아온
> 피 흘리는,
> 피흘리는 정신 속에
> 詩人의 영원한 神話여……
>
> <이상 「소묘」5 전문>

1연의 "사월을 너무나도 잘못 살아온"이라는 시적 진술이 자신의 삶에 대한 시인의 성실한 반성적 사유에 해당한다는 것은 두말할 나위 없다. 문제는 그가 4·19를 '지평 밖의 신화'로, 즉 지금 눈앞에 실현된 역사적 신화를 미리 알지 못하고 살아온 것을 '원죄'라고 생각하는 부분이다. 그는 겨우 '피흘리는 정신'을 보고서야 그것이 '신화'였음을 깨달은 것이다. 신 앞에서 인간의 원죄란 무엇이겠는가. 그것은 성서적으로 볼 때 신의 계율을 인간의 육체로 파괴한 것이다. 신의 계율을 파기한다는 것은 신의 존재를 부정한다는 것을 의미하며, 이러한 원죄로 인하여 인간은 신의 역사에서 축출 당하고 스스로 인간의 역사라는 여정을 걸어 온 것이다. 이때부터 신의 존재는 차츰 인간에게 망각되기 시작한다. 이러한 신이, 숨은 신이 역사라는 이름으로 재림한 것이다. '천둥같이' 이 자리에서 시인이 자신의 원죄를 깨닫고 "피 흘리는 정신 속에"서 "시인의 영원한 신화"를 현실로서 받아들이는 것은 시인으로서의 성실성을 보여주는 것이다.

그렇다면 이 시기의 시에서 유례없이 간결한 형식이 등장한 것은 어떠한 연유이며 그 성격은 무엇인가? 이러한 질문에 답하는 것이 4·19 이후 박봉우 시세계를 이해하는 하나의 열쇠이다.

> 노래하자, 노래하자
> 니빨을, 황토니빨을 갈고
> <참으로 오랜만에> 본
> 시인과 태양 앞에
> 행렬을 짓고, 행렬을 짓고
> 오랜만에
> 목이 터지는 바다의 목청으로
> 노래하자, 노래하자
> 참으로 오랜만에
> 니빨을, 황토니빨을 갈고
>
> <이상 「소묘」23 전문>

짧은 호흡의 2음보격의 반복, 구호와 같이 반복되는 어구, 남성적인 느낌을 주는 억센 어조를 특징으로 하는 이 작품의 형식은 서정시라기보다는 하나의 노래와 같은 강렬함과, 동시에 이념적 담론으로서의 내적 응집력을 지니고 있다. 신화는 요설을 필요로 하지 않는다. 그것은 상징으로도 충분한 것이기 때문이다. 『휴전선』이 요설적인 산문체에 가깝다면 그것은 신화에서 그만큼 먼 것임을 증명한다. 그것은 신화를 지향하는 하나의 소망체계에 불과한 것이며 그 자체로서 신화가 되지 못한다. 그러나 4·19는 그 자체가 신화인 까닭에 서정시 내부에 설명의 체계를 필요로 하지 않는다. 」
그것은 요설이 필요없게 되었으며, 산문시체가 의미를 지니지 못함을 의미
한다. 요컨대 현실반영16)의 방법이 달라진 것이다. 논리적 일관성을 지니지
않은, 그래서 그 가치와 질서를 쉽게 파악할 수 없는 시대에 있어서 현실의
반영은 그 현실의 복합성만큼이나 복합적인 작업을 필요로 한다. 서정시가
이러한 현실과 교섭한다는 것은 서정시의 울타리를 벗어나는 것을 의미하
며, 따라서 이 경우 서정시가 산문의 언어를 수용하게 된다는 것은 문체론
적인 차원에서 지극히 당연한 논리적 귀결이다. 그러나 현실이 신화의 상
태로 고양되는 경우, 즉 신의 존재가 명백하여지는 경우 현실은 지극히 단
순하고 명료하여지며 이러한 상태의 현실이 명징하게 반영될 수 있다. 요
컨대 박봉우는 가장 명징한 언어로 신의 현존을 노래할 수 있게 된 것이다.
이러한 사실은 일찌기 요설적인 산문시체를 즐겨 쓰던 김수영이 다음과 같
이 간결한 시형식을 취하게 된 것에서도 확인해 볼 수 있다.

> 自由를 위해서
> 飛翔하여 본 일이 있는
> 사람이면 알지
> 노고지리가
> 무엇을 보고
> 노래하는가를
> 어째서 自由에는
> 피의 냄새가 섞여 있는가를
> 革命은 왜 고독한가를
>
> <이상 「푸른 하늘을」 중에서>

이러한 4월을 맞이한 박봉우는 "모든 안개여 / 조선의 사월과 함께 / 어
서 가라"(「소묘」4에서)고 사회의 부정적인 세력에게 요구하거나, "푸른 사

---

16) 시의 언어는 원래 현실반영(미메시스)의 언어와는 거리가 멀다. 시가 현실
   을 수용할 경우는, 즉 미메시스의 언어를 지향할 경우 그것은 산문의 언
   어에 접근한다. 리파떼르, 『시의 기호학』(민음사, 1989), pp.13-15 참조.

월의 전쟁에서/ 돌아온 / 우리 형제여"(이상 「소묘」36에서)라고 4·19세력
에 대하여 찬사를 보내기도 한다. 이러한 시적 작업은 시인 자신의 정신적,
시적 변모과정에서 큰 의미를 지니는 것이지만, 개인적 차원을 넘어 60년
대 참여시의 원류를 형성하는 것이라는 점에서 시사적인 중요성을 암시하
는 것이다.

　그러나 외적인 강압에 의하여 4·19의 역사적 진정성이 훼손되는 순간
박봉우는 다음과 같이 분노한다.

> 4월의 피바람도 지나간
> 수난의 都心은
> 아무렇지도 않은
> 표정을 짓고 있구나.
>
> 진달래도 피면 무엇하리.
> 갈라진 가슴팍엔
> 살고 싶은 武器도 빼앗겨버렸구나.
> (중략)
>
> 어린 4월의 피바람에
> 모두들 위대한
> 훈장을 달고
> 革命을 모독하는구나.
>
> 이젠 진달래도 피면 무엇하리
>
> 가야 할 곳은
> 여기도,
> 저기도, 병실.
>
> 모든 자살의 집단 멍든 旗를 올려라
> 나의 病든 <데모>는 이렇게도
> 슬프구나.
> <이상 「진달래도 피면 무엇하리」 일부 인용>

순간적으로 찾아온 4·19의 신화성이 훼손되고, 명백한 것처럼 보였던 신의 존재가 다시 한번 역사의 뒤안길로 숨어 버릴 때 시인이 취할 수 있는 대응방법은 무엇인가. '숨은 신'은 자신의 존재에 대하여 아무런 예시나 물증도 시인에게 남겨 주지 않고, 모든 도덕적 윤리적 가치기준이 상실한 혼란의 현실에서, 그 어둡던 현대사에서 시인은 신의 존재에 자신을 기투하지 않을 수 없다. '근대화'라는 미명 아래 진행된 독재정치와 반인간적인 소외에 대하여 저항하고 이를 시적으로 형상화한 시인 박봉우의 작업 —박봉우의 네번째 시집 『황지의 풀잎』이 여기에 해당한다—은 '숨은 신'에 대한 박봉우의 기투이다. 존재하면서 동시에 부재하는 신의 존재성에의 기투란 골드만 식으로 말한다면 '내기' Wager[17])에 해당하는데, 박봉우에게 있어서 이 '내기'는 존재적이기보다는 역사적이며 실천적인 것이다. 이 역사적·실천적 내기에 있어서 그가 선택한 것은 바로 공동체로서의 민중이다. 휴전선·권력·파시즘에 의하여 끊임없이 자신의 삶의 원천을 유린당하면서도, 이러한 비극적 현실의 주인공으로서 그 현실을 초월하려는 민중의 형상을 창출하고, 민중과의 연대의식을 표출하는 것이 박봉우의 참여시[18])가 보여주는 도착점이다.

---

17) L. Goldmann, 앞의 책, pp.283-302. 참조.
18) 박봉우의 참여시는 투쟁적이거나 거칠지 않다. 그는 부정적 현실에 분노하고 이를 규탄하지만, 그의 민중적 목소리는 따스하고, 애처로우며 처절하다. 물론 이러한 애처로움과 처절함의 이면에서 전개된 그의 개인사적인 불행(정신병)은 또 다른 시적 변모를 요구하였다. 이 글에서 시인의 개인사적 불행을 들추어 내고 이를 통하여 그의 시세계에 도달하려는 의도는 전혀 없다. 또한 그의 정신병을 현실과 관련하여 설명할 아무런 가능성도 확보하지 못하고 있다. 그러나 추측컨대, 그의 정신병은 개인적인 차원에서 볼 때 부정적 현실을 초월하는 하나의 방법론일 수 있었다. 물론이 방법론의 가치를 물을 필요도 없다. 그에 대한 대답은 지극히 상식적이거나 무의미한 것에 불과하기 때문이다. 다만 그는 하나의 신화를 꿈꾸었다는 것, 현실에서는 불가능한 이념의 진정성과 공동체적 삶의 회복을 염원하였다는 것, 그리고 이것을 "남들은 정신병이라"(「신화」에서) 부른 것이다.

5. 결 론

이상에서 본고는 1956년에서 1962년에 이르는 박봉우의 초기 시작 활동에 대하여 살펴 보았다. 시간적 측면에서 볼 때 이 시기는 30여 년 간 지속된 이 시인의 시작 활동 중에서 극히 일부분에 불과하지만, 실제적인 시적 성과라는 측면에서 볼 때 박봉우 시의 진수를 모두 간직하고 있다.

돌이켜보면 박봉우의 초기시는 우리 근대사에 있어서 가장 중요한 역사적 격변기를 배경으로 전개되었다. 이승만 정권의 폭압적인 가부장적 독재 정치와 분단의 현실, 미완의 시민 혁명으로서의 4·19와 그에 이어지는 군사 쿠데타가 바로 그것이다.

박봉우의 시는 이러한 부정적인 현실에 대하여 부단한 관심을 기울이면서 서정시의 현실 참여라는 우리 시사상의 한 계보를 다시 이어 놓았다. 뿐만 아니라 그의 시작 활동은 60년대 김수영·신동엽 등의 참여시를 열어 나아가는 첫걸음이자, 동시에 70년대 이후의 민중시파의 시사적 위치를 가늠하는 시금석이라 평가할 수 있다. 특히 첫시집 『휴전선』은 편향된 이데올로기를 배제하고 민족의 화해와 분단의 극복이라는 문제를 수준높게 형상화하고 있다는 점에서 분단시, 내지는 분단문학의 한 전범을 보여주는 것이다.

하지만 본고는 전후 분단시와 참여시의 전체적인 연관 관계 속에서 박봉우 시를 살펴보지 못했다. 이는 전후 비평이나 참여시의 전개 과정을 검토함으로써 이루어질 수 있는 작업이기 때문에, 연구 과제로 남겨두기로 하겠다. **새미**

「소설가 구보씨의 일일」에 나타난 '소설(예술)론'의 위상

1. 들어가며

소설가 구보씨들[1]은 1934년 우리 문학사에 등장한 이래 대략 30-40년을 주기로 자기 시대에 걸맞는 새로운 영혼과 육체를 얻어 왔다. 우리가 이러한 '구보씨'들에게 흥미를 느끼는 이유 가운데 하나는 우선 그들에게서 예술을 표현하는 재료나 매체, 창작과정 자체에 보다 주목함으로써 뒤틀리고 물화된 근대적 삶을 성찰하는 흔치 않은 모더니스트적 소설가의 전형을 읽어 낼 수 있다는 점이다. 이 글의 목적과도 밀접히 연관되는 또 다른 하나는 작가들의 소설쓰기 과정을 보여주는 매개자이자 그 결과물 자체인 '구보씨'들이 소설 속에서 공통적으로 예술(문학)과 삶(예술)의 문제 및 미학적 자기인식을 하나의 정리된 <소설(예술)론>으로 제시하고 있다는 점이다. 물론 우리는 작가가 소설 속의 인물의 입을 빌려 자신의 소설관을 직접적으로 설파하는 일을 이야기를 짜내고 거기에 살을 입히는 구성력과 상상력

---

* 崔賢植, 연대 대학원 국문과 박사과정, 문학평론가, 주요 논문으로 「서정주 초기시의 미적 특성 연구」, 「'사실성'의 투시와 견인-오규원론」 등이 있음.

1) 여기서 사용한 텍스트는, 1. 박태원, 『소설가 구보씨의 一日』(깊은샘, 1989); 2. 최인훈, 『소설가 구보씨의 一日』(문학과 지성사, 1976(1991)), 3. 주인석, 『검은 상처의 블루스 - 소설가 구보씨의 하루』(문학과 지성사, 1995)이다. 텍스트 인용 시에는 책 앞에 쓴 번호와 쪽수로 인용된 곳을 표시한다.

292 일반 논문

의 빈곤에서 기인하는 것으로 판단할 수도 있다. 하지만 이들이 소설 속에서 제시하고 있는 <소설(예술)론>들은 개개의 「소설가 '구보씨'의 일일(하루)」을 추동해 가는 계기들로 작용하고 있을 뿐만 아니라, '구보씨들'의 치열한 내적 성찰에서 현실에 대한 부정적 상상력을 불러일으키는 하나의 미학적 가치기준 내지 이념항으로 자리잡고 있다는 점에서 보다 섬세한 접근을 요한다.[2] 박태원의 경우는 약간 다르지만, 사실 최인훈이나 주인석의 경우에는 그들의 <소설(예술)론>의 정당성을 실험하기 위해 현실의 부정적 이미지들을 끌어들이고 있지 않은가 싶을 정도로 <소설(예술)론>을 통해 자기 자신을 반추하는 모습을 보여준다.[3] 즉 이들의 <소설(예술)론>은 문학과 사회의 관련양상에 대한 지속적인 성찰을 통해 얻어진 결과물이었지만, 그것들은 소설 속에서는 오히려 결과물이 아니라 현실을 파헤치고 규정하는 절대기준(출발점)이 되고 있다는 점에서 절대 주관적인 자의식의 성격을 띠고 있는 것으로 생각된다.

그렇다면 「소설가 구보씨의 일일」들에서 이들의 <소설(예술)론>이 작가적 성찰의 매개체이자 결정체로 혹은 서사구성의 핵심적 요소의 하나로 자리잡게 되는 이유는 무엇일까. 아무래도 그것은, 소설쓰기 과정을 소설화하면서 그들 나름의 소설론을 확립해 가고 그것을 자신의 삶과 예술에 대한 성찰로 연결시키는 <소설가 소설>[4]의 특질을 「소설가 구보씨의 일일」들이

---

2) 이 세 소설을 본격적으로 비교·고찰하지는 않았지만 개략적으로 그들 사이의 유사점과 차이점을 밝힌 글로, 김외곤, 「소설가에 의한 소설, 소설가의 존재방식에 대한 탐색-최인훈의 ≪소설가 구보씨의 일일을 중심으로≫」 (문학사와 비평 연구회 편, 『1960년대 문학연구』, 예하, 1993)와 이광호, 「그대 아직 복수를 꿈꾸는가」(『검은 상처의 블루스』 해설)가 있다.
3) '소설(예술)론'을 통해서 자기 자신을 반추'한다는 표현은 그들 소설에서 <소설(예술)론>이 차지하는 절대적 성격과 성찰의 기능을 강조하기 위해 벤야민이 규정한 <성찰>의 개념인 "자의식 속에서 자기 자신을 반추하는 사고"(벤야민, 「독일 낭만주의에서의 예술비평의 개념」, 박설호 편역, 『베를린의 유년시절』, 솔, 1992. 148쪽)에서 빌려 왔다.
4) 예술가 소설(künstlerroman) 혹은 소설가 소설이란 소설가나 그밖의 예술가가 성숙단계를 거치는 동안에 자신의 예술가로서의 숙명을 인식하고 그 예술적 기법에 익숙해지는 성장과정을 그리는 소설을 말한다. (M.H. Abrams,

구유하고 있기 때문일 것이다. 잘 알려진 대로 <소설가 소설>은 일상적 삶의 제반 영역이 기능적으로 분리되어 자율성을 획득하기 시작한 근대의 산물로, 이 유형의 소설은 주로 예술가가 현대사회에서 경험하는 예술과 삶의 대립 문제, 사회로부터의 예술의 소외 문제 및 그것을 극복할 어떤 통일성에 대한 동경과 좌절의 문제 등을 다룬다. 이러한 개념규정으로부터 우리는 이들 소설에서 무엇보다 중요한 것이 성찰을 진행하는 미적 주체의 성격 문제라는 사실을 알 수 있다. 하지만 <소설가 소설>의 미적 주체로서만 구보씨들의 성격을 파악하는 것은 부족한 바, 왜냐하면 '모험을 통해 자신의 고유한 본질을 발견하려는 영혼의 이야기'[5]인 근대소설의 보편적 규정에 <소설가 소설>이 그리 벗어나는 것은 아니기 때문이다. 그렇기 때문에 우리는 여기서 완미한 근대의 체험이 원천적으로 불가능했던 시대를 살아 온 주변부 모더니스트로서의 구보씨들의 위상 또한 고려해야 한다. 모더니즘의 미적 주체로서의 구보씨들 역시 물화되고 파편화된 세계를 체험하고 형상화함으로써 역설적으로 부재하는 세계(본질)에 대한 열망을 드러내는 부정적 상상력의 소유자들이다. 이들은 모두 거리의 산책을 통해 현실에서 소외된 아웃사이더로서의 열등감을 느끼기는커녕 익명성에 들려 있는 대중에 대해 반어적 우월감을 갖는다.[6] 하지만 여기서 정작 중요한 것은 구보씨들이 서구 모더니즘 소설이 선취했던 미학적 성찰의 내용을 공유하고 있다는 사실 자체보다는, 식민지 지배와 근대화 논리로 대변되는 우리의 역사적 현실에서 그것을 어떻게 자기논리화하고 있는가 하는 문제이다. 즉 이들이 서구의 예술가보다 훨씬 복잡하고 무거운 자기와의 싸움을

『A Glossary of Literary Terms』, HRW Inc. 1971. 113쪽) 여기서 예술가로서의 숙명을 인식한다는 것에는 넓게는 예술가의 고유한 사명과 사회에 대한 태도의 문제 및 예술가의 창작의 본질에 관한 물음을 제기하는 문제까지 포함된다.(서재길, 「1920-30년대 한국 예술가소설 연구」, 서울대 석사, 1995. 7쪽 참조)
5) 루카치,『소설의 이론』, 심설당, 1985. 115쪽.
6) 이러한 모더니즘의 미적 주체의 성격에 대해 자세히 논한 글로 한상규, 「모더니즘과 미적 주체」(『문학과 논리』 6호, 태학사, 1996)가 있다.

감내하며 사회에 대한 도덕적·윤리적 태도를 모색하지 않으면 안되었다는 사실을 기억해야 한다는 것이다. 그런 도덕적·윤리적 태도에 대한 미적 주체(구보씨)의 모색이 <소설(예술)론>의 개진을 통해서 드러나는 바, 이런 점때문에 그들의 <소설(예술)론>에는 주변부 모더니스트로서의 뼈아픈 자의식과 그를 바탕으로 파탄난 현실을 극복하고자 하는 유토피아적 재구성의 계기가 강하게 작동하고 있다는 것이 필자의 생각이다.

따라서 이 글에서는 각각의 <소설(예술)론>이 지니고 있는 원론적인 의미만을 따로 떼어내어 살펴보지는 않을 것이다. 왜냐하면 이들의 <소설(예술)론>이 소설(예술)의 원론적 성격을 논하고 있다기보다는 실천적 행위로서의 그것의 의미를 집중적으로 따지고 있기 때문이다. 이 글에서는 앞서도 잠시 언급했듯이, 그들의 <소설(예술)론>이 미적 주체의 성찰 문제에 어떤 식으로 개입하며, 또한 부정의 계기를 어떤 식으로 구체화하는지를 살펴보고자 한다.

2. 박태원: '생활의 발견'으로서의 소설쓰기

박태원의 「소설가 구보씨의 하루」에는 최인훈이나 주인석의 그것처럼 그가 생각하는 소설의 본질, 문학의 대(對) 사회적 효용성, 소설가로서의 자기규정 등의 문제가 명시적으로 드러나 있지는 않다. 앞으로 보다 상세히 살펴보겠지만, 사과분배 이야기(1:54)나 조이스의 『율리시즈』에 대한 평가(1:56)에서 보듯이 스쳐지나가는 삽화처럼 현대예술에 대한 개인적 생각을 드러내고 있을 뿐이다. 즉 그는 이 소설에서 현실에 대한 합리적이고 체계적인 인식을 보여주지 않듯이, 예술(소설)에 대한 견해 표명에서도 단편적이고 불연속적인 내면적 사유를 보여줄 따름이다. 이렇듯 예술(소설)에 대한 견해 표명에서조차 파편적인 인식의 틀을 보이는 까닭은 현대적 삶에 관한 조직적 탐구를 위해 자신의 예민한 감각과 내면에 포착되는 모든 것을 노트에 초하는 '고현학(modernologie)'적 창작방법에서 기인한다. 즉 그가 그것을 게을리 했을 때 신경증적 증후의 일종인 '격렬한 두통'을 느낄 정도로, 고현학은 구보에게 있어 현대적 삶에 관한 성찰과 그것의 형상화에서 핵심적인 미적 인식 장치이다. 그런데 이에 더해 우리는 고현학이 궁극적으로는 구보 자신과 현대인의 삶 속에서 포착되는 '암면(暗面)' 곧 내면을 우수하게 묘사하기 위해 취해진 방법이란 사실에 주목해야 한다.7) 그랬을 때야 우리는 불연속적이고 우연적인 사건의 구성 및 진행과 마찬가지로 예술에 대한 파편적인 사유 역시 구보의 내면을 우수하게 묘사하기 위한 일종의 전략으로 이해할 수 있게 된다.

하지만 고현학에 기초한 글쓰기가 단지 현대인의 내면심리에 대한 우수한 묘사를 위한 기교적 차원에 그치는 것이라면, 구보의 내면심리의 해부를 위해 동원된 것으로 그치게 되는 예술(소설)에 대한 그의 견해는 심도깊은 어떠한 성찰도 끌어내지 못했을 것이다. 그렇다면 '우수한 암면 묘사'를 통해 박태원이 노린 것은 무엇일까. 필자가 판단하기에 그 사항은 궁극적으로 「소설가 구보씨의 일일」에 나타난 <소설(예술)론>에 대한 이해와 분석을 위해 꼭 필요한 요소로 생각된다. 다음을 보자.

> 그러나 여기서 우리가 생각하여야 할 것은, 이러한 기지가, 기교가, 그것뿐으로, 오직 그것뿐으로 한 작품의 생명이어서는 안된다는 것이다. 그야 물론, 그런 것만으로, 한 개의 작품을 이룰 수야 있다. 그러나 그것은 이른바 '독자의 심금을 울리는' 그러한 종류의 작품일 수는 없다. 우리는 그것을 알아야 한다.
>
> ―「표현·묘사·기교」 중

박태원의 「표현·묘사·기교」에 대체로 강조된 것은, 그가 말하는 기교가 결코 단순한 형식의 세련성의 강조에 그친 것이 아니라, 언어에 대한 고도의 자의식을 바탕으로 한 미학적 자기반영성의 면모를 띤다는 점이었다. 즉 박태원은 당대의 물질적 생산력이 낳은 산물들, 예를 들어 영화기법이나 활자매체의 시각적 효과 등을 예술형식 속에 적극적으로 응용함으로써

---

7) 박태원, 「표현·묘사·기교」, 『조선중앙일보』, 1934. 12. 17-31.

현대인의 내면을 상세히 표현할 수 있었다는 것이다.[8] 미적 근대성의 한 단면으로써 이러한 미학적 자기반영성은 「소설가 구보씨의 일일」에서 사물의 표현과 묘사를 좀 더 정확하고 완전하게 하기 위한 문장부호 및 '현재와 과거의 교섭', '현실과 환상의 교차'를 효과적으로 표현하기 위한 오버랩 기법의 사용 등으로 구체화되었음은 주지의 사실이다.

그런데 우리는 위 인용문을 통해 미학적 자기반영성 혹은 기교에 대한 그의 관심이 궁극적으로는 현실에 대한 새로운 미학적 인식의 계기, 즉 <독자의 심금을 울리는> 새로운 내용의 '발견'을 위한 것이란 사실을 알 수 있다. 사실 미학적 자기반영성이 의미있는 것은 그것을 통해 파편화된 현실의 부정적 본질을 극대화하여 그에 대한 비판적 성찰을 가능하게 하기 때문이다. 형식실험의 궁극적인 목적이 '발견'에 있다는 그의 이러한 생각은 「소설가 구보씨의 일일」에서 다음과 같이 표현되어 있다.

> **구보는 그저 '율리시즈'를 논하고 있는 벗을 깨닫고, 불쑥,** 그야 제임스 조이스의 새로운 시험에는 경의를 표하여야 마땅할 게지. 그러나 그것이 새롭다는, 오직 그 점만 가지고 과중평가를 할 까닭이야 없지. 그리고 벗이 그 말에 대하여, 항의를 하려 하였을 때, 구보는 의자에서 몸을 일으키어, 벗의 등을 치고, 자- 그만 나갑시다.
> (1:56) (강조-인용자)

여기서 우선 관심을 끄는 것은 박태원 자신이 가장 많은 영향을 받은 작가로 꼽았던 조이스의 작품조차도 형식실험의 새로움 혹은 전위성만으로 가치평가할 수 없다는 주장도 주장이지만, 그것을 펼치는 그의 태도이다. 윗글에서 보듯이, 그는 조이스의 새로운 시험을 논하는 벗의 말에 전혀 주목하지 않고 있다. 거기에 더해 그는 벗의 주장을 강하게 비판한 후, 그에 대해 항의하는 벗의 말마저 무시해버리는 건방지기까지 한 태도를 보인다.

---

8) 이러한 미적 근대성의 증대라는 관점에서 박태원 문학의 성과를 평가하는 글로는, 강상희의 「'구인회'와 박태원의 문학관」(『박태원소설연구』, 깊은샘, 1995), 서재길의 앞의 논문 그리고 장수익의 「박태원 소설연구」(서울대 석사, 1991)가 대표적이다.

이러한 태도가 <그저> 『율리시즈』의 새로운 형식만을 주목하는 벗에게 거기서 <독자의 심금을 울리는> 요소가 무엇인지를 먼저 보라는, 우회적이지만 강력한 주문이란 사실은 말할 필요도 없을 것이다. 하지만 「소설가 구보씨의 일일」에서 박태원은 소설(예술)에 대한 견해를 표명하는 어느 곳에서도 <심금을 울리는 내용>이 어떤 것인지 직접 밝히지 않는다. 그것은 작가의 '우수한 암면묘사'를 통해 독자가 파악해야 할 부분이다. 삼등대합실 군중 속에서의 <고독>으로 대표되는 현대적 삶의 부조리함과 불모성, 그것을 어떤 '부재하는 본질'의 재구성을 통해 극복하려는 구보의 눈물겨운 노력—이것들이 <독자의 심금>을 울릴 수 있는 일차적 내용들이 아닐까.

그런데 윗글에서 보다 세심하게 우리가 주목할 부분은 필자가 강조한 부분의 <깨닫고>, <불쑥>이란 부분이다. 필자는 앞서 박태원의 「소설가 구보씨의 일일」에 나타난 <소설(예술)론>의 특징으로 그에 대한 불연속적·파편적 사유를 들었었는데, 이 부분은 그런 사유의 일단을 잘 보여준다. 사실 소설(예술)에 대한 이런 사유 방식 역시 자유연상 형식으로 제시되고 있는 산보과정에서의 내면갈등의 한 요소로 간단히 보아넘길 수도 있다. 하지만 우리가 면밀히 고찰해볼 부분은 얼마되지 않는 예술(소설)에 대한 견해가 서사의 어느 맥락에서 피력되고 있는가 하는 문제이다. 이 작품에서 우리가 구보의 내면적 사유의 흐름을 불연속적·파편적인 것으로 인식하게 되는 주요한 이유 중 하나는 그 사유방식에서 구별되는 다양한 사물들 혹은 사고들의 동시적 결합을 추구하는 대위법적 구성9) 때문이다. 대표적인 예로 구보는 그와 헤어진 여인을 추억하면서 한편으로는 그 만남이 불행으로 귀결되지 않았을까(친구 여동생) 추측해보기도 하며, 또 한편으로는 동경여자와의 충만한 시간을 회상하기도 한다. 하지만 앞서 본 <불쑥>에서 보듯이, 「소설가 구보씨의 일일」에 나타난 <소설(예술)>에 대한 견해는 고독한

---

9) 김용수, 「영화에서의 몽타주 이론」, 열화당, 1996. 여기서는 최인자, 「최인훈 에세이적 소설 형식의 문화철학적 고찰-'소설가 구보씨의 일일'을 중심으로」, 서울대 국어교육연구소 편, 『국어교육연구』 3집, 1996. 160쪽에서 재인용함.

일상 체험의 대위법적 구성에 갑자기 끼어드는 형태로 제시되고 있다. 앞으로 살펴볼 사과분배 이야기 역시 이와 같은 구조로 제시되기는 마찬가지이다. 이는 무엇을 의미하는가? 그것은 그 <소설(예술)론>이 산보에서 그가 경험하는 고독과 행복 그리고 불행에 못지 않게, 아니 어쩌면 그것들의 의미를 반추할 수 있는 원동력을 제공하는 성찰의 기능을 수행한다는 점이다. 사실 박태원의 「소설가 구보씨의 일일」에서 현대적 삶의 불모성에 대한 강력한 비판적 기제로 주목받은 것은 동경회상 부분으로 대표되는 갑자기 떠오르는 '충만한 시간'의 경험이었다.[10] 그러나 구보는 동경회상 속에서 끝내 자신의 약한 기질을 확인하는 데 그치고 있다.(1:63-64) 우리는 여기서 '충만한 시간'에 대한 회상을 현실을 재발견하고 견디는 힘으로 추동시키는 대신 자기합리화의 기제로 제한하는 구보의 의식의 수동성을 엿볼 수 있다. 이런 점 때문에 그의 동경회상을 근대적 삶에 대한 비판적 대안 혹은 유토피아적 재구성의 계기로 고평하는 것을 망설일 수밖에 없게 된다. 이에 비해 고독과 권태를 느끼게 되는 고비에 갑자기 삽입되는 <소설(예술)론>은 구보의 최대의 화두인 <생활> 문제를 고민하게 만든다는 점에서 그의 자아성찰에 더 큰 영향력을 행사하는 것으로 판단된다.

> 어느틈엔가, 구보는 그 화제에 권태를 깨닫고, 그리고 저도 모르게 '다섯 개의 능금' 문제를 풀려 들었다. 자기가 완전히 소유한 다섯 개의 능금을 대체 어떠한 순차로 먹어야만 마땅할 것인가. 그것에는 우선 세 가지의 방법이 있을 게다. (…) 벗은 대체, 그 다섯 개의 능금이 문학과 어떠한 교섭을 갖는가 의혹하며, 자기는 일찍이 그러한 문제를 생각하여 본 일이 없노라 (…) (1:54)

우리는 이 부분에서 구보의 벗과 마찬가지로 <사과먹는 방법>이 일상에서 도대체 왜 중요한지, 게다가 문학적 담론을 펼치는 자리에서 그것을 왜

---

10) 이에 대한 대표적 글로 김종욱의 「<소설가 구보씨의 일일>에 나타난 자아와 지속적 시간」(현대문학연구회 편, 『한국문학의 모더니즘』, 한양출판, 1994)을 참조할 수 있다.

끼어 넣었을까 하는 의문을 당연히 품게 된다. 이 의문을 풀기 위해서는 우선 구보가 <다섯 개의 능금> 문제를 "저도 모르게" 풀려고 덤벼든 이유부터 따지는 것이 순서일 것이다. 인용한 부분의 바로 앞에서 벗과 구보는 구보의 최근작을 화제로 대화를 나누던 중이었고, 거기서 벗은 구보가 늙음을 가장한 글쓰기를 하고 있다고 지적한다. 하지만 구보는 만약 작품 속에서 그가 젊었다면 벗은 역시 "작자가 무리로 젊음을 가장하였다"(1:54)고 말할 것이고, 그것 때문에 자신의 마음이 슬펐을 것이라 생각한다. 벗의 비평에 대한 구보의 이러한 태도는 비평가가 바라보았을 때에 그의 소설이 이리 쓰든 저리 쓰든 솔직하지 못한 '가장'의 문학에 불과하다는 평가를 받을 것이라는 자의식의 발로이다. 결국 어찌보면 창작에 전혀 도움을 주지 않는 이러한 비평에 구보가 권태를 느끼게 되는 것은 당연하다. 하지만 위의 인용 부분에서 보듯이, 구보는 그 '가장'의 미학적 의미를 심도깊게 파헤침으로써 '생활'이 개입할 여지가 없는 '권태'스러운 원론적 비평에 일침을 가하고 있다. 이를 보다 자세히 살펴 보자면, <사과 먹는 방법>은 창작과 생활을 어떻게 영위할까하는 창작방법과 생활태도에 대한 알레고리로서의 의미를 지닌다. 이 알레고리를 통해 구보가 말하고자 하는 것은 어떤 식으로 먹든 그것들은 결국은 맛있게 잘 먹었다는 행복감 혹은 충족감과는 동떨어진 결과에 도달할 것이란 사실이다. 이렇게 우회적으로 표현된 구보의 미학적 자의식은 현대사회의 불확실성과 그에 따른 통합적인 주체의 불가능성에 대한 미학적 위기감의 표현이라 볼 수 있다.11) 하지만 그 문제를 풀려고 집요하게 매달린다는 사실, 이 부분에 뚜렷이 드러나 있지는 않지만 이는 곧 그가 위기감을 넘어설 수 있는 어떤 계기를 찾아 헤매고 있다는 뜻이다. 그 때문에 이런 재구성의 계기에 집착하는 미적 주체(구보)는 반성적 행위의 무한한 확장을 통해 허구의 수준에서나마 그와 세계간의 긴

---

11) 이런 현실에 대한 불확실성 및 그에 대한 주체의 태도는, 그를 근원적인 성찰로 이끄는 행위인 <산보>를 앞에 두고 구보가 떠올리는 "모두가 그의 갈 곳이었다. 한 군데라 그가 갈 곳은 없었다"(1:29)는 말에 매우 잘 드러나 있다고 생각된다.

장을 해결하기 위해 끊임없이 고투하는 낭만적 아이러니스트의 면모를 띠게 된다.12)

그런데 그 긴장 해소를 위한 방법적 모색이 그의 벗이 보기에는 일고의 가치도 없어 보이는 '사과를 맛있게 먹기'라는 엉뚱한 비유를 통해서 이루어지고 있다는 사실은 매우 중요하다. 어찌 보자면 사과를 맛있게 먹고 싶다는 것은 인간의 생활과 욕망에 있어 본질적인 국면의 하나이다. 즉 사과를 어떻게 먹을까 하는 고민에는 생활과 욕망의 문제가 직접적으로 개입한다는 점, 이 점이 바로 문학과 '다섯 개의 능금'이 구보에게는 자연스럽게 연결되는 지점이다. 이 문제가 구보에게 상당한 의미를 지닌다는 사실은 이 문제에 대해 어이없어 하는 벗을 보면서 "오늘 처음으로 명랑한, 혹은 명랑을 가장한 웃음을 웃"(1:54)는 장면에 잘 나타나 있다. 그뿐만 아니라 이 에피소드 이후에야 구보의 <산보>에서 '생활'의 문제에 대한 고민이 본격적으로 시작된다는 점 역시 <사과먹는 방법>에 대한 고민이 현대적 삶에 대한 미학적 성찰의 계기를 적극적으로 제공한다고 볼 수 있는 요소가 된다. 즉 구보는 이 에피소드의 체험 후에야 어떤 상황 속에서라도 '독서와 창작에서 기쁨'(1:58)을 구해야 한다는 예술가 의식을 그의 <산보>가 발견한 최대치의 의미로 다시금 확인하게 된다.

그런데 여기서 더욱 중요한 것은 이러한 성찰을 통해 새롭게 각인된 예술가적 자의식이 구보가 '집'의 의미를 다시 캐묻고 동시에 어머니와의 화해를 생각하게 되는 계기를 부여한다는 사실이다. 구보에게 '집'은 '누구나 모두 집을 가지고 있다는 애달픔이여/무덤에 들어가듯/돌아와 자옵네'(1:58)라는 단가를 읊조리는 장면에서 보듯이, 안정되고 화해로운 장소로서가 아니라 무덤으로 인식되기 때문에 '결코 위안받지 못한 슬픔을, 고달픔을 그대로 지닌 채'(1:79) 습관적으로 돌아가야 하는 곳에 불과하다. 하지만 그 '집'은 구보가 "한 개의 생활을 가지리라"고 하면서 벗에게 "내일부터, 나

12) Paul de Man, 「The Rhetoric of Temporality」, 『Blindness and Insight』, Methuen & Co. Ltd, 1983. 209-19쪽 참조.

집에 있겠소, 창작하겠소"(1:80)라고 선언하는 순간, 무덤이 아니라 창작이라는 작가의 임무수행을 가능케 하고 그것을 온전히 보호해주는 '생활'의 근거지가 된다.13) 사실 글쓰기를 통해서야 충족되는 이 '생활'에의 기대는 늘 반복되는 평균적 일상에 긴장감을 불어넣는 제한적인 성질의 것이기는 하지만, 어머니와의 화해를 모색케 할 정도로 위력적인 것이기도 하다.

지금까지 보아왔듯이 문학(창작)과 예술에의 기대와 좌절의 반복적 메카니즘을 자기논리로 삼고 있는 듯한 박태원의 <소설(예술)론>은 그 때문에 오히려 예술을 절대적 이념형으로 추상화시키지 않는다. 그대신 모든 현상이나 사물에 대한 이중적 의식의 노출에서 보듯이, 현실의 역설적 다면성을 심도깊게 파헤쳐 독자의 심금을 울리는, 더 나아가 그 자신의 <생활>로서의 예술을 발견하는 계기를 마련한다. 즉 자아와 현실에 대한 성찰을 충실히 수행할 수 있는 촉매제 역할을 맡았다는 것이다. 이러한 <생활 논리>로서의 예술의 발견이 의미있는 점은 우선 식민통치에 의해 강제된 주변부적 근대성이 지닌 가짜 명랑성의 본질, 즉 고독과 소외로 점철되는 일상적 삶의 황폐함에 대해 직시하는 것을 가능하게 했다는 것이다. 그리고 진정한 <생활>이나 <심금을 울리는 내용>으로 향하는 그의 자의식은 그로 하여금 '천변'과 같은 유토피아적 공간의 창출을 끊임없이 꿈꾸게 했다. 이런 연유로 그가 그린 '집(가족)'에는 염상섭, 채만식 혹은 이태준이 그려냈던 몰락하는 가족의 비극적 표정 대신 부족하나마 서로를 감싸주고 이해하려는 온정이 담기게 되었을 것이다.

---

13) 하정일은 이 점을 더욱 확장시켜 그 공간 자체가 자족성을 지니고 진정한 의사소통이 보장되는 유토피아적 공동체의 한 모형으로 '집'의 의미를 해석한다. 하정일, 「'천변'의 유토피아와 근대 비판-박태원론」(『광산 구중서 박사 화갑기념논문집』, 태학사, 1996) 참조.

3. 최인훈: '화해'를 탐색하는 작업으로서의 소설쓰기

최인훈의 「소설가 구보씨의 하루」 연작은 소설(예술)에 대한 그의 견해가 노골적이랄 정도의 주석적 개입을 통해 집요하게 천착되고 있다는 데서 관심을 끈다. 그리고 그 개입은 일견 비체계적으로 보이는 자유로운 관찰을 통해 당대 현실의 도구적 가치를 비판, 성찰하는 에세이 형식을 빌어 진행된다.14) 이런 형식적 특성 때문에 그의 <소설(예술)론>은 서사의 진행과정에서 그 내용이 구체화되지 않고, 속악한 현실을 비판하고 계몽하기 위한 절대적·이상적 이념형으로 제시되고 있다. 이는 그의 <소설(예술)론>이 서사의 인과적 맥락과 관계없이 해석될 수 있는 자기완결적이고 독립적인 담론체계란 사실을 말해준다. 이런 사실을 염두에 두면서 그의 <소설(예술)론>이 현실의 부정성을 어떻게 드러내는지 살펴보자.

이를 위해서는 우선 이 소설의 미적 주체, 즉 '구보(丘甫)'의 자의식을 살펴보는 일이 중요하다. 그는 서른 다섯 살의 홀아비이자 6.25때 월남한 피난민이고 스스로를 예술노동자라 지칭하는 존재이다. 즉 그는 고향에서 내쫓겼으며, 그가 정착한 사회에서도 소설을 상품으로 팔아야만이 생활이 가능한, 이중의 소외에 시달리는 인물이다. 이는 그가 『광장』의 이명준과 같이 남과 북이라는 역사적 현실체계의 어느 곳에서도 자기충족의 삶을 영위할 수 없는 영원한 이방인이자 의식의 유랑자라는 것을 뜻한다. 이러한 존재조건은 체재 내적 삶의 방식에 대한 신랄한 비판을 가능하게도 하지만, 그로부터 야기될 수 있는 현실에 대한 환멸 혹은 역사적 허무주의를 견뎌내면서 비판의 정당성을 보장할 수 있는 대안 체제의 수립을 동시에 요청한다. 그러나 그것은 이명준의 중립국과 같이 그가 바다에서 땅으로 발을 딛는 순간 사라져버릴 그런 것이어서는 당연히 안된다. 그것은 초역사적이며 절대적인 가치를 지닌 것이어야 한다. 소설을 쓰는 구보가 이런 가치를

---

14) 최인자, 앞의 논문, 153-57쪽 참조.

예술에 부여하는 것은 당연하다. 즉 소설을 쓰는 행위 자체가 성찰의 과정이며, 그렇게 완성된 작품은 제임슨의 말마따나 작가의 무의식적 소망까지도 충족시키는 상상적 행위가 될 수 있겠기 때문이다.

이러한 그의 자의식은 이 소설에서 다음과 같이 드러난다. 즉 그는 예술의 세계만이 힘의 논리가 지배하는 관료주의의 세계가 아니고, 오히려 일체의 관료주의에 대해 비판적으로 성찰할 수 있다고 본다. 이때 관료주의(현실의 논리)란, 이 글에 나온 예를 들자면, 어느 날 갑자기 이승만 정권이 무너지고 미국과 중공이 화해하고 남북적십자 회담이 열리는 등, '민중의 대부분에게 거짓말과 미신을 덮어 씌워놓고, 자기들만은 잇속과 사실에 따라 처신하는 특권자'(2:113)들이 세계를 장악하고 있는 것을 의미한다. 이런 상황에서 구보와 같은 보통 사람이 깨닫게 되는 것은 그들이 삶의 테두리를 정하는 역사적인 사건에 참여할 수 없을 뿐더러 그것을 정확히 이해할 수 없다는 점이다.[15] 이런 인식 때문에 이 소설에서 현실에서 벌어지는 정치, 경제, 사회의 난맥상들은 늘 후경으로 처리되어 있다. 즉 그는 현실연관에 대한 구체적 탐색보다는 문화비평가의 입장에서 그것을 선과 악, 진리와 거짓으로 구분하거나, '에익 신가(神哥)놈'하고 냉소를 퍼붓는다든가, 그런 잡다한 생각들을 끊기 위해 마련한 자기 나름의 해독법인 '각설 나는 구보다'라는 주문을 외우는 방법으로 현실에서 한 발자욱 물러나 앉는다. 이런 점에서 그에게 예술이란 바로 세계를 올바로 인식할 수 없다는 것과 자신이 세계에 대해 무기력하다는 것을 거꾸로 증명해주는 것인 동시에 그 쓸모없음 때문에 오히려 현실논리를 비판적으로 성찰할 수 있는 유효적절한 무기가 되는 셈이다.[16] 이런 예술의 이중성 또는 상대적 자율성에 대한 인식이 「소설가 구보씨의 일일」 전체를 관통하고 있고, 그리고 최인훈의 미적 자의식(소설가 의식)의 토대가 되고 있다.

이제 구체적으로 구보가 생각하는 소설(소설가)의 본질과 임무, 문학과

---

15) 김우창, 「남북조시대의 예술가의 초상」, 『소설가 구보씨의 일일』 해설, 문학과 지성사, 1991. 333쪽.
16) T.W.아도르노, 『미학이론』, 문학과 지성사, 1984. 25-29쪽 참조.

이데올로기의 관계, 예술과 사회의 관계 문제를 살펴보기로 하자. 그가 생각하는 예술가는 '할 수 있는 테두리에서의 정의'를 추구하면서 나머지는 '시에서 위안받'고, '환경을 바르게 계산해 내는 무당'(2:18), '세상이치와 시비곡직'을 꿰뚫는 자(2:262), '사기도박을 발견하면 고래고래 소리를 지르고, 죽은 자에게는 대성통곡'(2:47)하는 자이다. 이런 자기규정에서 드러나는 것은 소설가란 아름다움을 추구하는 자라기보다는 진리를 추구하는 자라는 점이다. 이때 소설(예술)의 임무는 현실의 구조적 모순을 세목화해서 형상화하는 것보다는 그것을 추동하는 거대한 힘의 진위를 하나하나 가려내는 것이 된다.

> (⋯)문학의 음계는 복합음계로서 풍속의 제시를 포함하지 않을 수 없다는 것/그러나 예술이라는 이름으로 묶인다면 다른 예술과 다름이 있을 수 없다는 것/아마 詩心의 높이가 그 가늠대일 것이라는 것/명월이나 오동나무에는 발정하는 詩心이 인사의 정사(正邪)에는 발전하지 말아야 한다는 것은 원리의 일관성에 모순된다는 것/현실의 어느 당파를 지지할 것이냐 하는 입장을 버리고 가장 높은 시심의 영역에서 추한 것은 무차별 사격할 것(⋯) (2:31)

이 인용문에는 구보(최인훈)가 현실을 바라보는 입장과 예술을 무엇으로 인식하고 있는가가 일목요연하게 제시되어 있다. 우선 풍속을 제시한다는 것은 문학이 현실의 옳고 그름을 판단해서 새로운 질서의 수립에 적극적으로 동참해야 한다는 것이다. 이는 그가 문학이 어떤 목적에 봉사하는가 라는 질문에 대해 '인간의 행복을 촉진한다고 생각하는 생활원리를 작품을 통해 보급한다'(2:252)는 답변에서도 잘 드러난다.[17] 그러나 그 예술은 항상 끊임없이 우상을 파괴함으로써 그것 자체의 도식화에 반대할 뿐만 아니라,

---

17) 그 구체적 항목으로 그는, '①자연을 알라; ② 사회를 알라; ③혼자서만 잘 살자고 말아라'를 들고 있다.(2:252) 이런 생각은 '어느 시대건 정도의 차는 있을망정 예술가는 계몽하면서 연주한다'는 말에서도 잘 드러난다.(최인훈, 「작가와 성찰」, 『문학과 이데올로기』, 문학과 지성사, 1994(재판). 20쪽)

삶의 도식화에 대해서 '해독제·보완의 원리'(2:253)로 작용해야 한다. 이 부분을 보자면 그가 예술을 현실(삶)과 대립적인 것으로 보기보다는, 현실을 비판함으로써 역으로 그것과 화해하려는 끊임없는 노력으로 보고 있음을 알 수 있다. 즉 그는 문학예술을 부정적 상상력을 극대화함으로써 오히려 유토피아적 재구성의 계기를 마련하는, 진정한 계몽의 매개체로 여기고 있다.

하지만 그가 '예술은 지금 당장의 실현 여부에 상관없이 '가장 뛰어난 도식"(2:254)이라고 설명하는 부분에 이르면 예술을 물신화시키고 있는 것은 아닌가하는 의심을 갖게 된다. 즉 예술의 절대화를 통해 모든 사물의 도식화를 비판할 수 있다는 생각은 관념적인 것으로, 예술 역시 구체적 현실과의 교섭을 통해 새로운 내용과 형식을 찾아나가는 역동적 구조물이기 때문이다. 물론 그가 예술 자체의 우상화에 대해서도 끊임없이 반대하고, 그것을 인간이 현재의 수준에서 확보할 수 있는 최선의 대안적 '도식'으로 인식하고는 있다. 하지만 그의 <소설(예술)론>은 주로 이데올로기, 자유, 평등 등의 추상적 가치에 대한 선험적 의미판단에 집중하고 있어, 그것들이 구체적으로 갈등하고 길항하는 현실논리에 직접 메스를 대는 일에는 상대적으로 소홀하다. 결국 선험론이 문제가 되는 것은 어떤 초월적 가치를 상정해 놓고 그것을 현실에 비추어 보기 때문에, 현실은 늘 부정적인 것으로 가치절하되어 경험된다는 사실이다. 이런 최인훈 문학의 한계, 즉 '관념의 절대화가 감각적 경험의 절대화'[18]로 귀결된다는 점은 사무사(思無邪)의 눈으로 모든 것을 보라는 위 인용문의 '시심(詩心)'의 내용에서도 확인된다.

그러나 이런 관념성에도 불구하고 '시심'은 그의 세계인식의 방법을 규정하는 요소라는 점에서 마땅히 주목해야 한다. 그가 세계를 인식하는 방법은 "기호'냐 '물질'이냐는 그 스스로가 분명한 것이 아니라 사람 쪽에서 그것을 '물욕'으로 대하느냐 '시심'으로 대하느냐에 달렸지 절대적인 구별

---

18) 장수익, 「한국관념소설의 계보」, 문학사와 비평연구회 편, 『1960년대 문학연구』, 예하, 1993. 143-154쪽 참조.

을 할 도리는 없는 것'(2:145)이라는 발언 속에 압축되어 있으며, 그것은 예술을 바라보는 입장이기도 하다. 이는 결국 진리나 미의 기준은 상대적이고 주관적으로 설정될 수밖에 없다는 이야기이다. 물론 여기서 말하는 상대적이니 주관적이니 하는 말은 남들이 모두 보편적으로 인정할 수 있는 기준 속에서 측량될 수 있는 정도의 것이다. 이런 입장에 선다면 우리는 현실의 논리를 어떤 목적론에 따라 단일한 범주로 환원시키는 데서 벗어날 수 있으며, 그가 인용한 샤갈의 말처럼 '우리들의 내부 세계는 모두가 현실이며, 어쩌면 눈에 보이는 세계보다도 더 현실적이'(2:157)라는 사실을 깨우침으로써 현실을 보는 시각을 교정받을 수 있다.

그런데 '시심'의 객관성을 어디에서 보장받을 수 있는가? 그는 그것을 상상력의 힘에서 찾고 있다. 그에게 상상력은 '없는 것을 지어내는 힘이 아니라 자기 자신을 기억의 바다에서 불러내는 것'(2:165)이다. 이런 상상력은 그에게 두 가지의 형식으로 구체화된다. 하나는 역사적 시간, 즉 멀지 않은 과거에 대한 반추로서의 '기억'이다. 삶의 원천으로서의 고향에 대한 기억이나 지식충(知識蟲)이었던 학창 시절에 대한 기억, 아니면 전쟁이나 시간의 흐름에 의해 전혀 다른 표정을 짓고 있는 도시공간들에 대한 기억들이 여기에 속한다. 개인적 체험의 흔적인 이런 기억들은 박태원의 '과거 회상'처럼 순간적인 충만함을 가져오는 기제로 작용하지 않는다. 오히려 그보다는 현대문명이 얼마나 황폐하고 파괴적인 것인가를 깨닫게 하는 각성제 역할을 한다. 그러므로 이런 기억들은 구원의 형식이 아니라 불화의 형식이다. 또 다른 하나는 원초적 기억을 불러내는 상상력, 다른 말로 해서 상기(anamnesis)이다. 상기는 시간을 초월해서 시간의 역사적 과정과는 무관한 어떤 원형적인 것의 연속성에 대해 인식하는 것으로, 이를 통해 인간은 선험적인 신성한 실재와 교감을 하게 된다.[19] 이런 상기는 구보에게 자신의 "삶을 잊어버리지 않"고, "허무에의 혼입, 해체를 막기 위해서, 자기가 자기

---

19) 김준오, 『시론』, 삼지원, 1982. 326쪽. 최인훈은 이것을 "인간이 다시 야누스가 되는 때, 자기 자신인 그 신화인이 될 때 인간의 마음은 참다운 기쁨과 평화를 찾지 않을까"라고 적고 있다.(2:165)

임을 유지하기 위한 되풀이"(2:44)인 매우 적극적인 행위이다. 이것의 본질이 가장 잘 드러난 예로, 난세(亂世)를 사는 곤한 마음을 잠시 잊기 위해 찾아간 절집에서 석가를 만난 꿈을 소설로 창작하는 부분(「亂世를 사는 마음 釋迦氏를 꿈에 보네」)과, 고궁의 탑과 샤갈의 그림을 통해 얻은 충만감의 본질을 따져보는 부분(2:154-65)이다. 후자를 예로 들면, 구보는 정안(正眼)을 통해 만들어진 탑에서 '버림의 홀가분함'을, 사안(斜眼)을 통해 그려진 샤갈의 그림에서 '꿈의 풍성함'을 본다. 이 둘은 반대되는 느낌을 통해 충만감을 주는 대상들이지만, 예술 속에서야 비로소 그 '버림'과 '꿈'이 이루어졌다는 점에서 궁극적으로 동일한 대상이다. 여기서 보듯이 예술의 창작, 감상(수용) 모두에, 강렬한 환상의 형태로 제시된 원초적 기억은 유토피아 충동을 불러일으키고 동시에 진정한 자기동일성의 확보를 가능케 한다는 점에서 단순한 문명비판의 기제가 아니다. 즉 그것의 자기완결적·충족적 성격은 삶과 예술의 근원적 일치를 가능하게 한다. 이것이 가능했던 세계, 그곳은 루카치가 말했던 바, 창공의 별을 따라 길을 가는 것이 가능했던 서사시적 총체성의 세계가 아닌가.

그러나 지리멸렬한 상황에 빠진 세계[20]에서 이러한 원초적 체험은 지속적인 것이 아니라 순간적인 것에 불과하며, 서사시적 총체성의 세계는 더이상 존재하지 않는다. 이는 구보의 체험이 환상의 형태로 제시되고 있는 점에서도 잘 드러난다. 그럼에도 불구하고 이런 파탄난 세계에서 문제적 개인의 체험을 통해 하나의 전체적 세계를 창조하려는 장르적 속성 때문에[21] 소설은 속악한 현실을 되비추는 거울 및 그것의 '해독·보완제' 역할을 맡게 된다. 이런 산문의 언어(소설)에 대한 그의 절대적 믿음은 타장르(서정시)에 대한 배타적 인식과 언어의 공적인 성격에 대한 강조로 드러난다. 즉 힘의 논리(公)가 지배하는 현실에서 서정시인의 눈으로 그것을 본다면 어떤 전망도 가질 수 없다는 생각(2:138)과 문학이 매재로 택한 언어가

---

20) 루카치, 『소설의 이론』, 심설당, 1985. 18쪽.
21) 루카치, 위의 책, 106쪽.

공동체의 효용을 위한 도구이기 때문에 언어를 택한 문학가는 이미 공동체의 현실에 참여하고 있다는 인식이[22) 그것이다. 이런 생각은 앞서 인용한 바 있는 '예술가는 계몽하면서 연주한다'는 예술가의 자기규정이 구체적으로 표현된 것으로 볼 수 있다. 특히 여기서 예술(가)이 '계몽'이어야 한다는 인식은 매우 중요한 대목이다. 이는 궁극적으로 그의 예술이 의사소통의 합리성을 추구하는 데 놓여 있음을 뜻한다. 이는 곧 그가 매재로서의 언어를 현실과 유리된 허구적 가상을 만족시키는 자기충족의 대용물로 보거나, 혹은 타락한 현실의 의미체계를 부정하기 위한 의도적인 왜곡과 변형의 대상으로 인식하지 않고 있음을 보여준다. 이러한 사회적 공기(公器)로서의 언어에 대한 목적의식적 추구야말로 그 관념성에도 불구하고 그가 그의 문학에서 현실모순을 지속적으로 탐색하게 한 원동력이라 하겠다.

이렇게 보아온다면, 최인훈은 누구보다도 자신이 이상으로 설정한 세계에 이르기 위해 부정적 상상력으로서의 문학의 가치와 내실 문제를 소설쓰기 및 <소설(예술)론>에서 본격적으로 제기한 작가라 하겠다. 이를 통해 그는 분단상황에서 비롯된 이데올로기적 억압과 횡포, 그리고 권위적인 군사정권이 주도한 근대화 논리의 폭력적 메커니즘과 허구성을 전방위적으로 비판했다. 그리고 이런 현실에 대한 비판 전략으로서의 소설쓰기는 '어떤 부재하는 것'에 대한 강렬한 욕망과 더불어 그것의 실현을 가능케 하는 이상적 예술상 및 미적 자율성에 대한 심도깊은 성찰을 이끌어 낸 것으로 판단된다. 하지만 이미 완결된 것으로서, 그리고 모든 것의 진리내실을 판단하는 절대가치로서 예술을 추상화시키는 그의 <소설(예술론)>은 속악한 현실을 철저하게 문제삼는 데는 능하게 되지만, 구체적 현실의 연관을 통해 드러나는 생활의 핍진함과 역동성을 탐색하는 데는 인색하게 된다. 즉 구체적 생활의 문제가 결국은 예술적 관념 내지 추상적 가치의 탐색을 위한 전초기지에 불과하다는 것, 이것은 그의 작품이 한 개인의 관념의 테두리를 벗어나지 못한 것[23)으로 평가받는 원인이 된다.

---

22) 최인훈, 「문학과 현실」, 앞의 책, 32쪽.

4. 주인석: 비극적 운명에 대한 '복수'로서의 소설쓰기

주인석이 제시하는 <소설(예술)론>의 두드러진 특성은 그것 자체가 성찰의 대상이 되었던 박태원과 최인훈의 그것과 달리, 소설이 해야 할 당위적 임무가 무엇이며, 소설이 왜 그것을 떠맡을 수밖에 없는가를 불분명한 비유와 정언적 명제로 제기한다는 데 있다. 그런 점에서 그의 <소설(예술)론>은 문학과 삶, 예술과 역사 혹은 예술의 본질 등에 대한 심도깊은 성찰보다는 소설가가 소설을 써야만 한다는 자의식의 토로에 가깝다 하겠다. 그러므로 그의 <소설(예술)론>의 위상을 점검하기 위해서는 현실을 인식하는 그의 태도와, 소설가의 자의식을 내면화하는 과정에 초점을 맞출 필요가 있다.

그러면 먼저 주인석의 '구보'는 자신을 어떻게 생각하고 있는가를 보기로 하자. 90년대의 '구보'는 30년대나 60년대의 구보처럼 자신의 이름에 어떤 자긍심을 갖고 있는 존재는 아니다. 박태원의 '구보(仇甫)'가 높은 자, 거만한 자란 뜻을 지니고 있고, 최인훈의 '구보(丘甫)'가 높은 자라는 뜻과 함께 고향을 잃어버렸다는 뜻을 함께 가지고 있는 데 반해, 주인석의 '구보'(한자없음-필자 주)는 그의 친구들이 그냥 '구보'라고 부르기 때문에 '구보'이다. 그래서 그는 앞선 구보들 때문에 자신의 진짜 이름이 잊혀지고 있고, 자신이 그런 일을 자초하고 있다고 생각하며, 그런 사실이 우습다고 여긴다. 그러면서도 그는 자신의 본명이 잊혀지고 그럴 듯한 이름으로 불리기를 희망한다. 이런 자기규정은 다음과 같은 자신이 처한 현실 상황과 맞물려 그의 미적 자의식을 구성하는 중요한 의미를 띤다.

> 세번째 구보씨는 식민지 반봉건 사회에서 태어나, 제3세계적 개발독재형 사회에서 교육받았으며, 예속적 국가독점 자본주의 사회에서 젊은 날을 보내고, 이제 포스트모던의 나라로 이민가고 있다. 정말

---

23) 김윤식·정호웅, 『한국소설사』, 예하, 1993. 352쪽.

그는 이민의 삶을 살고 있는 것 같다.(3:288)

위의 인용문은 후기에서 따온 것이다. 하지만 이런 자의식은 「소설가 구
보씨의 하루」 연작 1-5편에 그대로 나타나 있다. 그는 그의 삶을 이민과 같
은 삶이라고 말하고 있는데, 이는 우리 사회가 변화해 온 속도에 그 자신이
제대로 적응을 못하고 있다는 뜻이기도 하지만 사회과학적인 인식으로 우
리 사회의 현실을 정확하게 알고 있다는 뜻이기도 하다. 즉 현실인식과 그
에 대한 반응의 불일치가 고아의식 혹은 유목민적 삶으로 그를 강제한다는
것이다. 때문에 그의 소설쓰기에서 무엇보다 중요한 것은 남에게서 따왔기
때문에 정말은 그럴 듯한 것이 아닌 '구보' 대신 자신의 정체성을 간직한
진짜 '구보'를 찾는 일이다. 결국 구보(주인석)에게 '소설쓰기에 대한 소설
쓰기'는 자신을 타자로 인식함으로써 주체의 본질을 발견하는 과정이 선행
되었을 때만이 가능하다. 이 점은 그가 처음 쓴 「옛날 이야기를 좋아하면
가난하게 산단다」가 '이민의 삶'같은 현실 속에서 잊혀지기를 바랬던 자신
의 존재(이름)를 찾아나서는 여행의 형식으로 쓰여진 것에서 잘 드러난다.

「옛날 이야기를 좋아하면 가난하게 산단다」는 그가 소설이 씌어지지 않
을 때 하는 버릇인 서랍을 뒤지다가 아버지의 장례식 사진을 발견하고, '자
기의 유예된 과거, 영원히 지워져버릴 뻔한 과거'를 찾아 그가 자란 곳인
파주를 찾아가는 내용으로 되어 있다. 그 과정에서 그는 미군속과 결탁해
물건을 빼돌리다 망해버린 아버지의 실체를 인정하게 되고, 미국의 빵부스
러기로 상징되는 변방의 삶을 극복하기 위해 반미운동에 투신했던 자신의
과거를 되돌아 보면서 왜 자신이 소설을 쓰게 되었는가를 추체험하게 된다.
이렇게 빙 돌아서 그가 깨닫게 된 소설가로서의 자기존재의 본질은 '실패
할, 한 운명'을 가지고 그 실패로써 세상과 싸우는 존재라는 점이다.

소설은 현실에 대해 숨겨진 과거로 저항한다. 사람들이 숨긴, 잊
은, 잊으려 하는 과거로. 소설가는 반성시키는 반성가이다. 그러기
위해 소설가는 실패해야 한다. 가난해져야 한다. 실패하려고 해야 한
다. 실패할, 한 운명이다. 그리고 그는 실패로 세상과 싸운다. (3:51)

그는 이런 결론에 도달하기 위해 이야기나 문학을 천시했던 풍습을 담은 옛 속담 중의 하나인 '옛날 이야기를 좋아하면 가난하게 산단다'란 화두를 제시하고 있다. 그가 보기에 옛날 이야기와 소설은 꾸며낸 이야기고 과거를 이야기한다는 점에서 동질적이다. 그런데 과거를 이야기한다는 것은, 아주 정직하게 사소한 죄책감까지 반성하는 일이다. 그러나 반성은 실패한 사람들만 하는 것일 뿐, 성공한 사람은 부끄러운 과거에 빗장을 건다. 바로 그 빗장을 풀어, 그들이 나몰라라 하는 과거를 폭로하고 반성하는 것이 옛날 이야기라는 것이다. 우선 그의 논리적 비약은 접어두더라도 여기서 말하는 실패의 의미를 따져보는 것이 아마도 그의 <소설론>의 내포를 구체화시킬 수 있는 한 방법일 것이다. 사실 '옛날 이야기를 좋아하면 가난하게 산단다'라는 속담처럼 어른들이 흔히 하는 말인 '아무 짝에도 써먹지 못하는 것을 무엇하려고 하느냐'라는 질문에 대한 답을 통해 문학의 쓸모없음이 지닌 유용성과 비폭력성의 논리를 내세웠던 사람은 김현이었다.24) 김현은 서구 비판미학의 입장을 빌려 근대사회에서 문학이 자율성을 획득하게 된 계기를 권력과 치부의 수단으로 기능하는 대신 오로지 자기표현과 개성을 존중하는 일에 최고의 가치를 부여하게 된 것에서 찾는다. 그리고 이런 현실논리에서의 무용성이 문학으로 하여금 인간을 억압하는 모든 것에 대해 성찰하도록 한다고 본다.25) 하지만 김현의 논리를 패러디한 주인석의 무용을 통한 효용성의 논리는 예술의 존재방식의 파악을 통한 그것의 강조에 있다기보다는 예술(가)의 임무가 무엇인가 하는 문제를 직접적으로 표명하고 있다. 즉 소설(가)은 예정된 실패의 운명을 딛고서 그를 실패로 내몬 현실과 싸우는 것이기 때문에, 그에게는 소설이 소설가의 유일한 무기라는

---

24) 김현, 『한국문학의 위상』, 문학과 지성사, 1991. 제 1, 2, 3장 참조.
25) 이 논리의 적정성에 대한 판단은 현재로서는 필자의 능력을 벗어나는 일이기에 여기서는 따로 언급하지 않는다. 이 논리에 대한 비판적 점검은 이동하, 「김현의 『한국문학의 위상』에 대한 한 고찰」(『전농어문연구』 제7집, 1995)을 참조할 것.

것이 중요하다. 따라서 그에게 그것이 현실의 구체적 연관을 그리는가 아니면 파편화된 현실체험을 내밀한 주관으로 그리는가 하는 방법론의 문제는 부차적이다. 이런 인식은 그가 소설을 쓰기로 마음먹은 까닭으로 사회가 자신을 받아주지 않았기 때문이라고 진술하는 데서도 엿보인다. 이런 점에서 그의 소설론은 속악한 현실을 부정하는 당위의 논리 혹은 실천논리로 볼 수 있는데, 소설가의 본질에 대한 이런 자기규정은 개인의 내면성찰에 그의 소설을 묶어두지 않고, 제한적이나마 그가 발딛고 있는 역사와 현실에 대한 성찰로 나아가게 한다.

「사잇길로 접어든 역사소설가 구보씨의 하루2」는 변혁운동에 참여하다 같이 감방에도 갔지만 이제는 운동권을 떠나 처세술에 관한 책을 지어 일약 명사가 된 친구의 결혼식에 참가하는 과정에서 받은 여러 느낌, 즉 이제는 평범한 생활인이 된 친구들과 돌아오는 길에 들린 서대문 형무소에서 받은 느낌을 통해 실패한 80년대를 바라보는 구보의 심경을 그리고 있다. 여기서도 그는 80년대를 성찰하기 위한 장치로 그 특유의 소설론을 전개한다. 그것은 '소설이란 좌절한 의식이 세계에 대해 복수하는 것'(3:64)이라는 명제이다.

> 소설은 좌절한 의식의 소산이다. 좌절된 욕망이라고 하면 더 정확해지는 측면이 있기도 하지만, 좀 천박하다. 아무튼 소설가는 좌절한 것이다. (⋯) 어떤 사람은 그걸 좌절이라고 하지 않고 부적응이라고 표현하기도 한다. 그리고 소설이란, 혹은 예술이란 그런 제도의 부적응자들이 부적응의 방식으로 적응하는 또 하나의 제도라고 말이다. (3:64)

여기서 전개하는 논리 역시 위에서 본 '실패'로서의 소설 개념과 별다른 차이가 없다. 단지 '반성한다'는 것을 '복수한다'라는 보다 강력한 표현을 쓰고 있을 뿐이다. 그리고 그가 '좌절된 욕망'이라는 표현을 쓰지 않는 것은 단지 '좌절된 욕망을 성취하려는 또 다른 욕망의 제도'가 세계와 쉽게 화해하려는 철저하지 못한 소설관이라고 느껴지기 때문이다. 이런 점에서 그의 소설관은 어떤 화해를 지향하는 통일성을 상정하고 있다기보다는, 예술과 사회는 근본적으로 화해할 수 없는 적대관계에 놓여 있기 때문에 어떤 새로운 관계의 수립이 불가능하다는 소외의식 또는 환멸의식에 기반한 것으로 볼 수 있다. 이런 점이 그의 소설에서 냉소적인 어투와 그 스스로 언급한 바와 같이 모든 것을 '의미바꾸기, 혹은 깨기, 또는 왜곡하기, 아니면 뒤집기'(3:54)로 바라보는 인식틀을 느끼게 하는 점일 것이다.

이런 복수로서의 소설론을 바탕으로 그는 이제 실패한 역사로 몰매의 대상이 되고 있는 '사잇길로 접어든 역사'였던 80년대에 대한 복원을 시도한다. 첫 작품이 개인사를 복원하는 소설쓰기였다면, 둘째 작품은 그가 살았던 역사와 현실을 복원시키는 소설쓰기인 셈이다. 그가 구출해 낸 80년대의 의미는 세계와 삶에 대한 태도의 문제와 연관되는 것으로, '사잇길(80년대의 변혁운동-인용자)을 빠져나왔다 하더라도, 우리가 그 사잇길을 헤매던 시간들은 소중한 것이 아닌가. 그것이 모두 헛 것이었고 착각이었고 과오였다고 하는 것은 비도덕적이다'(3:94)라는 인식이다. 여기서도 그에게 중요한 것은 사잇길로 빠지게 된 역사의 내용을 꼼꼼히 성찰하는 것이 아니라, 그것에 대한 태도에 의미를 부여하는 일이다. 물론 이렇게 80년대를 바라보는 태도는 투정어린 후일담식으로 80년대를 바라보는 방식보다야 훨씬 건강한 것이지만, 실패를 토대삼아 미래의 전망을 기획하는, 생산적인 반성의 방식은 되지 못한다.

이러한 이유 때문에 필자는 주인석의 역사와 현실에 대한 관심, 그의 말대로 하자면 현실에의 '복수'로서의 글쓰기를 '제한적이나마'라는 수사로 그 의미를 유보했다. 이는 위에서 보았듯이 그의 현실과 역사에 대한 관심이 사회의 구조적 모순의 파악으로 직접 나아가지 못하고, 거기서 겪는 불행과 환멸의식을 자기폭로적으로 드러내고 있다고 판단되었기 때문이었다. 이런 자기폭로적 방법은 자신이 정한 혹은 사회에서 통용되는 일정한 도덕적·윤리적 태도의 기준치를 가지고, 그런 상태로 나아가겠다는 향상심이 수반될 때 자기성찰의 의미를 부여받을 수 있다. 그러한 기준이 급격히 사라져 버릴 때, 자기폭로는 자기희화의 차원으로 떨어지거나 현실의 무의미성에 대한 냉소로 귀결되기 십상이다. 그가 이후의 소설에서 '역사는 무슨 빌어먹을 역사, 다 사기지, 사기야'(3:162)라고 한다거나, 1992년에 벌어졌던 포스트 모더니즘과 대중문화를 두고 벌어졌던 논쟁을 두고 '마르크스레닌 주의 문학이나 포스트모더니즘문학이나 똑같이 세상을 더럽히는 쓰레기더 미로 전락'(3:133)했다고 냉소를 보이는 것이 이를 증명한다.[26]

어쩌면 그에게 이러한 논리적 귀결은 당연한 것인지도 모른다. 즉 앞에 서 보았듯이, 진정한 <생활>의 가능성에 대한 탐문이나 속악한 현실에 대 한 대안적 세계의 모색으로서가 아니라, '좌절한 의식'들의 복수의 수단으 로 이끌려진 소설은 자기파괴적 충동에서 헤어나기가 지극히 어렵다. 이런 자기파괴적 충동은 세계와 자기에 대한 성실한 탐구를 통해 보다 나은 세 계를 찾으려는 동경과 희망 대신, 함량미달인 현실에 대한 냉소와 세상이 더 나아질 것이 없다는 허무주의적 태도만을 미적 주체에게 각인시킬 뿐이 다. 이런 점에서 그의 <소설론>은 '포즈의 미학'이라 볼 수 있다. 이것이 박태원, 최인훈의 <소설론>과 그의 <소설론>이 지닌 근본적인 차이점이다. 구체적인 방법론을 수립하기보다는 당위적인 태도만을 강조하는 추상적인 그의 포즈의 미학은 자신이 구체적으로 복수할 혹은 실패함으로써 싸울 어 떤 명확한 대상을 포착하지 못했을 때, 역으로 자신을 실패에 빠뜨린 현실 논리에 의해 자기환멸의 심화라는 복수를 받게 된 것이다. <소설론>의 내 용이 소설의 질로 바로 환원되는 것은 아니지만, 박태원이나 최인훈의 경 우에서 보듯이 자기만의 <소설론>이 구체화되어 있을 때, 작가는 그 기준 에 의해 소설세계를 심화시키고 현실을 바라보는 일정한 안목을 획득할 수 있다. 따라서 21세기인 10년 후에도 여전히 실패할 운명인지를 알면서도 과거로 미래를 반성하겠다는 그의 의지 표명은 그의 태도와 소설의 내용을

---

26) 그것이 극단화되어 나타난 것이 술을 먹고 들어간 경복궁에서 12.12사건 의 주동자들에게 고문받는 꿈을 꾸다가 낙상하여 팔을 다치고 난 뒤, 그 이후 써지지 않던 소설을 쓰기 시작했다면서 다쳤음에도 불구하고 그가 소설을 쓸 수 있던 이유를 원래 자신이 왼손잡이 때문이라고 대답하는 장면이다.(3:172)

보장할 수 있는 세부적인 논리틀의 보강이 동시에 진행될 때에야 비로소 소기의 성과로 연결되지 않을까 생각한다.

5. 맺으며

지금까지 보아온 대로 서로 다른 미적 개성을 지닌 '구보'들에게 가장 중요했던 문제의식은 '소설가란 누구인가'하는 존재론적 질문과 그 자의식의 바탕에서 소설을 통해 무엇을, 왜 쓰는가 하는, 소설(가)의 임무에 대한 질문이었다. 이들은 이런 문제의식을 사회와 절연된 고립된 자아의 관점에서가 아니라, 소설가가 현실상황과 어떻게 관계 맺는가 하는 관점에서 파악하고자 하였다. 이 과정에서 그들이 초점을 맞춘 것은 현실의 억압적 상황의 세밀한 파악보다는, 그로 인해 개인, 특히 지식인이 겪어야 하는 내면의 소외감의 표현이었다. 때문에 이 가운데서 정립되어가는 그들의 소설론도 소설이 사회 개량을 위해 무엇을 할 것인가 하는 문제보다는, 그것이 어떻게 존재해야만이 현실과의 일정한 거리 속에서 나름의 내적 논리를 전개하며 현실을 반성할 수 있는가 하는 문제에 대해 고민했다. 박태원의 고현학이나 최인훈의 예술의 상대적 자율성에 대한 지속적인 천착, 그리고 주인석의 '복수'로서의 소설쓰기 작업은 모두 이런 고민에 대한 그들 나름의 미적 대응 논리라 볼 수 있다.

하지만 그들이 어떤 문제에 주목하는가에 따라 이들의 논리는 다양한 편차를 보여주기도 한다. 박태원은 소설쓰기(소설론)에서 새로운 형식실험과 그를 통한 자기실현의 문제에 중점을 두었다. 때문에 그에게 주된 고민은 왜 소설이 씌어지지 않는가가 고민이었고, 당대의 현실 역시 이러한 고민 가운데서 하나의 취재대상으로 주목될 뿐이다. 그럼에도 그가 '우수한 암면의 묘사'와 그를 통해 발견하려 했던 <생활>의 의미에 대한 집요한 관심은, 경성의 가짜 활기의 본질과 그 속에서 방황해야 하는 지식인의 우울한 내면을 성공적으로 포착하게 했다. 뿐만 아니라 그런 현실을 견디는 동시에 진정한 자기확인을 가능케 하는 진정한 <생활>로서의 글쓰기의 의미를 발견하게 된다. 최인훈은 그보다는 예술(가)의 존재론적 본질에 대한 천착과 예술가의 사회적 역할에 대한 고뇌를 그의 <소설(예술)론>에 새겨 놓았다. 사실 어떻게 보면 그의 '구보씨' 연작은 자신의 <소설(예술)론>을 설파하기 위해 고안된 하나의 전략적 글쓰기라 해도 과언이 아니다. 그는 여기서 예술의 상대적 자율성을 문제삼는다. 이를 통해 그는 도구적 합리성으로 특징지워지는 현실논리가 예술언어의 심미적 이성에 의해 반성될 수 있다는, '계몽'의 변증법에 대한 확고한 믿음을 보여준다. 이런 사실은 미적 근대성 (자율성)의 문제가 우리 현실과의 연관 속에서 본격적으로 구체화되기 시작했다는 것을 보여주는 것으로, 이는 개발독재로 상징되는 근대화 과정 속에서 역사적 주체로서의 개인과 집단의 문제 및 근대적 자아(개인)의 문제가 본격적으로 탐색되기 시작한 60년대 문학의 새로운 측면과도 밀접히 연관된다. 그에 비한다면 주인석의 <소설(예술)론>은 내용 자체는 영성한 측면이 있지만, 소설가가 현실을 어떻게 성찰하는가를 도덕적·윤리적 차원의 신념문제를 중심으로 전개하고 있다. 그는 소설을 현실에 대한 의미로운 '복수'로 판단한다. 그 복수는 과거를 기억함으로써 현실의 추악한 면을 폭로하는 데 초점이 놓여져 있다. 즉 현실의 변화 가운데 버려지는 '당위의 논리'를 복원하고자 한다. 그러나 그것이 하나의 '태도' 문제로 귀결됨으로써, 변화된 현실을 어떻게 구조화시킬 것인가 하는 새로운 방법의 자각에까지는 나아가고 있지 못하다.

마지막으로 덧붙인다면, 이들이 현실과의 긴장관계 속에서 펼쳐낸 <소설(예술)론>은, 그 논리의 정치함과는 무관하게, 당대의 소설가들이 무엇을 어떻게 고민했는가를 예각적으로 보여준다는 데 무엇보다 의미가 있다. 그리고 이들은 불행한 근현대사의 와중에서 진정한 예술의 존재가치는 무엇인가라는 문제에 답하기 위해 솔직한 자기진단과 해부의 성실성 역시 보여주었다. 그 결과 이런 고민의 구체적인 실현자인 '구보씨'들은 현대적 삶을 성찰하는 예술가상의 전형으로 우리 문학사에 자리잡게 되었으며, 더 나아가 우리 문학사에 구현된 '미적 근대성'의 시대별 추이와 그 수준을 가늠케 하는 잣대 역할을 어느정도 담당해 낸 것으로 판단된다. 새미

신채호에서 강신재에 이르는 심층연구

한국 근대문학 연구의 반성과 새로운 모색

문학사와 비평연구회(새미, 97)
신국판 / 352면 값 10,000원

문학사는 '다시쓰는 것'이라는 명제를 염두에 둔다면,
문학 연구에 대한 반성과 새로운 모색이라는 주제는 항상
연구자를 괴롭히는 과제임에 틀림없다.

젊음과 패기의 문학
— 오상원론

이 봉 범*

1. 문제제기: 오상원 소설이 놓인 자리

1950년대 소설에 대한 연구는 평자의 관점에 따라 대상의 다양성, 이질성 이상으로 매우 다기한 양상을 보여 준다. 어찌 보면 혼란스러울 정도로 다양한 관점이 존재한다는 사실은, 그 관점의 타당성 여부를 떠나서, 전쟁, 분단, 폐허로 상징되는 시대적인 특수성의 산물인 1950년대 소설의 현재적인 의의나 규정력을 반영한다고 볼 수 있다. 가령, ①세대론적 관점 ②현실반영론적 관점 ③세계관과 작품 구조의 상관성 ④현실인식의 양상 ⑤외래사조(특히 실존주의)와의 상관성 ⑥주제와 기법의 상관성 ⑦시대와 장르와의 관계 등 상호 중첩되면서도 독특한 방법론들은 시대적인 특수성을 전제로 한 유형적인 분류를 시도하는 공통점을 지닌다. 그 결과 1950년대 소설 장르에 대한 올바른 가치평가 기준이 무엇인가와 1950년대 소설이 문학사에서 더 이상 단절기, 공백기, 휴지기가 아님이 판명되는 성과를 가져 왔다. 또한 유형화 작업이 1950년대 소설의 대체적인 윤곽, 즉 다양성의 저류를 형성하는 규정력이 무엇이며, 소설상의 공통점과 상이점의 양상이 밝혀져 1950년대 소설의 지형을 인식할 수 있는 틀을 제공했다. 특히 소설 미학상

---

* 李奉範, 성균관대 강사, 주요 논문으로는 「엄흥섭 소설연구」, 「황순원론」 등이 있음.

의 제문제들-주제, 기법, 장르-이 새롭게 조명되면서 1950년대 소설의 소설사적 지속과 변혁의 특징이 구체적으로 드러났다.

그런 긍정성에도 불구하고 지속과 변화의 역동적인 흐름을 단순화, 평면화시키는 문제점을 지닌다. 특히, 한 작가의 다양한 경향, 그것도 발전도상에 있는 작품을 일정한 유형적인 틀로 접근했을 때, 그 작가의 작품 경향, 심지어 하나의 작품도 이율배반적인 평가가 초래되는 위험성이 존재한다. 본고가 주목하는 오상원의 경우를 보더라도 마찬가지이다. 위에 제시된 관점에 따라 오상원에 대한 기존 평가를 정리해 보면 다음과 같다. ①현대적인 문학정신을 소유한 신세대 작가로서 인간존재의 가치를 발견한 작가1) ②자아의 궁극적 의미를 모색, 탐구한 반항의 문학2) ③휴머니즘을 내적 계기로 한 비판적 리얼리즘를 구현한 작가3) ④관념적인 현실 인식과 자유주의 이데올로기의 형상화4) ⑤앙가주망적 성격을 지닌 프로메테우스적 실존성의 구현5) ⑥기법의 혁신에 의한 전후의식의 동질성을 추구한 작가(손창섭, 장용학, 김성한, 오상원)로서 행동주의 문학6) ⑦서사적 구조를 최소한도로 유지하면서 극적 양식으로의 접근을 추구한 극적 단편양식의 확립7)으로 다양하게 평가되고 있다. 그 결과 오상원 소설의 성격이 어느 정도 규명되었지만, 문제는 그러한 성격의 내적 동인이 제대로 해명되지 못하고 있다는 점이다. 그리하여 그의 소설을 접근하는 데 일종의 선입견을 가져다주는 문제점이 초래된다. 물론 방법론적 차이나 일부의 작품을 대상으로 하는 불가피성을 십분 인정하더라도, 작품의 실상에서 벗어난 경우도 적지 않고 특히 소설사적 맥락에서 오상원 소설의 가능성을 비판적으로 바라볼

---

1) 김상선, 『신세대작가론』(일신사, 1964)
2) 천이두, 『한국소설의 관점』(문학과 지성사, 1984)
3) 한수영, 「1950년대 한국 소설 연구」(한국문학연구회 편, 『1950년대 남북한 문학』, 평민사, 1991)
4) 한점돌, 「전후소설의 현실인식」(구인환 외, 『한국전후문학연구』, 1995, 삼지원)
5) 임헌영, 『한국현대문학사상사』(한길사, 1988)
6) 구인환, 『한국근대소설연구』(삼영사, 1977)
7) 하정일, 「1950년대 단편소설연구」(연세대 석사, 1986)

수 있는 시야를 가로막는 데 커다란 문제가 있다. 따라서 1950년대 문학을 너무 정태적이고 평면적으로 이해해 왔다는 점에 대한 비판적 성찰과 1950년대와 1960년대 문학이 지니는 내재적 연속성의 문학사적 의미에 대한 진지한 반성을 제기한 한수영의 지적은 시의적절하다고 본다.[8] 본고가 50년대 소설 전반을 대상으로 하지 않음에도 불구하고 개략적인 소설 평가의 관점을 제시한 것도 이런 문제 의식에 기인한 것이며, 이런 문제 인식이 본고의 논의의 출발점이다.

1950년대 소설의 흐름 속에서 오상원 소설이 차지하는 위치는 매우 독특하다. 그 독특함은 거의 편집광적으로 극한 상황에 처한 비극적인 자아의 내면을 포착하는, 소위 휴머니즘, 행동주의, 증인의 문학이라는 일관된 지향에서 기인한다. 또한 그런 문학적 지향이 작품 속에 구체화된 기법상의 특징들이 주목된다. 분열된 자아의 의식의 흐름, 상징적인 명명법과 지리한 반복 어법 구사, 병적 인물형, '-것이었다'의 객관적이고 비정한 문체, 초점화된 소년의 눈을 통한 전후 풍속의 실상, 분위기 위주의 묘사, 영화적인 표현 기법의 구사 등 그의 소설에서 나타나는 제반 기법적인 특징은 전통 소설과는 다른 새로운 것이며 동시에 개성적이다. 이런 특징으로 말미암아 그의 소설은 때로는 작품을 완벽한 경지로 승화시켰다는 극찬과 아울러 때로는 서사미달의 문학이라는 극단적인 평가를 받기도 한다.

1950년대 문학의 '새로움'은, 정도의 차이는 있을지언정, 전후 세대의 일반적인 특징으로 간주할 수 있다. 그것은 시대적인 특수성, 즉 전쟁의 폭력성과 폐허의 전후 현실에서 "새로운 세계관에 의한 현실 파악과 변혁적인 기법에 의한 소설의 형상화" "현실인식과 삶의 개인성이 유리될 수 없는 비극적인 현실의 문학적 수용이며, 근대 소설의 미학을 부정하는 소설미학의 실험"[9]이라는 의의를 지닌다. 또한 "전쟁문학의 주제가 휴머니즘에 놓인다는 것, 그리고 그것이 극한 상황 속의 인간조건이라는 점에서 주제의

---

8) 한수영, 「1950년대 문학의 재인식」(『작가연구』 창간호, 새미, 1996) 참고.
9) 구인환, 「전후한국문학의 지형도」(구인환 외, 『한국전후문학연구』, 삼지원, 1995), 13면.

보편성이 자동적으로 상정되며 주제의 심화와 기법의 관계를 거의 함수관계로 상정할 수 있는 곳에 전후세대문학의 새로움이 놓인다"[10]는 지적은 전후세대 작가들이 표방한 '새로운 문학'의 특성을 파악하는 데 일정한 지침을 제공한다. 기실 기성세대의 문학경향에 대한 강한 반발에서 출발한 전후 세대 작가들에게 있어서, 새로운 시대적 흐름에 대응하는 새로운 문학 이념과 새로운 문학 장치를 추구하는 것은 지극히 자연스러운 현상이다. 이러한 새로움에 대한 추구는 곧 당대 문학의 불모성에 대한 자각적 대응이며, 현실적인 상황을 타개하려는 노력의 산물이기 때문이다.

오상원 또한 '새로운 것', 구체적으로 주제의 구체적 독창성과 표현 방법의 혁신에서 자기 세대의 정체성을 찾는다. 그것은 기성 모랄에 대한 반항 의식, 인간성 회복, 문학과 정치, 경제의 외적 조건과의 유기적인 관련성을 의도하는 것으로 구체화되고, 현대 문학이 나아갈 방향으로 설정된다.[11] 그런데 오상원 문학의 새로움이 서구 사조와 밀접한 연관을 통해서 이루어진다는 데, 그 특이함이 있다. 서구문학을 한국적으로 수용하여 새로운 문학을 건설하겠다는 것, 이것이 오상원 문학의 핵심이다. 그러나 단순한 모방에 그치는 것이 아니라 새로운 문학의 건설과 창조를 위한 의도적인 선택이라는 점에서 의의가 있다. 여기에 오상원 문학의 '패기'가 존재한다.[12] 그리하여 본고는 서구 사조와 접맥되어 나타나는 오상원의 문학적 지향을 휴머니즘과 증인문학으로 설정하고, 각각을 작품과의 연관을 통해서 분석하고자 한다. 또한 그의 문학론이 작품 속에 발현되는 양상을 기법적인 측면에서 살펴 주제와 기법의 상관성을 밝혀본다. 이는 1950년대 문학에서 오상원 소설의 독창성을 탐색하는 작업이며, 나아가 그의 소설에 나타난 가능성을 찾기 위한 과정이라고 할 수 있다.

---

10) 김윤식, 『한국현대문학사』(일지사, 1976), 53면.
11) 「신세대를 말하는 신진 작가 좌담회(『현대문학』, 1956,7)
12) 여기에서 '패기'는 작가적 기질이라고 할 수 있다. 오상원은 기성세대의 문학경향에 대한 반발을 하나의 과도기적 현상으로 간주한다. 즉 자신의 문학적 지향은 '다음세대(역사적으로 보면 '4·19세대')'에 의해 비판적으로 지양될 것임을 천명한다.(앞의 <좌담회> 참고)

2. 오상원의 문학론과 소설 세계

1) 휴머니즘의 문학

오상원의 글쓰기는 시대에 대한 자각적 대응, 즉 전후의 불모지대에서 새로운 삶의 지표와 가치 정립을 모색하는 강한 자의식의 산물이다. 감상 보다는 현실을 직시해야 하고 관망보다는 행동을 해야 했던 시대 상황에 마주선 지식인의 대응 방식이다. 그러면 그가 추구하는 새로운 삶의 지표 는 무엇인가? 한마디로 극한 상황에 던져진 인간 조건을 탐구하여, 인간 상실의 원인과 그 대안을 모색하는 것, 즉 '휴머니즘'이다. 이는 현실과 대 결하는 사상적, 윤리적인 문학으로서 오상원이 파악하는 '현대 문학'의 핵 심이며, 시대를 증언하는 문학으로 연결된다. 현대의 증인이 되어야 하고 극한 상황에 내던져진 자신을 책임져야 하는 절박한 상황에서 그는 자연스 럽게 서구 실존주의 사상을 새로운 문학적 흐름으로 파악한다.

오상원은 전쟁과 전후 현실을 세계사적인 보편성으로 해석하고, 새로운 시대 상황을 문학적으로 해석하는 이론적 지침으로 실존주의를 비롯한 서 구의 현대 문학을 적극적으로 수용할 필요성을 역설한다. 그것은 새로운 시대 상황에 새로운 문학론으로서 서구의 현대 사상을 정신적인 배경으로 해서 한국문학의 새로운 가능성과 위기를 극복하려는 의지의 표현이다. 이 는 한국의 전후 사회가 서구의 현대 세계와 정치적, 사회적으로 정도의 차 이가 있을지언정, '인간의 가슴마다 꿰뚫고 있는 의지와 의욕은 동일한 상 태 속에서 행동하고 있다'는 것과 우리 고유의 문학적 사상이나 방법이 부 재하다는 문학적 인식에 바탕을 두고 이루어진다. 그리하여 서구 사조의 수용을 모방의 차원으로 이해하거나 일종의 유행적인 멋으로 간주하는 태 도를 강하게 비판한다. 또한 우리 고유의 문학적 전통이 부재하는 것, 즉 우리 근대문학이 서구 사조의 영향에 의해 형성되었으나 그것을 우리의 것 으로 재창조하지 못했다는 문학사적 인식에까지 나아간다.[13]

오상원에게 있어서 실존주의, 행동주의 문학은 새로운 시대 상황을 담아 낼 수 있는 전후 세대의 유일한 문학적 방법으로 수용되며, 그것을 작품으로 구체화시키는 것이 그의 문학적 과제로 설정된다. 그의 실존주의에 대한 집착은 작가이면서도 당대 평론가의 대표격인 최일수와의 논쟁에서도 거듭 확인된다.[14] 그러한 과제는 처녀작 「유예, 1955」에서부터 시작하여 마지막 작품 「모멸, 1974」에 이르기까지 극한 상황에 처한 실존적 인간 조건을 탐구하는 일관된 문학적 지향으로 나타난다. 그리하여 오상원은 전후 문단에서 실존주의 문학의 한 흐름을 이룬 작가로, 행동적 휴머니즘의 작가로 평가된다. 당대 실존주의, 휴머니즘론, 증인문학론 등 서구 사조에 대한 비평의 풍부함이 작품과 연결되지 못한 한계를 염두에 둘 때, 오상원의 소설은 1950년대 소설의 특징적 일 경향을 형성한다고 볼 수 있다. 여기에 오상원 문학의 일차적인 의의가 있다.

「유예」는 전쟁의 현장에서 포로가 된 아군 소대장이 유예된 죽음을 기다리는 극적 순간을 포착하여 그 의식의 단면을 그린 소설이다. 주인공은 자신이 처한 절망적인 상황을 의식하면서 전쟁이 강요하는 불안과 절망, 무기력을 강인한 의지와 행동으로 극복하는데, 그것이 의식의 흐름 수법으로 인상깊게 전경화(前景化)되고 있다. 죽음이 결정된 극한 상황에서 그의 의식을 지배하는 것은 죽음이란 '아무것도 아닌 것, 무엇을 위한다는 것, 무엇을 얻기 위한다는 것도 아니다, 모든 것은 끝난다는 것, 끝나는 일초 일각까지 자신을 잊어서는 안된다는 것'과 같은 인간의 실존적 물음들이다. 이런 극한 상황이 아군과 적군이라는 이데올로기적 대립으로 설정되어 있지만, 그의 의식으로 내면화되어 있을 뿐이어서, 한국 전쟁의 특수성이 구체적으로 인식되고 있지 못하다. 주인공뿐만 아니라 죽어가면서 '역사는 인간이 인간을 학살해 온 기록'이라고 판단하는 선임하사의 몰주체적 역사 의식이나, 주인공보다 먼저 죽음을 당하는 아군 장교가 '포로가 되었을 때

---

13) 오상원, 「서구 사조와 우리의 생리」(『동아일보』, 1958. 2. 27)
14) 한수영, 「1950년대 한국 문예비평론 연구」(연세대 박사학위논문, 1995), 128–34면 참조.

비로소 자신이 인간임을 확인했고, 인간으로서 죽는다는 것이 한없이 기쁘다'고 하는 발언은, 오상원이 이 작품에서 전쟁의 극한 상황을 인간의 실존적 조건으로 일반화시키고 있음을 단적으로 보여 준다. 그리하여 전쟁은 단지 강제적으로 주어진 극한 상황이며, 그 상황을 초극하는 것이 가장 인간적이라는 것이 「유예」의 주제 의식이다.

이 지점에서 오상원이 이해한 실존주의는 사회적 관계가 매개된 인간 조건보다는 상황에 고립된 개별적 존재로서 나타난다. 이는 오상원의 관념적, 피상적인 현실 인식에 다름아니며, 실존주의를 우리의 상황에 맞게 변형시켜 우리만의 고유한 방법으로 전화시키겠다는 문학적 신념이 아직까지는 문학적 역량이 부족한 그에게는 무리였음이 확인된다. 서구적인 이념으로 일반화된 극한 상황에서 인간성 옹호라는 휴머니즘은 그 추상성을 벗어나기 어렵다. 「유예」에서 나타난 추상적 휴머니즘은 오상원 소설의 기본적인 틀이다. 이는 전쟁의 비극성을 다룬 「죽음에의 훈련」, 「피리어드」, 「모멸」, 「사상」, 「파편」과 전쟁에 참여하여 육체적, 정신적 불구자가 된 전상인들의 후일담을 다룬 「잃어버린 에피소우드」, 「증인」, 「사이비」, 「훈장」, 「백지의 기록」, 「황선지대」15) 등 거의 모든 소설에서 도식적으로 나타나는 현상이다. 물론 이것이 「유예」가 지니는 소설사적 의의를 모두 무화시키지는 않는다. '최초의 전쟁문학'이라든가 '전쟁의 비정성에 대해 감상의 자국이라고는 추호도 없는 긴박한 템포의 비정문체가 그대로 전쟁의 비정성을 체현하고 있어 주제와 어울리는 형태와 문체가 작품을 완벽의 경지로 승화'시키고 있다는 것16)은 기법적 특징을 다루는 다음 장에서 상론할 예정이다.

이런 추상적 휴머니즘은 정치와 인간의 관계를 다룬 소설-「구열」, 「모

---

15) 오상원은 1960년대에 들어서 단편소설의 사소설적 한계를 인지하고 인간과 사회에 대한 비판적 인식을 바탕으로 한 중편소설로의 전환을 꾀한다. 그 산물이 <황선지대>이다. <황선지대>가 전상인들의 후일담을 축으로 전후현실의 절망과 좌절을 형상화하고 있지만, 추상적 후머니즘의 연장선상에 있기에 본고에서는 구체적인 분석을 생략한다.(오상원, 「전통기에서의 자기확립」, 『조선일보』, 1960, 3, 28)

16) 유종호, 「도상의 문학」(『한국현대문학전집7』, 신구문화사, 1981), 441면.

반」「죽어살이」「표정」「탄혼」-에서도 마찬가지로 나타난다. 대표적으로 「모반」을 들 수 있다. 3회 동인문학상 수상작이며 당대의 수작으로 평가되었으며, 앙드레 말로의 행동주의 문학의 영향을 받은 이 작품은 해방 직후 정치적으로 혼란스러웠던 상황에서, '민'이라는 테러리스트의 행동과 심리를 영화적인 수법을 이용하여 극적으로 드러낸 단편이다. '민'은 해방 직후 특수 테러집단의 일등 사수로 정치적으로 민족적 반역자라고 간주되는 주요 인물을 암살하는 임무를 수행하는데, 처음에는 애국적인 의무감으로 자신의 테러에 정당성을 부여하지만 자신이 속한 집단도 정치적인 헤게모니를 쟁탈하기 위한 것에 불과하며, 테러를 정당화시켜 주는 조국, 역사에 대해서도 강한 회의를 느낀다. 그런 상황에서 어머니의 임종을 지키지 못했다는 죄책감, 자기 대신 테러범으로 잡혀간 어느 청년에 대한 양심의 가책, 배반자로 몰려 죽어가는 동료를 지켜보면서 탈퇴를 결심하기에 이른다. 그의 탈퇴는 비정한 정치에 대한 저항이며, 시대성과 연관해서 볼 때, 인간성을 회복하는 휴머니즘적 행동으로 의의를 찾을 수 있다.[17]

> "잘 들어 둬. 나는 평범한 인간들을 한 사람이라도 더 사랑해 보고 싶어졌단 말이다. 위대(?)한 하나의 일의 성공보다는 나는 오히려 소박하게 살아가는 인간의 모습들이 하나라도 더 소중스러워졌단 말이다."
> "너는 아직 역사라는 것을 모르고 있군"
> "나는 너희들이 말하는 그러한 희생을 강요하는 역사를 요구치 않아"
> "그럼 너는 의의라는 것을 부인한단 말이냐?"
> "인간의 의의를 묻고 살기보다는 나는 오히려 묻지 않고 살기를 원해"[18]

'민'이 조직을 탈퇴하면서 동료와 나눈 내용으로, 이 작품의 주제 의식이 요약적으로 제시되어 있다. 그런데 '민'이 극한 상황에서 실존적 결단을 감

---

17) 김우종, 「동인상수상작품론」(『사상계』, 1960.2), 256면.
18) 오상원, 「모반」(『한국전후문제작품집』, 신구문화사, 1963), 223면.

행하는 것에서 보여지는 휴머니즘적 행동에는 정치에 대한 부정과 역사에 대한 허무가 짙게 나타난다. 그래서 그의 암살 행동은 역사의 발전이나 진보와 무관한 개인적인 차원의 각성에 불과하다. 이는 실제로 다양한 정치 행위를 경험할 기회가 전무했으며, 진정한 민주주의를 실현시키기 위한 사회운동이나 그러한 사회적 연대 속에 개인을 투신할 수 있는 기회가 거의 없었던 우리 현대사의 특수성이, 50년대 소설 속에서 정치나 역사를 부정하고 허무주의적으로 비관하게 만든 현실조건이 된다. 이것은 작가의 이데올로기나 세계관보다도 더 선재적(先在的)인 조건일 것이다. 정치라는 사회적 행위를 이해하기 이전에 이미 권모술수로 현상하는 거짓 구체성에 직면하게 되었고, 역사의 진행을 총체적으로 인식하기에는 급변하는 현실의 직접성이 너무 강렬한 것에서[19] 그 원인을 찾을 수 있다.

오상원 문학의 주류를 형성하는 휴머니즘 문학정신은 그의 체험과 밀접한 연관이 있다. 젊은 시절 불문학을 전공하면서 접했던 사르트르, 까뮈의 실존주의 사상과 그가 탐독한 앙드레 말로의 행동주의 문학은 그의 세계관 형성에 주된 작용을 했으리라 판단된다. 실제 학창 시절에 실존주의에 매료되어 실존을 들먹이며 방황하게 되고[20], 해방 후의 정치적 혼란과 전쟁의 폭력, 전후의 부조리한 현실에서 인간 실존을 목도하면서 '정신적 빈곤'에 시달린 그에게 실존주의 사상은 인간 문제를 천착할 수 있는 이론적 틀로 작용하게 되었던 것이다.

오상원의 실존주의 문학은, 문학을 통해서 부조리한 인간 조건에 대한 반항과 부정의 논리에 기반한 휴머니즘적 지향에 있음을 살펴보았다. 그런데 실존적 존재로서의 인간을 구속하는 외적 조건을 폭로하고 저항한다는 것은 곧 시대 상황에 대한 비판적 기능의 개연성을 충분히 지니고 있다고 볼 수 있다. 최혜실은 50년대 한국 문학에서의 실존주의 문학이 모더니즘

---

19) 한수영, 「1950년대 한국 문예비평론 연구」(연세대 박사학위논문, 1995), 126면.
20) 오상원, 「실존을 들먹이며」(『한국현대문학전집』, 삼성출판사, 1978), 150면.

과 리얼리즘의 양면적인 성격을 동시에 지니고 있음을 규명하고, "리얼리즘적 경향은 묘하게도 현실참여와 묘사의 경향을 실존주의의 한 주류인 휴머니즘, 앙가쥬망이 맡고 있다는 데 1950년대 문학의 문제점"[21]이 있다고 지적한다. 오상원 소설의 휴머니즘이 공식적, 도식적, 추상적인 성격을 지니면서도 그 휴머니즘에서 배태되는 '리얼리즘적' 성과는 이런 맥락에 위치하고 있다. 그 대표적인 작품으로 「난영」(『현대문학』, 56, 3), 「부동기」(『사상계』, 58, 12), 「내일쯤은」(『사상계』, 58, 7), 「보수」(『사상계』, 59, 5), 「황선지대」(『사상계』, 60), 희곡 「봉변」(『문학춘추』, 64.6)를 들 수 있다.

「난영」은 미군 부대에서 부당하게 해고된 지식인 '문'이 전후 현실에서 느끼는 굴욕감과 모욕을 중심으로 전후 현실에서 파생된 삶의 다양한 모습들이 그의 의식과 연관되면서 그려져 있다. 전후 사회에서 미군 부대에 의존해서 살아갈 수밖에 없는 한국 노무자들의 빈곤과 절망, 양키를 정부(情夫)로 삼아 미군 물품을 빼내 생계를 유지하는 여인의 윤리적 파탄, 아내의 부정을 묵과하면서 아내에게 의탁한 삶을 자랑하는 남편, 양공주들의 낙태를 통해서 수입을 올리는 산부인과 의사, 가족의 생계를 책임지지 못하고 돈을 꾸러다니는 무력한 지식인 등 전후 사회의 축도를 제시하고 있다. 이런 윤리적 파탄과 절망적인 삶의 현실을 '악'으로 규정하고 거기에서 분노와 모욕을 느끼는 '문'은 자기 가족의 생계를 책임지지도 못하는 냉소적인 지식인이며, '악 속에도 아름다움은 있다. 결국 산다는 것뿐이 문제인 것이다'[22]라는 상투적인 결말로 끝나지만, 그 결말에 이르는 과정에서 '문'의 의식은 지식인으로서의 관념의 소산이라기보다는 현실의 규정력에 의해 배태된 것으로 파악된다. 현실에 냉소적인 태도로 일관하지만 그 현실로부터 벗어날 수 없는 지식인의 무력함이 오히려 전후 현실의 부정성을 심도있게 드러내는 데 기여한다고 볼 수 있다.

또한 이범선의 「오발탄」과 유사한 서사구조를 지닌 「부동기」는 전쟁으로

21) 최혜실, 「실존주의 문학론」(구인환 외, 『한국전후문학연구』, 삼지원, 1995), 147면.
22) 오상원, 「난영」(『현대문학』, 1956, 3), 94면.

파탄에 이른 가족을 단위로 전후 현실의 모순이 집약되고, 그 해결 방안을 모색한 단편이다. 가족 구성원의 생활과 삶의 방식은 제각각이다. 전쟁으로 공장과 대지를 잃고 허무한 웃음으로 비애를 삼키며 과거 고용했던 사람에게 술과 돈을 얻기 위해 선술집을 배회하는 무력한 아버지, 정당 활동을 통해 과거의 삶을 보상받으려고 애쓰는 형, 가족의 생계를 위해 요정에 나가다 발각되어 자살하는 누나, 한숨으로 살아가다 딸의 요정 출입을 알고 자살하는 어머니, 그리고 현실의 문제를 논리적으로 바라볼 수 없는 가운데 불안감과 분노를 느끼는 영식 등 전후의 피폐한 삶이 가족이라는 공간을 통해 집약적으로 제시되고 있다. 여기에서 '가족'은 전후의 불구적 현실에서 불구적 삶을 영위할 수밖에 없는 전후 사회의 상징적 축도(縮圖)라는 의미를 지닌다. 그리고 상황과 단절되어 고립적으로 존재하는 인간을 다룬 작품과 달리 '가족'이라는 공동체를 통해서 전후 현실에 육박한다는 것은 작가의 시야가 그만큼 확대된 것으로 볼 수 있다.

그런데 이런 현실을 야기한 주된 원인은 전쟁과 전후의 정치적, 경제적인 부조리이다. 잃어버린 재산을 찾기 위해서는 강한 정치적 배경이 필요하지만 이 가족에게는 그러한 힘이 없다. 그리고 이런 현실적 부정성이 주로 초점화자 '영식'의 눈에 의해 제시된다는 것이 독특하다. 현실의 모순을 논리적으로 이해할 수 없는 소년이 바라본 전후 현실의 단면은 그 소년의 순진성과 대비되어 부정성이 극대화되는 효과를 가져다 준다. 특히 영식이 세계를 알아가는 과정, 즉 순진성이 현실에 의해 훼손되면서 절망으로 변하는 과정에서 전후 현실의 비정함이 객관적으로 전달된다.

지금까지 오상원 소설의 주류를 형성하는 휴머니즘 문학론을 작품과 연관시켜 두 가지 측면에서 살펴보았다. 1950년대 상황에서 인간의 정신적 위기를 해명하고 상실된 인간성을 회복하자는 것이 휴머니즘론의 핵심이다. 그것이 작품에 발현되는 양상은 두 가지이다. 첫째, 일반화된 극한 상황과 단절된 인간의 관계에서 발생하는 추상적 휴머니즘으로, 그의 소설의 주류를 형성한다. 이는 이념의 과잉 노출로 한국 현실의 모순을 파헤칠 힘을 잃고 가장 본능적인 인간애에 매달림으로써 비개성적 허무주의를 낳는 다.[23] 이런 현실 인식의 한계로 말미암아 그의 문학적 지향은 새로운 시대 가 도래하는 1960년대 이후 더 이상 지속되지 못하고, 몇몇 작품에서 추상 적 휴머니즘의 변주만이 나타날 따름이다. 둘째, 전후 현실과 일정하게 교 호되면서 리얼리즘적 계기를 확보한다. 여기서 '리얼리즘적'이라는 의미는 리얼리즘의 성취라기보다는 최소한의 계기가 포착된다는 것을 말한다. 이 점이 오상원 소설의 가능성이다. 이런 가능성은 1960년대 이후의 문학으로 연결되는 가교 역할을 한다고 볼 수 있다.

2) 증인문학

실존주의를 수용하는 과정에서 제기된 '증인문학'은 문학의 일 성격으로 서 1950년대적 상황에서는 현저히 강조되는 경향이 있다. 이는 1950년대 상황에서 부조리를 부조리로 받아들이고 그 부조리를 직시하는 참여자로서 의 증인이 되는 길을 모색하는 것으로 나타난다.[24] 실존주의를 저항문학의 성격으로 파악한 김붕구가 대표적인 논자인데, 그는 주로 지드-말로-까뮈로 이어지는 증인문학을 현대문학의 주류로 파악하고, 작가는 현대적 문명의 위기를 증언하는 파수꾼으로서의 역할을 해야 한다고 강조한다. 그가 제기 하는 증인문학의 요체는 일체의 권위에 굴복하지 않고 현실의 부조리에 대 항하여 인간조건을 탐구하고 자기의 시대를 증언해 내는 문학이다.[25] 계속 해서 그는 「증언으로서의 문학」에서, 고발의 자유도, 침묵의 자유도 없는 현대문명의 위기에서 작가는 논리와 관념을 배제하고 직접적이고도 구체적 인 체험을 바탕으로, 증인의 자격으로 끊임없이 독자에게 인간에 관한 궁 극적인 질문을 던져 이와 대결케 하는 교시적 기능을 강조한다. 작가야말 로 어느 누구보다도 세속적인 실리와 권력의 조직체에 초연할 수 있다는

---

23) 김 현, 「테러리즘의 문학-50년대 문학 소고」(『사회와 윤리』, 문학과 지성 사, 1974) 참조.
24) 전기철, 『한국 전후 문예비평 연구』(서울, 1994), 129-34면 참조.
25) 김붕구, 「불문학산고-현대의 증인들」(신태양, 1958), 97면.

점에서 현대사회에서 증인으로서 적임자라고 지적한다.

오상원도 직접적으로 증인의 문학을 작가의 시대적 사명으로 강조한다. 이는 구체적인 체험과 긴밀하게 연결되면서 소설 창작의 기저를 형성한다. 자기 세대를 '상처투성이의 가방'으로 비유하여 술회하듯이, 해방되면서 비로소 국어와 국사를 배웠고 해방 후 이데올로기적 혼란 속에 정치적 훈련이 결여된 가운데 겪을 수밖에 없었던 가치 부재의 혼란상과 정치적인 휩쓸림, 곧바로 이어진 전쟁에서 자유, 민주, 정의, 인도의 가치가 전쟁 폐허 위에서 한낱 감상으로 취급될 수밖에 없었던 현실적인 체험은 그에게는 인간의 정체를 의심케 하는 충격으로 받아들여진다. 혼돈과 갈등, 저주와 증오, 가치 기준을 상실한 이념과 실제의 상극이 강한 저항과 반항을 일으키고, 그런 강한 저항 의식과 반항 의식은 자기 세대만이 '시대의 증인'이 되어야 한다는 사명감에 절망과 싸우며 몸부림쳤다는 것을 특별히 강조하고 있다.[26)

가령 「증인」은 제목이 시사하는 것처럼, 전쟁에 참여하면서 모든 것을 상실당한 '청년'의 피해 의식과 자기 모멸 속에서 오는 절망을 의지적으로 드러낸 단편이다. 그 극복의 과정이 다소 도식적이고 추상적이라고 하더라도, 순수함과 정열을 철저히 상실당한 그가 애인인 '여인'의 순수함을 통해서 상실을 치유하려고 하지만 그럴수록 더욱 더 모멸감에 빠질 수밖에 없는 절망적인 상황이 적나라하게 드러난다. 전쟁의 상처가 한 인간의 삶을 얼마나 처참하게 짓밟는가를 처절하게 증언해 주는 작품이다.

> 나는 이미 치욕과 저주에 멍든 나인 것이다. 여인은 정당한 것이다. 그러나 나는 이 저주스러운 나, 그리고 모든 것을 상실당한 이 텅빈 나에서부터 나를 다시 시작하지 않으면 안되는 것이다. 저주받아야 할 나, 허물어진 나를 그대로 허덕허덕 더 이상 이어갈 수는 없는 것이다. 나는 이 시대의 증인이 되어야 하는 것이다. 결코 무위(無爲)한 증인이 되어서는 안되는 것이다. 강력한 증인이 되어야 하

---

26) 오상원, 「상처투성이의 가방」(『한국현대문학전집』, 삼성출판사, 1978), 152면.

는 것이다.[27]

전쟁의 피해 의식에서 벗어나지 못하고 극히 냉소적이며 사디즘적인 친구 '자식'과는 달리 청년은 실존적 각성을 통해 시대의 증언자로서의 자기의 삶을 의지적으로 개척하는 능동적인 인간형이다. 익명화된 그는 전쟁을 경험하고 그 피해 의식에서 무력한 삶을 살아가야 하는 전쟁 세대의 피맺힌 절규이며 자화상이라고 볼 수 있다. 대부분의 후일담 소설도 이런 증인 문학론의 양상을 보여 준다.

그런 증인으로서의 사명감은 그의 소설 창작과 관련해서 두 가지 측면에 의의가 있다. 하나는 시대의 모순과 타협하지 않는 태도, 즉 윤리 의식을 견지하는 것이다. 오상원은 기성 모랄에 대한 반항 의식, 문학인의 정치적 참여, 현실의 모순에 관찰자로서가 아니라 행동으로 기투하는 자세 등을 전후 세대 작가의 요건으로 간주한다. 문학의 현실 참여를 주장한 대부분의 문학인들이 1950년대 말 권력에 기생했던 '만송족'으로 전락하거나, 1960년대 이후 순수문학으로 변질되는 것과는 달리 오상원은 이런 작가적 모랄을 일관되게 유지한다. 특히 4·19 혁명 직후 '만송족'에게 작가적 양심의 회복을 촉구한 글은 오히려 자신을 포함한 모든 문학인들의 반성을 촉구한 것으로 읽혀질 정도로 준열한 작가적 태도를 강조한다.[28] 자유로운 비판 정신이 원천적으로 봉쇄된 50년대 지적 상황에서 비판적인 자세를 견지한다는 것은 매우 의의가 있는 사실이다. 이는 59년부터 계속된 조선일보, 동아일보 기자 생활이 현실의 문제를 비판적으로 바라보는 자세에 커다란 영향을 주었으리라 추측된다. 이 점은 오상원의 유일한 장편 소설이지만, 미완성으로 끝낸 「무명기」(『사상계』, 1961, 8-11)를 통해서도 확인된다. 4·19 혁명 전야의 숨막히는 상황을 양심적인 기자인 최준의 눈으로 리얼하게 묘사한 보고문학적인 소설이다. 비록 3회 연재로 끝났지만, '진정으

---

27) 오상원, 「증인」(『사상계』, 56.8), 260면.
28) 오상원, 「문단에 보내는 공개장-만송족은 숙청돼야 한다」(『동아일보』, 1960, 5,7)

로 밝아야 하는 그날, 맑게 개인 4월의 하늘'로 암시되는 4·19혁명이 역사적인 필연으로 설정된 것으로 추정된다. 이는 군부 쿠테타 이후의 정치적 억압 상황에서 시대를 증언하는 작가적 모랄의 산물로 볼 수 있다.

둘째, 증인 문학이 저항 문학의 성격을 지니는 바, 그 저항의 대상이 구체적으로 무엇이냐의 문제가 제기된다. 이는 오상원의 현실 인식과 작품의 서사를 형성하는 중요한 사항이다. 일차적으로 '당대 현실의 제반 모순'이 저항의 대상으로 설정될 수 있는데, 오상원에게 있어서는 주로 전쟁과 전후 현실의 개인과 가족의 문제, 정치적인 상황과 이데올로기, 도시 문명의 황폐 등 해방 후부터 전후 현실에 이르는 역사적이고 시대적인 문제에 광범위하게 접근하고 있다. 그런데 문제는 대부분의 작품에서 현실의 모순이 구체성과 역사성이 배제된 채, 실존적 개인이 당면한 개별적이고도 추상적인 '극한 상황'으로 설정되고 있는 점이다. 심지어 어떤 작품에서는 모순이 발현되는 현실과 전연 무관한 무국적인 가상의 극한 상황이 설정되기도 한다(「죽어살이」, 「표정」). 그것은 극한 상황에 던져진 실존적 개인들의 허무, 비극성과 주체적인 의지를 극대화하는 효과는 있을지언정, 극한 상황이 발생한 근원적인 원인을 밝혀내지 못하는 한계를 지닌다. 이는 전후 현실을 소재로 하는 증인 문학이 현실의 의미를 탐구하는 것보다 그 실상을 보고 내지 증언하는 차원에 머무르는 것에 그 원인이 있다.

「구열」은 해방 직후 신의주를 중심으로 벌어진 정치적인 혼란상을 배경으로 테러리스트 '박'의 행동과 심리를 묘사하고 있는 소설인데, '자전적'인 측면이 강하게 나타난다.[29] 그런 측면에서 오상원의 증인 문학의 특성을 파악할 수 있는 단초를 마련할 수 있다. 정당의 난립과 암살의 횡행, 현실 정치의 냉혹한 논리, 정치적 이데올로기의 허구성, 테러리스트가 된 이유,

---

29) 「구열」이 해방 직후의 정치적 혼란상을 신의주를 배경으로 하여 소련과 중국의 영향 관계 속에서 구체적으로 제시될 수 있었던 것은 오상원이 평북 선천 출생이라는 점과 신의주에서 학창 시절을 보내면서 정치적 혼란을 경험했다는 전기적 사실에 의해 가능했다고 본다. 그리하여 이런 작품에서는 우익적인 이데올로기의 흔적들이 나타난다. 그 점은 「황선지대」의 주인공 '정윤'의 과거 행적에서도 부분적으로 확인된다.

조직의 메카니즘에 규정된 한 인간의 회의 등 현실 정치의 여러 측면이 인상깊게 반영되어 있다. 여기서 해방 이후의 정치 상황을 배경으로 설정한 것은, 1950년대 정치적 파행의 상징적인 장치로 여겨진다. 그런데 주인공 '박'이 형과 아버지를 죽인 신진당 당수를 암살하는 조직의 명령을 받고 암살을 실행하는 과정에서, '총을 쏘는 것이 무의미하다'라는 회의에서 '자신이 쏠 수밖에 없다'는 의무 내지 강박관념, 그리고 암살을 성공시키고 죽어가는 가운데 자신의 행동이 '무의미하지는 않았다'라는 것을 깨닫는 것이 서사의 중심축으로 설정되어 있다. '박'에게 있어 정치 현실은 자신을 구속하는 상황일 뿐, 정치와 인간의 관계나 테러의 역사적 의미와 같은 역사적인 인식은 전혀 찾아볼 수 없다.

> 쏘는 것, 이것은 나에게 무의미하다. 그렇다고 머물러 설 수도 없다. 나는 자립당 당원이며 당원들은 내가 지금 그 자를 쏠 것을 믿고 있다. 이것은 또한 정당한 도리라고 그들은 생각하고 있는 것이다. 나는 이미 모든 것에 의하여 결정되어 있다. 오직 이 결정 속에서만 움직일 수 있는 것이다. 지금 나는 이 결정 속에 사로잡혀 있다. 이 속에서 빠져나가는 순간은 방아쇠를 당기는 그 순간뿐이다. 일발의 총성과 함께 한 자가 쓰러지는 그 순간이다. 그 순간에만 모든 제약속에 사로잡혀 있던 <내>가 <나>를 찾아 진실히 돌아올 수 있는 것이다.[30]

한 인간이 죽음을 각오하고 테러를 한다는 것이 '자주자립의 정신'이라는 조직(정당)의 이념을 지키는 대의명분에 의한 것이라면, 그 이념의 현실적 의의나 해방후 정치 상황에서 어떤 가치를 지키는가에 대한 입장이 필요할텐데, 단지 제약을 벗어나기 위한 방법일 뿐이라는 것은 너무나 추상적이다. 그러한 추상적이고 관념적인 현실 인식은 해방 직후 정치적인 혼란상과 전쟁으로 인한 폭력, 파괴의 비극적인 체험을 객관화시킬 수 없었던 시대 상황에서 기인한다고도 볼 수 있다. 이런 추상적인 증언 문학에서

---

30) 오상원, 「구열」(『문학예술』, 1955, 8), 59-60면.

증언의 대상인 현실은 작가의 현실 인식을 통해 재해석되어 나타나기보다는 바꿀 수 없는 절대적인 것으로 등장한다. 현실 변혁이 불가능하다는 체념적인 인식을 바탕으로 한 그의 증인문학론은 폐쇄된 관념성의 또 다른 변주라 할 수 있다.

3. 기법적 특징

오상원이 이해하는 '현대문학'은 주제의 독창성과 표현 방법에 있어서의 새로운 형식이다. 이런 '새로움'의 추구를 곧 전후 세대의 정체성으로 간주한다. 이는 전쟁으로 조성된 새로운 시대 상황을 문학적으로 수용할 수 있는 우리만의 고유한 문학 이념이나 방법이 부재한다는 비판적인 입장에서, 서구 문학사상을 적극적으로 수용하여 우리만의 '고유'한 사상과 형식을 재창조해야 한다는 당위성으로 나타난다. 그래서 실존주의, 행동주의 문학의 수용은 그의 소설의 기법적인 측면에서도 일정한 영향을 끼치게 된다. 그것의 구체적인 내용이 소설상의 제반 특징으로 현시된다. 아뭏든 오상원이 새롭게 모색한 표현 방법은 전통 소설의 방법과는 다른 것이며, 동시에 개성적이다. 그렇다고 오상원이 스타일리스트는 아니다. 다만 그가 일관되게 추구하는 인간성 회복의 휴머니즘 문학이 새로운 표현 방법과 연관되면서 다양하게 형상화되는데, 그 방법상의 새로운 특성이 주목된다는 것이다. 이 점이 오상원 소설의 또 다른 가능성으로 존재한다. 전후 소설을 어떤 관점으로 접근하든지, 그 소설적 가능성을 찾아서 그것의 구체적인 양상과 의의를 따져보는 것은 의미있는 작업이라고 볼 수 있다. 전후세대 소설의 문학적 새로움이 주제와 기법의 상관 관계에 서 있다는 지적은 여러 평자들에 의해 제기된 바 있다. 그 새로움이 전후 세대 문학의 동질성을 확보해주는 특성이지만, 그 내부에 다양한 편차가 존재한다. 그리하여 본고는 오상원의 개성적인 표현 방법 중 대표적인 것 두 가지를 선택해서, 앞 장에서 분석한 주제 의식과 어떻게 연관되는지를 분석하는 것으로 한정한다.

1) 의식 청년(지식인)의 인물 유형과 의식의 흐름 수법

오상원 소설의 표현 방법상의 특징으로 우선적으로 주목되는 것은 극한 상황에 직면한 실존적 개인의 의식을 극적으로 제시하는, 즉 '의식의 흐름 수법'이다. 의식의 흐름 수법은 오상원만의 독창적인 방법은 아니다. 다만 극한 상황에서의 인간 존재 해명을 소설적 과제로 설정한 그의 문학적 지향이 의식의 흐름 수법을 통해 구체화되고 있는 점에서 상당히 문제적이다. 이는 전후 사회의 불안 의식이 내재화되는 특성과 일정한 연관성이 존재한다. 여기에서 의식의 주체는 주로 지식인이고 극한 상황은 전쟁의 비극적 현장에서부터 전후의 부조리한 현실에 이르기까지 다양하게 설정되어 있다. 극한 상황과 의식 주체의 관련성을 구체적으로 분류하면 다음과 같다. ①전쟁의 비극적인 현장에서는 대부분 포로, 낙오병, 부상자로(「유예」의 소대장, 「죽음에의 훈련」의 '문', 「피리어드」의 주인공, 「사상」의 청년, 「현실」의 '그') ②해방 직후의 정치적인 혼란상을 다룬 작품에서는 주로 테러리스트로(「구열」의 박, 「모반」의 민, 「탄흔」의 아들, 「죽어살이」의 '그') ③전쟁의 후일담을 다룬 작품에서는 자의식이 분열된 상태로(「증인」의 '나', 「백지의 기록」의 중섭과 중서, 「황선지대」의 정윤, 「파편」의 '나', 「훈장」의 '그'), ④전후의 속악한 현실을 다룬 작품(「내일쯤은」의 동수) 등 거의 모든 작품에서, 그것도 대부분 익명화된 지식인이 등장한다. 공통적으로 지식인들은 극한 상황에 처해 있으며, 그 상황에서 불안, 허무, 무의미, 절망의 자의식을 느끼고, 실존적 각성을 통해 인간 본질을 획득하는 일정한 정형을 이룬다. 즉 지식인들의 의식이 서사의 중심축으로 설정되어 있다. 그래서 극한 상황과 의식 주체가 교호되면서 발전하는 서사 구조를 취하기보다는 서사의 모든 국면이 지식인들의 단일한 의식에 의해서 관찰되고 제시되는 정적 구조를 취한다. 그리하여 의식 주체들의 미분화된 의식들이 전경화되고, 극적인 제시로 일관되기에 서사의 논리성이 훼손되기도 한다.

누가 죽었건 지나가고 나면 아무것도 아니다. 그들에겐 모두가 평범한 일들이다. 나만이 피를 흘리며 흰 눈을 움켜 쥔 채 신음하다 영원히 묵살되어 묻혀갈 뿐이다. 전 근육이 경련을 일으킨다. 추위 탓인가 … 퀴퀴한 냄새가 또 코에 스민다. 나만이 아니라 전에도 꼭 같이 이렇게 반복된 것이다. 싸우다 끝내는 죽는 것, 그것뿐이다. 그 이외는 아무것도 아니다. 무엇을 위한다는 것, 무엇을 얻기 위한다는 것, 그것도 아니다. 인간이 태어난 본연의 그대로 싸우다 죽는 것, 그것뿐이라고 생각하였다.[31)]

1시간 후의 죽음을 앞둔 주인공의 의식의 단면이다. 이념적 대립으로 빚어진 전장에서 그가 죽음을 선택하는 것은 주체적이며 이념적인 결단이다. 왜냐하면 죽음을 기정사실화한다는 것은 곧 적군의 회유를 거부한 것이 직접적인 원인으로 설정되어 있기 때문이다. 그런데도 죽음을 앞둔 그의 의식을 형성하는 것은 단지 죽음은 인간의 일상사에 불과하며 죽음의 목적이나 동기는 별반 중요하지 않다는 것이다. 이념적 결단에 의해 선택된 죽음이 과연 무의미할까? 이 지점에서 그의 의식과 상황은 논리적인 인과관계가 상실되고 단절된 의식의 심연만이 지속적으로 반복되다가 죽음으로 끝맺음된다. 이러한 '끝맺음'은 허무 의지로서의 저항과 존재론적 초월의 성격을 지니는 것으로 오상원 전쟁문학의 특징적 가치[32)]를 지니지만, 상황과 유기성을 상실한 의식의 과잉은 단절된 인간 존재의 무의미성을 추상화시키는 것에 일조할 따름이다. 여기서 오상원의 인간 이해 방식과 역사 의식의 추상성이 다시 한번 확인된다.

①-④에 제시된 극한 상황은 나름대로 역사적인 특수성을 지닌 시대적인 상황임에도 불구하고, 여기서는 의식 주체의 실존적 각성을 야기하는 부조리한 인간 조건으로 일반화되고 있다. 또한 의식 주체들도 고립되고 개별화된 존재들이며 허무적인 역사의식의 소유자들이다. 결국 일반화된 상황과 개별화된 인간의 함수관계는 그의 휴머니즘적 주제 의식을 공식화,

---

31) 오상원, 「유예」(『한국현대문학전집』, 삼성출판사, 1978), 118면.
32) 장윤수, 「6.25, 그 문학적 대응의 한 양상」(송하춘·이남호 편, 『1950년대의 소설가들』, 나남, 1994), 167면.

도식화시키는 문제점을 야기한다. 공식적인 휴머니즘과 스테레오타이프로 고정된 작중 인물의 표리관계[33])가 오상원 소설, 특히 의식의 흐름 수법이 구사된 소설의 기본항이다. 이는 오상원의 창작 스타일과 무관하지 않다.

> 나는 처음에 테마를 잡고 그 테마를 가장 강렬하게 표출시킬 수 있는 인물을 설정한다. 그리고 나서 그 테마와 인물이 가장 적절하게 투입되어 활약할 수 있는 환경을 설정하고 스토리를 구성한다.[34])

테마와 인물이 전제된 상태에서 환경이 대입된다는 것은 인물이 환경과 변증법적 관계에 서서 변화 발전할 가능성이 원천적으로 차단된다는 것을 증명하는 것과 다를 바 없다. 환경은 이미 역사적 현실 문맥에서 떠나 인물의 예정된 행동을 부각시키기 위해 인위적으로 조정, 배치되는 대상 이상의 의의를 지닐 수 없기 때문이다.[35])

2) '무의미'의 반복적 진술

오상원 소설의 특징 중의 하나가 특정한 어휘나 구절, 인물 심리의 여러 단면이 반복적으로 구사된다는 점이다. 가령 「유예」에서는 '아무 것도 아닌 것이다'와 '끝나는 것이다'가 각각 10회 이상 반복되고 있고, 「구열」에서는 '아무것도 아니다' '쏘아야 한다' '무의미하다'가 또한 여러 차례 반복되어 지리한 느낌마저 가져다 준다. 이런 반복 어법은 두 가지 측면에서 평가할 수 있다. 첫째, 문장력의 빈곤으로 볼 수 있다. 반복 어법뿐만 아니라 일본어투, 서구어 번역투, 국적 불명의 어휘가 다량으로 구사되어 난삽하게 나타나는 문장은 '서사 미달'로 평가되기도 한다.[36]) 이는 다른 전후 세대의

---

33) 유종호, 앞의 글, 447면.
34) 오상원, 「초조한 마음」(『한국전후문제작품집』, 신구문화사, 1963), 422면.
35) 손광식, 「오상원론」(조건상 편저, 『한국전후문학연구』, 성대 출판부, 1993), 43면.
36) 이어령은 오상원의 문장력의 심각성을 '기름치지 않은 바퀴의 빽빽함'으로

작가처럼 모국어를 처음으로 접해야 했던 전기적 사실에서 일차적인 원인을 찾을 수 있다. 둘째, 오상원의 독창적인 방법론으로 간주할 수 있다. 왜냐하면 반복 어법은 나름대로 작품 내에서 일정한 효과를 유발하기 때문이다. 반복 어법을 통해서 극도의 긴박감과 깊은 인상의 창조, 시에서의 중심 이미지를 노골적으로 반복, 강조하여 이미지 소설의 지평을 개척한 독창성은 독특하다.37)

본고는 '아무것도 아니다'와 '무의미하다' 즉, '무의미'의 반복적 진술을 주목하고자 한다. 이는 오상원 소설의 주제 의식과 밀접히 연관되면서 독특한 기능을 하기 때문이다. '무의미'의 반복이 나타나는 작품으로는 「유예」「구열」「죽어살이」「위치」「피리어드」 등이 있다.

① 한 사람을 죽인다는 것, 한 사람의 심장을 향하여 방아쇠를 당긴다는 것, 이것은 간단한 일이다. 무엇 때문에? 아무것도 아니다. 그러나 아무것도 아닌 이 적은 것을 가지고 우리는 얼마나 많은 시간을 두고 토론과 계획을 셈질하였는지 모른다. 나로 보면 무의미한 짓이다. 하지만 쏘아 죽여야 한다는 것이 귀결된 유일의 결정이었다. 그리고 이것을 내가 쏘아야 한다. 나로 보면 무의미하다. 하지만 쏜다고 한 이상 나는 쏘아야만 한다. 「구열」38)

② 아무것도 아닌 나는 언제 것 아무것도 아닌 나이어야 하는 것인가, 빛을 잃은 태양에게 반드시 무엇이 일어나야만 하듯이 나에게도 무엇이 일어나야만 하는 것이다. 「죽어살이」39)

①은 정당 이념의 수호라는 대의명분에 의해 상대당의 당수를 암살할 수밖에 없는 상황에서 느끼는 테러리스트의 갈등, 회의를 ②는 인간과 인간의 접촉에서 오는 따듯함이 정변으로 인해 파괴된 현실에 대한 분노와 자

비유하고 있다. 「휴우머니티에의 긍정」(『현대한국문학전집7』, 신구문화사, 1981), 465면.
37) 조남현, 『한국현대소설의 해부』(문예출판사, 1993), 192면.
38) 오상원, 「구열」, 51면.
39) 오상원, 「죽어살이」(『한국현대문학전집』, 삼성출판사, 1978), 114면.

기 혐오가 인상깊게 제시된 부분이다. 이런 '무의미'의 반복적인 진술은 극한 상황에서 실존적 주체들의 의식을 구성하는 중심 모티브들이다. 그래서 서사의 모든 국면들이 여기에 집중되어 있으며, '무의미하다'는 실존적 자각이 결말에서는 '의미있다'는 것으로 극적 전환되는 공통점을 지닌다. 이 모티브로 의식 주체의 갈등, 불안, 초조, 허무가 마치 영화의 한 장면처럼 인상깊게 드러나며, 절망적인 분위기를 조성한다.

문장에 관해 한 가지 더 지적할 수 있는 것은, 문장이 대부분 '것이다'의 종결형으로 서술된다는 점이다. 위에 제시된 '아무것도 아닌 것이다' '끝내는 것이다'와 같이 상황을 요약적으로 제시하거나 인물의 심리를 묘사할 때 집중적으로 사용된다. 작가와 인물의 객관적 거리를 느끼게 만드는 이런 방관적 문체는 특히 심리 묘사에 있어서 더욱 효과적이다. 극한 상황에서의 인물의 허무와 무기력이 작가의 주관의 개입없이 냉정하고 객관적으로 제시되면서 전쟁과 전후 사회의 비정성을 더욱 효과적으로 부각시킨다.

4. 맺음말

오상원 문학은 전후의 불모지대에서 새로운 삶의 지표와 가치 정립을 모색하는 강한 자의식의 산물이다. 그것은 극한 상황에 던져진 인간 조건을 탐구하여, 인간 상실의 원인과 그 대안을 모색하는 휴머니즘 문학으로 집약된다. 여기에서 오상원의 문학은 서구 현대문학과 일정한 연관성 속에 존재하는 특징이 있다. 그에게 있어서 실존주의, 행동주의 문학은 새로운 시대 상황을 담아낼 수 있는 유일한 문학적 방법으로 수용되며, 그것을 작품으로 구체화시키는 것이 그의 문학적 과제이다.

휴머니즘이 작품에 발현되는 양상은 두 가지이다. 첫째, 일반화된 극한 상황과 단절된 인간의 관계에서 나타나는 추상적 휴머니즘이다. 이는 오상원의 체험과 밀접한 연관을 지니는 것으로, 역사적 특수성이 배제된 가운데 가장 본능적인 인간애에 매달릴 수밖에 없는 관념적 역사 인식의 산물이다. 관념적인 현실 인식으로 말미암아 그의 문학적 지향은 새로운 시대가 도래하는 1960년대 이후 더 이상 지속되지 못하고 몇몇 작품에서 추상적 휴머니즘의 변주만 있을 따름이다. 둘째, 휴머니즘 지향이 전후 현실과 일정하게 교호되면서 리얼리즘적 계기가 확보된다. 이는 휴머니즘이 실존적 존재로서의 인간을 구속하는 외적 조건을 폭로하고 저항하는 가운데 발생하는 시대 상황에 대한 비판적 기능의 개연성에서 연유한다. 그러나 리얼리즘적 성취라기보다는 최소한의 계기가 확보된다는 제한적 의의를 지닌다. 이런 소설적 가능성은 1960년대 이후 한국 리얼리즘 문학의 자양분이 된다.

증인문학론은 오상원의 작가적 모랄을 형성하는 요소이며, 전쟁과 전후 현실의 개인과 가족의 문제, 정치적인 상황과 이데올로기 등 역사적이고 시대적인 문제를 보고 내지 증언하는 차원으로 나타난다. 그러나 증언의 대상인 현실은 작가의 현실 인식을 통해 재해석되기보다는 바꿀 수 없는 절대적인 것으로 설정된다. 이는 현실변혁이 불가능하다는 허무적인 역사 인식의 산물이다.

오상원 문학의 또 다른 독창성으로 기법상의 특징을 들 수 있다. 의식의 흐름 수법, '무의미'의 반복적 진술은 휴머니즘적 주제 의식과 대응되면서 독특한 효과를 유발한다. 특히 추상적인 휴머니즘과 스테레오타이프로 고정된 의식 주체의 표리 관계는 오상원 소설의 기본항으로 간주할 수 있다.

오상원 문학의 특질을 '젊음과 패기'라고 파악할 수 있다. 절망적인 시대 상황을 비켜서거나 관조하지 않고 행동적으로 대응하는 자세는 마치 야생마와도 같다. 하지만 정열만으로 문학이 이루어지지는 않는다. 오상원은 이런 가장 고전적인 교훈을 웅변해 주는 작가라고 할 수 있다.▨

이근삼 희곡의 놀이성 연구

홍 창 수*

1. 머리말

이근삼 희곡의 특징은 실험성에 있다. 1920년대의 김우진과 50년대 몇몇 작가가 일과적인 실험에 머문 것과는 달리 그는 60년대 이후 지속적인 실험작업으로 현대연극의 새로운 장을 마련하였다. 근대극의 출발이후 주류를 형성했던 사실주의 연극의 고정된 문법을 다양한 실험형식으로 변형시키면서 관객과의 의사소통체계를 새롭게 전환시켰다. 또한 그는 송영, 오영진의 뒤를 잇는 대표적인 희극 작가로 군림하여 60년대 이후 연극계에 커다란 활력을 불어넣었다. 60년대 그에 대한 평가는 크게 두 가지로 요약된다. 첫째는 그가 진부할 정도로 정통 리얼리즘을 고수하고 있던 기존 작가들의 사실 집착에 반기를 들고 서사기법 등 다양한 형식의 참신한 희곡을 창작하였고, 둘째는 과거의 희극정신을 계승하면서도 전통적 희극 형식을 뛰어넘는 새로운 희극 양식을 창조했다는 점이다.[1]

이근삼 희곡에 대한 기존의 연구는 대개 서사극의 수용,[2] 환상주의를 거

---

* 洪彰秀, 고려대 강사, 주요 논문으로는 「김우진 연구」, 「한국희극의 풍자성 연구」 등이 있음.

1) 유민영, 『한국현대희곡사』(기린원, 1988), 505면.
2) 심상교, 「1960년대 서사극의 수용과 전개:이근삼의 작품을 중심으로」(고려

부하는 극장주의적 양상,[3] 비논리적 유희성과 놀이정신[4] 등으로 요약된다. 이 논의들은 이근삼 희곡의 반환상주의의 실험을 주목하여 의미있는 성과를 거두었다. 그러나 이근삼 희곡의 특성을 주로 서구의 연극과 관련시켜 고찰하였기에 실제로 이근삼 희곡에 나타나는 연극성을 충분히 파악한 것은 아니다. 그가 추구한 연극 양식의 한 끝에는 사실주의극이 있고 반대편 끝에는 전통 연희의 연희성을 수용한 마당극 형식의 극이 있다. 전자에는 「욕망」, 「유실물」, 「막차를 탄 동기동창」 등이 있고 후자에는 「미련한 팔자대감」과 「요지경」이 있다. 그리고 양자 사이에 서사극과 부조리극의 특성이 강한 연극들이 놓여 있다. 서구 연극의 경향성을 강조하면 상대적으로 그의 전통극에 대한 관심은 배제되고 만다. 이런 점에서 그의 희곡에 대한 연구의 시각은 서구 편향 혹은 서구와 전통의 이분법에서 벗어나 새로운 관점에서 조망하는 것이 바람직하다. 사실주의극들을 제외하면 그의 희곡들에는 놀이의 요소가 담겨 있다.

이근삼 희곡의 놀이성을 주목하여 그 양상과 특성을 밝히는 것이 이 글의 주된 목적이다. 기존의 논고 중에서 이반은 이근삼 희곡의 유희성을 다루어 주목된다. 그는 호이징가의 놀이 개념인 자유와 일상성의 초월에 의존하여 이근삼 희곡의 유희성이 놀이 자체의 질서 속에 있음을 밝혔다.

> 이근삼 희곡이 기본적으로 지녀야 하는 여러 가지 규칙을 초월하여 산만함, 일관성의 결여, 예측할 수 없음, 비논리성을 특징으로 하고 있음은 그의 희곡의 본영이 사회비판이나 풍자에 있지 않고 유희성이나 놀이 정신에 근거하고 있음을 입증한다고 볼 수 있다.[5]

논자가 말하는 이근삼 희곡의 특징은 비논리성으로 집약된다. 그런데 그

대 대학원 석사학위 논문, 1988)
3) 정우숙, 「이근삼 희곡 연구」(이화여대 대학원 석사논문, 1989)
4) 이 반, 「이근삼 희곡의 유희성 연구」, 서강대언론문화연구소, 『연극 문화 그리고 사회』 언론문화연구11집(서강대 출판부, 1993)
5) 이반, 앞의 논문, 31면.

는 이 특징을 통해 이근삼 희곡의 본영을 사회비판이나 풍자보다는 유희성이나 놀이 정신에 근거한다고 밝힌다. 그의 논고에서 이근삼 희곡의 비논리적 성격을 지적한 것은 기본적으로 타당하다. 그러나 이근삼 희곡의 본영이 유희성이나 놀이정신에 근거한다는 견해는 단정적인 측면이 강하다. 그가 예로 든 「국물있사옵니다」는 유희성이나 놀이정신보다 오히려 사회비판과 풍자의 전언이 강하게 담겨 있다. 더욱이 이 논고는 전통연희와 관련되어 놀이성이 풍부하게 담겨 있는 「미련한 팔자대감」, 「요지경」 등의 중요한 희곡이 분석 대상에서 빠졌다는 점에서 문제가 있다. 요컨대 이근삼의 희곡은 작품에 따라 사회비판과 풍자가 강하게 나타나기도 하고 유희성과 놀이정신이 강하게 나타나기도 하여 어느 한 측면으로 단정지을 수 없다.

아리스토텔레스는 연극을 '미메시스', 즉 행동하고 있는 인간에 대한 모방으로 정의하였다.[6] 그의 모방이론은 서양 연극에서 가장 핵심적인 이론이 되어왔다. 놀이의 관점에서 보았을 경우 연극은 인간 현실을 흉내내거나 가장하는 놀이로 정의된다. 놀이의 이론가인 호이징가와 로제 카이와는 놀이의 기능중 하나로서 각각 모의(模擬)와 미미크리(mimicry)를 설명한다.[7] 연극을 포함한 모든 공연 예술은 미미크리에 속한다. 연극의 대본인 희곡은 미미크리, 즉 놀이의 대본이다. 미미크리의 놀이는 현실을 가장하고 흉내낸다. 그 놀이에서 취해지는 행동은 놀이하는 자나 그것을 보는 자에게 실제의 현실과 정확히 일치하지 않는 허구를 인식하게 한다. 연극이 모방의 놀이라는 일차적인 정의에도 불구하고 굳이 연극에서 놀이성을 강조하는 것은 어떤 의미를 지니는가. 이때의 놀이성은 놀이의 본질에 대한 이해

---

6) 아리스토텔레스, 천병희 역, 『시학』(문예출판사, 1989), 23-29면 참고.
7) 호이징가는 고차적인 형태의 놀이가 지닌 두 가지 기능을 투쟁과 모의로 이분하였으나 카이와는 네 가지로 세분한다. 즉 그것들은 아곤(시합, 경기), 알레아(요행, 우연), 미미크리(흉내, 모방), 일링크스(소용돌이)이다. 카이와의 견해에 따르면 호이징가의 투쟁과 모의의 기능은 각각 아곤과 미미크리에 해당한다. J. 호이징가, 김윤수 역, 『호모루덴스』(까치, 1991) 26면과 로제 카이와, 이상률 역, 『놀이와 인간』(문예출판사, 1994), 37면 참고.

로부터 성립된다. 호이징가가 말하는 놀이의 특성은 자유스러운 행위, 무상성(無償性), 고정된 법칙, 시간과 공간의 제약, 탈일상성으로 요약된다. 이러한 특성은 또 다른 이론가인 로제 카이와의 『놀이와 인간』에서도 확인된다. 이 가운데 고정된 법칙과 시간과 공간의 제약은 놀이가 현실에서 가능하기 위한 실제적인 조건에 해당하므로 놀이의 정신 혹은 본질적 성격은 나머지의 특징에서 찾을 수 있다.

놀이는 일상 생활을 벗어난 자유스러운 행위이고 그 행위는 생산적인 활동과 구분되어 어떠한 이익이나 보상이 없다. "의식의 표현이 노동인데 반해 놀이는 본능, 특히 화합 본능의 표현이다. 현실원칙이 도입되어도 현실의 검열로부터 자유롭고 오직 쾌락원칙에만 종속되는 사고 활동이 남아 있게 되는데, 실제적인 대상에 의존하지 않는 상상력이 바로 그것이다. 어떠한 경우에도 상상력과 놀이는 쾌락원칙에 위탁되어 있다."[8]

쾌락원칙에 위탁되지 않은 놀이는 놀이로서의 생명이 다한 것이다. 연극에서 군이 놀이성을 언급하려는 것은 단순히 놀이의 모방성을 지적하기 위한 것이 아니라 좀 더 적극적인 의미에서 현실원칙에 대한 쾌락원칙의 우위를 강조한 것이라 할 수 있다. 서양의 대표적인 극양식인 사실주의극은 서양연극사의 한 분수령에 해당한다. 이것은 현실을 무대 위에 완벽하게 모방하는 허구이다. 사실주의극은 환상주의의 결정체이다. 그러나 이 결정체는 모방의 완벽성으로 인해 놀이성이 제거된다. 놀이성은 환상주의의 두터운 벽을 깨뜨림으로써 시작된다. 이근삼의 희곡을 놀이성의 측면에서 살피려는 이유도 여기에 있다. 이근삼 희곡에서 놀이의 기법과 요소로는 재판, 무굿과 춤, 환상의 장치가 있다. 이것들은 극의 모티프나 상황 혹은 극적인 요소로 기능하면서 놀이성을 부여한다. 재판의 놀이를 다룬 희곡에는 「데모스테스의 재판」(1965), 「광인들의 축제」(1969), 「도깨비 재판」(1970), 「아벨만의 재판」(1975)이 있다. 무굿과 춤의 놀이에는 「미련한 팔자대감」과

---

8) 김인환, "놀이의 본질", 마르쿠제, 김인환 역, 『에로스와 문명』(나남출판사, 1995), 247면.

「요지경」이 있다. 현실과 환상의 놀이에는 「도깨비 재판」과 「이성계의 부동산」이 있다. 이 가운데서 각각의 놀이의 양상을 특징짓는 대표작들을 중심으로 놀이성의 특성을 살펴보자.

2. 재판의 놀이

재판극은 법정에서 일어나는 재판의 상황을 극 속에 적극적으로 끌어들인 규칙화된 놀이이다. 재판의 규칙화된 질서는 재판의 상황과 전개방식이 지닌 특성에서 비롯된다. 한편에는 재판을 주도하는 검사와 변호사가 있고 재판의 결과를 언도하는 재판장이 있다. 다른 한편에는 피고와 원고, 그리고 증인이 있다. 재판에 관여하는 인물들은 자기의 역할을 충실히 하는 가운데 죄의 유무와 진실의 시비를 요구하는 사건에 대해 다양한 정보를 제공한다. 검사의 심문과 변호사의 변호를 대립축으로 삼고 피고와 증인의 진술 등이 개입하면서 관객이 알지 못했던 사건의 내막과 진실이 하나씩 드러난다. 극중에서 벌어지는 재판은 극을 관람하는 관객을, 재판을 방청하는 방청객의 위상으로 변화시킨다. 방청객의 판결은 재판에 회부된 사건에 대한 인식이다. 재판극이 브레히트의 서사극적 기법, 즉 관객이 사건과 일정하게 비판적 거리를 유지하게 하는 극적 장치로서 효과있게 사용되는 것도 이러한 점 때문이다.[9] 관객의 사건에 대한 올바른 인식은 단순히 재판 결과의 내용에 있는 것이 아니라, 그 결과에 도달하기까지의 재판 과정 전체를 통찰하는 데에서 비롯된다.

그런데 재판극은 이와같이 엄격한 협의의 개념을 부여받으면서 동시에 좀 더 포괄적이고도 넓은 의미를 지니고 표현된다. 광의의 재판극은 재판의 상황과 인물을 상정하지 않고 임의의 재판자와 재판을 받는 자의 형식을 취하고 있다. 특정인을 매도하거나 심판하는 형식을 모두 포괄한다. 이

---

9) 이원양, 『브레히트 연구』(두레, 1984), 44면.

근삼의 희곡에는 이 두 가지의 형식이 함께 나타난다. 그가 재판극을 통해 의도하는 바는 무엇인가.10)

네 편의 재판극 중에서 「데모스테스의 재판」은 알레고리적인 희극이자 재판극의 백미이다. 실제의 재판과정과 유사한 규칙성이 지켜진다. 검사, 변호사, 재판장, 피고, 증인 등의 배역들이 정해진 상태에서 피고인 데모스테스의 살인 행위에 대한 재판이 진행된다. 이 극은 재판의 규칙성이 지켜지면서도 작가의 희극적인 태도가 깊이 개입되어 놀이성이 나타난다. 그 놀이성은 우화의 가상적인 세계를 설정하여 비정상적인 상황과 인물들을 풍자한 데서 구체화된다.

이 극은 궁성의 경비원으로 근무했던 데모스테스가 군중의 데모를 진압하다 군중의 한 사람인 멘쉬키를 죽였다는 사실로 재판받는 과정을 극화한 것이다. 그는 이미 역적으로 몰려 사형을 당한 뒤 사후(死後) 세계에서 왕국이 계속 교차됨에 따라 역적과 애국자의 상반된 평가를 5천 년 동안 받아 왔다. 그러나 이 재판에서 그의 살인죄가 확정되지 않고 유보된 상태에서 극은 종결된다.

데모스테스를 제외한 인물들과 재판의 상황이 모두 비정상적으로 희화화되었다. 성관계를 맺은, 여왕과 경호부장의 윤리적 타락상을 통해 왕실의 부패와 비도덕성이 풍자된다. 그들과 대립한 백성의 한 사람인 멘쉬키는 폭동의 주모자임에도 불구하고 여왕의 살해기도를 부인하여 풍자된다. 또 다른 풍자의 대상은 대재판장과 검사, 변호사, 서기이다. 그들은 재판을 주관하거나 재판과 관련된 법정의 인물들이다. 그들은 법을 집행하는 권한이 있다는 측면에서 법정의 권력자라고 할 수 있다. 그런데 실제의 현실과는 달리 권력의 서열이 전도되어 재판 과정을 기록하는 서기가 대재판장의 권

---

10) 김미도는 이근삼의 재판극에 나타난 특징을 비정상인에 의한 정상인의 매도, 희극적 상황과 비극적 인물, 거리두기를 통한 비판적 인식의 매개, 우연에 지배되는 부조리성을 들고 있다. 김미도, "이근삼의 재판극에 관한 소론", 서강대언론문화연구소, 『연극 문화 그리고 사회』 언론문화연구11집, (서강대출판부, 1933)

한을 가진 인물로 등장한다. 서기는 검사에게 재판의 시작을 명령한다. 대재판장은 꾸벅꾸벅 졸고, 검사와 변호사를 분간 못하고 재판에 권태를 느낀다. 변호사는 자기의 역할을 잠시 망각한 채 검사의 역할을 하기도 하고, 재미있는 장면을 불필요하게 반복해서 질문하기도 한다. 이 극은 단순히 왕실과 백성의 대립구도에 한정되지 않는다. 진실된 데모스테스와, 멘쉬키를 포함한 위선자들의 대립이 성립된다. 이것은 진실된 개인과 위선적인 사회의 대립이기도 하다.

> 서 기 : 재판을 한두 번 했습니까? 적당히 끝내시오. 피고석에 앉은 사람이 유죄면 어떻고 무죄면 어떻소? 유죄가 된다, 또는 무죄가 된다고 해서 우리의 직업하고 무슨 관계가 있소? 우리 건강하고 무슨 관계가 있소? 어차피 사람들이 살아나가려면, 사회라는 것이 지탱되려면, 항상 영웅도 만들어야 하고 반대로 죄인도 만들어야 해요. 억울하다고 아우성치는 피고가 있겠지만, 일단 때려 잡으면 그것으로 끝나고, 사회는 그것을 믿게 마련입니다.[11]

이 극에서 재판의 의미는 무엇인가. 재판은 폭력을 가시화하는 왜곡된 구조의 형식을 뜻한다. 작가는 재판에서 재판자와 재판을 받는 자(피고인)의 관계를 이용해 권력자와 무기력한 희생자의 종속 구조를 설정한다. 권력은 사회의 존속과 유지라는 대의를 명분으로 내세워 발휘되고 죄의 여부를 떠나 개인을 희생양으로 삼는다. 특히 이 극에서 풍자하고 있는 것은 개인(혹은 개체)에 대한 사회(혹은 전체)의 자의적인(恣意的) 폭력이다. 왕국의 교체에 따라 데모스테스의 범죄 사실이 주기적으로 반복되는 것과 진실 규명의 어려움은 근본적으로 개인(개체)에 가하는 전체(권력)의 폭력의 성격을 띤다. 그 폭력은 전체주의의 속성을 지닌다. 전체주의의 본질적 속성은 개인의 모든 이익과 가치가 국가나 민족과 같은 전체의 이익을 위해 통제되고 이용되어야 한다는 것이다. 따라서 사적인 영역은 존재하지 않으므

---

11) 이근삼, 「데모스테스의 재판」, 『대왕은 죽기를 거부했다』(문학세계사, 1986), 128면.

로 개인은 정치적 통제에 종속되지 않는 자신의 영역과 개인들의 결사를 주장할 수 없는 것이다.12) 데모스테스의 사적인 진실이 은폐되고 존재가치가 무시되는 행태는 곧 개인의 존재를 '사회라는 것이 지탱'되기 위한 수단이나 방편으로 생각하는 권력자들의 폭력과 유사한 것이다.

개인에 대한 집단의 폭력의 방식은 「아벨만의 재판」과 「도깨비 재판」에서도 나타난다. 「아벨만의 재판」에서는 마을 사람들의 신변의 안전과 마을 전체의 안녕과 평화를 위해 착한 청년인 아벨만이 죄인으로 몰려 희생 제물이 된다. 「도깨비 재판」에서는 착실하고 인정많은 만자(萬子)만이 타락하고 비정상적인 가족들에 의해 정신병원에 후송된다. 세 편의 재판극은 모두 폭력을 행사하는 주체의 모순과 선한 자를 희생 제물로 삼아야 하는 폭력의 뚜렷한 원인이 나름대로 제시된다. 폭력의 존재는 타락하고 부패한 사회와 집단의 존속을 위한 것이다.

이 극의 주제는 단순히 등장인물들에 대한 희화화와 풍자에 그치지 않는다. 이 극 전체는 역사학의 진실 혹은 진리의 존재가능성이라는 관념의 인식 차원으로까지 확대된다. 5천 년만에야 살인자로 판결을 받은 데모스테스는 슬퍼하기는 커녕 오히려 기뻐한다. 그는 범죄의 성립 여부에 관계없이 사건의 종결을 간절히 원했기 때문이다. 그런데 새로운 증인이 채택되어 판결이 확정되지 않은 채 연기되는 상태에서 끝난다. 판결의 유보는 상황의 정체성(停滯性)과 관련이 있다. 상황의 정체성은 작가의 시간과 역사에 대한 인식을 보여준다. 해결의 지향점이 없이 정체된 시간만이 반복되고 악순환이 거듭된다.

'재판'의 제목으로 끝나는 세 편의 재판극에서는 폭력을 행사하는 주체의 모순과 폭력의 원인이 나름대로 제시되어 있으나 「광인들의 축제」는 그렇지 않다. 이 극은 병리적인 광기와 폭력이 지배하는 세계를 상황극의 형식으로 극화한 것이다. 전쟁을 피해 은신하러 동굴에 들어온 정상인들과

---

12) 조지세이빈·토마스 솔슨, 성유보·차남희 역, 『정치사상사』2(한길사, 1988), 1142면.

비정상인들이 만나면서 일어나는 사건을 다루었다. 이 작품에서는 극중극의 형식으로 두 차례에 걸쳐 재판이 열린다. 첫 번째 재판은 정신병자인 감독관이 동굴에 들어온 김기자를 심문한다. 두 번째 재판은 폭행당하는 김기자를 구하기위해 대학교수 매명의 요구로 화령이 즉흥적으로 재판극을 꾸민다.

정신병자들이 벌이는 행위는 두 가지의 성격을 지닌다. 첫째는 인물의 성격을 상징적으로 표현하였다. 정신병자인 감독관은 호각을 불고 회초리로 다른 정신병자들을 때리면서 명령을 한다. 그는 독재자를 상징한다. 칼을 들지 않은 삭도는 사람들을 찌르는 시늉을 한다. 그는 살인범을 상징한다. 아기 인형을 잠재우는 행위를 반복하는 옥씨는 모성애를 지닌 엄마를 상징한다. 알몸으로 화령을 겁탈하려는 성파는 성파괴범을 상징한다. 모든 것을 돈과 결부시키는 상술은 돈에 집착하는 탐욕주의자를 상징한다. 둘째 그들의 행위는 광기와 폭력의 상징성을 보이면서 놀이의 성격을 구체화한다.

(감독관이 무대 한복판에 서더니 주머니에서 호각을 꺼내 분다. 그리고서는 흡사 교통순경 모양 팔을 흔든다. 다른 환자들이 각기 특색있는 자세로 어색하게 줄을 지어 감독관의 지시에 따라 행진한다. 감독관이 요란스럽게 호각을 두 차례 계속해 분다. 예씨와 性破, 상씨가 악기를 들고 행진을 하며 연주를 한다. 모두 노래를 한다)13)

(옥씨가 끼고 있던 애를 공중으로 내던진다. 애가 무대 한쪽에 떨어진다. 매명과 화령이 소리를 지른다. 삭도가 달려가 애를 찌른다. 화령이 삭도를 밀어내고 담요를 들어안는다)14)

정신병자들의 행위는 단순한 반복성과 비정상성을 특징으로 한다. 감독관의 지시에 따라 다른 정신병자들은 악기를 연주하고 노래부르면서 행진

13) 이근삼, 「광인들의 축제」, 『유랑극단』(범한서적주식회사, 1976), 51면.
14) 위의 작품, 54면.

한다. 그들의 행위는 촛불의식을 통한 기도의 형식으로 나타나기도 하고 아이를 내던지는 카니벌리즘의 공포와 그 아이를 살해하는 테러리즘으로 나타나기도 한다. 비정상적인 광기의 몸짓은 정상인들에 대한 재판의 형태로 전환될 때 집단에 의한 폭력이 된다.

우연히 동굴에 들어온 김기자와 그의 애인 문주는 정신병자들에 의해 재판을 받는다. 그 재판은 우발적인 것으로서 김기자와 문주가 재판을 받을 만한 뚜렷한 동기가 없다. 더욱이 재판은 무목적적이다. 재판을 하는 광기의 주체는 이성적 존재를 재판하여 얻을 수 있는 뚜렷한 보상이나 목적이 없다. 이것이 「데모스테스의 재판」과 「아벨만의 재판」에서의 재판과는 사뭇 다른 점이다. 두 재판극은 마을의 안녕과 행복, 사회의 존속이라는 대의명분 아래 희생양을 만들어낸다. 그러나 광인들의 재판에는 대의명분마저 존재하지 않는다. 두 번째 재판은 폭행당하는 김기자를 구하기 위해 대학교수 매명의 요구로 화령이 재판 놀이를 꾸민다.

> 상술 : (자기 자리로 돌아오며) 피고도 보았지요? 여기 있는 모든 사람이
>   이 손바닥에 있는 돈을 보았습니다. 피고는 그런데……
> 매명 : 여보 김기자!
> 상술 : 자기 정신에 이상이 있다는 걸 알 수 있겠지? 그러니까 피고는
>   지금 옳은 정신상태가 아니란 말야. 쉽게 말하면 피고는 미쳤
>   어.15)

매명은 자신의 강력한 거부에도 불구하고 감독관의 위협으로 피고의 역할 강제로 떠맡는다. 검사 역은 두 정신병자가 맡고 상술은 변호사 역을 맡는다. 그러나 검사와 변호사의 역할에 구분이 없다. 정신병자들이 주도하는 재판은 가상적인 법정의 장면을 단순히 놀이화한 것이 아니다. 그것은 광기와 폭력의 분위기 속에 무고한 정상인을 매도하여 정신병자로 규정하는 폭력의 놀이이다. 무의미하고 일방적인 질문 공세 속에 매명은 언어의 폭력과 물리적인 폭행을 당한다. 그는 무지하고 무능력한 정신병자로 매도된

---

15) 위의 작품, 67면.

다.

이 극의 상황은 인간의 합리적 이성과 도덕적 양심을 불허하는 세계이다. 정상인들조차 광기와 폭력의 위협에 정체성을 상실해 가며 광인이 되어간다. 연출을 맡은 화령은 재판 놀이에 몰입한다. 동창생인 매명이 폭력을 당하고 정신병자로 매도되는 상황을 방관하면서 이것을 즐기기까지 하는 독재자로 변한다. 그는 감독관과 지휘권을 다투다가 감독관을 살해한다. 타의의 폭력에 의해 피고인이 된 매명은 점차 이성을 잃어간다. 성을 유린당한 문주는 정신이상자가 되고 만다. 광기의 상황은 이성적 존재마저 무력하게 만든다. 작품에 나타난 작가의 시간성은 악순환에 근거해 있다. 동굴 안의 무대 현실은 전쟁이 벌어지는 동굴 밖의 세상과 다를 바 없다. 신원장은 "전쟁을 일으킨 사람도 미친 사람들"(50면)이라고 말한다. 전쟁 역시 광인들의 행위인 것이다. 작가는 이 작품에서 윤리적 이성과 지식의 논리가 광기에 지배당하는 세계를 표현한다. 사회와 세계는 광인들의 전쟁과 같이 지독히 혐오스러운 것임을 재판의 놀이를 통해 극단화한다. 이 극에서 재판은 가치가 전도된 사회의 폭력성을 구조적으로 가시화하는 현실의 한 형식이자 권력의 장치로 이용된다. 권력은 특정한 이데올로기를 상정하지 않는다. 대다수 군중의 왜곡된 심리, 논리, 지식이 정상적인 소수를 희생양으로 만든다.

3. 제의와 춤의 놀이

이근삼은 60년대에 서사극, 부조리극, 표현주의극 등 서구 연극의 기법을 수용하여 사실주의 무대의 관습을 과감히 탈피하는 다양한 실험을 시도하였다. 그러나 그의 연극 실험이 단순히 서구적인 것에 전적으로 의존한 것은 아니다. 그는 「미련한 팔자대감」(1966)과 「요지경」(1975)을 발표하여 전통연회의 재창조 가능성을 실험했다.

「미련한 팔자대감」은 "카톨릭 계통의 요청으로 쓴 계몽극"으로 극단 '가교'가 전국을 순회공연한 작품이다.16) 나병(癩病)에 대한 전근대적 치유방식의 잘못된 편견을 불식하고 나병이 과학의 힘으로 치유될 수 있다는 인식을 계몽하기 위해 창작된 우화극이다. 계몽극이라 하여도 단순히 지식과 정보 전달의 선전극은 아니다. 텅빈 무대에 의인화된 각종 병귀들의 춤과 노래, 무굿 등의 연희적 요소가 곳곳에 가미되어 오락적 흥미와 놀이의 신명성을 돋군다. 전통연희의 수용과 재창조의 가능성은 무엇보다도 「요지경」에서 확연히 나타난다. 이 극의 놀이적 특성에 대해 좀더 구체적으로 살펴보자.

「요지경」은 머슴이었다가 갑부(甲富)가 되어 양반의 지위에 오른 고을갑(高乙甲)과 가난으로 양반의 권위가 실추된 권대주(權大主)의 갈등과 화해를 다룬 해학극이다. 권대주는 자기가 부렸던 머슴 을갑이 갑자기 부자가 되어 자기에게 오만한 태도를 보이자 계략을 꾸며 그를 거지로 만들고 자기는 양반의 지위를 찾는다. 대낮에 암닭이 우는 불길한 징조가 나타나자 권대주는 무당에게 굿을 청한다. 불길한 징조의 원인이 두 인물에게 있음이 밝혀지고 그들은 거지신세로 전락한다. 결국 그들은 무당의 말에 따라 산소로 가는 도중에 익사하고 그들을 위한 진혼무가 행해지는 가운데 막이 내린다.

이 극에는 판소리의 창, 제사의식, 탈춤, 무굿, 진혼무 등 제의와 춤의 놀이적 요소가 곳곳에 가미되어 놀이성을 강화하면서 해학적인 정서와 분위기를 한껏 고양시킨다. 우선 무대부터 살펴보자.

> (텅빈 무대. 막은 열려진 채로 있다. 다만 무대 한쪽에 극이 진행됨에 따라 사용될 의상, 가발 그리고 가면을 걸어 놓은 옷걸이와 소도구를 넣어둔 상자가 있을 뿐이다. 관객이 자리를 메우자 이 극에 등장하는 사람들이 가면을 쓰고 나와 신나게 춤을 춘다. 인생무상함을 상징하는 춤이면 더욱 좋다. 춤이 끝나자 사람들은 가면을 벗고 관객에게 인사를 한다. 이어 이들은 가위 바위 보를 한다.)17)

---

16) 이근삼, 『대왕은 죽기를 거부했다』(문학세계사, 1986), 머리말.

작가는 막이 열려진 채로 있는, 텅빈 무대를 설정한다. 몇 가지의 소도구가 배치되고 조명과 음향이 부분적으로 기능하지만 텅빈 무대는 극장 내부이든지 야외이든지 어디서나 상연될 수 있는 공간의 개방성을 지닌다. 이런 점에서 이 작품의 무대를 전통탈춤의 놀이판 혹은 놀이마당의 개념으로 이해할 수 있다.

개방된 무대에서 놀이성은 우선 부차적 인물들의 자유로운 역할 바꾸기에서 나타난다. 고을갑이 권대주에게 자신의 집안을 자랑할 때에 하인들은 가구(家具)의 역할을 한다. 두 양반이 상상의 집으로 들어가자 을갑의 하인들 중에서 하녀인 월이 을갑의 처로 등장하고 하인인 일과 지는 대주의 하인과 하녀가 된다. 또한 배우는 허구내적 틀을 벗어나 허구 밖에 있는 관객과 의사소통한다. 극이 시작하자 하인인 천은 북장단에 맞춰 노래조로 '병신굿'의 채록과 그것이 극화되기까지의 과정을 관객들에게 해설한다. 무대에 등장한 을갑은 한 관객을 향해 아버지의 안부를 물음으로써 친근감을 나타낸다.

놀이의 또 다른 특성은 플롯의 개연성과 시공간의 인과성을 초월해 있다는 점에서도 나타난다. 놀이의 시간은 상놈 졸부와 몰락 양반이 사회적 전형으로 대두되었던 조선후기의 시대에 국한되지 않고 현대의 시간이 자유롭게 개입한다. 권대주가 을갑에게 제정보증인을 부탁한다든지, 비행기를 타고 온 무당이 화장을 하는 모습은 조선후기와는 전혀 무관한 현대적인 삶의 모습이다. 그리고 권대주와 고을갑의 갈등을 해결하는 상황의 원인과 중재자인 무당의 설정은 과학적인 합리성의 차원을 넘어선 것이다. 권대주가 고을갑을 거지로 만들고 양반의 권위를 회복했을 때 마을의 모든 암닭들이 대낮에 우는 기이한 상황이 벌어진다. 작가는 "암닭이 울면 집안이 망한다"는 속담을 극의 한 모티브로 사용하여 불길한 상황을 예고한 뒤 무당을 불러 굿판을 벌이게 한다. 대낮에 동네 암닭이 모두 우는 것과 무당이

---

17) 이근삼, 「요지경」, 『유랑극단』(범한서적주식회사, 1976), 203면.

신내림을 받아 그것의 원인과 처방을 제시하는 것은 플롯의 인과적 개연성을 넘어서 있다. 시공간적 인과성을 무너뜨림으로써 놀이의 허구성이 증대된다.

이 극의 놀이성은 무엇보다도 제의와 춤, 음악의 요소에서 두드러진다. 등장인물들은 본격적으로 극이 시작되기 전에 탈춤을 신명나게 한바탕 춘다. 장고와 꽹과리 등 악기의 장단에 맞춰 추는 탈춤은 관객의 흥을 돋구고 관객에게 볼거리를 제공하면서 흐트러진 관객석의 시선을 모은다.

도입부의 전통탈춤과 을갑의 제사, 무당의 무굿에 이어 극의 결말에는 진혼무가 행해진다. 고을갑이 지쳐 있던 권대주를 업고 고을갑이 가는 모습은 갈등과 대결을 용서와 화해로 전환하는 국면이다. 그들이 익사하여 무대에서 사라지자 하인인 지와 월이 진혼무를 춘다. 그 뒤를 이어 가면을 쓴 을갑, 대주, 천, 일이 합세하여 춤을 춘다. 진혼무는 죽은 이의 한맺힌 넋을 푸는 춤이다. 두 양반의 죽음은 집단적인 탈춤의 형식을 통해 희극적인 것으로 역전된다. 두 양반이 벌이는 풍자와 해학은 집단적인 춤의 놀이와 결합되어 웃음의 차원을 놀이적 신명의 차원으로 고양시킨다.

이 극에서 음악과 춤이 어우러지는 굿판의 분위기를 자아내면서 희극적 놀이성이 가장 강한 요소로 기능한다. 무굿은 그 자체가 양식화된 제의로서 관객에게 신명난 볼거리를 제공한다. 이 극에서는 신을 받아들이는 영신(迎神)과 신의 말을 하는 공수의 의식이 진행된다. 공수는 무당에게 내려진 신의 음성을 말한다는 점에서 복화술적이고 일인다역을 맡는 독특한 극적 요소를 갖고 있다.

무당 : (생략) 오신다! 오신다! (조수가 무당에게 대를 쥐어준다. 대를 잡은 손이 떨리기 시작한다) (전혀 다른 음성과 어조로) 이놈아, 넌 어찌하여 조상을 괴롭히냐! 조상의 산소에는 가마귀떼가 몰려오고, 이웃에선 악취가 풍긴다. 이놈아! 이놈아! (무당이 흡사 매를 맞는 것처럼 몸을 꼬며 딩군다. 자기 목소리로) 조상님, 조상님, 모든 죄 용서해주시고 편안히 눈 감아주시오. 오, 오! (또 다른 어조로) 어찌하여 그 돼지 상통을 집안에 끌어들여 부정을 탔다! 돼

지 상통을 쳐라! 돼지 상통을 쳐라! (조수가 을갑을 끌어 앞에 앉힌다) 쳐라! 쳐라! (조수가 대주에게 몽둥이를 주며 을갑을 치라고 한다. 무당이 일어나 앉는다) 부정을 쫓아라! 그 상통을 쳐라! 돼지를 잡아라![18]

　　대나무를 통해 신내림을 받은 무당의 공수는 두 양반을 골려주는 풍자성을 강하게 표현한다. 무당의 입을 통해 신의 음성과 무당의 음성이 장단에 맞춰 교차되고 두 양반을 욕하는 비어가 쏟아진다. 무당은 암닭이 울게 된 원인이 을갑과 대주에게 있음을 밝힌다. 무당은 이들을 돼지라 불러 존재의 가치를 폄하시키고 서로 때리고 맞게 하여 권위를 실추시킨다. 또한 때리고 맞는 역할의 전도에서 해학적 웃음이 생긴다. 무당은 오만한 을갑과 음흉한 대주를 실컷 골려주어 그들의 권위를 동시에 조롱하고 풍자한다.
　　이 극은 전통연희의 희극성과 놀이성을 다채롭게 창조적으로 변용시켰음에도 불구하고 주제의식이 강하게 부각되지 않는다. 방자한 고을갑과 간교한 권대주가 결국에는 죽는다는 점에서 도덕성의 교훈을 내포하나 그 의미는 그 전체를 지배하는 희극적 분위기에 압도되고 만다. 오히려 극의 결말에서 해설자가 '인생살이는 요지경'(231면)이라고 하는 말 속에 작가의 의도가 전달된다. 즉 인생의 행복과 불행을 아무도 예측할 수 없다는 인생관이다. 그러나 실제로 두 양반이 죽기까지의 극중현실의 의미와 해설의 의미 사이에는 일정한 간극이 있다. 이 간극은 또렷이 부각되지 않은 극의 주제를 해설자가 해설을 통해 다소 무리하게 드러내려는 작가의 의도에서 비롯된 것이다. 작가의 전통 연희의 수용은 개인적인 관심사라기보다는 60년대와 70년대에 본격화되었던 문화의 풍토에서 비롯된 것이라 보아도 좋다. 학계에서는 민족주체성을 바탕으로 왜곡된 식민지 사관과 문화를 시정하려는 노력이 진행되었고 연극계에서도 전통연희에 보다 많은 관심을 쏟았다.[19] 그러나 이근삼의 전통연희의 창조적 실험은 「요지경」 이후 지속되

---

18) 위의 작품, 226면.
19) 전통 연희에 대한 관심의 예로서 1968년에 '신극 60년과 내일의 연극'이란 제목 아래 한국 현대극의 60년을 진단하면서 주제 가운데 하나로 전통연

지 못하여 아쉬움을 남긴다.

4. 현실과 환상의 놀이

이근삼의 정통적인 사실주의 희곡은 몇 편에 불과하다. 그의 나머지 희곡들은 대부분 외부 현실을 객관적으로 묘사하는 사실주의 태도에 만족하지 않고 서사극, 부조리극, 표현주의극, 전통연희 등 다양한 극 양식의 요소들을 **흡수한다**. 이런 점에서 그의 희곡을 '절충적 사실주의(modified realism)'로 규정하는 견해는[20] 기본적으로 설득력이 있다. 절충적 사실주의는 외부 현실뿐만 아니라 인간의 내면적 진실, 무의식적, 비합리적 세계에 관심을 갖게 되며, 객관 현실을 묘사하되 좀 더 자유롭게 주관화시켜 표현하거나 혹은 과거의 희곡적 제약을 뛰어넘는 기법을 도입하기도 했다. 그 결과 구체적으로 독백, 회상장면의 삽입, 해설자의 등장, 시공의 자유로운 표현들이 가능해졌다.

죽은 영혼이 등장하여 이승의 산 사람들을 신랄하게 비판하는 「도깨비재판」과 정신병자의 자기 환상장면을 무대 위에 가시화한 「이성계의 부동산」역시 절충적 사실주의극에 속한다. 이특히 「이성계의 부동산」은 실성한 이병칠을 중심으로 벌어지는 삶을 극화했다. 그의 첩인 백부인과 그녀의 자식들은 그의 재산을 가로채기 위해 계략을 꾸민다. 그의 친자식들을 내쫓거나 살해하고 그를 죽이려고 하나 실패한다. 이로 인해 그는 천지복지원에 들어와 생활하다가 정신이상자가 되어 자신을 이성계라고 착각하고 행동하기 시작한다. 친구인 권장로의 뜻에 따라 이곳에 사는 몇 명의 연극인들은 그의 정신병을 치유하기 위한 방법으로 이성계의 측근들의 역할을 맡

극의 계승과 보급의 문제를 다루었다. 이진순, 『한국연극사:1945-70』(대한민국예술원, 1977), 154면.

20) 김방옥, 『한국사실주의희곡연구』(동양공연예술연구소, 1988), 174면. 이하 '절충적 사실주의'에 대한 견해는 이 책의 같은 곳 참고.

아 상황에 따라 연극을 꾸민다. 백부인과 자식들은 서로가 유산을 차지하려고 복지원에서 이병칠을 빼내어 금치산자로 만들려고 한다. 이병칠은 심장병으로 죽고 정도전의 역할을 맡았던 38번이 실성하여 자신을 정도전이라고 착각하게 된다.

이 극의 무대는 천지복지원이다. 이 복지원은 기독교의 신앙을 가장하여 군대식의 규율과 폭력이 잔존하는 곳이다. 세속적인 현실에서 적응하지 못하거나 살 수 없는 사람들의 도피처이다. 변하일과 박현은 연극계의 타락한 현실에 환멸을 느끼고 있다. 사호란은 스캔들에 휩싸여 자신의 과거를 잊으려 한다. 38번은 자신의 이름과 과거를 잃어버렸던 자로서 그것들을 찾으려 한다. 이들은 복지원에 살면서 이병칠의 자기환상을 치유하려는 배우의 역할을 한다. 이들과는 달리 이병칠은 환각에 사로잡힌 정신이상자로서 과거의 환영 속에 사는 인물이다. 그는 자신의 유산을 노리는 첩과 그자식들의 희생자이다. 자신을 조선의 태조 이성계로 착각하는 정신이상은 현실과 환상의 이중구조라는 극의 특성을 낳는다.

이 극에서 현실과 환상은 교차되고 반복된다. 상황의 변화는 인물들의 의상의 변화와, 무대의 공간을 분할하는 조명의 효과를 통해 나타난다. 현실과 환상의 이중구조는 현재와 과거의 두 세계를 대비시키고 의미의 연관을 맺는다. 복지원 사람들의 생활 모습과 환영에 빠진 이성계의 모습이 대비된다. 이성계의 모습은 극중극의 형태로 구현된다. 극중극은 자체가 독립적인 내용과 형식을 지니면서 동시에 극 전체와 유기적인 연관성을 지닌다.

성계 : (생략) 나는 왕으로서 즉위함에 다음 사항을 명령한다. 즉시 전국에 군졸을 풀어 불효자식들을 잡아들여라. 고려시대의 고려장 풍습은 일소해야 한다. 얼마나 많은 부모들이 불효자식들한테 고려장을 당했는가! 그 불효자식들이 내 아들, 딸이라도 좋다. 즉시 체포해 사형에 처하라! 구악은 청산해야 한다. 군사문화는 청산해야 한다. 다음 이 순간부터 그간 통행이 금지되었던 청와대 주변의 통로를 일반 백성에게 개방한다. 새 왕국 만세. 대한민국 국민 만세.[21)]

왕에 즉위한 이성계의 의식은 이중적이다. 통치자의 의식은 과거와 현재가 공존한다. 그의 의식은 과거와 현재를 잇는 시간적 계기가 전혀 구별되지 않은 채 뒤섞여 표출된다. 그는 양자의 차이에 대한 인식이 부재하다. 출판사를 경영했고 많은 부동산을 소유했던 이병칠과 조선의 태조 이성계라는 인물은 시대의 현저한 격차로 인해 어떠한 유사성이나 공통성도 발견되지 않는 듯하다. 그러나 작가는 이성계와 그의 아들 방원의 갈등관계를 근거로 허구적 인물인 이병칠과 첩의 아들인 삼중의 갈등 관계를 설정한다.

> 성계 : (생략) 형제도 학살하는 방원이 왜 너희들은 죽이지 못하고 나한
> 테 보낼까? 동생인 방향(芳蕃)이, 방석(芳碩)이를 처참하게 죽이고
> 공신이며 애국자인 정도전, 남은도 죽인 놈이 이제 노리는 것은
> 애비라 이 말이지. 북한산에서 나에게 총질을 한 것도 네놈들 짓
> 이다. 그래 방원 네놈은 그 포악한 심보로 대권을 휘어잡겠지. 그
> 러나 그 순간 너는 지옥에 곤두박질 떨어질 거다! 이중이는 유배
> 되고…… 그 어린 동주는 암살당하고…… 나에게도 총뿌리를 겨
> 누는 놈(삼중:인용자)…… 차라리 애들을 낳지 않을 것을.[22]

자신을 이성계로 착각하여 통치자의 행세를 하는 가운데 현재의 이병칠이 겪었던 비애와 고통, 그리고 원한이 병리적인 환영 의식의 틈으로 간간이 분출된다. 이성계가 비난하는 대상은 이방원과 이삼중이다. 과거의 실존 인물인 이방원은 권력 찬탈을 위해 형제와 애국자인 신하들을 살해하였다. 극중 현실의 인물인 이삼중은 이병칠의 유산을 차지하기 위해 이중이를 내쫓고 동주를 살해하고 아버지에게 총뿌리를 겨누었다. 이방원과 이삼중은 각각 권력과 유산을 차지하기 위해 수단과 방법을 가리지 않는 탐욕의 주체이다. 그리고 극중 현실에서 이병칠의 유산을 둘러싼 남숙과 삼중, 그리고 그들의 어머니인 백부인의 갈등을 구체화하여 이 극의 주제가 물질적인

---

21) 이근삼, 「이성계의 부동산」, 『이성계의 부동산』(문학세계사, 1994), 173면.
22) 위의 작품, 197면.

탐욕에 있음을 강조한다.

작가는 중심인물이 지니는 자기 환영의 대상으로서 이성계를 설정한다. 현대라는 현실 위에 떠오르는 이성계의 삶은 그 자체가 '낯설게하기'의 효과를 일으킨다. 정체성을 상실한 정신이상자의 환영이 무대 위에 표면화되어 현재와 과거, 현실과 환상의 만남이 자연스럽게 이루어진다. 이성계의 장면은 과거의 역사적 사실을 재현하는 기능을 하면서 현재의 비판적 대상이 되기도 한다. 이성계와 최영의 대립 장면은 이성계의 위화도 회군을 암시하는데, 이것은 현재의 인물인 변하일에게 반역행위로 비판받는다. 그러나 이와같은 비판은 극의 주제로 부각되지 못한다.

> 하일 : 세상에 행복한 사람이 많지만 환상세계에서 사는 사람처럼 행복한 사람은 없습니다. 남에게 해를 끼치지 않는 한 우리는 환상세계에서 사는 사람을 깨워서는 안됩니다. 현실을 외면 말라, 현실을 직시하라고들 하지만 솔직히 말해 우리는 어디까지가 현실이고 어디서 어디까지가 환상인지 구분할 수가 없습니다. 현실 속에서 살고 있다고 자부하는 여러분도 잠깐 시각을 달리 해보면 환상세계에서 살고 있는지 모릅니다. 되지도 않고, 맞지도 않는 일을 붙들고 언젠가는 될 것이라고 믿는 그 자체가 환상이 아니고 무엇이겠습니까? 원장은 무대에서 환상세계에 들락거리는 우리들 배우에게 노인의 환상세계에 들어갈 것을 명령했습니다. 우리는 그 명령을 따를 수밖에요.[23]

극중의 현실에 환상을 개입시키는 기법은 이 극의 주제와 작가의 정신과도 긴밀하게 연결되어 있다. 작가는 현실과 환상을 구분하지 않는다. 또한 인간의 실재하는 현실과, 현실을 허구적으로 극화한 연극을 구분하지 않는다. 인간의 삶은 현실이고 환상이며 연극이다. 나아가 오늘의 현실과 과거의 역사 사이에 인간의 욕망과 삶의 방식이 갖는 질적인 차이는 존재하지 않는다. 이방원의 권력욕과 실성한 이병칠의 가족이 벌이는 돈에 대한 탐욕은 시간의 현저한 격차에도 불구하고 다를 바가 없다. 작가의 시간에 대

---

23) 위의 작품, 177면.

한 인식은 정체되거나 순환한다. 실성한 이병칠의 죽음에 이어 38번은 실성하여 다시 연극을 시작한다. 현재와 과거, 현실과 환상, 삶과 연극이 동일하다는 일원론적 인식 위에서 시간은 발전이나 진보의 전망이 없이 진행된다.

자기환상을 표현하는 극중극의 장면은 또 다른 모방의 놀이이다. 복지원의 삶 자체가 실제 현실의 모방이라는 점에서 이 극은 이중적인 모방의 놀이에 기초하고 있다. 이 극의 놀이성은 자기환상의 병리성을 모방놀이의 방식으로 꾸미는 데서 나타난다. 관객은 현재와 과거의 삶을 비교, 대조하는 데서 지적인 즐거움을 얻는다.

5. 맺음말

이 글은 이근삼 희곡에 놀이의 기법과 요소가 두드러진다는 판단 아래 놀이성을 분석했다. 재판극은 사건의 진실규명과 법의 정의 실현과는 무관한, 폭력과 광기의 놀이이다. 마당극 양식은 해학과 풍자, 제의와 탈춤 등 전통연희의 희극미와 놀이성을 창조적으로 변용시켜 극 전체를 신명나는 놀이의 세계로 창조한다. 현실에 환상을 개입하는 연극은 일반적으로 연극 자체가 모방이라는 점에서 시공을 뛰어넘는 상상력을 통해 이중적인 모방의 놀이를 창조한다.

이근삼 희곡의 놀이성은 다양하다. 그리고 그 주제는 폭력과 광기가 지배하는 인간 사회의 왜곡된 구조를 비판하기도 하고 놀이에 충실한 세계를 재현하기도 하며 인생의 존재론적 무상감을 표현하기도 한다. 다양한 세계와 주제를 희극적으로 극화하면서도 작가의 인간과 세계에 대한 인식은 대개 부정적인 것이 특징이다. 연극의 결말은 시작과 동일하게 반복되어 악순환된다. 인생은 요지경같이 불가사의한 것이다. 과거의 삶과 현재의 삶이 외형면에서는 차이가 있으나 본질면에서는 동일하다. 작가의 시간성은 순환과 반복에 있다. 이 시간성에 대한 인식은 인간의 현실을 허구나 환상,

혹은 연극 자체로 보는 것과 결코 무관하지 않다. 이근삼 희곡의 놀이성은 단순히 희극적 재미를 불러일으키는 요소로 기능하는 데 국한되지 않고 대개 현실과 환상, 현재와 과거, 현실과 허구를 동일시하는 일원론적 세계 인식과 결합되어 있다.

이근삼 희곡의 놀이성은 개인사적인 차원을 넘어서 1960년대 이후 본격화되는 연극계의 새로운 판도와 밀접한 관련을 맺고 있다고 할 수 있다. 서구의 비사실주의 연극의 수용과 전통문화에 대한 높은 관심은 연극의 환상주의를 거부하려는 다양한 욕구를 반영한다. 이러한 현상은 70년대 들어 일반화되면서 오태석, 허규, 장소현, 윤대성, 이강백 등의 젊은 극작가들의 실험 작업으로 구체화된다. 이근삼 희곡의 놀이성은 그 자체로 독자적인 의미를 갖고 있으나 다른 작가들이 추구한 놀이성과의 질적인 차이 속에 고유성을 확보할 수 있다. 이 고유성은 6, 70년대의 희곡과 연극에 대한 본격적인 연구가 활기를 띠면서 구체화되리라 기대된다.■새미

질서 일탈자와 의식상실의 모티프

사에구사 토시카쯔*

1.

우리가 문학작품을 읽을 때 반드시 작자를 의식해야 할 필연성이 없는 데도 작품을 읽을 때 그 배후에 작자를 생각하는 이유는 무엇일까? 물론 여러 가지로 생각할 수 있겠지만, 작자라는 말을 들으면 인격을 지닌 주체를 연상하게 되는 것과 무관하지 않을 것이다. 작자를 배제한 텍스트로만 보지 않고, 어떤 작가가 지어 낸 업적으로 읽는다는 것은, 말하자면 작품을 통해 우리가 작가와 서로 대화를 나눌 수 있다고 느끼고 있는 것이다. 즉 우리는 작가를 우리와 똑 같이 어떤 시대를 살아가면서 활동한 인간이 남긴 성과로서 문학작품을 받아들이고 있는 것이다.

언어의 예술로서 문학작품을 생각할 때 이런 관점은 반드시 필요한 조건은 아니다. 감동 깊게 또는 흥미 있게 읽을 수 있다는 것이 최소한의 작품의 조건이다. 인생이나 사회와 관련시키면서 읽는 것도 가능하고 그것을 부정할 필요는 없다. 그러나 그래야만 옳게 읽을 수 있다는 것도 아니다.

* 三枝壽勝, 동경 외국어대학 교수, 주요 논문으로 「이태준의 작품론」, 「김동인에 있어서의 근대문학」 등이 있음.

그런 문제라면 다른 분야가 얼마든지 있다. 문학이 그것을 대신할 사이비 학문이 될 필요는 없을 것이다. 하물며 감동도 흥미도 없는 데도 작품을 분석하고 기교의 우수성을 증명하는 일은 본말전도의 극치라고 할 수 있다. 언제부터 문학작품이 연구자를 위해 존재했다는 것인가?

그렇다고 해도 우리는 많은 어려움을 느끼면서 시대를 살아가는 사람으로서 문학을 찾을 수가 있다. 우리는 작품을 통해서 작자와 대화를 나눈다. 그러나 우리가 작가와 대화한다는 것이 작가를 옳게 이해한다는 것을 반드시 의미하지는 않는다. 더군다나 작가와의 동일화를 이루는 것도 아니다. 왜 훌륭한 작가와 자기 동일화를 해야 하는가? 그것은 옳은 편, 즉 사회적으로 정의의 편에 서는 사람과 입장을 같이 한다는 정치적인 자세와 비슷하다. 훌륭한 작품 편에 서고 칭찬하는 것이 유리하기 때문이다. 반대로 옳지 못한 불의의 편에 선 작자를 공격하고 깎아내리는 것도 이야기는 마찬가지다. 이미 역사에서 과오를 저지른 사람의 과오를 새삼스럽게 지적해야 할 필요가 어디 있을까? 누구나가 아는 사실을 가지고 자신을 내세울 필요는 없는 것이다. 문학작품이 연구자의 입장을 정당화하기 위해 존재하지 않는다는 것이 당연한 일이다.

그러나 과연 이런 자세를 지키면서 읽는 방법이 무엇을 의미하는 지는 반드시 확실하다고도 할 수 없다. 이 글에서 한국 문학의 전통과 특색을 찾아내는 시도를 하겠지만 이 작업에 대해서도 그 뜻이 확실치 않은 데가 있다. 다만 그 가능성을 검토하는 것뿐이다.

먼저 근래의 작품으로서 김인숙의 「당신」을 들기로 한다.[1] 이 소설의 줄거리는 다음과 같다.[2]

---

1) 이하 이 글 내용은 필자가 작년 9월 18일 서울에서 열린 『제3회 동아시아 국제 학술 심포지엄』에서 발표한 「현대 한국 소설의 관념성 극복」의 내용과 일부 겹친다. 같은 재료를 가지고 되풀이 글을 쓰는 것이 연구하는 사람으로서 윤리에 어긋난다. 그러나 그 때 발표는 인쇄 안하기로 된 것을 감안해서 여기서 다시 언급한다. 그런 경위 일단에 대해서는 『木槿通信』 제26호 (1996.10.10)에 실린 글을 참조하기 바람.
2) 김인숙, 「당신」, 『칼날과 사랑』 창작과비평사, 1993. pp.63 - 125.

소설의 주인공 윤영의 남편은 고등학교 교사였다. 어느 날 자기 담임 반 학생이 전교조로 해직된 교사를 만나러 간 사실이 발각이 되고 교장에게서 담임 교사로서의 책임 추궁을 당하게 됐다. 그 때 교장과 언쟁하다가 결국 그도 전교조 사람으로 몰리고 해직을 당했다. 그 후 남편은 전교조 일에 전념하게 되고 집에는 한푼의 돈도 벌어들이지 않았다. 집안 살림에 대해 부부의 의견은 대립한 채 화해를 보지 못하고 있었다.

윤영에게는 올바른 사회를 구현하기 위해 노력하고 있다는 남편의 변명하는 태도가 무책임으로밖에 보이지 않았다. 만일 남편이 정말 책임 있는 가장이라면 집안 경제가 어떻게 돌아가고 있는지에 더 많은 관심을 보여야 했다. 그러나 그는 집안의 경제에 대해서는 아는 체하지 않았고 알려고 하지도 않았다. 이 소설은 두 사람의 이런 충돌 그리고 그 후에 오는 화해에 이르는 과정을 그리고 있다.

이 소설에서 한국 소설의 유형성을 찾으려면 여러 가지 측면이 나올 것 같다. 우선 이 소설을 사회사업에 종사하지만 경제적으로 무능한 남편과 그 아내 사이의 갈등을 다룬 작품으로 볼 수 있다. 그렇게 본다면 이 작품은 근대문학의 초기 작품인 현진건의 「빈처」부터 시작해서 강경애의 「원고료 이백원」과도 비슷하다고 할 수 있고, 근래의 작품으로는 김영현의 「달맞이 꽃」도 해당될 것 같다.

이들 소설에 등장하는 남편은 각각 무명작가로서의 예술가(빈처), 민족 운동가(?)(원고료 이백원), 해직 교사인 전교조 상근자(당신), 해직 교사인 무직자(달맞이 꽃)로 차이가 있어도 어떤 뜻에서 사회적인 사업에 종사하려고 하는 사람이라는 점에서 공통점을 갖고 있다. 그리고 그 남편이 가정을 유지할 경제면에서는 무능 또는 무력하고 그것이 원인이 되고 부부간에 갈등이 생겼다가 나중에 화해에 이르는 점에서도 공통점을 보이고 있다.

그리고 위의 작품들을 남녀 논리의 대립이란 측면에서 볼 때, 소설 속에 나타난 갈등이 단순히 경제적 문제를 둘러싼 의견 충돌로만 볼 수 없다는 데에 주목할 수 있다. 가정을 경제적으로 유지할 수 있느냐 없느냐 여부는 남편으로서는 자기의 자존심과 관계될 수밖에 없는 문제가 된다. 「빈처」에서 아내가 물질적인 것에 관심을 보였을 때 일어나는 남편의 불쾌감은 아내의 생각이 경박했기 때문이 아니라 남편 자기의 자존심이 상했기 때문에 일어난 것이다. 즉 가정을 경제적으로 유지하는 일은 남편의 책임인 데도 그것을 못하는 데서 오는 훼손된 자존심을 자극한 것이다. 「원고료 이백원」과 「당신」에서 이 자존심은 남편의 웅변과 폭력으로 표현된 것을 볼 수 있다. 다시 말하면 아내가 한 말이 경제적인 무능으로 체면을 깎인 남편의 열등감을 자극한 것이다.

이런 공통점에 초점을 두고 본다면, 한국 문학은 70년 동안 같은 주제의 문학을 변함없이 꾸준히 생산해 온 셈이다. 물론 차이가 있기는 있다. 강경애와 김인숙의 작품에서는 여성으로서 화자의 남편에 대한 불만이 더 구체적이며 본질적으로 표현되어 있다. 화자가 남편에게 대드는 장면이 여성으로서의 억울함을 표현하고 있다고 볼 수도 있다. 그에 반해 「빈처」의 남편은 여성을 가볍게 보고 있으며 또 자기 합리화의 경향을 보이고 있다. 이런 문제점이 있음에도 불구하고 작품 「빈처」가 감동적인 작품이라고 할 수 있는 것은 이 작품을 민족운동이 큰 비중을 가진 역사적인 조건을 염두에 두고 읽을 수 있기 때문이다.

이 작품에 비해 「원고료 이백원」과 「당신」은 그런 제한이 없는 데에서는 가깝다고 할 수 있다. 그 공통점이 여성의 입장을 나타낸 데서 온 것이다. 반대로 말하면, 공통점이 있고 가까우니까 이 두 작품에 나타난 차이점을 두 작품을 낳은 시대 사이의 차이라고 생각할 수도 있으며 그 변화를 통해서 시대의 흐름을 느낄 수가 있을 것이다. 그러니까 표면적 공통점을 떠나서 볼 때 「당신」에는 또 다른 문제점을 발견할 수 있다. 그것은 바로 작품 「당신」만에서 볼 수 있는 가장 인상적이고 충격적인 다음과 같은 장면과 관련이 있다.

　　　——그래, 관두면 되겠니? 당신 뜻대로 내가 다 집어치워버리면 되겠어?

(……)

— 내가 원하면 그렇게 한다구? 웃기지 마, 치사하게 굴지 말라구. 당신은 끝까지 내 탓이라고 말하고 싶은 거야. 나 때문이라구? 형편없는 마누라 때문이라구? 정말 그래? 정말 나 때문이야? 웃기지 마. 웃기지 말란 말이야!

그리고 바로 그때, 기가 막히게도 남편의 손이 윤영의 뺨을 쳤던 것이다.

— 당신 ……어떻게 ……

그는 공중에 놓인 자기 손을 거두어들이지도 못한 채 그렇게 목소리를 떨었다. 그는 아마도 당신, 어떻게, 이렇게까지 형편없을 수가 있느냐, 그런 말을 하고 싶었던 것인지 모른다. 그러나 그 말이 끝맺어지지 못한 것은 윤영 역시 남편의 뺨을 맞받아쳤기 때문이다. 뺨을 맞은 남편은 놀라고 기가 질리다 못해 얼이 빠진 듯한 표정으로 멍청히 윤영을 바라보았다.(p.106)

소설 「당신」에서 가장 긴장이 고조된 부분이다. 이 장면은 한국 소설에서 보기 힘든 묘사를 제시하고 있다고도 할 수 있다. 혹시 이 장면에서 제시된 긴장감을 그대로 지속시킬 수 있었다면 이 작품이 여성 논리를 명확한 형태로 제시한 작품이 될 수 있었을지도 모른다. 그것은 단지 여성인 아내가 남성인 남편을 때린 묘사만으로 문제가 되는 것은 아니다. 폭력의 행사 자체는 왜소한 문제다. 아내가 남편을 때렸다고 큰 문젯거리로 삼을 필연성은 없다. 이 작품 전체 문맥 속에서 그 장면을 생각하면 가정을 돌보는 것과 사회 활동을 같은 비중으로 동시에 시야에 놓는 새로운 시각의 주장이 나올 가능성이 있었다. 그러나 그렇게 획기적이라고도 할 수 있는 이 소설이 그 장면 이후 긴장감을 그대로 유지 못하고 급속히 타협을 향해서 치닫는다.

화해에 이르는 과정은 다음과 같다. 서로 뺨을 때린 직후 윤영은 울기 시작했고 남편은 밖에 나간 채 돌아오지 않았다. 다음 날 남편이 전교조 농성 현장에 갔다가 경찰에 잡혔고, 그것을 안 윤영은 면회를 갔다가 돌아온 후 이틀 동안 잠을 설친 피로 때문에 방바닥에 쓰러지고 잠에 빠져들어갔다. 저녁 때 남편이 돌아와도 윤영은 일어나지 못했다. "가수 상태와 같은

잠 속에서 윤영은 계속해 울리는 발소리 따위를 들었다."(p.120)

이것은 일종의 의식 상실에 해당된다.[3] 의식 상실의 가수 상태를 통과한 다음에 윤영과 남편 사이에는 대화가 이루어지고 화해가 찾아온다. 주인공 윤영이 의식 상실과 끝 부분의 화해와 관련 있는 것은 분명하다. 반대로 말하면 결말의 화해에 이르기 전에 먼저 그 긴장감을 극적으로 해소시켜야 했던 것이다. 그리고 소설을 읽고 난 다음의 묘하고 미흡한 느낌이 남는 것이다.

그러니까 문제는 다음과 같이 정리된다. 이 소설은 한국 문학의 역사로 본다면 흔히 볼 수 있는 주제를 다룬 유형의 하나라고 볼 수 있다. 그러나 이 소설이 그 유형적 소설과 다른 점이 있다면 거기에 새로운 사상의 싹을 엿보이고 있다는 데에 있다. 그러나 작품 중에서 그 새로운 사상을 나타낼 긴장된 장면은 곧 주인공의 의식 상실 장면으로 이어지고 종내 그 긴장감이 해소되고 새로운 사상의 제시는 암시로 끝나고 결국 낡은 사상과 화해되고 마는 결과가 된다. 작품의 완성도로 보면 미흡하고 김 빠지게 하면서도 독자로서는 부담감 없이 받아들이게 되는 소설 구조상의 기법은 위와 같은 것이다.

소설 「당신」에서 이런 측면, 즉 긴장이 고조되면서도 묘하게 김빠지게 풀리고 화해로 끝나는 구조에 초점을 둔다면 또 다른 유형을 발견할 수 있는 것이다. 그 유형을 찾으면 한국 문학에는 보다 전형적인 작품이 존재하는 것을 알 수 있다. 다음은 그 작품을 살펴보기로 한다.

2.

검토하는 작품은 채만식이 해방 직후에 쓴 「민족의 죄인」이다.[4] 작자는

---

3) 이 글에서는 "의식 상실"이란 말은 정상적 의식 상태를 벗어난 정신 상태를 폭 넓게 가리킨다. 즉, 기절, 실신, 잠 든 상태, 병들고 누운 상태 등등.

4) 「민족의 죄인」 『채만식전집8』 창작과비평사, 1989. pp.414-458. 이 글에 나

자기의 친일 문제와 관련시켜서 일반적으로 친일 행위를 다루면서 상당히 날카롭고 깊은 통찰을 보이고 있다. 작품의 중심 되는 등장 인물은 작자와 가까운 입장인 「나」와 그의 친구 김군, 그리고 내가 어려워하는 윤이라는 사람이고, 소설의 초점은 김과 윤의 논쟁 장면에 있다.

소설의 화자 「나」는 그리 큰 인물이 아니지만 일제시대에 친일 행위를 했기 때문에 자기 행위에 대해 죄책감을 느끼고 왔었다. 「나」의 친일 행위란 그 시대를 살아 나갈 방책이었다. 곧, 화자 「나」는 어떤 사건을 겪으면서 "대일협력이라는 주권(株券)의 이윤(利潤)이 어떠하다는 것을 실지로 배운 것이"었기 때문이다. 물론 그 일이 마음의 가책을 못 느끼는 것은 아니었다. 나는 강연을 나가고 신문에 글을 쓰면서 자기가 어떤 상태인가를 인식하고 있었다. 그것은 마치 바닥을 모르는 수렁에 빠진 것과 같았다. 그는 "한정 없이 술술 자꾸만 미끄러져 들어가는 대일협력자라는 수렁"을 의식하고 있었고 "정강이에서 그 다음 허벅다리로, 허벅다리에서 배꼽으로, 배꼽에서 가슴패기로, 모가지로 이마로, 그러고는 영영 풍당 ……하고 마는"(pp.440-441) 자기 처지를 인식하고 있었다.

화자는 그래도 끝내는 서울을 빠져나가고 고향에 가는 것으로 그 수렁에서 빠져나올 수가 있었다. 그것은 반드시 떳떳한 마음에서 한 것만이 아니었다. 일본의 패전이 눈 앞에 다가오는 상황에서 그대로 서울에 머물고 있었다간 패전 직후의 혼란 속에서 일본군에게 학살당할지도 모른다는 용렬함도 포함되어 있었다. 말하자면 그것은 "대일협력의 수렁으로부터의 도피행"이라고 할 수 있다. 그 행위가 반드시는 떳떳하지 못하다는 것은 그 도피행으로 그 전의 자기의 행위가 소멸되지도 않았으며 취소시킬 수도 없다는 것이었다. 아무리 수렁에서 빠져나갔다고 해도 죄를 지었다는 사실은 남는 것이었다.

오는 채만식의 작품은 이 전집을 이용했다. 「역로」, 같은 책. pp.269-290.
「탁류」, 「채만식전집2』, 창작과비평사, 1987.

아무리 정강이께서 도피하여 나왔다고 하더라도, 한번 살에 묻은 대일협력의 불결한 진흙은 나의 두 다리에 신겨진 불멸의 고무장화였다. 씻어도 깎아도 지워지지 않는 영원한 '죄의 표지(罪의 標識)'이었다. 창녀가 가정으로 돌아왔다고 그의 생리(生理)가 숫처녀로 환원되어지는 법은 절대로 없듯이.

또 정강이께서 미리 도피를 하여 나왔다고 배꼽이나 가슴패기까지 찼던 이보다 자랑스럴 것도 없는 것이었다. 가사 발목께서 도피를 하여 나오고 말았다고 하더라도 대일협력이라는 불결한 진흙이 살에 가 묻었기는 일반인 것이었다. 그러므로 정강이까지 들어갔으나 발목까지만 들어갔으나 훨씬 가슴패기까지 들어갔으나 죄상의 양에 다소는 있을지언정 죄의 표지에 농담(濃淡)이 유난히 두드러질 것은 없는 것이었다.(pp.441-442)

그런 의식을 갖고 있는 화자 「나」가 친구 김군이 경영하는 잡지사에 가서 거기서 윤을 만났다. "윤은 내가 어려워하는 사람 가운데 한 사람이었다.(p.415)" 왜냐하면 윤은 일찍 신문기자 생활을 그만두고 시골에 갔기 때문에 친일 행위를 일체 안한 사람이었으니까. 당연히 윤에게는 해방 후에 사회에 나서서 민족주의자연 하는 사람들이 못마땅하게 여겨진다. 윤에게는 "8·15 소리가 울리기가 무섭게 정말 나서야 할 사람보담두 저이가 먼점 나서가지구─진소위 선가(船價) 없는 놈이 배 먼점 오른다는 격이"(p.447) 아니꼬왔던 것이었다. 옆에서 듣고 있는 「내」 입장이 거북스러울 수밖에 없었다. 그 상황을 보다 못해 나선 것이 김군이었다. 김군이 윤을 나무라는 것을 계기로 둘 사이에 논쟁이 시작한다.

"손쉽게 총력연맹이나 시굴 경찰서에서 자네더러 시국강연을 해달라는 교섭 받은 적이 있었나?"
"없지."
"원고는?"
"없지. 신문사 고만두면서 이내 시굴루 내려가 있었으니깐."
"몰라 물은 게 아닐세. 그러니 첫째 왈 자넨 자네의 지조의 경도(硬度)를 시험받을 적극적 기휠 가져보지 못한 사람. 합격품인지 불합격품인지 아직 그 판이 나서지 않은 미시험품. 알아들어?"

"그래서?"

"남구루 치면 단 한번이래두 도끼루 찍힘을 당해본 적이 없는 남구야. 한번 찍어 넘어갔을는지 다섯번 열번에 넘어갔을는지 혹은 백번 천번을 찍혀두 영영 넘어가지 않았을는지 걸 알 수가 없지 않은가?"

"그래서?"

"그러니깐 자네의 지조의 경도(硬度)란 미지수여든. 자네가 혹시 그동안 꾸준히 투쟁을 계속해 온 좌익운동의 투사들이나 민족주의 진영의 몇몇 지도자들처럼, 백번 천번의 찍음에 넘어가지 않구서 오늘날의 온전을 지탱한 그런 지조란다면, 그야 자랑두 하자면 하염즉 하겠지. 그러지 못한 남을 나무랠 계제두 있자면 있겠지. 그러나 어린 아이한테 맡기기두 조심되는 한 개의 계란일는지, 소가 밟아두 깨지지 않을 자라둥일는지 하여튼 미시험의 지조를 가지구 함부루 자랑을 삼구 남을 멸시하구 한다는 건 매양 분수에 벗는 노릇이 아닐까?"

"내가 무슨 자랑으루 그런대나?"

"의식적이건 무의식적이건 ……그리구 둘째루 자넨 자네의 결백을 횡재한 사람."(p.449)

논쟁이 진행되는 동안 화자 「나」는 두 사람의 말에 끼지도 않고 다만 듣고 있을 뿐이다. 그리고 끝에서는 현기증을 일으키고 "집으로 돌아와, 병난 사람처럼 오늘까지 꼬박 보름을 누워 있었다."(p.453)

이후 이 소설의 전개는 김인숙의 「당신」과 유사하다. 「민족의 죄인」에서는 의기 소침한 「나」를 아내가 위로한다. 죄 지은 것은 형벌 받는다고 속량해 주지도 않는다고, 그리고 자식인 남매를 잘 길러 교육시키고 바른 사람 노릇하도록, 남의 앞에 떳떳한 사람 노릇 하도록 하자. 아내의 말이 「나」를 살렸다. 그리고 이 소설 끝에는 사족 같은 이야기가 다음과 같이 붙어 있다.

마침 그 때 조카가 나를 찾아왔다. 일요일도 아니지만 학생들이 동맹휴학을 하고 있으니까 자기는 거기 들기도 싫고 일이 끝날 때까지 공부나 할 요량으로 찾아왔다고 한다. 「나」는 그 조카를 나무라고 훈시를 한다. "옳은 일을 위해 나서서 싸우는 대신, 편안하구 무사하자구 옳지 못한 길루 가는 놈은, 공부 아냐 뱃속에 육졸 배포했어두 아무짝에두 못 쓰는 법야."고 타이르면서. 그리고 작품은 다음과 같이 끝나고 있다.

기회가 다른 기회요, 단순히 훈계를 하기 위한 훈계였다면 형식과 방법이 매양 이렇지도 않았을 것이었다.
내가 생각을 하여도 중뿔난 것이었고, 빠안히 속을 아는 안해를 보기가 쑥스럽다.
그러나, 그러면서도 한편으로 무엇인지 모를 속 후련하고, 겸하여 안심되는 것 같은 것이 문득 느껴지고 있음을 나는 스스로 거역할 수가 없었다. (1946.5.19 「향촌에서」)(p.458)

마지막의 화해 장면과 조카에 대한 훈계 장면이 이 소설의 긴장감을 잃게 하고 김 빠진 느낌을 준다. 그럼에도 불구하고 이 사족이 있으니까 안심해서 읽는 독자가 있는 것도 사실이다. 그런 점에서는 「민족의 죄인」은 「당신」과 상당히 유사한 작품이라고 할 수 있다.

「당신」의 화자 윤영의 가수 상태에 해당하는 것은 「민족의 죄인」에서는 화자 「나」의 병난 사람 같은 쓰러짐이다. 두 작품에 나타나는 의식 상실 또는 병난 듯한 쓰러짐이 갖고 있는 필연성은 한번 검토할 만한 과제이다.

「민족의 죄인」이 채만식의 작품으로서는 이색적인 인상을 주는 것은 사실이지만, 그래도 이 작품이 이 작가의 작품으로서 고립된 것은 아니다. 이 작품이 잡지에 발표되기는 1948년이었지만, 작자가 쓴 것은 1946년 5월로 되어 있다. 그 무렵 그가 쓴 작품 「역로」도 비슷한 주제를 다루고 있다. 「역로」는 큰 인물이 아니지만 친일을 한 사람의 대한 친일 문제, 해방 후 정치를 한다고 나선 사람들에 대한 문제가 다루어지고 있다. 전자에 대해서는 「역로」에서는 다음과 같이 기술되고 있다.

"요새 난 절절히 생각인데 사람이 어떤 사회적인 죄랄지 과오를 범을 했을지면 고즈너기 일정한 형식을 통해서 공공연하게 작죄의 경위를 밝히구 죄에 상당한 층계를 받구 그래야만 떳떳하구 속두 후

런한 법이지, 걸 불문(不問)을 당하구서 남의 뒤손꾸락질만 받구 살아야 한다는 것은 견델 수 없는 불쾌요 고통이요 슬픔이요 한 거야. 마치 몸에서 고약한 체취(體臭)가 나는 사람이 늘 마음에 남의 앞에 나가면 남들이 돌려세워 놓구 얼굴을 찡기리구 코를 쥐구 하려니 하여 우울해하구 비관하구 해야 하는 것처럼"(p.277)

이런 뜻에서는 「민족의 죄인」의 서술은 「역로」의 기술과 연결되어 있다. 화자 「나」는 자기가 대일행위을 하게 된 경위와 거기서 벗어난 과정,그리고 벗어났다고 해도 그것으로 자기의 죄상이 사라지는 것이 아니라는 것을 서술하고 있다.

「민족의 죄인」의 언쟁은 윤이 해방 후 정치에 나선 민족 반역자들의 못마땅함을 공격하는 데에서 시작했다. 윤의 말이 틀리지는 않을 것이다. 그런데도 김군은 윤을 공격했다. 그것은 김군이 화자인 「내」가 딱해서 동정했기 때문만이 아닐 것이다. 김의 말이 분명히 윤이 못마땅하다고 하고 있다. 왜, 자격 없는 친일파가 나서는 것에 대한 공격으로부터 그런 화제가 뛰어나온 것이었을까. 즉, 왜 화자 「나」의 대일 협력의 책임 문제가 윤을 공격할 문제로 발전해야 하는 것일까. 그리고 왜 「나」는 그 일 때문에 병석에 눠 버려야 했는가.

여기에는 상당히 미묘한 문제가 개입하고 있는 것 같다. 그러나 이 작품에 담겨진 내용이 작자가 해방 후에 갑자기 생각해 낸 것으로는 생각할 수 없다. 어떤 부분은 이미 이전 작품에 그 흔적을 볼 수 있다. 가령 경도(硬度)를 시험해 보지 않은 정조라는 발상은 이미 「탁류」에도 나와 있다.(『채만식전집2』 p.324) 그러니까 갑자기 나온 말은 아니다. 그리고 친일 문학으로 인정받고 있는 「여인전기」에서도 그 당시 작자가 느끼고 있던 허무감을 엿볼 수 있다.

그런 의미에서 「민족의 죄인」은 역시 채만식다운 작품이라고 할 수 있다. 물론 채만식이 해방 후에도 작가로서 재생할 방도를 필사적으로 모색한 작업이 이 작품을 낳았다고도 할 수 있다. 그러니까 이 작품에서는 작자는 풍자소설가로서의 가면을 벗어 맨 얼굴을 드러내고 있다고도 할 수 있다. 그 작업을 해 냈기에 해방 후의 그의 작품 「맹순사」, 「미스터 방」, 「논이야기」, 「도야지」가 나왔다고 할 수 있다. 그러나 이들 작품의 대부분이 「민족의 죄인」과 거의 같은 시기에 씌어진 것을 생각하면 오히려 「민족의 죄인」이 작가의 여전히 변함없는 정신에서 발생했다고도 생각할 수 있는 것이다.

작품 「민족의 죄인」이 그런 채만식의 여전한 작가정신에서 생겼다면 이 작품은 무엇을 말하려고 했던 것인가. 그리고 왜 마지막으로 긴장감을 잃도록 써야 했던 것인가를 다시 고찰해야 한다.

문제를 다시 정리해 두기로 한다. 「민족의 죄인」의 화자 「나」가 친일 행위를 한 것은 사실이며 본인도 그것을 인정하고 있다. 그럼에도 불구하고 그는 해방 후에 새로 출발하려고 하고 있다. 그것은 자기의 행적을 다 잊어버리고 망각해 달라고 요구하고 있는 것이 아니다. 과거 한번 진 죄는 형벌로는 속량할 수 없는 것을 인식하면서 앞날을 위해 행동으로 속죄해야 하는 것을 말하고 있다. 그것은 독자에게 요청할 일이 아니다. 화자 「나」 또는 작자 자신의 문제다.

한편 윤의 말을 통해 일제 때 친일 한 사람이 민족운동가인 체 나서는 것도 용서 못할 것으로 비판의 대상으로 되어 있다. 물론 그런 행위를 비판하는 것 자체는 틀린 행동은 아니다. 이 문제는 새삼스럽게 작자가 말할 필요도 없는 일일 것이다. 그런데 작자는 윤의 말에 대해 김군을 시켜 공격하도록 하고 있다. 윤을 공격하는 것은 원래 「나」의 친일 문제와 별도의 문제였을 것이다. 그러나 소설을 이 문제에 큰 비중을 두고 있다.

그리고 화자인 「나」가 병석에 누워 버린 일이 이어진다. 즉 「내」가 논쟁을 들은 후 혼란을 일으키고 자기 정신을 수습 못하게 되고 병석에 누워버렸다가 다시 살아 나갈 용기를 얻었다고 되어 있다. 이 대목은 약간 석연치 않은 데가 있다. 왜냐 하면 두 사람 논쟁의 중심이 친일을 안한 윤의 지조가 미시험의 지조 여부에 관한 것이기 때문에 「나」와 직접 관련이 없기 때문이다.

이 작품이 과연 「나」의 친일 문제를 다루고 있는 지도 의문이 되기도 한다. 「나」에 대한 문제는 결국 작품 서두와 끝부분에서만 나오고 중간 부분은 윤을 대상으로 한 미시험의 지조 여부 논쟁이다. 「나」의 친일 문제와 윤의 미시험의 지조 문제와 「나」의 병든 것이 어떻게 관련되어 있는 것인가?

3.

그런데 이런 구조를 갖고 있는 작품은 결코 한국 소설에만 있는 것이 아니다. 가까운 일본의 명치(明治)시대 모리 오오가이(森鷗外)의 대표작인 단편 「무희」를 참고로 살펴 보기로 한다.[5] 이 작품은 작자가 독일 유학의 체험을 소재로 한 초기 작품이지만 지금으로서는 소설 내용이 작자 자신의 실체 체험과 상당히 관련 있는 것이 알려지고 있다. 먼저 줄거리를 소개하면 다음과 같다.

화자인 주인공 오오타 도요타로오(太田豊太郎)는 홀어머니 밑에서 자란 수재로 관청에서 선발되어 독일에 유학한다. 거기서 부친 장래 비용이 없어서 우는 춤추는 소녀 에리스를 목격하고 도와준 일이 생긴다. 그러나 그 일을 고자질한 사람이 있어서 면직을 당한다. 그후 일본에 있는 어머니도 죽고 고독한 도요타로오는 에리스와 같이 살게 된다. 생활은 친구 아이자와 겐키치(相澤謙吉)의 소개로 통신원의 일을 하고 기사를 보내면서 유지했다. 그런 무렵 친구 아이자와가 장관 아마카타백작(天方伯)을 따라 독일에 와서 장관에게 도요타로오를 소개하고 일을 시킨 것이 계기가 되고 일본에 귀국할 희망이 생겼다. 친구 아이자와는 그 일을 위해 도요타로오를 에리스부터 떼는 공작을 한다. 주인공은 에리스 몰래 장관에게 같이 일본에 돌

---

5) 森鷗外, 「舞姬」, 『鷗外選集 第一卷』, 岩波書店, 1978, pp.5-27.

아갈 것을 승낙했다. 이 기회를 놓치면 영영 돌아갈 기회도 없어지고 에리스 때문에 자기의 명예도 잃을 것이 두려웠기 때문이다. 물론 장관은 에리스의 존재에 대해서 아무 것도 모르고 있었으나 가령 알았다면 만사가 틀리기 때문에 「나」도 아무 말도 안했다. 그리고 장관이 머무른 호텔을 하직하고 돌아오는 길에서 주인공의 마음에 동요가 생기게 된다.

철같은 얼굴을 했으면서도 돌아가서 에리스에게는 뭐라고 해야 하나? 호텔을 나갈 때의 내 마음 착란을 이루 말할 수 없었다. 나는 방향도 모르고 생각에 잠기고 가다가 지나가는 마차 마부에게 몇 번이나 질책을 받고 놀라고 뛰어비켰다. 한참 있다가 문득 주변을 둘러보니, 동물원 곁에 나왔다. 쓰러질 듯이 울리는 머리를 벤치 등받이에 의지해서 죽은 듯한 모양으로 얼마 동안이나 지냈을까. 극심한 추위가 뼈에 스며들었다고 느끼고 깼을 때는, 이미 밤이 들고 눈이 세차게 내리고 모자 차양, 외투 어깨에는 한치나 눈이 쌓였었다.(……)
4층 다락방에서 에리스는 아직 자지 않은 듯하고, 훤한 한점 불이 어두운 공기를 통해서 분명히 보이더니, 흩날리는 큰 새 같은 눈 조각에 당장 덮이는가 하면 다시 나타나고 바람에 날리는 것 같다. 입구를 들어서자마자 피로를 느끼고 마디마디 아프고 견디기 어려우니 기는 듯이 층계를 오르면서 부엌을 지나 방문을 열고 들어가니 상 앞에서 기저귀 바느질하고 있던 에리스는 돌아보고 "앗" 외쳤다. "어찌하셨어요. 당신 모습."
놀란 것도 당연한 일이었다. 창백하고 죽은 사람 같은 내 얼굴, 모자를 언제 잃었는지, 머리는 봉발, 몇 번이나 길에서 고꾸라졌으니 옷은 흙 섞인 눈으로 더럽고, 군데군데 찢어졌으니까.
나는 대답하려다가 목소리 안 나오고 무릎이 자꾸 떨리고 서서 있기 힘들고 의자를 잡으려고 한 것까지는 기억하나, 그만 바닥에 쓰러졌다.(pp.24-25)

쓰러진 주인공을 에리스가 병시중을 했지만, 그녀는 그 동안에 정신 이상을 일으키고 말았다. 주인공은 에리스에게 일본에 갈 이야기에 대해 아무 말도 안했지만, 친구 아이자와(相澤)가 그때까지의 사연을 모두 폭로했기 때문이다. 여기서 주인공의 의식 상실과 그의 죄책감의 상관관계가 명백해진다. 「나」가 쓰러지고 병석에 누운 것은 그 마음의 긴장감에서 온 것이라고 할 수 있지만, 그것으로 인해서 화자 「나」는 에리스에게 진실을 말할 책임을 면할 수 있었던 것이다.

> 「나」 대신 친구 아이자와가 에리스에게 진실을 말했으며, 그녀는 미쳐 버렸다. 「나」는 미쳐서 산 송장이 된 에리스를 안고 눈물을 흘렸지만 결국 임신한 광인 에리스를 버리고 일본에 돌아오고 만다. 그런데 작품의 맨 마지막 다음과 같은 글로 끝난다. "아아, 아이자와 켄키치(相澤謙吉)와 같은 좋은 벗은 세상에 다시 얻기 어려울 것이다. 그러나 내 머리 속 한 구석에 그를 미워하는 마음이 오늘날까지 남아 있다."(p.27)
> 「나」에게 있어서 죄책감이 결국 사라지지 않았다는 것을 말하고 있다. 죄책감에서 연유되는 의식 상실 또는 쓰러짐은 반드시 화해나 평화를 가져오지 않는다는 것이다. 그러니까 의식 상실 자체와 관련된 것은 그 죄책감의 존재까지다. 그리고 표면상 이 작품에서 나부터 에리스를 버리게 한 장본인이 처음부터 「나」의 친구 아이자와(相澤)에 의한 것으로 되어 있다.

그러나 사실은 그것은 옳지 않다. 「내」가 느끼고 있는 꺼림직한 죄책감, 뉘우침의 감정은 친구 아이자와 때문에 비로소 생긴 것이 아니다. 이 작품이 읽은 다음에 무언가 미흡한 석연치 않은 느낌을 줄 수 있다고 하면, 자기가 희생시킨 여인 에리스에 대해 주인공이 양심의 떳떳하지 않음을 느끼기 때문일 것이다. 그것은 이 작품의 가치와 무관할 수도 있으며 문제가 될 수도 있는 부분이다. 이 점이 「당신」과 「민족의 죄인」을 접할 때의 석연치 않은 느낌에 해당하는 것이다. 이 점에서 세 작품이 공통점을 갖고 있다.

그런데 이 작품에서 「나」는 에리스의 운명에 대한 책임을 친구에게 전면적으로 돌리고 있는 것이 아니다. 「나」와 같이 살게 된 후의 그들의 생활을 유지하기 위해 에리스는 여전히 춤을 추러 나가고 있었다. 그런 어느 날, 에리스가 무대서 쓰러졌다.

> 에리스는 이삼일 전 밤에, 무대에서 졸도했다고 남의 부축을 받고

돌아왔더니, 그후 기분이 좋지 못하다고 쉬고, 음식 먹을 때마다 토하니, 입덧일 것이리라고 비로소 깨달은 것이 모친이었다. 아아 그렇지 않아도 막막한 내 앞날인데, 만약 진실이라면 어찌하리.(p.17)

이 구절이 그들의 생활의 불안을 말하는 것이지만, 더 자세히 보면 「내」가 에리스에 대해 느끼고 있는 책임감에서 오는 불안감이기도 한다. 「내」가 에리스에 대해 느끼고 있는 죄책감이 싹트기 시작한 것은 이때부터라고 할 수 있다.

그러니까 앞에 인용한 구절, 즉 「나」가 장관에게서부터 집에 돌아올 때 고민하다가 병인이 되고 쓰러진 장면에서 서술된 「나」의 해석은 다음과 같은 것이 된다. 「나」가 그렇게 쓰러짐으로써 긴장으로부터 벗어나려고 했다고 일단 해석할 수는 있지만, 그것은 다시 생각하면 그런 몸부림으로써 「나」가 자기의 책임을 피하려고 한 행위라고 해석할 수 있다. 즉, 결정적인 결말에 대해서 자신의 책임을 확인할 것을 피한 것이다.

그런데 이 소설에는 앞에 든 것 같이 이것만으로 해명되지 않는 또 하나의 문제가 있다. 그것이 마지막 구절 문제다. 이 작품에 거짓이 없다면 마지막에서 「나」가 자기를 생각해 준 친구를 미워한다는 구절은 「나」가 그글 그대로 친구를 에리스의 불행에 관련된 인간으로서 미운 마음을 부정하지 못하고 있다고 읽을 수 있다. 물론 일차적인 책임이 도덕적으로 비겁한 「나」 자신에게 있는 것은 확실하니까, 그것과 똑 같은 뜻에서 친구 자신에게 책임이 있다는 뜻은 아니다. 「나」는 어떤 의미에서 죄인이다. 즉 도덕적으로 죄책감을 느껴야 될 비겁하고 배척을 받을 인간이다. 그런 「나」가 친구를 비판하는 주장을 하고 있는 것이다.

그러니까 여기에 나오는 문제는 이중이다. 「나」는 도덕적으로 배척받을 일탈자이다. 그러면서도 친구에게 할 말을 갖고 있다는 것을 나타낸다. 이 측면, 사회적으로 또는 도덕적으로 비판을 받는 입장에서 한 말이라는 것이 작품을 석연치 않는 결과로 끝내게 한 것과 관련이 있다. 말하자면 주인공이 하고 싶은 주장은 어디까지나 사회적으로 또는 도덕적으로 배척당할 일탈자 입장에서 나온 것이다. 그래서 자신이 할 주장이 남아 있다는 것이다. 그러나 그 발언이 일탈자의 것이기 때문에 받아들일 가능성이 희박한 것이다.

결국 이 이중의 문제의 구조는 이렇게 된다. 즉, 주장은 일탈자의 입장으로 한 것이기 때문에 받아들여지지 않을 가능성이 많지만 그럼에도 불구하고 주장해야 할 필연성을 나타내고 있다는 것이다. 그 필연성의 가능성은 여러 가지로 생각할 수 있다. 하나는 적극적인 형태를 피했다는 것. 또 하나는 반대로 일탈자니까 일탈자만이 볼 수 있는 진실을 적극적으로 주장하려고 한 것이다. 후자의 경우 일탈자로서 질서 속에 있는 사람이 볼 수 없는 진실을 주장하는 것이니까 주장의 성격은 약간 미묘하게 된다.

이 추측을 「무희」에 적용하면 소극적인 것으로는 죄책감을 안고 있는 화자의 친구에 대한 원망, 즉 에리스와의 생활을 파괴하고 에리스의 인격을 파멸시킨 것에 대한 원망으로 볼 수 있다. 그리고 적극적인 주장으로 해석하면 그런 친구 사회 질서 속에서 적응하고 인정받고 있는 선량한 사람이야말로 사회의 불행의 장본인이라는 것을 깨달았다는 것이 된다. 여기서 이 점에 대해서는 더 이상 언급하지 않기로 하고 다시 의식 상실의 문제에 돌아가자.

일본 소설을 또 하나 든다면, 오오오카 쇼헤이(大岡昇平)의 「들불(野火)」이 있다. 이 소설의 화자는 사람 고기를 먹는다는 점에서 사회적으로는 물론 도덕적으로도 용서 못할 범죄자이다. 그리고 그 주인공 화자가 그 사건의 핵심에 있어서는 기억을 상실하고 있다. 그리고 소설 속에서 화자의 현재 시점의 상태는 정신병자이다. 화자가 전달할 수 있는 인육을 먹은 사람으로서의 세계의 일면이다. 그것은 보통 사람으로서 도저히 알 수 없는 것이다. 그러나 그것이 가능할 조건은 그가 세상에서는 범죄자 배척을 받는 일탈자여야 된다. 그 갈등이 작품에서 기억상실 그리고 정신이상으로 나타나 있다. 그러니까 이야기로서는 모호하고 석연치 않은 것이 작품의 필연적인 조건이 된다는 것이다.

이제까지 나온 문제를 정리하면 결국 책임 도피로서의 의식 상실과 일탈자의 논리의 두 가지가 될 것 같다.[6] 이 과제를 앞에서 다룬 두 작품에 적용하기로 한다.

먼저 「민족의 죄인」을 고찰한다. 화자인 「나」가 쓰러져 버리게 된 것은 윤과 김군의 논쟁에 개입 안 한 것과 관련이 있다. 즉, 그 논쟁의 결론을 내리기를 피했다는 것이다. 다시 말하면 자신은 그 논쟁에 대해 판단을 보류했다는 것이다. 그 논쟁에 개입하지 않았다는 것은 친일 행위를 한 일탈자로서 자기 처지를 인식했기 때문이다. 즉, 일탈자로서 자신의 의견이 받아들이지 않는다는 것을 알았기 때문이다. 그러나 이 작품에서 「나」가 자신의 판단을 보류해야 할 내용은 윤에 대한 비판밖에 따로 없다. 그러니까 이 작품에서는 일탈자로서의 「나」의 문제를 주제로 하면서도 사실은 윤에 대한 비판에 더 초점을 주고 있었다는 것이다. 이 주장은 물론 일탈자로서의 「나」가 주장할 수 없으니까 그런 판단 보류의 수법을 쓸 수밖에 없었던 것이다. 그리고 이 주제가 이 무렵 작자가 쓴 소설과 공통점이 많은 것을 감안하면 일탈자로서의 자신을 내세운 방법으로 쓴 작자 나름대로의 풍자라고도 해석할 수 있다. 이 작품에서는 일탈자의 입장으로서는 받아들이지 못한 문제를 다룬 것도 있지만 일탈자니까 볼 수 있는 사회의 진실을 고발한 측면도 있다. 왜냐 하면 질서 속에 있는 사람에게는 그 질서를 뒷받침한 사회의 이면을 알아 내기가 어렵기 때문이다.

그러면 「당신」의 경우는 어떨까. 이 작품의 의식 상실에서 혹시 책임 도피가 있다면 그것은 주인공의 행동에서라고 할 수 있다. 그런데 그 장면 이후에 진행되는 일에 대해 주인공이 죄책감을 느끼면서 행동하는 구절이 없다. 이런 의미에서 이 작품은 그늘이 없고 명랑한 소설이라고 할 수 있다. 바꿔 말하면 이 작품에는 일탈자로서의 시점을 거의 찾아볼 수 없고 오히려 질서 쪽의 논리에 선 작품이라고 할 수 있다. 이 말은 표면적으로 사회

---

6) 이 글에서는 "책임 도피"란 말에는 도덕적으로 부정적인 뜻이 반드시 있는 것은 아니다. 그냥 책임지는 것을 거부한다는 뜻밖에 없다.

문제가 다뤄져 있다 없다는 문제와 무관한 것이다. 그런 면에서는 상당히 개인적인 문제가 다룬 소설이고 사회성은 희박하다고 해야 한다. 그것은 작품의 논리와 구성상의 문제이다. 그것은 주인공의 의식 상실 묘사가 산만하게 제시된 것으로도 볼 수 있다.

4.

결국 이상의 고찰에서 「민족의 죄인」을 전형적 작품으로 하는 독특한 구조는 다음과 같이 된다. 첫째는 책임 도피로서의 의식 상실이고, 여기에는 등장 인물이나 남의 행동의 결과에 대한 책임 도피 외에도 남의 행동에 대한 판단 보류도 포함되어 있다. 둘째는 사회적으로나 도덕적으로 배척받아야 할 일탈자로서의 논리다. 거기에는 일탈자이기 때문에 받아들이지 못한 의견을 주장하는 것과, 일탈자이기 때문에 처음으로 볼 수 있는 진실의 문제가 포함되어 있다. 이러한 문제가 어느 정도의 가능성과 넓이를 갖고 적용할 수 있는지 알아보기 위해 몇 개 작품을 살펴보기로 한다.

먼저 대상으로 하는 작품은 이광수의 「젊은 꿈」이다.7) 이 작품은 편지 형식으로 되어 있으며, 편지를 쓰는 화자가 오래 사모하던 여인과 조난한 배에서 만날 수 있게 된 다음 같이 열차를 타고 가는 장면에서 끝나고 있다. 이 작품이 작자가 당하고 있었던 개인적 문제가 관련된 것을 느낄 수도 있고, 또 이 편지 형식이 다른 작가의 작품과 관련이 있다는 것도 지적된 일이 있다. 그러나 여기서 문제 삼는 것은 그런 것이 사실이라고 하더라도 이 작품에서 엿볼 수 있는 어떤 문제점으로 앞의 고찰과 관련시키는 일이

---

7) 「젊은 꿈」, 『젊은 꿈』, 박문서관, 1926. 다만 이하 인용문은 현행 철자법으로 고쳤다. 이 소설이 맨 처음 『청춘』 9, 10, 11호(1917. 7, 9, 11)에 발표됐을 때 원 제목은 「어린 벗에게」였다. 그리고 이 소설에 나오는 여인 이름도 처음은 김일련 또는 김양이였다가 단행본에서는 HKS 또는 H양으로 고쳤다. 원래 이름보다 낫다고도 할 수 없는 이름으로 바꾼 데에는 작자의 실제 애인 이름을 의식했기 때문이라고 생각된다.

다.

이 작품의 화자는 고독한 객지 상해에서 병을 앓다가 병시중해 준 수수께끼의 여인 H양이 자신을 그 전부터 알고 있으며 자기를 사모하던 사람이었음을 알고 만나려고 했으나 만나지 못하고 있었다. 그런데 화자가 상해에서 미국에 가는 길로 탄 배가 수뢰로 인한 폭파로 침몰하려던 혼란 속에서 같은 배를 타고 있었던 H양을 만나게 된다. 화자는 H양과 함께 침몰하려는 배에서 바다에 뛰어들어 표류하다가 의식을 잃었다. 깨어나니까 자기는 H양과 함께 다른 배에 의해 구조된 것을 알았다. 구조해 준 배로 일단 나가사키(長崎)에 들렀다가 거기서 해삼위(海參威)에 가고 병원에서 회복한 다음에 기차를 타고 소백산을 지나가는 대목에서 소설은 끝난다.

이 소설에서 화자가 의식을 잃는 장면은 배가 침몰하고 조난을 당할 때에 나오지만, 이미 본 작품들과 같은 갈등의 과정은 없다. 물론 배가 조난당하고 생명이 위험한 장면이니까 긴장은 당연히 존재하지만 그 긴장은 그 전부터의 갈등으로 인한 것이 아니다. 그러나 화자가 의식을 잃는 직전에 일탈자로서의 죄책감이 없는 것은 아니다. 실은 화자가 H양을 침몰하려고 하는 배에서 만났을 때 그녀는 어떤 서양 부인과 함께 있었다. H양은 그 독일 부인을 따라 베를린에 가려던 것이었다. 그런데 조난한 배에서 바다에 뛰어든 「나」는 베에서 떼어 온 널쪽을 의지했었으나 그 널쪽은 세 사람이 의지하기에는 너무나 작았다.

> 아무리 하여도 셋 중에 하나는 죽어야 하리라 하였나이다. 나는 [얼른] 「살아야 할 사람」은 나와 내 동포인 H양인가 하였나이다. 인도상으로 보아 두 부인을 살리고 내가 죽음이 마땅하다 하려니와 나는 그때 내 생명을 먼저 버리기에는 너무 약하였나이다.(……) "하나님이시여 용서하소서"하고 나는 널쪽을 턱 놓았나이다. 아아 그때의 심중의 괴롬[초출은 고민]이야 무엇으로나 형용하리이까. 널쪽이 번쩍 들리며 두 부인은 물 속에 들어갔나이다.(……) 서양부인이 아직도 떴다 잠겼다 함을 보고 나는 그리로 향하여 저어 가려 하였나이다. 그러나, 내 사지는 이미 굳었나이다. 그러고는 정신을 잃었나이다.

깨어 본즉 나는 어느 선실에 누웠고 곁에는 H양과 다른 사람들이
혼미하여 누웠더이다. 나는 몸을 움직일 수도 없고 말도 잘 나가지
아니하더이다. 이 모양으로 20분이나 누웠다가 겨우 정신을 차려 나
는 어느 배의 구원을 받아 다시 살아난 줄을 알았나이다. 그러고 겨
우 몸을 일혀[일켜] 곁에 누운 H양을 보니 아직도 혼미한 모양이러
이다.(pp.66-67)

화자 「나」가 의식을 잃는 장면은 서양 부인을 죽음에 몰아 넣는 장면과
연결되어 있다. 그 부인이 죽은 것은 「나」 때문인 것이지만, 「나」는 의식을
잃었으니까 실제 그 부인이 죽는 것을 보지 못했다. 즉, 자기의 책임을 확
인하지는 않았다. 이 소설에서 「나」의 의식 상실은 자기의 책임 확인을 피
하는 역할을 하고 있다. 그러나 왜 이 조난 장면에서 서양 부인이 나타나야
했을까? 이 소설의 진행상 반드시 나타나야 할 필요는 없다. 작품에서 이
서양 부인은 「나」가 H양을 살리면은 느껴야 할 죄책감을 표현할 역할밖에
없는 것 같이 보인다. 아마 「나」와 H양의 만남은 이 죄책감의 존재가 따라
야 했던 것으로 해야 한다.

작품에서 이 장면 이전에 이 죄책감의 존재와 관련된 구절은 없지만, 구
제 받은 후에는 그 일에 관련된 서술을 볼 수 있다.

인생의 의지는 천성이니 천지개벽 때부터 창조된 것이오, 도덕이
나 법률은 인류가 사회생활을 시작함으로부터 사회의 질서를 유지하
기 위하여 생긴 것이라.(……) 그러므로 오인의 의지가 항상 도덕과
법률에 대하여 우월권이 있을 것이니 그러므로 내 의지가 현재 H양
을 사랑하는 이상 도덕과 법률을 위반할 권리가 있다 하나이다. 내
가 이를 위반하면 도덕과 법률은 반드시 나를 제재하리이다. 혹 나
를 간음자라 하고 혹 중혼자라 하여 사회는 나를 배척하고 법률은
나를 처벌하리이다. 그러나 내가 만일 H양을 사랑함이 사회와 법률
의 제재보다 중타고 인정할 때에는 나는 그 제재를 감수하고도 H양
을 사랑할지니 대개 영의 요구가 유형한 온갖 것보다도——천하보다
도 우주보다도 더 중함이로소이다.(pp.75-76)

「나」가 오래 바라고 왔던 H양과의 만남이란 결국 금기에 속한 것이었다. 그녀와의 관계란 도덕적으로 사회적으로 허용되지 못한 일이었다. 「나」가 그녀를 만날 때까지 그렇게 오랜 시간을 걸고 헤매야 한 것은 「나」가 그녀와의 만남에 무의식으로 어떤 꺼림칙한 느낌을 갖고 있던 것을 반영한 것이다. 그 꺼림직함 즉 죄책감에서 온 갈등의 표현이 만날 때까지의 시련이었다. 배의 조난이란 그 갈등이 고조한 긴장감의 표현이었다. 서양 부인을 희생시키고 갈등을 해소시키기 위해서는 필요한 설정이었던 것이다. 다만 화해에 이르기 의해서는 의식을 잃는 설정이 필요했던 것이다.

이 작품에서는 두 번째 주제와도 관련 가능성을 지적할 수 있다. 그것은 이 「젊은 꿈」이란 작품에서도 일탈자의 주장이 포함되어 있다는 것이다. 그것은 위의 인용에서도 이미 분명히 나타나 있다고 할 수 있다. 이 작품에서는 거듭 다음과 같은 구절이 이어져 있다.

> 대개 도덕과 법률을 위반함에도 이종이 있으니, 일은 사욕 물욕 정욕을 만족하기 위하여 위반함이니 이때에는 반드시 양심의 가책을 겸수하는 것이오, 둘째[초출은 其二]는 양심이 허하고 허할 뿐더러 장려하여 현 사회를 위반케 하는 것이니, 이는 법률상으로 죄인이라 할지나 타일 그의 위하여 싸우던 이상이 실현되는 날에 그는 교조가 되고 국조가 되고 선각자가 되어 사회의 추숭을 받는 것이니, 역사에 모든 위인걸사는 대개 이러한 인물이로소이다.(p.76)

이 구절은 이광수다운 계몽주의 주장이라고 생각할 수 있다. 그러나 작품 구조상 이 서술이 나온 위치로 보면 작자는 이 주장을 떳떳하게 말하기에 어려움을 느끼고 있었다고도 생각할 수 있다. 아마 사회에서 적응한 사람은 느끼지 못하고 일탈자의 입장으로서 비로소 주장할 수 있는 주제이지만, 일탈자만이 절실히 볼 수 있는 문제인 만큼 일반적으로 받아들이기 어렵다고 느꼈던 사실이 이런 소설 구성을 취했다고 추측할 수 있는 것이다.

다음으로 김동인의 「마음 옅은 자여」를 보기로 한다.8) 이 소설은 동인의

---

8) 『김동인전집 1』, 조선일보사, 1987, pp.63-151.

초기 작품에 해당된다. 소설은 주인공 K의 고민을 편지, 일기, 객관 묘사로 표현 양식을 바꾸면서 진행된다. 주인공은 결혼해서 아들까지 있는 남자이지만 아내와 같이 있는 것이 싫고 처자를 시골에 보내고 학교 교사로 혼자 살고 있다. 그 앞에 어떤 여교사가 나타난다. 주인공은 그녀에 대해 적극적인 사랑의 감정은 없어도 서로의 관계는 깊어지고 헤어지기 어려운 상태에 빠지고 있었다. 그러나 그 여자가 옛날 부모가 한 약속이 있어서 시집을 가게 됐다. 주인공은 마음을 수습하지 못하고 우울해 있다가 친구의 도움으로 같이 금강산에 여행을 떠나기로 했다.

그런데 주인공은 친구와 같이 금강산에 가서 구경을 하는 도중, 비봉폭 (飛鳳瀑)을 바라보는 개울에서 미끄러져서 물에 빠진다. 시월도 중순을 지난 금강산의 물에 빠지고 젖은 채 걸어다닌 그는 밤에 열이 올라서 여관에서 누워 버리게 된다. 회복한 다음 그의 마음은 달라졌다. 우울한 마음은 유쾌해졌다. 동시에 그는 어머니와 처자가 있는 시골에 갈 결심을 했다.

막상 시골에 돌아왔으나 거기에는 어머니만 계시고 아내도 아들도 보이지 않았다. 처음은 그 이유를 알 수 없었지만 나중에 알고 보니 아내와 아들은 독감으로 죽었다는 것이었다. 그것도 그가 금강산 여행을 하고 있는 무렵이었다. 아내는 죽기 전에 무척 남편을 보고 싶어했었다고 한다.

> K의 안해는, 죽을 줄은 벌써 깨닫고, 죽기 전에 한 번만 남편의 얼굴을 보고 싶다, 다만 한 번이라도 만나 보고 싶다, 거저 죽으면 고혼(孤魂)이 되겠다고 매일 울며 부르짖고, 아들도 아부지아부지 하며 우는 고로, K의 어머니는 평양까지 갔으되, K는 금강산을 갔다므로 할 수 없이 그냥 돌아왔다. 돌아와서 보니, K의 안해는 일어나 앉았는데, 이상한 것은 그의 낯이 K의 낯과 거번 같이 된 것이다. 한참 있다가 오후 한시쯤 안해가 죽고, 이튿날 새벽 두 시쯤 아들이 따라 죽었다. 안해가 죽을 때 마지막 말도, 순덕의 아부지를 다만 한 번이라도 보고 싶다는 것이다. 이 날이 K가 금강산에 도착한 날이다.(p.149)

주인공은 망설이고 있다가 결심을 해서 아내와 아들의 무덤을 찾아갔다.

그는 무덤에 원한의 기운을 느꼈다. "우리를 이 지경에 이르게 한 것은 그 누구오니까? 누구야요!", "나를 이렇게 한 것은 그 누구오니까!" 하는 소리를 듣는 것 같았다. 그리고 그는 의식했다. "불쌍한 일을 하여 버렸다", "그대를 이렇게 한 것은 지금 이기적 남자들이 발명한, 그 여자의 인권을 무시한 악사조(惡思潮)에 취하였던 이 나 그대의 남편이다"라는 것을.

이 작품이 앞에 든 작품들과 달리 마지막 화해가 상대의 죽음을 대가로 해서 얻어지고 있다. 이 점에서 이제까지 다루어 왔던 작품과 차이가 있는 것 같이 보인다. 그럼에도 불구하고 구조상의 차이가 없다고도 볼 수 있다. 「마음 옅은 자여」의 세계는 처음부터 주인공을 둘러싼 세계 밖에 나오지 않는다. 그러니까 주인공의 죄책감은 처음부터 끝까지 자기의 처자를 대표로 하는 개인적인 도덕의 세계에 한정되어 있는 것 같이 보인다. 그러니까 주인공이 그 죄책감의 근원과 화해하려면 그 원천인 대상 즉 처자를 일단 죽였다고 생각할 수 있다. 그러니까 「마음 옅은 자여」가 다른 작품과 차이가 있다면 일탈의 세계가 극히 좁은 것이었다는 데에 있다고 볼 수 있다.

그러나 이 작품에서도 그 죄책감에서 인한 책임 도피의 의식 상실의 구조를 볼 수 있다. 금강산에 여행간 것과 거기서 당한 사고와 병으로 죽기 전에 처자를 만나지 못한 것으로 되어 있다. 그리고 그 여행 계획은 자기 친구에 의한 것이었다. 그러니까 이 작품에서도 책임 도피로서의 의식 상실의 모티프가 포함되어 있는 것은 확실하다. 그리고 이 작품에 "여자의 인권을 무시한 악사조"라는 말이 나오지만 그것이 일탈자의 논리와 관련 있다고까지는 하기 어려운 것 같다.

끝으로 이상의 「날개」에 대해서도 언급하기로 한다. 이 작품에는 화자인 「나」가 의식을 잃는 장면이 몇 번 나온다. 화자가 밤에 거리를 헤매다가 비를 맞아서 감기로 앓는 장면, 아내가 먹인 수면제로 밤이나 낮이나 잠만 잔 이야기, 그리고 그 약을 가지고 산에 가서 먹고 하루 잠잔 것들이다. 이 작품은 화자가 처음부터 일탈자로서 나와 있기 때문에 일탈자로서의 논리로 읽을 필요가 있는 것인지도 모른다. 그리고 이 작품은 앞에 든 작품들과 달리 쉽게 해석할 수 있는 작품도 아니다. 그러니까 여기서는 한 가지 제한된 문제만을 이야기한다. 즉, 혹시 이들 장면에 책임 도피로서의 요소를 찾을 수 있다면 어떤 것인가를 찾아 보기로 한다. 이 문제라면 쉽게 볼 수 있다. 이 작품에 나오는 의식 상실이 어느 것이나 다 아내의 정조에 관련된 것이 분명하다. 자신의 아내가 다른 남자와 관계를 맺는 것이 거기에 관련되어 있다. 그러면 거기에 관련된 책임 도피의 모티프는 그런 아내의 행동에 대한 판단 보류일 것이다. 그것은 바꿔 말하면 아내에 대한 비난일 수도 있다. 그러니까 이 작품에 나타난 의식 상실도 역시 유형으로서의 성격을 갖고 있으며 이 작품에 나타난 아내의 정조에 대한 책임 추궁은 이상의 글에 자주 나타나는 절름발이 부부의 문제와 관련이 있다는 것이 된다.새미

한국 현대 소설이론 자료집 1차~5차

1차　　　　1910~20년대 4×6배판 전9책 값 380,000원

본서는 1907년부터 1929년 12월 31일까지 소설에 관련된 비평이나 소설가에 관련된 작가론 및 중요한 수필 등을 폭넓게 수집하여 가급적 작품을 배제하기보다는 포함하는 것을 편집 원칙으로 하여 현대문학연구에 도움이 될 만한 자료를 빠짐없이 수록하였다.

2차　　　　1930년대 4×6배판 전20책 값 750,000원

본서는 1차에 이어 1930년 1월 1일부터 1939년 12월 31일까지의 소설이론 자료를 모은 것이다

3차　　　　1940년대 4×6배판 전12책 값 460,000원

본서는 2차에 이어 1940년 1월 1일에서 1950년 6월 24일까지의 소설이론 자료를 수록한 것이다.

4차　　　　1950년대 4×6배판, 전19책 값 700,000원

본서는 3차에 이어 1950년 6월25일부터 1959년 12월 31일까지의 소설이론을 수록한 것이다.

5차　　　　1960년대 4×6배판, 전18책 값 680,000원

본서는 4차에 이어 1960년 1월부터 1969년 12월까지 소설이론을 수록한 것이다.

●총 78冊 정가2,970,000원

국학자료원　291-7948, 272-7949, FAX : 291-1628

문제는 '미적 근대성'인가?
— 상허문학회 지음, 『근대문학과 구인회』(깊은샘, 1996)

이 광 호*

1. 왜 지금 구인회인가?

'상허 문학회'가 만든 『근대문학과 구인회』는 한국근대문학 연구의 현좌표를 이해하는 데 의미있는 연구서이다. 우선 우리는 왜 지금 '구인회'가 근대문학 연구의 매력적인 연구대상으로 부각되고 있는가를 먼저 물어야 한다. 문학사 연구는 죽어 있는 시체를 해부하는 작업이 아니며, 자기 시대에 대한 반성적 질문으로 문제화될 때 그 이론적 파괴력을 가질 수 있다. 이론이 살아있다는 것은 이러한 의미에서이다. 또한 여기에는 1930년대 모더니즘 문학연구가 새삼 활기를 띠우게 되는 연구사적 맥락도 있을 것이다. 물론 '구인회'를 포함한 1930년대 작가·작품에 대한 연구가 그 동안 없었던 것은 아니며, 이미 상당한 양적 집적이 이루어졌다. 그러나 최근 '구인회'의 작가들을 중심으로 한 1930년대 문학에 대한 연구는 새로운 문제의식을 동반하고 있다는 측면에서 주목을 요한다.

주지하다시피 1980년대의 근대문학 연구는 진보적인 소장학자들에 의해 매우 중요한 이론적 진전이 있었다. 80년대의 진보적 국문학자들은 고답적

* 李光鎬, 서울예전 문창과 교수, 문학 평론가, 평론집으로 「위반의 시학」, 「환멸의 신화」 등이 있음.

아카데미즘의 틀을 깨고 당대 사회의 변혁적 과제에 부응하려는 의식 속에서 이론적 작업을 진행했다. 70년대 이후 누적된 사회모순이 첨예하게 드러나면서 변혁운동이 활성화되고 노동계급의 조직적인 사회적 진출이 이루어진 시기에 근대문학 연구 역시 그것의 역사적 동인을 발굴하는 작업을 진행하지 않을 수 없었다. 특히 새롭게 근대문학 연구에 참여한 소장 학자들은 화석화된 실증주의와 소박하고 추상적인 수준의 민족주의적 발상을 돌파하고 새로운 진보적 관점 위에서 근대문학 연구의 문제틀을 만들었다. 이들에게 근대문학 연구는 전반적인 변혁운동의 일부로서의 의식적인 작업임이 천명되었고 마르크시즘적 문학연구 방법론에 대한 보다 세밀한 적용이 가능해졌다. 연구의 대상으로서 식민지 시대의 프로문학, 해방 직후의 진보적 민족문학, 북한 연구 등이 가장 의미있는 범주로 떠오른 것은 필연적이었다. 이러한 범주의 문학에 대한 연구를 통해 그들은 변혁적 문학운동의 역사와 현재를 점검하려 했다. 근대문학 연구는 그 자체로 아카데미즘이 아니라 사회운동의 성격을 띠었으며, 그것은 진보적 문학에 대한 역사적 규명을 통해 현재의 문학운동의 방향과 전략을 모색하려는 노력이었다.

하지만 전시대의 문학연구와 대비되는 80년대 근대문학 연구의 이러한 단절적인 노력은 그 선명한 편향성만큼이나 일정한 한계를 내장한 것이었다. 우선 문학연구가 당대 사회의 변혁운동의 방향과 열기에 직접적으로 연계됨으로써 문학사에 대한 비판적 거리 조정이 어려워졌다. 프로문학과 해방 직후 민족문학론에 대한 이론적 경사가 80년대 문학운동의 방향을 규정하는 사태도 벌어졌다. 또한 마르크시즘 문학연구 방법론의 일방적인 적용과 운동사 중심의 문학사 연구가 사회사 연구의 하부범주로 종속될 수 있었다. 다른 범주의 문학에 대한 프로문학의 본질적 우월성을 주장하는 논리는 문학작품이 아닌 이론만을 문학사 평가의 대상으로 삼는 논리의 일면성을 노출했다. 프로문학의 독자성과 주류성에 대한 과도한 강조는 교조적인 당파성에 집착하도록 만들어 근대문학의 다양한 성과들을 유연하게 평가해 내지 못했다. 또한 80년대 이후 다시 반전된 사회상황의 변화는 마르크시즘 문학연구 방법론에 대한 반성을 요구하게 했다. 한국자본주의 모순과 파행성 못지 않게 그 끔찍한 생명력에 대한 보다 심화된 분석이 요구되었으며, 한국적 자본주의적 현실과 대결한 다양한 문학작품을 포괄하여 설명할 수 있는 보다 탄력적인 문제틀이 요구되었다. 이러한 와중에서 '근대성'의 문제가 새롭게 대두된 것이다. 한국 근대문학 연구에서 근대성의 문제가 새삼스럽게 부각된 것은 물론 지식사회학적 상황의 산물이다. 프로문학만을 한국근대문학의 정통이자 핵심으로 파악하는 목적의식적 태도에서 벗어나 식민지적 근대 혹은 한국적 근대에 대결한 다양한 문학적 시도들을 포괄하는 보다 거시적인 문학사적 지도를 그려야 할 요구가 대두되었기 때문이다. 또한 각종의 탈근대론이 새로운 유행담론으로 출현한 현실에 대응하여 한국근대문학의 근대성의 내용과 형식에 대한 심화된 분석이 필요해졌다. 그런데 근대성이라는 테마로의 근대문학연구의 방향전환이 진보적 문학연구 그룹에 의해 진행되었다는 것은 이것이 80년대 문학연구 방법에 대한 일정한 자기반성의 결과라는 것을 말해준다. 하지만 진정한 의미에서의 반성이란 자기 존재를 송두리째 뒤집는 문제의식과 틀과 전제 자체를 부정하는 발본적 사고를 동반해야 한다. 이런 측면에서 진보적 문학연구 그룹과 민족문학 진영에서 새롭게 제기한 근대성이라는 문학사적 주제는 그다지 새로운 발상법을 보여주지 못했다. 우선 프로문학의 이념적·사회적 근대성이 한국 근대문학의 근대성 혹은 탈근대성의 정통이자 핵심이라는 결론은 근본적으로 반박되지 않았다. 이른바 민족문학적 전망의 근대주의적 성격에 대한 엄밀한 비판 역시 깊이 있게 이루어지지 못했다. 그리고 리얼리즘 대 모더니즘의 대결 구도에서의 리얼리즘 문학의 존재론적 우월성이라는 문학사의 도식 역시 그대로 답습되었다. 근대성의 주제는 단지 프로문학·리얼리즘 문학·민족문학의 주류성을 다시 확인하기 위한 이론에 지나지 않았다. 이는 80년대 문학 연구자들이 그 이념적 진보성에도 불구하고 70년대 이후 근대문학사 연구의 한 수준을 이끌어 온 김윤식을 비롯한 선배 학자들의 논리에 대비되는 자기 세대의 이론적 정체성을 선명하게 구성하지 못했음을 의미한다.

이러한 상황에서 이른바 30년대 모더니즘 문학에 대한 재인식과 '미적 근대성'에 대한 새로운 사고가 그 의미를 더하게 되었다. 한국문학의 미적 근대성과 사회적 근대성 혹은 이념적 근대성 사이의 모순되고 복합적인 매개적 관계에 대한 인식은 한국문학의 근대성 문제를 보다 세밀하게 파악할 수 있는 핵심적인 고리이다. 리얼리즘과 프로문학의 주류성과 독자성을 확인하기 위한 한국문학의 근대성에 관한 연구는 80년대 진보적 문학연구의 성과에서 한발짝도 더 나아가지 못한 것이며, 그 자체로 근대주의의 틀 안에 있는 것이다. 미적 근대성과 이념과 제도로서의 근대성 사이의 모순과 균열과 이론적으로 대결하려는 노력이 절실함은 물론이다. 여기서 근대적 주체의 경험과 형식에 대한 심화된 분석이 중요시됨은 말할 나위도 없다. 한국 근대문학 안에 살고 있는 이질적인 근대적 요소들에 대한 점검을 통해 한국 근대문학에서의 미적 근대성의 다양한 특질이 밝혀져야 할 시점이다.

1930년대 구인회 작가들의 문학에 관한 연구는 이러한 맥락에서 문제적이다. 구인회의 문학을 프로문학에 대한 소박한 문학주의적 반동으로 평가하여 폄하하거나 식민지 시대의 현실과 무관한 예술지상주의적 경사로 규정하는 기존의 평가에 대한 근본적인 반성이 필요하기 때문이다. 또한 구인회 작가들의 개별적 문학적 시도들의 독자성과 관계를 함께 고려하지 않고 모더니즘이라는 이념 안에서 이들 전체를 묶어버리는 도식 역시 철폐되어야 한다. 이렇게 하기 위해서는 구인회의 모더니즘 이념이 아니라 구인회 작가들의 '미적 모더니티'가 갖는 성격과 의미에 대한 분석이 중요함은 물론이다. 구인회의 미적 근대성의 복합성은 식민지 시대 한국문학의 근대성의 내질(內質)을 이해하는 데 중요한 의미를 함유하기 때문이다.

2. 구인회의 미적 근대성이란 무엇인가?

『근대문학과 구인회』라는 연구서는 '상허 문학회'의 소장학자들이 대거 참여하여 꾸며진 책이다. 여기에는 이미 80년대 진보적 문학연구의 흐름에 참여하여 나름의 성과를 보여준 학자들도 참여하고 있지만, 90년대 근대문학연구의 새로운 모색기에 등장한 신진학자들의 논문이 상당수 실려 있다. 이 책은 3부로 구성되어 있는데, 1부가 구인회의 모더니즘에 대한 전체적인 조망을 하고 있고, 2부는 여덟명의 구인회 작가들에 대한 작가작품론을 담고 있으며, 3부는 구인회의 유일한 기관지 『시와 소설』을 재수록하여 자료로 제공하고 있다.

이 책에 실려 있는 논문들은 일정한 이론적 연계성을 가지고 있으나 그것이 획일적으로 적용되고 있는 것은 아니다. 대체로 구인회의 문학사적 위치가 프로문학 이후의 문학과 해방 직후의 문학을 연계시키는 매우 중요한 의미를 갖고 있다는 것과 이들의 문학적 근대성에 대한 인식이 근대적 미의식의 분화과정에서의 모순과 균열을 반영하고 있다는 측면에 대해서는 동의하고 있다. 이 두 가지 평가는 그 자체로도 매우 중요하다. 우선 구인회의 문학사적 입지와 관련하여 '프로문학-모더니즘 문학-해방직후 문학'을 프로문학의 우위성에 입각하여 단절적으로 이해하던 종전의 시각에서 벗어나 있다. 그리고 프로문학의 근대성과 다른 차원의 문학적 근대성을 구인회의 문학에서 발견할 수 있다는 것은 한국 근대문학 연구에서 매우 시사적인 의미를 갖는 것이다. 프로문학만을 한국문학의 근대성의 정통이자 주류로 보지 않고 식민지 시대 한국문학의 근대성의 복합성과 자기모순을 다양한 문학범주에 대한 균형잡힌 이해를 통해 파악한다는 것은 80년대적인 문학연구의 편향성을 극복할 수 있는 계기가 될 수 있기 때문이다.

1부에서의 이론적 작업은 박헌호의 논문 「구인회를 어떻게 볼 것인가」에 집약되어 있다. 이 논문은 구인회 문학의 재인식이라는 측면에서 가장 선명하고 종합적인 논지를 전개하고 있어서 이 연구서의 성과와 한계를 단적으로 보여준다. 박헌호는 우선 구인회라는 단체의 실체성에 대한 종래의 회의적인 시선을 반박하고 카프에 대비되는 구인회 모임 조직방식의 특수성을 당대의 문단적·문학사적 상황에서 파악한다. 그리고 기존의 구인회 연구가 가졌던 도식적인 한계들을 짚어 내고 한국 근대문학의 특수성 안에서 구인회를 파악해야 함을 주장한다. 그런데 이 논문의 핵심은 구인회의 성격을 카프의 사회적 근대성과 대비되는 '미적 근대성'을 추구한 것으로 규정했다는 데 있다.

> 카프가 식민지 현실의 과제를 그 당위성이라는 이름으로 미의 영역에 휘둘러왔다면, 구인회 작가들은 미의 영역과 사회의 영역을 확연히 구분함으로써 식민지 현실에 대한 지식인적 양심을 견지하면서도 예술의 근대성을 달성할 수 있었다. 구인회 작가들이 이룩한 형식상의 발전들은 이같은 의식—미의 영역과 사회 영역의 분리에 대한, 확연하면서도 자각적인—에 기인한다. 즉 문학은 그 자체로 근대화되어야 할 또 하나의 대상으로 상정된다. 그것은 자신의 자신다움을 증명하는 방법으로부터, 구성요소에 대한 분석과 발전에 대한 가능성들이 독자적으로 탐색될 수 있는 무엇이다.

이러한 결론은 몇 가지 측면에서 1930년대 문학연구의 새로운 이론적 성과라고 할 수 있다. 우선은 '카프문학=한국문학의 근대성'이라는 도식에서 그외의 모더니즘 문학은 근대성에 미달되거나 식민지 현실에 대한 문학주의적 도피에 머무르고 만다는 종래의 도식을 일정 부분 극복했다는 것이다. 사회적 근대성과 미적 근대성의 모순이 한국문학사 안에 공존했다는 인식, 그리고 미적인 차원에서의 근대성의 추구가 카프의 근대성 추구 못지 않게 의미있다는 이해, 또한 구인회의 이러한 문학인식 역시 카프와 마찬가지로 식민지 현실에서 배태된 것이기 때문에 서구문학에서 보이는 이론적 정합성을 가지지 못하는 파행적이고 불구적인 특수한 형태의 미적 근대성에 머무르고 말았다는 성찰 등은 기존의 30년대 문학연구의 협애함을 반성적으로 바라볼 수 있게 해주는 시야를 터준다.

박헌호의 이러한 논지는 1부의 다른 논문들에도 산발적으로 드러나 있다. 가령 「구인회의 소설가들과 모더니즘의 문제」라는 논문에서 이선미의 "서구의 모더니즘과는 달리 미적인 것과 사회역사적인 문제들이 같이 성장하고 있던 식민지에서 모더니즘의 문제는 의식적인 형식실험과 전근대적인 정서가 아이러니하게 어우러져 이태준의 심미적 정서나 박태원의 천변의 삶으로 귀결되는 것으로 생각된다"는 분석, 「구인회와 주변단체」라는 논문에서 구자황의 "원래 모더니즘은 근대적 감수성에의 탐닉과 자본주의를 비판하는 일종의 고전적 반근대적 지향을 동시에 가지고 있다고 할 때, 구인회 내부의 이질적 성향은 모더니즘의 본래적 성격(이중성)에서 비롯된 것이라 볼 수 있다. 그러나 구인회의 경우 두가지 지향이 유기적으로 결합되지 못하고 착종된 형태를 띠다가 결국 분화·편향되고 만다"는 성찰 , 『『시와 소설』과 구인회의 의미』라는 논문에서 이명희가 내린 "구인회의 유일한 동인지 『시와 소설』의 경우, 근대지향과 근대적 삶에 대한 회의는 그들의 성격을 드러낼 수 있는 기본축으로 작용한다. 요컨대 근대성 지향과 근대 부정이라는 이율배반적 명제가 바로 구인회의 성격을 아우를 수 있는 핵심사항이라는 것"이라는 결론 등은 구인회 모더니즘의 이중성·착종성 등을 설명해주고 있다. 구인회 작가들을 모더니즘이라는 항목으로 규정하고 모더니즘의 일반적인 폐해들을 적용시켜 이들을 한꺼번에 폄하하는 것이 아니라, 구인회 모더니즘이 갖는 복합적이고 이중적인 성격을 식민지 시대 문학의 특수성 안에서 분석해 내고 있다는 측면에서 이러한 논문들은 구인회 연구의 새로운 수준을 보여주고 있다.

하지만 몇 가지 측면에서 남은 문제들이 제기될 수 있다. 우선 이들 연구자들은 구인회의 '미적 근대성'과 '모더니즘'을 비슷한 범주 혹은 차원에서 설명하고 있다. 어떤 작가의 리얼리즘과 작품의 리얼리티를 문제삼는 것이 다른 것처럼, 구인회 작가들의 모더니즘적인 의식과 그들 작품의 미적 모더니티를 분석하는 것은 다른 차원의 문제일 수 있다. 논리와 의식을 문제삼는가 아니면 텍스트에 대한 내재분석을 통해 보다 심층적인 차원의 문학성을 들여다보는가는 구별될 수 있다. 이 연구서의 1부의 연구자들은 주로 이들의 논리와 의식을 문제삼고 있는데, 이것을 분석하는 작업과 구인회 작가들이 도달한 미적 근대성의 수준과 내용을 해명하는 일은 다르다. 이것은 연구자들이 문학이념과 운동사 중심의 문학사 서술에 익숙해져 있다는 것을 말해준다.

물론 2부에 실린 논문들에서 구인회 작가들의 작품에 대한 보다 세밀한 독해가 나타난다. 가령 이태준의 문학세계를 계몽의 내면화라는 측면에서 살펴보고 그의 심미주의 또한 계몽정신의 또 다른 표현이었음을 주목한 하정일의 논문, 이상 소설의 창작원리에 대한 분석을 통해 근대예술 일반의 미적 전망과 운명을 묘파해 낸 차혜영의 논문, 그리고 정지용 시의 시간의식에 초점을 맞추어 정지용의 근대에 대한 태도를 추출해 낸 김신정의 논문 등은 작품에 대한 심층적인 내재분석을 통해 구인회 모더니즘의 한 특성을 밝히고 있다는 측면에서 일정한 성과를 보여주고 있다.

하지만 이 경우 역시 프로문학에 대한 대타의식 혹은 대비적 이념으로서의 구인회의 모더니즘이 부각되는 경우가 많다. 물론 구인회의 문학이 프로문학에 대한 반발과 일정하게 연관되어 있음은 주지의 사실이다. 그러나 리얼리즘 대 모더니즘 혹은 프로문학 대 모더니즘의 대립과 갈등이라는 구도만으로 문학사를 파악하게 되면, 기존의 문학사 이해의 틀에서 벗어나기가 어렵다. 가령 박헌호의 논문에서 "구인회에 대한 연구는 리얼리즘과 모더니즘이라는 한국근대문학의 기본적인 구도의 정당성을 살펴볼 수 있게 해준다. 구인회가 모더니즘 운동의 진지였다는 전제에 대한 성찰을 통해서 30년대 문학의 성격이 더욱 확연하게 드러날 것이다."라는 명제는 구인회 연구라는 새로운 문학연구의 대상 설정에도 불구하고 그 연구의 문제틀 자체가 70년대 이후의 문학사 인식방법을 그대로 답습하고 있음을 단적으로 보여준다. 우리가 리얼리즘과 모더니즘의 대립이라는 틀에서 벗어나 미적 모더니티의 형성과 굴절이라는 맥락에서 문학사를 다시 파악한다면, 애국계몽기 문학의 근대성과 20년대 낭만주의 문학의 근대성과 프로문학의 근대성과 30년대 구인회 문학의 근대성은 그 문학사적 위치와 관계에서 새롭게 재구성될 수 있을 것이다. 이 연구서에서 대개의 논문들은 구인회 모더니즘 문학의 특수성과 한계를 식민지 상황에 기인하는 것으로 파악하고 있다. 구인회 모더니즘이 갖는 이중성과 자기모순을 식민지 현실과의 관계에서 파악하는 것은 정당하다. 그러나 식민지 사회의 파행성을 당대 모더니즘 문학의 파행성의 지배적인 원인으로 파악하는 것은 토대가 상부구조를 결정한다는 마르크시즘 문학연구의 해묵은 도식을 다시 한번 연상하게 만든다. 우리는 이들의 문학적 실천과 미학적 선택을 설명하기 위해서 식민지적 근대의 토대에 지나치게 기댈 필요가 없다. 미학적 선택이 사회학적으로 해명되어야 한다는 강박관념은 자칫 문학적 실천의 다양성을 억압하는 이론적 강제성을 띨 수 있다. 한국근대문학 연구는 이제 토대에 대한 콤플렉스로부터 해방될 필요가 있다. 그러기 위해서는 문학적 실천의 사회학적 근거를 성급하게 동원하기 전에 제도적인 층위, 창작방법론의 층위 등에 대한 보다 세밀한 분석이 선행되어야 한다. 구인회의 미적 근대성에 대한 재인식에도 불구하고 연구자의 의식과 방법이 사회적 근대성에 종속된 미적 근대성이라는 차원에 머무르고 있다면 이는 연구의 대상과 연구의 태도 사이의 모순과 지체를 보여주는 것이다.

구인회의 미적 근대성의 성격을 부각시키려는 노력에 치중하면서 이 연구서는 구인회 성원의 공통적인 미적 근대성을 추출하는 데 많은 노력을 기울이고 있다. 그러나 일반적인 의미의 근대성이 그러하듯이 미적 근대성이라는 범주 역시 전일적으로 규정될 수 있는 개념이 아니다. 정지용의 고전주의적 편향과 이상의 실험성을 연계시키고 포괄하는 미적 근대성의 논리를 발견하는 일은 물론 의미있다. 그러나 이들 사이의 공통된 미의식과 문학이념을 찾아내는 작업은 미적 근대성 안에 있는 무수한 균열과 모순의 요소들을 사상시킴으로써 새로운 도식을 건설하는 데 봉사할 수 있다. 구인회 작가들의 개별적인 작업들 안에 있는 이질적이고 작은 미적 근대성의 요소들을 분석하는 작업이 더욱 심화되어야 할 이유도 여기에 있다.

3. 문제는 미적 근대성인가?

1930년대 구인회 작가들에 대한 연구는 1980년대 프로문학에 대한 연구가 그러했던 것처럼 동시대의 문학적 상황과의 상동성이라는 측면에서 연구자들을 자극한다. 80년대의 급진적 문학운동이 한계에 봉착하고 사회집단적 경험을 바탕으로 문학을 창작하던 것이 어려워지고 후기산업사회의 도시적 감수성으로 무장한 세대가 새로운 글쓰기를 주장하는 90년대 문학은 여러모로 1930년대 모더니즘 문학을 되돌아보게 만든다. 이러한 상동성의 확인은 현재에 대한 반성적 의미를 가질 수 있는 것이지만, 다른 측면에서는 역사의 반복이라는 해묵은 테제로 우리를 유인한다. 그러나 엄밀한 의미에서 역사는 결코 반복되지 않고 지금 이 시간 진행되고 있을 뿐이다. 그리고 한 시대의 문학적 주류와 그 다음 시대의 주류로 연계되어지는 문학사의 성장과 발전이라는 이념 역시 하나의 환상과 도식일 수 있다. 우리는 동일성으로서의 공식적인 역사에 대한 강박관념에 매몰될 필요가 없다. 근대문학 연구에 있어서도 그것의 공식적인 역사 뒷면에서의 작고 사소한 실상을 세밀하게 밝혀나가는 고고학적 작업과 그것을 끊임없이 현재의 것으로 문제화하는 작업을 동시에 밀고나가야 한다.

이제 미적 근대성이라는 주제는 한국문학 연구의 핵심적인 논제로 부각되고 있다. 그것은 우리 시대의 문화현실에 대한 분석 위에서 문학사를 새롭게 기획하고 재구성하려는 지적 노력의 소산이다. 한국근대문학 연구에서 오랫동안 미적인 근대성은 금기의 영역이거나 은폐된 영역이었다. 문학이 사회적 근대성 혹은 자본주의적 근대 극복에 봉사해야 한다는 관념은 문학연구의 독자성을 찾는 데에 장애가 되었다. 미적 근대성에 대한 연구는 70년대 이후 근대문학 연구와의 단절적인 의미를 가질 때 보다 스스로 문학사 연구의 새로운 차원이 될 수 있을 것이다. 전대의 근대문학 연구가 가장 진보적인 외양을 가진 경우도 근대주의의 유혹으로부터 자유로울 수 없었다는 것은 새로운 연구세대에게서는 매우 절실한 문제의식이 되어야 한다. 우리가 역사를 통해 자기동일적이고 전일적인 근대성을 상정한다는 것은 불가능하며 그것에의 유혹은 근대주의의 집요한 유혹에 다르지 않다. 미적 근대성에 대한 인식은 사회적 근대성과 겪는 균열과 모순의 과정 그리고 그 안에서 갖는 비판적·반성적 힘에 주목해야 하는 이유도 여기에 있다. 만약 우리가 한국 근대문학의 특수성 안에서 미적 근대성을 사고해야 한다면, 그것은 사회적 근대성의 완성 위에서 미적 근대성의 비판적 방향성이 설정되었던 서구와 한국문학이 어떻게 관련되고 비교되는가를 검토하는 작업을 의미한다. 구인회 문학에 대한 재인식이 의미있는 것도 이 한국 근대문학 안에서의 미적 근대성의 특수성과 한계를 보다 심층적으로 밝혀낼 수 있다는 측면에서이다. 그리고 그것은 지금 우리 문학의 미적 근대성을 분석하고 비판하는 계기가 될 수 있다.

한국 근대문학 연구를 포함하여 한국의 아카데미즘은 연구자 자신의 실존적 입장이 은폐되는 제도적 성격을 갖고 있다. 연구의 테마·형식·문체는 제도적인 아카데미즘의 주형 안에서 자기 자신을 적응시켜야 했다. 그러나 우리가 지금 '문제는 미적 근대성이다'라고 주장할 수 있으려면 여기에 상응하는 연구태도의 갱신이 필요하다. 탈중심화된 문학적 실천은 연구의 대상이 아니라 연구자 자신의 태도에 더욱 더 요구되는 것이다. 갱신되어야 할 것은 단지 연구의 대상이 아니라 연구의 태도이다. 중요한 것은 연구자 자신이 자기 안의 근대적 자아를 심문하는 일이며, 미적 근대성을 실존적으로 사는 일이다.■

이태준 문학연구	상허문학회 지음 / 깊은샘(93)
	신국판 / 값 10,000원
박태원 소설연구	강진호 외 지음 / 깊은샘(95)
	신국판 / 값 10,000원

역사와 현실의 이중주
─ 한수영 지음, 『문학과 현실의 변증법』(새미, 1997)

박 헌 호*

1.

　최근 '비평의 위기'를 걱정하는 목소리가 점차 커지고 있다. 몇몇 계간지에서 이 문제를 특집으로 다루었다든지, 또 새로 창간된 비평전문잡지에서 행한 설문조사의 내용 등을 살펴볼 때, 비평의 위기 혹은 비평의 침체는 징후에서 하나의 현상이 되어가는 느낌이다. 조금이라도 문학에 대해 관심과 이해를 갖고 있는 사람이라면 이러한 현상을 일견 수긍하면서도, 언뜻 수긍하기 어려운 구석도 있을 것이다.

　수긍하기 어렵다 함은, 현실 사회주의권의 몰락 이후 우리 문학계에 팽배했던 역사(혹은 거대서사) 죽이기의 열풍을 기억하기 때문이다. 간단히 말하면 그 시절의 일반적인 분위기는, '80년대식'의 지도비평이 문학의 다양성을 얼마나 침해했으며, 그 결과 비평에서도 원전(原典)주의로 대표되는 획일성이 범람했음을 성토하곤 하였다. 그리하여 90년대의 문학은 창조성과 다원성을 기치로 하여 새로운 사고, 새로운 문학으로 일로매진하게 되

────────────────────────

* 朴憲浩, 세명대 강사, 주요 논문으로 「현민 유진오 문학연구」, 「한국근대 단편형식과 김동인」 등이 있음.

리라고 말하지 않는 자 없었다. 그러니 단순한 머리로는 작품의 창조성과 다양성이 비평의 그것으로 환원되지 않으리라 보기 어려웠으며, 하여 90년대의 비평은 다원화된 이론, 이론의 창조로 이어지리라 예견했던 까닭이다. 실제로 '포스트 모더니즘'이란 선발주자를 중심으로 다양한 이론들이 다원성이란 명목하에 적극 수입되어, 그저 '역사'니 '민족'이니 하는 고루한 단어들만을 금과옥조로 알던 편협한 한국 문학의 지형도를 세계화시키는 데 일조했음도 기억하고 있다. 이런 계제에 비평의 침체 혹은 위기라는 언설의 등장은 제법 신문이나 잡지의 문학란을 빠트리지 않고 보와왔다고 자부하는 성실한 독자들을 당황시킬 만한 대목이 아닐 수 없다.

한편 일견 수긍된다 함은, 비평의 본질로 보나 우리 문학사를 관통하는 비평의 메카니즘으로 보나 삶의 역사적 지향을 상실한 시대에 비평의 만개를 기대하기 어려웠다는 교훈이 있음으로 그러하다. 다양성은 인간의 삶과 정신을 위해 지켜져야 마땅한 가치이다. 그러나 그것이 인간 삶의 구체적인 맥락과 만나지 못할 때, 그것은 이내 공허와 혼란의 다른 이름이 되기도 하며, 심지어 정신의 창조성을 억압하는 기제로 작용하기조차 하는 것이다. 따라서 묵은 안경을 벗고 새로운 안경과 잣대를 여러 벌 장만하려는 노력이란 우리네 삶을 좀 더 명민하게 살피자는 바램이요, 그것을 깨치기 위한 방편으로써 타당한 것이다. 안경이 삶을 대신할 수는 없는 것이다. 문학이 역사와 맺는 교섭은 이 대목에서 강조되어야 마땅하다. 특히 비평은 작품에 드러난 '삶'에 어떤 '형태'를 부여하는 작업이라는 성격—이것을 비평의 이론적, 보편지향적 성격이라 할 수 있을 터인데—때문에 그 시대의 역사적 지향에 훨씬 많은 제약을 받을 수밖에 없는 것으로 보인다. 비평의 지도성은 이 점에서 비판받고, 이 점에서 상찬받는 게 아닌가 여겨진다. 백가쟁명을 방불할 만큼 수많은 이론이 도입되고 많은 논자들이 나섰던 50년대의 비평이 오늘 우리에게 던지는 교훈은 이 점과 관련이 있을 법하다.

그런 맥락에서 지난 6, 7년 동안 행해졌던 비평경향이 얼마나 우리의 현실과 교접하며 삶의 역사적 지향을 창출해 나가는 작업이었는지는 한번쯤 의심해 볼만한 사안이다. 80년대에 대한 반성과 새로운 모색이 적지 않게 이루어진 바 있고, 또한 새로운 담론을 통한 현실의 재해석이 진지하게 모색되었음도 주지의 사실이다. 그러나 그러한 모색들이 작가나 비평가에게 현실에 대한 폭넓은 이해를 얼마만큼 제공했는가의 문제는 또 다른 판단을 요구한다. 단언하자면 우리는 아직 '모색의 다짐'을 강조하는 수준에서 그리 멀리 떨어져 있지 않은 듯하다. 아마도 현재 운위되는 비평의 침체는 지난 6,7년 간의 모색이 돌파구를 마련하지 못했다는 문학계 내부의 자기 진단의 결과일 것이다. 이런 점에서 비평의 위기론은 수긍할 만한 것이고, 논의될 가치를 지닌 것이다.

2.

이런 상황에서 젊은 평론가 한수영의 첫 평론집 『문학과 현실의 변증법』이 나왔다. 한수영 역시 90년대 들어 활발한 평론활동을 보여준 비평가이기에 첫 평론집의 출간을 단지 지금까지 발표했던 글들의 모음이라는 양적인 의미만으로 해석하기는 어렵다. 그의 비평작업의 여정에 우리 시대가 직면한 문학의 제반 문제들이 녹아 있기 때문이다. 따라서 태평성대에도 그럴 일이지만, 상황이 상황이니만큼 젊은 평론가의 첫 평론집에서 '새로움'을 찾는 것은 독자로서 그리 큰 욕심은 아닐 것이다. 나아가 이 책이 현재의 침체를 타개할 실마리를 제공한다면 그보다 바람직한 일은 없을 듯싶다.

이 책은 전부 5부로 구성되어 있다. 1부는 90년대 문학을 바라보는 저자의 관점이 투영된 글이자 그의 '입장'을 밝혀주는 글들의 모음이고, 2부는 소설론, 3부는 시론으로 구성되어 있다. 또한 4부는 저자의 학문적 주요관심 영역인 50년대 문학에 관한 글들을 모아 놓았고, 5부는 서평이나 여타의 글들을 모아 놓았다. 단숨에 읽기에는 만만치 않은 분량이기도 하거니와, 한편 한편이 하나같이 역사의 무게와 삶의 진정성을 담고 있는 것이기에 녹녹치 않은 중량감을 던져주고 있다. 특히 1부에 실린 글들은 90년대 문학 전반에 대한 저자의 입장과 판단이 담겨 있는 것이기에 지금껏 논의해 온 맥락에서 검토할 가치가 충분히 있다고 판단된다.

한수영의 문학적 입장은 역사적 연속성과 "조회할 유일한 정전(正典)"으로서의 "현실"을 강조하는 대목에서 잘 드러난다. 이 점이 90년대 들어 새롭게 평론활동을 벌이는 여타 비평가와 그를 구분짓는 분수령이다. 실제로 그의 입장은 역사와 현실을 강조했던 80년대의 정신적 흐름에 맞닿아 있으며, 이러한 맥락에서 문학의 현실 반영성과 사회적 연관을 강력히 옹호하고 있다. 물론 그의 입장이 '80년대식'의 일방적인 재현은 아니다. 저자 역시 80년대 문학에 만연했던 도식주의, 단순성, 교조주의에 대해 날카로운 비판을 감추지 않고 있다. 그러나 그의 비판은, 그같은 비판을 통해 과거를 청산하고 이제 새로운 시대로 접어들었다고 선언하는 행태와는 어깨를 달리한다. 그는 "80년대의 많은 소설들이 범했던 '계급환원주의'나 '경제주의' 따위는 모더니즘이나 리얼리즘을 따지기 이전에 그것 자체만으로도 온전한 예술작품으로서의 결함이었으며, 동시에 그 결함은 극복되거나 지양될 요소이지, 그것이 민족문학이 추구하던 예술적 논리의 파탄을 입증하는 결정적 증거가 될 수는 없는 노릇"(「차선의 유토피아를 향하여」, 25면)이라고 강조한다. 이러한 태도는 80년대 민족문학의 오류를 오류대로 비판하면서 그것의 합리적 핵심을 보존, 지양하려는 저자의 의도를 잘 보여주고 있다. 이런 맥락에서 이 책은 80년대 민족문학의 반성이 도달한 자기갱신의 한 양상으로 읽혀질 수도 있겠다.

저자가 이런 태도를 견지할 수 있었던 것은 무엇보다도 '현실'에 대한 판단방식에서 90년대의 여타 젊은 비평가와 다른 지점에 서 있기 때문으로 보인다. 90년대 문학이 80년대와는 전혀 다른 모습을 갖게 된 것이 시대상황의 급격한 변화에 있었으므로, 그에 대한 해석의 방식이 이 시대와 문학을 읽는 기본적인 잣대를 제공해 줄 것은 당연하다. 한수영은 그 근저의 문제를 다루는 것으로 논의를 출발한다.

...무너지기 전의 현실 사회주의가 마침내 우리가 도달하고자 했던 이상적인 사회의 전범이었던가를 먼저 확인하는 일이 필요할 것이다. 만에 하나라도 80년대 우리의 변혁운동이 그 사회를 궁극적으로 도달할 종착의 모델로 설정한 운동이었다면, 그리고 지금의 상대적 침체가 그 도달점을 상실한 데서 비롯되는 것이라면, 지금이라도 과감히 그런 미몽에서 깨쳐 일어나는 용기와 지혜가 필요하다. 그것은 싸울 대상이 사라졌다고 선언하는 자세와는 전혀 다른 것이다. (같은 글, 16면)

저자는 현실 사회주의의 몰락을 보면서 실락원의 절망을 느낀 사람들의 유토피아적 환상과 관념성을 통매하면서, 사회주의의 전성과 몰락 역시 "하나의 참고사항이어야 옳다"고 잘라 말한다. 이러한 단호함은 '싸울 대상'이 사라졌다는 주장에 대한 회의이자, 이른바 '90년대적' 문학의 전제를 비판하는 의도를 지니고 있다. 요컨대 현실의 변화를 자기존립의 근본전제로 삼고 있는 있는 수많은 문학적 담론들의 기저를 공격하고 있는 것이다. 저자 역시 현실의 변화를 수긍하지 않는 것은 아니나, 그것이 우리 문학, 나아가 우리의 현실이 안고 있는 근본적인 문제들의 '해체'를 요구하고 있는 것이 아님을 분명히 한다. 더욱이 이른바 새로운 문학들이 "미시적인 욕망과 갈등의 무한한 파상으로서의 현실을 엿보는 것"으로 소임을 삼는다든지, 역사적 삶과 일상적 삶이 변증법적 연관을 맺지 못한 채 미세한 일상에 매몰되는 경향으로 귀착되는 것을 목도하면서, 한수영은 관념의 세계로부터 현실의 세계로 돌아올 것을 강력하게 촉구하고 있다. 그의 표현을 빌면, "새로운 모색을 위해 우리가 잊지 말아야 할 가장 커다란 원칙은, 우리가 모색해야 할 새로운 문학은 우리가 누리는 삶의 조건에 대한 진지하고 날카로운 성찰에서부터 시작해야 한다는 점이다"(「소통 · 일상성 · 생태학적 상상력」, 82면)

그렇다면 한수영이 생각하는 한국의 '현실'은 어떠한가. 그것은 "아직도 전근대와 근대가 공존"하는 세상이며, "개인이 누리는 권리와 자유가 국가 권력에 의해...침해"(같은 글, 58면)받는 현장이며, 여전히 "체제의 변혁"을 위한 프로그램의 유효성이 인정받는 곳이다. 저자가 포스트 모더니즘이나 해체주의의 합리적 핵심을 인정하면서도 못내 찬성의 박수를 보낼 수 없는 것은, "'현대'라고 이름붙였을 때 생겨나는 다양한 내포와 외연이 온전히 삶의 보편적 조건으로 자리잡"(59면)지 못했다는 판단에서 연유한다. 분석이 여기에 미치면 독자들은 한수영과 그가 비판했던 90년대의 젊은 비평가들(예컨대 권성우, 신순범, 우찬제, 이광호) 사이에 어떤 거리가, 얼마만큼 존재하는지를 짐작할 수 있을 것이다.

한수영의 비평관 내지는 현실관은 삶을 파편화시키고 역사로부터 격리시키는 90년대의 부정적인 문학경향에 대한 비판의 차원에서 경청할 만한 값어치가 있다. 특히 90년대를 주름잡던 여러 비평이론에 대한 그의 비판이 현실에 군건히 발을 딛고자 하는 의지의 소산이란 점에서 더욱 미덥다. 진정 그의 표현대로, 혼란과 무정향으로 지칭되는 오늘을 살아가면서 우리가 조회할 유일한 정전은 현실이다. 또한 역사적 삶과 일상의 삶을 변증법적으로 연관시키지 못하고 새로운 편향으로 치닫는 문학이 결코 바람직하지 않다는 점에도 동의한다. 그러나 그의 판단과 분석에 선뜻 동의할 수 없는 구석이 있는 것도 숨길 수 없다. 그의 단호함과 진지함에서 어떤 위태로움의 징후를 느끼는 것이 서평자만의 후각일까?

먼저 현실 사회주의권의 붕괴를 '하나의 참고사항'으로 파악하는 태도에 일말의 의구심을 갖게 된다. 이 의구심은 그의 단호함으로 인해 더욱 커지는 데, 그것이 현상의 축소 내지는 관념적 파악과 그리 먼 경계에 있지 않으리란 생각 때문이다. 물론 현실 사회주의권의 붕괴를 '싸울 대상' 자체의 실종으로 파악하는 태도는 비판받아 마땅하다. 그러나 사회주의의 몰락은 그것을 직접적으로 운동의 지향점으로 설정했던 '일부'의 문제는 아니다. 그것은 보다 인간적인 삶을 꿈꾸는 진보진영 일반의 세계관과 인식론적 지평에 얽힌 문제이다. 이미 오래 전부터 현실 사회주의에 비판적이었던 사람도, 90년대의 변화된 상황에 당황하는 것은 이 때문이다. 그것은 인류 역사의 지향과 사유의 근본법칙에 관련된 문제일 수밖에 없다. 얼마 전부터 유행처럼 번져 나간, '근대 속에서 근대를 넘어서기'라는 말에 담긴 고뇌들은 아마 이를 지칭하는 것이리라. 따라서 한수영의 입장은 그 의도의 명백함에도 불구하고 복잡한 현실의 문제를 개인의 태도 문제로 환원시키거나, 현실에 의해 침해받지 않는 순수이론을 상정하는 듯한 오해를 받기 쉽다. 아니면 서구와의 대비—개인의 자유와 국가권력의 관계나 노동자 정당의 존재 가능성과 같은—를 통해 자신의 존재근거를 옹호하는 단계론적 발상으로 읽히기 쉬운 것이다.

이 점은 그가 '현실'을 어떻게 바라보고 있는가와 연관이 깊다. 서평자 역시 해체주의나 포스트 모더니즘은 또 하나의 지배 이데올로기라고 보고 있다. 그러나 그의 표현처럼 우리의 현실은 서구와 다르므로, 서구에서 말하는 '현대'라는 개념의 다양한 내포와 외연이 삶의 보편적인 조건으로 자리잡았을 때에야 논의가 가능하다는 태도 역시 문제적이라고 생각한다. 이것은 자칫하면 '현상의 양적 부합정도'를 논의의 중심으로 삼아 초점을 흐릴 염려도 있는 것이다. 문제는 서구적인 의미의 현대가 우리 삶에 어느 '정도' 구현되며 있는가에 있지 않다. 오히려 전근대와 근대가 공존하면서도 또한, 역시 탈근대로 진입하게 되리란 것이 우리가 놓인 현실의 정확한 표현이 아닐까. 따라서 이론적 '상업주의'와 '박래성(舶來性)'의 문제로 포스트 모던한 물결들을 비판하기보다는, 지배 이데올로기의 허상과 그것의 비인간적 전망의 노출을 통해 현실의 정확한 상(像)을 재현하고 올바른 지향점을 창출해 가는 것이 보다 생산적인 대안이라 여겨진다. 포스트 모던한 징후들을 과대평가하는 태도가 불온한 것이듯이 그것의 과소평가 역시 올바른 대응책을 마련해야 할 우리의 시선을 무디게 할 염려도 있음을 상기해야 하겠다.

3.

 2부와 3부를 채운 작품론과 작가론은 비평가 한수영의 진면목을 만날 수 있는 부분이다. 현실을 은폐하거나 턱없는 절망에 빠진 작품들에 날카로운 비판을 보내면서도, 함께 넘어진 작가들의 무르팍을 쓰다듬을 줄도 아는 통찰이 그에게는 있다. 여전히 앞이 보이지 않는 길을 온 몸으로 밀고 가는 작가들에 대한 동지애적 비판과 연민이 가득 담아 있는 것이다. 그가 늘상 강조하는 것은 "초월을 꿈꾸는 이상이 아니라 오욕과 진흙구덩이에서 건져 올리는 낙관"(「탈속의 쓸쓸함과 세속 세계의 따뜻함」, 322면)이다. 그래서 "음습한 도회의 뒷골목을 배경으로 달구어지는 눅눅한 상상력과 그 세기말적인 과장된 제스처"(「현실의 무게와 자기 성찰의 빛과 그늘」, 277면)보다는, 우리의 진흙창 속같은 삶에서 누더기를 기워 필연의 닻을 올리는 작가들을 바라보는 눈망울이 더 따뜻하다. '아직도' 감옥에 갇혀 있는 박노해의 시세계를 조망하면서 얻는 결론이라든지, 백무산의 최근작을 바라보는 시선의 체온은 아마도 여기서 비롯하는 것이리라.

 책장을 넘길수록 독자들은 저자의 다양한 독서 편력에 주눅이 들게 된다. 20~30년대의 농민소설로부터 채만식, 공지영을 넘어 최근작에 이르기까지 또한 서정주의 친일시로부터 최근의 시집들까지 섭렵하는 저자의 식욕은, 그의 전공을 고려하더라도 정말 '문학사적'이라고 하지 않을 수 없다. 그리고 각 글의 마무리 부분마다 거의 빠짐없이 등장하는 현실과 역사에 대한 진지한 태도는 오늘날의 문학 현실에서 보기 드문 장면이다. 이러한 미덕은 그가 작가들에게 늘 요구하는 것 — 지난 연대의 문학이 보여주었던 성과와 한계를 올바르게 지양하고자 하는 노력의 소산이리라. 비극적 정조 혹은 비장미의 개념을 통해 『태백산맥』을 재해석하고 있는 「역사에 대한 비극적 성찰」이 그 좋은 예이다. 이제 80년대를 상징하는 작품이 되다시피 한 이 소설을, 바로 90년대 중반의 시각으로 다시 읽어내고, 거기서 새로운 의미를 밝혀내고자 하는 것 자체가 '역사적 독법'이 아니고 무엇일 것인가. 이를 통해서 저자는 『태백산맥』을 '80년대적 당대성'과 연결시켜 읽는 종전의 독법에서 나아가, 한국 현대사 전개과정에 대한 비극적 형상화의 문제로 파악하고 있다. 이런 독법 자체가 역사를 단절과 연속의 변증법적 총체로 파악하는 저자의 역사관의 발현이며, 그것의 문학적 투영이다.

다만 의문이 남는 것은 저자의 '전형'개념이다. 한수영은 민중들이 입산하는 과정을 언급하면서 그 원인과 과정이 작가의 직접적인 서술에 너무 자주 의존하며 또 계기가 우연적이라는 점을 들어 "해방공간의 역사전개에 대한 유물론적 역사인식과는 상당히 동떨어진 민중형상의 일면을 보여준다"(225면)고 말한다. 강동기가 지주를 삽으로 찍는 우발적인 사건 때문에 입산한다든지, 무당 소화나 외서댁이 개인적인 애정이나 복수심 때문에 입산하는 것을 그 예로써 들고 있다. 의아한 것은 그 역시 "새로운 세계를 향한 이상이 제출되고, 그것이 민중의 이해와 완전히 부합하는 것이라고 할지라도 수용하는 민중의 모습은 실제 역사에서 전일적이고 단순하지 않다"(226면)고 전제하고 있기 때문이다. 이 전제에 의지한다면 강동기나 무당 소화, 그리고 외서댁의 입산동기(그리고 염상진의 민중과 동떨어진 고독한 결단 등도)는 오히려 리얼리즘에 가깝다고 평가해야 옳다. 이 때의 리얼리즘은 '실제로 그럴 법한'(reality)이라는 의미만을 갖는 게 아니다. 한 인간의 삶을 온전히 인간다운 삶으로 살아갈 수 없게 만드는 구체제, 먹고 사는 문제만이 아니라 사랑과 육체의 갈망조차 왜곡되어야 하는 세계에 대한 분노가 신세계를 지향하는 인간들의 실천동기였음을 보여줬다는 점에서 그것은 역사의 본질에도 부합한다는 의미이다. 해방의 욕구로 타올랐던 민중들의 손에 들린 것은 사회주의였고, 그런 의미에서 해방 직후의 사회주의는 '역사'로서의 사회주의이며, 이념형으로서의 사회주의였다. 그러므로 염상진이 중요한 국면에서 부하들의 민중적 역량과 결합하지 못하고 고독한 사색과 결단을 내리는 것도─만일 이런 표현이 허락된다면─이론적으로 사회주의를 지향했던 지도자와 삶 속에서 본능적으로 해방을 지향했던 민중 간의 매개없음의 표현이며, 단절의 역사화이다. '실패한 혁명'의 실패할 수밖에 없음을 우리 내부에서 찾는다면 바로 이 간극일 것이고 그런 점에서 『태백산맥』에 그려진 이 괴리야말로 리얼리즘에 값하는 것이라 믿는다.

4.

글의 서두를 최근 우리 문학계 일각에서 거론되고 있는 비평의 위기에 대한 이야기로 시작했었다. 이런 맥락에서 한수영의 첫 평론집을 살펴보고자 하였다. 이를 통해 자기가 놓인 현실에 굳건히 서서 역사와 현실의 이중주를 끊임없이 연주하고 있는 평론가를 발견하였음은 중요한 소득이다. 서평이 예비독자들에게 그 책의 체제와 내용을 분류, 소개하고 덕담을 펼쳐놓는 일이라면 아무래도 이 글은 소임을 다하지 못한 것 같다. 우선 저자의 방대한 관심분야를 따라갈 지적 능력이 없었음을 고백하는 것이 도리라 생각한다. 그렇다고 몇 줄로 내용을 요약하는 것도 싱거운 일이라, 그저 눈에 띄는 대목을 몇군데 살펴보면서 무거운 글빚을 갚을 염치를 세워봤다. 다만 분명히 밝혀둘 것은, 서평자 역시 우리 문학이 돌파구를 찾을 수 있는 유일한 터전이 '현실'이며 역사적 사유라는 데 의견을 같이한다는 점이다. 문제는 올바른 방법론의 모색일 터인데, 이 책에서 보여준 진지함과 성실함으로 앞으로 저자가 돌파해줄 것을 기대해 마지 않는다. 벌써부터 한수영의 두 번째 평론집이 궁금해지는 것은 서평자나 독자나 한마음일 것이다. 새미

김수영, 박두진, 박봉우, 박인환, 신동문, 한하운, 김춘수 등 1950년대 시인들

1950년대 남북한 시인 연구

한국문학연구회 편(국학자료원, 96)
신국판 / 534면 값 17,000원

전쟁의 참혹한 살육과 파괴를 몸소 겪으면서도 이제는 '국가를 지키기 위한'이라는 명분을 가질 수 있었고 새 나라 건설이라는 절망 속의 꿈을 키워 갈 수 있었다.

박명용 시집

바람과 날개

이번 시집은 다른 시집보다 두루 겹친 세상사를 보는 눈이 따사로워져 여유가 느껴진다. 그런 여유는 나와 세상을 들여다 볼 수 있는 응시의 힘과 민감하게 느끼고 배려하는 사랑의 힘, 자연의 변화에서 생명의 이법을 깨닫는 통찰력이 녹아서 만들어내는 것, 강하고 새로운 것만 찬양되는 이 시대에 왜 감정이 중요하고 삶의 지혜가 필요한지, 왜 여러 천년 동안 서정시가 쓰이고 읽히는지를 새삼 느끼게 해준다. 값4,000원

김정숙 시집

하늘 자물쇠

김정숙의 시가 이처럼 순정한 모습으로 드러나는 것은 무엇보다 그의 정직하고 순수한 자아 때문으로 보인다. 사실 그는 시적 진술의 과정에 지극하고 정성스러운 마음을 함축하는 것 이외의 특별한 수사적 장치를 거의 응용하지 않는다. 자신을 과장하거나 감추지 않는, 그야말로 솔직한 자아의 모습을 솔직하게 드러내고 있다. 값4,000원

전용진 시집

아인슈타인의 거울

공학과 문학의 만남이라는 부제가 있는 작품으로써 전용진 스스로를 시화하고 있다. 부엌은 생활을 꾸리는 전기공학이라는 방편이고 건넌방에 있는 존재는 이방인이 아니라 문학으로의 꿈을 실현하려는 열망의 또 다른 이름인 셈이다. 건넌방에 이방인은 꿈에 빠져 있고 부엌방에 있는 현실은 꿈과 조우하려는 발상으로 발길을 옮기는데서 문학에 대한 열망은 20여년이라는 길이를 셈하게 된다. 값4,000원

주전이 시집

탐진강 일기

주전이 시인의 고향의식은 탐진강 일기에 집중적으로 투영되어 있다. '탐진강'은 물론 시인의 고향인 '강진'땅에 있을 터이고, 그것은 강물이라는 흐름의 속성상 시 작품의 시간축으로 작용할 것이다. 시인은 탐진강을 중심으로 고향 사람들과 고향땅에 대한 생각과 감정을 통시적으로 형상화하고 있다. 값6,000원

최정숙 시집

그리움이 있는 풍경

시에서 자연은 흔히 예찬되는 미의 전범으로써 그려져 왔지만, 최근에는 파괴되어가고 외면되어가는 자연으로 인하여 이와 같은 서정을 만나기가 쉽지 않았다. 때문에 그리움의 대상으로 자연을 노래한 최정숙의 시심은 삶에 있어서 있어야만하는 순수성과 그리움의 세상읽기라는 시심을 일깨우고 있어서 돋보인다. 값4,000원

조선대학교

새 미

100123808   2000-06-12

작가연구　제4호

1997년 하반기

주　간 : 서종택

편집위원 : 강진호, 김윤태, 이상갑
채호석, 하정일, 한수영

기획 대담

서정시의 가장 서정시다움을 위하여

서정시의 힘과 아름다움

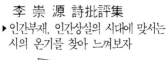

A5 / 392면 / 10,000원

21세기로 바뀌는 전환의 시점에서 시에 닥쳐오는 여러 가지 도전적 상황에 맞서 시의 진성성을 옹호하고 시의 아름다움을 지키려는 저자의 관점이 뚜렷하게 드러나 있다.

우리 시단에서 서정시의 일가를 이룬 시인들을 중심으로 그 시인들의 내면을 성찰하여 시가 지닌 서정적 힘과 아름다움의 근원이 무엇인가를 유려하고 섬세한 필치로 분석해내는 한편, 상업주의와 결탁된 선정적이고 말초적인 언어 유희라든가 무절제한 형식 해체의 실험에 대해서는 신랄한 비판을 아끼지 않았다.

20세기 한국시인론

A5 / 385면 / 13,000원

1920년대에 활동한 김소월, 한용운으로부터 30년대의 정지용, 김영랑, 백석, 이용악, 이육사 등을 거쳐 해방 이후에 활동한 김수영, 김종삼에 이르기까지 한국 시사에 뚜렷한 족적을 남긴 17명의 시인을 분석 고찰한 저서이다.

시인이 보여준 지속과 변화의 여러 양상을 균형있게 포착하여 시대와 삶의 전체적 테두리 안에서 포괄적으로 이해하려는 자세를 보여주고 있다.

개별 작품에 대한 해석 작업에 힘을 기울이는 한편 한국시의 역사적 전개 양상을 구명하는 데에도 관심을 기울였다.

국학자료원 · 도서출판 새 미 ☎ 2937-949, 2917-948 Fax 2911-628

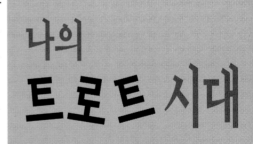

작가연구

제4호

새미

진보적인 문학연구의 새로운 모색을 꿈꾸며

『작가연구』가 창간된지 어느덧 두 해를 넘기고 있다. 재정과 편집 인력 등 출판을 둘러싼 여러 가지 열악한 환경과 조건을 생각할 때 유다른 감회가 없을 수 없다. 그 감회의 첫몫은 우선 이 매체에 무한한 애정을 보내주는 독자들에게 돌아가야 할 것이다. 다음으로는, 공력에 턱없이 미치지 못하는 박한 원고료에도 불구하고 옥고를 보내주는 여러 필자분들과 감회의 한 몫을 나누고 싶다.

4호의 특집작가는 지난 해에 세상을 떠난 요산 김정한 선생으로 선정했다. 선생은 일찍이 부산 동래에서 태어나 돌아갈 때까지 한번도 그 땅을 떠난 적이 없는 토박이 부산 작가라고 할 만하다. 그러나, 그의 작품과 인간됨은 한번도 중앙 문단에서 이름을 얻기 위해 기웃거린 적이 없음에도 불구하고 오히려 부산이라는 지역적 한계를 뛰어넘어 우리의 근대민족문학사 전체에 육박해 들어가는 것이었다. 그가 지닌 문학사적 의의는 무엇보다도, 해방 전 우리 근대문학의 성취를 분단 이후의 문학으로 훼손없이 이어놓고 있다는 점일 것이다. 분단과 전쟁을 치르는 과정에서 모든 진보적 문학의 움직임이 소연해졌을 때, 그는 돌연 문단 복귀를 감행해 군사정권이 내건 근대화의 허구성과 불균형성을 쇠된 목소리로 질타하는 놀라운 용기를 보여주었다.

특집편에 실린 다섯편의 논문들은 이러한 요산의 문학 전반을 이해하고 조망하는 데 중요한 나침반의 역할을 한다. 총론의 성격을 띤 최원식의 「90년대에 다시 읽는 요산(樂山)」은 요산 문학의 성과와 한계를 90년대라는 현재성(또는 당대성)을 매개로 하여 검토함으로써 요산 문학을 문학의 역사 속에 박제화시키지 않고 지금의 현장으로 이끌어내어 다시 읽히도록 하는 생동감을 제시해 준다. 해방 전 농민소설들의 성과를 그의 문단 복귀 후의 농민소설들과 서로 비교하면서 분석하고 있는 조정래의 「현실을 보는 눈과 역사를 보는 눈」은 요산 문학의 일관성과 차이를 인식하는 데 중요한 준거 틀을 제공해 주고 있다. 1960년대 요산 소설이 지닌 리얼리즘적 특성을 세밀하게 분석하는 김경원의 글 역시 요산 문학의 성과를 이해하는 데 긴요한 논리를 제시해 주고 있다. 특집에 실린 글 중 이기인의 글은 다른 세 편과는 달리 요산 문학의 문제점을 지적하고 그것을 집중적으로 비판하고 있다는 점에서 문제제기적인 글이다. 이 글의 논리에 대해 편집진의 일부는 이의를 제기했고 이 때문에 다소의 논란이 없지 않았다. 이 글의 논리는 우리의 편집방향과 꼭 일치하는 것은 아니다. 다만 글에 제기된 바의 문제의식은 그것대로 존중할 가치가 있는 것이다. 요산 선생의 애제자로서 오랫동안 그에게서 가르침을 받고 곁에서 모시며 누구보다도 요산 선생에 대해 잘 알고 있는 조갑상의 회고는, 요산의 삶과 문학의 전모를 이해하는 데에 논문 이상의 가치를 지닌 글이다.

이번 호의 기획대담은 이화여대 석좌교수로 있는 이어령 선생을 모시고 이루어졌다. 선생은 50년대 중반에 등단하여 계속 현역으로 활동하면서 교수와 비평가로서만이 아니라 문명비평가와 소설가, 그리고 또 문화정책을 담당하는 문화부장관에 이르기까지 문화와 관련된 거의 모든 일에 적극적으로 관여해 온 우리 현대문학의 산 역사라고 할 수 있다. 특히 전후의 문단과 관련된 귀한 이야기들을 많이 들려주어서 이 부분에 관심 있는 이들에게 많은 도움을 주리라고 믿는다.

'문화 시론(時論)'난은 이번호부터 새로 기획된 것으로, 그때그때 문화나 문학 부문에서 중요하게 검토하고 진단해야 할 시급한 문제가 있을 때, 해당 분야의 전문가의 목소리를 빌려 그러한 현상에 대한 깊이있는 인식의 준거를 마련하기 위한 목적으로 만든 것이다. 이번 기획의 주제는 90년대 중반 이후에 우리 사회에 갑작스럽게 형성되기 시작한 보수주의적 흐름과 그에 편승한 문학현상의 일단을 비판적으로 검토할 의도로 설정되었다. 『선택』과 『인간의 길』을 중심으로 하여 이른바 '신보수주의'의 논리적 허구를 밝혀 낸 김철의 글은 이 주제와 결부되어 발표된 다른 많은 글보다도 훨씬 비판의 강도와 깊이에서 견결한 바가 있다. 다만, 한 가지 안타까운 것은 5월에 기획되고 6월에 청탁된 글이 이제서야 세상의 빛을 보게 되어, '시론'이라는 타이틀과는 달리 다소 시의성의 측면에서 늦어진 감이 없지 않다는 것이다. 무엇보다도 이 잡지가 반년간지인 탓에 계간지가 지닌 기동성(機動性)에도 턱없이 미치지 못한다는 사실이 안타까울 뿐이다. 애써서 귀한 글을 집필한 김철 교수께 미안한 마음 금할 길이 없다.

이번호의 '오늘의 문화이론'은 오랫만에 게오르그 루카치의 삶을 재조명하면서 그를 90년대에 다시 읽어야 할 필요성을 제기하는 김경식의 글을 싣는다. 김경식은 젊은 독문학자로 일관하여 루카치의 저작과 함께 그의 이론과 철학을 연구하고 있다. 80년대에 대학 사회를 풍미했던 루카치 바람을 생각하면서, 90년대가 다 저무는 이 때에 다시 만나는 루카치에 대해 이 역시 감회가 새로울 독자가 많으리라 믿는다.

횡보 염상섭 탄생 100주년을 맞아 『작가연구』에서도 몇 가지 기획들을 준비했었지만, 뜻대로 되지 않아 처음의 기획에 비해서는 양과 질에서 다소 빈약한 상을 차릴 수밖에 없었음을 솔직히 고백한다. 그러나, 하정일의 글 「『만세전』의 새로움」은 「만세전」 분석을 통한 횡보의 근대문학사적 위치를 평가한다는 점에서 횡보의 문학을 재조명하는 데 중요한 전환을 제공하리라 믿는다.

'일반 논문'은 다른 호에 비해 편수가 다소 줄었다. 이상과 정인택의 관계를 새롭게 조명한 이경훈의 글, 연출가 홍해성이 근대 연극에 끼친 영향을 분석한 이상우의 글, 그리고 30년대 후반 지성론을 중심으로 근대 비평가들의 논리를 비교분석한 김동식의 글은 모두 해당 분야에서 새롭게 제기되는 신선한 글들이다.

마지막으로, 양문규의 서평은 올봄에 출간된 김영민의 노작 『한국근대소설사』에 대한 것이다. 서평이 빠지기 쉬운 일련의 고답적인 통폐를 일소하고 비판적 읽기를 통해 저서의 장점과 문제점을 밝혀내고 있는 양문규의 글은 생산적인 토론으로서의 서평의 긍정적 기능을 다시금 일깨워주는 바가 있다.

더운 여름 내내 무더위와 씨름하며 귀한 원고를 써 준 많은 필자들에게 다시 한번 이 지면을 빌려 감사의 말씀을 전한다. 반년간지의 특성으로 인해 일찍 원고를 보내준 여러 필자들에게 뒤늦은 책의 출간을 사과드린다. 재정과 여건이 마련되는 대로 새로운 편집과 출판 방식을 모색하려고 여러 모로 애를 쓰고 있는 중이다. 독자들의 계속적인 관심과 애정이 있으시길 바란다.(하정일)

1997년 10월

김 정 한

90년대에 다시 읽는 요산(樂山)

최원식*

따져 보니 요산 김정한(金廷漢: 1908. 음9. 26~96. 11. 28) 선생이 기세(棄世)하신 지 벌써 반년이 넘었다. 사람의 마음이 간사한 탓인가? 팽이 눈처럼 돌아가는 세상사의 잡답 속에서, 요산의 문학적 부재가 깜박 잊혀지곤 한다. 나부터라도 요산과 그의 문학을 이처럼 망각해서는 아니되겠다는 다짐으로 요산을 다시 읽기로 마음먹었다.

한편 90년대도 후반에 요산을 다시 읽었을 때 예전의 감동이 감쇄된다면 어쩌나 하는 불안한 생각이 들기도 했다. 최근의 경험에 의하면, 옛날에 감동적으로 읽었던 작품들 가운데 영 그 감흥이 되살아나지 않는 경우들이 있는가 하면, 반대로 과거에 신통치 않게 읽었던 것 속에서 새로이 괄목상대(刮目相對)하게 되는 작품들도 없지 않았기 때문이다. 그러나 일단 부딪쳐 보는 수밖에 없다. 온갖 정치적 역경 속에서도 일관되게 리얼리즘의 길을 걸었던 요산 문학을 오늘의 눈으로 엄정하게 검증하여 계승할 것은 계승하고 딛고 넘어설 것은 넘어서는 것이 후배들이 취할 마땅한 자세일 것이다. 아마도 지하에 계신 요산 선생도 이런 충정을 너그러이 이해해 주시리라고 나는 믿는다.

---

* 인하대 국문학과 교수. 주요 논문집으로 『한국근대소설사론』이 있고, 평론집으로 『생산적 대화를 위하여』가 있음.

아다시피 요산은 오랜 침묵을 깨고 1966년 「모래톱 이야기」로 문단에 복귀하여 노익장(老益壯)의 창작활동을 펼치는 매우 희귀한 예를 보여주었다. 우선 개인적으로 보아도 만약 그대로 스러졌다면 그는 「사하촌(寺下村)」(1936) 등 몇 편의 단편으로 선집에 수록되는 작가, 30년대에 반짝 나타났다가 사라진 단명한 작가의 하나로만 그치고 말았을 것이다. 그런데 요산의 문단 복귀는 개인적인 차원을 넘은 일종의 문학사적 사건이다. 그것은 단절된 카프 전통의 복원이요, 6·25 이후 지하로 스민 해방 직후 좌파의 부활이요, '낙동강의 파수꾼'을 자임한 '변경(邊境)의 혼'의 중심부 진입이었다. 이 때문에 요산의 문단 복귀는 4월 혁명 이후 새로운 진로를 모색하던 60년대 후반 우리 문학계에 작지 않은 충격을 주었으니, 70년대 민족문학 운동의 탄생에 중요한 디딤돌의 하나로 되었다고 나는 믿는다.

단절된 카프 전통의 복원

사실 그는 30년대의 촉망받는 신인의 하나였다. 임화(林和: 1908~1953)는 「방황하는 시대정신: 정축(丁丑)문단의 회고」(1938)에서 30년대 신인작가의 작품들, 예컨대 정비석(鄭飛石)의 「성황당」·「거문고」와 김동리(金東里)의 「솔거(率居)」 등이 보여주는 새로운 경향을 "낭만적 반동"이라고 비판하면서, 김정한에 대한 신뢰를 표명한 바 있다.

> 여기 비하면 김정한씨의 「사하촌」이나 「항진기(抗進記)」는 건전하고 시대를 노기를 띠고 내려다 보는 듯한 정신의 산물이라 할 수 있다(『문학의 논리』, 251면).

임화는 「소화(昭和)13년 창작계 개관」(1938)에서 다시 한번 김정한을 각별히 기억한다.

> 끝으로 신인의 성과인데 정비석, 최명익(崔明翊), 현덕(玄德), 김정

한, 박영준(朴榮濬), 이운곡(李雲谷), 박노갑(朴魯甲), 허준(許俊)씨 등
이 제일 활약한 작가들인데, 도덕적으론 물론 이들 전부에다 기대를
둠이 옳을 것이나, 솔직히 말하면 김정한씨가 가지고 있는 어떤 요
소에 대하여 호기적(好奇的)인 기대를 두어보고, 현덕, 정비석, 허준,
이 세 작가가 조선문학 위에 새로운 재산을 가져오지 않을까 생각할
따름이다(『문학의 논리』, 321면).

김정한에 대한 임화의 높은 기대는 유의해 볼 만한 대목이다. 카프
(KAPF)의 계급문학론을 자기 비판하면서 근대문학론으로 사유의 중심을
이동하는 중이었던 당시 임화는 30년대에 새로이 대두한 모더니즘에 대해
서는 비판적인 태도를 취하면서 리얼리즘 문학의 건설을 모색하고 있었다.
이 점에 비추어 볼 때, 모더니즘에 곁눈도 주지 않고 카프적인 의식을 바탕
으로 건실한 리얼리즘의 길을 걷는 신인 김정한에 임화가 주목한 것은 어
쩌면 당연한 일인지도 모른다.

김정한은 임화가 거론한 신인 작가군 가운데 이채로운 존재였다. 그는
문인이기에 앞서 사회주의 활동가다. 문단에 나오기 전, 알려진 것만도, 그
는 두 번이나 검거된 경력을 가지고 있었으니, 첫째는 1928년 울산(蔚山)
조선인교원연맹 사건, 둘째는 1932년 양산(梁山) 농민봉기 사건에 연루되었
던 것이다. 알려지지 않은 것으로는 이찬(李燦)·박노갑 등과 함께 참여한
동지사(同志社)란 조직을 들 수 있다. 1931년 일본에서 결성된 이 단체는
재일 조선인 유학생의 독자적 프로문학운동체인데, 일국일당(一國一黨) 원
칙에 따라 이듬해 일본프롤레타리아문화연맹(KOPF)에 흡수되고 말았던 것
이다(최원식, 「그 편안함 뒤에 대쪽」, 『민족문학사연구』제3호 1993, 293면).
이상 몇 개의 경력만으로도, 비록 카프에 직접 참여한 바는 없었지만(30년
대에 들어서 카프는 이미 조직적으로는 와해 상태였다는 점에 유의할 것),
그가 당시 신인 가운데 카프의 자장(磁場), 가장 가까이 위치하고 있었음을
짐작할 수 있다.

실제로 그가 「사하촌」으로 정식 등단하기 전에 발표한 작품들의 면면을
살펴보면 이 점은 더욱 또렷해진다. 처녀작이지만 검열로 전문이 삭제되어

제목만 전해지는 단편 「구제사업」(1932.11)은 『신계단(新階段)』이라는 좌익계 종합지에 실린 것이다. 역시 프로문학 계열의 잡지 『문학건설』에 실린 두 번째 단편 「그물」(1932.12)은 미숙한 작품인데, 20년대 카프 소설과 아주 닮았다는 점이 흥미롭다. 요컨대 탈카프 바람이 특히 신인작가들을 중심으로 드셌던 30년대 문단 풍경 속에서 요산은 드물게도 카프의 상속자적인 위치에서 자기 문학을 밀어나갔던 것이다.

그렇다고 「사하촌」을 비롯한 이 시기 작품들이 20년대 카프 소설의 30년대적 재탕이냐 하면 그런 것은 결코 아니다. 물론 「항진기」(1937)나 「기로」(1938)처럼 문제의식은 살아 있으나 작품 수준이 떨어지는 것들이 없지 않으나, 이번에 다시 읽어보니 「사하촌」 「옥심이」(1936), 「추산당(秋山堂)과 곁사람들」(1940)은 카프를 넘어서 일정한 진경(進境)을 보인, 이 시기에 그가 생산한 최량의 단편들이라는 점을 새삼 확인하게 된다.

지독한 가뭄에 시달리던 성동리 소작 농민들이 자연발생적으로 쟁의에 돌입하기까지, 그 긴박한 과정을 정통 사실주의 수법으로 충실하게 그려나간 「사하촌」은 30년대 농민소설의 백미(白眉)가 아닐 수 없다. 이 작품을 끌고 나가는 기본 갈등은 물론 지주와 소작농을 가르는 계급적 계선을 따라 벌어지지만, 그럼에도 지주는 그들대로 소작인은 그들대로 각 인물의 개체성이 생동하여 결코 상투적이지 않다. 특히 소작농의 생활에 육박하여, 그들의 비굴과 무지, 그로 말미암은 내파적(內破的) 행동들, 예컨대 물을 둘러싼 농민 내부의 아귀다툼이나 아내와 딸 들에 대한 농민 남성들의 폭력 등을 한치의 환상 없이 살려내고 있는 것이다. 구소설의 로맨스 취향을 전복적으로 모방하여 지주와 소작농을 악과 선으로 단순 절단하는 카프식에서 훨씬 벗어났다. 이 점은 이 단편에 등장하는 지배집단과 그 주변에 대한 인상적 파악에서도 여실히 드러난다.

작품 제목에서 보이듯, 여기서 최대 지주는 보광사(普光寺)라는 불교 사찰이다. 해방 당시 사찰이 보유하고 있던 토지를 전부 합하면 거의 충청북도에 해당한다는 얘기를 들은 적이 있는데, 사찰을 지주적 형태의 하나로 파악해간 데 작가의 독특한 공헌이 있다고 해도 좋을 것이다. 그것은 일본식 대처승제(帶妻僧制)가 광범하게 유포되었던 식민지시대에 이르러 더욱 강화되었던 바, 이 작품에서 승려들이 가족과 함께 생활하는 보광리라는 새로 조성된 마을이 조선시대의 반촌(班村)과 유사한 기능을 가로맡는 데서 잘 드러난다. 아다시피 조선시대에 승려는 천민이었다. 이 약한 고리를 뚫고 일제는 승려들의 친일화에 몰두했으니, 보광리 승려들은 기왕의 경제적 기반에다가 일제의 비호를 업고 식민지시대의 새로운 지배층에 준하는 집단으로 부상했던 터이다. 요산은 불교계와 인연이 깊다. 단적으로 그는 동래(東萊) 범어사(梵魚寺) 부속의 사립 명정학교(明正學校) 출신인 것이다(최원식, 윗글, 290면). 그럼에도 일제시대에 요산이 반불교적 태도를 견지한 것은 흥미롭거니와, 이 작품 발표 뒤 불교측의 위협을 받은 일화는 잘 알려진 사실이기도 하다. 이는 반불교라기보다는 아마도 당시 불교 사찰의 친일지주적 행태에 대한 비판으로 보아야 할 것이다. 아울러 일제시대 향촌의 지배층이 전통적인 양반 지주를 대신한 신흥층, 주로 평민 이하에서 배출되었다는 점을 이 작품은 강력히 암시하고 있다. 이것은 「사하촌」에 등장하는 또다른 지주 쇠다리 주사의 한미한 출신에서도 방증되는 바이다.

이 작품은 식민지시대의 향촌을 구성하는 지배층과 소작농에 대한 새로운 파악을 통해서 30년대 농촌 현실에 구체적으로 핍진해 감으로써 카프방식을 넘어서, 아니 카프 이후 진정한 카프의식을 뒤늦게 성취한 뛰어난 농민소설이다. 이러한 성취가 가능했던 것은 그가 농민을 추상적 의식이 아니라 생활상의 요구 속에서 파악할 수 있었던 드문 현장감각의 소유자라는 사실에서 비롯되는 것이다. 그는 처음부터 지방의 살아 있는 농민들과 교섭하였다. 이 점에서 그의 예민한 언어 감각에 유의해야 한다. 요산의 작품에는 말하는 사람과 그 인물이 뱉어 내는 말 사이에 분열이 거의 눈에 띄지 않는다. 특히 농민의 언어들이 생활의 문맥 속에서 살아 움직인다. 「항진기」에 잘 나타나듯 그는 등단 초기부터 신사프로문학을 경멸했던 것이다.

「옥심이」에서 작가는 「사하촌」과는 조금 다른 각도에서 농민 생활을 파악해 들어간다. 이 작품도 사찰과 연관이 있다. 「옥심이」의 마을은 "돈 많고 산수 좋기로 유명한" 두미산 백암사의 토지를 부치는 소작촌이다. 그런데 이 작품에서 백암사의 지주적 형태는 배경으로 물러앉고 백암사는 "자동차의 왕래가 자유롭도록" 신작로 공사를 벌임으로써 일종의 자본가적 모습으로 부각된다. 「사하촌」에도 농민들의 원성의 적(的)인 성동리 수도 저수지를 관리하는 T시 수도출장소가 얼핏 배경으로 나오는데, 이 작품은 식민지 근대의 한 상징인 신작로 공사판이 직접적 배경으로, 다시 말하면 전경화(前景化)되고 있다. 지주와 소작인의 갈등 대신에 자본의 침투가 농민층에 가하는 복잡한 작용에 대한 관찰로 작가의 초점이 이동했다는 점에서 카프적 구도의 전형에 충실한 「사하촌」으로부터 일정한 이탈이 엿보인다.

그것은 들깨라는 인물을 중심에 두되 어디까지나 성동리 농민들 전체가 집단적 주인공 역할을 했던 「사하촌」과 달리, 「옥심이」를 한 농민 가족, 그 가운데서 소작농의 젊은 아내의 이야기를 중심으로 판을 짜나간 데서 다시 확인된다. 더구나 이 작품의 주인공이 여성이라는 점에 유의할 일이다. 「사하촌」에도 여성이 등장하지만 그녀들은 보조적 역할에 머물렀고 더구나 거의 수동적이다. 남편의 욕설에 항변하는 들깨 어머니의 한번의 저항 이외에는, 「사하촌」의 여성들은 바깥에서 받은 굴욕을 안에서 푸는 농민 남성들의 언어 폭력 앞에 무방비적으로 노출되어 있을 뿐이다. 그런데 「옥심이」의 여성들은 다르다. 외간남자와 정분이 나서 출분해 버리는 여주인공 옥심이는 물론이고, 부역하는 남자들의 애쓰는 육체로부터 성적인 자기 암시를 연상하고 킥킥대는 다른 여자들이나, 특히 "수절이니 의리니, 그것 다 소용없"다고 자신의 일생을 부정하면서 음담(淫談)을 잘하는 늙은 과부 만두할멈에 이르기까지, 「사하촌」에서 가리워졌던 여성만의 독자적 공간 역시 전경화된 것이다. 그것은 땡볕의 여름을 주요한 시간적 배경으로 삼았던 「사하촌」과 달리, "봄은 고양이처럼 옥심이의 귀천없는 마음에도 기어들었다"로 시작되는 「옥심이」의 인상적인 서두와 썩 어울린다.

「옥심이」에서는 어찌하여 「사하촌」과 달리 페미니즘의 공간이 열릴 수 있었을까? 여기서 우리는 다시 신작로 공사장에 주목해야 한다. 이 공사판에 나오는 잠깐 동안이나마 여성들은 완고한 가부장제가 관철되는 농촌 가정으로부터 해방되었으니, 문둥이 남편을 둔 소작인 여성 옥심이는 여기서 한 걸음 더 나아가 신작로 즉 자본의 길을 따라 새 삶을 향해 출분해 버리고 만다. 30년대에는 유부녀의 매춘이나 간음을 그린 작품들이 증가하는데, 옥심이처럼 자기 구제의 결단 아래 출분까지 감행하는 여성은 잘 눈에 띄지 않는다. 이 점에서 매우 선진적인 작품이다. 작가 역시 어린 자식마저 버리고 동향(同鄕)의 안십장과 출분한 그녀를 비난하지 않는다. 조선 농촌에 대한 신작로의 파괴적 성격, 그럼에도 불구하고 그에 부수하는 일정한 해방적 기능이라는 이중성의 복합으로서 신작로를 파악한 점에 이 작품의 묘미가 있다.

그런데 작가는 그녀를 결국엔 가정으로 복귀시킨다. 그녀는 왜 돌아왔는가? 그녀는 자식을 못 잊겠어서 돌아왔다고 말한다. 여기서 혹자는 이 이유만으로는 너무 부실하다고 비판할지도 모른다. 물론 그런 측면이 없지 않지만, 이 작품에 출분한 이후 옥심이와 안십장의 생활이 완전히 생략된 점에 주목해야 한다. 이 대담한 생략 속에 안십장과의 동거생활의 전말이 함축되어 있다. 또 혹자는 그렇다 하더라도 가정으로 복귀시키는 것은 가부장적 봉건주의와 타협하는 것이 아닌가, 항변할지 모른다. 물론 타협이다. 그런데 타협이 아니면, 멋모르고 출분한 이 농촌 부녀자에게 무슨 다른 선택이 가능할 수 있을까? 사실 시집식구들과 마을 사람들의 눈총을 뻔히 알면서도 복귀를 결행한 그녀는 역시 담찬 여성이 아닐 수 없는데, 시어미와 아들의 악다구니를 제지하고 며느리를 다시 받아들이는 시아버지 허서방의 수습은 차라리 감동적이다. 그럼에도 옥심이를 비롯한 이 고단한 허서방 가족의 삶이 나아지리란 희망이 없다는 점에서 이 작품은 「사하촌」과는 다른 각도에서 30년대 소작농의 현실을 탁월하게 파악한 작품으로 되는 것이다.

「추산당과 곁사람들」은 현진건(玄鎭健)의 「할머니의 죽음」(1923)처럼 한 인간의 임종을 둘러싸고 벌어지는 주변 사람들의 심리적 추이를 면밀히 그리고 있다. 그런데 「할머니의 죽음」과 달리 임종을 앞둔 사람이 자산가라는 점에서 염상섭(廉想涉)의 『삼대(三代)』(1931)에 나오는 조의관의 임종 장면과 상통한다. 추산당은 부자는 부자로되 좀 특이한 부자다. 그는 자수성가한 대처승인 것이다. 가난한 소작인의 아들로 태어난 추산당은 농사가 싫어 어린 나이에 나무하러 갔다가 지게를 벗어던지고 절에 들어가 주로 동냥질로, 작중인물의 말을 빌면, "부처 팔아" 치부한 인물이다. 말하자면 그는 일정한 규모에서 성공한 쥘리앙 쏘렐인 것이다.

작가는 이 작품에서 돈 문제를 직접적으로 다룬다. 돈은 이미 세상을 정복했다. "어중이떠중이 모두 돈, 돈, 하고 날뛰는 세상"이 된 것이다. 추산당의 병석을 찾아 부지런히 문병 다니는 사람들의 긴 행렬 속에서 지주와 소작인의 투쟁도, 자본가와 노동자의 쟁투도 가뭇없이 사라지고 대신 돈에 대한 경쟁적 경배가 세상을 지배하는 유일한 규율일 뿐이다. 가진 자는 물론이고 못 가진 자들의 영혼까지도 부패시키고 마는 돈의 마성(魔性)에 대한 작가의 냉정하지만 우울한 응시로 시종하고 있는 이 작품에서 우리는 암흑기의 입구에 선 작가의 내면풍경을 엿보게 되는 것이다. 집단적인 차원이건(「사하촌」), 개인적인 차원이건(「옥심이」), 자본의 공세에 최소저항을 그치지 않았던 요산은 이 작품을 고비로 거의 저항을 포기한 채, 물밑에 잠긴 가여운 넋으로 해방의 날까지 짧지 않은 잠행(潛行)에 들어간다.

이상의 소략한 검토를 통해서 우리는 대공황의 위기가 혁명이 아니라 오히려 자본의 부활로 이어진 30년대를 살아갔던 요산의 문학적 행보가, 새로운 수준으로 엄습한 자본의 실감 속에서 카프의 퇴조와 모더니즘의 풍미로 특징지어지는 30년대 문단 풍경 안에서 단연 이채롭다는 점을 다시 확인한다. 물론 「사하촌」 「옥심이」 「추산당과 곁사람들」, 세 작품 사이에 시각의 편차가 없지 않지만, 그의 문학은 넓은 의미의 카프 의식에 기초하고 있었던 것이다. 자본의 공세를 매우 독특한 소재와 시각을 통해서 침통하게 관찰하는 리얼리즘으로 그는 혁명적 낭만주의에 경사했던 20년대 카프를 넘어서 30년대적 카프의식을 독자적으로 실천했으니, 그의 문단 복귀는 단절된 카프 전통을 60년대 한국문학에 이어주는 교량 역할을 톡톡히 해낸 셈이다.

해방 직후 좌파의 부활

일반적으로 일제 말에 절필한 이후 「모래톱이야기」으로 복귀할 때까지를 요산 문학의 공백기로 치부해 왔다. 그런데 그는 해방 직후 창작 일선으로 귀환하였다. 물론 일제시대보다 덜 활발한데다 주로 부산(釜山)을 중심으로 활동한 탓에 공백기로 비추어졌지만, 이 시기에도 중앙 문단과 아주 인연을 끊은 것은 아니다. 단적으로 그는 1947년 6월 좌파계의 문학계간지 『문학비평』 창간호에 단편 「설날」을 발표한 바 있다. 지금까지 알려진 한, 이 작품은 아마도 서울 문단에 선보인 유일한 것인데, 어찌하여 그는 이 시기에 본격적인 창작활동에 이처럼 등한했는가? 그 이유는 해방 직후 그가 문학보다는 운동에 헌신하였기 때문이다.

이 시기 그의 활동은 아직도 그 전모가 밝혀지지 않은 형편이다. 그가 주로 관여한 좌파 민족운동의 성격상, 그리고 6·25 이후 반공독재 아래에서의 생존문제와 맞물려서 비밀에 싸인 부분이 없지 않다. 이러한 한계에도 불구하고 자료와 증언에 의거해 이 시기 그의 활동을 정리해보자. 해방 직전 일제의 예비검속을 피해 구포로 숨어 들어가 해방의 날을 맞이한 그는 곧 건국준비위원회(약칭 건준) 경남지부에 참여한다. 건준이 인민위원회로 개편되면서 그는 경남인민위원회 문화부에서 활동하는 한편, 조선문화단체총연맹(약칭 문련)의 부산지부 격인 부산예술연맹(약칭 부산예련)의 회장으로 피선된다. 1947년 미군정이 요산을 비롯한 인민위원회 관계자들을 검거하는 바람에 그는 해방 후 다시 투옥되기에 이른다. 출옥 후 부산중학의 교사로 부임하는 한편, 전국문화단체총연합(약칭 문총)의 부산지부장을 맡게 되는데, 이 단체는 아다시피 우익이다. 일종의 전술적 후퇴 속에서 그는 분단에 반대하는 김구(金九) 노선에서 하나의 돌파구를 찾는다. 그러나 김구 암살로 상징되는 분단체제의 성립과 남북협상 세력의 소실과 함께 보도연맹(保導聯盟)에 가입, 6·25를 맞이한다. 전쟁 발발 속에 다시 예비검속을 모면하기 위해 피신하지만 그 뒤 특무대에 끌려가 모진 고초를 겪다가 지인의 도움으로 풀려난다(최원식, 앞글, 294~296면). 이런 정치적 곡절로 「모래톱 이야기」까지 거의 절필 상태에 놓이게 되는 것이다.

이 점에서 「설날」의 위치가 중요롭다. 「설날」은 일제시대의 작품세계와 「모래톱이야기」이후를 연결하는 결절점일 뿐만 아니라 해방 직후 요산의 향방을 알려주는 유일한 거울이라고 할 수 있다. 이 작품에서 작가는 해방 직후 경남지역의 대표적 혁명가 집안을 직접 다룬다. 아버지는 이 지역 민전(民戰) 의장이요 아들은 대구(大邱) 시월사건(1946)에 희생되고 며느리는 도(道) 부녀동맹위원장으로 일하는 이 작품의 모델은 김해(金海)의 교사 출신 좌파 혁명가 노백용(盧百容) 집안이다. 일찍이 조선공산당 김세연(金世淵) 책임비서시대(1927.11~1928.2)에 경상남북 도(道)간부로 참여, 1928년 대검거 때 구속, 이후 1930년에는 신간회(新幹會) 중앙검사위원으로 활약한 노백용은 해방 후 부산인민위원회 위원장에 피선, 1947년 미군정의 탄압으로 다시 투옥된 경력을 가진 인물이다(최원식, 앞글, 294~295면). 작가는 이 작품 이전에 노백용을 모델로 꽁뜨를 쓴 바, 그것이 바로 부산인민위원회 위원장 재직 때 미군정의 탄압으로 투옥되는 광경을 포착한 「옥중회갑(獄中回甲)」(부산에서 발행된 『전선』창간호, 1946.3)이다. 거의 망각된 이 두 작품은 작가의 노백용에 대한 지극한 존경을 웅변하고 있다. 그런데 「설날」에서 노혁명가는 투옥 중이다. 이 점에서 「설날」은 「옥중회갑」의 후일담으로 된다. 이 때문에 「설날」은 집안의 남자들이 투쟁 속에 사라진 이후 그 가족의 수난사로서 이야기를 풀어나간다. 실로 오랜만에 이런 작품의 기원, 석진형(石鎭衡)의 「몽조(夢潮)」(1907) 유형이 여기에 다시 등장한 것이다(그 구체적 논의는 다음 글을 참조할 것. 최원식의 「반아(槃阿) 석진형의 '몽조'에 대하여」, 『인하어문연구』3호, 1997.6).

「설날」은 3인칭이지만 남편을 잃고 시아버지를 옥중에 둔 혁명가의 아내요 그 며느리이자 어린 아들 호출이의 어머니, 그 어느 여성의 관점에 주로 의존하고 있다. 이 모자는 지금 도시 근교 어느 지인의 집에 피신해 있는 상태다. 작가는 이 작품에서 쓸쓸한 설날을 맞은 이 모자의 정경을 살갑게 그려낸다. 그녀 자신도 K도 부녀동맹위원장인 탓인가, 그럼에도 주눅들지 않은 모자의 모습이 의연하다. 여기서 더 나아가 그녀는 아들을 데리고 교위(敎委)에서 활동하는 여교사 진숙과 함께 시아버지의 면회와 남편 성묘를 결행한다. 피신처를 벗어나 벌이는 이 위험한 외출의 과정을 실감나게 그리고 있는 이 작품은 읽어나가면 나갈수록, 특히 남편의 무덤을 찾는 장면에 이르면 어쩌면 그렇게 「몽조」와 흡사한지, 한국근현대사를 가로지르는 역사적 과제의 근본적 동일성의 문제에 새삼 주목하게 된다. 작품은 무덤에서 "언제나 새 힘이 나는 붉은 깃발의 노래"를 부르며 투쟁의 지속을 다짐하는 낙관적 결말로 맺어진다. 이 작품은 잘 쓴 좌파소설이다. 그럼에도 식민지시대 그의 뛰어난 단편에는 미치지 못한다는 느낌이 강하게 든다. 왜 그런가? 전반적으로는 무리가 없는 듯하면서도 인물의 파악과 구성의 배치가 기본적으로 정석에 기초하고 있기 때문이다. 사실 이 작품의 여주인공은 부녀동맹위원장이지만, 그것은 내발적이기보다 시아버지와 남편의 위치로부터 부여되었다고 보아야 할 터인데, 그녀는 부여된 역할에 스스로를 채근하여 맞추려고만 하지 그 간극 사이를 보려고 하지 않는다. 「옥심이」로부터의 후퇴. 이 점은 어린 아들도 마찬가지다. 요컨대 이 작품의 인물들은 능란하게 조종되는 인형같은 성격을 크게 벗어나지 못했다.

나는 앞에서 이 작품이 「몽조」와 유사하다고 지적했는데, 더욱 주목할 점은 이러한 수난기가 1970년대 이후 민족문학 진영의 소설들에서 본격적으로 나타난다는 것이다. 직접적 영향 없는 격세유전을 실감케 하는 사례가 아닐 수 없다. 해방 직후 문학과 70년대 이후 민족문학운동의 어떤 연속성을 확인하게 된다는 점이야말로 음미할 만한 대목이거니와, 수난기가 가진 엄중한 한계에도 불구하고 한 시대의 억압 속에서 지하로 스며든 물줄기가 뒤늦게 분출되는 것도 또한 우리 문학의 더 높은 발전을 위해서 겪지 않을 수 없는 일이기도 할 터이다.

김정한의 재등장과 민족문학운동의 여명

4월혁명으로 기성 문단을 혁신하려는 새로운 문학운동이 태동하고 있었던 1960년대 중반에 카프의 외로운 생존자 요산이 홀연 문단에 복귀하였다. 이 또한 우연을 통해 표현된 한 필연이라는 점을 깨닫게 된다. 순수문학론의 독점을 해체하려는 60년대 문학계의 새로운 기류변화가 요산의 재등장을 가능하게 했을 터인데, 4월혁명 세대의 문학적 분화 속에서 계간 『창작과비평』의 창간(1966)을 즈음하여 민족문학운동의 맹아가 바야흐로 싹트는 차에 복귀한 요산은 이번에는 거꾸로 그 선도적 방향타로 되기에 이르렀던 것이다.

이 점에서 「모래톱 이야기」(1966)는 관건적 작품이다. 「모래톱 이야기」에서 작가는 아마도 처음으로 1인칭 관찰자 시점을 취하고 있다. 화자인 '나'는 중학교사인데, 담임반 학생 건우를 통해 조마이섬 민중의 기막힌 현실을 발견, 침통하게 증언하는 모양새를 꾸민 것이다. 1인칭 관찰자 시점의 의장(意匠)으로 지식인과 민중의 만남 또는 지식인의 민중 현실 발견을 자연스럽게 유도하는 이런 형식은 이미, 신문학운동의 민중적 성격이 강화되는 초입으로 되는 1920년대 중반 문학에서 자주 실험된 바, 구한국시대의 역둔토(驛屯土)가 동척(東拓)의 토지로 넘어가면서 유리(遊離)하는 떠돌이 노동자와의 만남을 극적으로 포착한 현진건의 「고향」(1926)은 그 저명한 예의 하나다. 그런데 오랜 세월 낙동강의 모래가 밀려서 만들어 낸 이 조마이섬도 나라땅 역둔토였다가 일제 때 동척이 소유, 불하하여 어느 일본인의 토지로 된 사정이 거의 「고향」과 유사하다. 해방 후 조마이섬은 어찌 되었는가? 어느 국회의원의 소유로 이제는 "조마이섬 앞강의 매립허가를 얻은 어떤 다른 유력자"의 손에 넘어갔으니, 이 점에서 「모래톱 이야기」는 「고향」의 속편이라고 할 수도 있다. 이 섬 토지 소유의 역사를 통해 작가는 해방 이후도 민중의 고통은 여전하다는 참담한 현실을 분노 속에 증언하는 것이다. 요산 후기문학의 개시를 상징하는 통과제의라고 할 이 작품이 1920년대 중반에 애용되던 1인칭 관찰자 시점을 반추하고 있다는 점이 뜻깊다.

또한 이 작품의 공간적 배경, 낙동강의 섬마을에 주목해야 한다. 요산 후기문학은 이후, 거의 낙동강의 섬마을이나 강마을 배경으로 하고 있어 일제시대에 사하촌을 집중적으로 탐구하던 것과 극명히 대비된다. 이 강은 일찍이 조포석(趙抱石)의 「낙동강」(1927)에 의해 우리 근대문학의 공간으로 처음 편입되었지만, 요산에 의하여 집중적으로 탐구됨으로써 현대 한국의 가장 중요한 문학적 공간의 하나로 되었던 것이다. 요산은 혁명적 지식인의 비극적 정조로 물든 포석의 낙동강을 생활하는 민중의 낙동강으로 구체화하였다. 말하자면 요산은 그가 설계한 낙동강의 진정한 주인이었던 셈이다.

그런데 그의 후기문학이 다 「모래톱 이야기」처럼 뛰어난 것은 아니다. 때로는 증언과 고발과 분노가 앞서서 자연주의적 암흑소설 또는 르뽀적 자연주의로 떨어진 경우도 없지 않았다. 「축생도(畜生道)」(1968)처럼 분노 속에서도 민중적 해학이 넘치는 가작도 없지 않지만, 「제3병동」(1969) 「뒷기미나루」(1969) 「지옥변(地獄邊)」(1970) 「산거족(山居族)」(1971) 등은 거칠고 단순하다. 특히 그의 대표작의 하나로 꼽히는 「인간단지」(1970) 역시 그 상처를 받고 있다. 개별적으로 우리 문학의 곳곳에 얼핏 출몰하던 문둥이를 그린 기존 작품들과 달리, 나환자들의 집단투쟁을 그림으로써 우리 문학의 암흑면을 새로이 개척하여 당시 독서계에 깊은 충격을 준 바 있던 이 작품을 이번에 다시 꼼꼼히 읽어보니 결함이 여기저기 눈에 띈다. 특히 매력적인 형상 우중신의 개인사를 매우 성글게 요약한 대목을 소설 중간에 강제로 삽입한 이후 이 뛰어난 소설은 급히 내리막을 탄다. 구원자 최순조의 내력을 우겨넣은 부분도 그렇고, 인근 주민들의 습격으로 마감하는 결말은 초점을 흐리는 역할이고, 작품에 자주 나오는 '조국'이란 말도 동뜨다.

요산 후기문학의 걸작은 역시 가야부인이라는 탁월한 형상을 창조한 중편 「수라도(修羅道)」(1969)다. 이 작품은 얼핏 그의 문학세계에서 예외적이다. 우선 그의 유일한 중편이라는 점이다. 간난한 삶의 역정 탓인지 그는 주로 단편에 주력하였는데, 그처럼 스케일이 큰 작가에게 우리 현대사가 중장편에 전념할 시간의 여유를 허용하지 않은 것, 특히 창작의 황금기라 할 장년기를 침묵으로 버틸 수밖에 없게 만든 점이 안타깝기 짝이 없는 일이다. 그나마 이 작품에서 단편적 한계를 넘어 일정한 규모로 창작력을 구가한 것이 다행이라면 다행한 일이다. 소설에서 양(量)은 서사원리의 충족을 위해서 뿐 아니라 창작력의 가늠대로서 결정적으로 중요할 경우가 많은 법이다.

또한 이 작품에서 그는 처음으로 양반가문에서 취재하였다. 요산처럼 처음부터 끝까지 일관되게 민중 현실을 붙잡아 나간 작가는 드문데, 이 점, 미덕인 동시에 한계로 될 수도 있다. 지배층과 중간층에 대한 제대로 된 인식 없이 민중의 현실도 총체적으로 파악할 수 없기 때문이다. 진정한 자존 아래 일제에 굴복하기를 거부한 허진사댁의 사람들을 생생하게 그려낸 이 작품을 읽어나가면서 더구나, 전환기에 처한 반가(班家)의 모습을 이처럼 잘 제시한 소설이 과연 몇이나 될까, 경탄을 금할 수 없었다. 그는 결코 단순한 민중주의자가 아니다.

그리고 가야부인이 불심이 깊은 여성으로 제시되고 있는 점에 주목할 일이다. 일제시대 그의 작품들이 보여주는 불교 비판과는 사뭇 다른 면모인데, 나는 솔직히 그 작품들의 불교 비판이 한쪽으로 기울었다는 불만이 없지 않았다. 단적으로 그 작품들의 모델이 된 동래 범어사가 불교 혁신 위에서 한국 불교의 친일화를 저지한 중요한 근거지의 하나였던 점이 전적으로 탈락된 채, 그 부정적 측면만 부각한 작가의 야박성이 마음에 걸렸던 터다. 물론 「수라도」에 나타난 불교는 사찰 불교가 아니라 일종의 민중 불교다. 시가(媤家) 어른의 유교와 부딪치면서 가야부인이 건립한 작은 암자 미륵당을 중심으로 전개되는 이 작품의 불교는 그저 스님 하나가 지키면서 시주 없이도 찾아드는 불행한 아낙네들의 사랑방 같은 편안한 공동체인데, 그

대신 작가는 여기서 친일파와 유착한 무당을 철저히 친다.

그런데 이 작품의 가장 중요한 의의는 민족문제의 전면적 부각이다. 물론 이 이전에도 그가 민족문제에 무관심했다는 것은 아니지만, 계급 문제의 스펙트럼을 통해서 민족문제가 제시된 이전 작품들과 달리, 아슬히 반가의 체통을 지켜나가는 허진사댁의 이야기를 통해 일본제국주의와 식민지 조선을 절실한 화두로 삼았던 것이다.

그렇다고 기존 문학세계와 이 작품의 비연속성에만 착목해서는 나무만 보고 숲을 보지 못하는 어리석음를 범하는 일이다. 허진사댁의 며느리 가야부인을 주인공으로 삼음으로써 이전 시기의 민중적 성격과 기맥을 통하고 있는 점이 흥미롭다. 한국 현대문학이 창조한 가장 매력적인 형상의 하나로 꼽힐 가야부인은 반가의 체통을 의젓이 지키면서도 한편 그 해체자라는 양면성을 가지고 있다. 시어른의 반대에 맞서 불당을 짓는 일을 관철하는 것은 이미 지적했거니와, "머슴이나 부엌식구들이 도리어 송구스럽게 여길 정도로" 상일을 가리지 않는 성품 또한 그렇다. 이는 단순한 성품탓뿐이 아니라 이미 몰락의 길로 들어선 전통 반가 부녀의 매우 지혜로운 시대적 적응력의 표현일지도 모르지만, 이로 말미암아 그녀는 신분의 차이를 뛰어넘는 인간적 교류에 성공하곤 한다. 상처한 사위를 친정에서 부리던 몸종의 딸 옥이와 맺어주는 삽화는 얼마나 감동적인가? 이 점에서 가야부인은 「설날」의 호출엄마보다 「옥심이」의 여주인공과 연결된다. 말하자면 가야부인은 「옥심이」의 양반판이라고 할 수 있다. 아다시피 반가의 여성은 일반 민중에 대해서는 지배자요 양반 남성에 대해서는 민중적인 양면성을 지니고 있다. 작가는 이 양면성을 토대로 한 독자적인 페미니즘의 공간을 설정함으로써 이 작품에서 어느 양반 가문의 근대적 해체를 격조 높은 리얼리즘으로 묘파해 낸 것이다.

그 솜씨 또한 무르녹았다. 임종을 앞둔 가야부인의 제시에서 열고 임종으로 닫아 작품의 앞뒤 아귀를 맞추는 한편, 그 사이사이 일제시대와 해방 이후에 걸치는 파란만장한 시간대에서 펼쳐지는 삽화들을 능숙하게 짜나가 평면적 서술의 진부성을 원천적으로 봉쇄했다. 더구나 서술의 시선을 손녀 분이에 맞춤으로써 그녀가 할머니에 대한 기억들을 떠올려 그 의미를 이모저모 새기는 심리적 추이를 따라 구성이 진행됨으로써 느낌의 현재성이 더욱 생생해진 터이다. 내용과 형식 양면에서 기념비적 작품이 아닐 수 없다.

「사밧재」(1971)는 「수라도」 계열에 드는 빼어난 수작이다. 해방 직전을 배경으로 한 이 작품은 임종을 앞둔 누나를 찾아가는 송노인을 주인공으로 삼는데, 그 누나가 가야부인과 비슷해서 다른 각도에서 「수라도」를 반추하고 있는 작품이다. 나는 여기서 단순한 민족주의를 넘어서 한일관계를 새로이 사유하고 있는 「산서동(山西洞) 뒷이야기」(1971)와 「오끼나와에서 온 편지」(1977)에 더욱 주목하고 싶다. 낙동강 하류의 조선인 빈촌 명매기 마을을 배경으로 한 전자에서 작가는 이 마을의 유일한 일본인 가족을 둘러싼 이야기를 통해서 일종의 한일 민중 연대의 경험을 반추하고 있다. 철도 노동자로 일하다가 부상으로 아주 이 갯펄마을에 눌러앉은 이리에는 민족의 차이를 넘어서 크고 작은 조선인들의 싸움에 함께함으로써 조선 농민들과 속깊이 교류했던 인물이다. 그런데 작품은 해방 후 일본으로 귀국한 이리에의 아들 나미오가 다시 산서동을 찾아와 아버지의 옛동지 박노인과 만나는 장면에서 시작되어 과거를 반추하고 다시 현재로 돌아와 두 사람의 헤어짐으로 마감된다. 이런 장치를 통해 작가는 과거를 과거로서 묻어 두지 않고 한일 두 나라 민중운동의 현재까지 점검하는 것이다. 문제는 현재 부분에서 발생한다. 박노인은 일본의 개량을 부러워하며 일제시대에도 엄존했던 농민조합이 철저히 분쇄된 한국의 현재를 부끄러워하는 것인데, 한일 두 나라의 강렬한 민족주의의 충돌을 넘어서 민중에 기초한 국제적 연대의 가능성을 탐구하는 이 작품의 선한 의도는 여기에 이르러 그 초점을 잃고만다. 아까운 작품이다. 이러한 결함은 오끼나와 사탕수수밭 계절 노동자로 팔려간 강원도 광부의 딸이 고국의 어머니에게 보내는 편지의 형식으로 한일 두 나라의 민중 문제를 통시적으로 조망한 「오끼나와에서 온 편지」에서도 한국 민중에 대한 기이한 자기 비하의 형태로 비슷하게 복제된다.

실존적 감각의 문제

요산은 식민지 시대의 카프와 해방 직후 좌파운동의 외로운 생존자로서 4월 혁명 후 한국문학의 혁신을 위해 고민하는 새세대 민족문학운동과 행복한 상호접목에 성공한 드문 원로의 한 분이다. 이 기적 같은 일이 가능할 수 있었던 것은 무엇보다 그가 신사프로문학자가 아니라 생활하는 민중의 구체적 감각에 다가갈 수 있는 드문 자질을 가진 좌파 작가이기 때문이다. 이 점에서도 그가 좌파에게도 우심한 중앙주의의 유혹에 빠지지 않고 일생 지방에서 운동과 문학에 정진했다는 것이 주목되어야 한다. 서울과 지방 사이의 거리에서 그의 문학은 신사프로문학이 흔히 경사하는 메마른 추상에서 구원될 수 있었던 것이다. 아다시피 70년대 이후 뚜렷한 흐름을 이룬 한국의 민족문학운동은 카프의 계급문학론을 넘어서 해방 직후의 좌파민족문학론을 넘어서 대안을 추구하는 문학운동이다. 즉 그것은 앞 시기의 문학운동들과 연속보다는 비연속의 측면이 더욱 강하다는 말이다.

요산과 70년대 민족문학운동의 행복한 접점에도 불구하고 오늘날 우리 문학이 딛고 넘어야 할 그의 한계는 무엇인가? 이것을 해명하는 일은 요산 문학이 더 큰 성취에 이르지 못한 원인을 석명하는 작업이기도 한데, 우선 그의 문학이 자본에 대한 농민적 저항에 시종일관했다는 점이야말로 그의 미덕이자 한계였다는 것이다. 일종의 농업사회주의인데, 이것만으로는 전지구적 자본의 공세가 강화되고 있는 오늘의 현실을 제대로 돌파할 수 없다는 인식을 철저히 다질 시점이다. 이 문제에 대해서는 이미 누차 지적한 바 있으므로 여기서는 생략하고, 이번에 요산을 다시 읽으면서 새로이 주목한 점에 관해 이야기하고 싶다. 그것은 말하자면 실존적 감각의 문제다. 조금 구체적으로 지적한다면, 요산이 자발적이든 외적 강제에 의했든 문학적 공백으로 빠져든 시기들에 관해 침묵하고 있다는 사실이다. 일제말과 정부수립 이후 그가 겪은 굴욕의 경험을 괄호침으로써 자신의 생체험의 중대 부분이 결락한 것이다. 그런데 이는 단순히 개인적인 것이 아니라 집단적 추억이요, 그래서 더욱 음습한 그늘에 두어 그대로 묵혀버릴 것이 아니라 그 의미를 궁구하여 고통스럽지만 양명한 햇볕 아래 드러내 의식화해야 할 추억일 것이다. 이 점에서 「모래톱 이야기」의 유명한 서두를 함께 읽어보자.

> 이십년이 넘도록 내처 붓을 꺾어 오던 내가 새삼 이런 글을 끼적거리게 된 건 별안간 무슨 기발한 생각이 떠올라서가 아니다. 오랫동안 교원노릇을 해오던 탓으로 우연히 알게 된 한 소년과, 그의 젊은 홀어머니, 할아버지, 그리고 그들이 살아 오던 낙동강 하류의 외진 모래톱—이들에 관한 그 기막힌 사연들조차, 마치 지나가는 남의 땅 이야기나, 아득한 옛날 이야기처럼 세상에서 버려져 있는 데 대해서까지는 차마 묵묵할 도리가 없었기 때문이다.

이 말의 울림을 충분히 음미하면서도 이제는 물음을 던져야 한다, 이 이전 그는 왜 묵묵할 수밖에 없었는지. 그 침묵의 공간을 사유하는 자기 인식의 치열성에 기초하지 않은 채, 바깥으로만 향하는 문학이 흔히 빠지는 실존적 감각의 결여. 일제 말의 치욕 앞에 선 작가의 고뇌를 고통스럽게 자기해부한 이태준(李泰俊)의 「해방전후」(1946) 같은 작업이 결락한 요산문학의 생략점이 왠지 확대되는 느낌인데, 사회적 관심의 진정한 바탕의 하나로 실존적 감각의 회복문제를 앞으로 민족문학의 중요한 화두의 하나로 삼을 필요가 절실해진다.[새미]

한수영 비평집, **문학과 현실의 변증법**, **새미**, 1997
임명진 비평집, **문학비평의 대화와 해석**, **국학자료원**, 1997

현실을 보는 눈과 역사를 보는 눈
— 김정한의 초기 소설 연구

조 정 래*

1. 30년대 후반기와 신진작가의 과제

김정한은 「사하촌」의 작가로서 명성을 얻었다. 「사하촌」이야말로 그의 출세작이자 대표작이며 작가로서의 출발작인 셈이다. 그 「사하촌」이 『조선일보』 신춘문예에 당선한 해가 1936년이다[1]. '1936년'은 우리 문학사에 있어서 매우 미묘한 해이다. 이를테면, 어떤 문학사 책은 1936년부터 사, 오년간을 '현대적 문학의 분화기'로 분류하고 있는데[2], 이는 이 해를 기점으로 문학사적 기류가 다양하게 변화하였음을 주목하였기 때문이다. 1936년은 그만큼 우리 문학사의 흐름에 중요한 계기를 제공한 해이다.

---

* 서경대 국문학과 교수. 주요 저서로 『소설이란 무엇인가』, 『소설과 서술』 등이 있음.

1) 본인의 회고에 따르면, 김정한은 1928년부터 『조선일보』, 『동아일보』 등에 시를 투고했으며, 『학지광』, 『조선시단』, 『대조』 등에도 시를 발표했다. 1931년에 『신계단』지에 「구제사업」을 발표하려 했으나 검열국에 의해 삭제당하였고, 1932년 『문학건설』에 「그물」이란 단편소설을 발표했으나 별로 주목받지 못하였다. 따라서, 「사하촌」은 작가로서의 출발작이기도 하므로 김정한은 이른바 신세대 작가에 속한다고 하겠다.
2) 백철·이병기, 『국문학전사』, 신구문화사, 1957, 408쪽

굳이 '1936년'이란 특정한 해를 문제삼을 필요는 없을 테지만 김정한이 작가 활동을 시작한 이 시점이 한국 문학사에 있어 변화의 고비를 이루는 몇몇 전환기 중의 하나임은 중요하다. 1930년대 중반기의 이 변화, 혹은 굴절은 그 원인과 의미에 대한 문학사적 해석을 무척 난처하게 하는 복잡함을 지니고 있다. 이를테면, 이 해에 우리는 한설야의 사회주의 리얼리즘과 이상의 모더니즘 문학을 동시에 보게 된다. 양극에 해당하는 두 지향이 하나의 공간에 동시에 나타나는 것은 어찌 보면 비정상적인 현상이다. 그러나 두 지향은 나름대로의 역사적 이유를 안고 있어서 그냥 이상한 현상이라고 치부하고 말 수는 없을 것이다.

한설야의 『황혼』을 비롯한 사회주의 리얼리즘 소설은 리얼리즘 문학이 쇠퇴하고 변혁의 기운이 쇠진하는 시기에 나타나서 안간힘을 쓰는 듯이 보인다. 그러나 우리는 해방 직후 사회주의 문학 운동이 다시 불붙는 것을 보았고, 이 시기의 한설야가 의도한 창작활동이 단순한 안간힘이 아니었음을 알 수 있다. 동시에 이상이나 김기림 등이 탐색한 현대적 경험의 의미화도 일정한 현실 변화를 감지한 결과물로서 역사성을 지니며, 구인회의 결성, 주지주의 문학론의 소개 등이 맥을 같이 한다. 따라서, 창작 기법이나 사상의 양극화 현상 그 자체는 이 시기의 정신적 혼란상을 집약적으로 보여주는 것으로, 그 나름대로의 역사적 의미를 갖고 있음을 알 수 있다. 제 길을 잃거나 찾지 못해 방황하는 정신과 새 길을 찾으려는 정신이 혼재하고 있는 이러한 시기에 김정한은 문학의 길에 나섰던 것이다.

이 시기의 문학사적 굴절은 파시즘이 본격화한다는 정세에도 그 원인이 있다. 박영희를 필두로 한 전향 문제가 문단적 현상으로 나타나고, 중진 작가들의 좌표는 크게 위협받는 상태가 되었다. 이 와중에 풍자문학, 농민문학 등 창작 기류가 다양해지고, 다양한 기풍의 신진작가들이 비교적 많이 등장하게 되었다. 파시즘 정세로 인해 본격소설의 창작이 위축되는 반면에, 새로운 경험의 의미 찾기가 대세로 자리잡아 간 것이다. 그러나 근본적으로 식민지 상태에서의 현대적(혹은 근대적) 경험이란 필수적으로 사이비 침단화의 결과물이어서 그 한계를 자체적으로 내포하고 있었다. 삶의 내면화니 미적 자의식이니 하는 경향들이 근본적으로 자유 속의 삶을 전제로 하는 언어 놀음이기 때문이다. 물론 이러한 시도가 전혀 무의미한 것은 아니고, 특히 인식의 과학화와 내면화는 중요한 발전을 담지하고 있었다. 다만 현실을 외면하고서는 그 한계를 벗어 던질 수 없고, 작가들의 현실이란 억압과 구속에 묶여 있는 상태였다.

그렇게 본다면, 이 시기에 나타난 신진작가들은 매우 막중한 과제를 안을 수밖에 없었다. 정신적 혼란이 극심한 이 시기에, 문학으로 자신을 시대에 내던진 새로운 작가들이 맡은 임무는 무엇인가? 그 과제란 첫째, 자본주의가 농숙해짐에 맞추어 변화하는 세계를 포착하여야 하고, 둘째, 세계의 변화를 그리되 과학적인 사회 인식을 바탕으로 하여야 하며, 셋째, 변화하는 세계 안에서도 여전히 식민지적 삶의 굴레를 끼고 살아가는 민족의 현실을 외면하지 않아야 한다는 것이다. 이러한 과제는 강압적인 정치 환경을 직시하면서 새로운 미적 질서를 구현하여야 한다는, 실로 무겁고도 어려운 짐이었으므로 어쩌면 이상론에 불과할지 모른다. 현실은 험악해지는 반면에 경험은 새로운 의미를 묻지만, 그 진실은 장막에 가려서 잘 보이지 않는, 이 어려운 시대적 조류 앞에서 무엇을 찾아야 할 것인지, 그리고 어떻게 형식화하고 언어화할 것인지를 그들은 고민하지 않을 수 없었다. 그러나 이 어려운 과제를 바람직하게 수행한 작가는 드물다.

이중 삼중의 과제를 작가 한 사람 한 사람이 다 실현하는 것, 혹은 한 작가가 이중 삼중의 짐을 다 실어낸다는 것은, 현실적으로 기대하기 어렵다. 그렇다면 시대적 성격과 역사적 단계를 고려하여 가장 중요하고 시급한 것을 요구하지 않을 수 없다. 우리가 상식적으로 생각해 봐도 식민지의 질곡이 해소되지 않은 상태에서 정상적인 근대성, 혹은 현대성의 의미 찾기는 무의미하다. 그렇다면 이들 새로운 작가들에게 있어 무엇보다 중요한 과제는 현실에 직면하고 새로이 전망을 확보할 새 길을 찾는데 있을 것이다.

바로 이러한 막중한 시대적 과제를 안고 김정한은 집필 활동을 시작한 것이다. 따라서, 김정한은 이 어려운 시대적 요청에 어느 정도 부응하였는 가 하는 물음이 궁극적인 문제 제기가 되지 않을 수 없다. 이에 대한 답을 구하기 위하여 김정한의 「사하촌」이 중요한 논의의 대상이 될 수밖에 없고, 해방 이전에 발표한 다른 작품들, 「항진기(抗進記)」, 「옥심이」, 「기로(岐路)」, 「추산당(秋山堂)과 곁사람들」, 「낙일홍(落日紅)」, 「월광한(月光限)」 등도 분석 대상으로 삼아야 할 것이다.

2. 서술 언어의 감응력과 관찰력

「사하촌」과 「옥심이」, 「항진기」, 「추산당과 곁사람들」은 농촌을 배경으로 한 작품들이다. 그 중에서 「사하촌」과 「옥심이」, 「항진기」가 농민의 질곡을 주조로 한 작품이라면, 「추산당과 곁사람들」은 농민의 현실을 다루기 보다는 인간의 근원적 욕망을 주제로 삼은 작품이어서 따로 논의할 필요가 있다. 또, 「기로」는 농민이 임금노동자로 변신한 이후의 삶을 소재로 삼았 다. 해방 이전에 발표한 이러한 김정한의 소설 작품은 민족의 현실이 개체 의 삶에 어떻게 작용하는가를 그리는데 치중한다.

대부분의 작품이 가난과 제도적 억압에 시달리는 인물들의 현실을 그리 는데 반해, 「월광한」은 특이하게 지식인의 내면 심리를 다루었다. 제주도에 서 근무하는 한 지식인 지방 관리가 제주도의 해녀 한 명에게 반하여, 깊은 밤 유부녀인 그 해녀와 함께 배를 타고 먼 섬으로 나가는 과정에서 느끼는 절대 고독을 표출한 작품이다. 그 소재와 주제, 인물을 그리는 방식 등 여 러 면에서 김정한의 정신적 주조에서는 벗어난 작품이다.[3]

---

3) 인간의 근원적인 고독을 이야기하는 이런 종류의 작품은 일종의 심리주의 계 소설로 분류할 수도 있는데, 이런 경향은 이 시기의 유행과도 같아서 따 로 연구할 대상이다. 여기서 주목할 점은 심리주의 소설이 지니기 쉬운 윤 리적 파행성을 이 작품도 보인다는 점이다. 유부녀인 줄 알면서 접근하고 유혹하는 주인공의 행태와 그를 긍정적으로 그리는 화자의 태도는 도덕적 엄밀함을 중시하는 김정한의 태도와 비교할 때 파격적으로 보인다. 이런 작

따라서 김정한의 소설 작품들을 한 테두리 안에서 논의하기는 어렵지만, 전체적으로 보아 농민의 현실에 조명을 비추고 그 현실을 암울하게 하는 제도적 모순이나 개인의 고통을 고발하는 데 창작의 핵심을 두고 있다는 점에서는 공통점을 지닌다. 이러한 김정한의 작품들을 종합해 볼 때 몇 가지 점에서 농민소설 혹은 비판적 소설로서의 장점을 찾아볼 수 있다. 뭉뚱 그려 논의하자면, 가장 먼저 손꼽을 수 있는 것은 작가의 언어 감각이다.

첫째, 김정한의 농민소설에서 가장 두드러지는 것은 농민의 정서에 밀착한 묘사력이다. 놓치기 쉬운 사소한 부분을 포착하여 독자의 눈앞에 제시함으로써 전체의 정경을 확연하게 볼 수 있도록 하는 세부 묘사의 세밀성은 독자들에게 단단한 소설적 재미를 제공한다.

> 타작마당 돌가루 바닥같이 딱딱하게 말라붙은 뜰 한가운데, 어디서 기어들었는지 난데없는 지렁이가 한 마리 만신에 흙고물 칠을 해 가지고 바동바동 굴고 있다. 새까만 개미떼가 물어 뗄 때마다 지렁이는 한층더 모질게 발버둥질을 한다.[4]

이 부분은 「사하촌」의 첫 부분인데 지렁이에 대한 관찰과 묘사를 통하여 전체의 분위기를 효과적으로 제시하고 있다. 가뭄이라는 환경이 인물의 질곡에 일차적인 원인이 되는 만큼 지렁이의 발버둥질은 그 환경을 적절히 환기시킨다. 아울러 '발버둥질'은 환경에 대한 인물들의 고단한 투쟁을 암시하기도 한다. '딱딱하게 말라붙은 뜰'은 지렁이의 바동댐과 어울려 지독한 가뭄과 그에 대항하는 인물들의 정황이 이어질 것임을 짐작케 하는 복선이다. 인용문에 이어지는 가뭄에 대한 묘사는 현실감을 강하게 지닌다. 김정한의 묘사력을 살피기 위해 예를 좀 더 들어보자.

품 경향이 일제 말기의 통속적 소설 경향들, 유진오, 이효석 등이 그린 까페걸이나 창기를 주인공으로 한 소설류의 경향과 맞닿아 있어서, 시대적 징후의 하나로 읽을 수도 있겠다.
4) 『김정한소설선집』, 창작과 비평사, 증보판 1997, 9쪽
　이후로 작품 인용은 이 책에서 하도록 한다.

① 여기저기 탱고리 수염같은 벼포기가 벌써 발갛게 모깃불 감이 되고, 마을 앞 정자나무 밑에는 떡심 풀린 농부들의 보람없는 걱정만이 늘어갈 뿐이었다. (「사하촌」, 22쪽)

② 그 사래 긴 밭에서는 자기와 같은 젊은 여인들이며 새파란 처녀들이 김을 매느라고 한창이다. 무럭무럭 자란 보리줄을 걸타고 버틴 그들의 건강한 다리들, 더구나 갈매빛 홑치마가 얇게 착 감긴 동그레한 엉덩이 위에 빨간 댕기가 아기자기하게 빛나는 광경은 그림과 같이 예뻤다. 그들은 아무 시름없는 자연의 딸처럼, 종달새같이 즐겁게 재잘거렸다. (「옥심이」, 45쪽)

③ 밖에서는 작달비가 계속 내려붓는다. 게다가 때아닌 샛바람까지 곁들여서 거센 빗발이 마룻바닥을 마구 엇때려 곰팡 슨 세살문을 사정없이 적신다. 여기 저기 구멍이 난 문종이가 사나운 비바람에 부대껴서 풀기 없이 펄럭인다. 방안은 멀미가 나게 우중충하다. (「항진기」, 66쪽)

①은 가뭄이 깊어 농사가 회복되기 어려움을 표현하고 있다. 「사하촌」에서는 가뭄이라는 재해가 환경의 중요한 요인이 된다. 그런데 가뭄은 인간의 노력으로는 어찌할 수 없는 자연적 환경이다. 그 절망감을 '탱고리 수염 같은' 벼포기가 '모깃불 감'이 되었다고 표현하고 있다. 이런 비유는 감정의 이입이 작용하여 나타난 것으로 농민들의 절망감을 독자들에게 효과적으로 환기시키는 기능을 한다. 벼포기가 빨갛게 모깃불 감이 되었다는 것은 가뭄의 현실적 고통을 떠올리는 절묘한 표현으로서, 진부하기 쉬운 농촌 현실의 묘사를 아주 싱싱하게 전해주는 것이다. '떡심 풀린 농부들의 보람없는 걱정'이 이를 뒷받침한다. ②에서 볼 수 있는 김매는 여인들에 대한 묘사에서도, 보리줄과 농촌 여인네들의 건강한 다리를 연결지음으로써 강한 연상력을 얻는다. ③의 방안 풍경에 대한 묘사도 농민의 삶에 최대한 접근하여 관찰함으로써 얻을 수 있는 것으로, 김정한의 시각이 농민들의

실상에 깊이 파고들었음을 느끼게 한다.

김정한의 소설들은 주로 삼인칭 서술 상황을 이용하면서 전지적 서술자가 서술 대상을 감각적으로 묘사함으로써, 상황을 핍진하게 각인시키되 그 정서를 객관화하는 이점을 얻는다. 이러한 환기력은 「기로」나 「추산당과 곁사람들」에서도 발견할 수 있는데, 대체로 그 묘사가 소통력을 십분 발휘하는 것은 배경이나 인물의 상황을 제시할 때이다. 그에 비해 구조상 중요한 계기가 되는 사건이나 인물의 행동, 심리 등에서는 세부의 긴장감이 떨어지는 편이다. 그로 말미암아 '사진 사실주의'라는 비판도 들었지만[5], 배경의 세부에 대한 작가의 시각이 찬찬함은 현실감 있게 작품을 끌어가는 힘이 된다.

또 김정한 소설의 서술 형식에서 주목할 점은, 언어의 선택에 있어서 인물의 세계에 적합하도록 세밀한 감응력을 보인다는 사실이다. 앞에서 강조한 묘사력은 단순히 세심한 관찰력의 소산만은 아니다. 우선 밑바탕에 정확한 문장력이 있어야 한다. 김정한의 문장이 정확하다는 증거는 그 전달하고자 함이 확연히 그려진다는 데서 찾을 수 있다. 대상을 정밀하게 제시할 뿐만 아니라, 그것을 명확하게 또는 논리적으로 연상되도록 해준다. 이러한 힘은 작가의 언어적 훈련의 결과이기도 하지만, 사물에 대한 감응력이 있어야 획득할 수 있다.

소설가의 문장이 정확하다는 것은 문법적으로 틀림이 없는 문장 구사만을 의미하지는 않는다. 독자로 하여금 작품의 세계에 몰입하도록 강한 호소력을 창출할 때 문장은 제 구실을 하는 것이다. 김정한의 소설에서 그 문장이 정확하다는 것은, 문법에만 철저하고 문학적 미감은 부족하다는 뜻이 아니다. 농민의 삶을 다루는 그의 작품에서 농민적 언어를 구사함은 사실감을 획득하기 위하여 무척 중요한데, 김정한은 농민의 언어를 적절한 곳에서 자연스럽게 구사하고, 그럼으로써 현실의 문제를 인물들의 감정에 담아낼 수 있다.

---

5) 김남천, 「추수기의 작단」, 『문장』 1940. 11, 145쪽

일꾼들은 잠자코 풀 죽은 팔에 억지 힘을 모았다. 거치른 볏줄기
에 스친 팔뚝에는 금방 핏방울이 배어 나올 듯했다. 그러나 그들은
눈을 질끈 감고, 대고둥을 해 낀 갈퀴같은 손으로, 어지러운 벼포기
사이를 썩썩 긁어댔다. (「사하촌」, 18쪽)

「그래, 셈 들 놈이 저러고 있겠소? 그놈이 지금 내가 하는 말을
한마디나 귀담아 듣고 있는 줄로 아요? 천만에! 허위대는 아주 씻은
배추줄기같지만 속은 딴판이라오. 아무리 내가 빌 듯이 타일러도 쇠
가죽 무릅쓴 놈같이 그저 똥구멍으로만 숨을 쉬었지, 듣긴 뭘 들어!
……」(「항진기」, 79쪽)

가을이 이미 반이나 지난 뒤라, 강 기슭에는 갈대꽃이 허옇게 피
어 있고, 목매지 조으는 언덕 위의 솔새도 짜장 가을 바람을 즐기는
듯 흐느적흐느적 강물을 굽어 보았다. 군데군데 나룻가에는 경성드
뭇하게 늘어선 포플라나무에서, 노랗게 물든 잎사귀들이 바람이 스
쳐갈 적마다 나비떼처럼 나부껴 떨어지고 그 잎이 가득히 몰린 자리
에는 빨래하는 마을 아낙네와 무 씻는 아가씨들이 그림같이 둘러앉
아 있었다.(「기로」, 94-95쪽)

첫 인용문에서, '금방 핏방울이 배어 나올 듯했다'는 서술은 농민의 하루
하루 살이가 위태로움을 감각적으로 전하는 부분이며, '대고둥을 해 낀 갈
퀴같은 손'은 쉼 없이 노동을 강요당하는 농민들의 실상을 예리하게 표상
하는 표현이다. 서술자의 언어로 서술하는 이러한 표현은 작가의 관찰력이
실제적인 삶에 녹아 있음을 의미한다. 인물들의 대화의 한 부분인 두 번째
인용문에서는 훨씬 농민들의 언어 감각에 와 닿는 비유를 볼 수 있다. '씻
은 배추 줄기 같다'거나, '쇠가죽 무릅쓴 놈 같다'거나 하는 비유는 농민들
의 언어 관습을 그대로 빌려 온 것으로 역시 이러한 표현도 작가의 시각이
농민의 삶에 깊이 파고들었음을 잘 보여준다. 세 번째 인용문에서는 이미
지를 자극하는 감각적 언어표현을 맛볼 수 있다. '목매지 조으는 솔새', '짜
장', '경성드뭇하게', '나비떼처럼 나부껴' 등이 그러한 표현들이다. 김정한

의 소설에서는 자주 방언이나 의태어, 의성어 등 연상 작용을 통하여 지각을 부추기는 어휘와 표현 기법을 만날 수 있는데, 이러한 언어 선택도 소설의 강한 **흡**수력을 돋우게 된다.

아울러 김정한 소설의 서술자는 '처삼촌 벌초하듯이 흐지부지 지나갈 뿐이었다'와 같이 속담을 자주 이용하는데, 속담의 자연스러운 인용도 그의 묘사력을 살리는 데 일조한다.6) 이를테면 '처삼촌 벌초하듯이'라는 속담은 간평을 나와서 공정하게 조사를 하지 않고 형식적으로 지나치고는 터무니없이 세를 요구하는 지주(「사하촌」에서는 중들인데)에 대한 비판을 담아낸다. 속담은 원래 말하는 이와 듣는 이 사이에 보편적 공감대를 형성하는 기능이 있다. 서술자가 이런 속담을 사용함은 서술자 자신이 농민의 편에 서 있음을 드러내기도 하지만, 지주에 대한 비난과 조소를 서술자가 피서술자(독자)와 공유함으로써, 독자와의 공감대를 넓히는 기능도 하게 된다.

3. 현실 문제의 포착력과 과감성

김정한의 표현력과 관찰력이 독자를 끌어들이는 힘의 원천이라면, 현실을 바라보는 이 작가의 진지한 눈은 그 관찰력과 표현력의 원천이 될 것이다. 김정한 소설의 내용 면에서 주목할 점은 바로 세계를 보는 그 눈이다. 먼저 이야기의 소재를 선택하는 데에 있어서 과감하고 폭로적이라는 사실을 들 수 있다. 김정한의 소설은 대체로 독자와 서술자와 인물이 공감할 수 있는 어떤 비판 대상을 선택하여 갈등 구조를 전면화한다는 특징을 지닌다. 그리고 비판의 대상을 불교, 사회주의 운동가, 노동 현장 등 다양하게 넓히고 있다. 발표작이 적다는 점을 감안하면, 현실을 바라보는 폭이 넓은 편이

---

6) 정경수는 「요산 김정한론」(『어문학 연구』 1호, 1978)에서 김정한 소설에 있어서 속담이 차지하는 특성을 살피고 있다. 속담 속에서 서민들의 가난하고 어두운 생활상과 애환이 잘 드러난다고 한다.
　김종출도 「김정한론」(『현대문학』 5권 1호, 283쪽)에서 속담에 대한 관심을 보이고, "속담에서 빼온 메타포를 많이 섞은 문장은 매우 유머러스한 효과를 자아내고 자칫하면 어둡기만 한 그의 작품의 틀을 밝히고 있다"고 한다.

다. 이 사실을 소재의 선택과 관련지어 논하는 이유는, 앞에서 언급한 30년대 후반기의 문학사적 현실을 고려할 때 비판적 의지가 돋보이기 때문이다. 특히 「사하촌」을 비롯한 농민소설의 경우, 이러한 시각의 확대가 구태의연한 농민소설의 소재적 한계에서 한 걸음 더 들어가 농민의 민중적 삶을 역사적 관점에서 제시할 수 있는 지평을 열 수 있기 때문이다. 일반적으로 우리 농민소설들이 막연하게 도시인이나 제도, 가난 등을 갈등 요인으로 삼아 관념적으로 접근함에 비한다면, 김정한은 그 소재 면에서 비교적 구체성을 확보한 것으로 평가할 수 있다.

김정한은 「사하촌」을 비롯하여 「옥심이」, 「추산당과 곁사람들」 등 여러 작품에서 불교를 비판 대상으로 삼는다. 불교를 문제삼는 이유를 전기적 차원에서 찾자면 쉽게 그 사정을 파악할 수 있다. 어려서 서당에서 글을 배우다가 그만두고 처음 들어간 학교가 절에서 세운 사립학교였다. 교장은 주지 스님이었는데, 그 교장과 학교에 관여하는 중들로부터 배울 것이란 조금도 없었다. 주지 자리를 놓고 칼부림까지 하는 중들의 물욕 집착과 가정을 가진 채 큰 불사나 있으면 절에 나타날 뿐 노닥거리기만 하는 이중성을 볼 수 있을 뿐이었다.[7] 이런 어릴 적의 학교 경험에서 큰 충격을 받았을 터이고 그 이후에도 불교를 부정적으로 인식할 수밖에 없는 여러 경험을 하게 된다.[8] 그러나 농민소설이란 범주에서는 개인적인 감정의 차원을 벗어나 사회 구조적인 문제로 확대된다.

「사하촌」에서는 '절'이라는 곳이 농민의 삶을 핍박하는 결정적 환경으로 설정되어 있다. 종교를 농민의 삶과 관련시키는 것은, 이 문제가 지주와 소

---

7) 김정한, 『낙동강의 파숫군』, 한길사, 1978, 77쪽
8) 다음과 같은 작가의 회고를 참조할 수 있다.
"그러나 게재가 채 끝나기도 전에 고향의 아버지로부터 심상찮은 편지가 날아왔다. ─ 무슨 글을 썼기에 중들이 찾아와서 집에 불을 놓겠느니 어쩌느니 위협을 하고 돌아갔다는 것이다. 옛날 같음 어림도 없는 수작이지만 그 때는 벌써 <天皇陛下 聖壽萬歲>란 팻말이 어느 절 없이 대웅전 불전에 버젓이 설 정도로, 불교도 일제의 소위 <皇民化>운동의 앞잡이 노릇을 하던 터이라 중의 기세도 무시 못할 세월이었던 것이다." (김정한, 『김정한 소설선집』, 앞의 책, 480-481쪽)

작인의 모순 관계라는 테두리에 포함되기 때문이다. 등장인물들이 소작농이라는 점은 다른 농민소설과 같지만, 지주를 보광사라는 절로 설정하면서 경제적 구조 문제에 종교의 문제를 결합하는 것이다. 그런데 이 작품의 문제성은, 이를 단순히 종교의 부패상으로 처리하지 않고, 30년대 중반기 일제 파시즘 강화기라는 역사적 단계와 종교의 변질을 결부짓는다는 데에 있다.

지주와 소작농 사이의 모순 관계는 근원적인 사회 구조의 문제이지만, 우리의 경우 식민지 상태에서 그 모순이 더 악화하였으므로 민족의 문제이기도 하다. 30년대에 오면, 자본주의가 진행됨에 따라 농민층이 한층 분해되고, 불리한 산업구조의 여건 속에서 농촌의 경제 사정은 악화일로에 놓인다. 이런 상황에서는 지주가 일본인이 아니라면 어떤 형태이든 일제 세력과 야합함으로써만 그 권리를 행사할 수 있다. 따라서 지주와 소작농의 관계는 식민지 상황 아래에서 정치적 의미를 띠게 되었다. 「사하촌」은 이런 상황인식을 바탕에 두고 지주를 종교단체로 설정함으로써 현실 비판을 아이러니 기법으로 제기한다.

이 작품에서 농민들은 이중 삼중의 환경적 요인 때문에 고통을 당한다. 자연적인 재해가 극심하고, 경제적, 정치적 환경도 열악하다. 자연적인 환경은 농민의 삶을 좌우하는 근원적인 조건인데, 지독한 한발로 인간다운 생존 조건이 위협당함을 바탕에 깔고 이야기를 전개한다.9) 경제적인 환경의 실상을 알리기 위하여, 보광리 사람들과 성동리 사람들을 대비한다. 한쪽에서는 굶주리면서도 땀흘려 일하는 시간에 다른 한 쪽에서는 물놀이를 하러 다닌다는 서술로 불평등한 시장 경제체제에 농촌이 편입되었음을 짧게 암시한다. 정치적 환경의 경우 일제하의 우리 소설들이 일반적으로 설정하듯이 일본 순사나 행정기관이 지주와 한 통속이고, 농민에게는 질곡의

---

9) 김정한은 농민들의 가혹한 현실을 강조하기 위해 가뭄, 홍수 등의 재해에 지나치게 비중을 두는데, 이는 현실비판력을 떨어뜨리는 요인이 될 수 있다. 갈등의 요인으로 자연 환경에 비중을 두면 사회 환경에 대한 문제의식이 상대적으로 약화되기 때문이다.

요인이 될 뿐 아무런 보호기관이 되지 못하는 것으로 그림으로써, 정치적 환경이 정상적이지 못하다는 것을 강조한다. 자연적 재해가 극심한데 정치적으로 보호를 받기는커녕 오히려 더 착취당한다면, 마지막으로 의지할 곳은 종교밖에 없게 된다. 보광사라는 절은 농민들에게 가장 가까운 종교기관으로서 그 의지처가 되어야 한다. 그런데 보광사는 행정기관원들과 야합하여 기우제를 명목으로 농민에게 재물을 강요하는 등 새로운 억압 환경으로 작용한다. 이 작품에서는 보광사와 농민의 관계를 역사적으로 접근함으로써 아이러니를 보인다. 삶이 피폐해지면서 더 이상 의지할 데가 없어진 농민들이 생존의 영속을 희구하기 위하여 자신의 논을 절에 시주하고, 그 대가로 복을 받기는커녕 소작인으로 몰락하여 이제는 지주가 된 절의 중들로부터 박해받는 과정을 이야기로 삼는 것이다. 이러한 아이러니는 숨막히는 삶에서 나갈 수 있는 탈출구가 없음을 보여준다. 이는 한 종교의 부패를 풍자하거나 비판하는데 그치지 않고, 농민의 현실이 막다른 길에 접어들었음을 의미한다. 종교가 가치를 잃으면 더 이상 나아갈 곳이 없어진다. 실제로 불교를 포함한 여러 종교가 30년대에 이르러 일제 세력과 철저히 투합하는 현상을 우리는 자료를 통해 확인할 수 있다.[10] 그만큼 일제의 문화적 통제가 철저했다 하겠는데, 그럼에도 그 민감한 특성 때문에 종교를 소재로 이처럼 적나라하게 그려낸 작품을 보기는 힘들다. 이 작품은 종교기관이 농민을 기만하고 찬탈하는 과정을 구체적으로 그림으로써 그 역사적 실상을 용기 있게 고발한 것이다.

「사하촌」이 종교를 고발한다는 점에서 이색적이라면, 「항진기」는 농민의 눈으로 노동운동을 바라보고, 노동운동의 허실을 폭로한다는 점에서 흥미롭다. 이 작품은 태호와 두호라는 두 형제의 갈등을 이야기의 중심에 두고 있다. 아우 두호는 농사일에 성실하고 부모에게 효성을 다하는 전형적인 농군이며, 형 태호는 대학을 다니면서 사회운동에 나선 운동가이다. 서술자의 시각은 두호에게 호의적이고 태호에 대하여는 비판적이다. 온 집안의

---

10) 강동진, 『일제의 한국 침략 정책사』, 한길사, 1980, 388-390쪽

기대를 한 몸에 받고 온 가족의 희생을 발판으로 하여 공부를 하게 된 장남이 현실적 대가를 바라는 가족의 기대를 무너뜨리고 운동에 나서는 구도와 그 인물에 대한 비난의 서술은 다른 소설에서도 많이 보아 온 바 상투적으로 느껴진다.

그런데 이 작품에서 홍미로운 점은 "실행은 하지 않고 매양 꿈만 꾸면서 정세 한탄만 하고, 여자와 노닥거리기만 한다"고 청년 운동가 태호를 비판하는 두호로 하여금 지배계급에 대한 저항을 실행케 한다는 구상이다. 묵묵히 아버지를 도와 누에를 기르며 농사일을 도맡는 두호는 애정문제에서도 형에게 밀리고, 형으로부터는 무식쟁이로 따돌림을 당한다. 그 두호가, 자신들이 소작하던 논의 소작권을 뺏길 위기에 처하자 마을 사람들의 도움을 받아 그 논에 모를 심음으로써 마름의 권한에 저항을 한다. 이런 구도는 무식한 청년 농사꾼이 실제적인 삶에서의 저항을 실행함에는 이론적인 전문 운동가보다 실천력이 앞선다고 하는 아이러니 효과를 노리고 있다.

「항진기」의 곳곳에서 형제의 대립이 상투성을 내보이고, 형 태호의 태도를 일방적으로 비하하며, 영애라는 양잠 지도원이 불필요하게 등장하여 삼각관계를 형성하는 등의 약점을 발견할 수 있다. 그러나, 아이러니 기법을 빌어서 농민의 현실적 생존 의지를 저항의 형식으로 그려낸 점은 이 작품의 뚜렷한 성과로 인정할 수 있다. 그 이유는 「사하촌」의 저항보다 한 걸음 더 구체성을 획득하였고, 파괴적이 아니라 생산적인 구도 안에서 농민의 집결하는 힘을 발견해 낸다는 점 때문이다. 사회주의 운동가를 비판적으로 그린다는 자체는 크게 의미를 부여할 일이 못된다. 그러나 저항의 실천적 방향을 아이러니 기법에 의존하여 제기하는 점은 의미를 부여할 수 있을 것이다.

「옥심이」와 「기로」는 여성 주인공을 내세워 궁핍에 찌든 여인들의 고난을 그리고 있으면서도, 궁극에 가서는 두 작품 다 주인공이 남편이 아닌 다른 남자를 좇아 가정을 탈출하였다가 자식을 잊지 못해 되돌아오는 여성의 원형질을 다루었다. 따라서 상투적이고 보편적인 주제를 표면에 내세움으로써 작품의 긴장감을 사라지게 하고 일면 허무적인 느낌을 갖게도 한다. 다만 「기로」에서 눈여겨볼 게 있다면, 임금 노동자의 삶을 소재로 삼으면서 임금을 착취당하는 노동자들의 투쟁을 암시한다는 점이다. 이런 이야기에서 농민이 임금 노동자로 변신하는 사회구조적 흐름을 볼 수 있다.

두 작품의 공통된 특징은 여성적 삶의 조건을 적나라하게 드러낸다는 점인데, 여기에서 김정한의 고유한 고발 정신을 엿볼 수 있다. 김정한의 또 다른 작품 「낙일홍」은 교육 현장의 부조리를 고발하고 있는데, 이와 같은 고발 정신이 과감하고 준열한 점은 30년대 후반기와 40년대 초에 활동한 이른바 신세대 작가들뿐만 아니라 기성작가에게서도 보기 어려운 점이다.

김정한은 당시에는 「사하촌」이 신춘문예에 당선되어 주목을 받은 이후 이렇다 할 관심을 받지 못하였는데, 비교적 문단의 화제에 오른 작품이 「추산당과 곁사람들」이다. 이 작품은 「사하촌」 이후 「기로」에 이르기까지 김정한이 추구해 온 민중적 삶의 현장 고발과 비판이란 경향에서 크게 벗어난 성격을 지녔다. 이전의 작품이 반(半)근대적 상태, 혹은 근대의 불구적 상태에 놓인 우리 농촌과 농민의 삶을 다루었다면, 이 작품은 근원적인 인간의 물질적 욕망을 근대적 형태로 그려서 고발한다. 이 작품의 주인공 명호는 주인공이면서도 전체적으로 관찰자적 태도를 유지하는데, 그런 서술 방식으로 인해 이 작품은 물질욕으로 이성이 마비되는 근대적 인간의 실상을 비교적 객관화하였다. 특히 명호의 눈은 인간 욕망의 내밀함을 잘 포착한다. 이를테면 자기 부친의 이중적 태도에 대한 비판과 자신에 대한 부친의 의심마저도 읽어 냄으로써 욕망의 파장을 잘 드러낸다.

「추산당과 곁사람들」에서 읽을 수 있는 것은 그러한 욕망의 노예에 떨어진 인간들의 왜곡된 행태에 대한 고발이다. 그 고발은 자세한 관찰력과 예리한 투시력으로 얻어진다.

「읽- 읽으르르……!」
하는, 소름 끼치는 소리와 함께 추산당의 입에서는 누르끼한 거품이 무덕지게 불쑥 솟아 엉키고는 그만 사지가 좌악 뻗어지기 시작했다. 눈이 허옇게 뒤집혔다.

　명호는 드디어 그의 얼굴에서 외면을 하였다. 그러나 토지대장을 쥐고서 떨어대는 그의 뼉다귀손만은 아주 영 동작이 그칠 때까지 꼬옥 지켜 보았다. 추산당은 숨이 끊어진 뒤에도 그 토지대장만은 결국 놓질 않았다.(「추산당과 곁사람들」, 137쪽)

　위의 인용문은 추산당이 죽어가는 장면을 묘사한 부분인데, 죽어가면서도 토지대장을 놓지 못하는 인간의 무서운 물욕을 소름끼칠 정도로 치열하게 그렸다. 한 인간의 죽음보다는 유산에 대한 욕심에 들떠 최소한의 인간다움을 상실하는 주위 인물들, 죽은 사람의 입에서 금니를 빼어내는 화장터의 일꾼들, 여러 사람들로부터 개 맞듯이 맞아도 유서를 숨기는 추산당의 양아들 등 인물들의 이지러진 행태를 그려내는데 있어 이 작품은 매우 준열하다. 이 작품은 끝까지 주인공이 관찰자적 입장을 고수하고 있어서 정물화적인 성격에서 벗어나지 못하며, 욕망의 사회적 의미를 추구하지 못하고 물질에의 욕구를 근원적인 인간의 한 성질로만 보여주고 마는 한계를 드러낸다. 그러나 인간성 고발의 차원에서는 그 과감성과 치밀성을 평가할 수 있겠다.

4. 일탈된 세계와 의지의 소멸

　「사하촌」을 긍정적으로 평가하는 독자들은 이 작품이 농민의 저항 정신을 제시하였음을 긍정적 요소로 들고 있다. 동시에 종교의 타락이란 특별한 문제를 소재로 삼아 고발한다는 점도 이 작품의 두드러진 측면임을 앞에서 논의하였다. 그런데, 종교의 타락이란 모든 가치의 타락을 의미하는 것이다. 인간으로서의 마지막 가치관이 배신당하고 모든 믿음이 사라진 마당에서는, 사회는 최소한의 정신적 토대도 잃고 말며 기본적인 질서를 상실할 것이다. 「사하촌」의 세계는 바로 이러한 최소 가치마저 상실한 세계이다. 이런 상황이라면 제도나 행정이 불신당함은 물론, 나아가 개인의 윤리나 도덕마저 무의미해지게 된다. 사회가 인간다운 생존을 보장하지 못하므로 인간성도 유린당한다.

> 지금은 누가 뭐라고 하더라도 농민들은 결국 제대로 하는 수밖에 없었다. 소작료도, 빚도, 이젠 전과 같이는 두렵지가 않았다. 그저 제가 지은 곡식이면 모조리 떨어다 먹었다. 뿐만 아니라 가다가는 남의 것에도 손이 갔다. (「사하촌」, 35쪽)

농민들의 윤리의식이 이렇게 변한다면, 이 사회는 어떤 형태로든지 변혁 없이는 존속할 수 없는 법이다. 국가 권력이나 법이 그 공평성을 상실하고, 소작제도가 기본적인 경제의 원리에서 벗어나 있으며, 종교마저 타락한 가치에 굴복당한 세계에서 민중의 행위가 집단적이고 저항적인 방향으로 움직이는 것은 당연스러운 사회적 현상이다. 질서와 윤리가 붕괴되는 상황, 이것이 이 작품의 환경이다. 사실 작품의 대부분은 이런 환경을 그리는데 치중하고 있다. 그러다가 종결에 임해서야 농민의 분노가 집단적인 저항으로 발전하게 됨을 암시한 채 마무리되어져 있다.

> 이윽고 그들은 긴 줄을 지어 가지고 차압 취소와 소작료 면제를 탄원해 보려고 묵묵히 마을을 떠났다. 아낙네들은 전장에나 보내는 듯이 돌담 너머로 고개를 내가지고 남정들을 보냈다. 만약 보광사에서 들어주지 않는다면……하고 뒷일을 염려했다.
> 그러나 또쭐이, 들깨, 철한이, 봉구 — 이들 장정을 선두로 빈 짚단을 든 무리들은 어느새 벌써 동네 뒤 산길을 더위잡았다. 철없는 아이들도 행렬의 꽁무니에 붙어서 절 태우러 간다고 부산히 떠들어 댔다.(「사하촌」, 39쪽)

이 인용문은 마지막 문장인데, 여기서 농민들의 이중적 태도를 볼 수 있다. 그들의 집단 행동이 한 편에서는 탄원의 의미에 머물고 있어서, 그들의 탄원을 들어주지 않을 것을 염려하고 있다. 물론 이런 방식의 탄원이 받아들여질 리가 없다. 지주측이 그 정도의 양식을 지니고 있다면 애초에 질서

현실을 보는 눈과 역사를 보는 눈 41

가 파괴될 정도의 극단적인 상황으로 끌고가지도 않았을 것이다. 한 편에서는 젊은이들이 방화를 하려고 한다. 이런 방식도 역시 근원적인 해결을 담보하지 못한다. 방화로 현실의 가혹함을 해결하려는 방식은 최서해의 「홍염」과 같은 신경향파 소설에서 익히 보아 온 것이다. 물론 여기서는 그것이 집단적인 운동의 성격을 지니고 있고, 가혹한 현실의 사회적 근원을 검증한 연후에 제기하는 해결 방식이라는 점에서 신경향파 소설의 방식과는 그 성격이 다르다. 하지만, 집단행동이 폭력으로 마무리되어서는 해결의 의미를 갖지 못한다. 결국 이 작품이 제시하는 것은 상황 자체일 뿐, 저항의 구체적인 정신이나 방법은 아니다. 따라서 생동감 있게 세계의 변화를 형상화할 수 있는 길은 차단당하였다. 절을 방화할 지 모른다는 암시는 최소한의 항거로 볼 수 있지만, 농민들이 자기 존재의 인식과정을 거치지 못하고 현실을 극복할 방안을 갖지 못한다는 점에서 그 의미는 미약하다. 이러한 암시만으로도 '농민적 자각의 감동적인 객관화'[11]로 확대하여 해석할 수 있겠지만, 이 정도로는 전대의 농민소설이 획득한 성과에도 미치지 못하는 것이다. 즉 어두운 세계는 볼 수 있었으나, 그 세계에서 헤쳐나올 길은 찾지 못하였다.

「사하촌」은 세 개의 구조가 중층되어 있다. 하나는 자연과 농민과의 관계이고, 또 하나는 종교세력으로서의 보광사와 농민의 관계이며, 그리고 지주로서의 보광사와 농민의 관계이다. 이 세 단계가 꼬리를 물면서 인과론적인 서사 논리를 형성한다. 즉, 자연적 피해 때문에 농민들이 종교에 매달리고 그 바람에 보광사를 지주로 모시게 되어 버리는 이야기 구조이다. 김

---

11) 염무웅, 「김정한의 사하촌」, 신경림편, 『농민문학론』, 온누리, 1983, 236쪽
   이 글에서는 이 작품이 '모순의 극복을 위한 전망을 확보할 수 있었다'고 본다.
   또, 구중서는 『민족문학의 길』(새밭, 1979) 126쪽에서 민중지향적인 창조의지를 내포하는 수법으로 평가하고 있다.
   그러나 필자가 보기에는 극복을 위한 구체적인 방안이 제시되지 못하였고 그 과정도 형상되지 못하였으므로 그렇게까지 긍정적으로 평가하기 어렵다.

정한은 늘 자연과 농민의 관계에서 이야기를 출발한다. 여기서도 자연적 환경을 너무 혹독하게 설정하여, 자칫 농민들의 고통어린 삶을 자연적 재해로 치부해버릴 정도이다. 자연적 환경이 그다지 강조되면, 사회제도적 환경은 그 비중이 상대적으로 약화되어 버린다. 종교세력으로서의 보광사와 농민의 관계라는 구조에서는 서술이 구체적이지 않다. 농민들이 기우제 등으로 재물을 보광사에 바치고, 스스로 논을 절에 시주한 과거의 이야기가 간략히 전달될 뿐이다. 그런데 이 문제는 자연적 환경의 혹독함과 연결되어 있다. 농민들에게는 불교가 거의 미신과 같은 경지이므로 종교적 문제가 농민의 삶에 미치는 영향이 앞에서 분석하였듯이 아이러니를 창출하는 여지를 열어주지만, 사회적 관점에서는 문제의 핵심을 덮어버리게 된다.

근대 사회의 현실을 다루는 비판적 근대소설이라면, 본원적인 문제는 지주와 농민의 관계에서 찾지 않을 수 없다. 그럼에도 「사하촌」은 지나치게 농민의 삶이 겪는 질곡의 묘사에 충실하느라 지주와 농민의 구조적 문제를 파헤치기보다는 현실의 실상을 나열하는데 치중하고 있다. 결국 이 작품이 구체적인 길을 찾지 못한 한계는 세계를 보는 눈이 지나치게 현상에 치중한 결과로 보인다.

「사하촌」이 현상 나열의 서사방식에 의존하고 있음은 이 작품에서 주인공의 기능이 매우 약화되어 있다는 사실에서도 발견할 수 있다. 사건의 전개와 상황의 변이에 있어서 주도적 역할을 하거나 독자의 동정심을 유발할 중심 인물이 보이지 않는다. 작품의 초반부에서는 들깨의 역할이 부각되나, 중반 이후에는 들깨의 주인공 기능이 거의 사라져서 전체적으로 들깨의 체험으로 집중되는 사건의 전개를 볼 수 없다. 따라서 들깨가 전편을 지배하는 주인공의 역할을 감당한다고 볼 수 없다. 이는 들깨가 전형성을 획득하지 못하고 있음과 결부지을 수 있다. 농민들이 저항적 행위를 실행함에 있어서 들깨의 위치가 분명하지 않고 실제적 역할도 구체적으로 그려져 있지 않다. 한 주인공의 중심적 기능이 없으므로 작품 안에서 초점은 여기저기 산재되어 있다.

단편소설이 단일한 시점을 갖지 못하는 것은 작품의 의미화를 산만하게 하는 요인이 된다.[12)

이 작품이 현실을 세밀하고 엄정하게 관찰하면서도 주인공을 형상하지 못하는 것은 세계에 대한 구체적이고 실질적인 비판력을 찾지 못한 까닭으로 보인다. 즉 통합된 질서나 힘의 결집을 이루어 낼 중심을 현실에서 찾기 어려운 시대라는 것이다. 그리하여 현실에 밀착한 세밀한 카메라 앵글은 갖추었으나 그것을 통하여 구성해야 할 이야기 구조는 만들어내지 못하였다.[13) 현실을 보는 작가의 눈은 과학적이어야 하고 의지적이어야 한다. 「사하촌」이 냉철하고 철저하게 현실을 관찰하면서도 현실을 관통하는 어떤 구체적인 사건도 형성하지 못한 것은 그 속에 담긴 농민의식, 혹은 민족의식이 다분히 관념적이며 더구나 민족적 문제의 근원을 해부하고 거기에서 전망을 캐낼 수 있는 참된 리얼리즘적 단계에는 미치지 못하였음을 알 수 있다.

「옥심이」와 「기로」는 여성을 주인공으로 삼아서 일관된 줄거리를 가지고 있다. 그러나 이 두 작품의 주인공들은 자기 삶을 스스로 결정하지 못한다. 가정의 울타리를 뛰쳐나가는 그들의 선택은 자신의 의지로 이루어낸다기 보다는 남성의 선택에 따르는 형국이다. 결국 자식이 그리워서 다시 돌아오는 것은 인류라는 더 큰 운명에 굴복당하는 것이다. 물론 그러한 선택

---

12) 염무웅(앞의 글)은 "여러 사람에게로 자유롭게 시점을 이동시켜 가면서 식민지 한국 농촌의 붕괴와 농민적 각성의 과정을 서사시적 위엄 속에서 형상화한다"고 긍정적인 평가를 하고 있다. 그러나 단편소설에서 주인공이 없는 서사시적 세계의 창출은 거의 불가능하다.

13) 이재선, 『한국현대소설연구』(홍성사, 1979) 373쪽에서는 "특별한 소설시학 국면을 갖고 있지는 않다"라고 한다.
김우철, 「낭만적 정신과 재능- 김정한의 「사하촌」」, 『동아일보』(1936. 2. 25) 이 글은 그 해에 등단한 신인들의 작품을 평가한 평문의 하나인데, 여기서는 "소설의 생명인 줄거리를 무시하였다"고 하면서, "영화의 몽타쥬 수법을 빌린 생활의 산문시로서 소박한 리얼리즘"을 보였다고 평가한다. 줄거리가 없다는 것은 사건이 없어서가 아니라 주인공의 중심 역할이 없기 때문에 나타나는 결과이다.

은 여성의 특유한 모성 본능에 충실한 일이고 윤리적으로도 정당하므로 개연성이 높은 것이지만, 어떤 행복도 추구할 가능성이 없는 생활 공간에 되돌아오는 것은 결국 자신의 운명에 회귀하는 것이다. 작품 안에서 주인공이 자식에 대한 애정이나 연민을 어느 정도 강하게 지니는지는 두 작품 다 서술하지 않고 있다. 따라서 앞에서 언급했듯이 독자의 입장에서는 허무감마저 느끼게 되는데, 느닷없이 자식에 대한 애정을 명분으로 운명을 회귀하는 이야기 구조가 '이런 여성들은 어쩔 수 없다'는 방식으로 읽을 수밖에 없기 때문이다. 그러므로 인물의 의지 소멸이라는 한계는 「사하촌」과 마찬가지로 두 작품이 함께 안고 있다.

「추산당과 곁사람들」에서는 조소적이고 우울질의 주인공을 만날 수 있다. 주인공 명호는 제법 심리적 국면까지도 드러내고 있어서 앞의 작품들에 비하면 근대적 인물로서의 자질을 갖춘 셈이다. 그러나 명호는 자기가 속한 세계에 대하여 일관되게 국외자적 위치를 고수한다. 그 결과 작중의 세계는 객관적으로 관찰할 수 있지만 그 세계가 어느 정도 추악한지는 느낄 수 없다. 주인공의 감정이나 욕망이 구체적 사건으로 서사되지 않기 때문이다.[14]

해방 이전에 발표한 김정한의 작품들을 종합해 보면, 작가의 정신과 관념이 뼈아픈 당대의 역사적 현실에 밀착하고 있으며, 그러한 눈뜸이 적확한 묘사력과 관찰력을 확보하여 민중의 현실을 되살려 주는 힘으로 작용한다. 하지만, 그 정신이 현실에 부닥쳤을 때, 어디로 나아가야 할 것인지를 찾지 못하고, 따라서 방향성을 잡지 못하여 구체적 의지의 서술화로 나아

---

14) 김남천, 앞의 글.
  김남천은 "왜곡된 인간성에 대한 추상같은 준열성이 없이 문학정신이 살아날 수 없는 것도 사실이지만 인간성 자체에 대한 질실한 애정과 신뢰가 없이 문학이 이루어지지 않는다는 것도 또한 진리일 것이다."라고 비판하였다. 이러한 비판은, 주인공이 자기 세계에 뛰어들지 않고 조소적 기능만 유지함으로써 근대화된 욕망의 세계에서 자기를 상실한 인간상에 대하여 구체적 접근을 하지 않고 따라서 어떤 반성의 의지 표출도 불가능하다는 점에서 타당한 평가로 보인다.

가지 못하였음도 알 수 있다. 이런 현상의 원인을 작가의 역량 미숙에서 찾아야 할지, 전망을 찾을 수 없는 시대적 환경에서 찾아야 할 지는 쉽게 말할 수 없지만, 김정한이 당대의 신진 작가들 중에서 민족 현실에 남달리 관심을 갖고 치열한 작가 정신을 살리려고 분투한 점은 높이 평가해야 할 것이다. 그러나 이상적인 견지에서 보자면, 새로운 전망을 기대하는 문학사적인 과제를 충실히 수임했다고는 하기 어렵다.

5. 결론

김정한은 자기의 시대가 자기 세대의 의식있는 젊은이들에게 부여한 것을 '저항의 정신'으로 이름붙였다. 그리고 스스로 자신의 삶을 '反骨인생'이라 하였다.15) 그 반골인생을 자신이 태어난 시대의 산물로 보는 김정한은, 출생한 해인 1908년이 "매국 정상배들이 민족의 장래일일랑 요만치도 염려하지 않고 일신들의 영달만에 눈깔이 뒤집혀서 나라를 몽땅 일제에 팔어넘긴 바로 이태전"이고, "12월에 토지수탈기관인 동양척식주식회사가 만들어진 해"이며, "항일무장봉기가 격렬히 각지에서 일어난 해"라고 한다. 그래서 출생 때부터 일제와 매국노 등과 어떤 운명적인 관계를 이미 가졌던 것이 아닐까 하고 생각될 때도 있다는 것이다.16) 자신의 출생 년도에 대한 작가의 이러한 역사적 의미부여는 작가의 정신 세계와 밀접히 연결되어 있을 것이다. '왜-ㅅ 놈 꼰놈/꼬치 밭에 꼰놈'하고 노래 부르던 너더댓 살 때의 기억, 밀주 단속을 하던 일본 사람들과 그들의 앞잡이들이 어머니 아버지의 뺨을 때리던 때의 분노 등이 그것이다.17)

김정한이 성장한 시대는 이민족에게 강탈당하는 민족의 특수한 체험의 시기였다. 부모들이 하는 말, 무언가 불합리한 사회 분위기, 체제가 급속히 변화하는 시대의 미묘한 불안감. 저항 정신, 반골기질이란 이러한 환경 안

---

15) 김정한, 『낙동강의 파숫군』, 한길사, 1978, 71-84쪽
16) 앞의 책, 77쪽
17) 앞의 책, 78쪽

에서 자라나는 세대들이 갖는 독특한 내면 세계일 것이다. 이 세대는 한창의 성장기에 삼일운동을 몸으로 보았고, 비교적 민족 의식이 고양되던 시기에 학교를 다녔다. 그렇다고 해서 이 세대들이 모두 철저한 항일의식을 가진다거나 반골기질을 가진다는 것은 이치에 맞지 않는다. 또 그럴 개연성이 크다 하더라도 별 의미를 부여할 수는 없다.

문제는 김정한이 같은 세대의 다른 신인 작가들 중에서 유달리 저항의식을 강하게 보인다는 점이며, 이는 세대의 문제가 아니라 작가의 한 사람인 김정한 개인의 기질 문제에 가깝다. 김정한의 전기를 정리해 보면 '반골인생'이란 자평이 아주 적절함을 부인할 수 없다18). 그리고 그 반골의 대상은 일제부터 해방 이후 정치사의 독재 권력에 이르기까지 부단히 이어져 역사성을 지닌다. 이러한 개인의 삶은 김정한 문학의 성과를 따지기 이전에 그 자체로 아름다움을 가진다. 그러나 작가의 전기적 사실과 작품의 역사적 가치는 구별해야 한다. 김정한이 사회를 직시하는 눈을 가진 작가라는 사실을 시대적 환경과 개인적 환경에서 떼어놓고 보아야 할 것이다.

김정한은 스스로 일관되게 추구한 작가정신을, "개인을 위해서가 아니라 그가 속한 집단을 위한 사명감으로" 요약하였다.19) 그는 이것을 스피노자에게서 볼 수 있다고 한다. "스피노자 같은 뼈대가 있어야 해. 정신의 깡아리 말야!"고 말하는 그 뼈대란 바로 민족이다. 민족이라는 집단의 한 사람으로서 이 사실을 투철하게 인식하는 것이 작가로서의 자기 자신을 옳게 인식하는 길이라는 것이다. 그렇다면 민족이라는 대주제를 두고 일관되게 창작을 구현한 이 작가에 대한 평가와 이해의 기준은 민족에 대한 그 인식이 어떠한 것이었는가와 그것이 어떠한 방식으로 양식화되었는가 하는 데에 두어야 할 것이다.

---

18) 성장 과정과 학창시절의 전기에 대하여는,
졸고, 「김정한론—「사하촌」을 중심으로」, 『국제어문학』 제12 · 13합집, 1991, 397-402쪽 참조.
19) 김정한, 『「수라도」, 「인간단지」 외』, 삼성판 『한국현대문학전집』 23권, 삼성출판사, 1973, 412쪽.

김정한이 '반골인생'과 저항의식을 시대가 부여한 정신이라고 말할 때, '시대'란 억압받는 민족의 현실을 의미하며, 그 관점은 민족이라는 대전제와 현실이라는 당면성이 서로 충돌함을 경험하고 내면화한 결과물로 보인다. 우리는 그 흔적을 작품 속에서 찾아볼 수 있다. 이런 경우, 모순을 인식하는 작가의 눈이 일차적으로 필요하지만, 이 단계에서 우리가 기대하는 바는 앞에서 언급하였듯이 현실의 깊은 곳을 들여다보고 그 충돌의 뿌리와 파장을 짚어 내는 투시력이다. 김정한을 평가하려면, 바로 작가 자신이 생각하는 시대 정신과 작품이 생산하는 현실 제시가 어떻게 결합되어 그 투시력을 보여주는가를 읽어야 할 것이다.

「월광한」을 제외한 대부분의 작품이 가난과 제도적 억압에 시달리는 이들의 현실을 그리고 있고, 그 민족의 현실이 개체의 삶에 어떻게 작용하는가를 그림에 치중한다는 점에서 비판적 문학의 품격을 지닌다는 것을 확인하였다. 그러나 그 현실에서 어떤 변화가 가능한지를 독자들은 읽을 수 없다. 그것은 인물들이 세계에서 일탈하여 의지를 갖지 못하는데 원인이 있다. 의지의 실현이 가능한가, 그 의지를 세계가 허용하는가 하는 것은 이차적인 문제이다. 비록 그 부딪침이 좌절한다 하더라도 충돌의 의지가 있을 때, 세계를 바르게 읽을 수 있는 것이다. 따라서 김정한의 정신을 시대적 값어치가 있음을 인정하면서도 문학적 의미는 크게 부여하기 어려운 안타까움을 부인할 수 없다.

김정한의 초기 작품들은, 현실을 바로 볼 수 있는 눈이 곧 삶의 역사성을 꿰뚫는 투시력으로 이어지는 것은 아니라는 사실을 일깨워 준다. 우리 민족의 근대적 경험의 수준과 과정을 고려하고 근대문학의 성장 속도를 생각한다면, 김정한이 작가 생활을 시작한 시기는 삶의 역사성을 어느 정도 투시하는 눈을 갖출 수 있는 단계라고 볼 수 있다. 비록 정치적으로나 문화적으로 창작 활동을 자유롭게 펼칠 수 있는 정상적인 환경이 못되었다고 하더라도, 내면에는 삶의 속살을 캘 만한 안목이 도사리고 있어야 할 것이다. 이러한 투시력을 김정한의 소설에서 읽을 수 없다는 것이다. 이는 자연주의적 소설 작품에서 흔히 볼 수 있는 이중성, 매우 정교하고 구체적으로 현실을 관찰하면서도 현실을 이야기하는 참된 눈은 추상에서 벗어나지 못하는 그런 한계를 느끼게 한다. 그렇다고 김정한이 자연주의적 결정론에 빠져 있다고 보지는 않는다. 현실의 개혁을 심정적으로 열망하면서도 자기가 만들어 낸 허구적 현실에서 그 열망을 요리할 수 있는 어떤 역사 철학을 아직 내면화하지 못한 단계에 김정한이 갇혀 있는 것으로 보인다. 그러나 그 단계의 전제가 되는 인간과 세계를 드려다보는 세밀한 눈과 열정만은 확인할 수가 있다.

다만 60년대 이후의 노작들은 비교적 민족 의식에 방향성을 갖춘 작품들이라 할 만하다. 산업사회로 성숙하는 우리 사회에서 소외된 민중적 삶 특히 농민의 삶을 토지의 문제와 관련하여 예리하게 따지고, 사회적 부조리와 소외된 삶의 근원을 파고드는 작가의 열정이 매우 치열하다. 따라서 김정한이란 작가에 대한 전체적인 문학적 평가는 미룰 수밖에 없겠다. 다만 여기서는 일제 말기의 문학사적 성과로서 김정한의 문학이 지니는 의미와 그 한계를 정리하는 것으로 그치고자 한다.■새미

이숭원 평론집, **서정시의 힘과 아름다움**, 새미, 1997
신재기 비평집, **비평의 자의식**, 국학자료원, 1997
정효구 비평집, **20세기 한국시와 비평정신**, 새미, 1997
조동길 비평집, **우리 소설 속의 여성들**, 새미, 1997

리얼리즘 문학의 공간성과 역사성
— 김정한의 1960년대 소설을 중심으로

김 경 원*

1. 머리말 : 1960년대 리얼리즘과 김정한의 소설들

요산 김정한의 1960년대 작품을 논의하는 데에는 약간의 난점이 도사리고 있다. 우선 그가 1960년대에 붓을 들어 작품 활동을 재개한 시점이 1966년이므로, 1960년대 작품이라야 실상 몇 년 되지 않는 기간에 창작되었다는 점이다. 그러니까 김정한의 1960년대 작품이란 정작 1960년대 후반의 작품을 가리킨다고 해야 할 것이다. 이것은 해방 이후 장기간 절필을 고집했던 김정한이 하필이면 왜 1966년에야 발언의 포문을 열었는가라는 궁금증을 불러일으킨다. 또한 그의 창작 활동이 1970년대 중반에 거의 마무리되다시피 했기에, 김정한의 작품 목록은 1960년대 후반에서 1970년대 초반에 이르는 시기에 집중적으로 걸쳐 있다. 이러한 통시적인 단절성을 보면 알 수 있듯이, 김정한의 문학은 1960년대 주류 문학과는 달리 독자적인 노선을 걸었다고 할 수 있고, 이 점이 연구 대상의 범주를 분명하게 해주는 동시에 전체적인 관계망 속에서 김정한 문학을 제대로 평가하기 어렵게 하지 않는가 생각한다. 물론 1960년대가 한국 현대사에서 어떤 의미를 지니

---

* 서울대 국어국문학과 박사과정 수료, 「해방직후 진보적 리얼리즘소설 연구」 외 다수의 논문이 있음.

는 역사적 시기인가를 이 자리에서 논하는 일은 필자의 능력을 넘어서는 일이다. 하지만 적어도 한국의 현대 문학사에서 1960년대를 무엇 때문에 주목해야 하는가를 염두에 두지 않으면 김정한의 작품의 의미를 제대로 파악할 수 없음 또한 당연한 일일 것이다.

김정한의 소설이 리얼리즘에 속한다는 견해는 당연하게 여겨져 왔기에, 이제 새삼 김정한의 문학을 리얼리즘으로 접근하는 것 자체가 그다지 중요하지 않다거나 식상하다고 여길 수도 있겠다. 그러나 한국 근대문학사에 있어서 리얼리즘을 둘러싸고 벌어져 왔던 문학 및 문화 부문의 숱한 논쟁이나 여러 논의가 지니는 중요성을 적어도 간과하지 않는다면, 또한 리얼리즘을 단지 낡은 시대정신으로 치부하는 이데올로기적 입장을 굳이 고수하지 않는다면, 리얼리즘에 의거한 접근 방법론은 다시 한 번 근본적으로 검토되어야 하지 않을까 생각된다. 사실 이제까지 김정한 문학에 대한 연구는 거시적인 안목에서 이루어져 왔다. 그러니까 그의 문학은 민족문학이니 농민문학이니 리얼리즘이니 하는 미적 범주가 담고 있는 이념적 타당성을 설득하기 위한 디딤돌이 되었던 셈이다. 그러한 과정에서 다소 김정한 문학에 대한 도구적, 자기 순환적 분석도 행해져 왔음도 인정하지 않을 수 없다. 하지만 이 글은 민족문학이나 리얼리즘이 이루어온 궤도를 굳이 부정할 생각이 없을 뿐더러, 그것에서 억지로 벗어나려는 시도가 오히려 자기 당착일 수 있음을 인정하는 자리에서 출발하고자 한다. 다만 그러한 입지점에 선다고 하더라도 가능한 한 구체적인 분석을 시도함으로써 기존의 거대 담론적이고 목적론적인 해석의 한계를 극복하고자 할 따름이다.

기이하게도 김정한이 「모래톱 이야기」를 통해 작가로서 새 출발을 한 1966년은, 그 이후 민족문학이라는 진보적 문학 이념을 이끌고 나간 계간지 『창작과비평』이 창간된 해이다. 실로 김정한의 소설은 해방 이후 독재 체제와 반공 이념으로 두절되었던 혁명적 문학 이념이 1960년대에 들어와 새 싹을 틔우려고 했던 힘겨운 움직임과 분리해서 논의할 수 없다. 그렇기 때문에 김정한의 소설에 대한 논의는 이제까지 리얼리즘이라는 미학 범주와 분리되어 이루어진 적이 없었고, 또 그렇게 할 가능성은 거의 없는 것 같다. 실상 그의 작품들은 60년대 진보적인 민족문학 진영의 리얼리즘을 실현한 것으로 평가될 수 있다.[1]

이 글은 김정한의 1960년대 작품에 대하여 세 가지 정도의 항목으로 나누어 검토하고자 한다. 첫째는 김정한 문학의 출발점에 대한 재고이다. 왜 소설을 쓰는가, 왜 이런 소설을 쓰지 않으면 안되는가라는, 스스로 작가적 정체성을 묻는 질문은, 다른 누구보다도 김정한의 문학을 이해하는 데 중요하다. 이것은 일제 시대 때 작품인 「사하촌」과 「낙일홍」을 중심으로 그의 창작 태도랄까 소설의 지향성을 조명하는 작업이 될 것인데, 이를 통해 그의 작품 활동이 그의 절필 의지와 동전의 양면임이 확인될 것이다. 즉 이러한 창작 태도의 규명은 그의 작품이 지닌 리얼리즘의 성격을 좀더 분명하게 해줄 뿐 아니라, 그의 문학이 지향하는 일관된 방향을 해명하는 일과 연관되어 있다.

둘째로, 그의 작품에 나타난 공간성에 대해 주목하고자 한다. 그의 작품에는 주로 상징성이 강한 공간적 배경이 자리잡고 있다. 바로 '땅'이 그것인데, 특히 「굴살이」, 「모래톱 이야기」, 「인간 단지」, 「평지」, 「독메」, 「어떤 유서」 등이 그러하다. 이러한 공간 설정에 대해서는 누구라도 한국의 현실을 좀더 실감있게 집약적으로 전형적으로 보여주고자 하는 작가의 의도에서 비롯되었다는 점을 짐작할 것이다. 한편으로는 이러한 작품적 특징이, 그의 작품이 토지 문제에 지나치게 치중되어 형상화되어 있다는 부정적인 평가를 유발하는 대목이 되기도 한다. 그러나 '땅'이 지니는 공간성의 의미에 주목할 때 비로소 김정한 문학의 진정한 민중성뿐만 아니라 현대문학사에서 차지하는 가치가 명확해지리라 생각된다. 토지야말로 근대화 과정이 처음 착수되는 영역이자 자본의 야만적인 침탈에 의해 첨예한 계급 투쟁의

---

1) "그 이후 농민문학론이라든가 민중문학론, 리얼리즘론이라든가 민족문학론으로 이러지는 이론적 발전의 배후에는 김정한 선생 같은 분들이 작품적 실천이 튼튼하게 뒷받침됐기 때문에 가능한 것이었다고 생각해요." 염무웅, 김윤태, 「1960년대와 한국문학(대담)」, 『작가연구』, 1997 여름, 239면.

전선이 형성되는 곳이라 할 수 있다. 김정한의 문학이, 자본에 의해 밀려난 변두리 인간의 애환을 독재 정치와 낙후한 경제 현실에서 고통받는 민중의 입장에서 그릴 수 있었던 것은, 한마디로 구체적인 토지, 땅을 둘러싼 인간들의 투쟁을 형상화했기 때문이라고 할 수 있다.

셋째로, 김정한 문학이 지니는 독특한 역사성의 체현 방식을 조망하고자 한다. 단순하게 말하면 김정한 소설에 등장하는 노인의 형상에 주목하려는 것이다. 노인의 형상은 「모래톱 이야기」의 갈밭새 영감, 「수라도」의 시할아버지를 비롯한 오봉 선생과 가야 부인, 「인간 단지」의 우중신 노인, 「산거족」의 황거칠 노인, 「뒷기미 나루」의 박노인, 「어떤 유서」의 백노인 등 거의 모든 작품에서 나타난다. 이때 노인은 자신의 삶 자체를 살아 있는 역사로서 현현하는 매개적 형상이 된다. 이것은 '땅'이라는 제재와도 어느 정도 연결되어 있다. 노인의 형상은 한국 근현대사의 역사적 연속성을 구체적인 경험에 의해 담지하는 매개인 동시에, 근대와 전근대의 경계 위에서 가장 첨예하게 민족사의 비극성을 체현하고 있는 것이다. 이 점은 김정한 문학이 개척한 인물 형상의 영역이자 고유한 창작 방법일 뿐 아니라, 그의 역사의식과 깊이 연관되어 있기에 중요하게 다루어져야 할 부분이기도 하다.

이렇듯 이 글은 김정한 문학이 지닌 출발점을 밝히고, 그가 주요하게 작품의 중심 요소로서 도입한 '땅'과 '노인'을 분석함으로써, 민족 문학이나 농민 문학이라는 범주 안에서 동어 반복적인 확인 평가에 그치지 않고 구체적인 시각에서 김정한의 문학을 조명하고자 한다. 이것은 그의 문학이 단순히 농민 문제가 아니라 근대화라는 보편적 문제에 닿아 있다는 것, 그리고 경험과 의식이라는 내부성을 넘어 역사라는 일반자로의 확장을 지향하고 있다는 것을 의미한다.

2. 김정한 소설의 출발점과 리얼리즘

김정한은 주지하다시피 1936년 「사하촌」이 조선일보 신춘문예에 당선됨으로써 등단하였다. 이 작품은 두루 알다시피 1930년대 말 농촌의 궁핍한 생활상을 묘파하고 지주로 군림하는 절에 대한 농민의 항거의 뜻을 표명한 것으로, 중등 교과서에 실릴 만큼 명성이 높다. 1930년대 말 소위 전형기의 창작 경향을 거칠게 나누어보면, 한편으로는 내성으로 경사된 작품들이 있었는가 하면, 다른 한편으로 프로문학의 맥을 잇는 작품들이 양산되었는데, 「사하촌」은 송영, 엄흥섭 등으로 대표되는 후자의 경향에 속한다고 볼 수 있다.

「사하촌」은 극심한 가뭄에 시달리는 농가의 정경을 세심하게 묘사했을 뿐 아니라, 더이상 지주의 수탈에 견디지 못하고 절로 몰려가는 마을 주민들을 통해 농민의 저항 의식을 보여주고 있다. 특히 현실의 부조리에 대해 새로이 눈을 떠가는 젊고 억센 농촌의 젊은이들의 형상은, 당대 현실의 기본적인 모순과 변혁적 전망을 제시했다는 점에서 단연 리얼리즘적인 성격에 대한 왈가왈부를 허락하지 않는다. 이렇듯 「사하촌」은 일제 시대 지주—소작 사이의 계급 투쟁을 그렸다는 점에서 높이 평가되어 왔고 그 점을 다시 지적할 필요는 없다고 생각한다.

그런데 이 작품을 김정한의 작품 세계의 출발점이라는 가정으로부터 다시 읽을 경우, 이 작품의 의의에 대해 재음미해볼 여지가 없는 것은 아니다. 우선 왜 하필이면 사찰인가라는 질문을 던져볼 수 있다. 그것이 실제 사실이나 체험에 가까웠다거나 절을 지주 계급으로 표상하는 일이 가장 전형적이라는 설명도 가능하겠지만, 그것은 좀 단순한 듯하다. 사찰이란 다른 의미 작용을 함축하기 위한 고안이 아닐까.[2] 이와 관련하여 이 작품에는 무지몽매한 민중상이 부각되어 있음을 지적해 두자. 불공을 드리러 온 여인들의 외모를 묘사한 대목이 이를 증명한다.

---

[2] 「사하촌」에 대한 다음의 일화를 보면 작품 의도적 측면에서 종교 자체를 문제삼았다고는 볼 수 없을 듯하다. "(親學이 와서) 왜 종교를 반대하는 소설을 따지기 시작했다. 나는 종교를 반대한 것이 아니고, 썩은 중들을 소재로 삼았을 따름이라고 말했다.", 김정한, 「허덕이며 보낸 나의 인생」, 『김정한 소설선집』, 창작과비평사, 1992(10판), 481면.

성동리 사람들은 중들의 기도를 따라서 자기들도 절을 하였다. 중들의 궁둥이를 향해서. 어떤 중은 이리저리 돌아다니면서 무지막지한 촌뜨기들의 가지각색의 절들을 통일시키기 위하여, 불갓절을 모르는 위인들의 몸에 함부로 손을 대가며 합장절을 가르쳤다. 이번에는 물론 삼베치마들도 한몫 들었다. 그러나 그들의 절이란 어울리기는커녕 우습기가 한량 없었다.[3]

작품의 외부에 있는 작가가 절하는 아낙네들의 모양을 '우습다'고 말한 것을 보면, 분명 민중이란 어리석고 무지한 존재로 상정되어 있음을 알 수 있다. 여기에는 불공이나 불심과 같은 민중의 신앙이 헛된 것, 혹은 잘못된 것이라는 의미가 들어 있다. 그것은 바꾸어 말하면 무언가 다른 힘 혹은 논리가 요구된다는 것, 즉 계몽성의 의도를 암시한다.[4] 마을에는 교풍회와 진흥회라는 야학당의 청년 모임이 있는데, 그들은 분열, 대립하고 있어서 제대로 올바른 기능을 수행하지 못하고 있다. 작가는 그러한 세태를 통해 사이비 계몽주의를 비판하고 있는데, 이를 보아도 김정한이 어떤 계몽성을 의도하고 있음은 분명하다. 나아가 「사하촌」에 담겨 있는 계몽성은 도식적 리얼리즘의 하향적 계몽주의와는 별 관련이 없다는 점도 쉽게 짐작할 수 있다.

오히려 여기에서 강조해야 할 것은 계몽성 자체보다 현실을 있는 그대로 냉철하게 직시하고자 하는 정신이다. 이것은 추산당이라는 노인네의 재산을 둘러싸고 주변 사람들이 보이는 추한 행태를 그린 「추산당과 곁사람들」에서도 확인된다. 일찍이 김남천 역시 「추수기의 작단」에서 이 작품을 읽고 김정한의 작가 정신이 '가면 박탈의 정신'이라고 말한 바 있다.[5] 이렇듯

---

3) 김정한, 윗 책, 25면.
4) 그러나 불교에 대한 이러한 관점이 단순히 일방적인 계몽적 의지의 발현만으로 그치지 않는다는 것은 불교적 신앙이 우매한 민중의 의지처만이 아니라 반대로 민족 정신의 기틀로서 자리잡을 수도 있다는 시각을 보아도 확실히 알 수 있다. 「수라도」에서 가야부인의 신심은 무지몽매성과는 거리가 먼 민족 정신을 나타낸다.
5) 김남천, "자연주의적 시대의 폭로소설과는 류가 다르게, 일체의 가면박탈을

김정한은 지배 계급이든 민중이든 그것이 극복되어야 할 부정성을 지니고 있는 이상, 경계와 폭로의 안목을 늦추지 않는 날카로운 비판 정신을 드러내고 있다.

그런데 이러한 정신은 현실의 외부에 존재하는 눈에 의해 보장받을 수 있다. 외부적인 눈이란 한마디로 테두리 밖에 있는 주체의 존재 조건에서 가능한 시각이다. 이 조건이 어떤 작용을 미칠지는 일방적으로 단언할 수 없겠으나, '본질적으로 외부에 있음'이야말로 리얼리즘의 정신이 성립할 수 있는 조건의 하나가 된다는 점은 인정된다. 왜냐하면 리얼리즘이 요구하는 현실에 대한 객관적인 인식이란 바로 대상과 주체의 분리에 의해서, 주체가 대상을 외부적 존재로서 인식하는 바에서 비롯되기 때문이다. 김정한의 소설은 처음부터 또 나중까지 이러한 거리두기의 인식적 가치를 견지하고 있다.

김정한 개인에게 이런 관점을 확립하는 데 기여한 요소는 교사의 입장이었다. 교사란 주로 외부에서 공동체에 파견되는 존재로서, 일종의 경계 위에 서 있는 인물이다. 또한 교사의 입장이란 계몽적인 의지를 자연스럽게 표상하는 지위라는 점과, 학생을 매개로 공동체에서 일어나는 일을 즉각 알 수 있고 관여할 수도 있다는 점을 상기할 수 있다. 이것은 교사가 객관적인 시선을 유지할 수 있는 기반을 제공해줌을 의미한다. 이러한 사정은 「모래톱 이야기」에서 선생님인 화자에게 갈밭새 영감이 자신들의 현실을 소설로 한 번 그려 보라는, 다시 말하면 모래톱 주민이 처한 현실을 대외적·공식적으로 발언해 달라는 부탁을 하는 것으로 표면화되고 있다.[6]

이러한 교사라는 생활 조건에 대한 반성적 사유가 나타난 작품으로 「낙일홍」(1940)을 들여다보면, 이 작품이 교사라는 존재에 대한 의식의 갈등

목표로 조고만 자비성도 몸에 붙이지 않으려는 작가였다." 『문장』, 1940. 11, 145면.

6) "우리 거무란 놈 말을 들으니 선생님은 글을 잘 쓴다카데요? 우리 섬에 대한 글 한 분 써 보이소. 멋지기! 재밌실 낌데이. 지발 그 썩어빠진 글을랑 말고…", 김정한, 윗책, 157면.

및 자각과 더불어 현실 참여에 대한 모색을 여는 계기를 이룬다는 점을 알수 있다. 평교사인 주인공은 교장이 되리라는 기대가 무참하게 짓밟히는경험을 통하여 일본인에게 차별받는 식민지 지식인의 상황을 드러낸다. 즉그는 지식 계층이 자존심을 지키고 양심을 보존하기 위해서는 얼마만큼이나 갈등과 방황으로 고통받아야 하는가 하는 문제 의식을 드러내고 있다.

「모래톱 이야기」(1966)에 나오는 교사의 입장에는 「낙일홍」에서 비롯된문제 의식이 필연적인 형태로 또 현실과의 교섭이 보다 구체적이고 확연해지는 형태로 심화되어 표현되어 있다. 건우 일가의 삶은 땅 임자가 그곳에뿌리박고 사는 사람들과는 무관하게 바뀌고 지배자로서 군림하는 낙동강모래섬의 역사와 맞물리고, 이것은 우리 민족의 수난과 맞물린다. 다시 말하면 모래톱의 역사는 바로 우리 근대 역사의 축소판이다. 이렇듯 대대로억눌려 살아온 민중을 지켜보면서 작가는 자신의 목소리를 내고 싶은 욕구의 동기를 제공받는다. 그리고 민중의 삶에 대한 애착은 교사라는 입지를통해 객관적인 시각을 통해 형상화되기에 이른다.

이때 화자의 역할은 어떤 집단의 목소리를 대변하는 사람이다. 작가는"따라지들의 억울한 사연들에 대해서까지는 차마 묵묵할 도리가 없었기 때문에..."[7]라고 고백하고 있다. 이것은 작가의 출발점이 바로 민중 현실의 진정한 대변자가 되는 것임을 드러낸다. 이것은 또한 작가가 민중적 삶에 대한 동참 의식을 성실하게 수행하는 태도를 갖고 있음을 나타낸다. 김정한의 문학은 이러한 발언의 태도, 민중 지향성, 현실에 대한 비판 의식 등을객관성을 통해 표출하고 있으며, 이것이야말로 그의 문학이 리얼리즘일 수있는 근본 토대를 이루고 있다.

3. 김정한 소설의 공간성과 리얼리즘

김정한의 문학에 따라다니는 농민 문학의 꼬리표는 그가 농촌을 배경으

---

7) 김정한, 『인간 단지』, 서문, 한얼문고, 1971.

로 농촌의 현실을 그렸다는 데에서뿐 아니라, 리얼리즘적인 시각에서 농촌의 문제를 그렸다는 데 기인하며, 그런 한에서 농민문학이라는 규정을 마다할 이유는 없을 것 같다. 이제까지의 연구사를 살펴보아도 농민 문학적인 접근에 치중한 몇몇 논문이 건재한 형편이다. 하지만 농민 문학이라는 훈장의 획득이 중요하지는 않다. 문제는 농촌을 국토 전체의 한 부분으로서 고려한다는 전제 아래, 농민 문학의 지방성 혹은 지역성으로 김정한의 소설을 평가하려는 경향이 아닌가 한다.8)

그러나 리얼리즘 문학론 안의 농민 문학론에서 늘 변함없이 강조해 왔듯이, 농민 문학의 전제는 농촌의 특수성을 통해 국가 전체, 혹은 사회 체제 전체의 모순을 전형적으로 그려낸다는 것이다. 한마디로 매개를 통한 보편성과 특수성의 변증법적 통일이라는 원리가 보증하는 바로 그것이다. 특히 김정한의 소설은 「모래톱 이야기」를 비롯하여, 농민의 궁핍상 그 자체가 아니라 보잘것없는 땅뙈기일망정 스스로 주인으로서 행세할 수 없는 현실과 그로 인한 비극적인 운명을 그려내고 있다. 즉 그가 주목하는 근대적 삶의 척박함이나 피폐함은 단지 농촌이 아니라 '땅'에서 기인하는 것이다.

김정한 소설이 땅이라는 제재를 통하여 한국이라는 근대 사회의 현실을 좀더 실감있게 집약적으로 전형적으로 보여주고자 했다는 점이야말로 그의 문학이 리얼리즘임을 가장 확실하게 보증한다고 생각된다. 땅은 전근대 사회에서 근대 사회로 진입할 때 가장 근본적인 물질적인 토대를 이루면서 또한 가장 첨예하고 전면적으로 자신의 존재 양태를 바꾸면서 인간의 삶을 과격하게 변형시킨다. 그것은 근대화 과정 속에서 원시적 축적을 위한9) 자

---

8) 김병걸은 김정한 문학의 민족문학적 스케일을 충분히 논의하면서도, 카우츠키의 「농업문제」의 일부를 길게 인용하면서까지 농민문학의 중요성을 1970년대의 현실구조와 대비하여 집중적으고 거론하고 있으며, "김정한의 문학이 스케일이 협소하고 또 로컬 컬러가 짙다는 결함을 지니고 있는 것은 사실이다."라는 평가를 붙이고 있다. 김병걸, 「김정한 문학과 리얼리즘」, 창작과비평, 1972 봄, 102면.

9) 이는 비단 자본주의 체제의 전반적 전환에 있어서뿐 아니라 개인에게 있어서도 마찬가지이다. 땅은 근대적 세계 속에서 성공의 발돋움을 위하여 원시적 축적을 가능하게 하는 제일 기본적인 조건, 즉 기초 자본이 된다.

본으로 전화되어야 하는 땅의 운명과 맞닿아 있다. 한편 기존 체제 속에서 생활해 왔던 생활자의 입장에서 보면 땅의 이러한 변화는, 일상적이고 정상적인 생활 공간을 일순간 박탈당해 버리는 충격을 의미한다. 땅에 스며 있는 이러한 맥락을 그려낸 김정한 문학이야말로 민족적·민중적 차원의 진정한 리얼리즘을 실현하는 동시에, 당대의 현실과 역사에 충실한 총체적인 리얼리즘에 다가섰다고 하지 않을 수 없다.

「모래톱 이야기」나 「평지(油菜)」(1968)에서의 땅은 농토로서 대대로 물려받아 삶을 뿌리내려온 구체적인 공간이지만, 역사의 질곡에 따라 임의로 주인이 바뀌면서 지배와 억압의 고통을 감수해온 공간이다. 일본인에서 국회의원이나 유력자, 기업인 등으로 땅의 법적·제도적 지배자가 바뀌어온 경로는 그대로 근대화의 폭력성을 증언한다. 「평지」는 매우 처절하게 이러한 비극을 그려내고 있다. 주인공 허생원은 옛날 일인들의 소유로서 '휴명 법인재산'으로 되어 있는 평지밭이 '농업 근대화'의 물결을 타고 유력자에게 넘어간다는 소문을 듣지만, 아들이 월남 참전 용사란 것만 믿고 땅이 넘어가지 않으리라는 희망을 놓지 않는다. 하지만 허생원은 아들의 전사 소식을 듣게 되고, 게다가 정부 시책에 따라 새 농업단지 조성차 그 땅을 쓰게 되었다는 통고를 받고는 땅을 불질러버리는 격렬한 반응을 나타낸다. 이렇게 땅이라는 것은 뒤틀린 역사가 고통을 부과하는 공간이며, 실존적 조건을 박탈하는 비인간적인 공간으로서, 땅의 문제가 민중에게 얼마나 비참한 삶을 강요하였는가에 대하여 김정한의 문학은 끊임없이 천착하고 있다. 이러한 절규는 「어떤 유서」(1975)에 나오는 한 농민의 유서에서도 그대로 표현된다.

그런가 하면 땅은 역사적 의미를 담은 상징적인 공간으로 농민 민중의 가슴속에 자리잡고 있기도 하다. 땅의 박탈은 삶의 터전을 빼앗기는 일일 뿐 아니라, 정신적인 지주 혹은 주체적 정신을 짓밟히는 일이 된다는 점에서 또다른 차원의 의미를 획득한다. 「독메」(1970)의 노인은 선산을 팔아넘길 수 없다고 우기는데, 그 이유가 바로 조상에 대한 자긍심이다. 자신의 조상은 삼일만세 때 죽은 만큼 유별한 종자('씨'?)이기 때문에 선산을 팔수 없다고 주장한다. "그 산소를 팔다이? 거, 거게 어떤 분이 누붓다꼬! 도, 돈에 팔리는 그런 뼈(뼈 – 인용자)가 아이라 말이다." 하는 절규는, 단순한 종족적 순수성보다는 소박한 민중의 민족 의식으로 나타나고 있다.

한편 땅의 의미는 농토라는 생활의 공간보다 더 확대된, 그야말로 생존의 공간이라는 강한 상징성을 띠기도 한다. 「인간 단지」(1970)는 수용소 원장의 비리를 고발하는 나병 환자들의 투쟁담이다. 주인공 우노인은 참다운 유토피아적 공동체로서 '인간 단지'를 만들어 보고자 어떤 후미진 산골을 찾게 된다. 하지만 이 작품은 이미 주인의 자리에서 내쫓긴 민중의 그러한 시도가 철저히 좌절될 수밖에 없다는 현실의 비정성을 냉정하게 그려내고 있다. 땅을 차지하지 못한 인간의 비천한 운명은 「굴살이」(1969)에서도 나타난다. 시민을 위해서 동물원을 세운다며 수천 평이나 산을 불하받은 위인이 토굴에 사는 여인을 내쫓는다는 설정에서, "동물원이 된다는 터에서 쫓겨나는 인간은 필연 거기에 살게 될 동물보다도 더 처참한 모습"임을 토로한다.10)

이렇게 볼 때 땅은 오랜 세대를 걸쳐 살아왔고 또 살아가야 할 현실적이고 구체적인 공간이다. 그래서 그곳에서 쫓겨난다는 것은 인간의 조건을 상실하는 일이며 생명을 박탈하는 일이다. 그런 점에서 땅은 보편적인 삶의 공간을 상징한다. 이것은 그의 문학이 농민 문학에 한정되거나 편협한 리얼리즘적 소재에 구애받는 문학이 될 수 없음을 의미한다. 땅의 강탈은 단순히 밥그릇을 빼앗는 식의 박탈이 아니다. 폭력적으로 감행된 땅의 박탈은 근대화 자체의 노골적인 야만성을 그대로 보여준다. 이것은 근대 사회로 넘어오면서 토지 개혁이라는 역사적 과제를 제대로 수행하지 못한 사실과도 밀접하게 연관된다. 김정한 소설에 나타나는 땅이라는 공간은, 어떤

---

10) 물론 이러한 공간성에 대한 인식은 땅이 아닌 다른 곳에도 적용된다. 이를테면 「제3병동」(1969)에서 제3병동 또한 한국의 현실을 대변한다. 3등 인간은 병실조차 차지할 수 없다는 것은 역시 생존의 권리를 박탈당한다는 점에서는 토지의 상실과 다를 바 없다.

물질적인 공간에 머무르지 않는다. 그것은 주체의 주인됨을 온전히 빼앗긴 공간으로서, 근대화의 문제를 전면적으로 거론하기 위한 총체적인 상징적 공간이다.[11]

4. 역사성의 체현과 노인의 형상

「모래톱 이야기」의 갈밭새 영감, 「평지」의 허생원, 「인간단지」의 우중신 노인, 「과정」의 허교수, 「뒷기미 나루」의 박노인, 「곰」의 백노인, 「수라도」의 가야부인을 비롯한 그녀의 시댁 어른들, 「산거족」의 황거칠 노인 등등 김정한의 소설에는 유별하게 노인의 형상이 두드러진다. 이러한 노인들의 성격은 순응적이고 보수적인 성격을 지닌 기성 세대와는 거리가 멀다. 노인은 땅에 뿌리박고 살아온 우리 민족의 살아 있는 조상으로 현현되며, 당대 현실의 모순을 근원으로부터 체득하고 있는 인물이다. 따라서 노인은 이제 사멸해 가는 세대나 혹은 비극적 운명의 희생자로서가 아니라 역사적 체험을 담지한 존재로서 현실 모순의 뿌리와 현상을 깊이 각인하고 있는 존재로 등장하고 있다.

김정한 문학에 나타난 노인이야말로 끝내 흙으로 돌아간다는 것을 가장 확실하게 자각하고 있는 존재이며, 따라서 자신이 지나온 길과 가고 있는 길을 체험으로나 직관으로 가장 잘 알고 있는 존재라고도 볼 수 있다. 그들의 경험은 살아 있는 역사로 치환된다. 하지만 그렇다고 해서 이 경험으로서의 역사가 경험주의적으로 절대화된 역사로 고착되지는 않는다. 왜냐하면 비록 그들이 역사적 비극의 담지자라고 하더라도 그들의 희망이나 절망은 일시적이거나 단발적인 것이 아니기 때문이다. 노인의 형상에는 힘차거나 과격한 정열의 폭발은 없으나 인내 속에서 끈질기게 삶을 버텨온 힘이 배어나온다.

---

11) 이런 면에서 "농촌이라고 하면, 그것은 지역적인 개념이라기보다 역사적인 개념입니다."(염무웅의 말 김병걸, 「김정한 문학과 리얼리즘」, 위의 책, 103면에서 재인용.

그 가운데 노인의 형상이 가장 돋보이는 역할을 수행하는 것은 역사적 연속성을 체현할 때이다. 「과정」(1967)에서 허교수가 4. 19 당시 민족 문화를 지키려던 일제 치하의 고투를 환기시키면서 언어의 통일, 민족의 통일을 요구했다는 혐의로 체포되는 일이나, 「곰」(1968)에서 전란으로 아들을 잃은 백노인이 허하사를 바라볼 때의, 연민과 동감이 담긴 성숙한 눈길이 그러하다.

하지만 무엇보다도 노인의 형상은 땅이라는 삶의 터전과 연관될 때 가장 빛나는 가치를 획득하는 것으로 보인다. 「인간 단지」에서 우노인은 나병이라는 운명에 굴종하지 않고 인간으로서 인간답게 살 수 있는 터전을 마련하고자 하는 싸움을 벌인다. 이때 우노인이 열망하는 이상향에의 욕구가 관념적인 보상의 차원으로 떨어지지 않는 이유는, 우노인이 젊은 때에 겪었던 독립 운동의 체험과 그것을 통해 체득한 역사적 전망, 다시 말하면 그의 염원이 역사의 진보를 이루어나가는 인간에 대한 신뢰와 깊이 결탁함으로써 역사적인 구체성을 지니기 때문이다.

땅이라는 공간과 연관된 노인의 형상은 체념이나 순응의 운명론과는 아무런 상관이 없는 투쟁적이고 행동적인 인간형이라는 점도 간과할 수 없다. 이를테면 「평지」의 허생원은 땅을 빼앗긴 울분을 포플러 밭을 불태우고 팻말을 찍어내는 행동으로써 극도로 긴장된 위기적 결말을 이끌고 있다. 때때로 이러한 절망과 분노에서 분출된 파괴적이고 과격한 행동이 영웅적인 면모라는 결함을 드러냈다는 지적도 있을 수 있으나, 이러한 견해는 노인의 형상이 내포하고 있는 역사성의 맥락을 다소 과소 평가한 결과가 아닌가 한다. 그것은 일종의 '불가피한' 운명의 논리를 표현이며, 더이상 억누를 수 없는 역사적 생성의 힘을 표상하기 때문이다. 특히 「모래톱 이야기」에서 갈밭새 영감이 보여주는 반항의 행동은 가히 근원으로부터 분출되는 민중의 힘을 웅장하게 형상화하고 있다.[12]

---

12) "「모래톱 이야기」의 '갈밭새 영감'과 '윤춘삼'의 동적 행동, 그 반항성은 자기 자신과 자기 집단의 생성을 자유롭고 굳굳하게 진작(振作)하려는 투기(投企)에 다름아니다. 특히 '갈밭새 영감'의 살인 행위는 자유 중에서도

더구나 「수라도」에서 가야 부인의 형상은 여성이면서 노인이라는 이중의 특성을 지닌다. 작가는 가야 부인을 통해 기존의 이념이나 체제의 전복을 기도하고 있어서, 김정한 소설의 노인 형상이 지니는 의미에 무게를 더하고 있다. 「수라도」의 중심 인물은 가야 부인이지만 그녀가 몸담은 시가에는 일제 등쌀에 못이겨 간도로 쫓겨가다시피 한 시할아버지와 삼일 만세 때 유명을 달리한 시숙 밀양 양반, 치안 유지법에 의해 조작된 사건에 연루되는 시아버지 오봉 선생 등의 존재가 가문의 역사를 버티고 있다. 이들 인물들은 한일 합방 이전부터 한국 전쟁의 시기까지의 역사가 어떻게 연속되고 있는지를 몸소 보여주고 있다. 특히 이 작품의 서두는 가야 부인의 임종 장면으로 열리고 있으며, 이때 전쟁의 포성과 가야 부인의 죽음은 종말적인 분위기를 자아냄에도 불구하고 역사의 비극은 끝나지 않았음을 부각시키고 있다.

한편 이 작품에서는 가야 부인이 실질적인 가모(家母)의 위치에 있음에도 유교적 가풍까지 거슬러가면서까지 불심(佛心)을 실현하려고 한 대목이 주목된다. 과연 가야 부인이 우연히 발견한 돌부처 때문에 굳이 절까지 세울 결심을 한 이유는 무엇일까. 그것은 단지 유교 계율에 억눌려 사는 부녀자의 위안거리로서의 불심이었을까. 가야 부인의 불심은 가문과 민족의 심각한 역사적 위기 의식의 소산이며, 전통적인 양반 계급의 유교 정신과 민중적인 불교 정신의 연대에 대한 갈망을 표상하고 있다. 즉 가야부인을 통해 갈등적 관계에 있던 두 정신적 지주가 근대적인 인본주의라는 새로운 정신으로 거듭날 수 있는 가능성을 제시하는 것이다. 이것은 「수라도」의 여러 사건들, 즉 아낙네를 위한 위안소 같은 곳으로 불당을 설정한다든가, 정신대에 끌려가는 옥이를 구제하기 위해 신분의 벽을 뛰어넘어 혼인 신고를 감행하는 가야 부인의 홀아비 사위의 행동 등에서 충분히 감지되고 있다.13)

가장 값진 '자기 희생의 자유'라는 역설적 의미를 표상한다." 김병걸, 위의 책, 107면.
13) 이런 점에서 가야 부인 자체가 역사적 대안이라는 견해에 대해서는 수긍

이렇게 볼 때 노인의 형상은 이제까지 물려받은 역사의 몫을 한껏 실현해 온 인간과, 과거의 역사를 토대로 미래의 역사를 열어나가는 인간의 모습을 집약하고 있다. 김정한의 소설에서는 금방 달아올랐다가 식어버리는 얄팍한 열정의 흉내에 그치는 것이 아니라 끈기와 생명력을 바탕으로 역사의 저력을 형성하는 인간으로서의 노인이 진정한 역사성의 체현자로서 살아 움직이고 있는 것이다. 이것은 두말할 필요도 없이 김정한의 문학이 소위 일류 인간이 아니라 '3등 인간' 혹은 주변부 인간에 대한 시각을 깊이있게 정립하고 있음을 의미하며, 나아가 현실 비판의 시각을 견지하는 리얼리즘적인 태도에 깊이 연루되어 있음을 입증한다.

5. 맺음말

1960년대 김정한 문학의 리얼리즘은 근대문학사의 진보적인 문학의 맥을 이어주는 소중한 결실인 동시에 독자적인 고유성으로도 충분히 가치를 인정받을 수 있는 문학적 유산이다. 그의 작품 세계는 1970년대에도 계속 일관되는데, 한편으로는 일제 치하나 해방 직후를 역사적 배경으로 역사의 비극성을 환기시키고 민족혼을 복구시키는 작업을 지속하는 동시에, 또 한편으로는 새로운 역사적 지평을 열어나가는 데 정력을 쏟고 있다.

일제 치하의 교사 생활 체험이 어느 정도 반영된 것으로 보이는데, 불온한 교사로 지목받던 주인공이 황민화 운동에 혈안이 된 일경에게 잡혀가 교사 연맹을 만들려 한다고 고문을 받는다는 「어둠 속에서」(1970), 누부 집에 근친 가는 한 노인이 우연히 목격한 버스 사고가 단순 사고가 아니라 일제 순사를 겨냥한 고의적 사고였다는 여운을 남기는 이야기 「사밧재」

하기 어렵다. "「수라도」에서는 오봉 선생의 약점과 한계가 집념어린 동정이나 막연한 비판의 대상이 되는 것이 아니고, 구체적이며 설득력있는 역사적 대안이 제시되어 있다. 그 대안이 바로 오봉의 며느리 가야 부인을 통해 제시된다는 사실은 이 작품의 반봉건, 민족 의식이 어떤 도식적인 계급 의식과 거리가 멀다는 것을 입증해 준다." 백낙청, 「민족문학의 현단계」, 『민족문학과 세계문학 Ⅱ』, 창작과비평사, 1985, 31면.

(1971), 동아일보 지국을 맡은 1940년대의 풍경 속에서 동아·조선 양대 신문의 강제 폐간 당하는 현실을 다룬 「위치」(1975) 등이 있는가 하면, 한편 여순 사건 어름에 나룻배를 운영하는 한 가정에 불어닥친을 비극을 다룬 「뒷기미나루」(1969)에 이어서, 그는 해방 직후 살벌한 정치극으로 희생당하는 비극적인 운명을 그린 「슬픈 해후」(1985)가 있다. 마지막 작품에서 작가는 5.10선거를 반대하여 예비 검속을 피해 은거중인 임정의 지지파인 주인공이 다행히 재판 없는 즉결 처분은 모면하지만, 검거당해 끌려가면서 잠깐 마주친 가족과의 만남이 마지막임을 확신할 수밖에 없는 비극적 정황을 그리고 있다.

나아가 그는 1970년대 더욱 진전된 산업화의 과정을 직시하면서 역사적 지평을 열어가는 모습도 보인다. 날카로운 예지력을 가지고 현대 사회의 문제를 심도 있게 언급하려는 노력이, 고속 도로 때문에 축이난 농토의 생산력을 복구하는 「실조(失調)」(1970)라든가, 해수 오염에 관한 논문 때문에 시말서를 요구받는 부조리를 통해 공해 산업에 대한 비판을 담은 「교수와 모래무지」(1977) 등에 고스란히 담겨 있다. 또한 일본 사탕 수수밭으로 인력 수출된 어느 처녀의 체험담을 서간체로 쓴 「오끼나와에서 온 편지」(1977)는 전쟁의 피해자로서 한국·일본 민중의 고통은 한가지라는 인식을 통해 국제적인 연대감을 표현하고 있다.

한마디로 그의 작품은 "서민생활의 터전을 침해하는 모든 물리적 폭력에 대항하여 몸소 싸워왔던 사람만이 가지게 되는 생에의 절규"[14]라고 할 수 있다. 그것은 흔히 리얼리즘 미학에서 말하는 작가의 성실성을 가리킨다. 즉 작가가 객관적 세계의 대상이나 현상을 취급하여 창작하는 것은 곧 작가의 사회적 실천으로 연결되는데, 이때 예술적 총체성은 무엇보다도 사회 과정에 작가가 동참하는 데 기초한다는 의미이다. 그런데 김정한이 작품 속에서 체현한 리얼리즘은 「곰」(1968)에 나와 있는 허하사의 말에서 단적으로 드러나듯이, 진솔한 민중 체험의 표현이었던 것이다.[15]

---

14) 김병걸, 윗 글, 위의 책, 95면.

김정한 문학의 특징은 그가 스스로 설정한 작가적 정체성으로부터 형성되었다고 해도 과언이 아니다. 일제 강점기 민족 의식의 발로로서 선택한 문학의 길, 양심적인 민족 지사로서 겪어야 했던 취체와 투옥의 경험 등에서도 우리는 그가 무엇을 하려고 했으며, 그럼으로써 어떤 작품 세계를 형성해 나가고자 했는지를 쉽게 짐작할 수 있다. 더욱이 김정한 소설의 공간성과 역사성이야말로 한국적인 리얼리즘을 실현하는 건강한 작가 정신의 소산으로 보인다.16)

단적으로 말해서 김정한의 1960년대 리얼리즘 소설이 지니는 의의는 자각적으로 리얼리즘을 세우고자 한 것이라고 하겠다. 따라서 그의 문학은 '리얼리즘의 정도(正道)'를 보여준다는 과찬에 조금도 어긋나지 않게 1960년대의 리얼리즘 문학을 새롭게 확립하는 자리에 놓인다고 하겠다. 아직은 1960년대 문학에 대한 전반적인 연구 작업이 아직 본격화되지 않은 상황이지만, 앞으로 1960년대 문학사 속에서 김정한 문학에 대한 평가가 다시 한 번 진지하게 이루어지기를 바라는 바이다. ■새미

---

15) "바로 그렇게 없어진 억울한 영혼들과, 또 오매간에도 그들을 잊지 못하고 애태우는 사람들의 기막히는 사연들입니다---지가 나무등걸에 새겨보고 싶었던 것은!", 김정한, 『낙동강 2』, 시와사회사, 1995년, 96면.

16) "이를테면 60년대 후반 문학을 얘기하면서 빠뜨릴 수 없는 것이 김정한 선생의 재등장이란 말입니다. 그분이 66년에 <문학>이라는 잡지에 「모래톱 이야기」를 발표하면서 문학 활동을 재개했는데…… 그야말로 민중적이면서도 민족적인 현실에 바탕을 두되 복고적인 것이 아닌, 그리고 인간의 현실에 관심을 가지고 현대적인 세례를 받아야 하지만 그러나 서구에 종속되는 것도 아닌, 그런 문학을 머릿속에 그리고 있었던 거죠.", 염무웅, 김윤태 대담, 위의 책, 231-232면.

김정한 소설의 심미성과 작가의식

이 기 인*

1. 서론

김정한(金廷漢)은 6, 70년대 우리 문단에서 대단히 중요한 의의를 갖는 작가다. 특히 그의 소설은 리얼리즘이나 민족문학의 성과를 대표하는 뛰어난 업적으로 인정받아 왔다.[1] 그런데 과연 김정한의 소설은 이러한 평가에 걸맞는 감동을 가지고 있는 것일까?

김정한은 일제의 식민통치 시절부터 줄곧 권력의 횡포에 대한 투쟁으로 일관해 왔다.[2] 그는 고난과 역경의 시대를 살았던 지식인으로서 시대적 사명에 충실했던 작가였다. 이러한 인상적인 생애로 말미암아 그의 작품세계는 각별한 주목을 받는다. 그가 즐겨 다룬 낙동강 주변의 소외된 민중들은 우리 농촌 현실에 대한 날카로운 증언으로,[3] 또한 그의 작중인물이 보여준 집요한 투쟁은 투철한 저항정신의 형상화로 평가된다.[4] 뿐만 아니라

---

* 한림대 국문학과 교수. 편저로 『이태준』(작가론 총서)이 있으며, 「1920년대 소설의 심미성과 그 문학사적 의의」 외 다수의 논문이 있음.
1) 염무웅, 「김정한 소론」, 『민중시대의 문학』, 창작과비평사, 1979.
   이동하, 「70년대의 소설」, 김윤수외편, 『한국문학의 현단계 I』, 창작과비평사, 1982.
2) 김종철, 「저항과 인간해방의 리얼리즘」, 백낙청·염무웅편, 『한국문학의 현단계III』, 창작과비평사, 1984, 84-94쪽.
3) 김병걸, 「김정한과 리얼리즘」, 『창작과 비평』, 1972. 봄, 100-102쪽.

그의 순우리말 어휘에 대한 관심이나 화려하지 않은 문장까지 그의 굳건한 작가의식을 반영하는 것이 된다.5)

물론 이들은 김정한의 생애를 염두에 둔 평가로,6) 작품의 미적 성취나 감동으로부터 귀납된 것은 아니다. 이러한 논의들 속에서 김정한의 문학보다도 인간에 대한 존경과 신뢰를 발견하기란 그리 어렵지 않다. 그리고 한편으로는 작품에 대한 면밀한 분석이나 그 미적 성취를 따지는 일이 행여 김정한의 생애나 인격에 대한 훼손이 되지 않을까 조심스러워 하는 느낌도 받게 된다. 만약 이런 느낌이 사실이라면 작가에 대한 존경과 신뢰가 작품에의 솔직한 접근을 방해하고 있는 셈이다.

작가는 일차적으로 작품이 주는 감동, 즉 미적 성취에 의해 평가되어야 한다. 물론 작가의 사상이나 생애는 결코 작품과 무관하지 않기 때문에, 불굴의 저항정신으로 점철된 김정한의 빛나는 생애는 어떤 식으로든 작품 속에 녹아 있을 것이다. 그러나 작품의 감동은 작가의 생애가 아니라 그 형상화로부터 오는 것이다. 김정한의 작품이 그의 지사적 삶에 상응하는 감동을 전달하지 못한다면 — 즉, 그의 작품이 소외된 민중에 대한 애정이나 권력의 횡포에 대한 분노를 일깨우지 못한다면, 그의 문학에 대한 지금까지의 평가는 지나친 찬사일 터이다. 이런 관점에 입각해서 본고는, 김정한에 대한 기존의 평가를 그의 작품이 주는 감동의 차원에서 확인해 보고자 한다.

---

4) 김정자, 「주제의식의 강렬성과 삶의 동일성」, 김용성·우한용편, 『한국 근대 작가 연구』, 삼지원, 1989.

5) 김종철, 앞의글, 98-101쪽

6) 이러한 태도는 대부분의 김정한 연구에서 발견할 수 있다. 예컨대, '적어도 이 작가의 경우에는 그의 전기적 사실에 나타난 정신적 지향이 그대로 그의 문학의 뼈대가 되고 있음을 어렵지 않게 확인할 수 있다.'(염무웅, 「김정한의 사하촌」, 신경림편, 『농민문학론』, 온누리, 1983, 232쪽)

2. 현실의 증언과 형상화

　김정한 소설은 대부분 대립 구조를 취하고 있다. 이 대립은 상반되는
두 유형의 인물들 ― 소외된 민중과 민중을 억압하는 계층 사이에 형성된
다. 소외된 민중은 대개 소작인, 도시 변두리의 서민, 문둥이, 그리고 식민
지 시대의 조선인 교사처럼 권력의 횡포에 저항할 힘이 없는 지식인들이다.
반면 이들을 억압하는 계층에는 일제 식민통치 세력과 그 비호를 받는 지
주계급, 권력을 등에 업은 유력자와 모리배들이 속한다. 이 두 유형의 인물
들은 가해자와 피해자, 선과 악, 강한 자와 약한 자라는 도식적인 대립 관
계를 형성한다.

　이 대립 구조는 김정한 소설의 가장 두드러진 특징이다. 말할 것도 없이
김정한 문학의 핵심은 그 치열한 작가의식에 있다. 즉, 민중의 입장에서 사
회의 구조적 모순과 억압·수탈의 현장을 생생히 증언하는 것이야말로 김
정한의 변함없는 주제인 것이다. 그리고 이 주제를 구체화하기 위한 방법
으로 대립 구조가 설정된다.

　이 대립구조는 강렬한 인상을 준다. 그는 복잡한 현실을 민중과 민중을
억압하는 계층으로 단순화시킴으로써, 분명한 문제 제기에 성공한다. 이 강
렬함은 단순성을 바탕으로 한 것이어서 지루함과 단조로움으로 빠질 위험
이 있지만, 손쉽게 독자를 사로잡는 장점도 가지고 있다. 어쨌든 김정한 소
설은 이 단순화된 문제 제기에서 시작되는데, 그 문학적 성취는 문제 제기
의 시대적 적절성과 구체적 형상화에 달려 있다.

　　그러니까 논은 지주와 주재소를 업고 사는 손가 녀석에게 곱다시
　뺏기게 될 판이었다. 두호는 이 일만 생각하면 불현 듯이 화가 치밀
　었다. 그리고 벌써부터 사음놈이 보리를 빨리 치워 달라고 조르는
　것을 일부러 늦추고 있는 터이었다.
　　「죽일 놈!」
　　두호는…… 어떻게 해서 사음놈을 이겨내느냐 하는 일념뿐이었다.[7]

1937년에 발표된 「항진기」는 본래 우직하고 근면한 농군인 두호와 무위 도식하는 사회주의자 태호 형제를 대립시킨 작품이다. 그러나 이 작품의 후반부는 두호와 사음 손가의 대립으로 마무리된다. 사음 손가는 지주와 주재소 순사를 끼고 사는 인물인데, 농민에게는 생존권이나 다름없는 논을 가로채려 한다. 이처럼 그의 해방 전 작품에는 지주 계층의 편에 서서 힘없 는 농민을 억압하는 주재소 순사가 빠지지 않는다.

선량한 민중을 억압하는 권력에 대한 비판은 해방 후의 작품에서 더욱 노골적으로 드러난다. 작가는 무엇보다 일제의 앞잡이로 동족을 괴롭히는 데 앞장섰던 자들이 해방 후에도 여전히 교장, 경찰, 국회의원이 되어 득세 하는 어처구니없는 현실(「지옥변」, 「수라도」)에 주목한다. 그리고 그 왜곡된 권력과 야합하여 사욕을 채우는 모리배(「인간단지」, 「모래톱 이야기」)와, 선 량한 서민이나 지식인들을 무자비하게 탄압하는 권력의 횡포를 고발한다 (「뒷기미 나루」, 「과정」, 「교수와 모래무지」). 이처럼 김정한은 당대 사회가 내포한 모순의 핵심을 정확하고 분명하게 제시한다.

권력의 횡포를 고발하는 데는 상당한 긴장감이 수반된다. 더욱이 그 권 력이 폭력적인 힘을 행사함으로써 대다수 사람들이 섣불리 항거할 수 없었 던 시대였기 때문에, 그 용기 있는 문제 제기는 많은 사람들로부터 공감을 얻는다. 김정한은 언제나 동시대의 권력을 비판함으로써 그만큼 강렬한 인 상을 줄 수 있었다. 그 비판은 감동의 차원을 넘어서는 시대·사회적 의의 를 갖는 것이지만, 동시대 독자에 대한 호소력도 대단히 크다.

그런데 이 문제 제기는 그 자체로 독자의 마음을 사로잡는 것은 아니다. 그것이 독자의 감동을 불러일으키기 위해서는 구체적 형상화의 과정을 거 쳐야 한다. 권력과 민중으로 단순화된 대립은 자칫 도식적이고 관념적인 것이 된다. 아무리 심각한 문제도 추상적 관념의 상태로는 감동을 줄 수 없 다. 특히, 동시대의 현실은 너무나 익숙한 문제이기 때문에 오히려 작품 내

---

7) 김정한, 「항진기」, 『김정한소설선집』, 창작과비평사, 1988, 85-86쪽. 이하 같 은 책에서의 인용은 제목과 면수만 밝힘.

의 형상화가 간과되기 쉽다.

김정한 소설의 소재는 낙동강 유역의 가난한 농민, 도시 변두리의 서민에 한정되어 있다. 이는 김정한이 체험을 바탕으로 작품활동을 하였다는 점과 관련하여, 당시의 농촌 현실이나 민중들의 삶을 사실적이고 생생하게 그려내었다[8]는 평가로 이어져 왔다. 그리고 이 사실적 소재의 취급은 자연스럽게 우리 사회의 전형적 사실성으로 확대된다.[9]

그러나 작가의 체험이나 소재의 사실성과 문학적 형상화는 동일한 것이 아니다. 더욱이 김정한이 형상화해야 할 부분은 민중과 민중을 억압하는 권력의 대립 부분이다. 세부적 소재나 인물 묘사 정도로 만들어 내는 실감은 본질적인 것이 아니다. 김정한이 다룬 내용이 '가장 잘 아는 생활'이고 그래서 '거짓 없는' 것일지는 모르지만,[10] 작품의 중심인 권력과 민중의 대립을 매개하는 구체적 형상은 아니다. 김정한 작품의 사실성에 대한 논의는 그 형상화 차원에서 검토된 것이 아니다. 이 점에 있어서 김정한의 소설은 그리 성공적이지 않다. 민중들의 궁핍한 생활상과 권력의 횡포가 구체적인 사건이나 행위를 통해 그려지고 있는 작품은 의외에도 많지 않다.

> 옛날 일인들의 소유로서 '휴면 법인 재산'인가 뭔가가 되어 있는 그 평지밭들이, 별안간 '농업 근대화'의 물결을 타고 어떤 유력자에게로 넘어간다는 소문이 마침 자자했기 때문이었다. …
> (제길 근대화 두 번만 했으면 집까지 뺏아갈 거 앙이가!)[11]

허생원이 조상 대대로 경작해 오던 평지밭의 소유권은 농업근대화의 물결을 타고 어느 유력자에게로 넘어가 버린다. 이는 소위 유력자들이 권력

---

8) 김종균, 「김정한 초기작품의 농민의식」, 『어문논집』 27집, 고려대 국어국문학연구회, 1987, 577쪽.
9) 예컨대, '김정한 문학이 묘사하는 농촌은 단순한 농촌이 아니라, 민족적 현실의 가장 핵심적인 장면'(염무웅, 「김정한 소론」, 앞의 책, 284쪽)과 같은 논의는 김정한 연구에서 흔히 발견되는 것이다.
10) 김윤식, 『한국현대문학사』, 일지사, 1983, 66쪽.
11) 김정한, 「평지」, 『창작과 비평』, 1968. 여름, 184쪽.

을 등에 업고 온갖 이욕을 채우던 당시 우리 사회의 일면을 보여주는 것이다. 그러나 이 문제는 아직 소문에 불과한 것으로, 작품 구조상 본격적인 갈등을 가져오지 않는다. 오히려 월남전에 참전한 아들의 전사 소식이 실질적인 문제로 부각된다. 이 작품의 중심 문제는 시류를 타고 서민의 농토를 가로채는 유력자의 행태인데, 이와 무관한 아들의 죽음이 허생원을 절망의 나락으로 몰아 넣는다. 물론 월남전도 당시 중요한 사회 문제의 하나였지만, 이 작품의 중심 구조와는 무관한 것이다. 이 두 문제는 허생원의 분노와 절망의 원인이란 점에서 하나인 것처럼 보이지만, 실은 월남전과 농업근대화 어느 쪽도 구체화하지 못하고 있다.

김정한의 문단 복귀 작품인 「모래톱 이야기」도 토지 소유 문제를 다루고 있다. 이 작품의 서두에 작품활동을 재개하는 작가의 심정을 덧붙임으로써 작가가 직접 체험한 내용이라는 암시를 하고 있지만, 작품의 전체 구성은 「평지」의 허술한 구성과 판에 박은 듯이 일치한다.

조마이섬은 조상 대대로 나라 땅이었는데, 일제시대에는 일본 사람 소유로, 해방 후에는 국회의원에서 유력자로 소유권이 바뀐다. 그러나 이 문제는 15세 소년 건우의 작문을 통해서, 그리고 갈밭새 영감과 윤춘삼 노인이 술을 마시며 세상에 대하여 비분강개하는 모습 속에서 추상적이고 간접적으로만 제시된다. 이 토지 소유권 문제와 관련된 더 이상의 구체적인 사건이나 갈등은 없다. 갈밭새 영감은 억울하게 토지를 빼앗긴 농민이라기보다, 두 아들을 차례로 잃은 불행한 노인으로 그려진다. 작품의 실질적인 초점은 토지문제가 아니라 건우네의 불행에 있는 것이다.

토지 문제는 결말 부분에서 단 한번 구체적 대립을 보여준다. 조마이섬이 홍수에 수몰될 위험에 처하게 되자, 마을 사람들은 유력인사가 막아 놓은 둑을 허물어 버린다. 이 과정에서 갈밭새 영감이 유력인사의 하수인을 강물 속에 던져버리는 것이다. 그러나 윤춘삼 노인을 통해 간접적으로 전해 듣는 이 사건은 지나치게 우발적인 것이어서 문제의 핵심을 충분히 구체화하지 못하는 것이다.

「뒷기미 나루」는 작가의 문제의식과 작품의 형상화가 어긋나는 대표적인 작품이다. 나룻배 사공인 박춘식은 마을 사람 모두 부러워할 만큼 행복한 삶을 꾸려간다. 그러나 어느날 밤 시위 군중을 태웠다는 이유로 그의 행복은 소위 공권력에 의해 참혹하게 짓밟힌다.

문제는 그 불행이 아무런 필연적 이유없이 갑작스럽게 닥친다는 점이다. 작품 속에는 박춘식의 불행에 대한 아무런 복선도 암시도 설정되지 않는다. 그 불행은 전적으로 우연일 뿐이다. 분명 선량한 서민과 폭력적인 권력으로 단순화되어 있으면서도, 박춘식이 겪는 불행은 사회의 구조적 모순이나 계층적 대립에서 온 것으로는 보이지 않는다. 그의 불행은 일종의 횡액이며, 어처구니없는 봉변의 차원을 넘어서지 못한다.

이러한 어처구니 없는 사건이 당시 우리 사회에서 실제로 일어났었다거나, 그런 현실을 고발하고 있다는 주장이 이 작품의 허술한 구성을 정당화시켜 줄 수는 없다. 소설은 어떤 의미에서 현실보다 더 사실적이어야 한다는 점은 바로 여기에 해당하는 말이다. 이 작품에 묘사된 내용은 충격적인 것이지만, 독자에게 우리 사회의 구조적 모순에 대하여 아무 것도 증언하는 바 없는 것이다.

「인간단지」의 대립구조에도 심각한 결함이 내포되어 있다. 이 작품은 음성 나환자들을 축재의 수단으로 삼는 자유원 원장과 나환자들의 대립을 다룬다. 그러나 중앙의 유력자, 수사관, 면서기 등이 모두 원장과 한통속이란 점에서, 나환자들의 저항은 부정한 권력에 대한 민중의 저항이라는 의미를 갖는다.

처음 나환자들을 핍박하는 것은 자유원 원장의 탐욕과 부정한 권력이었는데, 후반부에는 나환자들의 정착을 방해하는 마을 주민들의 이기적인 태도로 바뀐다. 마을 주민의 습격을 받은 나환자들은 동포와 조국에 대한 원망과 저주를 품고 뿔뿔이 흩어지고 만다. 나환자와 대립하는 마을 주민의 행동은 사실성이란 점에서는 큰 무리가 없는 것이다. 그러나 부당한 권력과 이에 저항하는 민중이란 단순화된 대립구조는 애초부터 이런 세부적 리얼리티와 무관한 자리에 있는 것이다. 그리고 이런 작품의 구조에 비추어 볼 때, 나환자들이 권력이 아닌 동포나 조국 전체를 부정하게 되는 것은 명백한 파탄인 셈이다.

이와는 달리 「사하촌」, 「산거족」 등은 작가의 문제 제기가 구체적인 사건을 매개로 형상화된 작품이다. 「사하촌」은 소작인과 지주의 대립을 문제 삼은 작품으로, 농민들이 겪는 모든 사건이 직간접으로 이 문제와 관련되어 있다. 물론 소작인들이 겪는 고통의 직접적인 계기는 엄청난 가뭄이다. 그러나 실제로 농민을 곤경에 빠뜨리는 것은 자연 재해보다, 지주 계층의 가혹함이다. 가뭄 피해는 도시 사람을 위해 만든 수도시설에 의해 더욱 심화되고, 그나마 저수지의 수문을 열어도 물은 지주계급인 보광사 중들의 논으로만 들어간다. 가혹한 간평이며 농사조합의 세금에 쫓기는 농민들의 논에는 입도차압 팻말이 서고, 드디어 마을을 떠나는 사람들이 나타난다. 이런 많은 사건을 거쳐 성동리 농민들은 자연스럽게 봉기하고, 그 대립의 정점에 도달한다. 한편 「산거족」은 유력자들과 힘없는 서민의 대립을 마샷동 주민의 식수 사건을 통해 성공적으로 구체화한다.

김정한 문학의 가장 중요한 특징인 사회의 구조적 모순에 대한 문제 제기는, 「사하촌」이나 「산거족」 정도를 제외하면 대부분 그 형상화에 실패하고 만다. 단순화된 대립 상황의 설정으로 보아 작가의 문제의식은 분명하지만, 그 문제의식을 매개하는 구체적인 사건이 없는 것이다. 작가가 제기하고자 한 문제는 개인적 차원을 넘어서는 집단, 계층, 또는 사회의 구조적 모순과 관련된 것들인데, 이들은 모두 노골적인 작가의 개입이나 작중인물의 추상적인 주장을 통해 나타날 뿐이다. 김정한 소설이 당대 우리 사회의 구조적 모순이나 전형적인 현실을 그렸다는 주장은, 구체적 형상화를 거치지 못했다는 점에서 적절치 않다.

3. 극단적 저항과 고발

김정한 소설의 또 다른 중요한 특징은 불굴의 저항정신을 형상화했다는 점이다. 그의 등장인물은 거대한 권력에 대항하여 무모할 만큼 용기 있고 끈질긴 투쟁으로 일관한다. 권력의 압제에 시달려 온 민중들이 보여준 이 불굴의 저항은 김정한 소설의 가장 감동적인 부분으로 평가되어 왔다.12)

그의 소설은 인물이 주는 다양한 감동 중에서 유독 그 행동성에 초점을 맞추고 있는데, 이것 역시 그의 소설 구조와 관련하여 검토되어야 한다. 김정한이 설정한 대립 구조는 중간적 유형의 인물이 없이 가해자와 피해자로 양극화되어 있다.13) 더욱이 민중의 입장에서 그 대립은 생존권과 직결된, 조금도 양보할 수 없는 절박한 문제인 것이다. 이처럼 경직된 대립은 필연적으로 대립하는 양자의 투쟁으로 이어진다. 현실과의 타협이라든가 제3의 해결 가능성은 애초부터 배제된다. 인물들은 자신의 생존권을 위협하는 권력에 맞서 끝까지 싸우는 일 외에는 선택의 여지가 없다. 이러한 작품 구조에서 등장인물의 개성이나 내면 세계, 자기 성찰 같은 것들은 아무런 소설적 기능도 담당할 수 없는 것이다.

그러나 그 투쟁의 과정이나 결과는 얼마든지 다르게 나타날 수 있으며, 이에 따라 독자에게 주는 감동의 성격도 달라진다. 김정한의 작품에 나타난 행동의 양상은, 민중들의 집단적 저항(「사하촌」, 「항진기」), 영웅적인 개인의 집요한 저항(「산거족」, 「인간단지」), 자포자기나 무기력한 좌절(「평지」, 「뒷기미 나루」)로 구별된다.

초기 작품인 「사하촌」은 주인물이 분명치 않다는 점에서 특이한 작품이다. 들깨, 철한이, 봉구, 고서방 등 보광사 절논을 소작하는 성동리 농민들 모두가 주인공인 셈이다.

---

12) 김병걸, 앞의 글, 106쪽.
13) 이규정, 「요산 김정한 연구」, 『부산여대 논문집』 제35집(인문·사회과학 편), 1993, 26-27쪽.

무슨 불길한 징조인지 새벽마다 당산등에서 여우가 울어대고, 외상술도 먹을 곳이 없어진 농민들은 저녁마다 야학당이 터지게 모여들었다.

그리하여 하루 아침, 깨어진 징소리와 함께, 성동리 농민들은 일제히 야학당 뜰로 모였다. 그들의 손에는, 열음 못한 빈 짚단이며 콩대, 메밀대가 잡혀 있었다.

이윽고 그들은 긴 줄을 지어 가지고 차압 취소와 소작료 면제를 탄원해 보려고 묵묵히 마을을 떠났다. 아낙네들은 전장에나 보내는 듯이 돌담 너머로 고개를 내가지고 남정들을 보냈다. 만약 보광사에서 들어주지 않는다면… 하고 뒷일을 염려했다.(「사하촌」, 39쪽)

성동리 농민들이 소작권을 가지고 위협하는 보광사 중들에게 저항한다는 것은 거의 불가능한 일이다. 더욱이 주재소 순사, 군청 주사, 농사조합 이사와 평의원 등이 한 통속이 되어 있는 상황에서 농민들의 저항이란 소심한 고서방처럼 어린것들을 데리고 야반도주를 하는 것이 고작일 것이다. 그러나 생존의 벼랑 끝에 몰린 농민들의 가슴에 분노가 쌓이면서 차츰 저항의식이 싹트고, 드디어 떼를 지어 보광사로 몰려가기에 이른다.

이 장면은 '서사시적 위엄'[14]이라 불릴 만큼 감동적이다. 물론 이 봉기가 곧 보광사 중들과의 투쟁에서 승리하리라는 낙관적인 전망으로 이어지는 것은 아니다. 성동리 농민들의 앞길에는 여전히 불길한 그림자가 걷히지 않고 있다. 그러나 생존의 가장 절박한 순간에 걷잡을 수 없이 터져나온 농민들의 분노는 마치 거대한 불길처럼 힘찬 생명력과 열기를 품고 있다. 어느 한 개인의 분노가 아닌, 성동리 농민 전체가 자연스럽게 만들어 내는 저항의 몸짓은 결코 쉽게 꺾이지 않을 것이다. 객관적인 정황으로 보아 성동리 농민들의 열세가 분명함에도 불구하고, 그들의 앞길이 그다지 두렵게 느껴지지 않는 것은 바로 이 때문이다.

「사하촌」만큼 감동적이진 않지만, 「항진기」에서도 농민들이 단결하여 마름에 맞서는 집단적 저항을 볼 수 있다. 마름 손가는 지주의 힘을 빌어 두

---

14) 염무웅, 「김정한의 <사하촌>」, 앞의 책, 236쪽.

호네가 소작하는 논을 빼앗으려 덤비지만, 마을 농민들이 무언중에 힘을 합쳐 두호네 논을 지켜주는 것이다.

> 마을 사람들도 무슨 사발통문이라도 받은 듯이 모두 일찌감치 모
> 여들었다. 보통 때 같으면 한 이십 명 정도로써 족할 일거린데 그럭
> 저럭 삼십명 가까이 되었다. 그중에는 자진해서 나온 사람도 있었다.
> 그런 사람들은 … 손가란 마름의 농간질에 논이 떼였거나 혹은 그의
> 악착같은 말벗김에 속이 틀린 사람들이었다. 말들은 잘 안해도 모두
> 꽤 긴장된 얼굴들을 하였다.(「항진기」, 91쪽)

마름 손가가 오기 전에 부지런히 보리를 거두고 모를 내는 농민들의 행동에서 억눌려 살아온 사람들의 응어리진 기운을 느낄 수 있다. 무언중에 뜻이 통하는 농민들의 행동에는 앞으로 닥쳐올 재난을 겁내지 않는 든든한 힘과 용기가 깃들어 있다. 뒤늦게 달려와 길길이 날뛰며 갖은 위협을 해대는 마름 손가의 모습은 농민들의 그 우직한 저항에 비하면 더없이 하찮고 초라해 보이는 것이다.

자연스럽게 분출되는 농민들의 집단적 저항에는 강인한 생명력과 분노의 힘이 담겨 있다. 여기서 느껴지는 감동은 김정한 소설이 이룬 가장 탁월한 성취의 하나이다. 이는 작가 스스로 미래에 대해 낙관적인 전망이나 적어도 그에 준하는 믿음을 갖지 않고서는 형상화할 수 없는 것이다. 이와 관련하여 이 시기의 김정한이 이제 막 작품 활동을 시작했다는 점을 주목할 필요가 있다. 이 역동적인 저항의 형상화에는 모순 투성이의 사회에 분노를 느낀, 젊은 작가의 이상과 패기가 뒷받침되어 있음을 어렵지 않게 짐작할 수 있다.

그러나 김정한이 오랜 절필 이후 문단에 복귀했을 때는 초기의 저항에 내포되어 있던 역동적인 분노의 힘은 많이 약화되어 있다. 김정한이 일관되게 우리 사회의 모순을 문제삼고 있으며, 후기에 와서 사회과학적 이해와 역사적 안목을 더할 수 있었다는 평가에도 불구하고,[15] 등장인물이 보여주는 저항은 초기 작품처럼 감동적이지 않다.

순간 화가 머리끝까지 치밀었을 갈밭새 영감도,

「이 개같은 놈아, 사람의 목숨이 중하냐, 네놈들의 욕심이 중하냐?」

말도 채 끝내기 전에 덜렁 그자를 들어 물 속에 태질을 해 버렸다는 것이다. 상대방은 「아이고」 소리도 못해 보고 탁류에 휘말려가고, ……

섬 사람들의 애절한 하소연에도 불구하고 육십이 넘는 갈밭새 영감은 결국 기약없는 감옥살이로 넘어갔다. 그리고 9월 새 학기가 되어도 건우군은 학교에 나타나지 않았다. 끝내 돌아오지 않았다.(「모래톱 이야기」, 166-167쪽)

갈밭새 영감은 「인간단지」의 우중신 노인, 「산거족」의 황거칠과 함께 김정한 소설의 전형적인 인물이다. 배운 것 없고 가진 것 없는 노인이지만 평생을 불의와 타협하지 않고 우직하게 살아온 인물들이다. 그들이 보여주는 불굴의 의지는 가히 저항정신의 정화라 할 만한 것이다. 갈밭새 영감의 감옥살이는 조마이섬 주민을 홍수의 위험에서 구하기 위한 숭고한 자기 희생이며, '장엄한 살인'16)으로 이해되는 것이다.

그러나 아무리 그 의미를 곱씹어 보아도 갈밭새 영감의 행동에서 조마이섬 주민의 응축된 힘은 느껴지지 않는다. 그것은 섬 주민 전체의 저항이 아니라, 우발적으로 터져 나온 증오심의 발로일 뿐이다. 절박하다고 해서 모든 행동이 다 감동적인 저항일 수는 없다. 겨우 깡패 한 명을 강물에 던져 버리는 것을 저항이라 하기에는 어쩐지 민망스럽다. 이 행동의 결과로 건우는 끝내 학교로 돌아오지 못하고 갈밭새 영감은 기약없는 감옥생활을 하게 된다. 작가는 갈밭새 영감의 행동을 숭고한 희생으로 그리려했는지 모르지만, 독자가 보기에는 저항다운 저항 한번 해보지 못한 어이없는 좌절에 불과하다.

---

15) 김종철, 앞의 글, 105쪽.
16) 김종철, 앞의 글, 106쪽.

한편, 김정한의 후기 작품에서 다루어진 저항이 집단의 힘이 아니라 개인의 영웅적 면모[17]에 초점을 맞추고 있다는 점도 중요한 변화이다. 「사하촌」의 들깨, 철한이, 봉구 등은 개인적 특성을 갖지 않는, 평범한 농민의 한 사람으로 그려진다. 「항진기」의 두호 역시 성실한 농촌 청년 이상의 특징을 갖지 않음으로써 농민의 전형이 될 수 있었다. 작가는 그들을 통해 당대 농민의 고통과 분노와 희망, 그리고 그들의 잠재된 힘을 표현할 수 있었던 것이다.

그러나 후기 작품의 인물들은 더 이상 평범하지 않다. 우중신 노인은 다른 나환자들과는 달리, 동경 유학까지한 지식인이고 독립운동의 경력까지 있다. 게다가 아내와의 눈물겨운 사연을 통해 그의 순수하고 도덕적인 인간성까지 강조된다. 이 부분은 우중신이란 한 개인의 기구한 운명을 실감나게 보여주고는 있지만, 나환자들의 투쟁을 형상화하는 데는 도움이 되지 않는다. 다른 나환자들은 다만 존경하는 우중신 노인이 지시하고 행동하는 대로 따를 뿐이다. 인간단지를 세우겠다는 것도 나환자들 모두의 강렬하고 절박한 욕망의 소산이 아니라, 우중신 노인의 아내에 대한 애틋한 연민에서 연유한 것이다.

처음 아무도 믿지 않았던 산수도를 혼자 힘으로 완성하여 마삿등 주민의 식수를 해결한 「산거족」의 황거칠, 마을을 지키는 일에 늘 앞장서 사람들의 존경을 받는 「모래톱 이야기」의 갈밭새 영감도 결코 평범한 인물이라 할 수 없다. 이렇게 중심인물이 비범한 개인으로 그려질수록 그들의 저항은 집단적 힘에서 멀어진다.

그러나 개인이나 몇몇 소수의 인물이 사회의 구조적 모순이나 권력에 저항한다는 것은 불가능하다. 한 집단의 구성원 전체가 절박한 심정으로 권력에 대립하는 경우에도, 그 승리를 확신할 수 있는 것은 아니다. 다만 이런 경우, 그 저항에 담긴 집단의 거대한 의지는 실패의 두려움조차 뛰어넘음으로써, 독자에게 역사의 진보에 대한 신뢰감을 준다. 「사하촌」과 「항진

---

17) 이규정, 앞의 글, 34-35쪽.

기,는 파국적 결말을 유보함으로써 이 효과를 잘 살리고 있다. 반면 개인적 차원의 저항은 그것이 아무리 비상한 의지와 신념으로 미화되어도, 집단적 저항과 같은 힘을 갖지 못한다. 그들의 저항은 필연적으로 좌절과 절망으로 귀착되는 것이다.

개인에 의해 주도되는 저항의 양상은 과격하고 파괴적인 성향을 띠게 된다. 개인적 차원의 투쟁은 집단의 거대한 의지나 지향이 수반하는 생명력을 상실한다. 그것은 사회의 막강한 권력 앞에서는 미미하고 나약한 존재일 수밖에 없다. 승리의 가능성이 배제된 그들의 저항에는 조급함이 깃들고, 살인, 방화, 난투극, 혹은 자살 등의 극단적인 방법이 동원된다.

그렇다고 투쟁 방법의 과격함이 승리의 가능성으로 연결되는 것은 아니다. 과격하고 극단적인 행동은 결국 당사자의 처절한 파멸로 되돌아온다. 이러한 결과를 예상할 수 있는 극단의 투쟁은 오히려 자포자기에 가까운 행동이다. 따라서 인물에 대한 묘사도 대개 그 사회의식이나 의지보다는 그들이 처한 절망적 상황과 비극성에 무게가 놓인다.

> 「없는 놈이 할 수 있나. 그저 이래 죽고 저래 죽는 기지머!」
> 갈밭새영감은 이렇게 내뱉듯이 해 던지고선, 아까부터 손 안에서 만지작거리고 있던 두 알의 가래 열매를 별안간 세차게 달가닥대기 시작했다. …… 어찌 들으면 남의 신경을 곤두서게 하는 그 딱딱한 소리가, 실은 어떤 깊은 분노의 분출을 억제하는 그의 마음의 울부짖음 같기도 했다.(「모래톱이야기」, 159쪽)

갈밭새 영감의 일생은 처절한 한으로 점철되어 있다. 한 평생을 끈질기고 억세게 견디어 왔으나, 두 아들이 차례로 죽고 조상 대대로 갈아 오던 땅도 남의 소유로 넘어가는 등, 더 이상 미래를 기약할 수 없는 처지가 된다. 앞날에 대한 믿음이 없이는 어떠한 저항도 역동성과 생명력을 가질 수 없다. 즉, 절망과 자포자기의 심정이 되는 것이다. 갈밭새 영감이 손자의 담임선생을 앞에 두고 쏟아 내는 불만에서, 세상에 대한 저주와 푸념을 읽게 되는 것은 바로 이 때문이다. 그것은 이미 저항이나 의지가 아니라, 절망적인 울음에 가깝다.

「평지」의 허생원이 자신의 포플러 밭에 불을 지르는 행위도 저항이라기보다는 일종의 자포자기인 셈이다. 자신의 몸을 사르는 것도 전생명적 항의의 방법이 될 수 있다고 하지만[18], 그것은 집단적 저항의 기폭제 역할을 했을 때만, 그것도 진정한 저항이 아니라 저항적 의의를 가질 뿐이다. 물론 허생원의 행동에서 이러한 의의를 발견할 수는 없다. 그의 이 극단적인 행위는 철석같이 믿어 왔던 큰아들의 전사 통지를 받고, 그만 삶에 의욕을 잃은 노인의 자포자기적 행동이다. 허생원의 절망적 모습은 독자에게 거칠고 정제되지 않은 증오의 감정과 함께 절망을 남긴다.

아들이 실종되고 며느리가 살인죄로 구속되자 뒷산 소나무 가지에 목을 매는 「뒷기미 나루」의 박노인이나, "지 땅 없는 사람은 그저 소처럼 일이나 꿍꿍하다가 뒤이지는 기"라고 내뱉는 굴살이 처자,[19] 동포나 조국에 대한 증오를 안고 흩어지는 나환자들의 경우도 독자에게 절망과 증오만을 남긴다.

저항이 주는 감동은 부당한 권력의 압제에 맞서 인간다운 삶을 지켜내려는 역동적인 힘과 그 강인한 생명력에 있다. 그리고 이는 삶에 대한 애착과 앞날에 대한 믿음이 없이는 형상화되지 않는다. 「인간단지」, 「평지」, 「뒷기미 나루」 등 후기의 몇 작품은 이러한 감동과는 거리가 멀다. 주로 인생의 황혼기에 접어든 노인을 주인물로 내세워 철저한 좌절과 절망적인 상황을 그린다. 그것은 그들을 절망으로 몰아넣는 사회에 대한 고발이다.

이는 앞장에서 논의한 김정한의 문제 제기와 밀접한 관련을 갖는 것이다. 단순화된 대립구조가 가장 손쉽게 도달하는 곳은 바로 고발과 폭로이기 때문이다. 그의 대립 구조는 우리 사회에 내포된 본질적인 모순을 드러내기 위해 설정되었지만, 올바른 저항의 모습을 그려내지 못함으로써 사회의 한 단면을 부각시키는 고발·폭로의 수준에 그치는 것이다.

---

18) 황국명, 「역설적 희망의 문학」, 『문학정신』, 1990.12, 36쪽.
19) 김정한, 「굴살이」, 『현대문학』, 1969.9, 47쪽.

일차적으로 고발과 폭로는 충격과 놀라움, 그리고 정제되지 않은 분노와 증오의 감정을 자극하는 것이다. 그 문학적 의의는 시대적 적절성과 구체적 형상화에 달려 있으며, 역사적·과학적 안목의 뒷받침이 있다면 보다 나은 성과로 인정받을 수 있다. 그러나 그 문학적 감동은 대단히 허약한 것이어서, 시의에 맞지 않게 됨과 동시에 공감대를 잃는다.

4. 민중의 연대감과 생명력

그러나 김정한의 후기 작품이 모두 고발문학의 범위에 한정되는 것은 아니다. 대립과 투쟁이 주는 분노와 절망의 한편에는 그 거칠고 흥분된 감정을 정화하여 주는 또 다른 힘이 단단히 자리잡고 있다. '절망론에 타협하지 않는 낙관적 전망'[20]이라거나, '문화적 성장을 가져온 민족적·민중적 저력'[21] 등은 바로 김정한의 이런 면모에 대한 언급인 셈이다.

이러한 특징은 작중화자의 개입에서 가장 분명히 드러난다. 그의 작품은 대부분 논평적 화자의 개입[22]을 통해 등장인물들의 관계만으로 가져올 수 없는 효과를 얻는다. 즉, 대립이나 투쟁에 직접 참여하지 않는 화자로 하여금, 민중의 입장에서 그들을 억압하는 사회의 부당한 폭력을 증언하고 투쟁에 동참하도록 한다. 이들의 작용으로 주인물이 겪는 좌절은 완전한 절망으로부터 벗어나며, 또 그 저항의 의지가 이어질 수 있는 것이다.

> 이십 년이 넘도록 내처 붓을 꺾어 오던 내가 새삼 이런 글을 끼
> 적거리게 된 건 별안간 무슨 기발한 생각이 떠올라서가 아니다. 오
> 랫동안 교원 노릇을 해 오던 탓으로 우연히 알게 된 한 소년과, 그
> 의 젊은 홀어머니, 할아버지, 그리고 그들이 살아오던 낙동강 하류의

---

20) 염무웅, 「김정한 소론」, 앞의 책, 283쪽.
21) 백낙청, 「문화연구의 자세와 민족문학」, 『민족문학과 세계문학 I』, 창작과 비평사, 1978.
22) 조갑상, 「김정한 소설의 화자와 시점 문제」, 『경성대논문집』 16집 1권, 1995, 15-19쪽.

어떤 외진 모래톱 ― 이들에 관한 그 기막힌 사연들조차, 마치 지나가는 남의 땅 이야기나, 아득한 옛날 이야기처럼 세상에서 버려져 있는 데 대해서까지는 차마 묵묵할 도리가 없었기 때문이다.(「모래톱 이야기」, 143쪽)

「모래톱 이야기」는 학생의 가정 방문을 통해 알게 된 조마이섬의 이야기이다. 학교 선생인 화자는 윤춘삼 노인이나 갈밭새 영감 못지 않게 불의에 저항한 경력이 있는 인물이다. 그들은 곧 의기투합한다. 화자인 나는 조마이섬 주민이 처한 상황 ― 조상 대대로 갈아 오던 땅을 해방의 과정에서 유력자에게 빼앗기게 된 상황에 누구 못지 않게 분노한다. 그러나 갈밭새 영감도 화자도 그 문제를 해결할 수 있는 방법은 없다. 다만 이 문제를 그대로 묻어 둘 수 없다고 생각하여 조마이섬 이야기를 세상에 알리고자 한다.

홍수가 나자 곧 조마이섬으로 쫓아가는 화자, 그들의 억울한 사연에 묵묵할 수만은 없는 화자의 진정이 없었다면, 갈밭새 영감의 모습은 너무나 처참한 비극으로 끝나고 말았을 것이다. 그들의 억울함과 기막힌 사연은 화자의 증언과 동조 속에서 아직 꺼지지 않은 불씨로 남는다. 갈밭새 영감이 조마이섬 주민을 위해 애쓰다가 끝내 감옥살이를 하게 되고 조마이섬은 홍수로 물에 잠겼지만, 그들의 투쟁은 결코 끝나지 않은 것이다.

「굴살이」는 화자가 우연한 기회에 굴살이 하는 처자를 발견하고, 그 기구한 사연을 적은 작품이다. 미모의 젊은 처자가 인간보다 개를 의지하며 굴에서 살고 있다는 사실은 충격적인 것이다. 고모부와 이웃에게 사기를 당하고 인간에 대한 믿음을 잃어버리는 것이나, 동물원 건립 계획에 밀려 동굴에서조차 쫓겨나는 모습은 참혹하기 이를 데 없다. 굴살이 처자의 눈빛에는 원색적인 저주와 분노가 담겨 있다. 이 눈빛을 읽어 낸 화자는 굴살이 처자를 대신하여 사회에 울분을 터뜨리고 있다. 그리고 이런 화자를 통해서만 굴살이 처자의 짐승같은 비정상적인 삶은 사회에 대한 저항의 의미를 갖는다.

「굴살이」나「모래톱 이야기」에서 주인물이 겪는 고통과 외로운 투쟁에 대한 서술은 의외로 많지 않다. 오히려 화자가 그들의 외로운 삶을 발견하고 그들의 분노와 투쟁에 공감하는 부분에 더 무게가 놓인다. 이 공감의 과정을 통해서 그들의 억울한 삶은 절망에서 벗어나고, 그들의 저항은 끈기 있고 강인한 생명력을 얻는다. 굴살이 처자의 참혹한 삶은 화자의 공감을 거치는 동안 세상에 대한 분노와 저주 같은 감정들이 완화되고, 사회에 대한 비판과 불행한 삶에 대한 연민을 포함한다. 조마이섬 주민들의 외로운 투쟁도 역시 화자의 공감 속에서 좌절과 절망을 극복하고 의미 있는 저항으로 계속된다.

이러한 역할은 그 형태가 조금씩 다르기는 하지만,「제3병동」,「축생도」,「산거족」 등에서처럼 등장 인물의 행동을 통해 나타나기도 한다.「축생도」의 수의사,「제3병동」의 김종우 의사는 가난하고 힘없는 서민들의 힘이 되고자 하는 휴머니스트들이다. 각박한 세상에서 자신의 손해에도 불구하고 남을 위해 헌신하는 이들이 있음으로 해서, 분통이나 심작은둘 노파같은 '3등인생'에게도 세상은 아직 살 만한 것이 된다.

한편,「산거족」은 서민의 삶을 억압하는 유력자에게 민중들이 힘을 모아 공동으로 대응한다는 점에서 그 동조의 형태가 조금 다르다. 마삿등 주민의 식수 문제를 해결하기 위해 애쓰는 황거칠씨는, 적산과 국유지를 불법으로 불하받아 식수원을 독점하려는 호동팔 형제나 전직 장관 때문에 곤경에 처한다. 그 동안의 끈질긴 노력은 이들 유력자들의 욕심에 의해 수포로 돌아갈 위기에 처하는 것이다. 이에 그 동안 황거칠의 끈질긴 노력에 감동한 마삿등 청년들, 그리고 같은 처지에 놓인 T마을 주민들이 함께 힘을 합쳐 유력자의 횡포에 맞서는 것이다. 이렇게 힘을 모은 황거칠 등은 결코 쉽게 굴복하지 않을 것이다.

물론 이런 정도로 이들이 법을 앞세운 유력자의 횡포를 이겨낼 것이란 보장은 없다. 땅의 새 주인이 우물 주변에 축사를 세우는 교묘한 탄압에 황거칠의 노력은 실패할 가능성이 더 많다. 그러나 그건 역시 다음 문제이다.

식수를 확보하는 과정에서 민중들은 하나로 뭉쳤고, 호동팔 형제의 타협안에 굴복하지 않았으며, 동병상련의 처지에 있는 T마을 사람들과의 연대 투쟁을 약속한 것이다. 황거칠의 용기 있는 저항은 이러한 일련의 호응[23]을 거치는 동안 쉽게 좌절하지 않을 끈질긴 생명력을 갖게 된다.

억압받는 민중들의 처지를 이해하고 그들의 저항에 동조하는 인물이 있는 한, 그들의 미래는 결코 비관적이지 않다. 그들의 억울함과 분노는 완화되고 그 저항은 든든한 힘을 얻는다. 민중들의 고통을 외면하지 않고 나누어 가지려는 휴머니스트, 민중들의 억울함과 투쟁을 증언하고 사회 권력에 대해 비판적인 지식인들, 이들이 민중들과 하나가 됨으로써 그들의 저항은 끈질긴 생명력을 얻는다. 김정한의 초기작품이 농민의 집단적 봉기 속에 역동적인 분노의 힘을 형상화했다면, 후기작품은 주로 이 부분, 공감과 이해를 통해 여러 사람의 가슴 속으로 울리는 저항의 끈질긴 생명력에 주목한다.

그러나 작중화자나 부인물의 공감과 동조를 통해 획득된 민중의 생명력은 과연 감동적인 것인가? 갈밭새 영감의 투쟁은 화자의 시점을 통해 절망으로부터 벗어난다지만, 화자의 공감은 그다지 감동적이지 않다. 결국 화자인 나는 국외자를 넘어서지 못하며, 그 진지한 공감도 구체적인 형상을 매개로 하지 않기 때문에 어딘지 추상적이고 공허하다. 민중적 생명력, 그들의 끈질긴 저항과 미래에의 확신이 구체적 형상화를 통해 성공적으로 제시된 작품은 아마 「수라도」, 「사밧재」 정도일 것이다.

「사밧재」는 민중들의 올바른 역사의식과 내면화된 저항의식이 구체적으로 형상화된 작품이다. 송노인은 사밧재 넘어 사는 누님을 찾아 나섰다가, 버스 안에서 일본인 순사와 학병에 나가는 청년들을 만난다. 송노인은 얼마전 학병을 피해 간도로 떠난 누님의 아들 상덕을 생각하면서 고분고분 끌려가는 청년들을 한심스럽게 바라본다. 작가는 팔순이 넘은 송노인의 이

---

23) 단, 이들의 호응은 실제 행동까지 옮겨가지 않는다는 점, 그리고 황거칠의 비범한 개인적 특성으로 인하여 「사하촌」에서처럼 집단적 저항이 되지 못한다.

소박한 생각을 통해 민중들이 가졌던 직관적인 항일의식을 보여준다.

그러나 이 작품의 감동은 민중의 전형으로 그려진 송노인에 국한되지 않는다. 고개를 힘들게 오르던 버스가 고장이 나자, 일본인 순사와 학병만 남고 나머지 사람들은 내려서 버스를 민다. 그런데 송노인이 고개 아래 도착해 보니 일본인 순사와 학병들을 태운 버스는 그만 벼랑 아래로 굴러 떨어져 있었다. 이 사고가 버스를 밀던 사람들의 고의에 의한 것이었음이 강하게 암시되면서, 송노인이 보여준 반일감정은 모든 사람들의 공통된 감정으로 확대된다. 이 우발적인 사건은 민중의 행동을 직접 묘사하지 않는 대신, 그들의 가슴 속으로 흐르는 저항의식을 암시한다. 이 내면적이고 집단적인 저항의식의 흐름은 개인의 과격하고 극단적인 행동보다 훨씬 은근하고 감동적이다.

「수라도」는 김정한 소설로서는 드물게 단순화된 대립구조에서 벗어나 있다.24) 이 작품은 가야부인을 중심으로 일제 식민통치로부터 해방 이후까지 주요 사건들을 이야기 형식으로 기록한다.

가야부인이 시집온 허씨 집안은 뿌리깊은 양반집안으로 유교적인 가풍이 뚜렷이 남아 있다. 그러나 시조부가 만주에서 독립운동을 하다가 유골로 돌아오고, 시숙이 3·1만세운동으로 죽음을 맞게 되면서 허씨 집안의 가세는 급격히 기운다. 가야부인은 허씨 집안의 몰락 과정을 고스란히 겪으면서도 전통적인 부덕과 근면함으로 집안의 화목을 유지해 나간다. 이 때문에 가야부인의 일생은 민족적 수난의 역사로 그 의미가 확대되는 것이다.

가야부인은 신분으로 보아서는 민중이라 할 수 없는 양반 계층에 속한다. 그러나 우리의 유교적 관습에 비추어 볼 때, 여인의 지위는 애초부터 민중적 속성을 가지고 있었다. 그들에게는 끝없는 인내와 희생이 요구될 뿐, 아무런 권리도 주어지지 않는다. 이는 뿌리깊은 양반 집안의 여인인 가야부인에게도 예외는 아니다. 가야부인은 남성들로 이어져 온 유교적, 관료

---

24) 「수라도」는 김정한 작품 연구의 중심이 되는 작품이다. 대표적인 글로 백낙청 (앞의 글)과 조갑상의 「수라도 연구」(『한국문학논총』11집, 부산대 국문과, 1990)가 있다.

적 사회와는 동떨어진 자리에서 묵묵히 노동과 인내로 집안을 꾸려 나간다. 가야부인은 그 노동을 통해 가장 친근한 민중적인 삶을 살아온 셈이다.

> 많잖은 농사에 머슴도 여럿을 둘 필요가 없었다. 가야부인은 직접 안내던 모도 내고 길쌈도 하였다. 길쌈은 집안 식구들의 입성을 마련하는 데만 그치지 않고, 그것으로써 아이들의 학비에까지 보태었다. 이렇게, 손아 날 살려라 하고 애면글면 엉세판을 허둥거리는 동안에 다시금 십여년의 세월이 흘러갔다. 그녀는 <가얏댁>에서 <가야부인>으로 칭호가 바뀌고, 어느덧 육남매의 어머니일 뿐 아니라, 자부도 몇이나 거느린 버젓한 시어머니가 되었다. 손자녀도 분이를 비롯해서 여럿이 났다.
> 「여자 한평생은 그저 그런 기란다. 지내고 보문 잠깐이지만…」
> (「수라도」, 212-213쪽)

가야부인은 역경과 수난으로 점철된 일생을 조금의 부끄러움도 없이 당당한 자세로 견디어 낸다. 격렬한 투쟁이나 증오가 아니라, 부덕과 인내로, 그러면서 한편으로는 적극적인 기상과 완강한 고집으로 쓰러져가는 가문을 지탱해 온 것이다. 가야부인의 이 소박하고 건강한 삶은 일제의 가혹한 탄압도, 시아버지로 대변되는 가부장적 권위도, 사위 박서방과 옥이의 결혼 사건에서 보듯이 봉건적인 제도도, 모두 극복해 낸다. 그리고 그 인고의 세월 속에서도 6남매와 여러 손자녀를 거느린 가야부인의 다산성은, 온갖 시련과 역경 속에서도 묵묵히 자신의 삶을 지켜 온 민중들의 끈질긴 생명력을 표상하는 것이다. 해방이 된 후에도 가야부인은 식민지 시절의 수난에 대한 보상을 받지 못하지만, 그래도 의연하게 과거와 같은 삶의 자세를 견지한다. 이 당당한 가야부인의 일생은 그녀의 임종을 지키는 손녀딸 분이와 여러 자손들에게로 이어지면서 민중의 불굴의 생명력으로 형상화된다. 새로운 시대에도 그들은 여전히 불의와 부정에 항거하면서 당당한 삶을 이어갈 것이다.

김정한 후기소설의 감동은 이처럼 끈질기게 이어져 오는 민중들의 강인한 생명력의 형상화에 있다. 사회 제도에 의해 소외되고 핍박을 받으면서도 민중들은 결코 좌절하지 않는다. 물론 개인으로서의 민중은 끝까지 참혹한 삶에서 벗어나지 못하는 경우도 얼마든지 있다. 때로 비정상적으로 과격한 결말, 파괴적이고 흥분된 결말이 보이기도 하는 것이다. 그러나 그들은 결코 혼자가 아니다. 민중들의 내면에는 그들의 인간다운 삶을 해치는 권력과 사회적 모순에 대한 강한 저항의식이 자리잡고 있다. 이 저항의식이 그들 민중들을 하나로 묶어 내면서 끈질긴 생명력으로 형상화될 때, 김정한의 작품은 감동을 얻는다.

5. 결 론

김정한 문학의 핵심은 그 치열한 작가정신에 있다. 그는 현실을 억압과 수탈의 구조로 파악하고, 억압받는 민중의 편에 서서 권력의 횡포에 대한 비판과 저항으로 일관된 삶을 살았다. 그의 작품이 대부분 민중과 권력으로 단순화된 대립구조를 취하는 것도 이러한 작가정신의 소산이다. 그는 이 대립구조를 통해 우리 사회의 구조적 모순을 드러내고 민중의 끈질긴 저항을 형상화하고자 한다. 그리고 궁극적으로는 민중의 미래에 대한 긍정적인 믿음을 주고자 한다. 본고는 이러한 김정한의 작가의식이 실제 작품에서 어떻게 나타나는가를 확인해 보고자 하였다. 그것은 곧 김정한의 문학적 성취를 문제삼는 것이 된다.

김정한은 사회의 구조적 모순을 형상화하는 데는 별로 성과를 거두지 못한다. 그의 작품이 민중의 고통을 묘사하거나 민중을 억압하는 권력의 일면을 폭로·고발하고 있는 것은 사실이지만, 그것을 작품의 중심 구조로 가져오지 못하는 것이다. 즉, 문제 의식은 분명하지만, 충분한 형상화의 과정을 거치지 못하고 단편적이고 생경하게 제시된다.

한편, 김정한은 민중의 저항을 그리는 데 주력한다. 초기작인 「사하촌」은 민중의 저항을 자연스럽고 생동감있게 형상화한 대표적인 작품이다. 그러나 후기의 작품에서는 저항의 주체가 앞날에 대한 희망을 상실한 노인으로 설정됨으로써, 저항의 강렬한 역동성을 잃어버리고 우발적이고 자포자기적인 성격을 띠게 된다. 그 대신 「수라도」 등 몇몇 작품은 모진 역경을 견디어 낸 민중의 끈질긴 생명력과 그로부터 오는 미래에 대한 긍정적인 믿음을 그려내는 데 성공한다.

전체적으로 김정한의 작품은 그 치열한 작가의식을 충분히 형상화했다고 보기는 어렵다. 작품보다는 오히려 고난의 시대를 치열한 저항정신으로 살아온 김정한의 생애 쪽이 훨씬 깊은 인상을 남긴다. 그리고 그의 생애에 압도된 독자들은 그의 작품까지도 치열한 저항적 삶의 일부로 읽는 것이다. 이 경우 독자는 작품보다 작가에게 감동하는 셈인데, 문학의 궁극적인 의의가 고귀하고 가치있는 정신세계의 체험에 있는 것이라면, 김정한의 문학적 평가는 작품의 형상화에만 국한될 필요가 없는 것인지도 모른다.새미

시대의 질곡과 한 인간의 명징함
— 인간 김정한

조 갑 상*

1.

요산(樂山) 김정한은 김해 김씨(金海 金氏) 삼현파(三賢派)로 본향은 경북 청도(淸道)이다. 동래로 옮긴 사유는 무오사화(戊午士禍)에 16대조 김일손 (1464-1498)이 참화를 입었기 때문이다. 그러므로 그의 집안에서 정치는 금 기사항이 되어 왔으며 요산 역시 다른 건 다해도 정치는 절대로 하지 말라 는 당부를 듣고 자랐다. 김해 김공 삼현파 삼족당 남산계(三足堂 南山系) 세보에 의하면 동래 남산동의 입향조는 석희(碩熺)이며 요산의 13대조가 된 다. 요산의 직계로는 조부인 상우(尙瑀)(1861-1904)대에 와서 종가가 된다. 조부의 형제는 5형제이나 세보에는 4명만 올라 있다. 형제 중 넷째인 당우 (瑭瑀)는 범어사 승려로 법명은 송허당(松虛堂)이다. 1866년 생으로 범어사 에서 입적했으며[1] 범어사에 영정이 남아 있다.

상우는 3남 1여를 두었으며 요산의 부친 기수(基壽)는 장자였다.

요산은 김기수(金基壽)와 정귀홍(鄭貴洪) 사이에서 1908년 음력 9월 26일 오시(午時)에 태어났다. 출생지는 현재의 부산광역시 금정구 남산동 663-2

---

* 경성대 국문학과 교수. 「김정한 연구」 외 다수의 논문이 있음.
1) 세보에 사망 연대는 기록되어 있지 않으나 요산이 학업을 중단하기 일년전 이라는 증언으로 본다면 31년 경으로 추정된다.

이며 6남 1여, 7남매의 맏이이다. 출생 당시 남산동은 경남 동래군 북면에 속했으며 이후 부산시 동래구에 속하다 1988년에 행정구역 변경으로 금정구에 속하게 되었다. 그의 고향은 부산의 진산인 금정산을 뒤로하고 있으며 특히 천년사찰 범어사와 인접해 있다.

그가 태어난 해는 국치 2년 전으로 의병항쟁이 절정에 달함과 동시에 식민지 수탈을 위한 동양척식주식회사가 설립되고, 애국계몽문학으로서의 역사전기류가 격감하면서 신소설 『금수회의록』과 『빈상설』이 출간된, 대한제국의 황혼기였다. 그의 집은 부농에 속했다.[2] 「자전소전」에 의하면 통정대부를 지낸 "조부는 한국시대에 엽총을 메고 다니시던 습관이 남아서 평생 집에 안 계셨고, 엄친 역시 방랑생활을 하셨으므로"로 묘사되어 있다.

부친은 특별히 신학문을 배우지는 않았으나 개화에 일찍 눈을 뜬 것으로 보인다. 뒷날 요산이 다니게 되는 명정학교 설립에 기여를 하였을 뿐 아니라 유석교(維石橋)라는 다리를 놓는데 앞장서 마을에 자동차가 들어오게 했다. 요산뿐 아니라 아래 동생 네 명 모두 동래고보나 부산대학을 나오는 등 고등교육을 받았다.[3] 그것은 이러한 부친의 자각에 힘입은 바 크다. 부친은 농사를 지었지만 잠시 부산서 미곡상을 하기도 했다. 여기에는 에피소드가 있다. 장사 밑천으로 부친이 논을 몰래 판 것이 드러나자 조부가 곡기를 끊으면서까지 장손에게 물려줄 논을 팔았다고 하여 부친이 논을 도로 물리고 잘못을 빌었다는 것이다.[4]

모친 정귀홍은 동래인 정봉구(鄭琫玖)와 조금이(曺金伊) 밑에서 1887년 경남 양산군 동면 금산동에서 태어나 1906년 김기수와 결혼하였다. 모친은

<hr>

2) 면에서 두 번째 가는 지주라는 사실을 요산 스스로 밝힌 바 있다. 최원식, 요산 김정한선생 방문기 「그 편안함 뒤에 대쪽」, 『민족문학사연구 3호』, 창작과비평사, 1993, 289쪽.
3) 동래고보를 나온 세 동생 중 광한은 국어교사로서 경남과 부산일원에서 교장을, 충한은 한국전력 목포 지점장과 경북 지점장을 지냈으며 병한은 국어교사를 했다. 승한은 징용관계로 학업을 계속하지 못하고 사업을 했으며 막내 형한은 부산대를 졸업한 직후 사망했다.
4) 『황량한 들판에서』, 황토, 1989, 56쪽.

동리서당에서 한글을 배워 불경을 읽고 신문도 읽을 정도였다.

어렸을 때 "왜- ㅅ놈 꼰 놈/ 꼬치 밭에 꼰 놈"과 같은 노래를 부르며 일본인들에 대한 미움을 배웠으며 특히 밀주 단속에 적발되어 어른들이 일본 순사들에게 손찌검을 당하는 걸 보면서 그는 "원수를 갚아야지"라는 막연한 저항감을 키웠다. 또 한편 그는 어렸을 때부터 낙동강을 보고 자랐다. 금정산 뒤편이 바로 낙동강이었기 때문에 그것은 용이하였다. 특히 20년 여름 낙동강 홍수를 목격하고 "공포와 어떤 울분"을 느끼기도 했으며 구포다리가 놓이기 전 동네 동무들과 나룻배를 타고 당시의 김해 대저면 등으로 건너다니기도 했다. 한글을 어머니에게서 배운 그는 여섯 살 때부터 마을에서 주로 집안 아이들을 위해 연 서당에서 종조부에게 한학을 배웠다. 친손자에 대한 편애와 그에 따른 편견, 그리고 더딘 학습 진도 문제 등으로 그는 서당 다니기를 그만두는데 권위에 대한 반감과 더불어 반골벽이 처음으로 자각된 시기로 볼 수 있다.[5]

서당공부를 마치고 정식학교에 들어간 해가 공교롭게도 1919년이다. 범어사 경내에 있는 사립 명정학교였다. 범어사와 명정학교는 두 사람의 불교 인물이 관련되는데 만해 한용운과 김법린이 그들이다. 만해는 1910년 불교의 일본 장악을 반대하여 송광사와 범어사를 오가며 승려들의 반대 궐기대회를 주도하면서 조선임제종 종무원을 범어사에 설치했다. 그러는 한편 1913년에는 『불교대전』을 이곳에서 발행했다. 범어사가 만해의 불교활동의 중심이었던 것이다. 한편 김법린(1899-1964)은 만해를 스승으로 하여 범어사에서 중이 되어 3.1운동에 참가하고 26년 파리대학 철학과를 졸업한 엘리트로서 38년 만당(卍黨) 사건과 42년 조선어학회 사건으로 옥고를 치른 불교 운동가이다. 김법린은 부인과 같이 명정학교 교사로 있었다. 요산이 다닌 4년제 소학교인 명정학교는 이런 면에서 당당히 민족의식이 높았던 학교로 볼 수 있다.[6]

---

5) 『낙동강의 파숫군』, 한길사, 1978, 79쪽.
6) 최원식, 앞의 대담, 290쪽

1919년 3·1 항거 때 요산도 만세를 불렀다. 상급생들은 동래로 나가고 하급생들은 범어사와 범어사 입구를 오가며 만세를 불렀던 것이다. 그러나 상급생들은 밀고로 인해 동래까지 나가기도 전에 모두 잡혔다. 밀고자는 그 뒤 경남여고 교장까지 한 오씨(吳氏) 성을 가진 이라고 요산은 회고했다. 이때 김법린은 투옥되고 그 부인은 학교에서 해직되었다. 해방 후 김법린은 문교부장관을 했다.

명정학교를 마친 요산은 23년 서울의 중앙고보에 진학했다. 서울행은 어른들의 동의를 충분히 받지 않은 상태에서 이루어졌다. 동급생과 일을 먼저 저질러 놓고 뒤에 억지 허락을 받았다. 당시 중앙고보의 교장은 소설가 현상윤이었다. 그러나 다음해 9월 동래고보로 옮겼는데 그 사연을 요산은 하숙집에서 나이 든 친구들과 송금해 온 학비로 "손장난"을 하다 부친의 손에 끌려 내려왔다고 「자전소전」에서 밝히고 있다.[7] 동향 선배들과 같이 하숙을 하면서 화투에 손을 대다 학비를 자주 날렸던 것이다. 중앙고보 재학 시기는 일년 육개월 정도였다.

24년 9월에 동래고보로 옮긴 요산은 그 학교의 5회 졸업생이 된다. 동래고보 재학 중 본격적으로 문학에 눈을 떴다. 그 계기를 그는 특별한 게 아니라 민족적 울분을 발악하는 것으로 설명하고 있다. 그에게 문학은 아이가 태어나면서 울음을 우는 것과 같이 본래적인 것이었다. 그가 당시 좋아한 작가는 도스토예프스키와 하이네였다. 청마 유치환이 한해 위였지만 재학 중에 사귄 기억은 없다고 한다. 재학 중 그는 축구를 즐겨 하며 체력을 길렀다. 동래고보 졸업 직전 동맹휴교로 다른 학우들과 경찰서에 잡혀가기도 했는데 집단적이기는 하지만 요산 생애의 첫 구금이 된다. 이때 일인 후지다니(藤谷)교장이 경찰서장에게 항의하여 풀려났다. 후지다니 교장은 해방 당시 신의주 고보 교장으로 있었는데 이북에 있는 동래고보 출신들이 3.8선까지 보호하고 이남에서도 졸업생들이 보호하여 배를 태워 주었다는 인물이다.[8]

---

7) 『신인단편걸작선』, 조선일보, 1938, 220-221쪽.

27년 요산은 왕고모의 중매로 결혼을 한다. 배우자 조분금(趙分今)은 요산과 같은 해인 1908년 풍양인 조희원과 박순이 사이에서 2남 3의 장녀로 양산군 하서면 화제리에서 태어났다. 혼인신고는 1927년 9월 19일자로 되어 있다. 처가인 화제리는 그 뒤 그의 소설의 무대가 되기도 한다. 대표작 「수라도」의 오봉 선생은 바로 이 동리 뒤편의 오봉산에서 붙여진 이름이며 가야부인은 김해 명호에서 시집온 처조모를 모델로 한 것이다. 또한 양산 메깃들은 외가와 왕고모 댁이 있고 그 자신 뒤에 농민조합사건과 관계되는 곳이기에 요산과 특히 인연이 깊다.

동래고보 졸업 후 그는 교사자격시험에 합격하여 28년 9월 울산 대현공립보통학교의 교사가 되어 첫 사회생활을 시작한다.9) 결혼을 했지만 혼자 부임했다. 11월경 그는 경찰에 피검되는데 조선인 교사에 대한 차별문제 등을 해소하기 위해 교원연맹조직에 관한 이야기를 친구에게 편지로 썼다가 검열에 발각된 것이다.10) 동래서로 이첩되어 고문과 조사를 받다 풀려나지만 학교를 그만둘 수밖에 없었다. 이 당시에 겪은 일은 몇몇 수필이나 소설 「어둠 속에서」에 나타나 있다.

보통학교 교사를 그만둠으로써 요산은 또 다른 운명의 길을 가게 된다. 일본 유학이 이로 인해 이루어졌기 때문이다. 29년 2월 그는 동경으로 건너간다. 동경제일 외국어 학원에 일년간 적을 두었다가 30년 4월 그는 와세다대학 제1고등학원 문과에 입학한다. 당시는 본 대학 학과에 입학하기 위해 부속 고등학교에서 공부하는 게 관례였다. 게이오에 비해 와세다는 자유주의적 학풍이 마음에 든 데다 자신과 같은 반골기질의 유학생들이 많아 기질에 맞았던 것이다.

---

8) 최원식, 앞의 대담, 291쪽.
9) 지금의 대현초등학교는 울산시 남구 야음동에 있다.
10) 『문학사상』과의 대담에 의하면 일인 교사와 한국인 교사와의 차등대우에 "화가 잔뜩 나서 엽서를 한 무더기 사다가 직원명부를 보고 각처로 엽서를 띄웠다"고 발언하고 있다. 『문학사상』, 73년 10월호, 209쪽. 김종철과의 대담에서도 재인용되고 있다. 「저항과 인간해방의 리얼리즘」, 『한국문학의 현단계3』, 창작과비평사, 1984, 86쪽.

말년의 김정한 선생과 필자

입학 후 그는 독서회에 가입하여 문학 서적보다 사회과학 쪽 책을 많이 읽었다. 메이 데이 시위 같은데 열심히 따라다녔으며 맑스주의와의 만남도 이때였다. 당시 친구는 이찬, 안막, 이원조 등이었는데 『학지광』편집에 관여하게 된 것도 시인 이찬의 권유였다. 셋은 그 당시 맑스주의자들이었다. 요산은 31년 11월 동경에서 결성된 '동지사(同志社)' 발기인으로 편집부 임원으로 기록되어 있다. 맑스주의 예술이론에 입각한 재일 한인의 새로운 예술 연구단체인 '동지사'는 32년 2월 일본 프롤레타리아문화연맹(KOPF)에 흡수되었다.[11] 그러나 요산은 KOPF는 물론 작품활동 이후에도 KAPF에는 가담하지 않았다.

한편으로는 로맨틱한 문학청년으로서 클래식 레코드를 사 모으기도 했는데 특히 차이코프스키를 좋아했다. 최승희와 연애 중이던 안막이 피임약

---

11) 임규찬은 KAPF 동경지부가 해체되어 합법적인 출판사인 '무산자'사로 합류되고 이 단체 역시 31년 8월 검거사건으로 해체된 후 김두용 이북만 이찬 박노갑 김정한 등 과거의 '무산자'사와 KAPF에 소속된 일부 사람들이 '동지사'를 결성했다고 적고 있다. 『일본프로문학과 한국문학』, 연구사, 1987, 193-194쪽. 그러나 요산은 당시 '무산자'사나 KAPF에 가입하지 않았기에 신규 멤버로 참여했을 것이다.

을 사기 위해 그의 레코드를 죄 팔았다는 회고를 하는 거로 보아[12] 앞서 세 친구와는 아주 막역했던 것 같다.

요산은 소설에 앞서 시를 먼저 썼다. 요산 친필의 작품 기록에 의하면 27년 9월 『조선일보』 학예란에 「벼는 익는다」와 「야국(野菊)」이 발표되었다. 계속해서 『조선일보』과 『동아일보』 학예란에 시와 시조가 실렸는데 이때 필명은 추색(秋色)과 목원(牧原)을 썼다. 1930년 『학지광』에 동요를 발표하기까지 그는 19편의 시와 시조, 동요를 썼다. 당시 『대조』에 발표된 시조 「조선학(朝鮮鶴)」의 1연을 옮겨보면 "뉘들이 저리했노 왜 저리 갇히었노 / 조선학 된탓이냐 그러해도 애닲은 건 / 머리에 깊은 상처를 이 맘 아파하노라"와 같이 식민지현실에 대한 절망감을 표출하고 있다. 한편 요산은 해방후 『인민해방보』에 「해방의 기쁨」 등의 시조를 발표한 바 있다. 습작이든 아니든 시를 먼저 쓰고 소설을 쓴 경우가 초기 작가들의 문학현상이었다는 점에서 요산도 예외는 아니었다. 그러나 요산은 시가 자연발생적인 감정을 표현함에 지나지 못한다는 생각과 더불어 성격상 맞지도 않는다는 점을 일찍 간파한 것 같다.

소설은 일본 유학시절부터 썼다. 「구제사업」이 『신계단』에 제목만 목차에 나온 것은 32년 11월이다. 요산은 이 작품을 김동인의 「감자」에 대한 불만으로 썼다고 밝힌 바 있다. 당시의 궁핍한 현실을 도덕적 타락으로 초점을 맞춘 데 대한 불만이다. 「구제사업」은 당시 사방 공사나 상수도 공사 등의 구제사업을 명목으로 영세민을 동원하여 노력 착취하는 것을 고발한 것이라고 회상한 바 있다. 최초로 활자화된 요산의 소설은 같은 해 12월 『문학건설』에 발표된 「그물」이다. 마름과 지주에 대한 소작인의 저항을 다룬 짧은 작품이다.

그는 32년 여름 방학 귀향시 동래 출신 유학생들과 양산 농민봉기사건의 피해조사와 농사조합 재건 등을 위해 개입하다 박인호(朴麟浩) 김세룡(金世龍) 등과 피검되었다. 피검 후 가을 무렵 이 작품을 썼고 학업 기회도 놓쳐

---

12) 최원식, 앞의 대담, 292쪽.

버린 것이다. 요산은 이것을 두고 "내 일생의 운명을 결정지은 중대한 원인"이라고 회상하기도 했다.[13) 부모의 기대에 대한 면목없음과 이웃의 몰이해, 학업 중단에 대한 고민 등으로 그는 술을 배웠다고 적을 만큼 심적 갈등이 컸던 것이다.

33년 10월 그는 남해 공립보통학교의 교사로 취임한다. 그러나 그는 이미 요주의 인물로 찍혀 있었으므로 과거 후지다니 교장의 도움이 필요했다. 본격적으로 문학에 대한 뜻을 세운 건 이 무렵이다. 항일 일선에 나서지 못할 바에는 글로서나 고발해 보겠다는 생각이었다. 그는 우선 우리말을 조사하면서 정확한 표현을 위해 노력했다.

그러는 동안 그는 남해에서 「사하촌」을 썼다. 시를 발표할 때 쓰던 목원(牧原)으로 투고했지만 말미의 본명대로 신문사에서 발표를 하는 바람에 그는 곤욕을 치른다. 범어사 측에서 소설의 무대를 작가의 고향으로 생각했기 때문이었다. 고향의 부친에게서 범어사 중들이 노발대발하고 있다는 편지가 오고 순시 나온 장학관에게서는 왜 반종교적이며 농민을 선동하는 작품을 썼느냐는 힐책을 받는다. 도 장학관은 오이까와(及川)라는 자로 요산의 동래고보 시절 역사 선생이었다. 요산은 고향 친구에게 편지를 내어 중들을 무마해 달라는 편지를 보냈다. 그 사람은 경성제대의 '반제동맹'에 관련되어 제적 상태에 있던 친구였다. 범어사 소작인들의 관리를 위해 만든 농사조합 책임자이기도 했으므로 중재자로서는 적격이라고 요산은 생각했던 것이다. 봄방학을 이용해 고향에 가서 친구를 술집으로 불렀는데 본인은 나타나지 않고 요산은 다른 무리들에게 테러를 당했는데 두 달 정도 기동이 불편하고 신춘 상금의 반을 치료비로 써야 할 만큼 크게 다쳤다.

그는 남해로 돌아와 '천황폐하 성수만세' 따위나 법당에 걸어둔 불교의 친일행위와 부패상을 계속 고발하리라는 결심을 다잡았다. 우리말 노트 작업 외에 식물 노트도 만들었는데 각각 8권과 2권이 되었다. 머리로 쓰지 않고 발로 쓰는 그의 노력은 이 남해 시절에 굳어졌다.

---

13) 『낙동강의 파숫군』, 83쪽.

남해읍 시절 그의 성격을 말해 주는 또 다른 두 가지 사건이 있다. 농사 실습으로 키우는 그의 반에 할당된 암퇘지가 새끼를 배지 못하는데 대한 교장의 질책을 암퇘지의 잘못이지 교사나 학생의 잘못이 아니라고 정면에서 반박한 것이 하나이며, 평소 한국인을 경멸하고 안하무인격이던 일인 군청 산림 주사 눈을 술자리에서 찌른 사건이 그것이다.

39년 5월 요산은 남면에 소재한 남명학교로 전근을 간다. 불화를 빚던 학부형들과 일인 교장 사이를 중개하기 위해서였다. 이때의 체험은 「낙일홍」의 소재가 되었다.

40년 봄 부산역 앞 통술집에서 『동아일보』 동래지국을 하는 동래고보 선배에게서 경찰의 방해로 신문돌리기가 어렵다는 말을 듣고는 "그렇게 겁이 나거든 그만 두시오. 내가 돌릴테니" 라는 큰소리를 친 게 빚이 되어 그는 교사직을 그만둔다. 물론 옥죄어 오는 식민지체제교육에 대한 염증이 가슴 밑바닥에 깔려 있는 상태였지만 언론을 통해 꺼져가는 민족정신을 일깨우려는 의지와 더불어 자신이 한 말에 책임을 진다는 그의 성격을 알 수 있게 하는 에피소드이다. 짐은 배편으로 보내고 가족은 진주를 들러 부산으로 온다. 만 7년간의 남해 생활이 끝난 것이다. 식구는 모두 여섯으로 불어 있었다. 7년간의 남해 시절은 활발한 작품활동으로나 가정적으로나 요산 개인에게는 행복한 시기에 속한다.

후배에게 계약금을 빌리고 그의 이름(朴性旭)으로 지국을 열었지만 밤 사이에 지국 간판이 떼어져나가고 배달 중 신문을 빼앗기는 어려움이 뒤따랐다. 거기다 지대 독려를 위해 연 기장(機長) 모임이 치안유지법에 저촉되어 동래 결찰서에 체포되고 『동아』『조선』 폐간 소식을 유치장에서 듣게 된다. 그 동안 그는 동래군 농민조합 일에 적극 가담하면서 고향인 북면에다 지부를 만들기도 했다.14) 이 기간 그는 처가살이를 하였는데 처가는 28

---

14) 32년 양산농민조합 피해조사시 요산은 동래농민조합의 농조원으로 가입되어 있었다. 농사를 직접 짓지 않더라도 학생을 포함한 지식인들의 가입은 당시의 관례였다. (조갑상, 「김정한소설연구」, 동아대박사논문, 91년, 26쪽) 그러므로 농민조합에 대한 요산의 관심은 각별한 것이었다.

년경 동래 복천동으로 옮겨왔었다. 육촌 동생 김용한(金容漢)이 지부책임자로 일하다 해방 뒤 좌익으로 몰려 사망한 일은 요산에게 큰 아픔으로 남게 된다. 김용한은 1910년 생으로 해방 후에도 농민운동에 관계하다 47년 범어사 원효암에 은신 중 체포 타살되었다.

40년 11월 요산은 취직을 한다. 도청 직원으로 있던 고향 선배의 도움으로 경상남도 면포조합의 서기 자리를 얻은 것이다. 면포조합은 도청 상공과의 귀퉁이를 사무실로 빌린 민간물자통제 단체였다. 조합의 상무는 소설가 한무숙(韓茂淑)씨의 부친이었다. 요산은 짧은 처가살이를 마치고 부친의 도움으로 도청이 가까운 부산 교도소 뒤편 냇가에 집을 마련했다. 서구 동대신동 3가 210번지가 그곳이고 이른바 대신동 시대가 이렇게 열린 것이다. 그 집은 터가 세다고 소문이 나 값이 다소간 쌌다. 요산은 고집을 부렸고 부친도 미신을 믿지 않는 편이라 그 집이 결정되었다. 76년 서구 동대신동 2가 313번지 삼익 아파트로 옮기기까지 요산은 그 집에서 30여 년을 살게 된다.[15] 면포조합에 근무하는 동안 그는 일본인 양자가 되어 일본인 행세를 하는 상급자를 혼내주는 에피소드 정도를 남기면서, 그리고 5월 부친상을 당하면서[16] 8.15 광복을 맞이한다.

그러나 해방을 그는 숨어서 맞이해야 했다. 『동아일보』 부산지사 일을 보던 강대홍(姜大洪) 씨로부터 일경이 '불령선인'으로 지목된 사람들에 대한 예비검거나 위해가 있을 수 있다는 정보를 전해 듣고 구포에 있는 고아원으로 피신을 한 것이다. 이러한 해방맞이의 모습은 해방정국과 단독정부수립, 그리고 6.25로 이어지는 격랑의 시대를 살아가는 그의 인생 행로에 하나의 상징이 된다.

그는 건국준비위원회 경남지부 문화부원으로 해방 정국의 첫 활동을 시작한다. '반일해방운동자후원회'에 동경 유학시절부터 알던 희곡 작가 신고

---

15) 대신동 삼익아파트(13동 305호)로 옮기기 전 요산은 서울로 이사간 동대신동의 큰 사위 집에서 약 5년간 살았다. 삼익아파트는 부산교도소 자리였다.

16) 1945년 5월 18일 전호주 사망으로 호주를 상속했다. 금정구청 제적등본.

송(申鼓頌)과 참가하여 연극단체인 '희망자'를 만들어 공연하는 한편 부산
-동래희생자 위령탑을 세웠다. 경남도청을 접수하러 갔다가 미군들에게
몽둥이 세례를 받기도 했는데 건준은 9월 6일 인민위원회로 개편되었다.
경남인민위원회 위원장은 윤일(1893년 거제도 출신)이고 부산 위원장은 노
백용(1894년 김해 출신)이었다. 46년 4월 요산은 미군정에 의해 노백용과
같이 체포당하기도 했다(도 전역에 걸친 300명 체포에 포함). 김구 선생과
의 관계는 백범이 남한 단독정부 수립을 반대하고 남북협상을 제의할 때부
터였으며 부산에서 직접 만나기도 했다. 요산은 국문학자 조윤제(趙潤濟)와
더불어 남북협상차 북으로 가는 백범을 따라 갈 계획을 세우기도 했었다.
요산은 이 무렵 독립운동가들이 미군정 하에서 고초를 겪는 두 편의 소설
을 발표했다. 또한 그는 『민주신보』의 논설위원으로 그리고 『대중일보』에
는 논설 및 칼럼을 기고하는 등 언론활동을 하기도 했다.

그러나 정치 상황은 급속도로 바뀌고 복잡하여 46년 3월에는 조선문화단
체총연맹(문련) 부산지부장(부산예술연맹 회장)에 이름을 올리기도 했다.[17]
47년 부산중학 교사로 취임함으로써 해방 직후의 사회활동을 대부분 중단
하지만 단독정부 수립 후에도 요산은 일시 피신을 해야 할 형편이었으며
경찰은 어린 큰아들에게 휘발유를 먹이면서까지 그를 추적했다.

이러한 신변의 불안은 6·25 발발로 절정에 달했다. 결정적인 것은 보도연
맹에 이름이 올라 있었다는 것이다. 국민보도연맹은 49년 6월 5일 결성되
었다. 전쟁이 나자 그는 당시 부산 근교였던 낙동강가 엄궁으로 피신했다

---

17) 문련은 문학가동맹을 중심으로 한 각종 문화예술단체의 연합체이다. 요산
   은 비슷한 시기에(47년 2월) 우익 문화단체 29개가 모인 전국문화단체총연
   합(문총)의 부산지부장으로 이름이 오르기도 한다. "서울에서 조직된 좌우
   문학단체에서는 내 승낙도 없이 그저 이름을 자기들 마음대로 함께 발표
   하기도 했다"(『낙동강의 파숫군』, 84쪽)라는 발언으로 보면 어느 쪽이나
   적극적인 자기 의지로서의 가입은 아닌 것으로 보인다. 그러나 부산서 발
   간된 『전선』 창간호(46년 3월)의 편집후기에 문련의 부산지부격인 부산예
   련 회장이라고 소개된 것과 노백용과의 관계로 본다면(『전선』의 발행인은
   노백용의 아들인 노재갑) 심정적으로 문련 쪽에 가까웠다는 추측은 가능
   하다.

가 군 수사기관에 체포된다.[18) 부인과 아이들이 다른 방에 갇혀 있는 동안 그는 이틀에 걸쳐 모진 고문을 받는다. 이때 아호인 요산(樂山)을 지어준 사람은 인민당 관계 일로 들어온 의사인 김동산(金東山)이라는 분이다. 그 이전까지 그가 써온 아호는 스스로 택한 秋色 牧園(牧原) 鄭夢蘭 連山 등이 었는데 연산이 야산대 활동이라는 오해를 불러일으킨 것이다. 그는 요산의 의미를 仁者壽(오래도록 지조를 지키며 살라는)로 해석했다.

당시 보도연맹 가입자의 피해는 엄청났다(앞에 언급된 박인호, 김세룡, 노백용, 그의 아들인 노재갑, 김동산 등은 모두 이때 희생되었다. 요산은 수영비행장 앞바다의 수장 이야기를 자주 했다). 요산은 죽을 고비를 운수업하는 둘째 처남의 도움으로 넘겼다. 둘째 처남 조홍재(趙弘載)는 부산상고를 나와 대한통운의 전신인 「조선미국창고주식회사」에 근무하다 50년에 주식회사 「부산화물」을 설립한 실업가이다. 재판을 받을 때는 남해 시절의 제자가 도움을 주기도 했다. 박태지로 알려진 그는 법원 서기로 요산과 노백용의 재판 일자를 뒤로 미루어 주었다. 결정적으로 그가 목숨을 건질 수 있었던 것은 그의 체포 일자가 8월 15일이라는 점이었다. 이승만 정권은 미국의 압력과 비등한 여론으로 그날부터 정식재판의 절차를 밟도록 했다.

한편 인덕(人德)은 그의 독특한 재산이자 운명 그 자체이기도 하다. 부산중학 시절 동부야산대 대장이라는 모함을 쓰고 지금의 동부경찰서에 체포되었을 때도 국문학자 정병욱(鄭炳昱)의 자형이 사찰계장이라 쉽게 풀려나올 수 있었던 것도 그랬다. 한편 이런 절대절명의 위기 속에서도 할 말을 다 하는 그의 성격은 그대로 나타났는데 과학자동맹에 들어 있던 조좌호와 같이 특무대장 김창룡이 순시를 왔을 때 소변을 하루 한 번밖에 허용하지 않는 것을 항의하다 발길질을 당했다는 게 그러한 점이다.

이때의 체험을 다룬 작품으로는 「모래톱 이야기」와 「슬픈 해후」 등이 있다.

---

18) 요산이 피신한 곳은 당시 부산대학에 강의를 나오던 이정환의 집안 고택이었다. 요산의 동래고 후배인 이정환은 그 뒤 연세대교수를 거쳐 한국은행총재와 재무부장관을 역임했다.

6·25가 일어났을 때 그는 부산대학교 조교수의 신분이었다.

59년 『부산일보』 비상임 논설위원으로 활동하면서 자유당 독재 정권의 부정부패를 고발하다 피신과 피검을 겪는다. 60년 3·15 부정선거 때는 부산문화방송에 나가 자유당의 횡포를 언급하기도 했다.[19] 4·19가 일어났을 때 그는 부산대학교 교수 데모에 가담했다.[20] 민주당 정권이 들어섰을 때 그는 남북통일을 촉구하는 어떤 강연에서 남북 문화교류의 필요성을 역설하고 『부산일보』를 대표하여 교원노조 부산지부 결성식에서 축사를 하는 등 활발한 활동을 했다.

그러나 이러한 활동은 61년 5·16 쿠테타가 일어난 뒤에는 모두가 그를 옥죄이는 죄목이 되었다. 부산지역의 A급 체포대상이었던 그는 5월 18일 서울로 도피했다. 지인들과 당시 『조선일보』 기자였던 둘째 사위 장정호(張廷鎬)의 도움으로 전북 이리를 거쳐 군산의 한 개인병원에 은신 중, 뒤에 『부산일보』 사장을 역임하게 되는 황용주와 최세경과 연락이 닿아 8월 28일 자수를 하여 중앙정보부가 아닌 부산시경의 조사를 받고 풀려났다. 그러나 그는 근 두달 동안 구금상태에 있었다. 대학에서 파면을 당한 것은 물론이다. 자유당 정권 때와 5·16 뒤의 피신과 피검의 체험은 「과정」과 「거적대기」의 소재가 되었다. 61년 『부산일보』 비상임논설위원으로 있다가 62년부터 64년까지 상임논설위원으로 근무했다. 부산대학에 출강이 허용된 것은 63년 9월부터이며 복직된 해는 65년 4월 19일이다.

이러한 수난과 고통은 잠자던 그의 문학적 열정을 폭발시켰다. 66년 10월 『문학』 6호에 「모래톱 이야기」를 발표함으로서 중앙문단에 복귀했으며 그후 「수라도」 「뒷기미나루」 「산거족」 등 뛰어난 작품들을 쓴 것이다.

74년 2월 정년 뒤 부산대학교 대학원에 출강하는 한편 74년 신학기부터 87년 2월까지 동아대학교 국어국문학과에서 대학원 강의를 맡았다. 정년에 대한 소감을 그는 "교직에 얽매여 쓰고 싶은 글을 못 썼던 일을 생각하면

---

19) 『황량한 들판에서』, 137쪽.
20) 앞의책, 237쪽.

해방감 마저 들기도 한다"면서 송장 교수로서 연금이나 받아 여생을 즐길 생각은 애초부터 없었다고 밝히기도 했다.[21]

정년후 요산은 민주화와 관련된 여러 문학단체 및 사회단체 결성에 앞장서거나 이름을 올려 후배들을 독려했다.

74년 11월에는 자유실천문인협의회의 고문을, 동년 12월에는 민주회복국민회의 대표위원, 그리고 76년에서 77년까지 한국 앰네스트 위원으로 일했으며(76년에는 임원, 77년에는 고문) 85년 5월에는 부산에서 결성된 5.7문학회의 고문을 맡아 지역 후배들을 격려했다. 또한 87년 10월에는 민족작가회의 회장으로 추대되고 이후 명예회장을 지냈다. 이미 67년 경 한국문인협회 및 예총 부산지부장을 역임한 바 있었다.

요산은 한평생 반식민, 반독재와 싸우면서 도피와 구금의 시간을 되풀이했으며 끊임없는 사찰대상자였다. 앞에서 상술한 기간 외에도 특히 72년 유신 이후, 적어도 5공 정권 때까지도 그는 기관의 사찰 대상자였다. 이 기간 주식회사 효성에 근무했던 그의 장자인 남재(南宰)씨의 해외 출장시 여권 심의가 치안본부 정보과에서 정보부로 이첩되었다는 사실이 그 점을 증명한다.

노후에 그는 협심증과 폐기종으로 시달렸다. 협심증은 69년부터 찾아왔다. 서울에 다니러 왔던 길에 갑작스레 통증이 와서 세브란스 병원에 12일간 입원치료를 받아야 했다. 가장 긴 입원치료는 92년 여름이었다. 폐기종으로 부산대 부속병원에 입원했다가 낙상하여 대퇴부골절 수술을 받으며 석달 반 동안의 투병생활을 해야 했다.

92년 병환중 가톨릭 영세를 받았으며(영세명은 요셉) 96년 11월 28일 오후 3시 30분경 부산시 수영구 남천동 남천성당에서 타계하였다. 감기 기운으로 동아대 부속병원에 입원했다가 임종을 남천성당에서 맞은 것이다. 장례식은 사회장으로 치루어졌으며 묘택은 양산시 어곡동 산 370-3 신불산공원묘지로 했다. 남산동 선산이 그린벨트 지역이기에 그쪽으로 간 것이다.

---

21) 『낙동강의 파숫군』, 227쪽.

그의 최후작은 85년 6월 창작과비평사의 『12인 신작소설집』에 수록된 「슬픈 해후」이며, 마지막 수상은 94년의 '심산상'이었다.

1997년 한식날 묘비를 세우고 4월 20일 제막식을 거행했다. 묘비명 전문은 '小說家 樂山 金廷漢(요셉) 여기 잠들다'로 되어 있다.

2.

대신동 삼익 아파트 그의 서재 아래 쪽으로 자그마한 정원이 있다. 아파트의 경계가 되는 지점이기도 한데 만년의 요산은 건물들에 가려지는 집 뒤의 구덕산 대신 그 숲을 내려다 보며 말년의 위안을 얻기도 했다. 그런데 몇그루 나무가 심겨진 그 땅은 그가 "뺏은" 거였다. 본래 아파트를 분양할 때 분명히 아파트 녹지로 계획되었던 땅이었는데 업자측에서 슬그머니 따로 팔아 넘기려고 했다. 같은 동(棟)에 사는 부인들이 찾아와 진정서를 내자고 하자 요산은 "차라리 발로써 담벼락에 도장을 찍겠노라고 하고 현장에 가서 인부들이 쌓고 있는 블록 담을 발로 차" 무너뜨리고 공사를 중지시켰다.[22] 그 일이 계기가 되어 요산은 한때 아파트의 운영위원회 회장(지금의 입주자 대표) 일을 보았다. 교수직을 정년하고 사회적으로도 명망 있는 문인이 취할 행동이거나 자리는 아닐 수도 있지만 이 에피소드와 그에 관련된 직책은 요산의 성격과 세상살이에 대한 태도를 보여주는 좋은 예가 될 수 있다.

「사밧재」의 송노인을 두고 작가는 다음과 같이 발언하고 있다. "사람들은 무턱대고 그를 고집장이라고만 하지만… 손발 꼭 움츠리고 앉아서 날씨니 세월이니를 기다린다든가, 그러고서 기껏 웅얼거리거나 하는 따위를 그는 아주 싫어했다. … 말하자면 그저 고집을 부리는 것이 아니고 힘껏 부딪쳐 보는 것이다."

그는 자기 몫을 스스로 찾았지 누가 찾아주기를 기다리거나 쉬 포기하지

---

22) 『황량한 들판에서』, 49쪽.

않았다. 옳고 그름에 대한 판단이 서고 나면 그는 옳음을 위해 발을 내디뎠다. 그의 기질을 이야기할 때 사람들은 모가 나거나 따지기를 좋아한다는 점을 꼽는 것도 이런 연유에서이다. 아파트 입주자 대표 일을 그가 맡았다는 것은 자기가 몸담고 사는 현장과 현실을 중요시했다는 뜻이 된다. 나이와 명망을 내세워 거들먹거리거나 뒷짐지고 불평하느니 직접 나서는 게 그의 성품에 맞았기 때문이다. 그는 현실주의자였다. 「항진기」에서 얼치기 관념주의자인 '태호'를 비판하고 「수라도」의 '가야부인'이 긍정적으로 형상화된 것도 현실주의에 바탕을 두고 있다. 문학을 포함한 우리 근대 문화운동이 중인계층에 의해 출발하였다는 것은 잘 알려진 사실이다. 현실주의의 약점은 역사와 관계된 정신적 가치를 등에 지지 못함으로써 시류에 민감하거나 미래에 대한 전망을 갖지 못한다는 점을 일부 훼절한 문인들을 통해 알 수 있다. 요산은 거의 생래적인 선악에 대한 판단력과 부단한 자기 채찍질을 통해 시대의 질곡을 헤쳐 간 희귀한 경우이다.[23]

그러므로 그는 문학이 삶과 별개의 것이 아니라 하나이며 인간적인 삶을 방해하는 시대와 권력에 대해 힘없고 약한 약자의 편에서 맞서는 "양심선언"으로 생각하는 것이다. 그러면서도 주위에 독선적으로 보이거나 인심을 잃지 않은 것은 그의 직언과 행동이 사사로움에 있지 않았을 뿐더러 깊은 인간적 신뢰감을 주는 면모가 있었기 때문이다. 남해 시절 한국인에게 방자하던 일본인 산림 주사의 눈을 교사 신분으로 다치게 했을 때 유력한 지방 인사가 대신 가해자로 나서 사건을 수습한 거나 『동아일보』 동래지국 일을 시작할 때 거금의 계약금을 후배 친구가 선뜻 빌려주었다는 사실들이 이런 면을 뒷받침해 주는 것이다. 요산은 자신에게는 엄격했을지라도 주위

---

23) 앞에서 살핀 바대로 요산은 자기를 가두었던 옛 부산 교도소 담장이 보이는 단독주택과 교도소 자리의 아파트에서 살았다. 김중하는 "젊은 시절 육체적 고통을 감내하면서 오히려 정신만은 더욱 치열하게 날을 벼리던 감옥소를 고향처럼 떠나지 못하고" 맴돌아 긴장되고 응축된 정신력을 갖추었으리라는 발언을 하고 있다.(『창작과 비평』 95호, 223쪽) 생애의 중·후반기로 지속되는 요산 정신의 근저를 살피는데 시사되는 바가 있는 발언이다.

사람들에게는 따뜻하고 자상했다. 그리고 신세지는 일을 싫어했다. 서울 나들이를 할 때도 자식과 며느리가 불편할까 봐 꼭 여관에 머물렀다거나(주로 청진동 영남여관 등) 열차식당에서 엄청 부잣집 며느리가 된 제자의 점심값을 마다한 일이나[24] 부부가 제주도 여행을 하고 돌아와 도움을 준 작가 오성찬에게 10만원짜리 수표를 보냈다는 에피소드들이 그런 예들이다.

요산이 자기 발언에 대한 책임을 지는 성품이라는 것은 신문지국을 맡은 경위를 통해 이미 아는 바이지만 작가 이문구의 회상을 통해 약속과 의무에 대한 그의 면모를 다시 엿볼 수 있다. 「수라도」는 69년 『월간문학』에 발표되었는데 이문구는 그때 편집장으로 있었다. 관례대로 편집진은 원고 마감 날짜를 독촉했는데 요산은 원고를 항공우편으로 부쳐 날짜는 물론 시간까지 지켰다는 것이다. 그것은 자기 작품에 대한 작가의 태도이자 세상에 대한 자기 엄격함을 의미한다. 그의 지조도 자기 엄격함에서 가능했던 것이다.

그는 기록과 자료를 소중히 했다. 비단 작품 창작의 실증성이나 문학정신에 관계되는 측면 이외에도 역사에 대한 인식과 자기 기록에 그것은 관계된다. 신문은 언제나 붉은 줄이 그어져 있었고 스크랩되었다. 그러면서 우리나라 사람들이 과거를 너무 쉽게 망각한다는 사실과 기록의 부재를 탓했다. 그는 작품 목록은 물론 일반 전집에 수록된 작품 목록, 그리고는 들어온 인세를 꼼꼼하게 적은 노트를 갖고 있었다. 그리고 발표한 어떤 사소한 글들도 보관하고 있었다. 당연한 것 같지만 그건 결코 쉬운 일이 아니다. 잡문의 경우에는 허수로이 하기 쉽고 부끄럽거나 마음에 들지 않은 글은 마음에서조차 지우는 일도 있는 것이다. 자신의 생을 곧 역사로 여긴다는 것, 그건 아무나 할 수 있는 일이 아니다. 그런 면에서 그는 자기 기록에 솔직했으며 어쩌면 당당했던 것이다.

남해 시절 식물채집도 그렇거니와 "이름 모를 새나 나무"라는 무책임한 표현에 대한 핀잔은 잘 알려진 일이다. 그에게 자연은 국토 그 자체이자 조

---

24) 윤정규, 『요산문학과 인생』, 오늘의 문학사, 1978, 194-195쪽.

국이었고 종래에는 인간과 합일되는 그 무엇이었다.

"억새는 벌써 자줏빛 꽃순을 내밀었고, 마타리랑 뚜깔도 키 겨룸을 하듯 노랑꼭지. 흰꼭지들을 바람에 흐늘거려댔다. 그러한 키다리들 틈에 끼어 참취, 개쑥부장이, 도라지, 등골나물, 산들깨 산박하 … 이루 셀 수 없는 조국의 어여쁜 꽃들이 산을 온통 수놓는 가 하면 (중략) 황거칠씨는 문득 조국의 향기를 맡는 듯 했다. 숫제 어떤 행복감에 젖었다."25) 망국인으로 소년 시절과 젊은 나이를 보낸 그에게 산하는 되찾고야 말 애틋한 어머니였을 것이고 전화와 독재가 할퀸 산하는 눈물과 땀으로 바르게 일구어야 할 신성함 그 자체였을 것이다. 아울러 자연은 깨끗하게 살아야 할 인생과 욕심의 부질없음, 공명정대함, 역사의 유구함을 가르쳐준 스승이기도 했을 것이다.

松下間童子 / 言師採藥去
只在此山中 / 雲深不知處
(소나무 자욱한 곳을 찾아 주인 안 계신가 물었더니, 아이놈 하는 답이 약 캐러 갔나봐요, 이 산중 어느 골에 계실터이지만, 구름이 아득하니 찾을 길 없소이다.)

요산이 산길을 걸을 때 자주 읊었다는 당나라 가도(賈島)의 시이다. 그는 한평생 구름을 걷으면서 산길을 헤쳐 인간답게 사는 바를 찾았다. 불같이 화를 내며 따지고 발로 벽을 허물며 벽 속에 갇히면서도 사투리 짙은 우스개로 자신과 이웃을 편안하게 하며 한평생을 살았다. 그는 우애, 자립, 보은을 가훈으로 남겼다.

그가 잠든 '신불산 공원묘지'는 염수봉(塩水峰) 아래녘에 있다. 염수봉(해발 816.1m)은 백두대간이 동남으로 휘몰아친, 능동산-간월산-신불산-취서산으로 이어지는 영남 알프스 남북 주능선의 끝자락이다. 이 염수봉에서

25) 「산거족」, 『김정한소설선집』, 창작과비평사, 401쪽.

다시금 주능선은 남쪽으로 뻗쳐 널밭고개 명진고개 시미기고개 등으로 오르내리다가 물금 방면에서 낙동강으로 침하하니[26] 죽어서도 그는 문학의 안태고향을 떠나지 않은 것이다. 흙에서 나 한줌 흙으로 돌아갈 뿐, 오직 정련된 언어로 구워진 맑고도 강건한 영혼만이 별이 되어 이 세상을 내려다 볼 뿐이라는 걸 그는 진작 알고 있었다. ▣

낭만적 자연시의 존재와 양식적 특성 규명, 낭만적 자연시의 담론의 분석

한국 현대시와 언어의 수사성

이미순(국학자료원, 97)

신국판 / 310면   값 12,000원

· ·

언어의 수사성은 전체성을 가능하게 하는
논리를 중지시키고 의미의 무한한 가능성을 열어 놓는다. 때문에
그것은 비유적인 의미를 억압하지도, 지시적인 의미를 억압하지도 않는다.
이 두 가지 의미는 상호 작용하는 틈, 이것은 문학 연구의 중요한 영역이다.

---

26) 최진양, 『한빛뫼오름』 제4집, 235쪽.

김정한 연보

1. 생애 연보

1908(1세)	음력 9월 26일, 경남 동래군 북면 남산리(南山里)에서 김기수(金基壽) 씨의 장남으로 태어남. 아호(雅號)는 요산(樂山)
1913(6세)	향리에서 한학을 배우기 시작함
1919(12세)	사립 명정(明正)학교 입학, 3.1운동 일어남
1923(16세)	중앙고보(中央高普) 입학
1924(17세)	9월, 동래(東萊)고보로 전학
1927(20세)	3월, 조분금(趙分今)과 결혼
1928(21세)	동래고보 졸업, 9월 양산 대현공립보통학교 교원 취임, 『동아일보』에 시를 투고함, 11월 일본의 민족적 차별 대우에 불만을 품고 조선인교원연맹 조직을 계획하였으나 일경으로부터 가택 수색을 받고 피검. 울산서에서 동래서로 이관되어 심문을 받음
1929(22세)	2월, 도일(渡日), 동경제일외국어학원에 1년간 수학, 일본문학, 서양문학을 탐독함.
1930(23세)	동경 조도전대학 부속 제일고등학원 문과 입학
1931(24세)	조선인 유학생회에서 발간하던 『학지광(學之光)』 편집에 참가. 『조선시단』, 『신계단』 등에 시와 단편 발표 (이때 발표된 단편이 「구제사업」)

1932(25세)	일본서 귀향, 양산 농민봉기사건에 관련되어 피검, 9월 학업 중단
1933(26세)	10월, 남해공립보통학교 교원 취임, 이때부터 농민문학에 뜻을 둠
1936(29세)	1월 단편「사하촌」이『조선일보』신춘문예에 당선
1939(32세)	남해군 남명(南明) 공립보통학교로 전임
1940(33세)	3월 교원직을 사직하고『동아일보』동래 지국을 인수하여 동래로 이사함, 지국 일에 전념하던 중 치안유지법 위반으로 피검, 8월『동아일보』폐간, 이 시기부터 붓을 꺾고, 경남도청 상공과 산하 면포조합 서기로 취직하여 해방될 때까지 근무함
1945(38세)	8월 12일 불령선인으로 지목된 사람들에 대한 위해가 있다는 소식을 전해 듣고 일시 구포 지인댁으로 피신, 8.15 해방과 더불어 건국준비위원회 경남지부 문화부 책임자로 활동하면서 신고송과 함께 '희망자'라는 연극단을 만들어 공연하는 한편 부산·동래 희생자 위령탑을 건립함
1946(39세)	문학가동맹 및 부산예련위원회 회장 및 문화단체총연합회 경남지부부부지부장(지부장 엄문현)을 맡았으나 사상성이 약하다는 이유로 중앙으로부터 비판받았다고 함
1947((40세)	부산중학교 교사 취임.
1949(42세)	부산대학교 출강, 경남 중등교사 자격 심사위원으로 위촉됨
1950(43세)	부산대학교 조교수로 발령, 6.25 발생, 가족들 분산
1951(44세)	청탁에 의하여 이시영 옹의 약전 '성제소전'(省齊小傳)을 집필

1954(47세)	교육공무원법 개정에 의하여 부산대학교 강사로 전락
1955(48세)	3월, 교수자격심사위원회로부터 부교수 자격을 인정받음, 7월 부교수로 승진
1956(49세)	창작집 『낙일홍』 출간
1959(52세)	부산시 문화상 수상, 『부산일보』 논설 집필, 칼럼, 수필 등 다수 발표
1960(53세)	4.19 혁명 발발, 5월부터 부산대 문리과대학 문학부장으로서 학장 일을 맡아 봄.
1961(54세)	5.16으로 6월 학교에서 물러남, 『부산일보』 상임논설위원이 됨
1965(58세)	부산대학교 전임강사로 복직, 11월에 조교수 승진
1966(59세)	10월 「모래톱 이야기」로 문단 복귀, 「한국의 센티멘탈리티」와 「고시조에 반영된 농민」을 『인생론전집』(박영사)과 부산대 『문리대학보』에 각각 발표함.
1967(60세)	한국문인협회 및 예총 부산지부장으로 취임. 이후 71년까지 왕성한 작품 발표
1969(62세)	부산대 부교수로 환원, 중편 「수라도」로 제6회 한국문학상 수상
1971(64세)	제 2창작집 『인간단지』(한얼문고) 간행, 11월 제3회 문화예술상 수상
1972(65세)	전국 지방국립대학 교수협의회연합회 회장
1973(66세)	문고판 『수라도·인간단지』(삼성출판사) 간행
1974(67세)	부산대학교 정년퇴직, 만해문학상 심사위원, 자유실천문인협의회 고문, 민주회복국민회의 대표위원, 『김정한소설선집(창작과비평사) 간행
1975(68세)	문고판 『수라도』(삼중당) 간행
1976(69세)	한국 앰네스트(국제사면위원회) 위원, 문고판 선집

	『모』래톱이야기』(범우사)간행, 『김정한소설선집』 재판이 『제3병동』으로 개제되어 나옴, 10월 문화훈장(銀冠) 수상
1977(70세)	한국 앰네스트 고문, 문고판『사밧재』와『인간단지』(동서출판사) 간행, 장편소설『삼별초』(민족문학대계, 동화출판사) 발표
1978(71세)	수필집『낙동강의 파숫군』(한길사) 간행
1983(76세)	『제3병동』5판이『김정한 소설선집』으로 개제, 증보되어 간행됨
1985(78세)	부산 5.7문학회 고문
1987(80세)	민족문학작가회의 회장
1992(85세)	폐기종으로 부산대 부속병원 입원, 낙상하여 대퇴부 골절로 석달발 동안 입원, 입원중 카톨릭 영세(영세명 요셉)
1994(87세)	'심산상' 수상
1996(89세)	11월 28일 오후 3시 30분, 부산 남천 성당에서 타계, 신불산 공원묘지 영면

2. 작품 연보

1938	「기로」(『조선일보』, 6.2-23)
	「당대풍(當代風)」(『조광』, 12월)(꽁트)
1939	「그러한 남편」(『조광』, 6월)
1940	「월광한(月光恨)」(『문장』, 1월)
	「낙일홍」(『조광』, 4-5월)
	「추산당과 곁사람들」(『문장』, 10월)
1941	「묵은 자장가」(『춘추』, 12월)
1946	「옥중회갑(獄中回甲)」(『전선』 창간호(3월), 『민족문학사연구』(3호), 발굴 소개)
1947	「설날」(『문학비평』 창간호, 6월)
1949	「하느님」(『부산신문』, 8월)(꽁트)
1950	「오뉘」(발표지 미상)(꽁트)
1951	「병원에서는」(『부산일보』, 2.23-3.4)
	「도구」(『한일신문』, 12,15)(꽁트)
1953	「처시하」(『경남공론』, 2,1)(꽁트)
1954	「누가 너를 애국자라더냐」(『경남공론』 19호, 3,28일 탈고)
	「농촌 세시기」(『경남공론』 26-32호)
1955	「남편 저당」(1955, 2,11)(꽁트)
1956	「액년」(『신생공론』, 8월)
	「개와 소년」(『자유민보』, 9.2)(꽁트)
1966	「모래톱 이야기」(『문학』 6호, 10월)
1967	「과정」(『문학』 9호)
	「입대」(『문학시대』 7집, 부산 ; 12월)
1968	「유채」(『창작과 비평』 10호, 5월)(동서문고(77년)에 「평지」로 개제)
	「곰」(『현대문학』, 6월)
	「축생도」(『세대』 63호, 10월)

1969　「제3병동」(『신동아』, 1월)

　　　「수라도」(『월간문학』 8호, 6월)

　　　「굴살이」(『현대문학』, 9월)

　　　「뒷기미 나루」(『창작과 비평』 15호, 12월)

1970　「지옥변」(『세대』, 1월)

　　　「독메」(『월간문학』, 3월)

　　　「인간단지」(『월간중앙』, 4월)

　　　「실조」(『신동아』, 7월)

　　　「어둠 속에서」(『창작과 비평』 19호, 12월)

1971　「산거족」(『월간중앙』, 1월)

　　　「사밧재」(『현대문학』, 4월)

　　　「상황경미」(『여성동아』 부록, 6월)(콩트)

　　　「산서동 뒷이야기」(『창조』 창간호, 9월)

1973　「회나뭇골 사람들」(『창작과 비평』 29호, 9월)

1975　「어떤 유서」(『월간중앙』, 2월)

　　　「위치」(『신동아』, 6월)

1976　「교수와 모래무지」(『뿌리깊은 나무』, 8월)

1977　「오끼나와에서 온 편지」(『문예 중앙』 창간호, 11월)

　　　『삼별초』(장편)(『민족문화대계9』, 동화출판공사, 12월)

1983　「거적대기」(『소설 열네마당』, 부산문예사, 6월)

1985　「슬픈 해후」(『12인 신작소설집』, 창작과 비평사, 6월)

* 작품집

『낙일홍』(세기문화사, 1956, 11)

『인간단지』(한얼문고, 1971, 12)

『김정한소설전집』(창작과비평사, 74, 10)(이후 76년 3월에 『제3병동』으로,
　　다시 83년에 『김정한소설선집』으로 증보, 개정 출판)

『수라도·인간단지』(문고판)(삼성출판사, 1973)

『수라도』(문고판)(삼중당, 1975)

『모래톱이야기』(문고판)(범우사, 1976)

『사밧재』,『인간단지』(문고판)(동서출판사, 1977)

* 수필집

『낙동강의 파수꾼』(한길사, 1987)

3. 연구 서지

김우철,「낭만적 정신과 재능 – 김정한의 '사하촌'」,『동아일보』, 1936, 2.25.

김남천,「추수기의 작단」,『문장』, 1940, 11.

김우종,「농촌과 문학」,『한양』(3권 11호), 1964.

김종출,「김정한론」,『현대문학』, 1969, 1.

김치수,「'수라도' 기타」,『월간문학』, 1969, 7.

염무웅,「농촌문학론」,『창작과 비평』, 1970, 가을.

염무웅, 임중빈 대담,「김정한 문학의 평가」,『인간단지』(한얼문고) 해설, 1971.

김치수,「농촌소설은 가능한가」,『지성』(창간호), 1971.

김윤식,「식민지문학의 상흔과 그 극복」,『한국문학사논고』, 법문사, 1973.

김병걸,「김정한 문학과 리얼리즘」,『창작과 비평』, 1972, 봄.

임중빈,「김정한론」,『창조』, 1972, 3.

임중빈,「'인간단지' 서평」,『문학과 지성』, 1972, 봄.

임헌영,「수난자의 문학」,『월간문학』, 1972, 5.

김병걸, 「한국소설의 사회의식」, 『창작과 비평』, 1972년, 겨울.

신경림, 「문학과 민중」, 『창작과 비평』, 1973, 봄.

백낙청, 「문화연구의 자세와 민족문학」, 『월간중앙』, 1973, 9.

「대담 ; 약자의 설움은 무엇인가?」, 『문학사상』, 1973, 10.

오양호, 「현실과 산문정신」, 『어문학』(33), 한국어문학회, 1975.

상기숙, 「김정한문학 속의 아픔과 의지」, 『경희문선』(Ⅱ), 1976.

김영화, 「요산 소설론」, 『고대어문론집』(19, 20합집), 1977.

한상범, 「소설을 통해 보는 인권의 현장」, 『창작과 비평』, 1977, 여름.

김병걸, 「김정한 문학과 리얼리즘」, 『요산문학과 인간』, 부산 ; 오늘의 문
학사, 1978.

박철석, 「김정한의 삶의 양식」, 위의 책.

김중하, 「요산문학에 대한 단상 몇 가지」, 위의 책.

이형기, 「회견체로 써본 김정한론」, 위의 책.

홍기삼, 「김정한 작품 해설」, 위의 책.

최해군, 「요산선생의 언어」, 위의 책.

문한규, 「내가 본 요산선생」, 위의 책.

정경수, 「요산 김정한론」, 『어문학교육』, 부산국어교육학회, 1978.

구중서, 「김정한−리얼리즘문학의 지맥」, 『민족문학의 길』, 새밭, 1979.

박덕은, 「김정한 소설연구」, 전남대 석사논문, 1980.

김인배, 「김정한 소설의 문체연구」, 동아대 석사논문, 1980.

「샘터 인터뷰」, 『샘터』, 1981, 5.

염무웅, 「김정한의 사하촌」, 『농민문학론』(신경림 편), 온누리, 1983.

최동호, 「역사에의 증언과 삶의 진실」, 『광장』, 1984.8.

김종철, 「저항과 인간해방의 리얼리즘」, 『한국문학의 현단계3』, 창작과
비평사, 1984.

김상문, 「낙동강 파수꾼 김정한 4대」, 『정경문화』, 1984, 11.

김형자, 「주제의식의 강렬성과 삶의 동일성 / 김정한론」, 『한국근대작가

연구』, 삼지원, 1985.

염무웅, 「해방 40년 ; 문학(김정한과의 대담)」, 『마당』, 1985, 8.

임종헌, 「김정한론」, 충북대 석사논문, 1985.

박홍서, 「김정한소설 인물유형 연구」, 경희대 석사논문, 1986.

김영년, 「김정한 소설연구」, 청주대 석사논문, 1986.

염무웅, 「김정한의 '사하촌'」, 『한국현대소설작품론』, 문장, 1986.

이기윤, 「김정한 소설연구」, 『육사논문집』(30), 1986.

박홍서, 「김정한소설 인물유형연구」, 경희대 석사논문, 1986.

정경수, 「김정한소설문체연구」, 『국어국문학논집』(7), 동아대, 1986.

김종균, 「김정한초기작품의 농민의식」, 『석현 정규복박사 환력기념논총』, 1987.

박정규, 「농민소설에 나타난 유토피아 추구의식」, 『한양어문연구』(5집), 한양대, 1987.

성병오, 「요산의 초기작품들」, 『현대문학』, 1987, 6.

이영선, 「김정한 작품연구」, 동아대 석사논문, 1987.

정현섭, 「김정한소설연구」, 서울여대 석사논문, 1987.

박종무, 「김정한 소설의 인물연구─미적범주론에 의한 분석」, 동아대 석사논문, 1987.

조갑상, 「김정한초기소설연구」, 『용연어문논집』(4), 경성대, 1988.

김종균, 「김정한초기소설과 죽음의 두 양상」, 『월간 광장』, 1988, 9.

김종균, 「김정한 초기소설 연구」, 『논문집』(22집), 한국외국어대학교, 1989.

조수웅, 「김정한소설에 나타난 행동문학성 고찰」, 조선대 교육대 석사논문, 1989.

조진기, 「김정한 소설연구」, 『가라문화』(7집), 경남대, 1989.

홍기삼, 「김정한론」, 『한국현대작가연구』, 백문사, 1989.

김명인, 「1930년 전후의 농민운동과 그 소설적 형상화」, 『희망의 문학』,

풀빛, 1990.

이규정, 「인터뷰」, 『목요문화』, 1990, 7.

송명희, 「'사하촌'과 '모래톱이야기'의 거리」, 『우리문학』, 1990, 9.

조갑상, 「'수라도' 연구」, 『한국문학논총』(11), 한국문학회, 1990.

조갑상, 「김정한 소설연구」, 동아대 박사, 1991.

조정래, 「김정한론-'사하촌'을 중심으로」, 『국제어문학』(12, 13합집), 1991.

최병훈, 「김정한의 초기 소설 연구」, 전북대 석사, 1992.

김덕혜, 「김정한 후기 소설에 있어서의 물과 불의 상징성 연구」, 외국어대 석사, 1992.

김양라, 「김정한 소설연구」, 창원대 석사논문, 1993.

이옥이, 「김정한 농민소설 연구」, 대구대 석사, 1993.

김인태, 「김정한 소설의 사회의식 연구」, 강원대 석사, 1993.

최원식, 「요산 김정한선생 방문기」, 『민족문학사연구』(3호), 창작과비평사, 1993.

김광중, 「김정한 소설연구」, 동국대 석사, 1994.

김재용, 「인간해방의 열정과 현실탐구의 섬세함 / 김정한론」, 『개교20주년기념문집』, 추계예술대학교 문학부편, 1994.

강진호, 「1930년대 후반기 신세대작가연구」, 고려대박사논문, 1995, 2.

전승주, 「민족사적 삶의 복원과 역사에의 물음」, 『한국소설문학대계31』, 동아출판사, 1995.

고 은, 「요산 김정한 선생을 추모하며」, 『한겨레신문』, 1996.11.30.

김중하, 「인간 김정한론」, 『창작과 비평』, 1997, 봄.

강진호, 「근대화의 부정성과 본원적 인간의 추구-김정한의 60년대소설), 『1960년대 문학연구』, 민족문학사연구소 현대소설분과, 깊은샘, 1997.

이광수의
민족주의와 페미니즘

송 명 희

〈무정〉에서 보여준 이상과 현실의 조화,
개인의 각성과 세계와의 화합의 추구는
고전적인 교양소설이기도 하다.
이광수가 이 작품에서 추구한 근대화의 이상이
일제 강점하의 현실세계 속에서 얼마만큼
성취될 것인가에 대한 가치평가와는 별도로
작품 〈무정〉은 박영채가 근대적 이성으로 각성하고
세계 속에서 조화를 이루어가는 교양 완성의
과정을 전형적인 교양소설의 구조를
통하여 그려냈다.

신국판 / 350면 값 10,000원

모윤숙 시 연구

송 영 순

"생명의 닻줄을 조선이란 외로운
땅에 던져 놓고 운명의 전주곡을 탈 것이다"며
첫시집의 서문에 밝힌 바대로
모윤숙은 시인으로서의 운명적인
글쓰기를 마쳤던 시인이다.
문학외적인 활동으로 가려진
모윤숙의 작품은 어떤 선입관 없이
새롭게 평가받아야 한다.

신국판 / 378면 값 15,000원

새 미 2937-949, 2917-948, Fax; 2911-628

우리소설 속의 여성들

조 동 길

우리 현대소설 작품 가운데는
여성을 주요 인물로 하고 있는 것이 많다.
그 취급되는 시각이 부정적이 됐든,
긍정적이 됐든,
당대 여성들의 삶과 의식구조,
가치세계 등을 여실히 반영하고 있는
작품들을 꼼꼼하게 읽고 음미해 보는 일은
우리 삶을 풍요롭게 하는데
많은 도움이 될 것이다.

신국판 / 240면 값 6,000원

문학 생태학

채 수 영

문학생태학이란 생소한 말은 결국
인간을 위한 문제

문학의 관심은 곧 인간학이라는 점에서
인간의 제반 고민을 풀어야 하는 일이 삶의
투명성과 연결되고 다시 미래를 생각하는
문제로 돌아간다.
여기서 문학생태학이란 생소한 말은
결국 인간을 위한 문제로 돌아가는
자리를 설정하게 된다.

신국판 / 350면 값 12,000원

새 미 2937-949, 2917-948, Fax; 2911-628

『만세전』의 새로움

하 정 일*

1

염상섭 탄생 백주년이 되는 올해 그의 문학 세계를 재조명하는 행사나 특집들이 여기저기서 마련되었다. 우리 근대문학을 빛낸 한 위대한 작가를 기념하는 일이란 그 자체로 아름답다. 더구나 기념관은 고사하고 작가의 생가조차도 제대로 보존하고 있지 못한 우리의 형편을 생각하면 이런 행사들은 앞으로 더욱 장려되어야 마땅할 것이다. 그러나 한 작가를 기념하는 일이 일과성 행사로 그치지 않고 그의 문학에 대한 깊은 이해와 사랑으로까지 이어지려면 무엇보다 '우상화'나 '신비화'를 경계해야 한다. 우상화나 신비화는 행사의 열기가 사그러들고 실상이 드러나는 순간 실망과 무관심으로 변질되기 마련이기 때문이다. 행사 때에는 와자지껄하게 떠들다가 행사가 끝나면 언제 그랬냐 싶게 금새 잊어버리는 현상을 우리는 얼마나 많이 보아 왔는가. 그러므로 올바른 기념은 작가에 대한 가감 없는 이해에 바탕해야 하며, 그럴 때에만 시간의 풍화 작용을 넘어선 작가 사랑이 가능하다. 거창한 염상섭론보다 튼실한 작품론 하나가 더욱 고대되는 것도 그래

---

* 원광대 국문과 교수, 주요저서로 『한국근대문학사』와 『민족문학의 이념과 방법』 등이 있음.

서거니와 그 작품이 염상섭 문학의 진수를 집약하고 있다면 그야말로 금상
첨화일 것이다.

염상섭의 하고 많은 작품들 가운데서 『만세전』에 주목한 것은 이런 연유
에서이다. 그렇다면 왜 『만세전』의 '새로움'인가. 이 때의 새로움은 세 차원
에 걸쳐 있다. 제일 먼저 생각할 수 있는 새로움은 『만세전』만이 갖는 문학
사적인 새로움이다. 다시 말해 『만세전』이 이루어낸 문학사적 성취가 무엇
인가를 해명하는 일이 『만세전』의 새로움의 첫번째 차원인 것이다. 여기서
문제가 되는 것이 판본이다. 『만세전』은 네 번의 개작 과정을 거쳐 완결된
작품이다.[1] 연재본을 빼고 단행본만 대상으로 하면 1924년의 고려공사 본
과 1948년의 수선사 본이 있다. 이 중 어느 것을 정본으로 삼느냐에 따라
작품에 대한 평가는 사뭇 달라지게 된다. 완결판이란 측면에서만 보자면
당연히 수선사 본이 정본이 되어야 하겠지만, 문학사적 의미를 문제삼게
되면 상황은 바뀐다. 고려공사 본을 정본으로 삼아야 보다 정확한 문학사
적 평가가 가능해진다는 말이다. 물론 둘 사이에 심각한 차이가 있는 것은
아니지만, 가령 이인화의 의식 상태나 작가의 정세관 등에 검열과 같은 외
적 요인만으로는 설명하기 곤란한 미묘한 변화가 나타나는 것도 사실이다.
그런 점에서 적어도 『만세전』의 문학사적 새로움을 따질 경우에는 고려공
사 본을 정본으로 삼는 것이 보다 적절하다는 것이 필자의 생각이다.

『만세전』의 두번째 새로움은 '새롭게 읽기'이다. 『만세전』에 대한 이런저
런 작품론들이 있지만, 『만세전』 해석은 여전히 논란거리이다. 작품의 서사
구조에서부터 결말부의 의미에 이르기까지 여러 대목들이 지금도 새로운
해석을 기다리고 있다. 『만세전』 해석이 이처럼 아직도 논란거리인 까닭은
일차적으로 『만세전』 자체의 애매모호함에 있다. 그러나 애매모호함을 헤
치고 의미를 발굴하는 것이 문학 비평이 할 일일 뿐더러 애매모호함에도
그 나름의 뜻이 깃들어 있는 법이다. 『만세전』을 새롭게 읽는 일은 그래서

---

1) 『만세전』의 개작 과정과 그 의미에 대한 자세한 설명으로는 이재선의 「일
제의 검열과 『만세전』의 개작」(『문학사상』 1979.11)을 참조하시오.

중요하다.

『만세전』의 세번째 새로움은 '현재적' 새로움이다. 고전이란 모름지기 어느 시대에나 새로와야 한다. 따라서 『만세전』이 진정한 고전이기 위해서는 1990년대에도 무언가 새로움을 보여 주어야 할 것이다. 게다가 문학의 위기니 소설의 죽음이니 하는 말들이 횡행하는 부박한 세태 속에서 현재적 새로움이 없다면 누가 『만세전』을 읽겠는가. 따라서 『만세전』의 현재적 새로움을 찾아내려는 노력이야말로 염상섭을 진정으로 기리는 최선의 실천이 아닐 수 없다.

『만세전』의 세 가지 새로움이라고 했지만, 실상 이 셋은 서로 긴밀히 얽혀 있다고 해도 과언이 아니다. 가령 『만세전』의 현재적 새로움도 무에서 유를 창조하는 작업이 아닌 이상 『만세전』의 실상에서 출발할 수밖에 없으며, 문학사적 새로움 역시 새롭게 읽기에 바탕할 때만 더욱 확연히 드러날 수 있다. 그러므로 『만세전』의 새로움은 세 차원의 유기적 얽힘에 초점을 맞춰 한 줄기로 엮어 나갈 때 제대로 밝혀질 수 있을 것이다.

2

『만세전』의 문학사적 새로움은 무엇보다 식민지적 근대에 대한 전면적 성찰을 보여준다는 점에 있다. 일제 시대의 작품들 중에 『만세전』만큼 식민지성을 철저하고도 전면적으로 탐구한 소설은 찾아보기 어렵다. 『만세전』은 식민지화가 초래한 사회적·경제적·심리적 효과는 무엇인가에 대한 집요한 천착으로 가득차 있다. 이와 관련해 '임바네쓰'로 통칭되는 형사가 귀국 여행의 시작부터 끝까지 계속 등장한다는 사실은 주목할 만하다. 이인화가 가는 곳마다 형사들이 나타나 그를 검문하고 감시한다. 한 평범한 동경 유학생의 행적을 낱낱이 추적해내는 정보력은 감탄스럽기만 하다. 식민지 체제에서 형사란 식민지 치안의 최전방 교두보라 할 수 있다. 그런 점에서 일개 유학생에게 형사가 시종 따라붙는다는 것은 당시의 감시 체제가 얼마나 엄혹했는가를 상징적으로 말해주는 한 편『만세전』의 소설적 의도가 식민지성의 성찰에 있음을 쉽사리 짐작하게 해준다. '임바네쓰'를 한 번씩 출연시키는 것만으로 서사적 긴장을 자아낼 수 있는 것도 바로 식민지라는 특수한 상황이 만들어낸 미적 효과라 할 수 있다.

식민지성에 대한 성찰의 첫번째 대상은 경제이다. 관부 연락선 목욕탕에서 두 일본인이 나누는 대화 내용은 자못 충격적이다. 한 일본인은 "내지(內地)의 각 회사와 연락하야 가지고, 요보들을 붓들어 오는" 일종의 노동자 인신매매를 좋은 돈벌이라고 자랑하고, 다른 일본인은 부러워하며 자기도 끼워 달라고 사정한다. 노동자 인신매매의 실상에 대해『만세전』이 전해주는 정보는 꽤 상세하다. 경상남도가 사람 끌어모으기에 제일 쉽고 그 다음으로는 함경·강원·평안도 순이라든가 한 사람 넘기는 데 일 원 내지 이 원이니까 2-3년 안에 이천 원 정도는 벌 수 있다는 애기들은 노동자 인신매매가 하나의 어엿한 장사로 제도화되었음을 알려준다. 이처럼 노동자 인신매매가 성행하는 까닭은 두 말할 필요도 없이 조선인들이 "말을 잘듯고 힘드는 일을 잘하는 데다가 임은(賃銀)이 헐"하기 때문이거니와 이로써 식민지 지배의 근본적 동기가 경제적 수탈에 있음이 여지없이 폭로된다. 식민지에 대한 경제적 수탈은 이런 식의 노동력 착취에 그치지 않는다. 식민지 수탈은 언제나 경제적 독점으로 귀결되는 법이다. 다음과 같은 이인화의 술회는 경제적 독점의 과정을 잘 보여준다.[2]

> 몃천년 몃백년ㅅ 동안 가문에 업고 족보에 업든 일이 생기엇다. 잇는대로 까불일 시절이 돌아왔다. 편리해 조아 번화해 조아 놀기 조아 편해 하며 한섬직이 팔면, 한편에서는
> 「우리겐 인젠 이층집이 꽤 늘고, 양옥도 몃 개 생겻네. 안인게 안이라 여름엔 다다미가 편리해, 위생에도 매우 조흔 거야」 하고 두섬직이 깝살일 수밧게 업게 된다. **누구의 이층이요 누구를 위한 위생**

---

2) 본고가 텍스트로 삼은 것은 고려공사 본을 정본으로 한『염상섭 전집』1권 (민음사, 1987)이다. 이후의 모든 인용은 이 텍스트를 출처로 한다.

이냐.

양복쟁이가 문전 야료를 하고, 요리 장사가 고소를 한다고 위협을 하고, 전등갑에 몰리고 신문대금이 두 달 석 달 밀리고, 담배가 잇서야 친구 방문을 하지 전차삭이 잇서야 출입을 하지 하며 눈쌀을 찝흐리는 동안에 집문서는 식산은행으로 도라드러가서 새 임자를 만난다. 그리하야 또 백 가구 줄고 또 이백 가구 줄엇다.

「어디 살 수가 잇서야지 암만해두 촌살림이 조아, 땅이라두 파먹는 게 안전해!」 하며 쫏겨나가고 새로 드러오며 시가가 나날히 번창하야 가는 동안에 천 가구의 최후의 한 가구까지 쓸려나가고야 말지만, 천쨋집이 쫏겨나갈 때에는, 벌서 첫째로 나간 사람은 오동 입사귀의 무늬를 박은 목배(木杯)를 행리(行李)에 너허가지고, 압록강을 건너가 안저서, 먼 길의 노독을 백알 한 잔에 풀고 얼정하야 안젓슬 때이다.(강조-필자)

겉으로는 이층집도 늘고 양옥도 생기면서 바야흐로 개발과 번영의 바람이 불지만, 그 속내는 "집문서는 식산은행으로" 들어가고 마지막 한 가구까지 농촌으로 만주로 쫓겨 가는 조선인의 경제적 몰락과 그 빈 틈을 비집고 들어온 일본 자본의 독점이다. 경제적 독점의 괴정에 대한 『만세전』의 묘사는 참으로 생생하다. 그래서 "누구의 이층이요 누구를 위한 위생이냐"는 주인공의 반문이 절절한 문제 제기로 다가온다. "시가가 나날히 번창하야 가는" 개발과 번영이 근대화를 가리킨다면 과연 그 근대화의 진정한 수혜자는 누구인가, 조선인이 배제된 조선의 근대화란 도대체 누구를 위한 근대화인가라는 날카로운 비판이 이 반문에는 담겨 있는 것이다. 말하자면 근대화의 수혜자가 일본이고 따라서 조선의 근대화가 결국엔 일본을 위한 근대화에 불과할진대 그런 근대화가 무슨 의미가 있는가라는 이인화의 질문은 식민지적 근대화의 허구성에 대한 통렬한 비판이 아닐 수 없다. 식민지적 근대화의 허구성에 대한 『만세전』의 예리한 인식을 보여주는 또 다른 경우로는 공동묘지 문제를 둘러싼 갓 장사와의 논쟁이 있다. 이 논쟁에서 이인화는 공동묘지 제도를 찬성하면서도 "묘지를 간략하게 하야, 지면(地面)을 축소하고 남는 땅은 누구의 손으로 드러가구 마누"라고 스스로에게 묻는다. 이같은 자문(自問)의 의도는 명백하다. 공동묘지 제도가 토지 사용의 효율화를 위한 것이라는 점에서 토지 제도의 근대화임에는 틀림없지만, 그것이 누구를 위한 근대화냐는 것이다. 그에 대한 답변은 없지만, 그 땅이 일본 손에 넘어 가리라는 것은 어렵지 않게 추측할 수 있다. 이처럼 『만세전』은 식민지화의 경제적 효과에 대한 성찰을 통해 식민지 근대화의 본질이 경제적 수탈과 독점에 있음을 끈질기게 파헤치고 있다.

이와 더불어 『만세전』에서 또 하나 돋보이는 것은 식민지화의 심리적 효과에 대한 성찰이다. 심리적 효과에 대한 염상섭의 관찰은 예의 냉철하기 그지없다. 식민지화의 심리적 효과는 자기 비하와 민족적 열등감으로 요약된다. 먼저 자기 비하는 기차에서 만난 갓 장사에게서 잘 나타난다. 왜 머리를 아직도 기르고 있냐는 이인화의 질문에 갓 장사는 머리를 깎으면 경찰에게 개화당이나 운동가 아닌가 하는 의심을 사 고생하게 되니 '요보' 소리 들으며 천대 받더라도 머리 기르고 사는 것이 훨씬 편하다고 대답한다. 천대를 받더라도 편하게 사는 것이 더 좋다는 말인데, 굴종을 도리어 편하게 생각하는 갓 장사의 태도는 자기 비하의 극치라 해도 과언이 아니다. 이러한 자기 비하에서 민족적 주체성이나 자존심을 기대하기란 불가능한 일이다. 굴종의 편안함에 젖어 있는 사람이 저항의 고통을 감내할 수 있겠는가. 따라서 자기 비하란 반드시 민족적 열등감으로 이어지기 마련이다. 민족적 열등감의 참담한 실상을 극명하게 보여주는 예가 국수집에서 일하는 한 소녀의 경우이다. 그 소녀의 어머니는 조선인인데 아버지는 일본인이다. 아버지는 오래전에 소식이 끊겼고 어머니가 지금까지 소녀를 길러 왔다. 그렇다면 어머니와 어머니의 나라인 조선에 더 정을 느끼는 것이 인지상정일 터인데, 실제는 정반대이다.

조선 사람 어머니에게 길리어 자라면서도 조선말보다는 일본말을 하고, 조선옷보다는 일본옷을 입고, 딸자식으로 태어낫스면서도 조선 사람인 어머니보다는 일본 사람인 아버지를 차저가겠다는 것은 부모에 대한 자식의 정리를 초월한 어떠한 이해관계나 일종의 추세라는 타산이 압흘 스기 때문에 이별한지가 벌서 7-8년이나 된다는 에비를 정처도 업시 차자나스랴는 것이라고 생각할 제, 이 계집애의 팔자가 가엽슨 것보다도 그 에미가 한층 더 가엽다고 생각지 안을 수 업섯다.

조선인 어머니가 자신을 길러 주었음에도 불구하고 "조선말보다는 일본 말을 하고, 조선옷보다는 일본옷을 입고" 일본인 아버지를 찾아 아무런 기약도 없이 일본으로 건너 가려는 소녀의 행동은 한마디로 민족적 열등감의 표현이라 할 수 있다. 이러한 민족적 열등감은 "조선 사람은 난 실혀요. 돈 안이라 금을 주어도 실혀요!"라는 소녀의 절규에서 처연하게 표출된다. 이 절규에서 우리는 소녀의 민족적 열등감이 단순히 이해관계의 소산만은 아님을 발견하게 된다. 오히려 그것은 지배자 혹은 가해자가 되고 싶다는 무의식적 욕망의 투사(投射)이다. 소녀는 식민지가 낳은 최대의 피해자라 할 수 있다. 그녀가 식민지의 백성인 동시에 아버지에게 버림받은 사생아라는 이중적 소외 상태에 놓여 있다는 점에서 그러하다. 이 이중적 소외 상태는 그녀를 버린 아버지가 식민지의 지배자인 일본인이라는 점에서 이중적 식민지 상태라 해도 무방할 것이다. 이러한 이중적 식민지 상태는 그녀의 민족적 열등감을 더욱 깊게 만들었고, 그것이 그녀로 하여금 일본인이 되어 그간의 상처를 치유받고 싶어 하는 왜곡된 보상 심리에 빠지게 만든 것이다. 인지상정을 거스를 정도의 민족적 열등감이란 바로 이같은 왜곡된 보상 심리가 낳은 산물이라 할 수 있다.

식민지화의 심리적 효과에 대한 성찰의 화살은 외부로만 뻗어나가는 것이 아니라 내부까지도 겨냥한다. 배에서 내리면서 "될 수 있으면 일본 사람으로 보아달라는 요구인지 기원인지를 머리ㅅ 속에 쉴새없이 뇌이"는 자신의 모습을 "도살장에 드러가는 소의 발자최"에 비유하는 대목이 그 중의 하나인데, 여기서 우리는 자기 자신의 내면에 숨어 있는 민족적 열등감마저 여지 없이 파헤치는 염상섭의 냉철함을 거듭 확인하게 된다. 자기 자신까지도 객관화시키고 마는 염상섭의 능력은 이미 정평이 나있거니와 이로써 식민지성에 대한 『만세전』의 성찰이 얼마나 철저한지를 능히 가늠할 수 있다.

하나 더 짚고 넘어갈 사항이 있는데, 그것은 봉건성에 대한 『만세전』의 이해 방식이다. 『만세전』은 봉건성을 고립적으로 바라보지 않는다. 『만세전』에서 봉건성은 항상 식민지성에 결부되어 나타난다. 이인화의 형은 국민학교 선생으로 있으면서도 이재(理財)에 밝아 이천여 원이나 되는 재산을 모은 인물이다. 그는 아들을 보기 위해 첩 얻기를 마다 않는 봉건적 인간이면서 환도(環刀)를 자랑스레 차고 다니는 식민지 교육의 앞잡이기도 하다. 헌병보조원에게 굽신거리거나 정거장에서 순사보나 일본인 사무원들과 친밀하게 인사하는 그의 모습은 그가 식민지 체제에 얼마나 순응하며 살아가는 인물인지를 잘 보여준다. 아마 그가 돈을 많이 모을 수 있었던 것도 이와 밀접히 연관되어 있을 것이다. 이인화의 아버지는 친일단체인 '동우회'의 평의원으로 있으면서 벼슬자리 하나 얻으려고 애를 쓰는 전형적인 친일파이자 한의만 고집하다 며느리를 죽음에 이르게 만든 전근대적 사고의 소유자이다. 이처럼 봉건성을 대표하는 이인화의 형과 아버지가 하나같이 친일파라는 사실은 작가가 봉건 유제의 청산과 식민지 체제의 극복을 동일선상에서 생각하고 있음을 말해준다. 즉 『만세전』은 봉건성을 식민지적 근대를 구성하는 본질적 요소의 하나로 이해하고 있는 것이다. 실제로 봉건 세력이 식민지 체제를 유지시키는 중요한 일익을 담당하고 있었다는 점에서 『만세전』의 이같은 통찰은 빛나는 바 있다. 봉건 세력과 식민지 체제 사이의 교묘한 유착 관계에 대한 『만세전』의 통찰은 『만세전』이 이룬 값진 성취 중의 하나임에 틀림없다.

이처럼 식민지성에 대한 『만세전』의 성찰은 넓으면서도 깊다. 그런데 식민지성에 대한 성찰이 『만세전』의 핵심을 이룬다는 사실은 달리 말하면 『만세전』에 와서야 비로소 근대를 '조선적 특수성' 속에서 이해하게 되었음을 뜻한다. 이인직이나 이광수의 경우 근대란 일종의 보편주의적 이념이었다. 보편주의적 근대관이란 서구 자본주의를 근대의 유일한 보편적 모델로 설정하는 논리를 가리키는데, 이런 시각을 일컬어 부르주아 계몽주의라 불러도 무방하리라. 보편주의적 근대의 관점에서 보면, 근대화란 곧 반(反)봉건과 동의어이다. 이인직과 이광수가 봉건 체제에 대해 그토록 적대적이었던 것은 그 때문이다. 그들에게 봉건이란 바로 전근대 그 자체였고, 따라서 봉건 체제만 무너뜨리면 근대화가 이루어진다고 그들은 생각했다. 그러므로 보편주의적 근대의 입장에 서있는 한 식민지라는 특수성은 볼 수 없는 법이다. 요컨대 식민지가 되더라도 봉건 체제가 무너지면 근대화는 이루어진 셈인 것이다. 그래서 이광수가 『무정』의 끝 부분에서 "경성을 머리로 하여 각 도회에 석탄 연기와 쇠망치 소리가 아니 나는 데가 없으며 연래에 극도로 쇠하였던 우리의 상업도 점차 진흥하게 될 것이다. 아아, 우리 땅은 날로 아름다워간다."라고 자신있게 외칠 수 있었던 것이다. 이러한 전망이 한갓 환상에 불과했다는 것은 주지의 사실이거니와 그런 점에서 이광수의 현실 인식은 지극히 추상적인 수준에 머물러 있었다고 할 수 있다. 『무정』이 보여주는 현실 인식의 추상성은 근본적으로 식민지성에 대한 무자각에서 비롯된다. 다시 말해 근대화를 식민지 문제와는 무관한 반봉건, 즉 문명개화와 산업화로만 이해했던 보편주의적 근대관이 이광수 계몽주의의 추상성을 초래한 것이다.

부르주아 계몽주의에 대한 일정한 자기 반성을 보여주는 양건식이나 현상윤의 경우도 예외는 아니다. 그들의 문학에는 자기 성찰이 등장한다는 점에서 이광수의 계몽주의와 선을 달리한다. 이광수에게 계몽주의는 일종의 절대 이념으로 특권화되어 있다. 따라서 문제는 이념의 실천 여부일 뿐 이념 자체에 대한 반성은 기대할 수 없다. 당연히 자기 성찰이 불가능할 수밖에 없다. 반면에 양건식의 「슬픈 모순」이나 현상윤의 「핍박」은 주체에 대한 성찰을 시도한다. 이 점이 양건식과 현상윤이 소설사적으로 염상섭과 연속선상에 놓이게 되는 소이(所以)다. 하지만 이들의 문학은 동요하는 주체에 대한 관찰에서 멈춘다. 다시 말해 동요의 원인에 대한 탐색, 곧 식민지성에 대한 성찰이 없는 것이다. 계몽주의의 동요는 보는데 그 원인은 보지 못하고 있다는 것은 이들 역시 부르주아 계몽주의의 보편주의적 근대관에서 벗어나지 못했음을 말해준다. 양건식과 현상윤의 자기 성찰이 중도반단의 상태로 끝나고 만 것은 그래서이다.3)

『만세전』의 문학사적 새로움은 실로 여기에 있다. 엄밀히 말해 단수의 근대란 없다. 존재하는 것은 복수의 근대들이다. 근대를 '단수의 근대'로 이해한다는 것은 결국 서구의 자본주의적 근대를 근대의 유일한 보편적 모델로 상정하고 있다는 뜻이다. 반대로 근대를 '복수의 근대들'로 이해한다는 것은 근대를 특수성 속에서, 보다 정확히 말하면 특수와 보편의 변증법 속에서 바라본다는 것을 의미한다. 서구의 근대 또한 근대의 특수한 형식들 가운데 하나일 뿐이며, 조선의 식민지적 근대도 그러하다. 『만세전』은 식민지성에 대한 성찰을 통해 조선적 근대의 특수성을 해명하려 한 최초의 작품이다.4) 이전의 문학이 보편주의적 근대관에 갇혀 '단수의 근대'의 시각에서 조선 사회를 관찰함으로써 특수가 결여된 추상성에 빠진 데 비해 『만세전』은 식민지성에 초점을 맞춰 조선적 근대의 특수성을 해명함으로써 '복수의 근대들'의 지평으로까지 나아간 것이다. 계몽의 진정한 의미를 주체성의 자각이라 할 때 서구적 보편주의를 넘어 조선적 근대의 특수성을 넓고도 깊게 성찰한 『만세전』이야말로 부르주아 계몽주의의 한계를 극복하고 계몽 이념의 정수까지 육박해 들어간 기념비적 작품이라 할 만하다.

3

『만세전』을 계몽의 진정한 의미에 값하는 작품이라고 했는데, 이는 『만

---

3) 양건식과 현상윤의 성취와 한계에 대한 간결하고도 적절한 설명으로는 유문선의 「3.1운동을 전후한 문학적 대응」(『민족문학사 강좌 하』, 창작과비평사 1995)를 참조하시오.
4) 식민지 문제를 다룬 소설로는 『만세전』에 앞서 신채호의 『꿈하늘』이 있으나 이 작품 역시 식민지성에 대한 구체적 인식은 전혀 보여주지 못하고 있다. 이는 근대의 특수성에 대한 자각의 부족에서 비롯된 결과라 할 수 있다. 신채호 또한, 이광수와는 다른 방식으로, 보편주의적 근대관에 빠져 있었던 것이다.

세전』이 계몽의 전통을 계승하고 있다는 의미이다. 부르주아 계몽주의와는 구별되면서도 계몽의 전통은 계승하고 있다는 것은 무슨 뜻인가. 그것은 앞에서 잠깐 언급한 특수와 보편의 변증법과 관련된다. 『만세전』은 식민지성에 대한 성찰을 통해 조선적 근대의 특수성을 해명하고 있다. 하지만 이말이 『만세전』이 근대의 보편성에는 무관심했다는 뜻은 아니다. 염상섭은 「자기 학대에서 자기 해방」이란 글에서 '우상과 권위'로부터 해방된 '적라의 개인'으로 돌아갈 때 '자기 해방'이 가능하며, 이 자기 해방이야말로 '외적 해방'의 진정한 출발점임을 강조한 바 있다. 다시 말해 자기 학대와 자기 분열을 극복하여 개성을 회복할 때에만 자기 해방과 사회적 해방을 동시에 이룰 수 있다는 것이다. 염상섭이 「개성과 예술」에서 자아의 각성을 그토록 강조한 것도 그래서이다.[5] 염상섭이 말하는 '자아의 각성'은 '모든 권위와 우상을 부정하고 현실 세계를 있는 그대로 보려는 정신'을 가리킨다는 점에서 낭만주의보다는 리얼리즘에 가깝거니와 그런 의미에서의 '자아의 각성'을 구현한 작품이 바로 『만세전』이다. 정자에게 보내는 편지의한 대목을 보자.

> 이제 구주의 천지는 그 참담하든 도륙(屠戮)도 종언을 고하고 휴전조약이 완전히 성립되지 안엇습니까? 구주의 천지, 비단 구주 천지 뿐이리요, 세계는 신생의 서광이 가득하야젓습니다. 만일 전체의 '알파'와 '오메가'가 개체에 잇다 할 수 잇스면 **신생이라는 광영스런 사실은 개인에게서 출발하야 개인에 종결하는 것**이 안이겟습니까.(강조-필자) 그러면 우리는 무엇보다도 새롭은 생명이 약동하는 환희를 어들 때까지 우리의 생활을 광명과 정도로 인도하십시다. 당신은 실연의 독배에 청춘의 모든 자랑과 모든 빗과 모든 힘을 무참하게도 **빼앗겻다**고 우시지 안엇습니까. 그러나 오는 세계에는 그러한 한숨을 용납할 여지가 업겟지요……가슴을 훨신 펴고 모든 생의 힘을 듬뿍히 바드소서.(강조-필자)

---

5) 이에 대한 좀더 자세한 설명으로는 하정일·김재용 외 공저의 『한국근대민족문학사』, 431쪽-434쪽(한길사, 1993)을 참조하시오.

인용문이 일차세계대전의 종결을 지적하면서 시작하고 있다는 데 일단 주목할 필요가 있다. 이인화가 일차세계대전의 종결을 굳이 거론하고 있는 것은 '세계가 신생의 서광으로 가득하다'는 점을 강조하기 위해서이다. 이 때의 '신생의 서광'이 일차세계대전 이후 제창된 민족 자결주의를 암시한다는 것은 어렵지 않게 추론할 수 있다. 말하자면 이인화는 '구더기가 들끓는 무덤'과 같은 조선의 암담한 현실을 극복하는 길을 민족 자결주의에서 찾고 있는 셈이다. 그렇다면 이 대목과 "신생이라는 광영스런 사실은 개인에게서 출발하야 개인에게서 종결하는 것"이라는 말은 서로 어떻게 연결되는 것일까. "전체의 '알파'와 '오메가'가 개체에 잇다"라는 구절로 보아 강조 부분은 '개인에서 출발해 전체를 거쳐 개인으로 종결되는 것'을 뜻한다. 민족 자결주의는 그 '전체'에 해당한다. 따라서 「자기 학대에서 자기 해방」의 논법을 빌리면, 이인화는 자기 해방이 사회적 해방으로 이어지고 사회적 해방이 자기 해방을 완성시키는 변증법적 순환 과정을 설명하고 있는 것이다.

이러한 이인화의 인식은 인간의 이성을 억압하고 있는 모든 미망에서 해방되어 주체성을 자각하고 그 주체성을 사회 전체로 확산시켜 나가야 한다고 역설한 칸트의 계몽론을 연상시킨다. 이로써 『만세전』이 계몽의 전통에 속해 있다는 사실이 다시 한 번 분명해지거니와 염상섭은 바로 이같은 계몽의 이념에서 근대의 보편성을 찾고 있는 것이다. 『만세전』에서 식민지적 근대의 허구성을 비판하는 잣대가 이것이다. 요컨대 『만세전』은 자기 해방을 불가능하게 만드는 근본 원인을 식민지 체제에서 발견하고 식민지 체제의 극복, 즉 사회적 해방을 통해 자기 해방을 이루고자 한다. 다른 한 편 식민지 체제의 극복은 자기 해방으로부터, 다시 말해 개성의 자각을 바탕으로 해서만 가능하다고 『만세전』은 또한 강조한다. 『만세전』은 이처럼 양자의 끊임없는 상호 조회를 통해 조선적 근대의 특수성과 보편성을 결합시켜 나가고 있는 것이다.

그러나 『만세전』의 중심축은 식민지성의 문제이다. 왜냐하면 자기 해방

1960년 무렵의 염상섭

과 사회적 해방을 동시에 불가능하게 만들고 있는 근본 원인이 식민지 체제이기 때문이다. 『만세전』의 독특한 서사 구조는 이로부터 기인한다. 『만세전』의 서사를 원점 회귀적 구조라고 설명하는 경우도 있지만, 그런 식의 설명으로는 이 작품의 내용 미학적 함의를 제대로 설명하기 어렵다. 두 가지이유에서 그러하다. 하나는 이인화의 의식이 귀국 이전과 이후에 현저한 변화를 보인다는 점이다. 귀국 이전의 이인화가 정신적 유년 상태에 머물러있다면, 동경으로 돌아가기 직전의 이인화는 주체성을 자각한 성숙성을 보여준다. 그러므로 '미성숙에서 성숙으로' 진전되는 서사 구조를 원점 회귀적구조로 보기는 곤란하다. 하지만 보다 중요한 이유는 식민지성의 문제와 관련되어 있다. 『만세전』은 표면적으로는 다양한 삽화들이 비유기적으로 나열되어 있다. 그래서 삽화적 구성이란 비판을 받기도 하는데, 삽화들 사이의유기성이 부족하다는 점에서 이러한 비판은 일리가 있다. 그러나 유기적 연관이 부족하다고 해서 실패한 플롯은 아니다. 이러한 비판은 삽화와 삽화가계기적으로 연결되는 전통적 플롯만을 플롯의 전범으로 상정한 데 따른 결과이다. 『만세전』은 그런 식의 전통적 플롯은 아니지만 나름의 방식으로 플롯의 통일성을 성취하고 있다. 그 방식이란 '구심적 구성'이다. 서사의 중심에 식민지성이 있다. 삽화들은 하나같이 식민지성에 관련된다. 삽화들 하나하나는 따로따로 떨어져 있지만, 그것들은 어느덧 식민지성이라는 중심으로 집중된다. 말하자면 식민지성을 구심점으로 해 바깥쪽의 삽화들이 모여들고 있는 것이다. 『만세전』이 구심적 구성을 택한 의도는 자명하다. 그것은 조선인의 삶 전체가 식민지성에 의해 규정되고 있음을 보여주기 위해서이다. 모든 여행이 그렇듯이, 이인화의 귀국 여행 또한 우연의 연속이다. 하지만 이 우연들은 궁극적으로 식민지성의 체험으로 모아진다. 요컨대 겉으로는 우연이지만 실제로는 식민지성이란 필연에 지배되고 있는 것이다. 그런 점에서 식민지성을 효과적으로 해명하려는 의도가 『만세전』의 구심적 구성을 낳았다고 할 수 있겠는데, 이를 보더라도 염상섭이 식민지성의 문제에 얼마나 깊은 관심을 갖고 있었는지 능히 짐작할 수 있다. 내용과 형식의 조화가 좋은 소설의 본질적 요건이라고 한다면, 『만세전』은 주제와 구성이 절묘한 조화를 이룬 드문 경우 중의 하나이다.6)

4

『만세전』에 가해지는 비판 가운데 대표적인 것이 결말부에 대한 비판이다. "겨오 무덤 속에서 빠져나오는데요? 따뜻한 봄이나 만나서 별장이나 한아 작만하고 거드럭어릴 때가 되거든요?"라며 동경으로 돌아가는 이인화의 모습은 우리에게 적지 않은 실망감을 주는 것이 사실이다. 하지만 결말부에 대해 새로운 해석도 필요하지 않을까. 물론 그것이 실상과 거리가 멀다면 안되겠지만, 그렇지 않다면 『만세전』의 결말부를 적극적으로 해석해야 한다는 것이 필자의 생각이다. 먼저 제목을 '묘지'에서 '만세전'으로 바꾼 것에 유념해야 한다. 개제(改題)의 의도는 '묘지'가 풍기는 어둡고 정태적인 이미지를 탈피해 3.1운동을 향해 나아가는 미래 지향적이고 동태적인 분위기를

---

6) 『만세전』이 구성의 통일성을 성취하고 있음을 지적한 글로는 김우창의 「비범한 삶과 나날의 삶」(권영민 엮음, 『염상섭문학연구』, 민음사 1987)이 있다.

조성하기 위해서라고 할 수 있다. 실제로 '구더기가 들끓는 묘지'라는 발언도 달리 생각하면 '더 이상은 안된다(no longer)'는 마음가짐의 역설적 표현으로 볼 수 있다. '더 이상은 안된다'는 다짐은 반드시 새로운 결단으로 이어지는 법이다. 3.1운동이 바로 '더 이상은 안된다'는 민족적 위기 의식이 낳은 결단의 산물 아닌가. 이와 관현해 정자에게 보낸 편지가 주목된다.

> 생활력을 일흔 백의의 민(民)=망량(魍魎) 가튼 생명들이 준동하는 이 무덤 가운데에 드러안진 지금의 나로서 어찌 '꽃의 서울'을 꿈꿀 수 있겟습니까. 눈에 떼이는 것 귀에 들리는 것이 한아나 나의 마음을 보드럽게 어루만져주고 기분을 유쾌하게 돗아주는 것이 업습니다. 이러다가는 이 약한 나에게 차자올 것은 아미 질식 밧게 업겟지요. 그러나, 그것은 방순(芳醇)한 장미 꽃송이에 파뭇치어서 강렬한 향기에 취하는 벌레의 질식이 안이라 대기와 절연한 무덤 속에서 구덱이가 화석(化石)하는 것과 가튼 질식이겟지요.
> 정자양!
> 그러나 나는 스스로를 구하지 안으면 안이될 책임이 잇는 것을 깨다랏습니다. 스스로의 길을 차자내이고 개척하야 나가지 안으면 안이될 자기 자신에게 스스로 부과한 의무가 잇는 것을 깨다랏습니다.

'무덤과 구더기'를 말한 직후에 이인화는 "스스로의 길을 차자내이고 개척"하겠다는 결의를 표명한다. 이로 볼 때 '구더기가 들끓는 무덤'을 외친 진정한 내심은 바로 새로운 삶을 살겠다는 결의라 할 수 있다. 따라서 "겨우 무덤 속에서 빠져나가는데요"라는 말도 그렇게 부정적으로만 해석할 일은 아니다. 새롭게 살겠다는 결의를 했으니 '정신적' 무덤에서 빠져 나오게 된 것은 당연하지 않겠는가. 그렇다면 동경으로 돌아간 후의 삶 역시 과거와는 다를 수밖에 없다. 3.1운동 직후 일본에서 유학생들을 규합해 거사하려 했던 염상섭의 개인 경력을 참조하면 이 점은 더욱 분명해진다. 물론 이인화의 내면에 동경에서 편하게 살고 싶다는 욕망도 없지 않았을 것이다. "겨우 무덤 속에서 빠져나가는데요"라는 말에서 그러한 욕망을 읽기란 어렵지 않다. 하지만 민족의 운명에 동참하겠다는 결의와 편하게 살고 싶다는 욕망 사이에서 동요하는 것은 동경 유학생과 같은 엘리트들의 당연한 심리 상태라 할 수 있다. 그런 점에서 『만세전』은 유학생의 이중 심리를 정확하게 재현하고 있는 셈이다.

이렇게 볼 때 『만세전』의 결말부는 유학생으로서의 이중 심리 사이에서 동요하면서도 새로운 삶의 방향을 모색하고자 하는 이인화의 내적 결의를 그린 대목이라고 해석할 수 있다. 여기서 새로운 삶의 방향이란 식민지성의 극복을 위한 실천으로 보아도 무방할 것이다. 『만세전』은 한마디로 식민지성에 대한 전면적 성찰을 통해 3·1운동으로 나아갈 수밖에 없었던 내외적 조건을 규명하고 있는 소설이다.[7] 결말부에 대한 해석도 『만세전』의 이러한 주제 의식에 맞춰 이루어져야 마땅하다.

마지막으로 『만세전』의 현재적 새로움에 대해 잠깐 언급하고자 한다. 근대의 시작과 함께 극심한 민족적 고난과 끊임없는 격변을 경험해야 했던 한국문학은 그야말로 '위기의 연속' 속에서 살아 왔다고 해도 과언이 아니다. 게다가 『만세전』이 발표된 1920년대 초반은 3·1운동의 실패로 지식인들이 깊은 좌절감에 시달려야 했던 시기였다. 그런 '위기의 시대'를 『만세전』은 '정면 돌파'를 통해 극복했다. 위기의 본질인 식민지성과 정면 대결함으로써 소설사의 새 단계를 열었던 것이다. 1990년대의 한국소설은 어떠한가. 자본의 총공세 속에서 90년대의 한국문학이 유례 없는 위기를 맞은 것은 틀림없는 사실이다. 하지만 90년대적 위기의 본질인 자본과 정면으로 맞서 문학의 위엄과 주체성을 지키려는 노력은 찾아보기 힘들다. 다만 내성으로 도망치거나 통속에 영합하기에 급급할 따름이다. 이런 식의 대응으로 한국문학의 '고전'을 산출하기란 연목구어일 터이다. 오히려 자본과 정면 대결을 벌일 때에만 문학의 수호도 가능하고 고전의 탄생도 기대할 수 있다. 정면 돌파만이 위기를 극복할 수 있는 가장 효과적인 방책이라는 것, 이 점이 우리가 『만세전』에게 얻어야 할 현재적 교훈이 아닐까.▨

---

7) 이 점에 주목한 글로는 최원식의 「식민지 지식인의 발견 여행」(『만세전』 해설, 창작과비평사 1993)이 있다.

'삶으로서의 사유'

- 다시, 루카치를 읽기 위하여 (1)

김 경 식*

1

맑스와 엥겔스, 그리고 레닌 등 이른바 맑스주의의 고전적인 인물들이 자본주의의 극복에 초점을 둔 삶을 살고 사상을 일구었다면, 19세기 후반기에 태어난 '후발 맑시스트'들은 자본주의의 극복뿐만 아니라 실정화된 사회주의의 경로까지도 문제의 대상 영역으로 삼을 수밖에 없었다. 스탈린, 마오쩌뚱, 트로츠키뿐만 아니라 벤야민, 블로흐, 아도르노, 호르크하이머, 브레히트, 그람시 등과 같은 시대를 살고 그 속에서 투쟁하였던 루카치는, 이러한 '후발 맑시스트' 중에서도 독특한 위치를 차지하고 있다. 그가 '서구 맑스주의'의 한 갈래에 해당하는 이른바 '비판적 맑스주의'의 원조(元祖)에 해당하면서도 '현실 사회주의'를 -삶의 공간이라는 의미에서뿐만 아니라 사상의 융합점이라는 의미에서도- 완전히 떠나지 않은 것이 그를 대부분의 서구 맑시스트들과 구분하는 점이라면, 다른 한편 1917년 혁명 이후,

---

* 연세대 독문과 강사, 주요 논문으로 「루카치-브레히트의 리얼리즘 논쟁 연구」 「1930년대 루카치 연구를 위한 시론」 등이 있음.

특히 스탈린 이후의 '현실 사회주의'의 '제도적 맑스주의'와 비판적 대결을 감행한 것 - "강요된 화해"(아도르노)에 순응한 것이 아니라 - 은 그를 이른바 '정통 맑스주의'와 구분하는 점이라고 볼 수 있다. 그에 대한 역사적 평가들 내부에 아직까지 다기한 차이들이 존재하고 있는 것은 맑시스트로서 그가 살았던 지점의 이러한 독특함 탓도 있을 터이다.

그에 관한 평가들이 보여 온 보기드문 낙차는, 다른 한편 그의 사유의 편력 과정이 보여주는 폭의 방대함에서 유래하는 것일 수도 있다. 철학, 미학, 문학사, 문학론과 비평, 정치학 등에 걸쳐 있는 그의 연구 영역의 복수성뿐만 아니라, 신비주의와 합리주의, 주관적 관념론과 객관적 실재론 등의 대극적(對極的) 입장들 사이에 폭넓게 걸쳐 있는 그의 사상적 편력이 남긴 성과 혹은 흔적 또한 그에 관한 검토와 평가를 수월찮게 만드는 요소임이 분명하다.

서양 사상가들 중 한국의 독자들에게 가장 많이 소개된 축에 속할 루카치에 관한 연구가, 아직 초보적인 수준에서 벗어나지도 못한 상태에서 '낡은 작업'으로 치부되고 있는 우리의 사정을 감안할 때, 그렇다면 '다시, 루카치를 읽기 위하여' 우선적으로 필요한 일은 무엇일까? "현대의 오디세이"(Jung, 1995, S.149)에 비견되는 그의 복잡한 사상적 편력 과정에 관한 파편화된 인식을 막고, 삶의 에너지가 격렬하게 요동치던 '혁명들의 시대', 그 세계사적 분기점들과 깊숙이 결합된 삶 속에서 일구어진 사유를 제대로 이해하기 위해서, 우선적으로 필요한 것은 그의 삶과 사상에 관한 어떤 총괄적인 윤곽을 역사적으로 재구성하는 일일 듯하다는 것이 필자의 생각이다. 철학자로서의 루카치와 문학 이론가로서 루카치를 '결합'하고, 10년대 혹은 20년대의 루카치와 30-40년대의 루카치, 그리고 -한국의 루카치 연구에서는 아직 미지의 영역에 속하는- 50-60년대의 루카치를 '종합'하는 작업, 그것도 "삶으로서의 사유"(루카치의 자서전 초안 제목)로서 그의 사상을 파악해낼 수 있는 역사적인 안목하에 이루어지는 작업, 물론 이러한 '결합'과 '종합'의 작업이 미분화(微分化)된 연구를 동반해야 하겠지만, 부분

요소들에 대한 올바른 인식과 평가에 도달하기 위해서는 전체로부터, 그 복합체로부터 출발하여야 한다는 루카치의 '총체성 사상'이 그 자신에 관한 연구에서도 적용되어야 하지 않을까. 더우기 우리가 다루는 사상가가 자신의 삶과 사유의 발전 과정에서 "모든 것은 어떤 다른 것의 연속"이며 비유기적인 요소는 없다고 자평하는(「삶으로서의 사유: 게오르크 루카치와의 대담」, 144쪽, 이하에서는 쪽수만 표기) 인물인 이상, 그에 관한 제대로 된 인식과 평가에 도달하기 위해 먼저 총괄적인 상(像)을 그려보는 것은 요긴한 작업일 듯하다. 루카치에 관한 소개서들이 이미 상당 정도 출판되어 있음에도 불구하고 그것들 모두가 아직 단편적이라는 판단하에 작성된 이 글은, 루카치의 삶과 사상의 발전 과정 전체를 재구성해보려는 작은 시론(試論)에 해당한다.

2

1885년 4월 13일, 지외르지 세그레디 루카치(게오르크 루카치의 본래 이름)는 헝가리 유태계 은행가 집안에서 차남으로 태어났다. 자수 성가한 그의 아버지의 재력과 폭넓은 사교 덕택으로 그는 일찍부터 문화계의 유명 인사들과 접하게 되지만, 그의 부모가 −당시 부르주아 출신의 사상가들에서 흔히 볼 수 있는 양상들과는 달리− 그의 성장에 끼친 영향은 거의 없었다. 아니, 오히려 부르주아적 집안 분위기는 −그는 이를 종종 "의례적(儀禮的) 정신"이라 말하곤 했다− 그로 하여금 어린 시절부터 **자본주의적 삶의 무의미성**에 대한 인식을 키우도록 만들었다.[1] 유태계 태생이라는 사

---

1) 『역사와 계급의식』 67년 신판 서문에서 그는 이와 관련해 다음과 같이 말한 바 있다. "나는 내가 알고 있는 많은 노동자들, 소시민적 지식인들에게서 감지하곤 했듯이 결국에 가서 빠져드는 자본주의세계에 대한 경외감 같은 식의 잘못에는 빠져들지 않았다. 청소년 시절에서부터 시작되었던, 자본주의적 생활에 대한 나의 경멸에 찬 증오심은 내가 그러한 데에 빠져드는 것을 막아주었던 것이다."(『역사와 계급의식』, 13쪽)

실 또한 그의 성장에 큰 영향을 끼치지 않았다. 유태인 문제는 "순수하게 '의례적인 것'"(「삶으로서의 사유」, 265쪽)으로서, "관습으로서 어린 시절의 생활에 삽화적으로 영향"(같은 글, 264쪽)을 끼쳤을 뿐인데, 이는 청년기 그와 철학적 영향을 주고 받았던 에른스트 블로흐, 혹은 동시대인 발터 벤야민의 경우에 유태교 문제가 그들의 사상에 큰 영향력을 행사했던 것과 대별되는 지점이기도 하다. 루카치는 유태인 문제와 관련해, "나는 내가 유태인이라는 것을 출생의 사실로서만 받아들일 뿐 그 이상은 아닙니다"(50쪽)라고 말한다.2)

'의례적 정신'으로 가득 찬 그 '무의미한 삶'에서 벗어나고자 하는 욕구는 그로 하여금 일찍부터 예술로 눈을 돌리게 만든다. 그는 이미 소년기의 독서를 통해 "의례적 사고의 토대에 대한 비판"(「삶으로서의 사유」, 266쪽)에 눈떴으며, 이로부터 "사회에 대한 구체적인 비판"(같은 글, 268쪽)으로 이어지는 길을 밟게 되었다고 회상한 바 있다. 그는 "입센과 하우프트만의 정신에 따라"(51쪽) 드라마 집필을 기도하기도 하나 18세 무렵, 자신에게는 창작 능력이 부족하다는 것을 깨닫고 원고들을 불태워 버린다.(52쪽) 그 당시 그는 알프레트 케르의 인상주의적 문체로 『헝가리 살롱』지에 연극 월평을 기고하기도 했다.(52-53쪽) 대학 입학과 아울러 "청소년다운 딜레탕티즘의 시기"(54쪽)를 마감한 그는 '탈리아 극단'을 만든다. 연극에 대한 실제적인 경험을 통해 그는 자신이 연출가로서는 재능이 없다는 것을 깨달음과 동시에 이론적인 저작들에 관한 "포괄적인 연구의 시기"(55쪽)를 시작한다. 이제 인상주의적 비평은 미학으로 경도되고 독일 철학에 기반한 비평으로 대체된다.

루카치의 다음과 같은 발언은 이 당시 그의 문화적-지적인 자장(磁場)

---

2) 루카치의 첫번째 연인에 해당하는 이르머 셰이들레르의 자살 후 플로렌스에서 머문 짧은 기간 동안(1911년 가을부터 1912년 봄까지) 루카치는 동유럽의 특수한 비정통적 유태주의인 하시디즘(Chassidismus)에 심취한 바 있다. 마틴 부버의 저작들을 통해 가지게 된 그 메시아주의적 신비주의와의 교접은, 그의 생애에서 처음이자 마지막으로 있었던 유태주의 이데올로기와의 만남이라 할 수 있다.(Hermann, 1986, S.46)

을 짐작할 수 있게 해준다.

"나는 칸트의 미학에서, 나중에는 헤겔의 미학에서 이론적 지주를 찾았던 문학비평가이자 에세이스트로 시작했다. 1911/12년 겨울에 플로렌스에서 독자적인 체계적 미학의 첫 구상이 생겨났는데, 1912-14년에 하이델베르크에서 그 미학을 완성하는 작업에 착수했다. 나는 에른스트 블로흐와 에밀 라스크, 특히 막스 베버가 나의 시도에 대해 보여준 선의에 찬 비판적 관심에 늘 감사하고 있다. 그것은 완전히 실패했다. (……) 외면적으로는 전쟁의 발발로 이 작업이 중단됐다."(『미적인 것의 고유성』 1권, 25쪽. 아래에서는 『미학』으로 표기)

여기에서 언급되고 있는 칸트, 헤겔, 블로흐, 그리고 이른바 '베버-서클' 이외에, 중세의 기독교적 신비주의자들, 키에르케고르, 러시아 리얼리스트들(특히 도스토예프스키), 러시아 사회혁명가들, 특히 생철학의 대표자인 딜타이와 짐멜 등도 청년기 루카치에게 영향을 미친 사상 군(群)에 해당한다. 물론 맑스 또한 이에 해당하지만, 김나지움 재학 시절부터 시작된 맑스 독서는 아직 다른 사상의 안경을 통해(가령, 짐멜의 안경을 통해) 이루어진 수준에 불과했다. 어쨌든, 이처럼 복잡 다단한 사상적 세례 속에서도, "사유를 점한 모든 새로운 방법에도 불구하고", 여기에는 일관된 기저적 "연속성"이 존재했는바, "헝가리 봉건제의 잔재에 대한 증오, 그러한 토대 위에서 전개되는 자본주의에 대한 증오"(「삶으로서의 사유」, 270쪽)가 바로 그것이었다.

3

루카치는 『미학』 서문에서 다음과 같이 말한 바 있다.

"일차 대전 중에 생겨난 『소설의 이론』만 하더라도 이미 역사철학적 문제들로 더 많이 기울어져 있으며, 그 문제들에 비해 미학적 문제들은 단지 징후, 표식일 따름이었다."(『미학』, 1권, 25쪽)

현상적으로 보면 청년기 저작은 단지 미학과 문학사를 위한 글들일 따름이다. 하지만 『근대 드라마의 발전사』, 『영혼과 형식』, 『하이델베르크 미학』과 『하이델베르크 예술철학』, 『소설의 이론』 등은 본질적으로 동일한 자세를 견지한다. 즉, 시민적 문화와 사회에 대한 거부가 바로 그것이다. 청년 루카치에게 중요한 것은, 그가 형이상학의 우회로를 거쳐 정초하려 한 새로운 문화, 시민적 문화와는 전혀 다른 새로운 문화였다. 새로운 문화에 대한 욕구와 동경에서 예술, 특히 문학은 이중적인 규정을 지니는데, 근대의 시민적 인간의 소외 상태를 반영함과 동시에 이러한 상태를 넘어서 재도달된 화해를 가리키는 것으로 규정되고 있다. 여기에서는 루카치의 청년기 저작에 관해 간략히 살펴보도록 하겠다.

먼저, 그의 첫번째 출판물에 해당하는 『근대 드라마의 발전사』(이하에서 『발전사』로 줄여 표기)부터 보도록 하자. 레씽에서부터 자연주의, 에른스트 파울의 신고전주의에 이르기까지 시민 드라마의 발전사를 재구성하고 있는 『발전사』(1909년 출간)[3]는 특히 그 철학적 차원에서는 짐멜에 기반하고 있다.[4] 짐멜의 근대에 관한 문화비판적 현상학(특히 『돈의 철학』, 1900)의 영향하에 씌어진 이 저서에서 루카치는 엄밀한 의미에서의 시민적 드라마란 더 이상 존재하지 않는다는 결론을 내리고 있다. 그럴 것이 당대의 시민 사회에서는 비극의 핵심, 즉, "인간의 중대한 삶의 문제를 위한, 외적 세계 및 운명과의 투쟁"(『발전사』, 25쪽)이 더 이상 존재하지 않기 때문이다. 시민적

---

3) 루카치에 따르면, 이 책은 1906-1907년 사이 베를린에서 씌어져서 1907년 1월에 완성되었다고 한다.(「삶으로서의 사유」, 271쪽)
4) 짐멜의 영향에 관해 루카치는 다음과 같이 말한 바 있다. "예술의 사회적 성격을 논의한 것이 짐멜이었고 이것이 내게 하나의 관점을 제공했지요. 그 관점의 토대 위에서 나는 --짐멜을 훨씬 넘어서서-- 문학을 다루었다는 말로 간단히 그 영향을 요약하고 싶습니다. 드라마에 관한 나의 책에 고유한 철학은 바로 그의 철학입니다."(65쪽)

"맑스로 가는 나의 길"

－자본주의적 사회에서 각축을 벌이는 각종의 세계관 및 이데올로기는 "삶
을 (⋯⋯) 서사적인, 더 정확히 말하자면 소설적인 문학의 소재로서 만들"
(『발전사』, 100쪽)지만 극적 연출은 더 이상 허용하지 않는다. 이러한 판단
의 배면에는 삶의 사물화가 전체 인류의 운명을 각인하고 있다는 인식이
놓여져 있다.

우리가 이 책을 순전히 문학사로 읽으면 그것은 오해일 것이다. 여기에
는 예술에 대한 역사철학적인 성찰이 함축되어 있다. 즉, 루카치는 근대 드
라마를 빌미로 지난 2세기간의 시민 사회의 역사, 극의 생산을 저해하는
조건들에 관해 서술하고 있다. 그가 보기에 근대 드라마는 시민 계급의 문
화적, 사회적 위기의 표현이자 동시에 －물론 전망을 제시할 수 있는 능력
은 없지만－ 이에 맞선 저항의 표현, 모든 것을 사물화하고 소외시키며 평
준화하는 경향에 맞선 반역의 표현이다.

1908년, 『발전사』로 키슈펄루디 협회에서 상(賞)을 받은 뒤 이른바 '에세
이의 시기'가 시작된다. 이 시기의 산물인 『영혼과 형식』5)은 근대의 예술
가들, 창작 주체, 실존적 문제와 연관된 주제들을 다루고 있다. 당시 딜타

이와 짐멜 등의 생철학의 영향권 내에 있었던 루카치의 중심 문제는, "오늘날의 인간은 어떻게 살 수 있으며 살아야 하는가?"하는 것이었다. 짐멜은 『돈의 철학』 이후에 나온 문화비판적 저술들에서, 18세기 이래 객관적 문화는 주관적 문화를 압도한다는 인식에 도달한다. 인간의 문화적 성과, 객관화물들은 일단 창조되면 그 다음부터 개인들과는 따로 떨어진 고유한 생명을 영위하는바, 한편에서 문화적 진보를 가능하게 하는 것이 다른 한편에서는 개개인을 협소화하고 소외시킨다는 것이다. 짐멜의 이러한 평가에 기대어 루카치는, 오직 예술만이 -창작 주체의 측면에서- 삶의 진정한 표현(딜타이의 용어로 말하자면, "체험 표현")을 위한 가능성을 제공하고 있다는 결론을 내린다. 그 가능성의 근거는 예술의 형식에 있는바, 이 책에 실려 있는 첫번째 에세이(「에세이의 본질과 형식 – 레오 포페르에게 보내는 편지」)에서 그는 영혼에게 있어서 형식이 최후의 도피처이며 진정한 삶의 표현이자 동시에 한갓된 삶에 대한 비판이라고 한다. "형식이 삶의 최고 판관"(『영혼과 형식』, 248쪽)으로 되는 것이다.

이르머 셰이들레르의 자살(1911년)과 함께, 에른스트 블로흐의 자극 속에서, '에세이의 시기'는 종료되고 "철학으로의 길"(「삶으로서의 사유」, 274쪽)이 시작된다. 이제 에세이로부터 미학으로의 선회가 이루어지는데, 그 산물이 -사후(死後)에 제자들의 작업을 통해 출판될 수 있었던- 『하이델베르크 미학』과 『하이델베르크 예술철학』이다. 여기에서 루카치는 칸트로부터의 이반(離反)을 보여준다. 그는 칸트의 문제 설정("미적 판단은 존재한다. 그것은 어떻게 가능한가?")을 반박하면서, 우선권은 미적 판단에 있는 것이 아니라 존재에 속한다고 본다. 여기에서 설정되고 있는 근본 문제는, "예술 작품들은 존재한다. 그것들은 어떻게 가능한가?"하는 것이었다. 루카치는 이에 관해 회고하는 자리에서, 완전히 무의식적으로 이루어진 "존재론으로

---

5) 여기에 실린 글들은 헝가리어로 씌어져서 몇 번에 걸쳐 발표되었다. 이 책에 실린 에세이들 중 최초로 씌어진 노발리스에 관한 에세이는 이미 1907년에 작성, 1908년 초 『서구』에 발표되었다.(69쪽) 루카치는 이 책을 1910년에서 1911년 사이에 독일어로 직접 번역했다.(60쪽)

의 선회를 보여주는 단초"로서, "기나긴 발전 과정의 출발점"(같은 글, 274쪽)으로서 자리매김한 바 있다.

당시 루카치의 철학적 상태, 즉 우익적 인식론과 좌파적 윤리학이 절충된 역사철학(같은 글, 278쪽 참조)을 표현하고 있는 『소설의 이론』은 1차 세계대전 중인 1914-15년에 걸쳐 씌어졌다.[6] "방법상 정신사적 책"에 속하지만 "정신사적 책 중에서 유일하게 우익 편향이 아닌 저서"(83쪽)로 자평한[7] 그 책에서, 헤겔에 근거한 미학적 문제 설정이 생철학적-실존주의적 유산을 뒷면으로 밀어내고 있다. 여기에서 그는 『발전사』에서 정식화되었던 통찰, 즉 근대적 삶 전체가 "서사적, 더 정확히 말하자면 소설적"으로 되었다는 통찰에 결속되어 있지만, 이것은 더 이상 생철학적 차원에서라기보다는 헤겔의 『미학 강의』에서 정식화된 것으로서 이해된다. 이 책에서 그는 헤겔의 『미학 강의』에서 나타나는 소설에 관한 주변적 언급을 체계화하고 "소설 형식의 유형론"을 구성한다. 그에 따르면, 근대의 소설은 추상적 이상주의(세르반테스의 『돈 퀴호테』), 환멸의 낭만주의 소설(발자크, 플로베르), 발전 소설(괴테, 켈러), 리얼리즘(톨스토이, 도스도예프스키) 등의 유형으로 변별된다.

소설을 시민 사회의 범례적인 문학적 표현으로 파악하고 있는 그는 "시대의 대표적 형식"(『소설의 이론』, 82쪽), "선험적인 무주거 상태의 표현"(같은 책, 32쪽), "삶의 외연적 총체성이 더 이상 의미 충만하게 주어져 있지 않으며, 삶에 내재하는 의미가 문제적으로 되었지만 그래도 총체성으로의 정향은 지니고 있는 시대의 서사시"(같은 책, 47쪽) 등으로 소설을 규정

---

6) 원래 도스토예프스키론의 서문으로 기획된 이 책은 전쟁 중에 『미학과 일반 예술학을 위한 잡지』(1916)에 발표된다. 그 뒤, 전쟁이 종료된 후 카시러 출판사에서 단행본 형식으로 출간되었다(1920).

7) 루카치는 『소설의 이론』 1962년 판 서문에서 "만약 우리가 이 책을 자신의 방향 정립을 위해 손에 댄다면, 그것은 단지 방향 상실을 상승시키는 결과만을 초래할 따름"(『소설의 이론』, 17쪽)이라고 말한 바 있다. 이러한 엄격한 평가는 생애의 마지막 시기에는 상당 정도 완화되어 "『소설의 이론』 같은 과도기적 산물은 과도기적인 것으로서 평가되어야"(85쪽) 한다고 말한다.

한다.

여기에서도 문학은 역사철학적으로 정초되는 이중적 규정을 받고 있다. 즉, 소설은 소외된 상태의 표현이자 모사이면서 동시에 그에 맞선 저항으로 설정되고 있는 것이다. 소설은 소외의 차안에서 역사적으로 아직 이행되지는 않았지만 아이러니적 성찰에서 항상 다시 나타나는 어떤 것, 즉 "삶에 내재하는 의미"를 상기시킴으로써 휴머니티의 가능성을 보전하고 있는 것으로 파악된다. 한편, 이 책은 비관적 종결부를 지닌 『발전사』에서와는 달리 톨스토이와 도스토예프스키의 소설 세계에 대한 긍정적 시선으로 끝난다. 즉, 루카치는 이들을 새로운 세계와 문화의 조짐으로 보는데, 특히 도스토예프스키의 소설에서 그는 "현존하는 것과의 투쟁과는 멀리 떨어져 있는 새로운 세계"(같은 책, 137쪽)를 본다.

이로써 다시 한번 더 분명해지는 것은, 루카치의 작업은 현상적으로는 문학에 관한 발언이지만 본래적으로는 소외의 형식에 관한 철학이라는 사실이다. "역사적 순간의 경험에 결부된 형식", "완전한 죄악의 시대의 형식"(같은 책, 137쪽)으로서의 소설은, 그 해독을 위해 에세이스트의 형이상학적-역사철학적 성찰을 필요로 하는 암호문인 셈이다. 하지만 소설은 여전히 형식일 뿐이다. 그것은 진정한 "체험표현"이지만 그로부터 기대되는 약속은 현실적 삶에서, 새로운 "사랑의 사회"(『전술과 윤리』, 87쪽」)에서야 비로소 실현되는 것이다. 이런 측면에서 볼 때, 루카치의 맑스주의로의 전향은 『소설의 이론』의 결론에서 논리적으로 추출될 수 있는 결론이라고 볼 수 있다.

4

루카치는 1차 대전에 반대한, 서구 지식인으로서는 드문 경우에 속한다. 그가 전쟁을 반대한 이유는, 서구 민주주의가 "낡아 빠진 헝가리의 봉건제를 변화"(61쪽)시킬 수 있는 대안이 될 수 없다고 본 데 있었다.[8] 그 당시 그는 "기존 질서를 대체할 수 있는 어떤 것도 알지 못했"(77쪽)다. 그렇기 때문에 1917년의 러시아 혁명은 대단한 체험으로 다가온다. 즉, 기존 질서 전체를 "완전한 죄악의 시대"로 보고 그것의 변화를 바랐지만, 그것을 대체할 어떤 다른 방도를 찾지 못했던 한 지식인에게 1917년 혁명은 "사정이 다르게 될 수도 있다는 것을 명료하게 보여주었"(77쪽)던 것이다. 마침내 루카치는 1918년 12월, "사랑의 사회"를 찾아서 헝가리 공산당(11월에 창당)에 입당하게 된다.[9] 1919년 헝가리 소비에트 정권의 붕괴 후 그는 — 짧은 구속 기간을 거쳐 — 오스트리아의 빈으로 망명한다.

루카치는 공산주의로의 전향 이래 「블룸 – 테제」(1928년 구상)의 시기까지 자신의 경향을 "메시아주의적 분파주의"로 규정한 바 있다. 하지만 동일한 분파주의임에도 불구하고 코민테른에서 지노비에프와 함께 형성된, 그리하여 헝가리 당내에서 쿤 일파에 의해 대변된 "관료주의적 분파주의"와는 질적으로 달랐다는 것 또한 분명히 한다. 이러한 '메시아주의적 분파주의'는 "세계 혁명이 임박했다"는 믿음에서 유래한 것으로서, 20년대 내내 국제적인 차원에서의 루카치의 사고를 규정했다. 하지만, 헝가리의 활동은 "런들레르의 현실주의"에 의해 규정되었는데, 이로 인해 그는 국제적인 차원에서는 메시아주의적인 분파주의자였던 반면, 헝가리의 관심사에서는 현실주의적 입장을 취했다고 한다. "이런 이원론은 결국 「블룸 – 테제」에서 헝가리의 현실주의가 승리함으로써 끝나게 되었다."(이상에 관해서는 134-135쪽 참조)

서구의 비교조적인 좌파들에 의해서 "서구 (네오) 맑스주의의 토대가 되

---

8) 이와 관련해 루카치는 당시 자신의 관점을 다음과 같이 표현한 바 있다. "독일과 오스트리아 군대가 러시아를 패퇴시킬 것이며, 그렇게 되면 로마노프 왕조는 붕괴할 것이다. 이것은 바람직한 일이다. 또한 독일-오스트리아 군대가 영국과 프랑스 군대에 패배하리라는 것도 가능하다. 이는 합스부르크 왕가와 호엔촐레른 가(家)의 멸망을 초래할 것이다. 그러나 누가 우리를 서구 민주주의로부터 지켜줄 것인가?"(76쪽)

9) 이와 관련해 루카치는 자서전 초안에서 다음과 같이 말하고 있다. "공산주의자로의 발전은 정말이지 내 생애에서 가장 위대한 선회이자 발전의 결과임"(「삶으로서의 사유」, 283쪽)

는 서적"으로 천명되지만 '정통 맑시스트'들에 의해서는 "현대 수정주의의 판도라 상자"(Jung, 1993, S.17-18)로 불리는 『역사와 계급의식』(1922년 완성, 1923년 출간) 역시 위에서 언급한 이중적 경향이 착종되어 있기는 마찬가지이다(여기에서는 아직 전자의 경향, 즉 메시아주의적인 분파주의가 지배적이다). 기존의 형이상학적 역사철학을 맑스주의로 전환시킨 이 책에서 그는 『소설의 이론』에서 예술만이 대리했던 총체성 요구를 사회주의("사랑의 사회")와 동일시하는 변형을 수행한다. 이러한 변형 과정을 실현하는 주체로 당연하게도 프롤레타리아트가 설정되고 있지만, 프롤레타리아트의 단순한 현존만으로는 실제적인 행동이 보장되지 않는다는 것을 그는 헝가리 소비에트 공화국의 실패에서 추출한다. 그렇기 때문에 ―지배적인 맑스―레닌주의적 교리에 반하여― 당이나 조직 상태보다는 일차적으로 프롤레타리아트의 계급의식이 척도임을 강조하게 되는데, 여기서 프롤레타리아트의 일상적 ―개별적인 의식과 귀속적 의식으로서의 계급의식(귀속적 계급의식)은 구분된다. 계급의식은 "계급을 이루는 개별 개인들이 생각하고 지각하는 등등의 총합도 평균도 아니다."(『역사와 계급의식』, 126쪽) 그것은 "특정한 생활상황 속에 있는 인간들이, 그 상황에서 생겨나는 이해관계 및 직접적 행위와 ― 그러한 이해관계에 걸맞는 ― 전체 사회의 구성을 완전히 파악할 수 있을 때 지니게 될"(같은 책, 126쪽) 생각이나 지각에 존재하는 것으로서, 자체 내에 "객관적 가능성의 범주"(같은 책, 126쪽)를 내포하고 있는 것이다. 이러한 귀속적 계급의식은 현실 자체 내에 설정되어 있는 가능성을 나타내는 것인데, 그럴 것이 그것은 자신이 상품으로 팔린다는 사실에 대한 상품(프롤레타리아트)의 의식이자 상품 경제가 청산되면 자기 자신도 해방된다는 것을 인식하는 프롤레타리아트의 의식인 것이다. 그런데 상품에 대한 이러한 구조적 관계에는 계급투쟁을 야기하는 폭발적 요소뿐만 아니라 동시에 사물화의 계기도 있다. 프롤레타리아트의 의식 자체도 이러한 소외와 사물화에 의해 각인된 이상 그는 일상에서는 "현재의 '해악적' 공간"(같은 책, 348쪽) 속에서 움직이며, '순수한 직접성'에 고착되어 있다. 소

외된 개별 의식과 계급의식의 틈에서 노정되는 이러한 딜레마를 당시의 루카치로서는 풀 수 없었다.10)

『역사와 계급의식』이 서구 맑스주의의 형성 과정에서 결정적인 역할을 한 책이라면, 「블룸-테제」는 루카치의 개인사적 발전 과정에서 결정적인 자리를 차지한다. 원래 런들레르 분파의 위임에 따라 KPU(헝가리 공산당) 제 2차 당대회를 위해 작성된 「블룸-테제」(1928년 구상, 29년 발표)는 발표되자마자 코민테른과 헝가리 당내의 쿤 분파에 의해 격렬한 비판 대상('청산주의자')이 된다. 이에 따라 루카치는 '자아 비판'을 행하게 되고 런들레르 분파는 해체된다.11)

하지만, 루카치는 이후 「블룸-테제」는 자신의 발전에 있어서 "은밀한 귀착점"을 이루는 것으로서, 이를 계기로 우익적 인식론과 좌파적 윤리학의 대립적 이원론이 극복되고, 비로소 "맑스주의의 수업 시대"가 종결될 수 있었다고 한다.(『역사와 계급의식』, 34쪽) 뿐만 아니라, 그가 여러 차례에 걸쳐 「블룸-테제」 이후 자신의 본질적인 노선은 변한 것이 없다고 말하곤 하는 이상, 그의 발전사에 있어서 「블룸-테제」는 눈여겨 봐야 할 대목이라 할 수 있다.

벨라 쿤의 모험주의적 노선에 반대하고 있는 이 테제에서 그는 『역사와 계급의식』에서 풀지 못한 딜레마(소외된 개별 의식과 계급의식의 간극)에 대한 일종의 해결책을 제시한다. 즉, 자본주의와 사회주의의 경직된 대립을

---

10) 루카치는 생애 말년에 『역사와 계급의식』에 관해 자평하기를, 소외의 문제를 처음으로 제기한 점, 레닌의 혁명론을 맑스주의의 구상에 유기적으로 통합시키려 시도한 점을 의의로 꼽는 반면, 자연변증법을 거부한 결과 맑스주의의 보편성이 결여되는 존재론적 오류를 범한 점["소위 자연 변증법은 사회적 변증법과 나란히 있는 것이 아니라(『역사와 계급의식』에서는 이것이 부인되었음) 그것의 전사(前史)", 「삶으로서의 사유」, 290쪽], 사회-정치관에서의 메시아주의적 분파주의 등을 그 한계로 지적하고 있다.(136쪽)

11) 루카치는 이후 이 자아 비판은 반(反)파쇼 투쟁에 참여하는 창구로서의 당에 남기 위한 미봉책이었다고 말한 바 있다.(『역사와 계급의식』, 32쪽 참조)

비판하는 제 3의 길이자 이행 과정으로서의 "민주주의적 독재"를 내세우고 있는 것이다.[12) 『역사와 계급의식』에서는 소외된 개별 의식과 계급의식 사이의 간극을 채우는 매개체로서 당이 설정되었다고 볼 수 있다면, 이제는 당이 아니라 민주주의가 해결의 돌파구로 설정되고 있는 것으로서, 이는 이후 루카치의 일관된 사유 방향이기도 하다.[13) "프롤레타리아 혁명과 부르주아 민주주의 혁명이 (……) 서로 만리 장성에 의해 분리되지 않는다"는 것을 「블룸-테제」를 계기로 깨달은 그는 "프롤레타리아 혁명이 고립된 사건이 아니고, 역사적인 과정의 완성"임을 파악하고 그 완성의 방도로서 "민주주의로 향한 이데올로기적 발전의 길"을 걷게 된다.(143쪽) 그가 이후 맑스주의는 질적으로 새로운 것일 뿐만 아니라 인류 유산의 정점들을 계승-종합하고 있다는 레닌의 연속성 테제를 부각시키게 되는 것이나, 사회주의를 단절로서보다는 역사의 '완성'으로서 파악하게 되는 것도 이런 맥락에서 이해할 수 있다.

그러나, 앞에서 말했다시피 이 테제는 그 당시 격렬한 비판을 받는다. 이를 계기로 그는 정치가와 이론가의 모순을 인식하고[14) 정치 영역에서 물러나 "윤리적으로 권위적이지 않은 영역이 주어져 있는 부문"(143쪽)에서, 즉 문학 연구의 영역에서 자신의 사유를 전개하는 이른바 '빨치산 투쟁'을 감행한다.

---

12) 이는 2차 대전 중의 그가 내세운 '새로운 유형의 혁명적 민주주의', 45년 이후 헝가리와 관련한 그의 인민 민주주의관으로 이어지는데, 그에 따르면 "인민 민주주의는 민주주의로부터 자라나오는 사회주의"(206쪽)이다. 이러한 그의 관점은 49년 루더시-논쟁에서 인민 민주주의에서 프롤레타리아 계급 독재의 역할을 가치 절하했다는 비판을 받는다.
13) 자서전에서 루카치는 "'블룸-테제」 이후 줄곧 나는 하나의 지속적인 노선을 따랐고 그것을 결코 철회하지 않았다"(205쪽)고 말한다.
14) 루카치는 「블룸-테제」의 '파동' 이후 자신이 정치가가 아니라는 것을 깨달았다고 한다. 정치가라면 그 당시의 국면에서 「블룸-테제」를 쓰지 않거나 적어도 발표하지는 않았을 것이라는 것이다.(143쪽 참조)

5

1929년 「블룸-테제」의 '파동'이 있은 이후 루카치는 1930년 모스크바로 간다. 그 곳에서 그는 라쟈노프가 지도하는 맑스-엥겔스-레닌 연구소에 참여하면서 주로 맑스-엥겔스 전집(MEGA) 작업에 몰두한다. 이 과정에서 그는 맑스의 『경제학-철학 수고』를 읽게 되는데, 이를 통해 그는 『역사와 계급의식』의 "모든 관념론적 편견들은 무너졌다"(『역사와 계급의식』, 38쪽)고 한다. 『역사와 계급의식』의 자기 정정 과정은 물론 20년대 후반부터 이루어져 왔는데, 이것이 맑스의 저작을 통해 '의식화'되고, 그 경로의 확실성을 보장받게 되었던 셈이다.

1931년 여름부터 1933년 3월까지 루카치는 베를린에서 독일 프롤레타리아-혁명 작가 동맹(BPRS)에 가담해 활동한다. 여기에서부터 그의 '위대한 리얼리즘'론의 구도가 잡혀가기 시작하는데, 가령 빌리 브레델을 "프롤레타리아 문학의 위대한 대표자"로 보는 당시 "독일 공산주의의 공식적 경향"에 맞서 그를 "자연주의적 공산주의자"로 보고 "예술적으로 거부"한 것이 그 시초에 해당한다.(161-162쪽 참조)

히틀러의 권력 장악 이후, 1933년 3월 루카치는 다시 모스크바로 돌아온다. 이때부터 1944년 말까지 소련에서 루카치는 주로 문학사와 문학이론 작업에 몰두한다. 이러한 작업의 근저에 깔려 있는 근본적인 문제 의식으로서 전면에 부각된 것이 반(反)파시즘 투쟁이었다면, 그 배면에 은폐된 것은 반(反)스탈린주의 투쟁이라고 할 수 있다('빨치산 투쟁'). 문학적 자연주의에 대한 루카치의 집요한 공격은 그 이면(裏面)으로서의 형식주의에 대한 투쟁이었을 뿐만 아니라, '스탈린적인 사회주의 리얼리즘'에 대한 공격이기도 했다.

그렇다고 해서 루카치가 처음부터 스탈린에 비판적이었던 것은 아니다. 이미 일찍이, 레닌 사후 소련 당내에서 벌어진 노선 투쟁에서 그는 트로츠키에 맞서 스탈린의 '일국 사회주의론'에 동감을 보낸 바 있었다. 30년대 초반만 하더라도 그는 스탈린의 몇 가지 관점에 동조했다. 가령, 1930년에 데보린 및 그 학파에 맞서 개시된 철학 논쟁에서 스탈린이 "플레하노프적 정통성을 공격"하고 "맑스-레닌 노선"의 정당성을 주장한 데 루카치는 동조한다. 물론 스탈린의 목적이 스탈린 노선의 수립으로 귀결된 것이긴 하지만 루카치는 스탈린이 플레하노프적 정통성에 대한 공격을 통해 "맑스주의를 보편적인 세계관으로 보았다"고 해석했다. 이를 통해 루카치는 "맑스주의가 칸트나 다른 사람들로부터 빌려올 필요가 없는 독자적인 맑스주의 미학도 담고 있어야 한다"는 관점을 굳히게 된다. "미학이 맑스적 체계의 유기적 부분을 이룬다"는 생각, "맑스적 미학은 존재하며, 맑스로부터 그 미학을 발전시킬 수 있다"는 생각은 루카치의 이후 발전 과정에서 결정적인 역할을 하게 된다.(이상은 152-153쪽 참조)

또, 스탈린의 주도하에 라프(RAPP) 반대 운동이 일어났을 때, 루카치는 공산주의 작가들만 조직에 받아들였던 "편협한 라프의 귀족 정치"에 대한 공격에 동조한다. 그는 소련 출신의 모든 작가들이 참가하는 포괄적인 러시아 작가 연합을 구성하는 운동에 동참한다. 이 운동에서 '순수한 스탈린주의자 진영'은 라프의 의장이었던 "트로츠키주의자 아베르바하"를 고립시킨 데 만족한 반면, 루카치, 리프쉬츠 등을 중심으로 한 진영은 『문학비평』이라는 정기간행물을 발간, 이를 중심으로 "러시아 문학의 혁명적 민주주의적 변혁을 위해 노력"한다.(이상은 173쪽 참조)

한편, "맑스 이론의 철학적 통일성"에 관한 인식으로 인해 예전에, 즉 『하이델베르크 미학』 시기에 그 단초를 보였던 "존재론으로의 정향이 소생"했다.(「삶으로서의 사유」, 290쪽) 이 당시에는 아직 분명하게 자기의식화되지는 않았지만, 어쨌든 이러한 경향 위에서 그는 "미적인 것의 본질은, 따라서 -존재에 부합하여- 현존하는 것이며, (이해된다면) 적절히 발전될 수는 있는 것이지만 결코 조작될 수는 없는 것"이라고 보고, "'모더니즘'과 스탈린의 조작에 동시에 반대"하는 문학 이론적 노선을 전개한다.(같은 글, 291쪽)

이때 『문학비평』이 "스탈린적인 자연주의적 정통"(180쪽)을 공격하고 '조작'에 맞서 이론적 근거 혹은 '권위'로 이용했던 것은 발자크 문제에 관한 엥겔스의 편지에 나오는 '리얼리즘의 승리' 테제였다. 이를 통해 이데올로기가 작품의 미적 질을 판정하는 기준이 아니라는 주장을 했던 것이다. 아래의 인용문에서 우리는 '리얼리즘의 승리' 테제에 관한 루카치의 이해 방식, 그것이 스탈린주의에 가한 공격의 초점, 이 테제와 미메시스와의 연관성을 읽을 수 있다. 다소 장황하나마 루카치의 자서전 메모에서 그대로 인용하도록 하자.

> 처음: 스탈린의 기계적 통일성에 맞서 레닌을 차별화. 마찬가지로: 엥겔스의 '리얼리즘의 승리'가 점차 강력하게 전면에 부각－'위'로부터의 이데올로기적 통제에 맞섬. 바로－예술에 있어서, 예술을 위해서－그러한 절대적인 지도 가능성은 결코 존재하지 않음: 작가의 기도(企圖)나 의도가 아니라, '리얼리즘의 승리'의 지배하에 있는 형상화가 결정적으로 중요함. 따라서 이데올로기는－대개 간접적으로－태도에 영향을 미칠 수 있음.
> 이것이 발생과 미메시스－이에 따라서: 무엇을? 어떻게?를 탐구한 본질적 이유. 미메시스의 발생을 통해서 '리얼리즘의 승리'는 모든 비합리주의적 색채를 버리게 됨: '리얼리즘의 승리'에서 바로 역사의 진리가 발현.(「삶으로서의 사유」, 292쪽)

루카치의 전(全)저작은 넓은 의미에서 철학적 모색이라고 할 수 있다. 전(前)맑스주의 시기의 저작들도 역사철학과 새로운 형이상학의 모색이라고 볼 수 있으며, 맑스주의 시기의 문학론들도 맑스주의 이론에 대한 철학적 성찰의 일부라고 할 수 있다. 이에 비해 하나의 테마를 중심으로 한 좁은 의미에서의 철학적 연구서는 드문 편인데, 그 중 이런 의미에 가장 분명하게 해당하는 것은 『청년 헤겔』과 『이성의 파괴』, 그리고 『존재론』이다.

『청년 헤겔』은 30년대 후반기에 씌어졌지만 헤겔 해석에서의 반스탈린주의적 독해로 인해 48년에야 출판되었다. 이 책이 씌어지던 당시에 헤겔에 관한 공식적 평가에 따르면, "헤겔은 애당초 프랑스 혁명에 반대한 봉건적 반동 이데올로그"(181쪽)였다. 따라서, 청년 헤겔을 맑스의 전단계로 파악하는『청년 헤겔』은 스탈린적 철학 노선과는 대립적인 입장에 서 있는 것이라고 할 수 있다.

대부분이 2차 대전 중에 씌어진『이성의 파괴』는 58년에 출판되었지만 그 예비 작업은 이미 30년대 초반부터 이루어졌다.15) 여기에서 루카치는 소련의 공식적 노선, 즉 "근대 철학이 유물론과 관념론의 대립에 전적으로 기반해 있다는 도그마"에 반대하는 입장, "유물론적인 형식을 취하든 관념론적 형식을 띠든 간에 합리주의와 비합리주의 양자 모두에 대립되는 입장"(154쪽)을 취한다. 여기에서 그는 '유물론과 관념론의 투쟁' 대신에 "합리적 철학과 비합리적 철학 사이의 투쟁"에 고찰의 초점을 두면서, "비합리주의자들이 모두 관념론자인 것은 사실이지만, 그들의 반대자인 합리주의자들도 관념론자일 수가 있"다는 것을 밝힌다.(181쪽)16)

소련에서는 1936년-1938년 사이에 대대적인 숙청 재판이 벌어진다. '스탈린의 비인간적 죄악 행위'로 손꼽히는 그 재판을 루카치는 당시에 "끔찍스러운 것"으로 여기긴 했지만, 첫째, 이 시대의 가장 중요한 문제는 히틀러의 멸망이며 유일한 반(反)히틀러 세력은 -서방이 아니라- 스탈린의 소련이라는 생각에서, 둘째, 부하린과 스탈린의 관계를 당통과 로베스피에르의 관계로 해석하는 관점에서 그 재판을 받아들였다.(190쪽) 이후 그는 그러한 자신의 관점이 잘못된 것이었다는 것을 인정한다. 그는 스탈린에겐 그 재판들이 전혀 불필요한 것(191쪽)이었을 뿐만 아니라, 그 재판의 희생자들이 -당통이 공화국의 배신자가 아니었듯이- 결코 소비에트의 배신자가 아니

---

15) 『이성의 파괴』를 준비하는 과정에 해당하는 작업의 산물인 두 편의 글, 『어떻게 파쇼철학이 독일에서 생겨났는가?』(1933),『어떻게 독일이 반동 이데올로기의 중심이 되었는가?』(1941)는 1982년에 헝가리에서 출판되었다.

16) 이 두 저작은 대립적 측면에서의 "암호화된 자전적 텍스트"(Jung, 1993, S.21)로 읽을 수 있다. 즉,『청년 헤겔』이 맑스주의자에 도달하기까지의 과정을 긍정적 색채로 그린 것이라면,『이성의 파괴』는 전(前)맑스주의 시기 루카치 자신이 빠져 있었던 철학적 조류들에 대한 엄정한 자기 비판서로서, 그것들을 '비합리주의'라는 부정적 색채로 덧칠하고 있다.

었다는 것을 인정한다.(193쪽)17)

루카치가 1956년 이후 반(反)스탈린주의 투쟁을 '공개적'으로 행하면서 언급한 발언에 따르면, 그가 보는 스탈린주의의 본질은 사물에 대한 진정한 통찰로서의 이론이 행동 전술에 따라 부수적으로 구성된 데에 있다. 즉, 맑스와 레닌의 경우 사회 발전에 관한 통찰을 통해 "세계사적인 관점에서 봤을 때 무엇이 결정적으로 중요한가"를 묻는 과정 속에서 기본 노선이 확정되고 그에 따라 구체적인 상황과 국면에 따라 전략과 전술이 도출된다면, "스탈린은 그 순서를 뒤집어서 전술적 문제를 일차적인 것으로 간주하고 그것들로부터 이론적인 일반화를 도출"(187쪽)한다는 것이다.

철학적 측면에서 그는 스탈린주의의 부조리성을 -일종의 '비합리주의'로 보는 대개의 관점들과는 달리- "일종의 초합리주의"로 파악한다. 스탈린주의 역시 일종의 "이성의 파괴"임에는 분명하지만, 그것은 『이성의 파괴』에서 그가 공박한 비합리주의와는 다른 것으로서, "합리주의가 거의 부조리의 경지로 넘어가는 형식"을 띤 것이라는 것이다.(186쪽) 그에 따르면, "이성은 항상 구체적인 것과 관련된 것"이기 때문에, "이성이 초월된다면 비이성으로 바뀔 가능성이 존재"하는바, "구체적인 것의 추상적인 특징들을 지나치게 강조하면, 예전의 이성적 연관관계의 합리성이 더 이상 합리적이지 않게 되는 지점에 이르게" 된다.(187-188쪽)

이런 맥락에서 그는 교조적 맑스주의의 숙명론적 필연성관을 공박한다. 그에 따르면 "고전적인 의미에서 이해된 필연성은 수학에서만 존재"할 뿐 "현실에서는 결코 일어나지 않는다."(188쪽) 그런데 스탈린적 관점에는 필연성의 과장이 이루어지는바(가령, 사회주의 필연론), 이는 엥겔스로부터 시작된 맑스의 왜곡에 그 뿌리를 두고 있다고 한다.18) 이러한 그의 생각은

---

17) 대재판의 박해 물결이 한 고비 지난 후인 1941년, 루카치도 헝가리 경찰의 모스크바 고정 간첩이라는 혐의를 받고 류방카에 구속된다.(209쪽) 하지만 약간 완화된 상황에 힙입어 곧 석방된다.

18) "내가 생각하기에 무엇보다도 가장 중요한 왜곡은 --이러한 왜곡 없이는 스탈린주의란 불가능했을 것입니다- 사회의 영향이라는 측면과 관련하여, 맑스가 말한 실제적인 사회적 연관 관계와는 반대로 엥겔스 및 그 후

그의 최후의 대작, 『사회적 존재의 존재론을 위하여』(이하 『존재론』으로 표기)에서 체계적인 표현을 얻는다.

6

루카치는 히틀러가 패망하자 1944년 11월, 자신의 고국 헝가리로 돌아온다. 1945년부터 1948년 사이 시기에 그는 헝가리의 두 노동자당 사이에서, 그 틈으로 인해 "모든 것이 허용"(204쪽)된 조건에서, 국제적으로 영향력 있는 이론가로 진출하면서 헝가리의 지적 세계에 막강한 영향력을 행사하는 미학 교수로 활동한다. 하지만 49년, 두 당은 합당되어 일당 독재 체제로 들어가고 헝가리는 인민민주주의 단계를 지나 사회주의 단계로 접어들었다고 천명됨에 따라 루카치의 활동 기반은 흔들리게 된다. 이제 당의 입장에서 보면, 인민민주주의적 요소를 강조하고 사회주의로의 장기적 경로를 주장하는 루카치는 껄끄러운 존재에 불과했다. 49년에 이른바 루더시-논쟁이 벌어지는데, 이 논쟁에서 루카치는 '수정주의자'로 비판받는다. 당시 '러이크 사건'이 발발하면서 루카치는 자신의 생명이 위태롭다고 느끼고 또 다시 위장된 '자아 비판'을 하게 된다.

이후 모든 공직에서 물러나 있던 그는, 소련 공산당 20차 당대회(1956년)에서 후르시쵸프의 스탈린 격하 발언이 있은 이후, 스탈린주의와의 투쟁을 '공공연하게' 전개한다. 1956년 10월에 이른바 헝가리 봉기가 벌어지는데, 그는 이를 "하나의 중대한 운동"으로 파악하고, 임레 너지 정부에 가담한다. 봉기가 소련군에 의해 진압(11월 4일)된 뒤 그는 체포되어 그 해 말 루

의 사회민주주의자들이 논리적 필연의 관점에 입각했다는 것입니다. 본래 맑스가 늘 말한 것은 특정 사회의 X의 사람들은 어떤 주어진 노동 체계에 X의 방식으로 반응한다는 것, 그리고 그 사회에서 일어나는 과정은 그런 X의 반응들의 종합이 될 것이라는 겁니다. 그것은 '2x2=4'라는 것과 같은 의미에서는 사실상 더 이상 필연적일 수가 없는 거지요."(189쪽)

마니아로 추방된다. 1957년 4월 10일, 귀국 후 그는 교수직과 당적을 - 비공식적으로 - 박탈당하고 은거 생활에 들어간다.

그런데 고립된 생활은 그에게 오히려 전화 위복의 계기가 되었는데, 그는 공적인 생활의 격무로부터 떠나 그의 "청년기의 꿈"(『미학』, 1권, 31쪽)이었던 미학을 집필할 수 있는 시간을 얻을 수 있었던 것이다. 원래 3부로 계획되었던 『미학』 구상에서 제1부에 해당하는 『미적인 것의 고유성』만을 완성하게 되는데, 여기에서 예술은 인류사의 발전 상태를 읽어낼 수 있는 "인류의 기억"(『미학』 1권, 485, 584, 812)으로서 규정되고 있다. 그렇다고 해서 예술이 역사를 환기시키는 기능을 하는 것만은 아니다. 그럴 것이 루카치에게 있어서 위대한 예술은 그것이 생성된 당시의 사회적 관계만으로 등치될 수 없는 미적인 잉여 가치를 지니며, 유토피아적 잉여, 즉 아직 역사적으로 실행되지 않은 것을 열어놓는 전망을 함축하고 있기 때문이다.

> "예술 작품은 유토피아적인 것이 아니다. 그럴 것이 그것은 자신의 수단들을 가지고서 단지 존재자만을 반영할 수 있을 뿐이며 아직 -존재하지 않는-것, 도래하고 있는 것, 현실화될 수 있는 것은 그것이 존재 자체에 현존하는 한에서만 (…) 현상하는 것이다. 하지만 동시에 모든 예술 작품은 그것이 반영하는 현실의 경험적 현존재(Sosein)에 비하면 유토피아적인데, 하지만 말 그대로의 의미에 있어서 유토피아로서, 항상 있지만 결코 있지 않는 것의 모상으로서 그렇다."(『미학』 2권, 222-223쪽)

이러한 예술 작품은 탈물신화하는 역사적 과업을 수행하는 바, 『존재론』에서도 "위대한 예술 작품"은 "영구적이고 내재적으로 소외에 대립적 방향이 설정되어 있는 존재"로서 규정되고 있다.

> "예술가가 인간과 그 세계의 대자적인 유적 성격을 향한 심오하고도 열정적인 의도를 자체 내에 포함하는 진정한 개체성의 눈으로써 세계를 고찰함으로써, 그 단순한 현존재와 더불어 소외에 맞서

투쟁하고 그것으로부터 해방된 세계가 예술적 미메시스에서 생길 수 있는데, 이것은 예술가 자신의 주관적-개별적 직관들과는 전혀 무관하다."(『존재론』 2권, 535쪽)

1963년 4월 28일, 40여 년 이상 "삶과 사유, 노동과 투쟁에서"(『미학』 1권, 헌사에서) 그를 동반했던 아내 게르트루드 보르츠치예베르가 죽는다. 그의 아내의 죽음으로 야기된 절망 상태에서 벗어나는 출구로 그는 연구작업에 몰두하는데, 이를 통해 "루카치의 일생의 작업의 집약이자 총합이며 결산"(Jung, 1993, S.22)인 존재론(『사회적 존재의 존재론을 위하여』)이 탄생한다.

62년에 완성된 『미적인 것의 고유성』 이후 그는 원래 윤리학을 쓸 계획을 가지고 있었다. 『존재론』도 "윤리학의 철학적 토대를 놓는 작업으로 계획"된 것이었다. 하지만 "문제는 현실의 구조이지 하나의 동떨어진 형식이 아니"(249쪽)라는 인식하에서 윤리학은 존재론으로 대체된다.

그는 존재론을 "역사에 기반한 본래의 철학"(259쪽)으로 파악하는 바, 이는 맑스의 정신에 입각한 것이라고 주장한다. 『존재론』에서 그는 지금까지 맑스를 존재론으로 읽은 사람이 없는 이상 맑스주의는 맑스를 오해한 것이라고 한다. 이를 통해 그는 기존의 맑스주의의 '해체'와, 존재론으로서 맑스 이론의 복원을 주장하고 있는 셈이다.

그에 따르면 맑스주의의 현재 상태는 챠티스트 운동의 단계에 있다. 맑스의 경우만 하더라도 노동운동이 형성되어 있었지만, 퇴보한 노동운동의 원시적 형태에 기반해 있는 것이 현재의 맑스주의가 처해 있는 실정이라는 것이다. 맑스주의가 처해 있는 형국에 관한 이러한 판단을 기반으로 그는 "완전한 조작의 시대"의 두가지 대극적-보완적 흐름인 스탈린주의와 실증주의를 비판하며, 그 양자의 극복책으로 존재론을 상정한다.

자서전의 대담 마지막 부분에 『존재론』의 전체 프로그램이 집약된 언급이 있다.(260-261쪽 참조) 그것을 정리하자면 다음과 같다. 첫째, 존재의 층위는 세 가지, 즉, 비유기적 존재와 유기적 존재, 그리고 인간 존재인 사회적 존재가 있다. 둘째, 사회적 인간 존재의 본질은 인간의 목적론적 정립, 즉 노동으로서, 여기에는 가치와 무가치, '당위' 등이 내포되어 있다. 셋째, 그는 1857년까지(『강요』) 맑스의 초기저작을 인간의 사회적 존재를 역사성의 측면에서 해석하려는 철학적 작업으로 파악한다.[19] 넷째, 오직 하나의 과학, 즉 역사과학만이 있다는 맑스의 발언(『경제학-철학 수고』)은 곧 존재론적 발상을 의미한다. 다섯째, 맑스는 "비대상적인 존재는 비존재"라고 말했는데, 이는 범주적인 속성을 갖고 있지 않은 사물은 존재할 수 없다는 말이다. 범주는 "현존형식들, 실존형식들"(맑스)이다. 따라서 맑스적인 존재론은 무엇보다도 범주 분석을 의미한다.

이에 따라 루카치는 네 가지 주요 범주(노동, 재생산, 이데올로기, 소외)를 역사적-체계적으로 역사성의 범주와 연관시키고, 이 범주들을 이용해 인간의 사회적 존재를 그 발전 속에서 현전시키려고 시도한다. 현존 형식들뿐만 아니라 (그것들이 인식됨으로써) 실존 형식들을 표현하는 이 네 가지 범주들의 연관망에서 사회적 존재의 역사가 분명하게 표현될 수 있다는 것이 루카치의 확신이었던 것이다.

여기에서는 '일상 생활'이 체계적인 출발점을 이루고 있는바, 이로써 그는 일상 생활이 단지 "'해악적' 공간"으로서, 지양되어야 하는 단순한 직접성으로서 파악되었던 『역사와 계급의식』의 혁명적 메시아주의에 대한 철학적 정정을 완성한다. 그에 따르면, 존재론은 구체적인 생활 조건들을 철학적 반성의 대상으로 삼는 것이다('일상 생활의 존재론').

이제 역사는 그 발전이 한갓 인과적으로 결정되어 있는 비유기적, 유기적 존재와는 달리 목적의식적인(teleologisch) 면모들을 지닌 "과정적인 복합체들"(『존재론』 1권, 521쪽)로 해소되는데, 이러한 목적의식적 발전의 중심 계기는 노동이다. 노동은 "사회적 존재의 모델"(같은 책, 2권, 10쪽), "사회적인 것의 영역 범주"(같은 책, 2권, 22쪽), "실천의 근원 형식"(같은 책, 2

---

19) "무엇보다도 맑스는 역사적이라고 하는 것이 사회적 존재의 근본 범주이며 모든 존재를 보증하는 것이라는 이론을 확립했습니다. 나는 이것이 맑스 이론의 가장 중요한 부분이라고 생각합니다."(260쪽)

권, 28쪽) 등으로 파악되는데, 그럴 것이 노동은 인간의 궁핍(Notdurft)의 결과로 생겨나지만 그를 통해 인간을 일차적으로 짐승들과 구분짓게 하는 것으로서, 여기에서 인간은 구체적인 욕구들을 만족시킬 뿐만 아니라, 자기 자신을 대상화함으로써, 즉 창조적이고 형성적으로 주변계에 반응하고 그것에 개입하며 변화시킴으로써, 동시에 ㅡ전체 역사의 시각으로 볼 때ㅡ 자기 자신을 실현하기도 하는 것이다. 노동의 이러한 목적의식(Teleologie)이야말로 사회적 존재의 역사의 동력이자 사회적 존재의 실천인바, 이러한 실천의 핵심은 지금까지의 모든 사회구성체들과 소외와 사물화를 지나서도 보존되고 있는 자기 실현을 향한 인간의 소망, 그리고 이와 하나인 유(Gattung)를 향한 인간의 소망이라는 것이 루카치의 생각이다.

이러한 관점에서 루카치는 사회주의의 필연성과 예견 가능성에서 출발하는 교조적 맑스주의, 맑스-레닌주의의 과학적 세계관을 거부하는바, "사회주의의, 논리적으로 매개된 목적론적 필연성"(『존재론』 1권, 643쪽)이란 있을 수 없다고 주장한다. 그에 따르면, 고대 노예제에 뒤이어 봉건제가 생겼다는 것도 **사후(事後)에야** 확인할 수 있는 것이지 "고대 노예제에서 봉건제가 논리적-합리적으로 '뒤따른다'고 말할 수는 없다. 물론 이러한 사후적 분석과 확증들에서 유사한 발전과 관련한 결론들이 추출될 수 있으며 마찬가지로 일반적인 미래적 경향들도 지금까지 일반적으로 인식된 경향들에서 추출될 수 있다. 하지만 이러한 존재론적 필연성은, 사람들이 그것으로부터 논리적으로 기초가 마련된 '역사철학'을 만들려고 하는 순간 왜곡되어 버린다."(같은 책, 1권, 645쪽)

7

1971년 6월 4일, 루카치는 사망하는데, 그전까지 미완의 『미학』만 발간되었을 뿐 나머지 대작들은 유고로 남는다. 『존재론』과 프라하의 봄의 참상에 대한 성찰로 씌어진 루카치의 '정치적 유언'인 『민주화, 오늘과 내일』

(독어판 제목:『사회주의와 민주화』, 1987년 출판), 최근에 발간된 『윤리학 구상』(『게오르크 루카치: 윤리학 시론』이라는 제목으로 1994년 출간), 특이한 형태로 완성된 자서전인『삶으로서의 사유』(1981년)는 그의 사후에 제자들과 연구자들의 노력으로 출판될 수 있었다.

루카치의 80회 생일을 맞이하여 오스트리아의 저명한 맑스주의 문예이론가 에른스트 피셔(Ernst Fischer)가 루카치에게 바친 '찬가' 중에는 다음과 같은 대목이 있다.

> "당신에게 있어서 현존재는 사유가 되었고 사유는 행동의 힘이 되었습니다.(…) 당신은 당신의 사유를 살았습니다. 헤겔의 정신현상학에서 정신이, 이 형상에서 저 형상으로 자기 자신을 외화하여 전진하는 가운데 자기 자신으로, '정신적 형상물에서 자기 자신을 알아내는 정신 혹은 개념 파악하는 앎'으로서의 그 최종적인 형상으로 되돌아가는 그런 방식으로 말입니다."(Fischer, 1965, S.27)

어떤 인물을 기념하는 논문집들이 흔히 그러하듯이 피셔의 발언도 루카치의 삶과 사상을 '칭송'하는 측면에 방점을 두고 있는 것이 사실이다. 하지만, 적어도 그의 삶과 사유의 전개 방식 혹은 '운동 형식'은 ―그 가치와 의미, 현재성과는 다른 차원의 사안으로서― 위의 발언에 방불한다고 할 수 있다.

전쟁과 혁명으로 점철된 20세기 초-중반의 역사적 시공간에서, "신발보다 더 자주 나라를 바꾸면서 전쟁들과 계급들을 지나갔던"(브레히트) 그의 삶의 역정만 하더라도 헤겔의 『정신현상학』에서 정신이 밟아가는 '오디세이적 행로'에 비견될 만하다. 그러한 역정(歷程)의 종착지가 그의 고향, 헝가리-부다페스트였다면, 그의 사상의 종착지는 청년기 전(前)맑스주의 시기의 '이상'을 '현실화'한 것이었다. 이 점 또한 피셔의 '찬가'에 상응한다고 볼 수 있다.

죽음을 앞두고, "죽음도 (…) 개념파악하려 한"(Heller, 1995, S.125) 그는, 헬러의 표현대로 "마지막 순간까지 로고스였다."(같은 곳) 루카치의 "경이적인 의지력"(「마지막 남긴 말의 권리」, 26쪽)으로 완성된[20] 자서전의 제목("삶으로서의 사유")이 적절히 말해주듯이, 그는 그러한 사유를 "살았다", 죽음까지도 포함하여("삶으로서의 죽음").

〈인용 문헌〉

1. 『게오르크 루카치 - 맑스로 가는 길』(김경식/오길영 편역, 솔, 1994)에 실린 글
   ① 「삶으로서의 사유: 게오르크 루카치와의 대담」
   ② 「삶으로서의 사유」
   ③ 이슈투반 에외르시, 「마지막 남긴 말의 권리」

2. 본문에서 인용된 루카치의 저작들
   ① 『근대 드라마의 발전사』: Entwicklungsgeschichte des modernen Dramas(GLW 15), Darmstadt-Neuwied-Berlin, Luchterhand Verlag
   ② 『영혼과 형식』: Die Seele und die Formen, Neuwied und Berlin 1971
   ③ 『소설의 이론』: Die Theorie des Romans, Berlin 1965
   ④ 『전술과 윤리』: Taktik und Ethik(GLW 2)
   ⑤ 『역사와 계급의식』: Geschichte und Klassenbewußtsein(GLW 2)
   ⑥ 『미적인 것의 고유성』: Die Eigenart des Ästhetischen(GLW 11/12)
   ⑦ 『사회적 존재의 존재론을 위하여』: Zur Ontologie des

---

20) 자서전의 작성-완성 과정에 관한 간략한 소개로는 이슈트반 에외르시의 「마지막 남긴 말의 권리」 3장 참조.

gesellschaftlichen Seins(GLW 13/14)

3. 본문에서 인용된 이차 문헌들

① Fischer, 1965: Fischer, Ernst; Der Lehrer und die Schüler, in: Festschrift zum achtzigsten Geburtstag von Georg Lukacs, hrsg. von Frank Benseler, Neuwied und Berlin, 1965

② Heller, 1995: Heller, Agnes; Der Schulgründer, in: Objektive Möglichkeit, hrsg. von Rüdiger Dannemann, Werner Jung, Opladen 1995

③ Hermann, 1986: Hermann, Istvan; Georg Lukacs. Sein Leben und Wirken, Wien u.a., 1986

④ Jung, 1993: Jung, Werner; Von der Utopie zur Ontologie. Das Leben und Werk Georg Lukacs, in: Diskursüberschneidungen. Georg Lukacs und andere, hrsg. von Werner Jung, Bern u.a., 1993

⑤ Jung, 1995: Jung, Werner; Von der Mimesis zur Simulation. Eine Einführung in die Geschichte der Ästhetik, Hamburg 1995 새미

문학교육의 탐구, 구인환 외, 국학자료원, 1996
문예 사조사, 문덕수, 황송문, 국학자료원, 1997
북한문학사론, 김윤식, 새미, 1996
북한문학사전, 이명재, 국학자료원, 1996
한국근대소설사 연구, 양문규, 국학자료원, 1994

원고를 기다립니다

『작가연구』가 참신하고 진지한 문제 의식이 담긴 글들을 기다리고 있습니다.

『작가연구』는 진보적이면서도 유연한 미학, 엄정하면서도 개방적인 문학사를 지향합니다.

『작가연구』는 이론적 깊이와 비평적 통찰을 겸비한 문학 연구를 통해 우리 시대의 주요 작가들을 새롭게 조명하고자 합니다.

더 나아가 『작가연구』는 '문학의 위기'가 유행어가 되어 버린 이 시대에 우리 현대문학의 전통을 끈질기게 성찰함으로써 문학의 위엄을 되찾고 민족문학의 또 한 번의 도약을 이루는 데 일익을 담당하고자 합니다.

『작가연구』의 이러한 편집 취지와 뜻을 같이 하는 분의 글이라면 어떤 것이나 환영합니다.

여러분의 애정어린 관심과 적극적 동참을 부탁드립니다.

＊ 원고 마감 ; 1998년 1월 30일
＊ 접수된 원고의 게재 여부는 편집위원회에서 결정하며, 채택된 원고에 대해서는 소정의 고료를 지급합니다. 원고의 반납에 대해서는 책임지지 않습니다.
＊ 원고는 디스켓과 함께 보내거나 통신을 이용하십시오.(천리안: KH058, 하이텔 kuk7949)
＊ 주 소 ; 133-070, 서울시 성동구 행당동 28-7 정우BD. 402호
(도서출판) 새 미
전화 ; 2917-948, 2937-949, FAX ; 2911-628

1950년대와 전후문학

대 담 : **이어령**(이화여대 석좌 교수, 문학평론가)
진 행 : **이상갑**(고려대 강사, 국문학. 본지 편집위원)
일 시 : 1997년 8월 1일(금요일)
장 소 : 평창동 이어령 선생 연구실

이상갑 : 안녕하십니까? 바쁘신 가운데 교수님께서 저희 『작가연구』의 대담에 응해 주신 데 대해 먼저 감사의 말씀을 드립니다. 『작가연구』는 매 호마다 기획 대담란을 마련하고 있습니다. 창간호에는 유종호 선생님께서 1950년대 문학에 대해서 개인적으로 가지고 계신 생각을 정리해 주셨고, 2호에는 김경린 선생님께서 후기 모더니즘 시 운동에 대해서 전반적으로 말씀해 주셨습니다. 그리고 최근 3호에는 50년대 문학과의 계기적인 성찰이라는 관점에서 염무웅 선생님을 모시고 60년대 문학과 문단의 전반적인 현상을 살펴 보았습니다.

선생님께서는 전후 문학 비평을 본궤도에 올려 놓으신 분으로 평가되고 있는데, 그래서 이번 대담에거는 저희들의 기대는 그만큼 큽니다. 나아가 선생님께서는 50년대에 '저항의 문학'으로 대변되는 현실 지향적인 비평 활동을 해 오시다가 4.19 이후 60년대로 접어들면서 외형상 방향 전환에 가까울 정도로 상당한 변화를 보이시고 계신데, 요즘 공부하는 후학들로서는 그

변화의 의미와 계기가 무엇보다 궁금하기도 합니다. 그리고 저희들이 알기로는 60년대 이후 그렇게 왕성한 비평 활동을 하시지 않은 것으로 알고 있는데, 그런 전후의 사정에 대해서도 많은 궁금증을 가지고 있습니다.

더욱이 50년대에 왕성하게 활동하신 분들이 지금 연세가 많아서 활동을 안 하시는 분들이 많이 계신데, 오늘 선생님께서 말씀하시는 사항들은 자료적인 면에서도 상당히 의미있으리라 생각합니다. 이미 50년대 연구는 어느 정도 진척된 바 있고, 최근에는 소장 학자들을 중심으로 60년대 문학 연구에 대한 관심이 갈수록 높아지고 있습니다. 이런 면에서 50년대 문학과 문단의 제반 현상을 60년대와의 계기적인 관점에서 살펴 보는 것은 의미있으리라 생각합니다.

선생님께서는 문단에 공식적으로 등단하기 훨씬 앞서서 「우상의 파괴」라는 글을 발표하시면서부터 이미 본격적인 비평 활동을 하신 것으로 압니다. 제가 알기로는 선생님께서 그 글을 『한국일보』에 발표

하실 때가 22세 때로 압니다만 구체적으로 언제였습니까?

문단 등단 과정과 전후 상황

이어령 : 그렇습니다. 「우상의 파괴」는 대학을 막 졸업할 무렵이었던 1955년 봄 『한국일보』에 게재된 것이지요. 그러나 그 이전에도 『예술집단』이라는 문예지에 「환상곡(幻想曲)」과 「마호가니의 계절」이라는 소설을 발표한 적이 있었고, 『문리대 학보』에 「이상론(李箱論)」 등 작가론을 발표하여 대학가만이 아니라 문단에서도 제 글을 읽은 사람들이 더러 있었지요. 그리고 추천을 받기 이전에도 이미 일간 신문에 월평을 쓰고 『신세계』 등의 월간지에 「나르시스의 학살」(조연현 씨의 이상(李箱) 읽기의 잘못에 대한 비판)과 같은 평론을 발표했었지요.

방금 공식적이라는 말을 하셨는데 저는 바로 그러한 공식적 경로로 문단에 등단하는 것에 대해서 저항감을 가지고 있어서 『문학예술』에 평론 추천을 받기 이전의 55년을 저의 문학 출발점으로 삼고 싶습니다.

이상갑 : 유종호 선생님의 말씀에 의하면 서울대 문리대 학보에 선생님께서 박맹호 씨와 함께 소설도 간간히 발표하셨다고 하던데요.

이어령 : 예 '노주(蘆洲)'라는 고색 창연한 익명으로 「환(幻)」이라는 소설을 발표했지요. 또 대학 신문에 시를 발표하기도 하고, '이원(李元)'이라는 익명으로 현상소설에 응모 최규남 총장으로부터 상을 타기도 했고요. 따지고 보면 『문리대 학보』 자체가 당시 학예 부장이었던 제가 편집인이 되어 장정에서, 편집 교정까지 모두 도맡아 했어요.

여담이지만 『문리대 학보』의 제자(題字)는 생물학과에 다니던 김정현을 졸라 그의 백씨였던 서예가 김응현 선생으로부터 공짜로 써받은 것이고, 그 책 디자인은 제가 잘 피우던 필립 모리스 담배곽을 색깔 샘플로 한 것입니다. 학생이 무슨 양담배냐고 하겠지만 당시의 국산 담배는 군인들이 피우는 화랑 담배 정도여서 누구나 미군 부대에서 홀

"50년대의 전후 체험의 문학이 역사적 상황을 등한시한 것이 아니며, 살아 있는 한 개인을 다룬 면에서 50년대 문학의 순수성과 전쟁의 의미가 더 잘 드러난다고 봅니다."

◀ 이어령

1934년 충남 아산 생. 이화여대 석좌교수, 평론집으로 『저항의 문학』 『전후문학의 새 물결』 『세계문학에의 길』 등이 있음.

러나온 값싼 양담배를 피웠지요. 50년대의 서브(sub) 컬처는 럭키 스트라이크와 필립 모리스 그리고 C 레이션박스의 카키 색의 비프 콘 통조림 등으로 요약될 수 있을 것입니다. 그리고 하이컬처는 그 학보에 삽화로 사용한 루오나 쟈코메티 그리고 학보의 유일한 연재물이었던 키에르케고르를 위시한 실존주의 등이었어요. 물론 다음호 표지는 색깔이 바뀌었지만 『문리대 학보』의 표지 디자인과 그 내용들은 50년대의 한국 문학의 분위기를 진술하게 담고 있지요.

이상갑 : 그 당시 재미있는 일화는 없었습니까?

이어령 : 원래 『문리대 학보』는 피난지였던 부산에서, 지금 『조선일보』에 칼럼을 쓰고 있는 사학과 홍사중 등이 중심이 되어 창간된 것인데 환도 직후 체재를 새롭게 바꿔 본격적인 학술 잡지 형태로 내놓게 된 것입니다. 당시만 해도 매체가 거의 없었던 때라 요즘의 교내지와는 성격이 달랐습니다. 나오자마자 동이 났는데 대학가는 말할 것도 없고 문단과 학계에까지 널리 읽혀 화제가 되었지요. 한국 최초로

"전쟁을 직접 경험하지 못한 세대일
수록 우리 모두의 미래를 위해서 전후
현실을 분명히 확인하고 점검해 두어
야 할 것 같은 책임감이 느껴지기도
합니다."

◀ 이상갑
1958년 경남 고성 생. 문학박사, 본지 편
집위원, 저서로 『한국 근대문학과 전향문
학』이 있고, 논문으로 「1930년대 후반기
창작방법론 연구」 등이 있음.

T.S 엘리어트의 「황무지」를 최승묵
이태주등 영문과 학생 셋이 공동으
로 완역 전재(全載)를 했고, 불문과
의 이형동이 알라공, 엘류아르를 비
롯 불란서의 저항시를 원문과 함께
소개하여 젊은 문학도들에게 큰 감
동을 주었어요. 불문과의 박이문과
최근 세상을 떠난 미술 평론가 이
일 그리고 독문학과의 송영택 등이
릴케론과 시를 기고했고 국문과의
신동욱이 서정주론을 썼지요. 물론
박종홍 교수를 비롯한 많은 교수님
들의 글을 실었어요. 일일이 거명할
수 없지만 당시 문리대 학보의 필

진들 거의 모두가 오늘날 각계에서
지적 작업을 하고 있지요.

민음사 사장인 박맹호는 학보에
는 작품을 발표한 적은 없었지만
『자유공론』이었던가 어느 잡지사의
현상 소설에 당선되어 기성 문단에
직접 진입했지요. 하지만 이승만 독
재 정치를 우회적으로 비판한 내용
때문에 발표가 보류되긴 했지만 그
소설의 주인공 맥파로와 함께 일부
내용이 구전으로 널리 퍼졌지요. 그
당시 유종호는 교내 문학 활동보다
는 번역으로 문단 활동을 시작했지
요. 영문학 쪽에서 각광을 받았던

최승묵은 「우계(雨季)」라는 소설도 쓰고 현대 소설 이론들을 발표해서 기대를 모았는데 아깝게도 대학원 때 요절하고 말았어요. 대학은 달랐지만 문리대에서 청강을 하기도 한 고석규도 일찍 세상을 떠났어요. 이 두 사람은 모두 저와 절친한 사이였는데 생존해 있었다면 한국 평단은 좀더 달라졌을 거예요.

이상갑 : 방금 말씀하신 그 분들이 대부분 동기분들이신가요?

이어령 : 서로 비슷해요. 지금은 서기로 학번을 말하지만 우리 때는 단기였지요. 전쟁 나던 해 입학한 83학번(단기 4283년)으로는 김열규, 홍사중, 피란처에서 입학한 84학번으로는 박이문과 소설가 오상원 그리고 85학번이 저와 신동욱, 최일남 등이고 환도 후인 86학번이 유종호일 것입니다.

이상갑 : 저희들이 50년대 상황을 알기 위해 주로 참고할 수 있는 자료라는 것이 고은 선생님의 책인데, 이와 관련하여 그 당시 젊은 대학생들이 가지고 있었던 의식의 공통분모라 할까요, 그런 것이 있었다면 어떤 것이 있을까요?

이어령 : 50년대는 아직 기술되지 않았다고 보는 것이 정확하겠지요. 왜냐 하면 그 세대의 진정한 증언자들은 모두가 "침묵의 증언자"들이기 때문입니다. 시집을 끼고 다니다가 어느날 갑자기 길거리에서 징집되어 전쟁터로 갔다 영영 돌아오지 않았거나, 외국 군대를 따라다니며 통역을 해주다가 외국으로 떠나서 영영 돌아오지 않았거나, 혹은 불타는 소돔의 성을 뒤돌아보다가 그냥 소금기둥이 되어버렸거나... 그렇지요. 저만 해도 소금기둥이 될까봐 50년대를 회고하는 글을 거의 쓰지 않았지요. 이 대담이 처음일 것같군요.

그래요. 군이 그때의 대학생들이 지닌 의식을 건축과 같은 조형물로 가시화할 수 있다면 아마 부난 피난 시절의 판자집 가교사와 미군들이 쓰다가 내준 환도 후의 동숭동 문리대 건물 그리고 폐허의 도시 지하실 한구석을 차지하고 있었던 음악 감상실이 될 것입니다. 보통 때 같았으면 담과 벽 때문에 똑바로 갈 수 없었던 길을 우리는 자유롭게 넘어 다녔지요. 폭격으로 부서져 설계 도면처럼 구획만 남아 있는 남의 집 부엌과 화장실과 거실을 가로질러 '르네상스'나 '돌체'같은 음악 감상실을 드나들 때의 그 역설적인 자유로움. 그래요. 우리가 믿고 의지할 수 있었던 것은 조국도 이념도 철조망이 아니라 붕괴된 벽을 횡단하여 만난 모차르트 그리고 베토벤과 브람스의 음악이었어요. 맨정신으로는 도저히 살아갈 수 없었던 우리 세대의 주기도문은 "우리에게 일용할 양식(daily bread)을 주옵시고"가 아니라 "우리에게 일용할 음악(daily music)을 주옵시고"였지요. 차이코프스키의 "비창"은 성당없는 우리 세대의 미사곡이었구요. 물론 오늘의 세대가 즐기는 빌보드챠트에 오른 팝이나 랩이 아니라 용케 폭격 속에서도 깨지지 않고 살아남은 SP판의 바늘소리와 함께 들려오는 클래식이었어요. 그러니까 음악감상 전문 다방이었던 '돌체'나 '르네상스'는 50년대 젊은이들이 모이는 카타콤베였다고 할 수 있겠지요.

그냥 음악감상실만 다닌 게 아닙니다. 문리대 바로 앞에 있는 다방에서 생물학과의 김신환 — 이태리에서 활약하다가 서울시 오페라 단장을 했던 그 분 말입니다. — 음악 감상회를 열기도 했지요. 전공과 관계없이 입추의 여지 없이 학생들이 모여들었어요. 해외 시 낭송회의 밤도 열었는데 마로니에 교정은 젊은이들로 덮였지요. 커피는 쓸수록 음악은 무거울수록 시는 난해할수록 젊은이들의 통과 제례가 되었던 거죠. 글을 쓰는 사람들인데도 50년대의 얼굴들은 모두 그곳에 있었어요. 이규태는 학교는 달랐지만 그때 아마 '르네상스'였던가 음악실의 디스크 쟈키로 있어 친숙한 얼굴이 되었구요.

이상갑 : 지금도 『조선일보』에서 칼럼니스트로 활동하는 그 이규태 씨 말입니까.

이어령 : 바로 그분이에요. 신기한 것은 음악 감상실이 명동의 술

집과 밀집해 있었는데도 우리 문학 청년들이 술에 취해 주정을 하고 다녀도 이른바 명동 깡패들이 그냥 놔두었어요. 글쓰는 사람, 시인이라고 하면 모두 존경하고 봐주었던 시절이었거든요. 50년대는 깡패와 술집 마담과 시인이 공생하는 그런 어수룩한 순정과 낭만이 있었던 때예요. 돈도 데모를 할 자유도 없었던 젊은이들이었지만 폭격맞은 폐허의 도시 명동은 문학적 상상력을 키워주는, 바로 표지조차 떨어져 나간 이상한 한 권의 시집이었지요.

이상갑 : 선생님의 말씀을 들으면서 그 당시를 직접 경험하지 못한 저희들로서도 전쟁으로 죽은 사람들의 비애와 살아 남아 있는 자들의 상처와 죄의식 같은 것이 깊이 느껴집니다. 이와 관련하여 전쟁을 직접 경험하지 못한 세대일수록 우리 모두의 미래를 위해서 이런 사실을 분명히 확인하고 점검해 두어야 할 것 같은 책임감이 더욱 강하게 느껴지기도 합니다. 6·25 전쟁 당시 직접 경험하신 것 중에서 지금까지 오래 기억에 남을 정도로 혹시 특별한 사건은 없으십니까?

이어령 : 수업은 거의 휴강이었고 특히 국문과 현대문학은 가르칠 교수가 없었어요. 왜냐 하면 기성 문인중에 대학을 나온 사람이 거의 없었기 때문에 특강 형식으로 강사를 모셔다가 들었지요. 흑판에 ficton을 piction이라고 쓰는 강사가 있었는가 하면, 그라함 그린의 소설 이야기를 하다 말고 그게 같은 작가인 줄 알고 난데 없이 쥬리언 그린의 「제 삼의 사나이」로 튀는 분이 없나, 브란데스의 낭만주의 사조사를 토씨 하나 틀리지 않고 그대로 베껴다가 한 시간 내 노트 필기를 시키는 분이 없나 그래서 그 실망과 분노는 질문 공세로 바뀌고, 그 결과는 교단에 다시 나타나지 않은 강사 선생들의 학점을 받아오는 고생이었지요. '워털루의 승전'은 이튼 교정에서 이루어졌다지만 우리의 기성 문단과의 전쟁은 바로 문리대 대학 강의실에서 시작된 것이지요. 심지어 한국의 국보라고 자처하시던 양주동 선생마저도 '두시

언해' 강의 시간에서 사격을 당했지요. "나그네 조름이 어찌 일찍부터 오리오."(客愁何曾着)의 언해를 잘못 풀이하시다가 국어학을 하는 안병희의 질문을 받고 혼이 났지요. 그리고 나는 시험 답안지에다 선생의 문학 이론을 공박하는 장문의 글을 쓰기도 했구요. 우리가 전후 캠퍼스에서 익힌 것은 "권위를 의심하라. 그리고 스스로 생각하라."였습니다.

이상갑 : 그러면 구체적으로 「우상의 파괴」라는 글을 발표하신 동기나 전후 배경은 어떠했습니까?

이어령 : 내 자신이 무슨 특별한 의도를 갖고 그 글을 발표했던 것은 아닙니다.

이상갑 : 그러면 우연한 계기로 쓰시게 되었다는 말씀이신가요.

이어령 : 현상 문예에 투고를 하는 것과는 달라서 아주 우연한 계기로 이루어진 것이예요. 당시 김규동 씨의 시집이 출간되어 명동의 '동방 싸롱' 이층이었던가 하는 데서 출판 기념회가 열렸었지요. 그때 친구들과 음악실에서 돌아오던 길에 불청객으로 그 자리에 끼게 되었던 것이지요. 더구나 문인들의 축사가 끝난 뒤 독자도 한마디 하라는 사회자의 권고를 받고 제가 객기를 부려 한국 모더니즘에 대한 즉석 비판 연설을 했던 것이지요. 지금 다 잊어버렸지만 한국 모더니스트들의 언어는 우라늄과 같은 방사선 물질과 같은 것으로 시간이 흐르면 납덩이로 변하고 마는 것이라고 말했던 대목이 기억 납니다.

그것이 문단 화제가 되어 당시 『한국일보』의 문화 부장이었던 한운사 씨의 귀에 들어가게 되고 기성 문단에 할 말이 있으면 한번 글로 써보라는 청탁을 받게 된 것이지요. 당시 문단 상황은 모윤숙 씨가 주재한 『문예』가 폐간되고 조연현 씨가 주도하는 『현대문학』과 오영진 씨와 시인 박남수 씨의 『문학예술』 그리고 김광섭 씨의 『자유문학』이 문단 마당이었는데 거기에 끼지 않고 글을 쓴다는 것은 거의 불가능에 가까운 것이었지요. 저는 그때나 지금이나 파당성을 가장 싫어

◀ 문예

했기 때문에 그리고 사회 참여 문학을 주장하던 때라 자연히 제일의 표적으로 삼은 것이 김동리와 조연현 씨가 주축이 된 『현대문학』파였지요. 결과적으로 『문학예술』과 『자유문학』은 저에게 호의를 갖는 상황이 되었구요. 뿐만 아니라 『현대문학』의 편집장으로 계셨으면서도 오영수 선생은 저의 편이 되어 주셨고 노천명 시인은 속이 다 시원하다고 누하동 집으로 초대해 격려를 해주셨어요. 그 뒤 소설을 쓰시겠다는 엽서를 보내주셨는데 곧 돌아가시고 말았어요.

이상갑 : 예, 그렇게 해서 「우상의 파괴」가 나오게 되었군요. 그런 데 그 후 『문학예술』 56년 10월호에 「현대시의 환위와 환계－시 비평, 방법 서설」로 작고하신 백철 선생님의 초회 추천을 받으시고, 같은 해 『문학예술』 11월, 12월호에 걸쳐서 「비유법 논고 (상) (하)」라는 제목으로 공식 등단한 것으로 알고 있습니다. 특히 초회 추천작에서 그 당시 인상 비평과 재단 비평의 폐해를 강하게 지적하고 계신데, 이런 폐해는 65년 초, 중반에서까지 기존 한국 문협과 문총의 대립 구도와 함께 번역 비평, 인상 비평, 이런 것들이 많이 있었거든요. 그 당시 등단 과정은 어떠했습니까?

이어령 : 잘 알고 계시는군요. 기

성 문단을 향해서 '노'라고 말해야 할 사람이 그 분들에게 작품을 내놓고 결재용 도장을 받는다는 것은 도저히 용납할 수 없는 모순이라고 생각했지요. 그래서 신춘문예나 잡지의 추천을 거치지 않고 혼자 힘으로 창작 활동을 하리라고 결심을 했던 참이었지요. 그런데 『한국일보』의 월평란에서 김송 씨의 소설을 비판했더니 "족보에도 없는 비평가"라는 반박문이 들어오지 않았겠어요. 그때 상처를 입은 저는 요즘 해체주의자들의 말대로 "그들의 논리를 이용하여 그들의 논리를 해체하는 방법"을 써야겠다고 다짐을 하고는 『문학예술』의 편집 책임자셨던 박남수 선생의 추천 권유를 받아들이기로 한 것입니다. 그리고 추천 위원이 당시 뉴크리티시즘에 관심을 많이 갖고 계신 백철 선생이라는 이유도 있었구요. 더구나 신문에는 단편적인 글밖에 발표할 수가 없어서 문예지에 본격적인 문학론을 써서 단평 위주의 평단 풍토를 바꿔놓자는 속셈도 있었구요.

이상갑 : 그런데 일부에서는 선생님께서 유명해지기 위해서 그 당시에 기성 세대를 신랄하게 공격하고 우상 파괴를 했다고 보는 시각이 있기도 합니다.

이어령 : 기성 세대를 공격해서 누구나 다 유명해지는 것이라면 이 세상에 그보다 더 쉬운 일이 어디 있겠어요. 하기야 자기 이름을 내걸고 작품을 발표하는 문인이라면 누구나 다 유명해지고자 하는 욕망이 있었겠지요. 바이런도 시집을 내고 아침에 눈을 떠보니 하루밤 새 유명해져 있었다는 일화처럼 『한국일보』 문화면 전면에 「우상의 파괴」가 나온 후 제가 잘 드나들던 명동의 동방살롱에 나가 보니 명사가 되어 있더군요. "우상의 파괴 읽었어?"라는 말이 한동안 문단의 인사말이요 화두처럼 되었으니 말예요. 그러나 정말 중요한 것은 "이 아무개가 유명해지기 위해서 우상의 파괴를 썼는가"가 아니라 "어째서 그 까짓 신문의 시평 하나가 그렇게 이 아무개를 유명하게 만들 수 있었는가"일 것입니다.

이승만 대통령이 정치적 우상이

었듯이 문단 역시 우상들이 지배를 하고 있었지요. 얼마나 그 권위와 인습이 솥뚜껑처럼 내려 눌렀기에 그 작은 숨구멍 하나에도 그처럼 큰 힘이 터져 나왔겠어요. 저는 그것을 우상이라고도 불렀지만 보이지 않는 유리 감옥이라고도 했지요. 젊은이들은 선배문인들의 섹트에 갇혀 있으면서도 자기가 그 유리벽 속에 갇혀 있는 줄을 몰랐던 거지요. 지금은 낡은 판박이 말이 되었지만 당시의 젊은이들에게는 자기를 '신세대'라고 부를 낱말조차도 주어지지 않았거든요.

그러니까 「우상의 파괴」는 아예 문학을 포기할 각오를 하고 쓴 글이었지요. 우리를 억누르는 그런 질식 상태에서 기성 세대를 공격한다는 것은 유명해지려는 욕망이 아니라 "숨쉬고 싶다."라는 호흡의 문제였지요. "한국문학에 세대라는 의식이 처음 생겨나게 된 것은 이어령 때부터이다."라고 말한 어느 문인의 글을 읽을 때에도 저는 낯이 뜨거워졌지만 "우상의 파괴는 유명해지기 위해 기성 세대를 공격한 것이다"라는 가십에 대해서도 저는 얼굴

을 붉힐 수밖에 없어요. 발가 벗은 임금님이라고 외친 어린아이의 말을 듣고 사람들은 비로소 자신들이 헛 본 것을 깨닫게 되지요. 「우상의 파괴」라는 그 글은 그 이상도 그 이하도 아닙니다.

이상갑 : 앞서 기존 모더니즘 운동이 이론에 대한 명확한 이해도 없이 아주 피상적으로 전개된 데 대해 비판하셨는데, 구체적으로 어떤 측면에서 비판적으로 보셨는지요?

이어령 : 1930년대의 이상을 좋아한 까닭은 그의 모더니티에 대한 동시대인의 감동이 있었기 때문이지요. 이상의 수필 한 줄만 읽어봐도 알 수 있듯이 그의 난해성이나 실험성은 당시 서구와 일본에서 유행하던 다다니 슈르니 하는 모더니즘의 유행을 모방 추종한 것이 아닙니다. 「날개」의 경우처럼 근대의 도시 체험이라는 감각과 독창성을 지니고 있었지요. 그러나 50년대의 조향 등 이른바 모더니스트들의 작품에서는 그런 감동을 느낄 수 없

었던 것이지요. 그들의 난해성에는 듀샹 같은 앙프로망스의 오부제도 찾아볼 수 없었고, 감성과 이성을 통합한 엘리어트의 객관적 상관물이나 시적 긴장감 같은 것도 없었지요. 시론이란 것도 1930년대 I. A 리차즈를 공부했던 김기림, 조이스를 알았던 최재서만한 것도 없었어요.

당시 모더니즘에 대한 공격은 모더니즘 자체에 대한 것이라기보다도 문학의 독창성에 대한 모방성의 문제로서 50년대의 모더니즘이 지니고 있는 아류에 대한 부정이라고 할 수 있습니다. 구체적으로 저는 모더니스트들의 언어가 근대적 사물로서의 그리고 근대적 자아의 출혈로서의 언어가 아니라 단지 카페 간판같은 외래어의 유행어로 도배질한 것이라고 생각했던 것이지요.

전통론과 전후 세대의 자의식

이상갑 : 앞의 이야기를 토대로 이제는 자연스럽게 전통 문제로 화제를 옮겨 보죠. 선생님께서는 전후 비평을 평하시면서 6.25 이후에 등장한 '민족 전통론'과 '사회 참여론' 등이 30년대 중반 김환태, 최재서 등의 비평보다 오히려 앞선 시기의 비평 행위와 비슷할 정도로 진전이 없다고 하셨는데, 여기에는 선생님께서 한국 근대 문학을 보는 시각이 어느 정도 드러난 것으로 보입니다. 이와 관련하여 선생님께서는 '전통'을 '실제에 있어서 영향을 발휘하는 것' 또는 '지향의 태도'라는 의미로 이해하시면서, 전통단절론적인 견해를 내세우신 것 같은데……

이어령 : 당시 전통 논쟁의 패러다임은 몇 가지로 나눠볼 수 있을 것입니다. 김동리의 제3휴머니즘의 무속주의적 전통, 서정주의 신라의 사상과 정서를 원형으로 한 전통, 그리고 외래 문화를 사대주의로 몰고 '내 것'을 찾아야 한다는 이른바 신토불이(身土不二)의 국수주의적 민족 전통론들이지요. 한눈으로 알 수 있듯이 시대적 상황 의식과는 동떨어진 논의들이었지요. 그러한 전통은 현실 인식으로부터 도주하는 은둔 문학, 패배주의 문학으로 비쳤지요. 더구나 그러한 전통론은

문학의 장르나 언어를 대상으로 한 내재적 비평이 아니라 문화 일반의 외재적 비평에 속하는 것으로 당시 싸르트르의 참여 이론에 동조하면서도 동시에 뉴크리티시즘에 관심을 갖고 있었던 저로서는 당연히 그러한 전통론에 반기를 들 수밖에 없었지요.

특히 근대문학의 전통성이라고 할 때 더욱 전통 논의는 의미가 없어지지요. 쉽게 말해서 이광수의 언어는 우리 세대의 언어에 별로 영향을 끼치지 못했어요. '하거니와' 투의 그 '용장체(冗長體)'로는 도저히 절규에 가까웠던 우리 세대의 호흡과 인식을 표현할 수 없었지요. 물론 스토리 중심의 이야기꾼으로서의 소설 미학도 화조 풍월의 시도 모두가 젊은 세대의 문학적 버팀목이 되어 주지 못했던 것이지요.

전통이란 강이나 산맥처럼 면면히 이어지면서 재생산되어 가는 어떤 흐름이요 그 에너지요 그 기준인데, 근대 한국문학의 역사를 보면 알 수 있듯이 그것은 강이 아니라 제가끔 파놓은 웅덩이지요. 낭만주의다 리얼리즘이다 모더니즘이다

하는 문학 사조들이 동시적으로 나타나거나 증권 시장의 주가처럼 불과 몇 년 사이에 오르락 내리락 뒤바뀝니다. 동인지 하나와 작품 몇 편이 실린 것을 두고 무슨 주의 무슨 파라고 가르쳐 온 것이 한국의 근대문학사가 아닙니까.

이상갑 : 요즘에는 거의 그렇게 가르치는 데는 없는 줄로 알고 있는데요.

이어령 : 그러면 얼마나 좋겠어요. 아직도 대학 입시 국어 시험 준비를 하는 학생들은 작가 소개나 작품을 배울 때 반드시 무슨 주의 무슨 파라고 해서 '폐허'다 '창조'다 하는 것들을 외우고 있지요. 그리고 여전히 문학 교육도 작품 분석보다는 전기적 비평이 주류를 이루고 있지요. 그렇지 않으면 「메밀꽃 필 무렵」의 허생원이 왜 장돌뱅이냐를 설명하기 위해서 조선총독부의 토지 수탈 정책을 연구하거나…… 그런 점에서 오늘의 문단도 50년대의 문단 풍토와 별로 달라진 게 없다는 생각이 들어요.

이상갑 : 그런데 물론 선생님께서도 전통을 전면 부정한 것은 아니시지만, 해방 이전 작품 중에서도 그 나름대로 선생님께서 말씀하신 리얼리즘 문학의 성과에 근접하는 작품들도 있거든요, 예를 들면 염상섭의 『삼대』 하나만 들어도 그렇습니다.

이어령 : 그렇지요. 그러나 『삼대』 자체가 어떤 문학적 전통에서 생산된 것일까요. 그것을 거슬러 올라가면 허균이나 박연암이 아니라 서구 리얼리즘이 나오잖아요. 그것이 담고 있는 내용보다는 리얼리즘의 소설 방법 자체가 바로 리얼리즘이기 때문이지요. 우선 50년대의 문인들의 실제 내부를 들여다 봅시다. 해방되자마자 식민지 교육에서 벗어나 처음으로 한글을 배우고 중학교를 나와 고등학교와 대학 시절을 전쟁 속에서 보낸 젊은이들은 제 나라 문학 작품보다는 외국 문학에 더 많은 영향을 받고 자랐지요. 아무리 독재라고 해도 우리에게 가까운 정치 체제는 왕조가 아니라 의회와 대통령이 있는 서구식 민주주의였기 때문에 세종대왕보다는 링컨이 더 큰 영향을 주었지요. 마찬가지로 염상섭의 『삼대』을 읽고 리얼리즘을 이해하고 전통으로 삼기보다는 발작이나 프로벨의 소설에 훨씬 익숙해져 있어요. 말할 것도 없이 한국문학 전집보다 세계문학 전집이 더 많이 팔리고 더 많은 영향을 주었어요. 한용운, 서정주의 시는 훌륭한 근대문학의 전통이라고 할 수 있어요. 하지만 그 당시 젊은이들에게 있어서는 보오들레르나 랭보를 읽고 시인이 되려고 한 사람의 수가 더 많았을 것입니다. "석유먹은 듯 석유먹은 듯 가쁜 숨결이야"를 읽으면서 "핫슈먹은 듯 가쁜 숨결"의 보오들레르의 시구를 떠올리지 않은 사람이 몇이나 있었는지 의문입니다. 그리고 민족 시인이라고 하는 윤동주의 시를 읽으면서 릴케를 연상하지 않은 사람 역시 드물 것입니다. 이미 그분들의 시 자체가 정철이나 윤선도에서 영향을 받은 것이 아니라 서구 근대문학과 접목된 것이기 때문입니다. 그러므로 전통의 부재론이든 단절론이든 그것은 당위론이 아니라 실

재론으로 제기되었던 것이지요. 그래서 그것은 개인의 기호나 주장이기에 앞서 50년대의 세대가 지니고 있는 한 현상이요 운명이라고 생각하는 것이 옳을 것 같군요.

이상갑 : 『경향신문』에서 벌인 김동리 씨와의 논쟁도 그런 맥락에서 일어나게 된 것입니까?

이어령 : 지금 보면 '실존성'이라는 지엽적인 말 한마디를 놓고 벌인 논쟁처럼 보이겠지만 사실은 우리 문학의 본질 문제를 담고 있어요. 우리 근대문학은 늘 개념도 확실치 않은 외래 문학사조가 들어와 수박 겉핥기로 유행했다가 사라지곤 했지요. 낭만주의도 자연주의도 모더니즘도 다 그랬어요. 실존주의도 그렇게 들어왔다가 그렇게 사라져 버렸지요. 그러한 풍토에 쐐기를 박기 위해서 한말숙 씨의 작품을 '실존성'이라고 평한 김동리 씨에 대해서 '실존성'의 개념을 밝히라고 한 것이지요. 작품은 물론 그 이론적 배경이나 그 뜻도 제대로 검증하지 않은 채 유행어처럼 떠돌던 실존주의란 말을, 그것도 실존주의가 아니라 '실존성'이라는 애매한 말로 작품을 재단하는 것에 대한 비판이었지요. 우리만 해도 옛날과는 달리 실존주의를 저널리즘에서가 아니라 이휘영, 손우성 교수의 강의를 통해 사르트르와 까뮈의 작품들을 직접 읽고 박종홍 선생의 철학 강의를 통해서 그 사상의 기초이론을 훈련받았거든요.

염상섭 씨의 「표본실의 청개구리」를 자연주의 문학의 대표작이라고 하는 것에 대해서 반론을 제기한 것이나 김동리 씨의 「실존무」 논쟁이나 다 같은 문맥에서 이루어진 것입니다. 말하자면 풍설에 지배되는 한국 문단의 지적 검증부터 시작하자는 것이었어요. 마술로부터의 해방에서 근대성을 찾으려고 했던 사회학자들처럼 말이지요.

이상갑 : 그런데 선생님의 입장은 전통부재론 쪽에 오히려 가깝다는 생각이 듭니다. 단절이든 뭐든 참고할 만한 전통이 존재하지 않기 때문에 오히려 그 공백을 다른 것들이 메꾸었다고 말할 수 있는데, 그

것은 바로 자기 문학의 여러 가지 아이덴티티를 그런 식으로 형성할 수밖에 없었던 것이라고도 할 수 있지만 한편으로는 자기 문학의 정체성이 갖고 있는 한계와 비극적인 모습일 수도 있거든요.

이어령 : 문학을 내재적인 구조로 파악할 때에는 전통부재론이 되는 것이며, 문학을 외재적인 사회 문화와 연결할 때에는 전통단절론이 되는 것이라고 할 수 있습니다. 가령 제 자신이 『장군의 수염』이나 「환각의 다리」를 쓸 때에는 전통부재론자의 입장에서 창작을 하게 됩니다. 지금까지 어느 누구도 시도하지 않았던 소설 형식과 방법론으로 기술해 가고자 했으니까 김동리나 그 이전의 김만중은 전통 부재이지요. 그러나 『흙 속에 저 바람 속에』과 같은 한국 문화론을 담론으로 할 때의 나는 전통단절론자의 입장을 취하게 됩니다. 근대화를 위해서는 전근대적인 한국인의 생활 풍습이나 사고 방식들을 돌파하려고 했기 때문이지요. 특히 전통은 쇠사슬처럼 그 고리쇠들이 반대 접합으로

이어지는 것이기 때문에 그 단절 의식을 통해서 오히려 전통과 접목되지요. 전통을 부르짖는 사람들이 실은 인습에 젖어 전통을 단절시키는 역할을 한다는 역설적 결과에 대해서 주목할 필요가 있어요.

이상갑 : 그런데 우선 조금 전에 말씀하신 전통에 관한 관념들이 이미 특정한 개인의 문제가 아니라 세대가 전체적으로 공유하고 있던 문제라고 말씀하셨는데...

이어령 : 일본을 우리 조국이라고 배우며 일본말을 배우고 성장한 사람들입니다. 한글 세대와는 다르지요. 문학과 언어는 분리해서 생각할 수 없는 것인데 우리는 소학교와 중학교에서 일본 국어 교과서로 일본어를 국어로 배운 사람들인 것입니다. 기따하라 하꾸슈의 동시를 서정주나 한용운의 시보다 먼저 배운 세대들입니다. 식민지에서 해방된 우리가 내 조국을 처음 발견하였을 때와 마찬가지로 한글을 배우고 나서 첫선을 보았던 우리 문학에 대한 그 환멸감, 그리고 기대와 애정

이 클수록 실망과 증오도 커지는 법이지요. 심리학에서 말하는 '살부상징(殺父 象徵)'이 전통의 부재, 단절 또는 파괴로까지 향하게 한 것이지요.

이상갑 : 그러면 선생님, 그럴 때 제가 그런 세대의 한 세대 뒤의 사람으로서 느끼게 되는 의문점인데요. 그 당시 쓴 비평이나 작품들을 읽을 때, 저는 그런 의문이 많이 있습니다. 이 당시 활동하셨던 젊은 분들, 20대 중반의 젊은 분들의 전쟁 체험이라든지 전쟁이 끝난 뒤의 전후 현실에 대한 인식이, 서구가 2차 대전을 전후해서 경험했던 것과 한국 전쟁 이후 경험했던 것들의 차이의 특수성을 들여다 보는 것을 너무 등한시해 버리고 체험의 동질성, 이것에 너무 집착해 버린 감이 있거든요...

이어령 : 무슨 이야기인지 알겠어요. 문학자는 사회과학자나 역사학자와는 다릅니다. 역사를 분석하는 사람 혹은 이데올로기로 사고하는 사람들이 아니지요. 가령 『서부 전선 이상없다』의 글을 읽을 때 우리에게 남는 것은 그 시대의 전쟁을 얼마나 차이화하고 그 특수성을 반영했는가 하는 것이 아닙니다. 그 소설의 감동은 전쟁 속에서의 '집단'과 '개인'의 삶에 대한 보편적 체험인 것이지요. 독일 군도 불란서군도 마찬가지예요. 창칼로 싸울 때와 미사일로 싸우는 현대와 다를 것이 없지요. 전쟁에서는 한 사람의 죽음 같은 것은 문제시하지 않는다는 점에서 말이지요. 소설에서의 주인공의 죽음은 모든 것의 종말을 의미하는 것이지만 서부 전선의 시각에서 보면 '이상없다'이지요. 그것이 역사와 소설의 차이이기도 해요. 그런데 역사나 사회적인 관점에서 문학을 재단하려는 사람들은 살아 있는 한 개인을 다루는 소설 언어를 무시해버리고 집단적 의미만을 부각시키려고 해요. 그런 점에서 전쟁은 인간만이 아니라 문학도 죽이지요.

어떤 고정된 역사관이나 문학관에서 보면 50년대의 전쟁, 전후 체험의 문학이 역사적 상황을 등한시한 것처럼 보일는지 모르지만 저는 바로 그 점이 50년대 문학의 순수성 그래서 전쟁의 의미를 더욱 문학적으로 잘 반영한 것이라고 생각하고 있어요. 그것이 바로 역사에 개칠을 한 80년대의 6.25를 소재로 한 소설과 다른 점이라고 생각해요. 전쟁은 어떤 경우에도 특수화하거나 '영웅'을 만들어서는 안 된다는 생각에서 쓴 것이 『한국일보』에 연재한 나의 『전쟁 데카메론』입니다. 그리고 승자의 싸움이나 패자의 싸움과 관계없이 전후의 상처와 의식의 공통 분모를 찾기 위해서 쓴 것이 바로 『경향신문』에 연재한 『오늘을 사는 세대』이며, 제가 직접 편집한 『세계 전후 문제 작품집』입니다. 우리의 전후인식은 군복을 벗는 것이 아니라 그것을 탈색해서 입었던 거지요. 군복의 카키색이 빠지고 나면 그 밑에 감춰져 있던 원래의 바탕색이 드러나듯이 말예요.

저는 지금도 그렇게 처절한 이데올로기의 비극적 전쟁을 겪고서도 그것에 대한 철저한 절망과 허무를 느끼지 못했던 전후의 풍토에 놀라움을 갖고 있는 사람이지요. 그런 점에서 한국문학은 전후 문학을 제대로 갖지 못했다는 말이기도 해요. 전쟁을 푹 삭이지 못했기 때문에 아직도 그 선 음식을 먹고 체증에 걸려 있는 것이라 할 수 있지요.

'저항의 문학'과 50년대 비평

이상갑 : 그런데 50년대 선생님 비평을 포함해서 전반적으로 이 시기의 비평을 구호 비평이라고 비판하는데, 이 문제에 대해서는 어떻게 생각하십니까?

이어령 : 구호 비평이라니요? 저는 지금까지 구호와 싸우기 위해서 글을 써온 사람입니다. 문학의 언어를 '신념의 언어'가 아니라 '인식의 언어'로 생각해 왔기 때문이지요. 문학을 도구나 어떤 목적을 위한 수단으로 생각하는 사람들은 문학의 언어를 '신념의 언어'로 착각하지요. 거기에서 비평도 작품도 모두 구호가 되어버리는 것입니다. 그런 관점에서 보면 구호 비평은 50년대의 비평이 아니라 민중문학을 주장한 70년대의 비평들이 아닐까요. 역사적으로 어떤 독재가도 문학을 죽

일 수는 없었지요. 문학은 다만 문인들 스스로의 이데올로기 구호에 의해서 죽지요. 거의 한 세기 동안 '신념(혁명)의 언어'로 무장한 나치의 선전 문학이나 소비에트 문학이 문학을 죽였던 것처럼 말입니다.

이상갑 : 이 점과 관련해서 어떤 글을 보니까 선생님께서는 우리 비평사를 간략하게 개괄하면서 신경향파 문학이나 프로문학에 대해 아주 부정적으로 보고 계시더군요.

이어령 : 그렇지요. 저는 좌파든 우파든 이데올로기로부터 문학의 자율성을 지키려고 애써 온 사람입니다. 한국의 문학이 이데올로기에 의해서 크게 위기를 맞았던 것은 30년대의 경향파 문학이었고 70년 이후의 민중파 문학이었다고 생각합니다. 일본의 경우 나프(NAPF)를 중심으로 한 30년대의 '가니고센'과 같은 이른바 경향파 문학이 한동안 문단을 풍미했지만 오늘날 일본문학 전집 어디에도 그런 작가와 작품이 수록되어 있지 않습니다. 문학성은 없고 이념만 추구한 결과이지

요. 어떤 이데올로기든 이데올로기의 문학적 생명은 시사적인 글처럼 생명이 짧아요.

이상갑 : 그러면 '저항의 문학'과 관련하여 이념 서적에 대한 독서 과정은 어떠했습니까?

이어령 : '저항의 문학'은 이른바 싸르트르와 같은 사회 참여 문학에 근거를 둔 비평집이지요. 그런데도 문학을 어떤 사회나 정치 변혁의 목적이나 수단으로 사용하려 한 것이 아닙니다. 조금 전에 말씀드린 대로 '신념의 언어'가 아니라 '인식의 언어'로서의 비평이었지요.

저는 고등학교 시절 이른바 소련 문학을 필두로 한 '아까홍'(맑스-레닌주의의 공산주의 서적)과 칠리코프, 이렉키, 엘렌부르크 등 이른바 『신흥문학전집』(사회주의 리얼리즘의 작품들)에 실린 작품들을 많이 읽었어요. 물론 일제 때 나온 책들이지요. 그러나 그와 동시에 앙드레 지드와 스펜더 그리고 케스트러의 작품 그리고 한국의 박영희, 김팔봉 등 사회주의 이데올로기 문학에서

탈피하여 순수문학을 지향한 30년대의 예술가들의 글도 많이 읽었지요. 젊은 시절에 문학적 상상력과 상징의 수혈을 받은 것은 랭보, 보오들레르, 도스토예프스키 등이었고, 사상적으로는 니체나 키에르케고르 그리고 스타이너 같은 사람들이었어요.

'저항의 문학'에서 억압받는 민중들에 대한 언급을 하면서도 사회주의 리얼리즘 쪽으로 흐르지 않았던 것은 바로 볼쉐비키 혁명에 대한 지적 검증을 걸친 책을 많이 읽었기 때문이지요. 실존주의라고 해도 사르트르의 문학이란 무엇인가 보다는 까뮈의 시지프스의 신화 쪽에서 더 많은 영향을 받았기 때문이지요. 역사를 선형적으로 발전해 가는 진보 개념으로 보지 않고 반복적인 부조리의 구조로 보는 시각을 익혔거든요. 그리고 6.25를 통해서 이데올로기의 폭력적 언어를 직접 체험도 했구요. 전후에는 말로, 사르트르, 까뮈를 대학에서 배웠고, 르네 웰렉의 아카데미즘으로서의 문학 이론이나 I.A 리차즈와 수쟌 K. 랭거 등의 언어와 상징 철학 등을 접하기 시작했어요. 사실 저는 강의실보다는 대학 도서관에서 살다시피 했으니까요. 다양한 독서가 저를 외곬수의 편향된 문학으로 빠지지 않게 한 것이라고 생각해요.

이상갑 : 제가 생각하기로는 선생님께서 초회 추천작인 「현대시의 환위(環圍, Umgebung)와 환계(環界, Umwelt)」라는 글에서 "시의 궁극적 문제는 환위에서 자기가 안주할 수 있는 환계를 형성하려는 데 있다."고 보고, 이것을 생명과 미학의 최고의 원리라고 보는데, 여기에서 이미 순수 지향적인 자세가 분명히 나타나거든요. 특히 이 문제는 60년대 선생님의 문학 활동을 이해하는 데 중요한 한 근거가 된다고 저는 생각하는데요....

이어령 : 정말 정확하게 보셨어요. 지금까지 그 비평에 대해서 언급한 분을 만나보는 것도 처음이구요. 한국 평단은 맑스주의적 비평가들처럼 환경(사회, 역사 등)을 기준으로 문학을 재단하는 외재적 비평과 그와는 반대로 인상주의 비평처

럼 오로지 개인의 인상이나 상상력에만 의존하는 내재적 비평이 대립되어 왔지요. 이 깜깜한 쌍굴에서 빠져나가려고 몸부림칠 때 내 앞에 섬광처럼 나타난 것이 바로 생태학자 유크스쿨(Uexkull)의 새로운 환경론이었지요. 그는 외계의 모든 요인 가운데 생물의 주체성에 관여하는 요소만이 환경이라고 생각한 획기적인 이론을 발표했습니다. 그래서 그는 생물의 물리 화학적 외계를 환위(Umgebung)라고 했고 생물 주체가 지닌 기능 환경에 구속되는 환경을 환계(Umwelt)라고 구분했지요. 쉽게 말해서 사람과 개가 똑같은 길을 함께 걸어가도 감각 기관과 환경을 수용 대응하는 신체 조직의 시스템에 따라 서로 다른 환경(세계) 속에 있는 것이지요. 이 이론을 문학에 적용하면 문학 작품은 직접적인 역사나 사회의 환경(Umgebung)의 수동적 산물이 아니라 문학의 기호성(언어)과 그 구조와 얽혀져 있는 독자적인 기능 환경의 세계(Umbelt)로 파악할 수 있게 되지요. 저는 당시 미군 부대에서 흘러나온 과학 잡지에 소개된 유크스쿨의 이론을 읽고 그것을 문화 비평에 적용하려고 한 것입니다.

그리고 그런 이론을 실천하기 위해서 문학의 환경을 지배하는 언어 즉 메타포 연구를 한 것인데 그것이 두 번째의 추천 작품인 「비유법 논고」입니다. 제가 그 비평을 발표한 것은 1956년이었는데 유크스쿨의 이론이 시비오크와 같은 기호학자에 의해 발굴 평가되고 환위와 환계의 이론이 기호학자들의 연구지인 『세미오티카』에 특집으로 소개된 것은 1982년의 일입니다. '우상의 파괴'나 김동리 씨와의 논쟁에 대해서 관심을 갖고 있는 사람들은 많지만 유크스쿨의 환경론과 문학 기호론적 발상을 거의 30년이나 앞서 한국 비평 문학에 실험해보려고 했다는 사실에 대해서 알고 있는 사람은 한 사람도 없어요. 문단 가십이나 신변 잡기를 통해서가 아니라 이와 같은 학술적 접근으로 50년대 문단을 좀더 심층적으로 분석하는 노력이 필요할 것입니다.

이상갑 : 그러면 이념에 대한 불신을 가지고 있으시면서도 '저항의

문학'을 쓰신 구체적인 이유는 무엇입니까?

이어령 : 거듭 말하지만 50년대의 저의 문학 비평의 출발점은 쌍갈래 길이 교차하는 지점, 즉 참여 문학이론과 그와는 대조적인 신비평 이론이었지요. 방향이 서로 다른 두 길의 교차점이 바로 앞에서 말한 유크스쿨의 환경론이구요. 그러나 전후의 참담한 현실 속에서 그리고 이승만 독재 하에서 저는 참여론 쪽에 더 많이 기울어져 있었지요. 날씨가 너무 추우면 가야금을 아끼는 사람도 그것을 부수어 때지요. 그러나 4.19 이후 나는 참여 문학보다는 신비평 그리고 기호학이나 구조주의 같은 데에 더 기울어집니다. 아무리 추워도 가야금을 장작개비로 써서는 안 된다는 생각이 강해지게 된 것입니다.

4.19 이후의 문단 상황과 순수/참여 논쟁의 자장

이상갑 : 방금 선생님께서 4.19 이후의 변화에 대해 잠깐 언급하셨는데, 이제는 4.19 이후와 관련하여 이야기를 나누어 보도록 하지요. 먼저 4.19가 선생님의 문학 또는 그 당대의 문인에게 미친 영향에 대해서 알고 싶습니다.

이어령 : 4.19가 일어났을 때 저는 사르트르의 말대로 언어를 총탄과 같은 것이라고 생각했고 글을 쓰는 발화 행위 자체가 바로 표적을 향해 방아쇠를 당기는 것과 같은 것이라고 믿었지요. 그러나 나는 전후의 평화를 평화로 생각하지 않았던 것처럼 4.19의 혁명에 대해서도 새로운 회의를 품게 되었지요. 4.19 후 '만송족(晩松族)'이니 뭐니 하는 또하나의 폭력을 목격하였기 때문이지요. 지금까지 침묵하던 문인들이 때를 만났다는 듯이 이른바 참여 문학으로 돌아섰지요. '저항의 언어'는 '폭력의 언어'로 타락되어 갔습니다. 그렇지요. 어떤 가혹한 독재도 문학을 죽이지 못한다고 했습니다. 하지만 문인들 스스로가 문학을 죽이는 경우는 많지요. 당시에 쓰여진 "이승만의 사진을 찢어다가 밑씻개를 하자"는 시들에서 나는 시의 자유가 아니라 시의 무덤을 보

왔던 것입니다.

사실 저는 4.19 전에 저항의 문학을 썼고, 임화수가 데모대에 폭력을 휘둘렀을 때 그리고 그가 사회 참여를 논하였을 때 나는 그에 대해 반대하는 「대체 사회 참여란 무엇인가」라는 글을 썼습니다. 또 「지성에 방화하라」는 특집을 『새벽』 잡지에 기획하여 저항 문인들을 결집시켰지요. 하지만 막상 4.19가 성공하고 난 뒤에는 오히려 『동아일보』에 문학의 언어는 다이나마이트가 아니며 그것으로는 역사의 빙산을 녹일 수가 없다는 요지의 글을 씀으로서 문학의 정치성과 일부 참여 문학의 허구성을 지적한 글을 발표했습니다. 물론 5.16이 일어나기 전 가장 자유로운 언론의 황금기에 말입니다. 순수한 저항이 정치화하는 것을 보면서 나는 4.19의 또 다른 상처를 느꼈지요.

이상갑 : 『새벽』을 직접 만드실 무렵의 전후 사정은 어떠했습니까?

이어령 : 『새벽』지는 50년대 당시 홍사단의 장이욱 선생이 발행하고 실질적으로는 김재순 의원이 주관한 것으로 『사상계』보다도 더 독재 체제에 투쟁을 해온 전위적 종합지였어요. 그때 저의 글을 읽은 김재순 씨의 권유로 편집 자문을 맡아 편집 기획일을 도왔지요. 사무실이 명동 근처에 있어서 밤늦게 일을 하고 퇴근 무렵에는 김재순 씨나 실무 책임을 맡고 있던 김시성 씨와 명동 극장에서 마지막 회 영화를 보기도 하고 술집을 기웃거리기도 했어요. 물론 그 당시 저는 경기고등학교 선생으로 있었기 때문에 월급은 학교에서 받고 실제 일은 『새벽』에서 한 셈이지요. 그때 저는 50년대 상황에서는 도저히 상상할 수 없었던 중편 정도 분량의 문학 작품들을 전문(全文) 게재하는 대담한 편집 기획을 세웠어요. 그것이 흐라스코의 「제8요일」, 케스트러의 「파비앙」 그리고 최인훈의 『광장』 등이고, 문단에 선풍을 몰고 왔어요.

이상갑 : 『광장』은 60년 11월호 『새벽』지에 실린 것으로 알고 있습니다. 흔히 이 작품이 4.19의 중요한 성과로 꼽히는데, 그것은 처음으

로 분단 문제를 본격적으로 다루었다는 점에서인데, 선생님께서는 이 작품을 어떻게 평가하셨고, 게재하게 된 구체적인 동기는 어떠했습니까?

이어령 : 저와 가장 가까운 문우가 시인 신동문이예요. 제가 가는 곳이면 어디고 함께 있었지요. 『새벽』, 『경향신문』 특집부, 신구문화사의 『전후문제작품집』 편집 등 기회 있을 때마다 저는 신동문 씨와 함께 일하려고 했어요. 『새벽』에서도 편집 일을 권유했는데 최인훈이 중편 분량의 『광장』을 썼다는 정보를 귀뜸해 주더군요. 그러나 막상 읽어보니 남도 북도 거부하고 중립국 인도를 선택하는 전쟁 포로 이야기라 당시의 상황에서는 발표하기 힘든 작품이었어요. 함석헌 옹이 남북 양비론을 폈다가 필화로 고생한 사실도 있었구요. 그러나 제가 용기를 갖고 이 작품을 게재하게 된 것은 지금 알려지고 평가되고 있는 것처럼 그런 줄거리나 정치, 사회적 발언이 아니라 그 작품이 지니고 있는 문학성 때문이었어요.

따지고 보면 남도 북도 선택할 수 없는 지식인의 고민 같은 것은 이미 재일 교포인 장혁주의 소설을 비롯해서 아주 흔한 주제였지요. 제가 그 작품을 높이 평가한 것은 그러한 관념을 작품으로 형상화해 내는 작가의 예술적 감각과 설득력이었어요. 나는 김성한, 장용학 씨와 같은 지적 소설에 큰 공감을 하면서도 한편으로는 그것이 아무래도 리얼리티의 뼈가 없어 연체 동물같이 느껴졌지요. 그런데 굵고 튼튼한 곧은 등뼈를 지닌 척추동물 같은 관념 소설이 등장한 것이지요. 인도를 단순한 이데올로기적 중립으로 보면 너무도 도식적이라 재미가 없지만 소설의 미학적 효과로 보면 패러독스나 아이러니의 효과를 극대화시키는 작용을 하지요. 풍속 소설이나 신변 잡기의 틀 안에서 벗어 날 수 없었던 종래의 소설과는 분명히 차별화되는 높은 음자리표를 읽을 수 있었거든요. 저는 다시 그 『광장』을 『세계 전후 문제 작품집』을 비롯해 제가 편집하는 모든 문학 전집에 반드시 수록했고 최인훈과의 교유도 두터워졌어요.

『세대』지의 편집 고문을 맡고 있을 때에는 연재소설을 청탁해서 『회색의 의자』를 얻게 되었지요.

이상갑 : 선생님께서는 김수영 시인도 초기에는 호의적으로 평가하셨는데, 두 분의 관계는 어떠했습니까? 이 점은 선생님과 김수영 시인의 4.19 이후의 변화, 그리고 60년대 후반 두 분간의 논쟁과 관련하여 궁금한 점이기도 하거든요....

이어령 : 문학관의 차이로 문인들이 서로 차가운 관계로 벌어진 것은 역시 70년대 들어서면서부터의 일이라고 봅니다. 김수영 씨와는 연령의 차이는 조금 있었지만 같은 세대 의식의 유대를 갖고 친하게 지낸 문인 가운데의 한 분입니다. 결혼하기 전 제가 성북동에서 살 때는, 윗집에 조지훈 선생이 사셨는데, 가끔 김수영 씨가 늦게 찾아와 자고 가는 일도 있었지요. 김수영 씨의 틀니를 담가둔 주전자 물을 멋모르고 마신 적도 있었지요.
김수영 씨의 시들은 감성과 지성이 잘 조화를 이룬 시로 제가 아주 좋아했었지만 4.19 직후 직절적인 사회 고발시와 60년대에 들어서면서 점점 시가 달라지고 경직되어 가는 것 같았지요. 저와 『조선일보』에서 논쟁을 할 때에도 인간적으로는 아주 친해서 술이나 마시자고 제의했더니 선뜻 좋다고 하더군요. 그러나 웬일인지 그 자리에 못 나온다는 통고를 받았지요. 그리고는 얼마 안 되어 교통 사고로 세상을 떠났기 때문에 서로 따뜻한 대화를 나누지 못했던 것이 한이 되지요. 문학관이나 이념이란 것이 대체 무엇입니까. 그것은 끝없이 변할 수 있는 것이지요. 나는 이 세상에 친구와의 우정을 멀리 하고 등을 돌릴 만큼 그렇게 위대한 이념이란 것이 존재하지 않는다고 생각했기 때문에 정치가 아니라 문학을 택했던 것입니다.

이상갑 : 60년대 후반 김수영 시인과의 논쟁에서도 드러나지만 선생께서 주장하시는 '참여' 개념의 본질은 단순히 '현실 저항'의 의미가 아니라, '참인간을 향한 문학'이라는 의미로 읽힙니다. 즉, "정치화

되고 공리화된 사회에서 꽃을 꽃으로 볼 줄 아는", 즉 순수한 문학에서 참여의 가능성을 보고 계시는 것 같아요. 그런데 이런 견해는 50년대 '저항의 문학'을 강조하실 때에도 이미 엿보인다고 보는데요....

이어령 : 옳습니다. 바로 그 점이지요. 그 논쟁에서도 밝힌 대로 누가 '붉은 꽃'을 그림으로 그렸다고 합시다. 그때 중앙정보부에서 왜 하필 하고 많은 꽃 가운데 붉은 꽃을 그렸느냐, 공산주의자가 아니냐라고 한다면 얼마나 기가 막히겠습니까. (실제로 전후에는 그런 일이 많았어요) 그러나 그 반대의 경우를 생각해 봅시다. 하고 많은 꽃 가운데서도 붉은 꽃을 그린 것은 그 화가가 민중 혁명을 나타낸 것이고 훌륭한 그림이라고 칭찬하는 비평가들을 말이지요. 그들은 정반대의 입장에 있지만 그림 속의 꽃을 꽃 자체의 아름다움으로 보지 않고 정치적 시각으로 보고 있다는 점에서는 똑같은 사람들이지요. 저는 김수영 씨의 "불온하기 때문에 좋은 시다."라는 말이 바로 그렇게 들렸지요. 불온

유무로 시를 평가한다면 가장 훌륭한 평론가는 불온을 가려내는 정보부원이 될 것입니다. 왜냐 하면 그것은 뒤집어 생각하기만 하면 되는 것이니까요. 저는 불온 시를 매도한 것이 아니라 시를 불온 유무로 따지는 사람들을 비난했던 것입니다. 체제와 반체제와의 싸움에서 저는 그 이분법적 범주에 속하지 않은 '비체제'의 문학을 고수했지요. 김수영과의 논쟁은 김수영의 문학을 비판한 것이라기보다 바로 그러한 제 문학적 입장의 선언이었던 거지요.

이상갑 : 5.16 당시에는 신문사의 논설 위원으로 계시지 않았습니까?

이어령 : 5.16 전부터 즉 4.19 직후부터 논설 위원을 했습니다. 4.19 후에도 저는 문학을 이용하지 않고 직접 신문의 논설이나 사회, 문명 비평의 형태를 통해서 사회 참여를 계속해 왔습니다. 신문사에서 그것도 야당 성향의 신문의 전담 칼럼에서 거의 매일 사회, 정치, 문화 문제를 다루었지요. 80년대 초까지 말입니다. 남정현, 한승헌 등 문인들

이 필화에 걸리면 법정에 나가 함께 싸웠지요. 그리고 한편으로는 에세이스트로서 『흙 속에 저 바람 속에』가 그렇고 『바람이 불어오는 곳』, 『신한국인』, 『축소 지향의 일본인』 등의 문명 비평을 통해서 사회적 관심을 표명했지요. 지금은 대학에서 문학 강의가 아니라 '한국인과 정보 사회', '한국 문화의 뉴패러다임'을 강의하고 있지요. '저항의 문학' 이후에도 저의 사회적 관심 그리고 문명, 문화에 대한 참여 의식은 조금도 변한 적이 없어요. 다만 문학을 통해서 하지 않았던 것이지요.

4.19세대 문인들의 등장과 세대 논쟁의 의미

이상갑 : 바로 이런 점에서 김수영 시인과의 논쟁도 이해할 수 있겠군요. 문학적으로 『창작과비평』(이하 '창비'로 줄임)과의 거리가 있었던 것도 그 때문이구요.

이어령 : 아시다시피 '창비'를 창간한 곳은 바로 제가 『세계 전후문제 작품집』을 기획하여 베스트 셀러를 만들고 제가 작문 교과서를 낸 신구문화사이지요. 그 출판사에 신동문과 염무웅을 소개한 것도 저였구요. 그리고 초기의 '창비' 멤버들 가운데 많은 작가들 황석영, 송영 등과도 가까이 지냈으며 당시 신인이었던 황석영을 추천서까지 써서 『한국일보』에 『장길산』을 연재하도록 했지요. 물론 『장길산』의 구상과 자료 등 시놉시스를 보고 말입니다. '창비'의 문학적 성향과 관계없이 작품성이 있는 사람들이면 나는 다 포용하고 평가해 온 셈입니다.

한국의 풍토는, 나와 다른 것을 용서하는 다원적 문화 가치의 사회가 아니잖아요. 그래서 나를 비판하는 사람들이 있지만 그것 때문에 내 쪽에서 멀리 한 사람은 없어요. 그런데도 내가 돕고 가까이 했던 문단 후배나 내손으로 직접 문단에 추천을 한 제자들이 저의 곁을 떠난 사람들이 많아요. 나갔어요. 저는 정치가를 사랑한 적은 없지만 문인이면 다 사랑합니다. 문화부 장관의 현직에 있을 때에도 저는 최정희 선생이 돌아가셨을 때 국무회의에 발의하여 전례가 없는 장례 비용을 예비비로 도와드렸습니다. 문인들은 국민들로부터 그럴 만한 대우를 받아야 한다고 생각하였기 때문입니다. 하지만 말만 문인이지 정치인이나 사회 운동가와 다름없는 문인들이 많아 그 동질성이 날로 사라져가고 있는 것은 안타까운 일이지요.

이상갑 : 물론 김현 선생님도 '창비'에 글을 쓰기는 했지만, 언어에 대한 관심의 측면에서 선생님과의 관계가 주목됩니다. 김현 선생님도 선생님께서 이전에 말씀하신 것과 같이 샤머니즘과 상투형의 언어의 폐해를 아주 끈질기게 지적하고 있거든요? 심지어 선우휘 선생님도 이것의 폐해를 분명히 하고 있습니다. 선생님께서도 「명과 실의 배리—역성 혁명적 한국 근대 문화」라는 글에서 한국의 시는 장식적인 이미지만이 바뀌었지만 기능적인 이미지로 시학이 달라지지는 못했다고 지적하시면서, "시는 감정의 노래가 아니라 사물이나 인간을 인식하는 방법"으로 보고 계십니다. 이런 면

에서 김현 선생님이 시인 내면의 성실성과 자각적 언어에 대한 인식을 통해 궁극적으로는 역사 현실에 대한 관심으로 문을 열어 놓고 있는 측면이 강하다는 점에서, 두 분의 언어관에 차이가 있다고 보는데요....

이어령 : 김현은 제가 관여하여 『자유문학』에 평론 추천을 받게 됩니다. 서울 대학에 출강을 하면서 김승옥, 김치수, 염무웅 등과 알게 된 학생 중의 하나이지요. 문단에 등단하기 전부터 저의 집에 와서 문학 담론을 많이 나누었지요.

김현은 여러 가지로 문학적 토양이 나와 비슷한 데가 많아요. 바르트를 읽고 그룹 뮤를 읽고 러시아 형식주의와 크리스테바 같은 후기 구조주의자들을 읽은 것도 저와 같지요. 다만 지적하신 대로 김현과 나는 나이 차이는 그렇게 많지 않아도 세대 차이는 분명히 있었지요. 사회와 역사에 대한 태도 면에서 그렇지요. 역사에 화상을 입은 우리 세대는 역사 자체를 부정하려고 해요. "카이자의 것은 카이자에게 주

어라"라고 생각하면서 카이자의 것이 아닌 문학으로 카이자의 세계에 저항하려고 한 것입니다. 대담 첫머리에서 음악 이야기를 한 것처럼 '일용할 양식'을 위한 것이 아니라 '일용할 음악'(상상력)을 더 소중히 여겼어요. 음악적 상태란 항상 초월적인 무엇을 희구하는 상태이지 역사와 일상의 사회로는 환원할 수 없는 것이지요. 그점이 김현과 나와의 차이일 것입니다. 단순하게 비교하자면 결국 나에게 있어 언어는 '에트르'(존재론적인 것)인 데 비해서, 김현은 '아부와르'(소유론적인 것)의 세계라고 할 수 있을 것입니다. 물론 나도 김현도 궁극적으로 언어를 '드부니르'(생성적인 것)로 향하는 것으로 보았지만 그 과정이 달라요.

이상갑 : 그러면 그 당시 '창비'와 『산문시대』, 소위 '65년대 비평가'들이, 선생님이 포함된 50년대 전후 문학을 '55년대 비평가'라고 하며 차별화를 시도하는데, 이런 언어관의 차이 외에 어떤 계기가 작용하고 있다고 보십니까? 제가 보기에는 60년대 상황에서는 '65년대 비평가' 그룹도 시대 현실에 대한 명확한 방향 설정보다는, '창비'와 『산문시대』가 각각 '역사주의'와 '문화주의'라는 좀더 포괄적인 방향에서 이야기될 수 있지 않을까 생각합니다. 사실 그들의 문학이 '진정한 역사 의식의 확립'이라는 관점에서 서로간에 계속적인 의미의 상승 작용을 하고 있거든요.....

이어령 : 이른바 '창비'와 『문학과지성』(이하 '문지'로 줄임)은 60년대 이후의 문단을 주도해 온 양대 산맥이라고 할 수 있어요. 그러나 저의 입장에서 보면 같은 가지에서 피어난 색이 다른 두 송이 꽃과 같은 것이었지요. 다만 '문지'는 좀더 온건하게 사회와 역사에 접근하였을 뿐입니다. 그리고 문학의 구조를 열린 것으로 생각해 왔지만 문학적 기호의 세계를 부정하지는 않은 사람들이었어요. 개개인이 조금씩 다르기는 하지만요... 50년대 비평과 차별화하려는 것은 당연한 일입니다. 50년대 비평가 바로 그 차별화에 의해서 세대의 연대 의식을

가졌으니 말입니다.

하지만 차별화가 곧 분파 의식이 되어서는 곤란하지요. 문단적인 공도 컸지만 '창비'와 '문지'는 또 그만큼 한국 문화 풍토에 분파 의식을 낳은 부정적 측면도 없지 않지요. 그러다 보니 '창비'도 '문지'도 '신념의 언어'에 빠지게 되는 수가 많았다고 봅니다. '신념의 언어'를 지배하는 것은 '동어 반복'인데 6,70년대의 문학에는 이 지루한 동어 반복이 문단을 휩쓸었고 지금도 그 메아리는 남아 있어요.

친제제나 반체제나 체제주의자라는 점에서는 같지요. 체제 자체가 악이라고 생각하고 있는 사람으로서 마지막 의지한 데가 비체제라는 성(城)이었어요. 그 성 속에서 분파적인 것과는 영원히 함께 섞일 수 없는 '개인'으로 남아 있기를 희망했지요. 역사 의식이라고 했지만 나에게 중요한 것은 문학 의식, 창조 의식이었어요. 김현과 나의 차이는 유치환의 「깃발」을 놓고 작품 분석을 한 것을 보면 아주 명확하게 드러나지요. 나는 유치환의 「깃발」을 땅과 하늘의 중간에 매달려 있는 존재로서 공간적으로 파악하지요. 그것은 실제의 역사로는 환원될 수 없는 자율적인 문학적 구조 안에 있는 의미이지요. 그러니까 유치환의 '깃발'은 땅에 있는 짐승이면서도 하늘로 향해 날아 오르려는 '박쥐' 그리고 '물고기'이면서도 어부가 잡아 장대에 매달아 말리고 있는 '악구'의 이미지와 상동성을 띠는 것으로 파악됩니다. 지상의 구속과 하늘의 초월이라는 모순과 그 양의성에서 아우성치는 존재들이지요. 그러나 김현의 시선은 스웨덴 병원선의 적십자 깃발, 인공기와 태극기 등 깃발의 내용으로 쏠려 있으며, 그 의미를 역사의 시간으로 환원시키려고 합니다. 나에게 있어서의 공간은 그에게서는 시간이 되는 것이고, 나에게 있어서의 깃발의 시니피앙은 그에게 있어서의 시니피에가 됩니다. 정반대이지요. 누구나 김현의 방법은 쉽게 체험될 수 있어요. 그러기 때문에 방금 말씀한 대로 문학을 역사 의식으로 수렴하는 방법은 비문학인에게도 쉽게 먹혀들지요. 90년대에 와서 역사 의식 일변도로 문학을 보려는 태도에도

◀ 문학예술

패러다임의 변화가 일고 있습니다. 나도 김현도 아닌 새로운 세대가 등장하고 있는 것이지요.

이상갑 : 선생님의 이런 생각이 혹시 『문학사상』을 만드신 것과 연관이 있으신지요?

이어령 : 저는 문단과 분파에 관계없는 문학 의식을 갖고 있는 잡지를 만들고 싶었지요. 그래서 『문학사상』은 문단적인 발언보다는 해외 문학 사조나 문학 연구 방법론을 소개하거나 혹은 한국문학의 자료 발굴이라든가 하는 데 주안점을 두었어요. 그래서 정치적 목적만을 추구하는 문학보다는 예술적 감동을 추구하는 문학 독자들을 키워 나가려고 했어요. 한때 『문학사상』이 순수 문예지로 7만부까지 찍은 기록을 세웠던 것도 그런 이유에서라고 봅니다.

저의 경우 『문학사상』을 창간하여 수 십 년 이끌어왔지만 리더십이 없어서인지 문단에 '문사파(文思派)'란 분파를 만들지 않았어요. 그리고 제 자신이 어떤 문단 그룹에도 끼지 않았지요. 섹트와 관계없이 좋은 문학을 하는 작가, 시인이면 모두 손을 들어주었어요. 그랬기 때문에 『제3세계 문학 전집』등 후배들의 작품을 편견없이 고루 포용하고 '이상 문학상'에서도 분파없는 시상을 했다고 자부하고 있어요.

이상갑 : 이와 관련하여 선생님께서 이미 앞 부분에서 부분적으로 50년대의 지적 풍토와 문학인들의 내면 자세에 대해서 깊이 있게 말씀해 주셨지만, 구체적으로 '65년대 비평가'와 50년대 중반 이후에 등장한 선생님 세대 사이에 세대 논쟁이 일어났을 때, 여기에는 '세대 논쟁'이라고 하기에는 협소한 무언가 깊은 의미가 담겨 있다고 보는데요....

이어령 : 저는 50년대의 세대에 속해 있지만 그것을 문단의 분파 의식과 관련짓지는 않았습니다. 그랬기 때문에 앞서 말한 대로 역사의 화상을 입은 세대로 외계를 그 피부로 감각하기에는 너무나도 여렸다고 봅니다. 그러기 때문에 오히려 그 피부와 부러진 뼈를 싸매는 붕대와 기부스 노릇을 하는 문학적 장치, 즉 상상이라든가 유동하는 시니피앙이라든가 하는 것들에 주목한 것이지요. 그래서 저는 제3세대론을 주장했고 한글 세대니 4.19 세대니 하는 말을 붙여준 것입니다. 그래서 소설로는 「환각의 다리」와

구체적인 작업으로는 『제3세대 문학 전집』을 만들었어요. 김승옥, 최인호, 이청준 뒤에는 이문열을 포함한 문학들을 그렇게 부르기는 했지만 실제로 제가 생각하는 제3세대 문학의 비전과는 반드시 일치하는 것이라고는 할 수 없어요.

이상갑 : 그런데 60년대 4.19세대는 전후 세대와의 논쟁에서 세대론을 내세우며 선생님과 유종호 선생님을 동시에 전통단절 쪽으로 몰거든요. 그럴 때에 유종호 선생님은 토착 언어에 대해 관심을 기울이는데, 사실 자신을 중도 좌파로 이야기하신 유종호 선생님과는 이후 문학 활동면에서도 많은 편차가 있다고 보는데요....

이어령 : 유종호 씨와 저는 같은 세대로 같은 시기에 문학 비평을 했지만 문학적 입장은 서로 다릅니다. 그가 토박이 언어에 관심을 둘 때 오히려 저는 그것이 영어든 불어든 나의 내면의 의식을 폭발시킬 수 있는 전압을 가진 것이면 모두 수용하려고 했지요. 아리스토텔레스

가 '외국어는 모두 시적인 것처럼 보인다'라는 말을 한 것처럼 현실을 낯설게 하는 인식의 언어라면 모든 것을 수용하려고 했어요. 이상이 외래어나 아이를 '아해(兒孩)'라고 괴벽스런 한자를 함께 사용해서 오스트라네니의 효과를 준 것처럼 말입니다.

유종호는 「비순수의 선언」과 같은 초기 비평집에 잘 나타나 있듯이 순수한 문학 의식보다는 역사, 사회 의식 쪽으로 기울었던 비평가였지요. 같은 세대라고 해서 모두가 일란성 쌍둥이일 수는 없지 않아요. 단지 방향은 달라도 그것을 향해가는 걸음걸이가 어딘지 닮은 데는 있어요. 유종호의 문학과 사회를 연결하는 고리쇠는 고무줄 같아서 유연하지요. 70년대의 민중파 비평가들처럼 콘크리트로 붙여 놓은 것과는 다릅니다. 50년대의 사람들은 무엇을 하던 교조주의로 흐를 만큼 굳은 '신념의 언어'를 갖고 있지 않았기 때문이지요. 데모를 한 번도 해보지 못한 세대거든요.

이상갑 : 그러면 선생님께서는 우리 문학 또는 정신의 큰 맹점의 하나가 시민 정신의 결여라고 하시면서, 4.19는 우리 역사 가운데 최초로 있었던 시민 혁명이며 자각된 민권 운동이라고 말씀하신 적이 있는데, 소위 4.19세대 문학에 대한 평가와 관련하여 지금은 어떻게 생각하시는지요?

이어령 : 그렇게 썼지요. 그것은 나의 세대에 대한 반성문이기도 했구요. 우리는 관념적으로는 근대인이고 근대의 자아를 갖고 살아가는 사람들이었지만 실제로는 '시민으로서의 나', '역사 속에서의 나'로 돌아오면 뿌리가 없었지요. 그랬기 때문에 더욱 문학적, 상상적 세계에 들어가려고 했는지 모르지요. 역사의 자폐증 환자가 된 사람들은 필연적으로 열려진 문학 배의 갑판에 묶인 알바트로스로서의 시인이 아니라 수평선을 향해 자유롭게 날아가는 날개를 지닌 시인들을 상상했던 것이지요. 역사의 노예가 아니라 역사를 밟고 올라서서 그 고삐를 잡고 있는 창조적 욕망 말이지요. 그러나 그러한 제3세대 한글과 4.19

와 텔레비전 시대에 성장을 한 세대들의 출현은 경이로운 것인데도 실제로 그 작품에서 보여준 것은 알바트로스가 아니라 혹은 눈은 지상을 보고 꽁지는 하늘을 향해서 날아 오른다는 멜롭포스의 새를 기대했지만 그것은 고목 나무가지에 앉아서 가난한 마을 풍경을 굽어보고 있는 까마귀의 모습과 가까운 것이었어요.

이상갑 : 4.19와 관련하여 이같은 선생님의 심정을 드러낸 작품이 1969년 『세대』지에 발표된 「환각의 다리」라는 작품 같은데요....

이어령 : 아마 4.19를 주제로 한 소설로 불란서 말로 번역 소개된 것은 「환각의 다리」가 처음이라고 생각됩니다. 4.19가 하나의 혁명이라면 그것이 소설이라는 언어 텍스트에 있어서도 혁명으로 나타나야 한다고 생각하였던 것이지요. 정치의 독재 체제가 붕괴하는 것은 바로 소설을 만들어가는 작자나 화자의 독재성에서 벗어나야 한다는 것이기도 합니다. 정치의 독재는 권력화된 한 사람의 발화 행위가 전 텍스트를 지배하는 것이지요. 그래서 4.19의 역사 체험을 문학 담론으로 담기 위해서는 화자가 없는 또는 이중적으로 된 소설을 쓰려고 한 것입니다. 그래서 스땅달의 소설 전문을 놓고 그것을 한국 말로 풀이해 가는 불문학도의 의식의 흐름을 추적하는 형식으로 그 소설을 구성한 것이지요. 그러니까 이 소설에는 세 가지 텍스트가 상호성을 지니고 있어요. 하나는 스땅달의 「바나나 바니니」라는 소설 텍스트, 그리고 두 번째는 그것을 가르치고 있는 교수의 메타 텍스트, 그리고 마지막으로는 그것을 읽어가고 있는 여주인공의 내면에서 일어나고 있는 4.19의 텍스트이지요. 언어도 공간도 주인공도 모두가 오늘날 포스트 모던 소설에서 사용하고 있는 것처럼 차용과 텍스트 상호성과 그리고 텍스트의 해체와같은 실험적 수법으로 쓰여진 것입니다.

즉 4.19의 역사적 사건을 문학적 패러다임으로 바꿔 놓으려고 한 것이지요. 수술대에서 다리를 잘린 환자는 이미 다리가 없어졌는데도 그것이 그대로 살아 있는 것처럼 느끼는 것이지요. 그래서 긁으려고 하고 일어나 디디려고 한다는 것이지요. 이렇게 수술 뒤에도 여전히 감각 속에서 남아 있는 다리를 「환각의 다리」라고 불렀는데 그것이 바로 인체가 기계처럼 부품으로 구성된 것이 아니라는 증거이지요. 이미 '환위'와 '환계'에서 언급하였듯이 우리의 신체성은 환경에 대해서 수동적으로 대응하는 기계가 아니라 의식의 지향성에 의해서 반응하는 주체성을 지닌 것이지요. 혁명이냐 사랑이냐 집단이냐 개인이냐 하는 낡은 이분법적 스탕달로 구성된 「바나나 바니니」의 텍스트를 해체시킴으로서 서구적인 이항 대립과 역사 결정론적인 기계주의를 해체해보려고 한 것입니다. 제가 제3세대라고 한 것은 바로 「환각의 다리」의 주인공처럼 참여와 순수가 하나가 되는 통합적 상상력을 지닌 세대를 의미하는 것이었지만 오히려 현실은 제1세대의 주자학도들처럼 경직되어 갔지요.

이상갑 : 그런데 사실 선생님께서는 김현 선생님을 '제3세대'로 분류를 하신 적이 있거든요.

이어령 : 그랬지요 그렇게 기대하였고 사실 그는 그런 방향으로 조금씩 다가가고 있었지요. 저에게 있어서 김현은 아주 소중한 존재였습니다. 어떤 형태로든 내 언어를 발전시킬 수 있는 가능성을 가장 많이 가진 비평가였어요. 제3세대를 좀더 보편적인 세계적인 문맥 속에서 이야기하자면 1세대 전근대의 문학, 2세대 근대의 문학, 제3세대 후기 근대문학으로 도식화할 수 있습니다. 구체적으로 제3세대가 있느냐 그것이 누구냐가 아니라 필연적으로 문학을 시간축으로 볼 때 그리고 거기에서 세대의 분절이 이루어질 때 그러한 상정이 가능하다는 것입니다. 어쩌면 당위론에 가까운 것이지요.

최근의 문학 상황과 앞으로의 과제

이상갑 : 이런 점에서는 선생님께서 앞서 말씀하신 '제3세대 문학'이란 미래의 과제로 볼 수 있겠군요?

그런데 방금 선생님께서도 말씀하셨지만 우리 사회 내부의 시민 복권이나 정치 자유는 차지하고서라도 남북 대립이라는 극한적인 상황을 염두에 둘 때, 우리 사회를 근원적으로 규정하는 분단 문제에 대한 인식은 무시할 수 없다고 봅니다. 이런 점에서 50년대부터 분단과 통일 문제에 대해 관심을 기울인 최일수 씨에 대한 평가는 어떠합니까? 선생님의 「우상의 파괴」라는 글을 보면 최일수 씨를 외국 문학을 섣불리 번역, 평가하는 '영아(嬰兒)의 우상'이라고 평가하시고 계신데요....

이어령 : 이젠 기억조차 나지 않는군요. 역시 젊었을 때라 좀 심한 이야기를 한 것 같군요. 그분은 『현대문학』지를 통해 등장한 비평가인데, 당시 조연현의 대변인같은 글을 많이 쓰고 있어서 세대 의식이 없는 '새끼 우상'이라고 불렀던 것 같습니다. 비평가들이 최일수 씨처럼 되지 말고 조연현 씨의 문학적 인습에서 벗어나서 자유로운 사고를 하라는 뜻으로 말이지요.

이상갑 : 그 분의 비평 활동에 대해서는...

이어령 : 방금 말씀하신 대로 최일수 씨는 6,70년대에 들어서서 통일론을 문학의 지상 과제로 내세우지요. 극단적으로 말하자면 통일 문제를 문학을 평가하는 잣대로 삼고 거기에서 벗어난 문학은 나쁘고 거기에 유효한 것은 좋다는 식의 논조를 폈습니다. 통일이 민족의 제일 과제라고 생각하는 것과, 그러니 그것이 곧 문학의 목적이요 기준이 되어야 한다는 것은 별개의 것입니다. 문학은 어느 시대 어느 상황에서도 절대언어에 예속되어서는 안 됩니다. 따라서 문학은 논설이나 격문이 아니지요. 문학의 지상 과제가 통일이라면 통일을 이룩한 뒤의 문학은 무용지물이 될 것이며 문학 자체도 필요없게 될 것입니다. 정치와 법 그리고 기술에는 고전이란 것이 없어요. 문학만이 시공을 초월한 고전적 가치를 창출할 수 있는데 그것은 바로 문학의 언어는 정치와 법과 기술의 언어와 다르다는 증거입니다.

이상갑 : 그에 대한 제 생각은 이렇습니다. 통일 자체가 중요한 게 아니고 분단된 상황이 남과 북으로 갈라져 있는 공간에 살고 있는 사람들의 삶을 인간다운 삶으로 지향하도록 만들지 못하니까 무엇이 지금 남쪽, 북쪽에 나뉘어져 있는 사람들에게 필요한가? 이것은 상황이 좀 다르다고 생각하는데요....

이어령 : 그러나 삶을 규정하는 원인은 하나가 아닙니다. 문학은 민족이나 사회의 단위로서가 아니라 한 사람 한 사람 살아 있는 한 인간의 개인을 읽는 것이기도 하지요. 그래서 그것이 전체의 공감으로 확산되는 것이지요. 분단 상황에서 오는 영향이 큰 것이지만 오직 그것으로만 삶의 문제를 설명할 수 있다고는 생각지 않아요. 가령 암에 걸려 죽는 사람이 있을 때 왜 그가 그렇게 죽어야 하는가를 분단 상황만으로는 설명이 불가능해요. 더구나 왜 암에 걸린 것이 그가 아니라 나인가도 설명할 수 없지요. 그러니까 어느 시대 어느 상황 속에서도 종교가 있었던 것이며 문학이 있었던 것입니다.

우리에게 분단 상황보다도 더 위기의 상황이 있다면 모든 것을 분단 원리로, 그리고 남북 원리로 보려는 그 고정 관념과 획일주의적 사고일 것입니다. 문화적 다원주의가 오히려 이러한 획일성에서 오는 분단 의식을 소멸시킬 때 통일을 할 수 있는 기회가 역설적으로 다가오게 될는지도 몰라요.

이상갑 : 지금까지 선생님 말씀을 들으면서 전후 상황도 충격적이었지만, 4.19 이후의 부정적인 상황도 선생님의 문학 활동에 큰 영향을 미친 것 같습니다. 그것이 오늘날 문단과 거리를 두고 최근 『조선일보』의 '다시 읽는 한국시' 작업으로까지 이어지고 있는 것 같은데요... 이와 관련하여 최근 문단을 보는 솔직한 심정은 어떠신지요?

이어령 : 저는 평생을 창조적인 작업을 위해서 살아왔어요. 누가 하라고 해서 한 것이 아니라 바로 그것이 나의 삶 그 자체의 즐거움이었기 때문입니다. 솔직한 이야기로

요즘 문인의 사회적 책임이나 역사 의식이니 하는 말을 많이 들어왔지만 지금은 문학 그 자체가 붕괴되고 있는 세상이지요. 세계적으로 그래요. 제가 문학을 할 때만 해도 문인은 사회의 지도자이며 스타였지요. 근대화를 이끌어온 것도 정치인이 아니라 문인들이었고 독재와 선봉에서 싸워온 것도 정치인이나 사회운동가보다 문인들이었어요. 그런데 어때요. 요즘에는 랩가수나 개그맨이나 TV 탤런트가 스타들이고 대중 사회의 중심을 이루고 있습니다. 박찬호와 서태지의 시대지요.

저는 문학을 한 번도 중단한 적이 없었습니다. 그런데도 문학에서 멀어진 것같이 생각하는 것은 제 자신이 변한 것이 아니라 세상이 그렇게 바뀐 것이지요. 이제 문학을 해도 누구도 관심이 없어요. 문학과 정치가, 문학과 경제가, 그리고 문학과 대중이 관련될 때만이 사람들은 그 덕으로 문학에 귀를 기울여요. 그러니까 그런 문학은 성공하면 할수록 독자와 대중은 문학에서 멀어지게 되지요. 그들은 꽃의 아름다움이 아니라 꿀때문에 잠시 꽃에 앉았다 날아 가는 겁니다.

제가 『조선일보』에 '문학의 해' 기념으로 '다시 읽는 한국시'를 연재한 이유도 그 점에 있습니다. 식민지 때의 독자들은 문학보다는 독립 운동이 절실하였기 때문에 그것이 사랑을 노래부른 것이든 자연과 계절의 아름다움을 노래한 것이든 독립 운동과 결부시켜 저항의 노래로 풀이해야만 시에 대해서도 관심을 기울였지요. 일제는 많은 것을 빼앗아 갔지만 가장 중요한 것은 바로 문학을 문학으로서 읽는 재미와 아름다움마저도 빼앗아 갔지요. 일제에서 해방된 오늘까지도 그 빼앗긴 문학 읽기의 자유는 수복되지 않은 채체로 있어요. 아직도 한용운의 「님의 침묵」을 조국 상실의 침묵으로 읽고 있는 사람들이 많기 때문이지요 그 다양한 시적 의미를 누가 이렇게 메마르게 만들었을까요. 식민지 치하의 상황은 문학을 문학으로 읽는 여유와 자유를 허락하지 않았지요. 그래서 나는 문학과 시의 복권을 위해서 한국시 다시 읽기를 시도했던 것입니다.

지금도 마찬가지예요. 분단의 가

장 큰 비극 가운데 하나는 문학을 이데올로기화해서 문학의 자율성을 빼앗아버린 데 있지요. 문학의 자유로운 표현이나 주제를 하나의 이데올로기와 몇 개의 절대 언어로 묶어놓은 것이 누구입니까. 식민지 상황과 마찬가지로 분단 상황은 문학이 문학으로서 존재하는 자율성을 막아놓고 오직 이데올로기의 한 통로에만 출입구를 열어놓았던 것이지요. 통일이 되어도 상처 입은 문학은 회복되기 힘들 것입니다. 솔제니친이 세계적으로 유명해졌을 때 업타이크는 이렇게 말했지요. 정치적 탄압이 존재하는 곳에서 사는 문인은 얼마나 행복한가. 그는 "정치적 프레미엄으로 문학의 가치를 높인다. 그러나 정치적 탄압을 받지 않은 사람들은 문학 그자체로 승부해야 하니 화제성도 얻기 힘들고 쉽게 유명해질 수도 없다."고 말입니다.

이제 우리 나라에서도 문학에 정치적 프레미엄이 붙어다니던 시절이 사라지고 말았어요. 이념 서적의 붐이 가시듯 금제된 이념으로 대중의 관심을 끌었던 시대도 지나갔어요. 우리에게 시급하게 남아 있는 것은 다니엘 벨의 말대로 영역의 혼란에 대한 자각일 것입니다. 맑스나 헤겔의 역사결정론은 인간을 호모 파베르로 본 것이지만 인간은 동시에 '호모 픽토르' 즉 '상징'을 창조하는 피조물이기도 하다는 것입니다. 두 영역을 혼돈해서는 안된다는 것이지요. 문학은 호모 픽토르의 세계로, 희랍 신화나 서사시는 아무리 사회가 진보한 세상에서도 여전히 우리에게 감동을 줍니다. 희랍의 법이나 축성법은 이미 현대에는 통용되지 않는데도 말입니다.

이상갑 : 이 문제와 관련하여 90년대 들어 마광수 씨와 장정일 씨의 구속과 예술인에 대한 단속, 그리고 문화 예술 분야의 사전 검열 제도와 함께 최근의 문화 정책에 대한 생각은 어떠신지요?

이어령 : 이것은 문학 작품의 법적 금제가 옳으냐 그르냐가 아니라 가능하냐 불가능하냐의 문제라고 봅니다. 사이버 스페이스 속에서는 모든 포르노가 국경 없이 자유로

넘나듭니다. 통제 불능의 미디어들의 그로벌 네트워크의 출현으로 이제는 국내의 잣대로 무엇이 외설인지 아닌지를 잴 수가 없게 된 것입니다. 길은 단 한 가지입니다. 빨리 사이버 스페이스의 환경 속에서 자신의 판단력을 기르고 정보를 걸러서 **흡**수하는 대중들의 눈높이와 자질을 길러주는 방법입니다. 그 프로그램을 만드는 것이 금제의 법보다도 우리에게는 더 시급하고 또 유효하다는 것을 알아야 할 것입니다.

그러나 문학인들은 예나 지금이나 끝 없는 검열 속에서 글을 써야 한다는 것도 잊어서는 안 될 것입니다. 언제나 상대편이 받기 어려운 서브를 먹이고 또 걸치적 거리는 그 네트를 사이에 두고 공을 치고 있는 테니스 선수처럼 말이지요.

이상갑 : 네. 오랜 시간 동안 좋은 말씀을 들려 주셔서 대단히 감사합니다. 선생님의 말씀을 들으면서 선생님의 문학에 대한 일관된 애착과, 50년대라는 시대가 지닌 고민과 고뇌의 흔적을 많이 알 수 있게 된 것 같습니다. 오늘 선생님의 말씀은 앞으로 문학을 공부하는 사람들에게 좋은 참고 자료가 되리라 믿습니다. 앞으로도 더욱 건강하시고 하시는 일에 더욱 좋은 성과가 있으시길 바랍니다. 감사합니다. 새미

이상과 정인택 1
─ 「업고(業苦)」와 「우울증(憂鬱症)」에 대해

이 경 훈*

1. 「업고(業苦)」를 둘러싼 의문

먼저 이 글은 약간 특이한 상황에서 출발한다는 점을 밝혀두고자 한다. 즉 본고의 주된 논의 대상은 정인택의 작품들이다. 하지만 그럼에도 불구하고 이 글은 결국 이상(李箱) 연구의 한 부분으로 씌어지는 것이다. 그렇다면 그렇게 된 가장 중요한 이유는 무엇일까. 그것은 이상과 정인택이 매우 친밀한 관계였다든지, 또 박태원의 「소설가 구보씨의 일일」이나 「방란장주인」 등의 작품에서처럼 정인택의 소설에서도 이상의 편린이 중요한 소설적 소재로 등장한다고 생각되기 때문은 아니다.

결론부터 말해, 그 이유는 정인택의 몇몇 작품들, 특히 이 글에서 다루고자 하는 「업고(業苦)」와 「우울증(憂鬱症)」이 단지 이상을 소재로 한 작품이 아니라, 이상 자신의 작품일 수 있다는 사실에 있다. 즉 이 글은 이상의 사후, 이상 및 그 아내였던 변동림과 절친했던 정인택이 자신의 이름으로 이상의 유고들을 발표했을지도 모른다는 의문에서 출발한 것이다. 그리고 그

---

* 서남대 국문학과 교수. 논문으로 「이광수의 친일문학 연구」, 「모더니즘과 질병」 등이 있음.

런 생각은 우선 「업고」(1940.7.)의 다음 구절을 접함으로써 강력히 촉발된다.

> 봄, 피를 토한 후로 웬일인지 일시에 맥이 풀린 나는 그때까지의 이학 박사의 꿈을 걷어 치우려고 백천 온천에서 자포자기의 생활을 시작하였다. 그리하여 허무를 질머지고 돌아오려던 길에 하룻밤 나는 지나는 애정을 그에게 느꼈든 것이다. 그것뿐으로, 이미 그의 살결의 감촉조차 몽롱할 때에 어떤 생각으로인지 그는 나를 믿고, 나를 따라 황해도 산 속에서 맨주먹으로 뛰어 올라왔다.[1]

주지하듯이 인용은 이상과 금홍 사이에 있었던 일들과 정확히 일치한다. 이를테면 '나'는 피를 토한 병자라는 점, '백천온천'으로 가서 '그'를 만났다는 점, 또 '그'가 '나'를 따라왔다는 점 등이 그것이다. 다시 말해 위의 인용은 「봉별기(逢別記)」의 다음 구절에 대응한다.

> 스물세살이오- 三月이오 - 喀血이다. 여섯달 잘 기른 수염을 하루 면도칼로 다듬어 코밑에 다만 나비만큼만 남겨 가지고 藥 한 제 지어 들고 B라는 新開地 閒寂한 溫泉으로 갔다. 게서 나는 죽어도 좋았다. (중략)
> 사흘을 못 참고 기어 나는 旅館 主人 영감을 앞장 세워 밤에 長鼓소리 나는 집으로 찾아갔다. 게서 만난 것이 錦紅이다.[2]

「업고」의 '그'와 마찬가지로 인용 중의 '금홍'이 또한 서울로 이상을 찾아가 이상의 제비 다방에 합류하고 있거니와, 이같은 대응과 더불어 이 작품이 주로 아내의 가출과 귀가를 둘러싼 이야기라는 점도 충분히 우리의 주목을 끌 만하다. 즉 「업고」는 병자인 주인공이 가출한 아내를 기다리는 장면에서 시작하여, 아내와 만나기까지의 과정 및 가족들이 아내를 냉대하

---

1) 정인택, 「업고」, 『문장』, 1940.7. 144면.
2) 이 상, 「봉별기」(김윤식 편, 『이상문학전집 2』, 문학사상사, 1991.) 348면.

는 것에 대한 회상, 그리고 아내의 귀가로 종결되는 것이다. 아래를 보자.

> 그날 아침 안해는 히한하게도 일즉 일어나 식전부터 얼굴을 닦고 문지르고 하였다. 보통 때와 다른 기색이라곤 그것뿐이었다. 그 길로 집을 나간 안해는 밑도 끝도 없이 종적을 감추고 마른 것이다. 그러나 원래 동물과도 같이 주책없는 안해이니까― 하고 나는 꼭 닷새 동안을 생각나는 대로 아무 때고 다시 태연하게 돌아올 안해를 기다리어 남 모르게 속을 태어왔으나 ― 바람과 같이 불어 들어온 안해이니까, 바람과 같이 날러 가는 것도 무리는 아니리라. 생각하는 것이 어지러워 나는 지끈지끈하는 머리를 부둥켜 안고 다시 한 번 잠드러 보려고 마음 먹을 뿐이다.[3)]

인용은 실제로 있었던 금홍의 가출 사건, 또는 그런 개인사적인 사건을 소설화하곤 했던 이상의 창작 태도와 일치한다. 즉 그것은 "나흘 만에 와보니까 錦紅이는 때 묻은 버선을 웃목에다 벗어놓고 나가버린 뒤였다" 등과 같이 제시되는 「봉별기(逢別記)」의 상황, 또는 "秘密한발을 늘버선신고 남에게 안보이다가 어느날 정말 안해는 없어졌다"(「지비(紙碑)-어디갔는지모르는안해」) 등의 모습과 상통하는 것이다. 한편 "동물과도 같이 주책없는 안해"란 말은 조용만의 다음 증언을 상기시킨다.

> "미치긴 무얼 미쳐요. 그 몸에 금홍이를 당해낼테요?"
> 이상의 사생활을 잘 아는 소운의 의미있는 걱정이었다.
> "그래요. 하긴 금홍이가 없는 동안에 이상의 얼굴이 조금 나아졌습디다."
> 내가 이런 말을 하자 지용은 깔깔 웃으면서 "두 사람이 똑같군. 금홍이가 그렇게 색골이란 말요?"했다.
> "무식한 시골 술집 작부가 아는 게 무엇이 있어야죠. 그것밖에. 금홍이하구 그냥 살면 폐병장이 이상이는 얼마 못 가요."
> 소운은 단언하듯이 이렇게 말하였다.[4)]

---

3) 정인택, 앞의 책, 143면.

다시 말해 "동물과도 같이 주책없는 안해"라는 「업고」의 구절은 "그것밖에" 모르는 "색골" 금홍이와 연관되는 것이다. 한편 위에 제시한 「봉별기」와 「지비」등, 이상의 작품에서 금홍의 가출과 관계하여 종종 등장하는 "버선"은 「업고」에서도 역시 다음과 같이 '그'에 관련된 핵심적인 사물로 등장한다.

> ─그 보따린 뭐야?
> 소원대로 하리라, 안해를 삼으리라, 그렇게 혼자 마음 속으로 결심하는 것이나 그러나 그의 심중을 헤아릴 수는 없었다.
> ─자동차 속에서도 그는 언제인가의 밤 모양으로 전신을 내게 내마끼며,
> ─이것 말유? 저어......버선허구......
> 그리며 잠깐 말을 끊고 나서
> ─그리구, 그리구 말야......
> 말을 맺지 않고 별안간 약간 붉어진 얼굴을 도리키며 낄낄거렸다.5)

즉 위의 인용과 이상의 작품 모두에서 버선은 주로 여성의 가출이나 등장 또는 부재와 존재를 깨닫고 확인하는 첨예한 순간의 감각적 경험과 깊이 관련된 사물로 제시되고 있다. 또 이와 더불어 우리의 눈에 띄는 또 다른 단어는 금홍의 귀가를 기술하며 이상이 자주 사용하는 "지문(指紋)"이라는 단어이다. 이를테면 정인택의 작품에서 묘사되는 아내의 귀가는 다음과 같다.

> 그러나 나를 찾아온 것은 주검이 아니요 석달 전에 표연히 집을 떠난 안해이었다.
> 안해는 마치 산보 갔다 돌아온 사람같이 내 머리맡에 앉아 처연(凄然)하게 웃고 있었다. 나는 안해를 어떻게 맞이해야 할까. 어쩔 작정으로 안해는 다시

---

4) 조용만, 「이상 시대, 젊은 예술가들의 초상」, 『문학사상』, 1987.4. 101-102면.
5) 정인택, 앞의 책, 144-145면.

내 곁으로 돌아온 것일까. (중략)

　안해 몸 위에는 수없는 지문(指紋)이 찍혀 있는 것이다. 아무리 닦어도, 아무리 지여도 그것만은 언제까지든지 안해 살결 위에서 없어지지를 않을 것이다. 내 눈에는 안해의 히고 고은 살결 위에 무수한 지문이 점점히, 마치 무슨 상처와도 같이 찍혀진 것이 뚜렷이 보이는 것이다. 6)

인용 중 "산보 갔다 돌아온 사람같이" 아내가 돌아온 사실을 기술하는 부분은 "往復葉書처럼 돌아왔다"고 표현되는 이상의 다음 구절과 대응된다.

　人間이라는 것은 臨時 拒否하기로 한 내 生活이 記憶力이라는 敏捷한 作用 하지 않았기 때문에 두달 後에는 나는 錦紅이라는 姓名 三字까지도 말쑥하게 잊어버리고 말았다. 그런 杜絶된 歲月 가운데 하루 吉日을 卜하여 錦紅이가 往復葉書처럼 돌아왔다. 나는 그만 깜짝 놀랐다.7)

한편 "指紋"과 관련되는 이상의 작품을 인용하면 다음과 같다.

　넉 달 - 장부답지 못하게 뒤끓던 마음이 그만하고 차츰 차츰 가라앉기 시작하려는 이 철에 뭐냐 附箋 붙은 편지 모양으로 때와 손자죽이 잔뜩 묻은 채 돌아오다니8)

　先行하는 奔忙을 싣고 電車의 앞 窓은/내 透思를 막는데/出奔한 안해의 歸家를 알리는 <페리오드>의 大團圓이었다.//너는 어찌하여 네 素行을 地圖에 없는 地理에 두고 花瓣 떨어진 줄거리 모양으로 香料와 暗號만을 携帶하고 돌아왔음이냐. //時計를 보면 아무리 하여도 一致하는 時日을 誘引할 수 없고/내것 아닌 指紋이 그득한 네 肉體가 무슨 條文을 내게 求刑하겠느냐9)

6) 정인택, 앞의 책, 146면.
7) 이상, 「봉별기」(김윤식 편, 『이상문학전집 2』, 문학사상사, 1991.) 352면.
8) 이상, 「공포의 기록」(김윤식 편, 『이상문학전집 2』, 문학사상사, 1991), 197-198면.
9) 이상, 「무제」(이승훈 편, 『이상문학전집 1』, 문학사상사, 1992. 3판), 213면.

한편 이 이외에도 「업고」의 다음과 같은 모습 역시 이상의 실제 상황을 떠오르게 한다.

> 내가 그를 안해로 맞이한다 할 제 나이 많은 어머니는 눈물을 흘리며 나를 만류했다. 집안이 망하려니까 별게 다 뛰어들어……저 생에 가서 너이 아버지 볼 낯 없다………고 어머니는 넋두리하며 울었다. 내 누이도 내 안해를 결코 형님이라고 불르지 안 했다.
>
> 그래도 나는 뜻밖에 내 품으로 뛰어든 <귀여운 여자>를 내여놓으려고는 안 했다. 가족들과 헤여져 나는 안해와 단 둘이서 이 어둠컴컴한 방을 찾아들어 눈 하나 깜작 안 하고 지냈다.
>
> 어머니의 탄식을, 누이의 모멸을 나는 조금도 개의치 아니 했다. 이글이글 불타는 정열 속에서 나는 내 자신조차 잊고 있었던 것이다. 낮이고 밤이고 동물과 같이 누어서 잠잤다. 그리하여 반 년 가까운 세월이 흘러 — 안해가 집을 떠나든 그날 아침까지 안해나 나나 털끝만한 부족도 느끼지 아니했다.[10]

위의 인용에서 우리는 이상의 모습과 상통하는 몇 가지 사실들을 발견하게 된다. 그것은 첫째, 이상의 작품에서 그러하듯이 주인공은 '그'를 집요하게 '안해'로 부르고 있다는 점, 둘째 "안해와 단 둘이서 이 어둠컴컴한 방을 찾아들어"가 "이글이글 불타는 정열 속에서" "낮이고 밤이고 동물과 같이 누어서 잠잤다"는 점, 셋째 가족들과 아내의 관계가 순탄하지 않다는 점, 넷째 '누이'가 중요한 인물로 등장한다는 점 등이다.

이 중 첫째 항목은 이상의 작품 전반에 걸쳐서 나타나는 현상이며, 둘째 항목은 제비 다방에 붙은, "굴속" 같은 소위 "도스토예프스키의 방"[11], 또는 그와 본질적으로 크게 다르지 않은 "유곽이라는 느낌"의 "三十三번지 十八가구"에서 펼쳐지는 「날개」의 상황을 연상시킨다. 이를테면 이는 앞서

---

10) 정인택, 앞의 책, 145면.
11) 윤태영, 『절망은 기교를 낳고』, 교학사, 1968. 50면.

도 말했듯이 "그것밖에" 모르는 "색골" 금홍이와의 무절제한 성 생활을 떠올리게 할 뿐 아니라, "貫鐵町 大亢券番 第一 구석房을 차지하고 여전히 게으르게 불도 안때인 房에서 낮잠만 자던 李箱"12), "우미관 근방의 어느 골목 안의 일각 대문 집"13) 등과 같은 정인택 및 윤태영의 증언, 더 나아가 '최군'의 친구가 "시골 주막의 작부"이자 "카페에서 카페로 떠돌던 계집"인 "천하의 몹쓸 년"과 살면서 "감기와 몸살이 심하여, 방문을 꼭 닫고 있는" 이상('최군')을 찾아, "서울에서도 가장 기묘한 한 구역"인 "관철동 삼십삼번지" "<대항권번>(大亢券番)의 나무간판이 걸려 있는 대문을 들어서"는 장면으로 시작되는 박태원의 「보고(報告)」와 연관되는 것이다. 다음을 보자.

> 나는 최군 한 사람의 아름답지 못한 행동이, 그렇게도 크나큰 불행을 그의 왼 가족에게 가져오고 있는 것에 새삼스러히 놀라고, 최군의 아우가 간곡히 나에게 부탁한 바와 같이, 어떻게든 하여 그를 잘 타일러서 한시라도 바삐 집으로 돌아가게 하지 않으면 안 되겠다고, 저 모르게 주먹조차 불끈 쥐고 밖으로 뛰어 나왔던 것이다.
> 그러나, 이곳, 관철동 삼십삼번지에 방을 하나 얻어 가지고 산다고 오직 말로만 들었을 뿐으로, 최군도 자기 생활에 자신을 가질 턱 없이, 그래, 다만 빈말로라도 놀러 오란 말 한 마디 한 일 없었고, 나도 그의 어지러운 생활을 일부러 보고 싶지도 않아, 이래저래 한 번도 찾아본 일이란 없었으므로, 한 집안에 열여덟 가구나 살고 있다는 이 안에서 최군의 방을 찾아낸다는 것은 나에게 있어 결코 수월한 노릇이 아니었다. 14)

인용된 박태원의 작품은 이상의 「날개」와 똑같이 1936년 9월에 발표된 것으로도 주목되거니와, 특히 "크나큰 불행을 그의 왼 가족에게 가져오고 있는 것"이라는 말은 「업고」에 나오는, "집안이 망하려니까 별게 다 뛰어들어" 등의 구절과 서로 의미를 교환하고 있는 것이기도 하다. 그런데 「업고」

---

12) 정인택, 「불상한 이상」, 『조광』, 1939.12. 311면.
13) 윤태영, 앞의 책, 47면
14) 박태원, 「보고」(『박태원 단편집』, 학예사, 1939. 209-210면.)

에서 보이는 이같은 "어머니의 탄식"과 "누이의 모멸"은 이상의 누이인 김옥희의 다음 증언과 동일한 맥락을 이루고 있다.

가) 손수건만한 日光이 새어드는 방안에서 <u>不貞한 女人</u>의 體臭를 맡다 못해 數字를 거꾸로 羅列하던 오빠[15]

나) "저게 너의 언니라"고 눈짓으로만 일러줄 뿐 오빠는 錦紅이 언니를 한 번도 제게 인사시켜 준 일이 없습니다. 그래서 저는 <u>錦紅이 언니와는 가까이서 말을 걸어 본 일이 없습니다.</u>[16]

다) 금홍이라는 여자는, <u>자다가 부시시 일어나 나온 모습</u>을 몇번 보았어요 이미 밝혀져 있듯이 금홍이는 황해도 여자죠. 사리원 여자였던가……별로 이야기를 나눈 기억은 없지만 굉장히 살결이 곱고 예쁜 여자였어요.[17]

김옥희의 증언 모두에서 금홍이는 이상의 누이와 별로 말조차 해 본 적이 없을 뿐만 아니라, 주로 "자다가 부시시 일어나 나온 모습"이라든지 "不貞한 女人" 등과 같이 부정적인 모습으로 나타난다. 이는 「업고」의, "내 누이도 내 안해를 결코 형님이라고 불르지 안 했다"라는 구절과 일치하는 것이다.

그런데 "내 누이도 내 안해를 결코 형님이라고 불르지 안 했다"는 말은 또 다른 의미에서도 중요하다. 왜냐 하면 '안해'에 대한 누이의 태도를 표나게 강조하는 것은, "로오자룩셈불크의 木像을 닮은 막내누이"(「육친의 장」)에게 "동생 옥희 보아라"(『중앙』, 1936.9.)라는 제목으로 다음의 편지를 보내는 이상의 모습과 일치하기 때문이다.

내가 畵家를 꿈꾸던 時節 하루 五錢 받고 '모델' 노릇 하여준 玉姬, <u>放蕩 不孝한 이 큰오빠의 단 하나 理解者인 玉嬉,</u> 이제는 어느덧 어른이 되

---

15) 김옥희, 「오빠 이상」, 『현대문학』, 1962.10. 145면.
16) 김옥희, 「오빠 이상」, 『신동아』, 1964.12. 317면.
17) 김승희, 「오빠 김해경은 천재 이상과 너무 다르다」, 『문학사상』, 1987.4. 90면.

어서 그 愛人과 함께 萬里 異域 사람이 된 玉姬, 네 將來를 祝福한다.[18]

밑줄친 부분에서 알 수 있듯이 이상에게 누이 옥희는 자신의 행동에 대한 단 한 사람의 "理解者"로 생각되고 있다. 그렇다면 "내 누이도 내 안해를 결코 형님이라고 불르지 안 했다"라는 말은 누이를 단 한 사람의 "이해자"로 생각하는 이상이, 금홍이와 살림을 차린 자신의 행동이 아무에게도 이해받지 못 했음을 강조하기 위해 쓴 표현일 가능성이 짙다. 이는 우리로 하여금 위에 제시된 여러 가지 사항들과 함께 「업고」가 이상의 작품일 것이라는 생각을 더욱 강력히 제기하도록 하는 것이다.

2. 누구의 「우울증(憂鬱症)」인가

다음으로 논의할 작품은 정인택의 「우울증」이다. 그런데 『조광』(1940.9.)에 실린 이 작품의 말미에는, "『文章』夏期特大號 所載 拙作 「業苦」와 倂讀해 준다면 더욱 多幸이다"라는 "作家附記"가 보인다. 그리고 우리는 「우울증」의 다음 구절을 읽을 때, 이같은 작가의 말에 즉시 수긍하게 된다.

그리자 나는 문득 十여일 전에 아무 말도 없이 홀연히 집을 나간 안해를 생각하였다. 안해를 생각하자 지난 一년 동안의 안해와의 썩어진 생활이 일순(一瞬) 굉장한 속도로 머리 속을 스치며 지났다. 안해가 황해도 산골에서 나를 믿고 나를 따라 쫓어올라온 것은 이 다방(茶房)을 시작한 지 한 달도 못 되어서였다. 생각도 안 했던 안해가 뜻밖에 내 품으로 뛰어들자 나는 전부터 의가 맞지 않던 늙으신 어머니와 성년한 누이와 아주 의를 끊다싶이 하고 이 어둠컴컴한 가갓방 속에 둘이서만 처박히고 말았다. 그리하야 안해의 품 속에서만 완전히 一년— 나는 가족들뿐 아니라 세상과도 완전히 인연을 끊고 지내왔다. 그 안해가 무슨 때문인지 표연히 종적을 감춘 지 열흘--이나 열하루, 그밖에 안 되는 오늘 나는 이 다방을 어떤 시굴 청년에

---

18) 이상, 「사신 1」(김윤식 편, 『이상문학전집 3』, 문학사상사, 222면.)

게 그대로 넘기고 만 것이다.19)

　인용을 통해 충분히 알 수 있듯이, 「우울증」과 「업고」는 동일한 인물의
동일한 사건을 다룬 것이다. 좀더 명확히 제시되는 것은 다방에 대한 일이
다. 그런데 그것 역시 "종로 일정목(鐘路一丁目) 광무소(鑛務所) 밑에 자리
잡은 다방인 '제비'"20)를 경영하다가 팔아버린 이상의 일과 일치한다. 즉
인용에 나오는 "어둠컴컴한 가갓방"이란 다방 '제비'에 붙은 "굴속" 같은
소위 "도스토예프스키의 방"을 말하는 것이다. 다시 말해 이는 "배천에서
우연히 만나 알게 된 것이, 기생 금홍이었고, 급기야 서울로 돌아와서는 이
상과 동거 생활을 하게 되어 '제비'를 열면서 주방 옆에 있는 뒷방에서 지
내왔는데, 어느날인가, 우연히 금홍이는 종적을 감추고 말았던 것"21)이라는
윤태영의 증언을 떠올리게 하는 것이다. 한편 박태원은 「애욕(愛慾)」이나
「소설가 구보씨의 일일」 등에서 스스로 이상의 다방에 자주 드나드는 모습
을 서술하거니와, 또 그 다방에 대해 「방란장주인(芳蘭莊主人)」은 다음과
같이 묘사하기도 한다.

　　그야 主人의 職業이 職業이라 決코 팔리지 않는 油畵 나부랭이는
　제법 넉넉하게 四面 壁에가 걸려 있어도, 所謂 室內裝飾이라고는 오직
　그뿐으로, 元來가 三百圓 남죽한 돈을 가지고 始作한 장사라, 무어 茶
　집다웁게 꾸며볼려야 꾸며질 턱도 없이, 茶卓과 椅子와 그러한 茶房에
　서의 必需品들까지도 專혀 素朴한 것을 趣旨로, 蓄音機는 <子爵>이 寄
　附한 포-타불을 使用하기로 하는 等 모든 것이 그러하였으므로, 勿論
　그러한 簡略한 裝置로 무어 어떻게 한 미천 잡아 보겠다든지 하는 그
　러한 엉뚱한 생각은 꿈에도 먹어본 일이 없었고, 한 洞里에 사는 같은
　不遇한 藝術家들에게도, 장사로 하느니보다는 오히려 우리들의 俱樂部
　와 같이 利用하고 싶다고 그러한 말을 하여, 그들을 感激시켜 주었던
　것이요22)

---

19) 정인택, 「우울증」, 『조광』, 1940.9. 259면.
20) 윤태영, 앞의 책, 13면.
21) 윤태영, 위의 책, 16면.

그렇다면 이렇게 이상의 실생활을 떠오르게 하는 아내의 가출 및 다방의 폐업을 배경으로 하는 「우울증」의 주된 사건은 무엇인가. 그것은 폐업한 다방을 찾아온 친구 '박군' 및 애인과 함께 집을 떠난 주인공의 누이 '순히'에 대한 이야기를 중심으로 이루어진다. 이때 '박군'과 관련된 사실은 다음과 같은 것들이다. 첫째, "거이 一년을 두고 매일같이 와 앉았던 바로 그 자리"라는 말에서 알 수 있듯이 '박군'은 주인공이 경영하던 다방에 자주 왔었다는 것, 둘째, "동경 간다는 것이 입버릇같이 되어 있"다는 점, 셋째, 주인공의 누이인 '순히'를 사랑한다는 것 등이다. 따라서 우리는 박태원 등이 이상의 다방에 자주 갔으며, 또 「소설가 구보씨의 일일」에 제시되는 바, "仇甫는 자기가 떠나온 뒤의 變한 東京이 보고 싶다 생각한다"는 말, 또는 주인공과 같이 술을 마시러 종로의 카페를 돌아다니고 있다는 점 등을 근거로 「우울증」에 등장하는 '박군'이 박태원 등 이상과 절친했던 사람이라고 추측할 수 있을지도 모른다. 하지만 실증성이 결여된 그러한 추측보다 훨씬 중요한 것은, 누이 '순히'에 관한 것이다. 다음을 보자.

> "순히는 사랑을 위해 몸을 받히겠단다네, 내게는 그저께 밤차루 신경으루 떠난대드니……"
> 처음 박군은 뜨끔한 듯이 얼굴빛까지 변하더니 다음 순간 억제로 냉정을 가장하고 내가 말을 계속하는 동안 여전히 얼굴을 쳐들고 있었으나 떨리는 손으로 담배를 끄내어 언제까지던지 주물르고만 있었고 입에 물려 하지 않는 것은 역시 마음에 커다란 격동이 이러난 증거일 것이다.
> "……나는 눈 딱 감아 뒀네. 제 갈 길 지가 찾어 가겠지. 외로워할 사람은 늙으신 어머니허구……" (하략)[23]

> "순히가 만주루 다라났단다"
> 이윽고 어머니는 뚝 끊어 더러운 것이나 내뱉는 듯이 입을 열었

---

22) 박태원, 「방란장주인」(『소설가 구보씨의 일일』, 문장사, 1938. 207면.)
23) 정인택, 앞의 책, 262면.

다.

"뭐요? 순히가?"

나는 깜짝 놀래는 듯이 펄쩍 뛰여 보이고 다음엔 기가 매킨다는 듯이 한참 동안 말이 없었다. 그예 가고 말았구나--나는 순히의 이번 행동에 대하야 적지 않은 불만을 느낀다. 그러나 한편 꿋꿋한 일이라고 칭찬도 하고 싶고 마음 속으로부터 행복되게 되라고 축원 안 할 수도 없었던 것이다.[24]

그런데 인용된 부분은 앞서도 인용했던 바, "어느덧 어른이 되어서 그 愛人과 함께 萬里 異域 사람이 된 玉姬, 네 將來를 祝福한다"고 한, 누이동생 옥희에게 쓴 이상의 편지 내용과 정확히 일치한다. 즉 "八月 초하룻날 밤車로 너와 네 愛人은 떠나는 것처럼 나한테는 그래 놓고 기실은 이튿날 아침車로 가버렸다"로 시작된 그 편지의 내용이야말로 「우울증」에 제시되는 핵심적 사건의 실제 배경인 것이다. 편지의 앞 부분을 인용하면 다음과 같다.

> 내가 아무리 이 社會에서 또 우리 家庭에서 어른 노릇을 못하는 변변치 못한 人間이라기로서니 그래고 너이들보다야 어른이다.
> "우리 둘이 떨어지기 어렵소이다"
> 하고 내게 그야말로 '强談判'을 했다면 낸들 또 어쩌랴, 암만
> "못한다"
> 고 딱 拒絶했던 일이라도 어머니나 아버지 몰래 너이 둘 안동시켜서 快히 餞送할 내만은 理解도 雅量도 있다.
> 그것을, 나까지 속이고 그랬다는 것을 네 將來의 幸福 以外의 아무 것도 생각할 줄 모르는 네 큰오빠 나로서 꽤 서운히 생각한다.
> 豫定대로 K가 八月 초하룻 밤 北行車로 떠난다고, 그것을 일러주러 하룻날 아침에 너와 K 둘이서 나를 찾아 왔다 요전날 너이 둘이 論議次로 내게 왔을 때 말한 바와 같이 K만 떠나고 玉姬 너는 네 큰오빠 나와 함께 K를 餞送하기로 한 것인데, 또 일의 順序上 일은 그렇게 하는 것이 옳지 않았더냐.[25]

---

24) 정인택, 앞의 책, 269면.

다시 말해 「우울증」 주인공의 누이 '순히'는 이상의 누이인 옥희일 가능성이 매우 높으며, 따라서 「우울증」은 옥희의 가출과 관련된 이상 자신의 실제 이야기일 수 있다. 더욱이 다음 구절은 우리의 그러한 생각을 더욱 보증해 주는 듯하다.

> "오늘 안으루 집세나 좀 해주려무나"
> 나는 주머니에 손을 넣어 어제밤 쓰다 남은 돈을 끄내 보았다. 十원짜리가 한 대여섯 장 쑤세미가 된 채 나왔다. 나는 그것을 말없이 어머니 손에 쥐여주고 내 가슴에밖에 닷지 않는 어머니의 초라한 모양을 울고 싶은 마음으로 내려다보며
> "어머니, 진지 잡수셌에요?"
> "지금이 어느 때냐. 오정이 넘었다."
> "그럼 저어, 점심 잡숫구 가시구려."
> 그것은 내가 기껏 표현할 수 있는 어머니에게 대한 무한대의 애정이었다. 어머니 손에 매달리어 거리를 걸어본 기억이라곤 철 난 후로는 한 번도 없었다.[26]

이 부분은 「우울증」이 자신의 일을 다룬 이상의 작품이라는 것을 알려주는 대단히 중요한 단서를 제공한다. 그것은 첫째, 밑줄친 부분들이, "五十平生을 苦生으로 늙어 쭈그러진 어머니"(「사신 1」)나, "저사내어머니는배고팠을것임에틀림없으므로배고픈얼굴을하였을것임에틀림없"(「얼굴」)다든지, "우리 어머니는 生日도 이름도 모르십니다"와 같은 어머니에 대한 이상의 동정심, 또는 "젖 떨어져서 났다가 二十三年만에 돌아와 보았더니 如前히 가난하게들 사십디다"(「슬픈 이야기」) 등에서 나타나는, 백부 집에 살았던 이상의 전기적 사실을 환기한다는 점, 둘째, 위의 인용문은 그 가족이 이상에게 와서 생활비를 타가는 장면을 연상시킨다는 사실 등이다. 다음을 보자.

---

25) 이 상, 「사신 1」(김윤식 편, 『이상문학전집 3』, 문학사상사, 215면.)
26) 정인택, 앞의 책, 270면.

큰 오빠가 **茶房**을 경영할 즈음, 나는 이따금 우리집 **生活費**를 얻으러 그 곳으로 간 일이 있습니다. 오전 열한 시나 열두 시 그런 시간이었는데, (중략) 내가 돈을 타러갈 때면 으레 주머니를 털어서 몇 푼이고 손에 잡히는 대로 몽땅 제 손에 쥐어주시곤 했으니 말입니다.[27]

너는 날이면 날마다 그 먼 길을 **門**안으로 내게 왔다. 와서 그날의 **食糧**꺼리를 타갔다. 이제 누가 다니겠니.
어머니는
"내가 말(**馬**)을 잃어버렸구나. 이거 허전해서 어디 살겠니" 하시더라. 그날부터는 내가 다 떨어진 구두를 찍 찍 끌고 말노릇을 하는 중이다.[28]

다시 말해 "주머니에 손을 넣어 어제밤 쓰다 남은" "쑤세미가 된" 십 원짜리를 어머니에게 주는 「우울증」의 장면은, "주머니를 털어서 몇푼이고 손에 잡히는 대로 몽땅" 주었다는 김옥희의 증언 또는 누이가 와서 "**食糧**꺼리를 타갔다"는 편지의 내용과 일치한다. 단지 누이가 가출했으므로 어머니가 직접 아들에게 와서 돈을 타게 된 것이다.

이렇게 보았을 때 「우울증」역시 「업고」와 더불어 이상 자신의 작품이라는 추정이 가능하게 된다. 이 두 작품에서는 등장 인물의 소설적 행동을 통해 사건이 구성되고 플롯이 전개된다기보다는, 이상과 관련된 실재 사실을 크게 전제한 사소설적 면이 강조되면서, 이상 자신의 모습과 주위 사람들에 대한 이상의 시각이 너무나도 생생히 포착되고 있으므로, 정인택의 작품이되 단지 이상의 일을 소재로 했을 뿐이라고 보기에는 무리가 있기 때문이다. 그런 생각은 이 두 작품을 한꺼번에 놓고 보았을 때 더욱 설득력을 갖게 되는데, 왜냐 하면 두 작품은 각자 완결된 작품으로서 연관성을 획득한다기보다는, 오직 우리가 알고 있는 이상의 전체적 삶의 단편적 편린들

---

27) 김옥희, 「오빠 이상」, 『신동아』, 1964.12. 317면.
28) 이 상, 「사신 1」(김윤식 편, 앞의 책, 220-221면)

이라는 점을 통해서만 일관성을 획득하고 있기 때문이다. 그렇다면 "「業苦」와 併讀해 준다면 더욱 多幸"이라는 정인택의 말은 바로 이 점을 은연중에 암시한 것일 터이다.

그런데 만일 그렇다면 어떻게 해서 이런 일이 일어날 수 있었을까.

3. 「여수(旅愁)」와 「꿈」

위에서 제기된 문제에 대한 해결의 빛을 주는 것은 정인택의 「여수」에 나오는 "作者의 말"이다. 인용해 보자.

—作者의 말—

생각하니 김군이 세상을 떠난 지 벌써 一년이 지났다.

그러니까 두자 기리가 넓는 김군의 유고 뭉치를 내가 맡아 간직한 지도 이미 한 해가 넘는 셈이다.

살릴 길 있으면 살려 주어도 좋고 불살라 버리거나 휴지통에 넣어도 아깝게 생각 안 할 터이니 내 생각대로 처지하라고--그것이 김군의 뜻이었노라고 유고 뭉치를 내게 갖다 마끼며 김군의 유족들은 이렇게 전했다.

그 유고 속에는 김군이 三十 평생을 정진하여 온 문학적 성과가 모조리 들어 있었다. 장편 단편 합하여 창작만이 二十여 편, 시가 四백자 원고지로 三四백 매, 그리고 일기, 수필, 감상 나부랭이는 부지기수였다.   (중략)

그 유고 뭉치 속에서 나를 가장 감격시킨 것이 이 한 편의 소설의 골자가 된 일기이다.

아니 그것은 완전한 일기랄 수도 없는 순서없이 씌어진 한 개의 「노오트」에 불과할지도 모른다. 다른 원고에서는 그렇게도 찬찬함을 보이던 김군이 이 글에 이르러는 무슨 커다란 충격을 억제할 수 없었음인지 두서도 확연치 않으려니와 글씨조차 어지러워 심지어는 아무리 해도 뜯어 볼 수 없는 대목까지 한두 군데가 아니었다. 이것이 첫재로 내 호기심을 끌었다. 나는 그 「노오트」를 그야말로 단숨에 두번 거듭 읽고 말았다.

나는 그때 얻은 감격을 지금 이 글을 쓰는 이 순간까지 잊을 수
가 없다.

그것은 한 여자를 지극히 사랑한 한 남자의 마음의 기록에 지나
지 않았다. 그러나 이런 깨끗한 사랑이 정말 이 오탁(汚濁) 속에도
존재했는가고 나는 한참동안 놀램을 지나 오히려 아연할 지경이었
다.   (중략)

한편의 소설을 만들기 위하여 군데군데 가필도 했고 내 투의 글
로 뜯어 고친 데도 적지 않으나 되도록은 원문을 그대로 살리려고
애썼다.

그러니까 정말 이 소설의 작자는 내가 아니요 김군일 것이다.29)

여기서 우리는 위의 인용에 등장하는 "김군"이 이상일 것이라고 추정하
려 한다. 그 이유는 첫째, "나의 가장 가까운 벗 김군"이란 정인택과 친숙
했던 김해경, 즉 이상일 수 있다는 점, 둘째, 인용문은 "김군이 세상을 떠난
지 벌써 一년"이라고 하며, 김군의 "三十평생"을 말하고 있는데, 이는 일종
의 트릭일 수 있다는 점, 즉 위의 글이 발표된 1941년의 시점에서 보았을
때, "김군"이 1년 전에 죽었다면, 그것은 1940년이 되거니와, 그때까지가
"三十평생"이라면, 결국 1910년생, 즉 이상의 생년과 같다는 사실, 다시 말
해 이는 4년 전(1937년)에 죽은 김군의 27평생과 정확히 대응한다는 점, 셋
째, "두자 기리가 넘는 김군의 유고 뭉치"라든지 "장편 단편 합하여 창작만
이 二十여 편, 시가 四백자 원고지로 三四백 매, 그리고 일기, 수필, 감상
나부랭이는 부지기수였다"는 말은, 다양한 장르를 시도한 이상의 창작 범
위와 일치할 뿐만 아니라, "原稿 뭉치", 또는 발표된 것 외의 "방대한 양의
작품" 등이 있었음을 확인한 김옥희 · 문종혁의 말30)과도 부합한다는 점,
넷째, "다른 원고에서는 그렇게도 찬찬함을 보이던 김군"이라는 구절 역시,

29) 정인택, 「여수」, 『문장』, 1941.1. 4-6면.
30) 김옥희의 「오빠 이상」(『신동아』, 1964.12.)과 문종혁의 「몇 가지 이의」(『문
학사상』, 1974.4.)를 참고할 것.

"바늘끝 같은 날카로운 만년필촉으로 쓰인 詩들이 活字 같은 正字로 빼꼭 들어차 있었다"[31]라든지, "전에도 그랬지만 값싼 무궤지 노오트에 바늘 끝 같은 만년필 촉으로 깨알 같은 글자로 한장 한장 시를 써나갔다"[32] 등과 같이 문종혁에 의해 두 번씩이나 확인된 이상 육필 원고의 특성과 상통한다는 점, 그리고 무엇보다도 "김군"이 쓴 글의 내용이 "한 여자를 지극히 사랑한 한 남자의 마음의 기록"이라는 사실, 다시 말해 이는 금홍이나 변동림과 관련된 이상의 기존 작품들이 가진 특성과 일치한다는 점 때문이다.

그렇다면 「여수」라는 소설은 결국 이상의 유고에 정인택이 가필을 한 것이 되는 셈이고, 이는 「우울증」과 「업고」가 이상의 작품일 것이라는 우리의 추정을 더욱 강력히 뒷받침해 주는 것이다. 지면 관계상 필자는 「여수」의 내용에 대해서는 고를 달리 하여 본격적으로 논의하려 한다. 하지만 여기서 우리는 최소한 「꿈」이라는 글에 등장하는 다음과 같은 정인택의 말만은 제시해야 할 것 같다.

> 길 가는 사람마다 모두 한 번씩은 발을 멈추고 히한하다는듯이 고개를 기우리며 나를 바라본 후 혹은 웃고, 혹은 멸시하고─그러나 나는 그런 것에는 조금도 介心치 않고 태연하게 限없이 쌀구루마 뒤를 따라가며 한알씩 두알씩 쌀섬에서 흐르는 쌀알을 주어 주머니에 넣고 넣고─밤새도록 그런 꿈만 꾸다가 새벽녘에 잠을 깨이니 머리가 띵하고 죽은 李箱이가 몹시 그립다. (중략)
>
> 궁상스럽고 빌어먹을 꿈-문득 그렇게 중얼거리고 옳지, 이것은 李箱이가 꾸기에 가장 適當한 꿈이로구나 깨달았다. (중략) 필경 이 꿈은 李箱이가 그 중 자주 보던 꿈 中의 하나일 것이다.
>
> 그렇게 結論짓고 나니 그것이 무슨 偶然인 것 같지도 않았다. 李箱이는 그 꿈을 자주 꾸고, 生活에 厭症이 나서 轉機를 求하려고 東京으로 流浪했고 나도 또한 이때까지의 惰氣를 깨트려 부시고 方向을 轉換하자 이 꿈을 꾸었다. 때도 또한 가을─불 안 때인 房이 돌

31) 문종혁, 위의 책, 347면.
32) 문종혁, 「심심 산천에 묻어주오」, 『여원』, 1969.4. 235면.

장보다 차나 나는 일어날 생각도 없이 다시 이불을 뒤집어쓰고 李箱
이가 죽었다는 通知 받은 날 "李箱이가 하다 남긴 일, 제가 기어코
일우겠습니다"라고 便紙 쓴 것을 생각하고, 그 꿈이나 또 한번 꾸고
李箱이가 하다 남긴 일이 무엇인가를 곰곰 생각하였다.33)

　우리는 밑줄 친 "李箱이가 하다 남긴 일, 제가 기어코 일우겠습니다"라
는 말에 주의를 기울이고자 한다. 왜냐 하면 이 말은 정인택의 또 다른 글
인 「불쌍한 이상」(『조광』, 1939.12.)에서도 확인될 뿐만 아니라, 유족으로부
터 유고를 "생각대로 처치"하라는 부탁을 받았음을 기술하는 「여수」의 "작
자의 말"과 함께 우리의 논의에 중요한 단서를 제공하는 것이기 때문이다.
즉 필자가 보기에 이 두 가지는, 등단한 뒤 별로 작품 활동을 하지 않던 정
인택이, 이상의 사후 얼마 뒤, 더 정확히는 인용된 「꿈」(38.11.)을 발표한 뒤
부터 「준동」(39.4.) 「미로」(39.6.) 「범가족」(40.1.), 「연련기」(40.3.7-4.3.), 「혼
선」(40.5.), 「업고」(40.7.), 「헛되인 우상」(40.8.), 「우울증」(40.9.), 「착한 사람
들」(40.12.) 「여수」(41.1.), 「단장」(41.2.), 「부상관의 봄」(41.3.), 「구역지」(41.4.)
등을 연달아 발표했다는 사실과 연관성이 있을 수도 있다고 생각되는 것이
다.
　물론 위에 제시된 작품들에 대한 자세한 분석이 필요하며, 또 만일 정인
택이 이상의 작품을 자신의 이름으로 발표했다면, 그 과정 및 그렇게 할 수
밖에 없었던 이유 등에 대해서도 충분히 논의해야 할 것이다. 이를테면 첫
째 정인택은 변동림, 윤태영, 박태원과 더불어 이상의 동경행을 배웅한 몇
사람 중의 하나이며, 이상과 권순옥이라는 여자를 놓고 삼각 관계를 맺거
나 자살 소동까지 벌이다가 결국 이상의 사회로 그녀와 결혼을 하기도 했
을 만큼 "이상의 사생활에 깊이 관여"34)했었다는 점, 둘째 "李箱이 東京 가
기를 바란 사람"은 "夫人과 나밖에 없었을 것"이라는 정인택의 증언에 화
답이라도 하듯 변동림은 다름 아니라 정인택에게 이상이 죽은 사실을 알렸

---

33) 정인택, 「꿈」, 『박문』, 1938.11. 6면.
34) 김윤식, 『이상 연구』, 문학사상사, 167면.

으며, 또 정인택은 "李箱이가 하다 남긴 일, 제가 기어코 일우겠습니다"라고 회답함으로써, 이상의 죽음은 자연스럽게 변동림과 정인택 공동의 문제가 되었다는 점, 셋째 "오빠가 돌아가신 후 姊이 언니는 오빠가 살던 방에서 藏書와 原稿뭉치, 그리고 그림 등을 손수레로 하나 가득 싣고 나갔는데 그 행방이 아직도 묘연"[35]하다는 김옥희의 말, 넷째 남자 관계가 복잡하여 "공포에 가까운 변신술"을 부리는 "야웅의 天才"로 변동림을 묘사하는 「종생기」나 「동해」, 「실화」 등 이상의 몇몇 작품들에 대해, 변동림은 "賣文用 꽁트式 雜文"[36] 또는 "통속성, 유치한 연극"이라고 매도하며, "이상의 잡문들은 고매한 시 정신에서 대단히 멀어져 있음을 느낀다", "내가 가지고 있었으면, 이런 글은 유고로 발표하지 않았음이 분명하다"라든지, "나는 이러한 이상의 글을 싫어한다. 뿐만 아니라 사람들(독자)은 아내였던 변동림을 의심했다", "그는 나를 배신한 거다"[37]라고 말한다는 점, 즉 "불살라 버리거나 휴지통에 넣어도 아깝게 생각 안 할" 것이라는「여수」의 유족의 태도와 비슷한 모습을 보인다는 점과, 정인택의 이름으로 이상의 유고를 발표하는 것 사이의 연관성에 대해 우리는 좀더 정밀히 고찰해야 할 것이다. 이를테면 자신의 명예를 깎는 이상의 유고들이 발표되지 않기를 바라는 변동림의 소망과, 친구의 글을 살리고 싶어 하는 정인택의 결심 사이에서 일어날 수 있는 일은 무엇이었을까.

하지만 이상의 유고들이 변동림의 손에서 정인택에게로 넘어갔을 것이라는 가정의 타당성 여부, 또는 그후 뜯겨진 채 십분의 일밖에 남지 않은 이상의 유고 노트를 발굴하기까지의 경위를 설명하는 조연현의 「이상의 미발표 유고의 발견」(『현대문학』,1960.11.) 등에 대한 논의도 포괄해야 할 이 문제에 대해서는 고를 달리 해서 본격적으로 거론하기로 하고, 여기서는 단지 정인택의 「꿈」에 대해 다음의 해몽을 첨가해 두기로 하자.

이를테면 길 가는 사람마다 자기를 "웃고", "멸시"해도 멈추지 않고 계

---

35) 김옥희, 「오빠 이상」, 『신동아』, 1964.12. 319면.
36) 김향안, 「이젠 이상의 진실을 알리고 싶다」, 『문학사상』, 1986.5. 59면.
37) 김향안, 「이상이 남긴 유산들」, 『문학사상』, 1987.1.

속 "쌀구루마"에서 떨어지는 쌀알을 주머니에 주워 넣는 "궁상스럽고 빌어먹을 꿈", 그리고 갑자기 이상을 그리워하며, 그 꿈이야말로 "李箱이가 그 중 자주 보던 꿈 中의 하나일 것"이라고 생각하는 상황은, 위에서 논의된 우리의 추정과 관련된 상징일 수 있다. 남의 쌀을 주워 가지는 모습, 그리고 자신의 꿈을 남(이상)의 꿈과 동일시하는 정인택의 태도는 모두 "李箱이가 하다 남긴 일, 제가 기어코 일우겠읍니다"가 어떤 식으로 실현될지를 상징하는 것이 아니었을까. 이는 어쩌면 「꿈」이 발표된 1938년 11월 이후에 정인택에게 일어날 일을 암시한 일종의 계시는 아니었을까. 실로 정인택에게 그 꿈은 "偶然인 것 같지도 않았"던 터, 그렇다면 이는 이상의 동생 김옥희가 이상의 꿈을 꾸고 "큰오빠가 내 몸의 병을 고쳤나 보다고"[38] 생각하는 것처럼, 이상과 관련된 어떤 신비한 작용이 "李箱이가 하다 남긴 일, 제가 기어코 일우겠읍니다"라는 바로 그 말의 실현을 촉구한 것이었을까. 그렇지 않다면, 아니 그런 일이 있을 수 없다면, 그것은 정인택 스스로가 만들어 낸 자기 암시이거나 자기 합리화였을까.

그리고 바로 이때 우리는 다음과 같은 백철의 말을 이전에는 느끼지 못했던 새로운 의미로 받아들이게 되는 것이다.

> 鄭人澤은 一九三五년[39] 『中央』誌에 발표한 「촉루」가 첫 작품인데, 이 작품을 위시하여 「蠢動」, 「相剋」, 「迷路」, 「感情의 整理」, 「業苦」 등까지의 작품들은 <u>이 작가가 개인적으로 李箱과 가깝던 관계도 있어</u> 상당히 심리주의적인 경향을 띤 작품들이었다. 「業苦」 등에 등장하는 <u>男主人公 <나>는 李箱의 「날개」의 <나>를 연상케 할이만큼 不實한</u> 아내의 등에 업혀서 사는 무력한 인텔리의 과잉한 의식의 세계를 추구한 작품이다.[40]

---

38) 김승희, 「오빠 김해경은 천재 이상과 너무 다르다」, 『문학사상』, 1987. 95면.

39) 1936년의 착각임. 정인택의 「촉루」는 이상의 「지주회시」와 같이 『중앙』 1936년 6월호에 발표되었다. 또 정인택의 첫 작품 역시 「촉루」가 아니다.

40) 백철, 『신문학사조사』, 신구문화사, 530-531면.

즉 밑줄친 부분이야말로 정인택의 작품에 대한 우리의 추정과 깊이 맥이 닿아 있는 것이다. 그렇다면 이상과 동시대를 살았던 백철의 이같은 미묘한 발언이야말로 우리의 논의에 또 다른 신빙성을 보장하는 것일지도 모른다. 새미

문학작품의 이차론적 담론으로 비평은 끊임없는 자기성찰과 비판을 통해 존재 확립

비평의 자의식

신재기 문학비평집(국학자료원, 97)
신국판 / 350면 값 13,000원

....

비평문 쓰기와 논문 쓰기의 근본은 하나이며,
이 양자의 구분은 단지 문학 제도적인 것에 불과하다는 점을 알면서도
실제 글쓰기에서 나는 아직도 이 이원론으로부터
자유롭지 못한 실정이다.

극예술연구회와 연출가 홍해성

이 상 우*

1. 머 리 말

이 글은 극예술연구회(이하 극연으로 약칭)와 홍해성(洪海星)의 관계를 살피는 데 목적을 둔다.

홍해성(본명 洪柱植, 1894-1957)은 한국 연극사상 최초의 근대적 연출가로 평가받는 인물이다.[1] 그는 1894년 대구에서 아버지 홍치장(洪致章)과 어머니 한순이(韓順伊) 사이의 5형제 중 3남으로 태어났다. 대구 계성(啓星)중학을 마치고 난 후, 그는 1917년 일본으로 건너가 법관의 꿈을 이루고자 중앙(中央)대학 법학과에 입학하였다. 그러나 그는 1920년 봄 동경 유학생들이 조직한 극예술협회(劇藝術協會)의 회원이 되면서 점차 연극의 길에 매료되기 시작한다. 특히 그의 연극에 대한 열정에는 친구인 극작가 김우진(金祐鎭)의 영향이 크게 작용하였다. 그는 연극 공부를 위해 중앙대학을 그만 두고 일본(日本)대학 예술과로 편입하였다.[2]

대학을 마치고, 그는 1924년 당시 일본 최고의 근대극 단체인 축지소

---

* 영남대 국문학과 교수. 저서로 『연극 속의 세상 읽기』가 있으며, 「유치진 희곡의 변모과정 연구」 외 다수의 논문이 있음.
1) 서연호, 「연출가 홍해성론」, 『한림 일본학연구』 제1집, 한림대학교, 1996.11, 205면.
2) 위의 글, 206면.

극장(築地小劇場)에 입단하여 1929년까지 약 5년간 배우로 큰 활약을 하였다. 축지(築地)의 분열과 좌익 편향에 염증을 느낀, 그는 조국에서 연극 생활을 계속하기 위해 1930년 6월 귀국하게 된다.[3]

귀국 이후 홍해성은 극연 창립의 계기가 되었으며 극연의 활동 과정에서도 중요한 역할을 하였다. 그러나 기존 연구에서는 극연 내에서 홍해성이 차지하는 위상과 역할에 대해 충분한 검토가 이루어지 못했다. 대개 '해외문학파(海外文學派)' 동인들과 유치진(柳致眞)을 중심으로 극연에 대한 논의가 전개되었다. 그것은 이제까지 극연에 대한 연구가 대체로 극연의 연극운동론(비평)과 창작극 레퍼터리(희곡)에 집중되었기 때문인 것으로 보인다.

극연의 비평과 희곡에만 관심을 쏟게 될 때, 홍해성은 주목의 대상에서 비껴나기 쉬운 인물이다. 그는 이론 분자가 아니고 현장의 실천가이므로 주로 공연 분야에 족적을 남겼을 뿐 많은 글을 남기지는 않았기 때문이다.[4] 그러나 연극사가 서술될 때 실천(實踐)을 남긴 사람이 문자(文字)를 남긴 사람보다 불리하게 마련이다. 한국 근대연극사에서 그런 불리한 대접을 받는 사람 가운데 하나가 연출가 홍해성이다. 한국 근대연극사에서 그가 차지하는 비중에 비하면, 그에 대한 연극사의 기록은 쓸쓸하기 그지 없다.

그가 그러한 대접을 받게 된 데에는 또 다른 이유가 있다. 그것은 그가 많은 기간을 대중극 분야(주로 동양 극장)에서 활동했기 때문이다. 국내에서 그의 연극 활동 기간은 크게 '극연 연출 시기'(1931-34)와 '동양 극장 연출 시기'(1935-43)로 양분되는데[5], 후자 즉 대중극 분야에서의

---

3) 기사, 「홍해성 씨 입경(入京)」, 『조선일보』, 1930.6.29. 참조.
4) 필자의 조사에 의하면, 홍해성은 1926년부터 1957년까지 「무대 예술과 배우」 등 약 30여 편의 크고 작은 평문을 남겼다. 그가 쓴 글을 유형별로 보면, 해외 연극론이 가장 많고 그밖에 연극평, 연극 시론, 연출론, 연기론 등이 있다. 그러나 그가 쓴 글의 분량은 극연의 다른 동인들에 비하면 적은 편에 속한다.
5) 서연호, 「홍해성 선생을 다시 생각한다」, 『한국연극』, 1994.10, 11-12면.

활동 기간이 전자에 비해 훨씬 길다. 연극사가 주로 '신극(新劇)'(근대극) 위주로 서술되었던 점을 생각해 볼 때, 그의 대부분의 연극 활동이 제대로 평가받기 어려웠다는 사실은 쉽게 간파된다.

그러나 필자가 보기에 홍해성에 대해서는, 극연의 활동 부분에서마저도 정당한 평가가 이루어지지 못한 점이 많다고 생각된다. 홍해성의 동양극장 활동을 제대로 이해하기 위해서도 그의 극연 활동에 대한 재검토가 필요하다고 생각된다.

그런 의미에서 이 글에서는 극연 내에서 홍해성의 위치와 역할, 그리고 그의 연극 활동 내용에 대해 살펴보면서 그의 대중극 전향 계기, 즉 극연 탈퇴와 동양 극장 입단의 과정을 밝혀보는 것을 목표로 삼고자 한다. 홍해성은 우리 근대 연극사에서 '신극' 분야나 '대중극(홍행극)' 분야에서나 모두 커다란 기여를 한 인물이었기 때문에, 그의 연극적 전향 과정을 밝히는 것은 매우 중요하다고 생각된다.

2. 극예술연구회에서 홍해성의 위상과 역할

앞서 밝힌 대로, 홍해성은 극연 창립의 촉발제가 되었던 중요한 인물이다. 그러나 홍해성이 귀국 이후에 곧바로 극연을 창립하게 된 것은 아니다. 그는 극연 창립 이전에 이미 몇 차례에 걸친 의욕적인 연극적 모색 과정을 거친다. 1930년 6월 귀국하자 마자, 그는 그와 동향(同鄉) 시인인 이상화(李相和)의 물적 지원을 받아 경성소극장(京城小劇場) 조직을 시도(1930.8)하였으나, 이상화의 출자가 여의치 않아 극단 조직에 실패한다. 그러나 그는 이에 굴하지 않고 다시 최승일(崔承一)의 출자로 홍사용(洪思容) · 이백수(李白水) · 원우전(元雨田) 등과 함께 신흥극단(新興劇團)(1930.10)을 조직한다.

신흥극단은 그해 11월에 홍해성 연출로 <모란등기(牡丹燈記)>(藤森成吉 번안, 이기영 번역)를 공연한다. 그러나 결과는 참담한 실패였다. <모란등기>의 실패로 실의에 빠진 홍해성은 다시 이화여고(梨花女高)의 <앵

화원>(1930.12)을 성공적으로 연출함으로써 잃었던 자존심을 어느 정도 회복하게 되지만, 이 때 그는 자신을 죄어오는 생활고와 연극적 이상을 펼 수 없는 한국 연극의 현실에 대해 깊은 절망감을 맛보게 된다. 이같은 그의 좌절과 실의의 나날은 극연의 창립까지 이어진다.

주지하는 바와 같이, 극연의 모체가 된 것은 '극영동호회(劇映同好會)'(1931.6)이다. 그런데 극영동호회는 생활고에 빠져있는 홍해성 돕기를 목적으로 동아일보사 옥상에서 개최된 연극영화전람회(演劇映畵展覽會)(1931.6.18-24)를 위해 급조된 임시 유령 단체였다. 비록 임의적으로 만들어진 유령 단체이긴 했지만, 극영동호회는 한국 최초의 본격 근대극 운동단체인 극예술연구회를 창립케 한 산실이 되었다.

극영동호회의 중심 멤버는 연극영화전람회 개최를 주도한 홍해성, 윤백남(尹白南), 서항석(徐恒錫) 등이었다. 윤백남, 서항석은 귀국 이후 계속되는 생활고에 시달려 온 홍해성을 도울 목적으로 연극영화전람회를 계획하게 되었다. 여기에는 언론사, 특히 『동아일보(東亞日報)』의 후원이 커다란 물적 배경으로 작용했다. 전람회 계획 당시 서항석은 『동아일보』 기자였고, 윤백남은 『동아일보』에 소설을 연재하고 있었다. 그리고 윤백남과 친분이 있던 홍해성도 생계 문제로 『동아일보』사를 자주 드나 들었다.6) 이런 관계로 홍해성, 윤백남, 서항석은 자연스럽게 의기투합하여 『동아일보』의 후원을 이끌어내서 연극영화전람회를 개최하게 되었다. 이 과정에서 전람회 개최 단체로 극영동호회라는 유령 단체의 이름이 슬며시 나타나게 된다.

그러나 전람회를 계기로 근대극 운동에 관심있는 사람들이 모여들게 되자 극영동호회는 더 이상 유령 단체로 머물 수 없게 된다. 극영동호회는 전람회 개최 멤버인 홍해성, 윤백남, 서항석 이외에 전람회에 자료를 출품한 정인섭(鄭寅燮), 유치진 그리고 서항석과 교분이 두터운 '막우회(莫友會)' 멤버들로 그 진용을 갖추게 된다.7) 극영동호회에 참여한 막우

---

6) 서항석, 「나의 이력서」, 『서항석전집(5)』, 하산출판사, 1987, 1778면.

회 멤버는 서항석을 포함하여 이헌구(李軒求), 조희순(曺喜淳), 이하윤(異河潤), 함대훈(咸大薰), 장기제(張起悌), 김진섭(金晉燮), 최정우(崔珽宇) 등인데, 막우회는 '해외문학파' 계열의 친목 단체로 보인다. 이들은 비록 전람회 자체에는 크게 기여한 바가 없지만, 극영동호회 내부에서 숫적 우위를 점하게 된다.

이 극영동호회의 12인 멤버가 동인(同人)이 되어 1931년 7월 8일에 극예술연구회가 정식으로 발족된다. 발족 당시의 극연은 12인 동인제(同人制)로 운영되었는데8), 윤백남은 이름만 없고 실질적인 활동을 거의 하지 않았으므로9) 공연 실무 분야는 거의 홍해성이 전담하게 된다. 나머지 동인들은 연구, 강연, 번역, 비평 등의 연구 분야에서 주로 활동하게 된다. 물론 홍해성도 연구 분야에서 활동하기는 했으나 그의 주무대는 역시 공연 분야가 되었다. 왜냐 하면 그는 극연에서 거의 유일한 전문 연출가였기 때문이다.10)

그는 오랜 기간 축지소극장(築地小劇場)에서 쌓은 연극 경험을 인정받아 극연 내에서 공연 실무에 관한 주도적 지위를 갖게 된다. 그러나 그러한 그의 주도적 지위는 극연 내의 다수파인 '해외문학파' 동인에 의해 위임받은 것에 불과하였고, 그것도 공연 분야에 한정된 것이었다. 이는 극연 1기의 공연 활동을 통해 잘 나타난다.

7) 이두현 · 유민영 편, 「극예술연구회 연보」, 『연극평론』 1971년 가을호, 63면.
8) 극연은 제3회 공연(1933.2)까지 동인제(同人制)를 유지하다가 회원제(會員制)로 전환한다. 이 때 극연 직속 극단 '실험 무대(實驗舞臺)'는 해소되고 '극연'의 이름으로 공연 활동이 이루어진다.
9) 윤백남은 실질적으로 극연의 활동에 크게 관여하지 않은 것으로 보인다. 그러나 그는 1932년 12월 극연의 조직 개편에서 감찰원(監察員)으로 되어 있고, 1934년 4월에 발간된 극연 기관지 『극예술』 창간호에 「조선연극운동의 이십년을 회고함」이라는 글을 기고한 것으로 보아 극연과의 연결 고리는 계속 유지하고 있었던 것으로 보인다.
10) 유치진이 전문 연출가로 인정받게 되는 것은 재도일(再渡日)(1934.3-1935.5) 이후인 극연 2기부터라고 보는 것이 옳다. 유치진의 재도일 기간의 활동에 대해서는 박영정의 「유치진의 연극비평 연구」(건국대 박사논문, 1996.11) 35-40면을 참조할 것.

극연 1기에는 정기 공연 7회와 비정기 공연 1회(三南水害救濟公演, 1934.9.6-7)를 합하여 총 8회의 공연이 있었다. 이 8회 공연에서 모두 14편의 작품이 상연되었는데, 이 가운데 홍해성은 9편의 작품에서 연출을 맡았다.[11] 그만큼 전문 연출가로서 홍해성은 극연 내에서 공고한 지위를 갖고 있었다. 연출가로서 그의 다음 지위를 차지하는 유치진은 아직 연출의 전문성을 확보하지 못한 단계였다.

홍해성은 극연 1기의 공연 활동에서 연출을 맡았을 뿐만 아니라 레퍼터리 선택에도 깊숙이 관여하였다. 극연 1기에 상연된 레퍼터리 가운데 창작극 2편을 제외한 나머지 12편이 모두 번역극이다. 그런데 이 중에서 절반인 6편이 축지소극장의 레퍼터리와 중복되고 있다.[12] <검찰관>(극연 1회 공연), <해전>(2회), <기념제>(3회), <베니스의 상인>(5회), <바보>(5회), <앵화원>(7회) 등이 그것이다. 이 작품들은 거의 대부분 축지소극장 시절 홍해성의 출연작들이다.[13] 그리고 이들 중에 그는 <검찰관>, <해전>, <기념제>, <앵화원> 등 4편의 작품을 극연 무대에서 직접 연출하게 된다. 극연 1기의 레퍼터리 선정은 대부분 축지소극장 레퍼터리에 의존한 것이었으며, 그러한 선정과정에서 홍해성의 역할이 중요하게 작용하였음을 짐작할 수 있다.

홍해성은 김우진의 와세다(早稻田)대학 동문이자 신극 배우로 활약하던 友田恭助의 도움을 받고 축지소극장에 입단하게 된다. 입단 이래 그

---

11) 나머지 5편 중에서 유치진이 4편의 작품(<우정>, <버드나무 선 동리의 풍경>, <바보>, <베니스의 상인>)에서, 그리고 장기제가 1편의 작품(<무기와 인간>)에서 연출을 맡았다. 자세한 것은 졸고 「극예술연구회에 대한 연구」(『한국극예술연구』 제7집, 1997)를 참조할 것.

12) 극연의 공연 사항은 이두현·유민영의 「극예술연구회 연보」(『연극평론』, 1971년 가을호) 63-80면을, 축지소극장 공연 사항은 倉林誠一郎의 『新劇年代記(戰前編)』(東京:白水社, 1972)을 참조한다. 양승국의 『한국근대연극비평사연구』(태학사, 1996) 180면에서 극연과 축지소극장의 레퍼터리를 비교하였다..

13) 倉林誠一郎, 『新劇年代記(戰前編)』(東京 : 白水社, 1972)을 참조하면 홍해성의 출연 작품과 공연 개황을 알 수 있다.

는 축지의 배우로 맹활약하게 되는데, 1924년 10월 고리키 작 <夜の宿>(1924.10.15-24)에 처녀 출연한 이후 1929년 3월 축지 제84회 공연(小山內薫 추모 공연) <夜の宿>(1929.3.5-24)에 출연하기까지 만 5년 동안 총 78회 공연에 출연하였다.[14] 축지소극장에서 그의 근대극 출연 경험은 한국연극사상 서양 근대극에 관한 최대의 체험으로 기록될 만한 것이었다.[15] 이같이 홍해성의 풍부한 축지소극장 체험은 극연에 있어서 소중한 활동 자산으로 작용하게 되는 것이다.

극연 내의 다수파인 해외문학파 동인들 또한 축지소극장에 대해 많은 관심을 가졌고, 이를 극연이 본받아야 할 전범으로 생각했기 때문에 홍해성의 축지 체험을 소중하게 여겼다. 공연 활동에 관한 한 그에게 주도권을 위임한 것도 바로 그 때문이다. 홍해성은 小山內薫을 통해 축지에서 배운 대로 극연에서 배우(연구생)를 훈련시키고, 상연 레퍼터리를 선택하고, 작품을 연출하였다. 그것은 小山內薫을 통한 스타니슬랍스키 방법론의 간접적인 수용을 의미한다고도 볼 수 있다.[16]

어쨌든 극연 내에서 홍해성이든 해외문학파든 축지소극장을 극연의 전범으로 삼아야 한다는 입장에 대해서는 의기투합했다고 할 수 있다. 그러면 이같은 '축지소극장 모델론'은 어디에서 비롯되는가. 그 연원을 캐보면 역시 '연극 불모론'으로 귀결됨을 알 수 있다. 극연의 이론 분자인 이헌구, 김광섭 등은 번역극 우선론을 제기하면서, 우리 사회는 "연극이 없고 혹은 침체한 사회"라고 단정짓고 "그것을 진흥시키고 또는 수립하는 데 유일한 길"은 외국극(번역극)의 수용에 있다고 주장한 바 있다.[17] 그런데 이들의 이러한 주장은 그들의 선배 세대인 김우진, 홍해성에 의해 이미 제기되었던 것의 되풀이에 지나지 않는다.

---

14) 안광희, 「홍해성 연구」, 단국대 석사논문, 1985, 48면.
15) 서연호, 「연출가 홍해성론」, 210면.
16) 小山內와 스타니슬랍스키의 영향 관계에 대해서는 나상만의 『스타니슬랍스키, 어떻게 볼 것인가』(예니, 1996) 61-66면 참조.
17) 김광섭, 「우리의 연극과 외국극의 영향」, 『조선일보』, 1933.7.30.

홍해성은 김우진과 공동 집필한 논문 「우리 신극운동의 첫 길」(『조선일보』, 1926.7.25-8.2)에서 우리 연극의 현실을 "신극운동상 재래의 전통에서 얻을 아무 것도 없"는 "황무지 벌판"으로 단정한다. 그리고 그는 "이 황무지 벌판에서 다른 곳으로부터 수입해오는 새 종자가 아니면 무엇으로써 신극운동을 일으킬까?"라며 이른바 '신종자론(新種子論)'을 역설한다. 즉, 연극 불모의 토양 위에서 근대극을 꽃 피우기 위해서는 불가피하게 새로운 씨(新種子)를 뿌려야 한다는 것이다. 즉, 홍해성의 신종자론은 서구 근대극에 대한 체험적 습득과 방법 수용의 필요와 정당성을 주창하는 논리인 것이다.[18]

해외문학파 동인들의 '연극 불모론'이나 홍해성·김우진의 '황무지론(荒蕪地論)'[19]이 서로 상통하는 것임은 물론이려니와 그 대안으로 내세우는 '번역극 우선론'이나 '신종자론'도 결국 맥락을 함께 하는 것이다. 따라서 극연 1기의 연극 활동을 지배하는 번역극 우선론은 곧 해외문학파 동인들이 그들의 선배 세대의 생각을 고스란히 물려받은 것이나 마찬가지로 볼 수 있다. 그런데 이 '번역극 우선론'과 '신종자론'의 실천적 모델을 뚜렷하게 제시하고 있는 것이 바로 축지소극장이라고 할 수 있다.

극연 동인들은 축지소극장을 신종자로 삼아 이 땅에 근대극의 씨를 뿌리려 하였다. 그러기 위해서는 축지소극장의 레퍼터리를 열심히 본받아야 하기도 했지만, 보다 시급했던 것은 공연의 내용을 채워넣을 수 있는 경험적인 실무 지식과 방법론이었다. 이것을 가지고 있는 사람은 만 5년간의 축지 경험을 껴안고 돌아온 홍해성뿐이었다. 홍해성이 전문 연출가로 인정받고 극연의 공연 분야에서 주도적 지위를 차지하게 된 것은 순전히 그만이 보유한 공연 실무의 전문성 때문이었다. 홍해성 스스

---

18) 서연호, 「홍해성의 연출론 고찰」, 『김기현교수회갑기념논총』, 1995.1, 277면.

19) 홍해성의 '황무지론'은 이후 「죠선은 어데로 가나-극단」(『별건곤』, 1930.11)이라는 글에서 또 다시 제기된다.

로도 이러한 전문성(연출)이 자신의 장처임을 너무도 잘 알고 있었다.

극연의 기관지 『극예술』1, 2호를 보면, 다른 동인들의 글에 비해 홍해 성의 연출론이 단연 특색있게 보인다. 그 이유는 다른 동인들의 글이 평 이한 해외 연극론, 극작가론, 연극 시론 등에 불과 한데 비해, 그의 글은 보다 전문성을 요하는 연출론이기 때문이다. 여기서 그는 특히 무대 예 술(연출)의 독자적 영역을 애써 강조한다.

> 희곡에 있어서 실연(實演)은 필수적이다. 그래서 이 필수적인 일 을 완성하는 것이 다시 말하면 희곡을 실연하는 것이 무대 예술가의 임무이다. 이상적으로 말하면 이 임무를 실행하는 사람이 희곡의 작 자(作者)인 자신이었으면 제일 합리(合理)할지도 모를 것이다. 그러나 무대 예술의 제작은 사무(事務)로서는 대단 광범하고도 복잡한 것인 고로 작자들은 오히려 번다한 직분을 감당키가 불가능한 것이다. 그 래서 작자와는 다른 전문적인 무대의 실제적 기능에 정통한 소위 연 출가가 있어서 원작자의 대리로서 그 희곡을 상연하는 것이 오히려 편의도 하고 또 효과적인 것이다.[20] (고딕, 인용자)

이와 같은 주장은 지극히 당연한 연극 일반론에 불과하지만, 연극의 상연에 있어서 특히 '무대 예술가(연출가)의 임무'가 얼마나 중요한가 하는 것을 강조하는 대목이다. 희곡이 무대에서 상연되지 못하면 "시집 못 간 희곡"에 불과하다. 희곡은 실연을 통해 비로소 완성되는 것이므로 무대 예술가의 역할은 매우 중요하다. 그런데, 무대 예술은 "대단 광범 하고도 복잡한 것"이어서 아무나 그 "직분을 감당키가 불가능한 것"이 다. "전문적인 무대의 실제적 기능에 정통한 연출가"만이 그 역할을 수 행할 수 있는 것이다. 즉, 극연 내의 유일한 전문 연출가인 자신만이 보 유한 무대 예술가의 역할을 강조한 것이다.

극연 내의 다수파를 이루고 있는 이른바 '해외문학파' 동인들이 대부 분 외국문학을 전공한 문인 집단(문학연구자, 비평가, 번역가)이었으며,

---

20) 홍해성, 「연출법」, 『극예술』 창간호, 1934.4, 28면.

극연의 연출을 일부 떠맡고 있던 유치진도 영문학 전공의 극작가가 본업이었던 점 등을 비추어 볼 때, 무대 예술가의 임무와 그 전문성을 애써 강조한 홍해성의 논리는 자신의 위상 제고와 무관하다고 보기는 어려운 것이다. 표면적으로는 연출 일반론을 강조하는 듯하면서도 내면적으로는 극연 내의 유일한 전문 연출가로서 자신의 위상을 한껏 부각시키려 한 의도를 읽을 수 있는 것이다. 그러나 그의 이러한 의도는 정당한 배경을 갖고 있다고 보인다. 극연이 실질적으로는 공연 단체(극단)적인 성격을 가지고 있었음에도 불구하고 비(非)연극인들이 헤게모니를 장악하고 있었다는 점, 그에 따라 상대적으로 자신을 비롯한 무대 예술인들(연출가, 배우, 무대장치가 등)이 그들에게 예속되어 있었다는 점에 대한 지적이라고 보이기 때문이다. 이같은 실천부에 대한 연구부의 주도권 행사로 인해 극연은 후에 두 차례에 걸친 분규에 휘말리게 된다.[21]

3. 극예술연구회의 연극 활동과 홍해성

그럼에도 불구하고 극연의 해외문학파 동인들도 홍해성의 전문성만큼은 크게 인정했음이 분명하다. 홍해성 자신도 근대극의 전문 연출가로서 스스로를 인정받고 싶어했다. 그러나 문제는 귀국 이후 지속되어온 홍해성의 생활고였다. 이로 인해 그는 극연 활동 기간 중에도 잠시 흥행극에의 외도를 한 바 있다. 이것은 끝내 홍해성의 극연 탈퇴 원인이 된다.

이제까지 우리는 극연의 활동 시기를 구분할 때, 통상 그것을 1, 2, 3기로 나누어 살펴보는 것이 관례였다. 이러한 시기 구분은 대개 극연의 활동 방침의 변화와 관련을 갖고 있으나 공연을 이끌어온 연출가가 누구였느냐 하는 문제와도 무관하지 않다. 때문에 극연 1기(1932.5-1934.12)는 주로 홍해성이 연출을 맡아온 기간을, 극연 2, 3기는 대개 유치진이

---

21) 1936년 6월 극연의 실천부원들이 생활 보장을 요구하며 1차 분규를 일으킨다. 이로 인해 결국 실천부원 11명이 극연을 탈퇴한다. 1938년 12월에 다시 극연의 2차 분규가 발생한다.

연출을 맡아온 기간을 지칭해왔다. 그런데 극연의 연극 활동을 보다 자세히 살펴보면 극연의 활동 시기를 다시 세분해 볼 수 있다.

홍해성이 주로 연출을 담당해온 극연 1기도 이를 엄밀하게 들여다보면 다시 두 시기로 나누어 볼 수 있음을 알 수 있다. 그것은 극연 제4회 공연(1933.6)을 기점으로 극연의 연극 활동이 변화함을 의미한다. 즉, 제4회 공연을 기점으로 극연 1기를 편의상 극연 1-1기(극연 1, 2, 3회 공연, 1932.5-1933.2)와 극연 1-2기(극연 4-7회 공연, 1933.6-1934.12)로 재분류할 수 있다는 의미인데, 이러한 분류의 분기점이 되는 것은 이른바 홍해성의 극연 이탈 사건이다.[22]

홍해성은 귀국 이후 계속되는 생활고를 견디지 못해 극연 3회 공연(1933.2.9-10)을 마치고, 1930년대 전반기의 대표적인 흥행 극단 '조선연극사(朝鮮硏劇舍)'의 연출가로 일시 이적하게 된다. 조선연극사에서 홍해성은 1933년 5월 <개화전야>(1933.5.21)와 <인간정목>(1933.5.6) 등 두 편의 연극[23]을 연출하였으며[24], 이후 극연 6회 공연(1934.4.18-19)에서 다시 연출을 맡음으로써 극연에 복귀하게 된다. 이후 홍해성은 삼남 수해 구제 공연(1934.9.6-7)과 제7회 공연1934.12.7-8)에서 연속적으로 극연 공연의 연출을 맡게 되기 때문에, 표면적으로는 그의 극연 복귀가 매우 자연스럽게 이루어진 것처럼 비추어진다. 그러나 그의 흥행극 외도와 극연 이탈 사건은 극연 내부에서 동인들 간에 뜨거운 논란거리가 된다.

극연의 창립 동인으로서 극연이 투쟁 대상으로 삼고 있는 흥행 극단에 투신한 것은 극연으로서 용인할 수 없는 일이라는 비난 여론이 극연 내부에서 들끓게 된 것이다. 홍해성은 극연 정신을 견지하면서 극연의

---

22) 졸고, 「극예술연구회에 대한 연구」, 『한국극예술연구』 제7집, 1997, 105-106면.
23) 당시 조선연극사의 홍해성 연출 작품에 대한 유치진의 비평 「硏劇舍 공연을 보고」(『동아일보』, 1933.5.5-5.9)를 보면 홍해성의 극연 이탈에도 불구하고 유치진이 홍해성에 대해서 여전히 우호적인 태도를 나타내고 있음을 엿볼 수 있다.
24) 민병욱 편저, 『한국희곡사연표』, 국학자료원, 1994, 685면.

일원으로 충실할 것을 다짐하고서야 자신에 대해 쏟아진 극연 동인들의 비판 여론을 어느 정도 누그러뜨릴 수 있었다.[25]

그러나 이같은 그의 공개적인 충성 서약에도 불구하고 그에 대한 극연 동인들의 냉대는 쉽게 사라지지 않았다. 극연 내부에서도 "이 기회에 홍해성을 배제하고 유치진에게 극연의 연출을 전담시키자"[26]는 의견이 동인들 사이에서 대세를 이루게까지 되었다. 이에 대해 보다 자세한 서항석의 회고를 참고해보자.

> 그러나 나는 이에 반대하였다. '유치진의 연출을 거부하는 것은 아니지만, 홍해성을 배제하는 것은 시기 상조다' 하는 것이 나의 의견이었다. 동인들의 말대로 홍해성에게서 새로운 창조적인 면을 기대하기는 어려울는지 모르지만, 홍해성은 여전히 신극에 대한 열의를 잃지 않고 있으며, 그가 일본 축지소극장에서 여러 해 동안 수업한 것을 우리는 더 받아들여야 한다는 것이 나의 주장이었다. 나와 동인들은 팽팽히 맞섰다.[27]

이와 같이 1933년 홍해성의 극연 이탈과 흥행극 외도는 극연 내에서 '홍해성 파동(波動)'이라 할 만큼 커다란 논란을 불러일으킨 사건이었다. 이 과정에서 극연 동인 중의 대다수는 '홍해성 배제, 유치진 대안론'을 제시하였음을 알 수 있다. 그러나 극연의 실세 집단인 해외문학파 동인들의 이러한 논란은 다시 잠정적으로 봉합되고 만다. 서항석의 '홍해성 활용론'이 다소 설득력을 얻었기 때문이었다. 이로 인해 홍해성은 이후 극연에서 세 편의 연극을 더 연출하게 되지만, 이 때 그는 더 이상 극연의 연극 활동에서 주체가 될 수 없었다.

이처럼 1933년의 극연 이탈 사건을 계기로 홍해성은 극연의 활동 주체에서 거의 배제된다. 이 사건 이후 그에게 몇 번의 연출을 더 맡긴 것

---

25) 서항석, 「연극사적 자서전(13)」, 『한국연극』, 1971.1, 56면.
26) 「연극사적 자서전(14)」, 『한국연극』, 1977.2, 22면.
27) 위의 글, 같은 면.

은 그의 축지소극장 경험을 최대한 활용하자는 용도론(用度論)적 전략에 지나지 않는다. 그러나 이같은 그의 용도론도 유치진이라는 연출 분야의 경쟁자가 부상함에 따라 언제 용도 폐기될지 모르는 시한부의 방안이 된다.

그러나 홍해성은 극연 1기의 공연 과정에서 극연에 커다란 기여를 하였다. 극연 1기의 번역극 레퍼터리 12편의 선정 및 연출 과정에서 그는 매우 깊숙이 개입되어 있다.

극연 1기에서 홍해성이 연출을 맡은 작품은 다음과 같다.

◀ 1회 공연, <검찰관>(5막, 고골리 작/함대훈 역), 조선극장, 1932.5.4-6.
◀ 2회 공연, <관대한 애인>(1막, 어빈 작/장기제 역), 조선극장, 1932. 6.28-30.
◀   - , <옥문>(1막, 그레고리 부인 작/최정우 역), 〃 , 〃 .
◀   - , <해전>(1막, 괴링 작/조희순 역), 〃 , 〃 .
◀ 3회 공연, <기념제>(1막, 체홉 작/함대훈 역), 경성 공회당, 1933. 2.9-10.
◀   - , <토막>(1막, 유치진 작), 〃 , 〃 .
◀ 6회 공연, <인형의 집>(3막, 입센 작/박용철 역), 경성 공회당, 1934. 4.18-19.
◀ 삼남수해구제공연, <紅髮(빨강머리)>(1막, 르나르 작/이헌구 역), 경성 공회당, 1934.9.6-7.
◀ 7회 공연, <앵화원>(5막, 체홉 작/함대훈 역), 경성 공회당, 1934. 12.7-8.

4회, 5회 공연을 제외하면, 극연 1기의 거의 대부분의 공연에서 홍해성이 연출을 전담했던 셈이다. 그가 4회(1933.6), 5회(1933.11) 공연에서 연출을 맡지 않게 된 것은 앞서 살핀 바와 같이 이 기간 동안에 그가 흥행극의 연출을 맡기 위해 극연을 잠시 이탈했기 때문이다. 이탈 기간을 제외하면 거의 모든 공연의 연출이 그에게 맡겨진 것이다.

극연 1기의 공연 레퍼터리는 거의 대부분이 번역극(12/14)인데, 거기에 나타나는 뚜렷한 특징의 하나는 희극 계열의 레퍼터리가 많다는 것이다. 이는 홍해성과 상당한 관련성을 가진다. <검찰관>(1회), <기념제>(3회), <바보>(5회), <베니스의 상인>(5회)이 모두 그러한 레퍼터리들인데, 이는 축지소극장의 레퍼터리로서 대부분이 그의 출연작이기도 했다. 「희극론」이라는 글을 통해 알 수 있듯이, 그는 희극 양식에 대해 깊은 이해와 관심을 나타내고 있었다.

> 사물을 분석할 때는 확실히 비극(悲劇)이다. 그러나 분석한 것을 볼 때에는 희극(喜劇)이 된다. 인생에게 가장 큰 비극은 '모자상간(母子相姦)'이다. 그러나 '상간(相姦)'의 원인을 간단히 해득한다면 오히려 희극이다.
> 분석한 사물은 희극이다…종합해보면 비극이다…종합되어 있는 것을 일일이 살펴보면 희극이다…분석하는 것은 비극이다…분석해 놓으면 희극이 된다. 자기가 살려는 것은 자기에게 절대(絶對)이다. 자기의 생명은 자기에게 절대다. 그러나 어떻게 살 것인가? 생명은 어떻게 유동하는가? 이러할 때는 상대(相對)가 된다. 주장하며 절규하는 것은 절대이오 관찰하며 이해하는 것은 상대이다. 절대(絶對)는 비극(悲劇)이오 상대(相對)는 희극(喜劇)이다. 근대에 와서는 인간은 관찰력과 이해력이 발달되었다. 주장하며 절규하는 심리보다는 매우 발달되었다. 근대 과학의 혜택이다. 비극보다도 희극이 발달된 것도 이 까닭이다. 백치가 아닌 이상 예전의 비극에는 손을 대지 않을 것이다.[28] (고딕, 인용자)

그는 비극은 종합(綜合)의 양식이요 희극은 분석(分析)의 양식이라고 인식한다. 근대적 사고의 특징은 종합보다는 분석에 있다. 근대적 세계관은 세계를 주체와 분리해서 인식하는 특징을 갖고 있기 때문에 자연히 주체는 세계와 사물을 대상화시켜 인식하게 된다. 때문에 상대(相對)의 양식인 희극이 절대(絶對)의 양식인 비극보다 더 근대적 양식일 수밖에 없다. 비극은 신화(神話)적 질서 안에 존재하는 절대의 양식이다. 그

---

28) 홍해성, 「희극론」, 『신흥영화』 1, 1932.6.

러나 근대적 세계 인식이 지배하면서, 즉 신화적 질서가 소멸되면서 근대 사회에서 전통적인 비극 양식이 소멸하게 되는 것이다.[29]

홍해성은 근대 사회에서 비극보다 희극이 중시되는 것은 희극 양식이 상대주의, 분석, 관찰력, 이해력에 토대를 두고 있기 때문이라고 주장한다. 그는 희극 양식에서 근대성을 발견했던 것이다. 그가 희극에 주목하고 그것을 특히 선호했던 것도 희극 양식이 갖는 근대성 때문이다. 그는 "백치가 아닌 이상 예전의 비극에는 손을 대지 않을 것"을 선포했다. 그는 근대 시대에 고전 비극을 연출하는 것을 백치(白痴)의 행위로까지 폄하했던 것이다.

그밖에도 홍해성은 축지소극장의 창립 공연 작품이기도 했던 표현주의 연극 <海戰>의 연출을 맡기도 했다.[30] 극연의 <해전> 공연은 매우 상징적인 의미를 지닌다. 축지(築地)의 창립 작품을 공연함으로써 극연이 '한국의 축지소극장'을 목표로 했음을 시사하고 있는 것이다. 여기에는 축지(築地)의 배우 출신 홍해성과 극연 '해외문학파'의 비교적 다수를 점하고 있던 독문학 전공자들(서항석, 김진섭, 조희순)[31]의 뜻이 맞아 떨어졌던 결과임은 물론이다.

그리고 '한국의 오사나이 가오루(小山內薰)'를 꿈꾸던 홍해성은 자신의 연극 스승 小山內薰이 가장 좋아했던 체홉에 유다른 집착을 보였다. 그는 극연의 정규 공연에서만 두 편의 체홉 작품(<기념제>, <앵화원>)을 연출하였고, 학생극 공연(梨花女高의 <앵화원>, 1930.12)에서도 체홉 작품의 연출을 맡은 바 있다. 더욱이 그의 극연 마지막 연출 작품(<앵화

---

29) George Steiner, *The Death of Tragedy*, London : Faber and Faber, 1961. 참조.

30) 축지소극장은 창립 공연으로 괴링의 표현주의극 <海戰>(土方與志 연출, 1924.6.14-6.18)을 상연하였다. 이에 대한 자세한 내용은 管井幸雄의 『築地小劇場』(東京:未來社, 1974) 12면을 참조할 것.

31) 극연의 12인 동인 중에는 영문학 전공자가 5명(유치진, 이하윤, 장기제, 정인섭, 최정우)으로 가장 많았고, 다음이 독문학 전공자로서 3명(서항석, 김진섭, 조희순)을 차지하고 있으며, 그밖에 불문학 1명(이헌구), 노문학 1명(함대훈)이 있다.

원>)이 체홉 연극이었다는 점은 상징적이다. 그만큼 그가 小山內의 영향을 크게 받았으며, 그것은 곧 그가 小山內에 많은 가르침을 준 스타니슬라브스키의 영향권 안에 있었음을 의미하는 것이다.[32]

<앵화원> 연출로 그의 극연 연출 시기는 마감된다. 이는 그에게 개인적인 의미를 갖기도 하지만, 극연의 활동 방향에까지 커다란 영향을 미친다. '홍해성 문제'로 인해 극연 1기가 마감되고, 유치진 중심의 공연 체제가 성립되는 제2기적 전환이 이루어지기 때문이다.

극연 3회 공연 이후 일시나마 극연을 이탈하여 홍행극 외도를 경험했던 홍해성은 1935년 11월 동양 극장(東洋劇場)이 설립되자 아예 극연을 떠나 홍행극(대중극) 쪽으로 선회하고 만다. 동양 극장은 직속 극단으로 청춘좌(靑春座) 등을 설치하고, 연극의 직업화를 성공적으로 정착시켰기 때문에 홍해성의 동양 극장 이적은 어쩌면 당연스러워 보이기도 한다. 그러나 그가 생활고 문제로만 극연과의 결별을 결심하게 되었을까. 홍해성의 극연 탈퇴는 1933년 극연 이탈 사건의 후유증 때문이기도 하다는 것이 필자의 생각이다.

서항석의 「연극사적 자서전」에서 본 바와 같이, 이탈 사건 이후 홍해성이 다시 극연에 복귀하여 연출봉을 잡기는 했으나 그에 대한 극연 동인들의 신뢰는 예전과 같지 않았다. 동인들 내부에서 유치진으로 연출을 대체하자는 움직임마저 강하게 일고, 이에 호응하듯 유치진은 본격적인 연출 공부를 위해 재도일(再渡日)(1934.3-1935.5)하게 된다. 이러한 일련의 움직임 때문에 극연 내에서 홍해성의 위상은 심하게 흔들리게 되었다. 유치진이 일본에서 연출 수업을 받고 다시 돌아오면 극연의 연출봉은 유치진의 차지가 될 것이 뻔했다. 그는 더 이상 극연 내의 유일 무이한 전문 연출가로서 자부할 수도 없게 될 처지였다. 이러할 즈음 마침 적기에 설립된 동양 극장은 그에게 구세주와 같았다. 그는 "몸은 동양 극장으로 가지만 마음만은 극연을 떠나지 않는다"는 눈물겨운 수사를

---

32) 유민영, 「해성 홍주식 연구」, 『한국연극』, 1994.11, 54면.

남기고 영원히 극연을 떠나고 만다.[33]

이렇게 홍해성이 극연을 떠나면서 극연 1기도 함께 종식되고 만다. 그만큼 극연에서 홍해성의 비중이 컸다는 것(특히 공연 활동)을 의미하는 것이다. 극연 2기는 극연 내 다수파인 해외문학파의 후원을 입은 유치진이 공연 활동을 주도하면서 새롭게 시작된다.[34]

4. 맺음말

한국에서 홍해성의 새로운 연극 인생은 극연에 이어 동양 극장에서 다시 시작된다. 그러나 동양 극장에서의 그의 위상과 역할도 극연에서의 그것과 크게 다르지 않다. 그는 동양 극장에서도 연출가로서의 전문성에 대한 용도는 역시 인정받지만 극단 운영의 주도적 지위에는 오르지 못한다. 그의 지도력 부재에도 일정한 원인이 있다고 할 수 있다. 이에 대해서는 김연수(金連壽)의 홍해성 인물평(人物評)이 좋은 참고 자료가 된다.

> 배우로서는 물론 일반 극장인으로서도 보기 드문 순진한 사람으로 적어도 거짓말을 할 줄 모르는 이다. 그의 성격은 우유 부단하여 공사(公事)를 일도 양단(一刀兩斷)으로 처리를 못하므로 극단의 수령(首領)이 되는 것보다는 차라리 국부적으로 연출부와 같은 한 곳의 전문(專門)으로 맡아보는 것이 본인을 위하여도 타당할 줄 안다.[35]

김연수의 지적대로 홍해성은 특유의 우유 부단한 성격 때문에 연극 단체 내부에서 지도력을 발휘하지는 못한 것이 분명해 보인다. 이는 극

---

33) 「연극사적 자서전(15)」, 『한국연극』, 1977.7, 65면.

34) 극연의 제2기 전환 과정과 활동 사항에 대해서는 졸고 「극예술연구회의 창작극과 유치진」(『인문연구』 제18집 1호, 영남대학교 인문과학연구소, 1996.8)을 참조할 것.

35) 김연수, 「극단야화」, 『매일신보』, 1930.11.22. (유민영, 『한국근대연극사』, 단국대 출판부, 1996, 719면에서 재인용)

연과 홍해성의 관계를 통해서 분명하게 확인된 바 있다. 그는 극연의 창립과정에서 매우 핵심적인 지위에 있었음에도 불구하고 지도자적 지위에 오르지 못하고 연극계의 후배 세대인 극연 동인들에 의해 떠밀리다시피 극연을 탈퇴하게 되었다. 그의 연극적 장처는 극단의 운영 및 지도보다는 연출가로서의 전문성 수행에 있었던 것이다.

홍해성은 동양 극장 입단 과정에서 자발적으로 극장 측에 입단을 요청해서 들어간 것으로 알려진다. 박진(朴珍)의 회고에 따르면, 홍해성은 동양 극장에 "자진 출두해서 같은 홍씨니 같이 일을 하도록 해달라 해서 채용"된 것으로 알려진다.36) 고설봉(高雪峰)의 증언37)에 의하면, 홍해성은 동양 극장 안에서 연출부를 책임졌으며, 극장주 홍순언(洪淳彦), 지배인 최상덕(崔象德), 연출가 겸 작가 박진 등과 함께 4두 체제를 이루며 동양 극장의 연극 활동을 이끌었다고 한다. 그러나 박진은『세세년년』에서 홍순언·최상덕·박진의 3두 체제로 동양 극장이 운영되었다고 진술하였다. 홍해성이 연출부를 이끌면서 작품을 연출하고 배우들의 연기를 지도하고 훈육한 것은 분명하지만, 동양 극장의 운영에 깊숙이 개입하지는 못했다는 사실을 암시하는 것이다. 동양 극장 연출 시기에도 그는 연출가로서의 전문적 영역에서만 그 용도를 인정받았음을 의미하는 것이다. 이는 바꿔 말하면 당시 홍해성이 연극 이외에는 뜻을 두지 않은 순수한 의미의 전문 연출가였음을 말해준다고 할 수 있다.

홍해성은 흥행극의 수준 향상을 1930년대 한국 연극계의 중대 과제로 설정하였고, 이를 실천하기 위해 동양 극장에 참여하게 되었다고 주장했다. 실제로 이는 8년간에 걸친 그의 동양 극장 시절의 연극 활동을 통해 실천된다. 그는 동양 극장에서 연출을 맡으면서, 흥행극의 폐해로 지적되었던 막간극(幕間劇)을 제거하고, 신파 연기에 젖어있던 흥행극에 정통 사실주의적인 연기, 연출 기법을 도입하고, 체계적인 배우 훈련을 확

---

36) 박진,『세세년년』, 세손, 1991. 125면.
37) 고설봉,『증언 연극사』(장원재 정리), 진양, 1990, 55면.

립시키는 등 한국 대중극의 발전에 커다란 기여를 하였다.

홍행극에 대한 그의 관심은 이미 동양 극장 설립 이전부터 나타나기 시작한다.[38] 극연을 떠나기 전부터 홍행극 쪽에 마음을 두었다는 이야기가 되는 것이다. 더욱이 동양 극장의 훌륭한 극장 시설 및 조건, 직업극단으로서의 생활 안정성 등은 수준높은 연극적 이상을 꿈꿔온 그에게는 크나큰 유혹이 아닐 수 없었다. 그만큼 그의 홍행극으로의 전향은 불가피했던 것이다. 그의 동양 극장에서의 구체적인 활동에 대해서는 추후의 과제로 남겨두기로 하자.▨

---

38) 홍행극의 수준 향상에 대한 홍해성의 관심을 잘 보여주는 글이 「홍행극 정화는 막간물의 폐지로」(『동아일보』, 1935.1.1)이다.

1930년대 후반 지성론(知性論)에 대한 고찰
— 근대성(近代性)과의 관련을 중심으로

김 동 식*

1. 서론 : 지성론을 둘러싼 1930년대 후반 비평의 지형도

일제 강점기에 있어 우리 지식인들의 강박 관념 가운데 가장 첨예한 것이 정치 부재에 대한 형언할 수 없는 그리움이었다는 것은 널리 알려진 사실이다. 정치 권력 주변에 서성대면서 노예의 윤리에 몸을 맡기거나, 아니면 지하나 국외에서 정치 권력의 정당성에 도전하는 일이 가능할 뿐이었다. 일체의 정치적 행위는 불법으로 규정되고 문학적·문화적 행위만이 최소한의 합법적인 승인을 얻어낼 수 있는 영역이었던 상황에서, 정치 욕구는 내면화되어 보편성을 지향하는 언어로 표출되었던 것이다.[1]

문학이 정치와 근접한 거리에 놓일 수 있었던 유력한 근거가 마르크스주의였음은 재론의 여지가 없을 것이다. 사상의 일종으로서의 마르크스주의란 그 위상이 반(半)합법적인 것에 해당하는데, 그것은 마르크스주의가 지닌 이중적인 성격으로부터 연유한다. 마르크스주의는 자본주의 체제와 천황제를 부정하고 혁명과 해방을 주창하는 불온한 사상이어서 권력을 유지

---

* 서울대 강사, 「최재서 문학비평 연구」 외 다수의 논문이 있음.
1) 김윤식, 『임화연구』, 문학사상사, 1989, p.12.

하고자 하는 입장에서 볼 때에는 척결의 대상이 아닐 수 없다. 그러나 사상의 자유가 보장되어야 한다는 정치 체제의 정당성(legitimacy) 문제와 관련될 때에는 자유주의, 민족주의와 마찬가지로 하나의 사상으로서 분명한 권리를 갖게 된다. 이렇게 볼 때, 마르크스주의는 문학과 정치의 상징적인 연결 지점이면서, 동시에 합법과 비합법의 경계선에 위치한 사상으로 그 성격을 규정해 볼 수 있을 것이다.

널리 알려진 것처럼, 정치와 문학의 근접성은 1930년대 중반 심대한 위기에 처하게 된다. 그 저변에는 마르크스주의의 위기가 가로 놓여져 있다. 일국 사회주의, 사회주의 리얼리즘, 아시아적 생산양식론의 문제가 제기되면서, 세계적인 수준으로 확대된 자본주의의 모순 때문에 자본주의의 전반적인 붕괴가 임박했다는 일반 위기론의 전망[2]은 더 이상 힘을 갖지 못하게 된다. 혁명적 마르크스주의를 통해서 역사적인 보편성을 지향했던 사유 방식은, 역사적인 보편성의 범주가 적용되는 영역 바깥에서 조선의 현실을 발견하게 되고, 마르크스주의에 의해서 식민지 사회의 특수성을 후진성으로 인식하는 지점에 이르게 된다. 또한 1934년의 전주 사건과 그 뒤에 이어진 카프 해산은, 합법과 비합법의 경계선의 사상이었던 마르크스주의 자체를 비합법화한 것으로서 사상의 자유에 대한 억압과 군국주의 파시즘의 대두를 알리는 징후였다.

혁명적 실천의 근거였던 마르크스주의가 냉엄한 자기 반성의 매개항이 되고, 경계선의 사상이었던 마르크스주의가 경계 밖의 사상이 되었다는 사실은, 1930년대 후반 비평을 이해하는 데 있어서 가장 기본적인 항목이라 할 것이다. 경계의 사상이었던 마르크스주의가 불법으로 규정되었다 함은, 식민지 사회가 유지하고 있던 최소한의 공공 영역(Öffentlichkeit)의 붕괴와 문학적·사상적 담화 공간의 위축을 의미한다. 따라서 문학자는 사법적 권력에 직접적으로 노출된 상황에서 경계선을 다시 설정하여 담화 공간을 어떠한 방식으로든 확보하지 않으면 안 된다는 과제를 부여받게 된다. 이러한

---

2) 임화, 「전후 자본주의 제3기의 제문제」, 『조선지광』, 1932. 1.

과제에 재빨리 부응한 비평가가 이원조와 백철이었다. 이원조의 포즈론 혹은 지식인의 몸가짐에 대한 논의는 사법적 권력의 시선에 직접적으로 노출되어 있는 상황과 관련된 것이고, 백철의 휴머니즘론 제창은 마르크스주의가 불법화된 지점에서 새로운 담화 공간의 경계를 설정하려는 요구에 부응한 것이다. 새로운 경계선 설정을 위해서 당시의 비평이 기본적으로 승인했던 암묵적인 전제는 크게 두 가지였다.

첫째, 정치와 문학의 분리이다. 문학과 정치는 확연하게 구분되고, 문학의 상위 범주로 설정된 '문화'가 정치가 차지하고 있던 자리를 대체하게 된다. 따라서 지식인은 문화를 담당하는 사람들로 재규정된다. 이 시기의 가장 기본적인 사조였던 휴머니즘을 '정치에 대한 지도적인 것이 아니고 어디까지든지 지성의 방향에 대한 지시적인 것이요 문화에 대한 지도적인 이즘'[3])으로 한정한 까닭도 바로 이와 같은 분위기에서 찾을 수 있다. 문화 옹호는 정치와의 무연성(無緣性)을 복창하는 지점에서 가능한 것이었는데, 그 저변에는 새로운 경계선 설정을 통해서 '완충 지대'(이원조의 용어)를 마련하려는 기획이 깔려 있다.

두 번째는 지식인의 존재 근거에 대한 전반적인 자기 반성이 제기되었다는 점이다. 객관적인 정세의 악화에서 원인을 찾기보다는, 내부적 역량의 미성숙이라든가 이론 내부의 결핍 요소(결함)가 다른 무엇보다도 반성의 중심에 놓여져 있다. 그리고 지식인의 독자성에 대한 전반적인 검토가 이루어졌으며, 지식인이 역사의 주체로 정립될 수 있는 가능성을 가늠하는 작업들이 비평을 통해서 수행되었다.

'그러므로 우리는 지금 다시 再出發하지 아니하면 안 되게 될 것 같다.'[4]) 라는 이원조의 말은 이 시기의 문제 의식을 집약한 것이다. 그렇다면, 보편성에 입각한 사유 자체가 그 근거에서부터 위협받는 상황, 휴머니즘이 무규정성을 토대로 사상의 경계선을 어렵사리 설정해 놓은 상황, 지식인에

---

3) 백철,「지식 계급의 옹호」,『조선일보』, 1937. 5. 29.
4) 이원조,「현 단계의 문학과 우리의 포즈에 관한 성찰」,『조선일보』, 1936.7. 11-17 :『이원조 평론집』, 형성출판사, 1990, p.123.

대한 전반적인 반성이 이루어지고 갈릴레오적인 포즈가 지식인의 몸가짐으로서 요청되는 상황에서, 재출발의 지점으로 가능한 것은 무엇인가. 그것은 다름아닌 지성이었다. 지적국제협력회의는 재출발점으로서의 지성에 정당성을 부여하는 것이었다.

2. 지성의 세 가지 표정

(1) 반성적 의식으로서의 지성 : 김기림

30년대 후반의 지성 논의와 직접적인 관련을 갖는 것은 아니지만, 지성을 하나의 문학적 주제로 제시한 점은 김기림의 선구적인 작업으로 평가할 수 있다. 일반적으로 김기림의 지성은 (동양적) 감상성에 대한 안티테제 정도로 인식되어 온 것이 사실이다. 하지만 김기림이 지성을 하나의 독립된 주제로 부각시켜 가는 논의 과정을 살펴보면 그 이상의 함의가 도사리고 있음을 발견하게 된다. 비평사의 안목에서는 지성의 주제화라고 할 수 있겠지만, 김기림 자신의 입장에서 볼 때는 지성의 특권화라고 할 만한 장면이 여러 곳에서 발견된다. 김기림의 글들에서 극단적인 혐오나 부정이 표출된 대목들을 살펴보면 그가 말하는 지성의 면모가 보다 뚜렷하게 드러날 것이다.

(1) 나는 19세기를 옹호할 아무런 말도 알지 못한다.[5]
(2) 인간의 결핍이 아니라 지성의 결핍은 동양의 목가적 성격의 결함인 것 같다. (…) 이러한 퇴영적인 패배주의적 호소 속에서는 믿을 만한 아무것도 찾아내지 못한다.[6]
(3) 우리는 새삼스럽게 중세기에 애착할 수도 없다. (…) 우리는 믿을 수 있는 아무러한 신도 가지고 있지 않다.[7]

5) 「오전의 시론」, 『김기림 전집』2, 심설당, 1989, p.155.
6) 위의 책, p.162.

그는 우선 19세기의 사상적 흐름인 자유주의, 개인주의, 낭만주의를 격렬하게 부정하고 있으며, 자신이 속해 있는 문화적 전통이라 할 수 있는 동양적 우울의 미학에 대해서는 극단적인 혐오를 표시한다. 더 나아가 그는 종교에로의 귀의나 중세적 가치의 추구 등을 모두 거부한다. '-못한다' '-없다' '-있지 않다'와 같은 종결 어미는 과거와의 단절, 가치의 전면적인 부정, 전통에 대한 혐오로 대변되는 김기림의 수사적 전략을 단적으로 보여주는 지점들이다. 따라서 「詩論」이라는 제목의 시에서 "모든 法律과 / <모랄리타> / 善 / 判斷 / ― 그것들 밧게 새 詩는 탄다." 고 말한 것은 당연한 논리적 귀결이라 할 것이다. 기존의 모든 가치가 의미를 상실한 지점, 따라서 기존의 가치가 부정될 수밖에 없고 또한 부정되어야 하는 지점, 기존의 가치 체계를 벗어난 지점에서 새로운 시의 가능성을 설정하고 있는 것이다. 김기림이 처한, 또는 스스로 설정해 놓은 이와 같은 상황은 니체가 말한 니힐리즘, 달리 말하면 "가치, 의미, 원망(願望)의 철저한 거부"[8]에 해당하는 것이다. 김기림은 뮤즈가 죽어버린 시대에, 현대를 가득 채우고 있는 기분 나쁜 공기 속에, 니힐리즘의 한 가운데에 서 있었던 셈이다. 어디 하나 기댈 곳 없는 상황에서 니힐리즘을 극복하는 수단으로서 요청된 것이 지성이었다. 보다 정확하게 말하자면 방법적·반성적 지성이었다.

김기림의 지성 개념의 단초는 '기술(技術)'이라는 용어에서 확인할 수 있다. 김기림에게 있어서 기술이라는 말의 함의가 시의 자연발생성을 거부하고 의식적인 구성, 구성의 합목적성에 있음은 널리 알려진 사실이다. 그는 시가 한 개의 기술로서 문제된 것이 지극히 근대적인 사건이며, 시의 기술 문제는 '어떤 초점을 가진 구성의 문제'[9]임을 분명히 한다. 그에게 있어서 현실이란 '번잡' 이외의 아무 것도 아니다. 그러나 기술, 주지적 태도, 수단

---

7) 위의 책, p.166.
8) F. Nietzsche, 『권력에의 의지』, 청하, 1989, p.29. 여기서 니힐리즘은 삶의 극단적인 무기력감이나 무정부주의적 세계관을 의미하지 않는다. 모든 기존의 가치가 무의미(sinnlos)로 귀결되는 근대적 징후를 의미한다.
9) 「시의 기술·인식·현실 등 제문제」, 『조선일보』, 1931. 2. 11-14 : 『김기림 전집』2, pp. 72-3.

적 지성을 매개로 해서 제작된 시는 새로운 현실의 창조요 구성이다. 그가 주장한 주지적 태도(비평적 태도)란 '시인은 시를 제작하는 것을 의식하지 않으면 안 된다'[10]라는 말로서 요약 가능할 터인데, 그것은 '시적 가치를 의욕하고 기도라는 의식적 방법론'에 해당한다. 주지적 태도란, 구성의 끝에 가서 가치가 창조되도록 수단적 지성이 제작 과정에 개입하여 통어하는 것으로서 창작 과정에 대한 미적 자의식 내지 반성적 의식을 전제하고 있는 것이다.(창작 과정에 대한 지성의 관계는 작품에 대한 비평의 관계와 유비 관계로 볼 수 있기 때문에 비평적 태도라고도 한다.) 제작 과정에 개입한 지성의 역할 덕택에 번잡한 현실로부터 파생되는 애매성과 감상성이 제거되고 가치와 질서가 창조된다. 김기림은 보는 것에 대한 자각과 주의가 가치판단일 때 시가 구성된다고 말한다.

그렇다면, 번잡한 현실이 창작 과정에 대한 반성적 의식에 매개되어 산출되는 것이 시라 할 때, 이 때의 시가 사물(대상)의 재구성이라는 차원을 뛰어넘어 가치의 구성체로 될 수 있는 근거는 무엇인가. 모든 가치가 부정된 상황에서 시작 과정에 개입하는 반성적 지성의 역할만으로 새로운 가치에 도달할 수 있는가. 지성이 사물을 재구성하는 능력이라면 지성에는 이미 재구성의 선험적인 도식(schema)이나 가치 체계가 이미 존재하는 것이 아닌가. 모든 가치가 무의미한 상황에서 지성만이 오염되지 않은 가치의 기원을 가질 수 있는가. 이러한 문제는 주지주의 일반의 문제이기도 하다.

일반적으로 주지주의는 경험주의 심리학이 전제하는 항구성의 가정을 비판하고 나선 이론을 말한다. 경험주의는, 감각 기관들이 자극되어 데이터를 수용하고 전달하면 그 데이터는 뇌에서 해독됨으로써 결국 본래의 외부적 자극의 상 혹은 이미지를 재생된다고 주장한다. 하지만 자극과 대상이 불일치하는 경우가 엄연히 존재한다. 따라서 감각 기관에 인상을 주는 고립된 성질들을 하나로 묶는 어떤 것이 필요하다는 사실을 발견하게 된다. 그리하여 주지주의는 객관적 세계의 현존이 야기하는 혼돈(chaos)을 넘어서

---

10) 위의 책, p. 78.

의식이 자신의 활동에 의해서 구조들을 산출한다고 주장한다. 주지주의자들의 입장에서 볼 때 지각이란 신체에 주어진 인상들에 대한 지적인 구성 작용이며, 어떤 사물을 보거나 혹은 듣는다는 것은 곧 판단하는 것이 된다.[11] 그러나 <지각=자각적인 구성 작용>이라는 전제를 승인한다고 하더라도 그것을 곧바로 가치 판단으로 인정하기는 어렵다. 또한 의식이 그 자신의 활동에 의해서 구조들을 창출한다면 의식은 선험적인 구조들을 소유하고 있어야만 한다. 이러한 문제점은 인식론에서의 경험 철학과 선험 철학의 중간에 서 있는 주지주의의 불철저함 또는 절충적인 성격으로부터 연유하는 것으로 비판받는 대목이기도 하다.

김기림의 지성 개념이 이와 같은 문제에서 자유로울 수 없음은 당연한 일이다. 모든 가치를 부정한 상태에서 지성의 방법적 운용을 통해 가치를 창출한다는 것은, 만약 외부로부터 유입된 숨겨진 가치 체계가 존재하지 않는다면, 무로부터 유를 창조하는 일에 비견될 수 있는 성질의 것이기 때문이다. 즉 창작 과정에 대한 반성적 의식인 지성으로는 가치를 창조할 만한 근거를 갖지 못한다고 할 때, 김기림의 지성은 시작(詩作)의 '태도'로는 가능하겠지만 논리적으로나 내용적으로는 공허함을 면할 수 없다. 장시 「기상도」에서 문명 비판이라는 가치가 지성으로부터 연역되지 않고 풍자의 수준에 머무른 사실은 지성의 공허함을 증명한다고 할 것이다. 지성 개념이 지니고 있는 이와 같은 공허함이야말로 김기림으로 하여금 기술 편중주의에 대하여 자기 비판을 감행하게 하고, 전체시의 제시에까지 달려가게 한 내적 원인이라 할 것이다. 그러나 전체시론의 제시 역시 공허할 수밖에 없었는데, 전체시론의 근저에 아무리 30년대까지의 근대시의 발전 과정이 놓여져 있다고 하더라도 내용과 기법의 형식논리적인 종합[12]에 지나지 않는 것이기 때문이다. 그렇다면 공허한 지성을 붙들어 준 보이지 않는 힘은 무엇이었던가. 르네상스 이래의 근대 정신이 바로 그것이다. 김기림 자신이

---

11) M. Merleau-Ponty, *Phenomenology of Perception*, (Tr. by C. Smith, R.K.P., 1962:1978), pp.28-37.
12) 김윤식, 『한국근대문학사상사』, 한길사, 1984, p.464.

이 사실을 알아차린 것은 임화가 신문학사를 집필하던 1930년대 후반을 지나서였다.

> 최근 10년간 우리가 끌어들인 여러가지 사상 「모더니즘」, 「휴머니즘」, 「행동주의」, 「주지주의」 등등은 어찌 보면 전후 구라파의 하잘 것 없는 신음 소리였으며 「근대」 그것의 말기적 경련이 아니었던가. (…) 사실 오늘에 와서 이 이상 우리가 「근대」 또는 그것의 지역적 구현인 서양을 추구한다는 것은 아무리 보아도 우스워졌다. 「유토피아」는 뒤집어진 셈이 되었다. 구라파 자체도 또 그것을 추구하던 후열의 제국도 지금에 와서는 동등한 공허와 동요와 고민을 가지고 「근대」의 파산이라는 의외의 국면에 소집된 셈이다.[13]

김기림이 알아차린 것은 두 가지이다. 하나는 주지주의가 서구적 근대성을 구현하는 이론적 구조물이었다는 점이고, 다른 하나는 서구의 근대성을 보편적인 것으로 인정했다는 점이다. 하지만 1940년의 시점에서 볼 때 근대란 보편적인 것이 아니라 국지적인 특수성의 차원에 불과한 것이었고, 결국 근대의 파국에 이르렀다는 주장이다. 이 지점은 30년대 후반의 지성론이 근대성(또는 post-근대성)과 얼마나 깊은 관련을 지니고 있는지를 보여주는 대목이어서 주목을 요한다. 파시즘의 시기를 '근대의 결산과정'으로 보고 있는 김기림에게 있어서 근대의 파산이란 근대의 선발 주자와 후발 주자의 구별 없이 "새로운 출발점"에 나란히 설 수 있는 초조와 흥분의 시기이다. 그러나 근대의 파산이라는 출발점이 결코 안정적이거나 낙관적인 것은 아니다. "조선은 그 성숙한 모양으로 이루어 보지도 못하고 근대 정신을 그 완전한 상태에서 체득해 보지도 못한 채 인제 「근대」 그것의 파국에 좋든 궂든 다닥치고 말았다."[14]

다시 원점에 선 김기림의 발목을 붙잡고 있는 것은 크게 두 가지이다. 하나는 조선의 후진성이 근대의 결산에까지 부정적인 영향을 미칠 것이라

---

13) 「조선문학에의 반성」, 『인문평론』, 1940. 10 : 『전집』 2, pp.48-49.
14) 같은 글, p. 51.

는 점이고, 두 번째는 근대의 결산이라는 상황 자체가 자체적으로 제기된 것이 아니라 상황에 의해서 제시된 '의외의 국면'으로 끌어내졌다는 점이 그것이다. 이를 두고 자생성의 결여라 요약할 수 있다면, 김기림의 상황은 보다 명확해진다. 근대의 추구나 근대의 결산이나 달라진 것은 없다. 근대 든 근대 이후이든 간에 조선이 역사의 내재적 발전 과정을 통해서 경험한 것은 없다. 그리고 자생적으로 이루어낸 상황이 아니라, 내적인 맥락이 결 락된 채로 의외의 국면이 개입하기는 마찬가지였다. 근대의 파국을 선언하 고 있는 지점에서도 여전히 자생성의 결핍에 대해 고뇌하고 있는 김기림의 표정은, 한국 근대문학이 구현하고 있는 근대성(또는 탈근대성)의 처음이자 끝이라 해도 무방할 것이다.

(2) 가치와 감성의 매개 범주로서의 지성 : 최재서

최재서의 경우, 데뷰 평론인 「현대주지주의문학이론」(1934.7)에서 거창하 게 주지주의를 들고 나왔지만 주지주의나 지성에 대한 명확한 개념 규정은 내리지 않는다. 흄, 엘리어트, 리처즈, 리드를 다루고 있는 이 글은, 지성론 과의 관련성보다는 오히려 마르크스주의 비평과는 성격이 다른 영문학 중 심의 비평 이론을 새롭게 제시한 점에 그 의의가 있다. 1937-8년에 왕성하 게 논의되었던 휴머니즘이나 지성론과의 직접적인 관련은 지적협력회의의 보고서를 소개한 「이상적 인간에 대한 규정」(1937.8)에서 찾을 수 있다.

최재서는 그의 비평을 통해서 지성이라는 용어를 4가지의 다른 의미로 사용하고 있는데 그 요체만 간추리면 다음과 같다. (1)자의식(의 운용 방 법)(「풍자 문학론」), (2)작품의 구성 원리, (3)개성의 통일적 중심이자 내재 적 판단 작용, (4)비행동적 행동. 이 가운데 지성론과 관련해서 주목할 만한 것은 (3)과 (4)이다. 최재서 지성 개념의 첫번째 특징은 감성과 모랄을 매개 하는 내재적 판단 작용이라는 점에 있다.

감각과 기억의 자유로운 배치에 전후통일성과 윤곽을 주는 것은 지성 즉 내재적인 판단 작용이다. 여기서 주의해야 할 것은 판단 작용이 내재적이라는 점이다. 개성의 존립을 가능하게 하는 데 필요한 판단 작용은 우리들 자신의 감각의 역사 속에서 생겨나서 이를 감각 자체에 의해서 선택된 것이 아니어선 안 된다.15)

최재서에게 있어서 지성이란 감각의 역사로부터 자연발생적으로 생겨난 내재적 판단 작용을 말한다. 감성적 영역을 지성으로 매개하여 모랄(인생관)에 도달하는 것이 최재서 비평의 큰 흐름이라 할 때, 지성은 모랄 추구의 매개적 범주로서 규정된다. 김기림의 지성 개념과 비교할 때, 구성적·인식론적 측면이 약화되어 있는 반면 매개적 측면이 부각되어 있는 점이 최재서 지성 개념의 특징이라 할 것이다.

최재서 지성 개념의 두 번째 특징은 지성과 행동의 관계를 설정한 데 있다. 최재서는 지성과 행동의 관계를 비행동적 행동이라는 말로써 제시하고 있다. 행동의 배후에 상호조정되는 충동이 복잡하고 풍부하면 할수록 그것은 표면화되지 않고 내부에서 평형 상태를 이룬다는 것, 따라서 행동에 대한 충분하고도 적절한 정세가 도래치 않을 때에는 행동에 대한 준비 상태 즉 태도가 행동을 대신하게 된다는 주장이 그것이다.16) 이러한 주장은 행동 자체에 대한 거부로 오해될 소지가 다분하기 때문에, 최재서는 비행동적인 행동이 긍정적 의미를 지닐 수 있는 경우를 지식인이 내부에 가치 의식을 지니고 있는 때로 한정하여 비행동적 행동의 핵심이 행동에의 혐오가 아니라 가치감의 유무에 있음을 애써 강조한다. 따라서 문제는 가치 체계의 유무 더 나아가서는 구체적이면서도 시대적 요구에 부응할 수 있는 가치 체계를 갖추고 있는가로 재정식화된다.

최재서가 제시한 가치 체계가 다름 아닌 지적협력국제회의의 지성 옹호, 문화 옹호의 이념이었다. 최재서는 1935년 4월 니스에서 개최된 지적협력국제회의의 보고문을 「이상적 인간에 대한 규정」(『조선일보』, 1937.8.23-27)

---

15) 「현대 비평에 있어서의 개성의 문제」, 『최재서 평론집』, 청운출판사, 1960, p. 48.
16) 「현대적 지성에 관하야」, 『문학과 지성』, 인문사, 1938, pp. 138-9.

이라는 제목으로 번역한 바 있다. 원래의 토의 제목은 "현대인의 형성"이었다. 그렇다면 당시의 보고서를 회의가 개최된 지 2년이나 지난 시점에서 뒤늦게나마 번역해서 발표한 이유는 무엇일까. 단순한 발췌 번역문에 지나지 않는 이 글이 비평사적인 의미를 지니는 이유도 거기에 있을 것이다. 30년대 후반의 휴머니즘론의 전개 양상과 관련되기 때문이다.

백철의 인간론이 휴머니즘으로 정립된 것은 1937년의 「웰캄! 휴만이즘」(『조광』, 1937.1)에 이르러서인데, 이 글에서 백철은 미래의 새로운 인간형 탐구로 그 과제를 제출한 바 있다. 이에 대한 답변으로 백철은 "휴만이즘은 문예인으로서 동양의 지식 계급을 대표해온, 풍류인의 봉건적 인간성을 비판, 섭취하는 위에 서지 않으면 그 문제는 과거에 수입된 사조와 같이 공허한 토론에 끝나고 말 것"[17]이라는 논의를 전개한다. 그러니까 새로운 인간형 탐구를 위해 조선적 풍류 정신에로 백철이 눈을 돌렸을 때 이와는 반대의 방향 즉 세계성 내지는 보편성에 입각해서 새로운 인간형 탐구를 감지해보려는 시도가 최재서의 <이상적 인간에 대한 규정>이었던 것이다. 백철이 풍류 인간이라는 고대인을 내세웠다면, 최재서는 지성 옹호의 깃발을 내 건 현대인을 내세웠던 셈이다.

서구적인 보편성을 동시성의 차원에서 확보하려는 태도와, 현대(그 당시) 세계 문학의 과제에 충실하려는 지적인 성실성을 최재서는 "현대적 지성"이라는 용어로 표현하고 있다. 최재서가 제시하는 이상적 인간 역시 이 범주에서 크게 벗어나지 않는다. 그러나 현대적 지성의 추구를 이상적인 가치로 제시했음에도 불구하고 당시의 작품 창작은 최재서의 논의를 뒷받침해주지 않았다. 특히 초기의 모더니즘 경향에서 이탈하여 동방 정취에로 관심을 옮겨간 정지용과 이태준이 문제였다. 최재서는 이들에 대해 지력은 있으나 현대성(서구의 보편적 과제와의 동시성)과 지성이 결여되었다고 비판한다.[18] 정지용과 이태준이 세계 문학의 과제와 동시성을 유지하는 일에

---

17) 백철, 「풍류 인간의 문학」, 『조광』, 1937.6.
18) <문학·작가·지성>, 《최재서 평론집》 p. 311.

서 이탈하여 백철의 풍류 인간 수준으로 퇴행하고 있다는 것이 비판의 요체이다. 최재서에게 있어서 초미의 관심사는 세계 문학의 과제와 지적 동시성을 확보하는 일이었고, 그것은 다름 아닌 현대적 지성의 옹호였기 때문이다.

그러나 그로부터 2년이 채 못되어 지성의 빈곤으로 대변되는 조선의 상황과 대면하게 되면서 지성 옹호의 의미 자체를 부정하게 되는 상황에 도달하게 된다. 최재서는 지성 옹호가 부정된 이유로 지성론이 조선의 자생적인 전통에서 제기된 문제가 아니라는 점과 조선에는 지적 전통이 부재하다는 점을 들고 있다.

> 우리에게 절실한 문제는 지성을 어떻게 옹호할가가 아니라, 옹호할 지성이 있느냐 하는 것이다. 정치 사정도 유롭과 다를 뿐 아니라 지적 전통에 있어서도 우리는 그들과 사정을 달리한다는 단순한 사실을 고의로 혹은 무의식적으로 무시하는 데서 금일의 지성론의 혼란은 생긴 것이다. (…) 우리는 오늘날의 지성론이 지성 옹호에서 자극된 것을 솔직하게 시인하면서도 우리는 그보다도 뒤진 곳에서 (…) 출발치 않으면 안 될 것이다.[19]

지성에 대한 관심에서 출발했던 최재서의 문학 비평이 다시 원점에 서게 된 장면이다. 옹호할 지성이 우리에게 없다는 인식이 참으로 뼈저리다. 서구와 조선의 차별성을 '고의로 혹은 무의식적으로 무시하는 데서 금일의 지성론의 혼란은 생긴 것'이라고 말하고 있지만, 최재서의 지성론이야말로 처음부터 조선의 현실을 '고의로 혹은 무의식적으로 무시하는' 데서 출발했기 때문이다. 옹호할 지성이 없는 곳에서 지성 옹호란 환상에 지나지 않는다고 할 때, 새로운 출발점은 어디에 설정해야 하는가. 최재서는 지성 옹호보다 '뒤진 곳' 즉 '서구적 의미에서의 교양'을 제시하고 있다. 서구와 대등하게 지성 옹호 운운한다는 것은 어불성설에 해당하기에 이제부터 조선적

---

19) 같은 글, pp. 304-5.

전통과 단절을 설정하고 서구의 교양을 새롭게 축적해가자는 것이 요체이다. 지성을 옹호하기 위해서 지성부터 만들어야 한다는 논리인 것이다. 지적 전통의 상이성 때문에 지성 옹호가 부정될 수밖에 없었고, 자생성을 갖지 못한 논의이기에 지성론이 난맥상에 흘렀다는 것이 애초의 문제 의식이었음을 상기한다면, 이와 같은 결론은 참으로 착잡한 것이라 하지 않을 수 없다. 지적 전통 자체가 존재하지 않는 조선에서라면 지성이 아닌 다른 것을 논해야 한다고 주장해야 적어도 설득력을 갖출 수 있었을 터인데, 끝까지 서구적 교양을 고집한 이유는 무엇일까. 있지도 않은 지성을 만들어가면서까지 옹호하자고 해야 하는, 최재서의 절박함은 어디에서 연유하는 것일까. "세계(서구-인용자)에 지식을 구하고 그 전체적 설계도 안에 자기의 지위를 설정하고, 이리하야 자기의 비소한 자아를 역사적 진보의 코-스 우에 올려놓려는"[20] 욕망, 달리 말하자면 '서구와의 상상적 동일성의 추구'라는 점을 제외하고는 설명하기 어려운 대목이다. 이를 근대성이라 불러도 좋을 것이다.

(3) 실천에 의해 매개되는 지성 : 서인식

서인식은 와세다 대학에서 철학을 전공한 철학자이다. 고경흠과 함께 공산주의재건동맹사건으로 1933년 구속되어 5년형을 언도받았으며,[21] 비평계에 등장한 것은 1937년 10월의 일이다. 비평가 서인식의 등장이 문제적인 것은 1930년대 후반 비평의 관심사였던 지성, 문화, 전통, 전체와 개인, 역사(철학), 신체제론 등의 테마에 대한 철학적인 접근을 수행했기 때문이다.

---

20) 「메가로 포리타니즘」, 『문학과 지성』, p.238.
21) 「朝鮮共産主義者協議會事件判決(確定)」, 『思想月報』 3권4호, 고등법원검사국사상부, pp. 11-13. 서인식은 大正 13년(1924) 3월 중앙고등보통학교 졸업, 같은 해 4월 와세다대학 고등학원 문과 입학, 大正 15년(1926) 3월 졸업, 같은 해 4월에 와세다대학 문학부 철학과 입학, 1928년 2월 중퇴한 것으로 되어 있다. 서인식의 본적은 咸興府 荷東里 646번지이며, 검거 당시 나이는 28세로 나와 있다.

서인식 비평의 출발점은 「지성의 자연성과 역사성」(1937.10)에서부터이다. 서인식에 의하면, 지성의 구조는 인간의 존재 양식에 의하여 결정되는 것이고 지성은 존재의 운동이 두뇌에 반영된 것이다. 인간의 존재 양식 자체가 자연적 존재와 사회적 존재라는 두 가지의 성격을 모두 지니고 있기 때문에, 존재 양식을 반영한 지성 또한 칸트적인 자연적 지성과 헤겔적인 역사(사회)적 지성으로 대별된다. 자연 지성은 '인간 의욕(意慾)에 종속된 반성적 기능'이며 선험적 표상 능력에 의하여 자기동일성을 유지하는 지성을 말한다. 반면 역사 지성은 전후 이질적인 계기들을 논리적 과정의 매개를 통하여 변증법적으로 통합하는 지성이다. 서인식의 논의는 칸트─헤겔─마르크스로 이어지는 독일 철학의 발전 과정에 기대고 있는 것으로서, 그의 주장은 1)칸트적 자연 지성은 헤겔적인 역사 지성으로 발전할 수밖에 없으며, 2)지성의 매개항을 논리와 정신의 운동에서 찾는 헤겔적 역사 지성에서 실천에 의하여 매개되는 지성에까지 나아가야 한다는 것으로 요약해 볼 수 있다. 서인식의 자리가, "이제까지 철학자들은 다양하게 세계를 해석해 왔을 뿐이다. 그러나 문제는 세계를 변화시키는 데 있다."나 "사회적 삶은 본질상 실천적이다."라는 마르크스의 <포이에르바하에 관한 테제> 위에 설정되어 있다는 것을 어렵지 않게 알 수 있다.

   실천을 매개로 하는 지성이란 개념은 그의 비평을 통해 문화, 전통, 역사로 확대 적용되는데, 서인식의 논리는 (지성─실천)에 의해서 변증법적으로 구성되는 <조화로운 전체성>을 목적으로 하고 있다. 아래의 글은 지성-실천 도식에 입각해서 문화를 정의한 대목인데, 전통과 역사에 대한 서인식의 정의를 살피고자 한다면 문화라는 말이 쓰여진 자리에 전통과 역사라는 말을 대체하기만 하면 된다. 문화, 전통, 역사가 모두 지성─실천의 매개적 산물로 정의될 정도로, 서인식에게 있어서 지성─실천의 도식은 견고한 것이었다.

   문화는 광의에 잇어 지성의 산물─정확히 말하면 인간의 실천적 행동을 매개로 한 지성의 산물이다. 문화와 지성은 내면적으로 긴밀

한 연관을 갖고 잇는 것이다.22)

　　서인식의 지성 개념은 구성적이라는 점에서는 김기림이나 최재서의 지성 개념과 차이가 없다. 하지만 서인식의 지성은 실천의 매개에 의해 역사적으로 발전해 온 지성이라는 점에서 앞의 두 사람과 구별된다. 실천이라는 매개항을 설정할 수 있었기 때문에 문화, 전통, 역사와 같은 거시적인 차원으로 확대 전개될 수 있었던 것이다.

　　서인식의 비평에서 문화, 전통, 역사가 지성-실천에 의해 정의되어 있는 것은 사실이지만, 논의가 전개되는 개별적인 양상에서는 차별성을 보인다. 문화론은 지성의 구성적 측면이 적용된 전형적인 경우이지만, 현재적인 의미를 밝혀야 하는 전통론과 역사 철학의 경우는 사정을 달리한다. 역사 철학이나 전통론의 경우 현재의 중요성이 두드러지게 강조되고 있는데, 그 이유는 실천이 놓여질 시간적인 좌표축 때문이다. 실천이란 언제나 현재라는 시간에 귀속될 수밖에 없다는 논리가 그것인데, 이 지점에서 서인식의 지성론은 새로운 국면으로 접어들게 된다. 서인식은 현재의 의미를 "역사의 끝인 동시에 역사의 처음"으로 규정하고 이러한 의미의 현재를 역사적 현재 또는 주체적 현재라고 부른다.23) 이러한 진술의 배후에는 헤겔 역사 철학의 종언 달리 말하자면 역사철학(따라서 철학 일반)은 헤겔에서 끝났다는 논리가 가로 놓여져 있다. 서인식에 의하면, 헤겔의 역사 철학은 역사의 기본적인 동력을 객관적이고 합리적 관련성의 형태로 파악하기 위한 것이다. 반면에 '현재의 역사 철학'은 그와 같은 '보편사적 행정을 절단하면서 행진하는' 역사적 현재의 구조를 드러내는 것에 집중한다. 따라서 현재의 역사 철학에서는 역사의 단절(불연속)적 측면이 문제된다.24) 현재의 역사 철학을 매개하는 실천은 "역사의 첨단에서 새로운 역사를 창조"하며 그런 만큼 "과거와 현대의 모든 것을 부정하지 않을 수 없다."25) 문제는 역사적인 현

---

22) 「지성의 자연성과 역사성」, 『조선일보』, 1937. 11. 10.
23) 「문화인의 현대적 과제」, 『조선일보』, 1939. 2. 12.
24) 「역사철학잡제」, 『비판』, 1939. 3, p. 54.

재의 구체적인 모습일 것이다.

> 역사적 현재는 어느 곳 어느 때에던 카오스이며 심연이외다. 그 순간에 결단하고 그 심연에 뛰어드는 것은 운명과 도박할 의력이 없이는 할 수 없는 것이외다.[26]

역사 철학의 종언 너머에서 유토피아가 손짓하는 것이 아니라, 카오스의 현재 속에서 운명과 도박할 수밖에 없다는 점이 인상적이다. 실존주의의 投企(project)를 연상시키는 역사적 현재의 개념은 "지성이란 사실에 잇어 이미 도구마로 화한 현실을 정리하여 노혼 이른바 지식이 아니고 새로운 현실을 구상하는 능력"이라는 자신의 지성론과 배리되는 양상을 보이게 된다. 구성적 성격을 지닌 지성이 실천을 매개하여 결국에는 카오스의 현재 속에서 운명과 도박하게 된다는 주장으로 귀결되기 때문이다. 이 지점에 이르면 지성보다는 결단 내지는 의지가 앞장을 서게 되며, 서인식이 일체의 과거와 전통을 부정했던 것처럼 스스로 지성의 역사성을 부정하는 지점에 이르게 된다. 이와 같은 자기 파괴적인 논리가 서인식으로 하여금 대동아협동체론에 기웃거리게 하였던 것인지도 모른다. 하지만 서인식은 "역사란 학자의 역사가 아니고 영웅의 역사"[27]임을, 달리 말하자면 역사란 역사 기술이나 역사 철학의 문제가 아니고 세계사적 개인과 관련된 것임을 분명히 자각하고 있다. 세계사적인 개인이 될 수도 없고 역사를 해석하고만 있을 수도 없는 상황, 이것을 서인식은 "운명"이라고 말한다. 40년 이후 서인식의 침묵은 이와 같은 운명의 자각으로부터 생겨난 윤리적 귀결이었는지도 모른다.[28]

---

25) 「역사에 있어서의 행동과 관상」, 『조선일보』, 1939. 4. 23.

26) 위의 글, 『조선일보』, 1939. 4. 25.

27) 위의 글, 같은 곳.

28) 서인식의 해방 이전 행적과 관련된 자료로는 『인문평론』 1940년 11월호의 문단동정의 기사가 마지막인 것 같다 : "서인식씨(평론가). 서울을 떠나 목포에 내려가 계시게 되었다.(木浦府 南橋洞 10 金氏 方)".

3. 결론을 대신하여 : 지성론과 근대성의 관련 양상

한국근대문예비평사 연구에 있어서 '비평이란 무엇인가'라는 물음과 '비평과 근대성의 관계는 무엇인가'라는 물음을 피해가기는 어렵다. 만약 비평의 본질과 관련된 물음을 '비평을 가능하게 하는 조건'에 대한 물음으로 재정식화할 수 있다면, 비평을 가능하게 하는 무의식적인 조건(혹은 힘)과 근대성과의 관련성을 함께 논의할 수 있을 것이다. 비평 자체가 근대성의 구현체 즉 근대적인 글쓰기 방식이라 한다면, 비평을 가능하게 하는 조건들을 유형화함으로써 근대성에 대한 논의를 보다 세분화시킬 수 있을 것이다.

널리 알려진 것처럼, 근대의 이념은 "계몽"과 "진보"라는 관념에 의해서 추동된다. 거시적으로 본다면 진보는 직선적인 모습으로 나타나겠지만, 그 이면에는 원천적 근거의 재획득과 자기화라는 움직임이 끊임없이 이루어진다. 달리 말해서 계몽의 기획이라는 원천(quelle)적 근거를 수용하고 그러다가 근거가 희미해지거나 방향 설정이 어려운 지점에 도달하게 되면 다시 자신의 근거에로 회귀하게 된다. 서양 역사의 커다란 변혁들이 대체로 "재획득", 르네상스, 재귀라는 말로써 증명되고 정당화되는 이유가 바로 여기에 있다.[29]

1930년대 후반 비평의 경우, 제2의 르네상스의 도래를 인간 탐구의 휴머니즘에서 찾고자 했던 백철, 사실주의의 재인식을 통해 주체의 재건을 내세웠던 임화, 지식인의 자기 고발을 통해 주체성의 근거를 살피고자 했던 김남천, 진리를 배후에 은폐하고 있는 갈릴레오적인 포즈에서 지식인의 태도를 찾고자 했던 이원조 등의 논의는, 대상의 차별성은 존재하지만 근대의 원천적 근거에로의 재귀라는 움직임을 공통적으로 드러내 보인다. 이러한 논의들은, 주체 또는 인간이라는 근대의 원천적인 근거로 돌아가 그것을 각자의 방법과 문제 의식으로 자기화하려는 시도들이다. 이와 같은 재귀의 움직임이란 근대성과 관련되는 것이어서 그 자체만으로도 문제적이지

---

29) G. Vattimo, *The End of Modernity*, (tr. by J. R. Snyder, The Johns Hopkins Univ. Press, 1988), pp. 2-4.

만, 그 돌아가는 과정 가운데 그들이 자신들의 글쓰기 속에서 억압하거나 은폐한 것들 또는 너무나도 당연하게 생각했던 것들을 문제삼기 시작한다는 사실은 더더욱 문제적이다. 가장 발빠르게 사회주의 리얼리즘과 휴머니즘을 소개했던 백철이 휴머니즘의 토착화라는 문제에 봉착해서는 현실적 근거를 갖지 않는다면 "과거에 수입된 사조와 같이 공허한 토론에 끝나고 말 것"이라고 경고를 한 것이라든가, 김남천이 아시아적 정체성론과 사회주의 리얼리즘 사이에서 갈등한 것, 주지주의를 통해서 지성의 중요성을 강조했던 최재서가 "우리에게는 옹호할 지성이 없다"라는 결론에 도달하고, 휴머니즘의 공론을 직시한 이원조가 조선문학의 현실적 근거로서 저널리즘에 주목하게 되는 모습 등은 원천적 재귀의 움직임 속에서 1930년대의 비평가들이 자신들의 근거 찾기에 몰두한 흔적들이다. 지성론 또한 지식인의 자기 근거 찾기의 일종이었던 것이다. 이들이 대면했던 고민의 집약적인 모습은 다음과 같이 제시될 수 있을 것이다.

> (가-1) 신문학이 서구의 문학 장르를 채용하면서부터 형성되고 문학사의 모든 시대가 외국문학의 자극과 영향과 모방으로 일관되었다 해도 과언이 아닐 만큼 신문학사란 이식문학의 역사다.[30]

> (가-2) 조선에 있어서의 지금까지의 신문화의 「코스」를 한 마디로 요약한다면 그것은 「근대」의 추구였다. (…) 자극은 피부에 곧 부닥친 것이 아니라 늘 소문의 형태로 전해왔던 것이다. (…) 말하자면 「근대」라는 것은 실은 우리에게 있어서 소비 도시와 소비 생활면에 「쇼윈도」처럼 단편적으로 진열되었을 뿐이다.[31]

이를 두고 근대성(I)이라고 하자. 모방과 이식, 소문과 진열의 대상으로서의 근대란 세계(globe), 인간, 언어(자국어)의 발견으로 특징지워지는 서구

---

30) 임화, 「신문학사의 방법」, 『동아일보』, 1940. 1. 13-20.
31) 김기림, 「조선문학에의 반성」, 『인문평론』, 1940.10. : 『전집』2 p. 43, p. 45, p. 48.

의 1500년경 이후의 시기를 말한다. 신세계의 발견, 르네상스, 종교 개혁 이래로 서구에서는 '서양에 고유한 특성인 합리화의 궤적'(M.베버)을 밟아왔고, 서구의 근대와 합리주의 사이에 결코 우연적이지 않은 내밀한 관계를 형성했다. '근대의 추구'가 겨냥한 것은 바로 이것이었다. 여기에는 "서구=보편"의 도식이 작용하고 있으며, '서구 즉 보편과의 상상적 동일화'가 욕망의 형태로 자리하고 있다. 김기림과 최재서의 지성 개념을 뒷받침해 준 논리가 바로 이것이었다. 서구에서 그 당시에 유행하던 이론을 방물장수 신밧드처럼 펼쳐 놓는 일은 누구나 할 수 있는 일이지만 아무나 할 수 있는 일은 아니다. 하지만 오퍼상의 비애라고 할까, 생산하지 못하고 기껏해야 유통의 말단에 서 있는 자신의 모습은 욕망 자체를 절망감의 형태로 변화시킨다. 서구=보편이라는 암묵적인 도식이 서구/조선, 자생성/파생성, 중심/주변, 본질/현상, 고유성/이식성의 대립항들을 확산시키기 때문이다. 이식 문학의 역사를 컴플렉스의 일종으로 명명할 수밖에 없고 근대를 일종의 유행 상품으로 비유할 수밖에 없는 근거 또한 여기에 있는 것이다. 그 저변에는 자기 확인의 욕구라는 근대성의 요구가 가로놓여져 있기 때문이다.

> (나) 근대는 방향을 설정하는 자신의 척도를 더 이상 다른 시대의 모범들로부터 차용할 수 없으며, 또 그렇게 하려고도 하지 않는다. 근대는 자신의 규범성을 자신으로부터 스스로 창조해야만 한다. 현대는 어떤 도주의 가능성도 없이 자기 자신에 의존해 있다고 스스로를 파악한다.[32]

자기 확인의 욕구, 우물에서 물을 길어 올리듯이 자기 자신으로부터 자신의 존재론적 의미 지평을 창조해야 한다는 요구를 근대성(II)라고 부르자. 근대성의 자기 창조성(selbst-schöpfung)은 '자생성의 요구'라고도 할 수 있을 것이다. 1930년대 후반 비평에서 자생성의 요구에 가장 민감했던 사람은 백철과 최재서였다. '웰컴!'하고 휴머니즘을 가장 먼저 받아들일 정도

---

32) J. Habermas, *Der philosophische Diskurs der Moderne*, (Suhrkamp, 1985), p.16.

로 서구의 이론 동향에 민감했던 백철이 풍류인간론을 제기한 이유는 무엇이었을까. 지성 옹호를 주창했던 최재서가 조선에는 옹호할 지성이 없으니 지성 옹호 포기하고 교양부터 쌓자라는 식의 논법을 펼 수밖에 없었던 이유는 무엇인가. 서구와의 상상적 동일화라는 욕구(근대성Ⅰ)와 자생성의 요구(근대성Ⅱ)가 충돌하는 지점에 백철과 최재서가 서 있었던 셈이다. 근대성(Ⅰ)과 근대성(Ⅱ)의 절충 지점을 백철은 동양적 풍류인간에서, 최재서는 서구적 교양론에서 찾은 것이다.

자신의 규범성을 자신으로부터 스스로 창조하는 방법에는 두 가지가 있을 수 있다. 하나는 자신을 구성하고 있는 전통에 의거하는 것이다. 백철이 대표적인 경우이다. 다른 하나는 현재를 새로운 기원으로 설정하는 것이다. 서인식의 '역사적 현재'라는 개념이 여기에 해당한다. 최재서의 교양론은 백철과 서인식의 중간 정도에 위치하는 것이리라. 전통에 의거하는 방식은 자신의 척도를 다른 시대의 모범에서 차용하는 것이 되므로 자기 창조성으로서의 근대성(Ⅱ)에 부응할 수 없다. 따라서 현재라는 시간적 극점의 중요성이 부각된다.

> (다) 근대성은 종전의 모든 것을 쓸어버리려는 욕망의 형태로 존재한다. 근대성은 종국적으로는 진정한 현재라 불리울 수 있는 어떤 지점, 달리 말하자면 새로운 출발을 표시하는 기원(origin)의 지점에 도달하고자 하는 희망(hope)으로 존재한다. [33]

일체의 과거나 전통을 부정하거나 의도적인 망각의 영역으로 추방하고 현재를 기원으로 설정하려는 욕구, 이것을 근대성(Ⅲ)이라고 하자. 이와 같은 근대성은 '백지 상태(tabula rasa)에의 강박 관념' 또는 '새로운 출발', '영도(zero degree)의 설정'과 관련되는 것이다. 서인식의 "역사적 현재"나 김기림의 "근대의 결산 과정"이 여기에 해당한다. 하지만 전통과의 철저한 단절

---

33) Paul de Man, "Literary History and Literary Modernity", *Blindness and Insight*, (2nd ed., Methuen, 1983), p.148.

을 실행하고 또 실행할 수 있다는 근대의 요구에는 결코 근본으로부터 새롭게 시작할 수 없는 역사의 현실이라는 문제가 잠재되어 있다. 서인식의 경우처럼 구성적 성격을 지닌 지성이 실천을 매개하여 운명과 도박하게 된다는 모순된 주장으로 귀결되거나, 과거와 역사의 전면적인 부정이 재구성의 중심이 되어야 할 지성의 역사성마저 부정하게 되는 지점에 이르게 되는 것은 이 때문이다. 새미

외설(猥褻)의 공포(恐怖)
― 『선택』과 『인간의 길』을 읽고

김 철*

1.

이인화의 장편 『인간의 길』 1,2권과 이문열의 장편 『선택』을 읽고, 나는 한편으로는 놀라고 한편으로는 두려웠다. 놀랐던 사정을 먼저 말하자. 습작기의 문학 청년도 아니고, 이미 그 이름 자체가 일종의 문화적 권력으로 화하다시피 한 두 사람의 전문 작가가 내놓은 이 '작품'들의 '부실 공사'에 우선 깜짝 놀랐다. 이런 '불량 상품'을 만들어 내고도 시끌시끌한 '논쟁'을 벌이게 하다니 과연 권력은 권력이다 싶었다. 결국 1990년대의 한국 문화에서 이문열이나 이인화 같은 작가들이 지닌 이 문화적 권력의 현실성을 부정하는 것은, 그들을 위대한 작가로 칭송하는 것만큼이나, 순진한 짓이라는 생각이 들었다. 어쩔 것인가, 우리가 그 안에서 숨쉬며 살고 있는 환경이나 권력이란 어차피 불공정과 불평등, 소외와 배제의 다른 이름인 것을. 또한 그것은 어느 정도까지는 우리가 만들어 낸 것이고, 따라서 영원히 이 세상으로부터 떠나 버리기 전까지는 별 수없이 감수하거나, 할 수 있는 데

---

* 연세대 국문학과 교수. 평론집으로 『잠없는 시대의 꿈』, 『구체성의 시학』이 있고, 다수의 논문이 있음.

까지는 맞서야 할 책임마저 지고 있는 것이기도 하다.

편집자의 요구는, 이 작품들과 100만부 이상이 팔렸다는 김정현의 『아버지』를 함께 묶어 '우리 사회의 신보수주의적 경향'을 비판해 달라는 것이었는데, 솔직히 말해서 『아버지』라는 작품(?)을 읽는 동안에는 내내 웃음이 나왔다. 이건 도리가 없는 것이다. 어디 이 소설뿐이겠는가. 날이면 날마다 지치지도 않고 계속되는 텔레비전 연속극은 어떠하며, 왕년의 인기 여배우가 이제는 입담 좋은 아줌마로 변신해서 "참아, 그저 참는 게 최고야"하고 쏟아 내는 '여자의 일생'은 또 어떠한가. 기구한 인생들은 또 얼마나 많은가. 나의 노모는 아침마다 그 여배우가 등장하는 토크쇼 화면에 거의 머리를 들이밀다시피 하고서는 한바탕 눈물을 쏟고 나서야 하루 일과를 시작하신다.

이 모든 현상들에서 자본주의의 간교한 대중 조작과 가부장제의 음험한 모략을 읽어 내는 것은 물론 타당하다. 그러나 또 한편 이러한 독법 자체에 이미 무언가 문화적 엘리트주의의 냄새, 엄숙주의의 가면이 은밀히 숨어 있는 것 역시 부정할 수 없다. 양반-귀족의 눈으로는 천박하기 이를 데 없었던 부르조아적 일상의 잡식성 문화가 새로운 문화를 본때 있게 건설해 내었던 역사적 선례를 참고한다면, 이 부박한 말기 자본제 문화의 주변부에서 아직 자기 자신의 내용과 형식을 발견하지는 못한 채 부글부글 끓고만 있는 온갖 문화적 욕구와 에너지가 새로운 차원으로 전화하지 말라는 법도 없고, 그런 한에서는 아직 희망을 버릴 수는 없다.

물론 『아버지』라는 소설이 그렇다는 말은 결코 아니다. 이 소설이 지닌 애교스러울 정도의 단순성, 문학 이전의 감상성은, 사실 정색을 하고 따지고 들면 따지는 당사자가 단박에 우스워지는 상황을 피치 못하게 되어 있다. 그렇기 때문에, 이런 소설이 대중의 값싼 감상성을 자극하면서 '부권(父權)의 회복'을 통하여 자본제의 강화에 기여한다거나 우리 사회의 새로운 보수적 경향을 반영하고 있다는 식의 논법은, 전혀 터무니없는 분석이라고는 할 수 없겠지만, 반대로 이런 소설의 유행에서 대중문화의 저력이나 새로운 가능성을 읽어 내려는 따위의 과장되고 호들갑스런 반응과 그 본질에서는 별 다를 것도 없는 것이라 하겠다. 『아버지』같은 소설의 그나마의 미덕은, 역설적이지만, 그것이 위의 논리들의 그 어떤 것도 제대로 실현시킬 만한 함량을 지니지 못했다는 데에 있다. 그것의 대중적 감화력은, 그 판매 부수와는 상관없이, 일회성(一回性) 유행가 정도의 것이다. 가부장제와 은밀하게 결탁한 자본의 문화 상품 따위야 도처에 지천으로 널려 있고, 그 시장의 엄청난 풍성함과 회전 속도 속에서 『아버지』같은 유치한 '상품'이 경쟁을 뚫고 지속적으로 대중의 눈길을 끌 가능성, 그럼으로써 어떤 특정한 이데올로기의 생산과 강화에 기여할 가능성은 거의 없다고 보아도 좋다.

그러나 『선택』이나 『인간의 길』 같은 소설은 문제가 다르다. '상품'으로서의 이윤을 보장하는 '메이커'의 확실성이 우선 눈길을 끌 뿐 아니라, 그 '작품성'이란 것도 사실 만만치 않아 보인다. 종횡무진의 현학과 유려한 문장들, 교묘한 사건들과 그 사건들이 벌어지는 무대의 광활함 따위들에 혹하다 보면, 어느새 이 소설들이 설치해 놓은 '뜨거운', 그러나 실은 거짓인 논쟁의 장, 예컨대 '페미니즘 대 반페미니즘' '전통 대 현대' '보수 대 진보' '친박정희 대 반박정희' 따위의 장으로 미끌어져 들어가는 것이다. 독자로서야 싸구려 대중소설을 읽는 게 아니라 무언가 묵직한 주제를 끌어안고 있다는 즐거운 착각을 가질 법도 하지만, 그러는 사이에 대세는 이미 기울어, 독자는 이미 작가가 마음대로 조종하는 대상으로 전락해 버리는 것이다. 왜냐 하면, 앞으로 밝히겠지만, 이 소설들에서 유일한 등장 인물은 오로지 '작가 자신'이고, 이 소설들에서 유일한 담론은 오로지 '작가의 말' 뿐이기 때문이다. 이런 상황에서는, 이 소설들이 제기하는 '거짓 문제들'에서 작가의 반대편에 서서 그를 이길 독자는 없다. 오로지 작가만이 등장하는 모든 소설에서 언제나 그렇듯이. 그리고 그런 소설들은 대개 소설을 위장한 것일 뿐 진정한 소설이 아니다. 이 글의 목표도, 이것들이 어떻게 소설이 아닌가를 밝히는 것이다.

또 한편, 이 소설들이 현재 우리 대중문화의 수준에서 매우 큰 영향력을 지닌 '주류'에 속하며, 이윤 창출 효과 및 특정 이데올로기의 재생산 효과가 상당한 '상품'임을 잊지 않는 것도 중요하다. 우선 그래야 이것저것 따질 필요성도 생기려니와, 다른 한편, 그러한 상품의 생산과 유통 속에 담겨 있는 대중문학의 속성과 한계, 나아가 그 가능성까지도 타진해 볼 계기가 생길 터이니까 말이다. 물론 나는 문학 작품도 상품이라는 따위의 논리를 지지하지는 않는다. 그렇다고 문학 작품을 '상품론'의 차원에서 분석하고 비판하는 작업을 못 할 까닭은 없는 것이, 가령 마르크스가 상품을 분석하는 것도 자본주의 체제를 지지하기 때문은 아닌 것과 마찬가지다.

그러나 굳이 마르크스를 들먹일 것도 없이, 이 소설들을 하나의 '상품'으로 바라볼 때 우선 '소비자'로서도 '반품(返品)'을 요구할 수밖에 없을 정도로 그 내용이 부실함을 입증할 수 있다면, 그것은 이 작품이 제기하는 거짓 논쟁에 끼어들지 않으면서 이 작품들에 대한 어떤 비판의 입지점을 마련하는 것이 된다. 나아가 이런 '불량 상품'을 독자-대중이 즐겨 '소비'하는 것이 현실의 한 측면이라면 그것 역시 진지한 분석의 대상이 될 것이다. 이 글의 의도는 대체로 이런 것이다. 이제 본론으로 들어가자.

2.

『선택』과 『인간의 길』을 불량 상품이라고 할 수밖에 없는 가장 중요한 이유는, 이 작가들이 '소설'을 쓰는 게 아니라 무슨 '연설문'이나 '궐기문'이나 '선언문'을 쓰고 있다는 점이다. 『선택』은 17세기의 실존 인물인 '장씨 부인'을 화자 겸 주인공으로 내세워 자신의 일생을 회고하게 한 글이다. 작품 내의 직접적인 목소리를 삼백년 전의 인물로 택한 것은, 최원식 교수의 말대로 "기발한 의장(意匠)"이긴 하였다. 그러나 이 기발함은 다만 착상일 뿐 실제 작품에서 처음부터 끝까지 나타나는 것은 오로지 작가 이문열의 생짜 목소리이다. 17세기를 살았던 장씨 부인의 유려한 고어체 문장과 20세기말을 살고 있는 작가 이문열의 열에 들뜬 목소리는 아무런 장치도 없이 마구 뒤섞이고 엉킨다. 아무 데나 들쳐도 그런 사례는 쉽게 발견된다.

나는 열아홉 나던 광해 8년 영해부(寧海府) 나라골(仁良里) 재령 이씨 가문으로 출가했다. 군자의 이름은 시명(時明)이요 자는 회숙 (晦叔)인데 뒷날 호를 석계(石溪)로 쓰셨다. 너희는 내가 남편을 군자 로 높여 존대함을 양해하라. 나에게는 일생을 공경하는 손님처럼 대 했던 분이니 아니 계신다고 어찌 함부로 이르랴.(62쪽)

출가의 계기와 경위가 이렇듯 아담하고 단아한 장씨 부인 자신의 목소리로 서술된 이후 제2부의 첫 장면은 이렇게 시작된다.

사람이 제도를 만들고 거기 참여하는 본래의 뜻은 이내몸에 이로 움을 얻고자 하는 데 있다. 그러나 제도란 한 번 만들어지면 자신의 생명과 운동 원리를 가지는 까닭에 언제까지고 그 이익이 개인의 이 익과 일치하지는 않는다. 특히 제도가 자기 보존의 열정에 빠져 방 어 본능을 한 권리로 휘두르기 시작하면 개인에게는 치명적인 억압 장치로 변질되기도 한다.(70쪽)

뭔가 이상하다. '제도'니 '개인의 이익'이니 '억압 장치'니 아무래도 17세 기의 부인이 쓸 말은 아니다. 그렇지, '장씨 부인'의 말이 아니라 '작가의 말'이겠다. 좀더 읽어보자. 역시 그러하다. 대번에 다음 단락에 '시대 상황' '공동선' '무정부주의' '무위자연설' 따위의 말이 등장한다. 이 대목에서 작 가가 잠깐 개입하여 자신의 주장을 펴는 것으로 볼 수도 있겠다. 현대소설 의 관점에서는 낙제점이라고 할 수밖에 없지만, 오히려 '낯설게 하기 수법' 이란 것도 있지 않은가. 무슨 말을 하는지 들어나 보자.

여기서부터 작가는 무려 8페이지에 걸쳐서 결혼 제도에 관한 인류사적 고찰을 행한다. (이걸 참을성 있게 끝까지 읽을 독자가 얼마나 있을까? 작 가의 배짱이 놀랍다). 작가는 결혼 제도의 사회경제적 기초와 그것의 억압 성을 논한 다음 "개인주의가 발달한 서구에서는 자신의 쾌락과 편의를 위 해 배우자와 아이를 버리지만, 집단적 삶을 우선한 고대의 어떤 도시국가 에서는 그 국가에 튼튼한 구성원을 낳아 주기 위해 자신의 허약한 배우자 와 아이를 버렸다"고 말한다. (맙소사, 이게 무슨 말인가.) 이어서 작가는 결혼 제도란 "그 두 극단을 정(正)과 반(反)으로 삼고 나와 내가 아닌 것의 조화라는 합(合)을 향해 진행하는 변증의 고리"라고 말한다. (이런, 이문열이 헤겔주의자인 줄은 몰랐다). "우리가 방금 겪은 것은 바로 초자아적 이념이 우세했던 단계였다. 거기에 유가의 논리로 무장한 남성의 편의주의가 가세하여 여성에게 그토록 불리한 제도의 왜곡을 가져온 것이다". (아니, 이게 왜 반페미니즘 소설이라는 거야?).

그러나 바로 그 다음 문장을 자세히 보자.

> 그렇지만 다행히도 바람의 방향은 바뀌었다. 전 시대의 억압과 질곡은 끝나고 여성들은 제도 속에 매몰되었던 자아를 찾아나섰다. 이제는 누구도 이 세찬 흐름을 되돌려 놓지는 못할 것이다. 그런데도 너희를 보는 이 마음이 기껍기만 하지는 못한 것은 무슨 까닭일까. (강조-인용자) (75쪽)

잠깐만. "전 시대의 억압과 질곡은 끝나고 여성들은 제도 속에 매몰되었던 자아를 찾아 나섰다"라는, 무슨 「현대여성론 입문」류의 어투로 말하는 사람(=작가) 바로 뒤에 "너희를 보는 이 마음이 기껍기만 하지는 못하다"라고 말하는 이 사람은 누구인가? 이 작품에서 "너희들"이라고 준엄한 목소리로 독자를 꾸짖고 있는 인물은 장씨 부인 이외에는 달리 없다. 그러니까 이 대목에서 화자는 순식간에 장씨 부인으로 바뀌는 것이다. 온갖 현대적 지식과 어휘로 가득 찬, 무려 8페이지에 걸친 저 지루하고 설득력 없는 궤변들을 장씨 부인의 목소리로 들을 독자는 없다. 그런데 갑자기 "너희를 보는 이 마음이…" 어쩌고 하면서 등장하는 장씨 부인에 의해 지금까지의 말들은 모두 장씨 부인이 한 말이 되는 것이다. 결국 17세기의 장씨 부인이 느닷없이 서구의 개인주의를 논하고 변증법을 들먹이고 하는 기괴한 상황이 벌어지는 것이다. 이 어지러운 소설 작법은 이 소설의 전편에 걸쳐 계속된다. 논리의 정합성 여부를 떠나서 이런 기본적 품질 불량을 도대체 어떻게 이해하라는 말인가.

이것이 기발한 양식 실험이 아니라 전적으로 작가적 불성실 혹은 오만의 소산임은, 그의 다른 작품, 예컨대 김삿갓을 다룬 중편 『시인』(1991)에서도 이미 노출된 바 있다. 이 소설에서도 18세기를 살고 있는 늙은 선비가 '기존의 지주 계층', '경영형 부농', '상권을 잠식당하고', '관서라는 지역이 규정한 특별한 감정' 따위의 말을 예사로 내뱉는다. (졸고, 「도피냐, 초월이냐」 『실천문학』 1991. 참조) 이문열의 이러한 이상한 소설 작법, 등장 인물과 작가 자신이 마구 뒤섞이면서 소설의 인물은 어디론가 실종되고 갑자기 자연인으로서의 작가가 소설의 무대로 뛰쳐나와 마구 장광설을 늘어놓는 이 이상한 문체 혼란은, 아마도 소설적 전략의 하나로 잘만 사용하면 21세기 소설의 새로운 진경을 여는 기법이 될 수 있을지는 몰라도, 내가 보기에 이문열의 소설에서 그럴 가능성은 완전히 없다.

이 문체의 혼란은 이문열의 소설에서 자주 반복되는 허점인데, 그것은 특히 소설 속에서 작가가 어떤 특정한 이데올로기를 공격하고자 할 때 어김없이 발생하곤 한다. 앞서 『시인』의 경우 그것은 이른바 '민중문학'을 공격할 때에 그러했고, 이번의 『선택』에서는 페미니즘을 공격하면서 그러하다. 이 문체의 혼란 속에서 등장 인물이나 주인공은 작가의 노골적인 육성을 전달하는 하나의 인형으로 전락하는 한편, 작가는 등장 인물의 가면을 쓰고서 자신이 공격하고 싶은 어떤 특정한 이데올로기나 대상을 마음껏 짓밟고 조롱한다. 이 쉿된 공격의 목청에서 열린 대화의 가능성을 찾기란 처음부터 불가능하다. 그 목소리는 확신에 차서 들떠 있고, 언제나 단정적이고 단호하며, 때로는 가학적 쾌감에 쌓여 있기조차 하다. 『선택』에서도 예외는 아니다. 그 무시무시한 공격의 목소리를 몇 가지만 들어보자.

장씨 부인(=이문열)이 보기에 여성 해방을 외치는 현대의 여성들이란, "아침밖에는 쓸모가 없는 못난이나 무책임한 바람둥이의 성적 노리개로 젊음을 탕진하다가 쓸쓸하고 고달프게 삶을 마감하지 않기 위해서도 좀더 많은 동성들을 부패와 착종으로 끌어들이지 않을 수가 없"으며, "자기 성취를 위해 아이 갖기를 거부"하며, "성가심과 불편함을 이유로 임신을 회피"하며, "젊음을 즐기는 데 방해가 된다고 해서 또는 몸매를 망친다는 이유로 아이 갖기를 거부"하며, '남성의 탈선을 이유로 간음을 하고 정조 의무를 포기'하며, "남편이 고함을 치면 맞고함을 치는 게 남녀 평등"으로 알고 있는 것들이다.

무슨 대꾸를 하겠는가. 서구 공산주의 운동의 초기에 공산주의자들을 가리켜 "여자를 공동으로 소유하자는 무리들"이라고 비난하던 자들도 이보다는 점잖았다고 생각된다. 공격하고자 하는 대상을 잔뜩 추하게 색칠하고 왜곡함으로써 자신의 정당성을 확보하려는 이 오래되고도 비열한 마타도어식 언어의 폭력은 이미 어떤 언어적 의사 소통의 장을 넘어 서 있다. 그러니 여기에 대해 무슨 말을 하겠는가. 여성 해방을 주장하는 현대 여성이 저토록 흉물스러운 것이라면 장씨 부인(=이문열)이 높이 추앙하는 '진짜 여성'의 상은 어떤 것인가. 믿기 어려운 일이지만, 남편의 죽음을 슬퍼한 나머지 같이 따라 죽는 봉건 시대 여인의 행위는 장씨 부인이 보기에 "사람이 연출하는 아름다움"(125쪽)의 하나다. 남편을 따라 죽은 맏동서의 의로운 행위를 상찬하면서 장씨 부인(=이문열)은 이렇게 말한다.

> 하기야 순절을 시차가 있는 정사라고 보면 오늘날의 사람들도 이해 못할 것은 없다. 모든 정사(情死)는 우리에게 아름다운 환상을 품게 한다. (중략) 내게는 순절이 그릇된 이념화의 희생이라 해도 감동은 조금도 줄어들지 않는다. 역사가 시작된 이래 인간이 목숨을 바쳐 온 이념이 언제나 정당하고 합리적이었던가. 인간은 영악스럽기로 이름났지만 또한 대단찮은 이념에 죽기도 하는 어리석음과 미련스러움이 있다. 그런데 바로 그 어리석음과 미련스러움이야말로 인간만이 지닐 수 있는 아름다움이기도 하다. 자신이 가장 큰 가치를 부여한 것, 혹은 가장 옳다고 믿는 것을 위해 목숨을 던지는 일은 섬뜩하지만 또한 얼마나 아름다운가.(128-129쪽)

이문열의 소설을 읽은 독자들이라면 지금까지의 그의 소설이 거의 모두 이념의 헛됨(특히 사회주의 이념이나 민중사관 따위), 그런 이념에 몸을 던지는 자들의 어리석음과 이중적 위선을 조소하고 비판하는 데에 집중되어 있다는 것을 알 수 있을 것이다. 그런데 이게 무슨 말인가? "사람이 연출하는 아름다움"으로서의 순절(殉節)이라니?

나는 지금 '이념'에 대해서 논쟁을 하자는 것이 아니다. 그냥 한 사람의 독자로서 묻겠다. 순절이 아름답다고? 어리석기는 하지만 "자신이 가장 큰 가치를 부여한 것, 혹은 가장 옳다고 믿는 것을 위해 목숨을 던지는 일은 섬뜩하지만 아름답다"고? 그러면, 작가가 그토록 혐오하는 여성 해방을 위해 어떤 사람이 거기에 가장 큰 가치를 부여하고 그것을 위해 목숨을 던진다면? 그것에 대해 작가는 뭐라고 할지 궁금하다. 또 만약, 어떤 사람이 동성애자의 권리를 위해 목숨을 던진다면, 작가는 뭐라고 말할지 듣고 싶다.

아니, 이런 경우는 어떨까? 가령, '부모의 보호 없이 거주 지역으로부터 십리 이내를 벗어나는 미성년자 및 남편이나 애인의 보호 없이 일몰 후에 거리를 배회하는 아녀자는 영장 없이 체포하여 3년 징역에 처한다'는 법률을 만드는 데에 가장 큰 가치를 부여하고 그것의 실현을 위해 어떤 사람이 목숨을 바친다면? 어떤가? 섬뜩한 아름다움이 있는가? "바로 그런 미친놈들 때문에 이 나라가 이 모양 이 꼴이므로 그런 인간들을 모조리 솎아 내서 무인도에 가두거나 아니면 그런 놈들을 육체적으로 거세시키는 법률을 만들 것, 그리고 그런 법률을 시행할 사람을 지도자로 하는 정당을 결성"하는 데에 최고의 가치를 부여하고 목숨까지 바치는 사람이 나온다면……어떤가? 미련하지만 아름다운가?

해서 괜찮은 말이 있고 차마 해서는 안 될 말이 있는 것이다. 아무리 봉건 이념을 예찬하고 싶어도 그렇지, 사람 목숨을 개나 도야지의 그것만큼도 여기지 않는 순절 행위를 '인간이 연출하는 아름다움'이라고까지 미화하는 이런 극단적 발언은, 제 정신 있는 사람이면 어떤 경우든 차마 해서는 안 될 말에 속한다고 나는 생각한다. 더구나 작가가 그토록 기려 마지 않는 이른바 '양반 문화'는 바로 사람의 사람됨을 늘상 그러한 수신(修身)의 깊이에 따라 측량하지 않던가? 그러나, 『선택』에서의 이 맹목적 봉건 예찬에 의한 가장 큰 희생자는 누구보다도 '장씨 부인' 자신이 아닐 수 없다. 봉건 조선이 낳은 걸출한 이 부인은 삼백년 후에 느닷없이 출몰한 봉건의 유령에 의해 다시 한 번 무참히 봉건의 성곽 속으로 유폐되고 만 꼴이 되었으니 말이다.

장씨 부인이 온전히 작가의 수동적 인형으로만 기능하고 있는 한 이 작품은 소설이 아니라 작가 자신의 어설픈 '논설문', 또는 작가 자신이 그렇게 오해될까 봐 걱정된다고 한 '집안 자랑' 외에 아무 것도 아니다. 그렇지 않고서야 작품 후반부의 장씨 부인 아들들의 구구한 출세 경력이 대체 무엇 때문에 들어가는가. 널리 소문이 나고 시끌벅적한 '논쟁'을 유발한 반페미니즘도 실상은 이 작품의 주제와는 상관이 없다. 작가 자신의 페미니즘 이해가 저토록 무지하고 폭력적이어서야 무슨 논쟁이 가능한가.

그나마 이 불량 상품 안에서 내가 재미있게 읽은 것은 장씨 부인의 혼인담과 음식에 관한 것들 정도이다. 그러나 『선택』이 처음부터 소설이기를 거부하거나 소설로서의 '품질'을 아예 고려하지 않았다는 것은 다음과 같은 데에서도 드러난다.

> 아침 저녁으로 권구(眷口)가 많을 적에는 이백이 넘고 한 끼에 익혀야 할 곡식이 말[斗]로 헤어야 할 양이니 비록 안팎 비복들이 있다지만 방간 일만으로도 하루 해가 짧았다. 거기다가 챙겨야 할 식구들의 입성이 또 만만찮아 늙은 침모만으로는 사랑채의 의대(衣帶) 수발도 바빴다.(103쪽)

이 엄청난 살림을 이끌어 가는 며느리로서의 수고로움은 끝없이 서술되지만, 도대체 이 살림을 가능케 하는 재물은 어디에서 나오는가? 응당 있을 법한 이 의문에 대한 답변은 어디에도 없다. (알아서 짐작하시라는 말씀인가? 양반은 원래 재물을 입에 담지 않는다는 말씀인가?) 답변 아닌 답변, 오히려 더 의문을 갖게 하는 설명 아닌 설명이 있기는 있다.

재물도 그렇다. 군자께서 충효당을 나오실 제 약간의 분재(分財)가 있었다고는 하지만 그마저도 대명절의(大明節義)를 쫓아 동서로 은거하심에 이르러서는 입에 담을 만한 것이 못 되었다. 그런데 손님맞이로 살림이 줄어드는 걸 난들 어찌 걱정하지 않았겠는가. 하지만 나는 믿었다. 그들에게 군색함이 없어야 내가 더 넉넉해진다는 것을, 남의 군색함을 돌아보지 않는 나의 넉넉함은 다만 재앙이요 화근일 뿐이라는 것을.(139쪽)

"입에 담을 만한 것이 못 되는 재물"로 이백이 넘는 식솔을 거느리고, 손님맞이를 넉넉히 하고 게다가 흉년이 들면 구휼까지 했다는 것이다. 장씨 부인의 위대함을 선양하고자 하는 작가가 이 기적에 대한 설명을 빠뜨리다니, 나는 자못 궁금하다. 하기야 '소설'을 쓰는 것이 아니라, 눈꼴 시린 여성해방론자들에 대한 '규탄문', 자기 가문의 한 특출한 조상에 대한 '선전문'이 목적인 바에야 소설적 구성의 허술함 따위가 무슨 대수겠는가.

작가는 이 작품을 쓰면서 다음과 같은 점을 걱정했다고 후기에서 밝히고 있다.

세련된 현대소설의 표현 양식에 익숙해 있는 독자들에게 불리하기 짝이 없는 방식으로 얘기해야 하는 점과 요즘 사람들의 근거 없는 반의고적(反擬古的) 경향에 전혀 어울리지 않는 주제를 다루어야 한다는 점이었다.

작가의 부연 설명에 따르면, "불리하기 짝이 없는 방식이란 사건의 전개를 축으로 얘기가 진행되는 것이 아니라 주변 인물과 배경과 분위기를 통해 사건의 전개를 추상케 하는 우리의 전통적인 얘기 방식을 말한다". 우리의 전통적인 얘기 방식이 그런 것인가에 대해서는 잘 모르겠지만, 그렇다고 하더라도 이 작품에서 "주변 인물과 배경과 분위기를 통해 사건의 전개를 추상케 하는" 부분이 어디인가? 아무리 찾아봐도 인물이라고는 '장씨 부인'밖에는 없고, 더 실제적으로는, '장씨 부인'마저도 몰아내고, 페미니즘에 대한 혐오와 '영남 남인(南人) 가문의 당파성'[1]으로 똘똘 뭉친 채 아예 노골적으로 나서서 궤변을 늘어놓는 작가 외에는 없다. 소설의 이름을 빌어 봉건 윤리와 이념을 목청껏 외치는 이 '논설문' 속에, 온 세상에 자랑하고 싶어서 활짝 펼쳐 놓은 이 '족보' 속에 무슨 "사건의 전개"가 있다는 말인가?

> 요즘 사람들의 반의고적 경향, 특히 양반 문화에 대한 적의에 대해 그 근거 없고 비뚤어짐을 따지자면 따로이 책 한 권이 필요할 정도다. 그것은 이 나라 거의 대부분의 사람들에게 자신의 뿌리를 부인하는 일이 되고 나아가서는 자기 정체성의 부인이 된다.

'요즘 사람들의 반의고적 경향'이란 게 무슨 말인가 했더니 이 말이었다. 양반 문화에 대한 적의는 근거 없고 비뚤어진 생각이고 그것은 따로 책 한 권을 써야 설명된다니 그걸 기다릴 수밖에는 없겠다. 다만 어쨌든, 그걸 부정하거나 적의를 가졌다가는 '뿌리없는 인간', '자기 정체성을 부인하는 인간'이라는 말인데, 점잖게 말해서 그렇지, 이게 속된 말로 하면 무슨 말인가 하고 생각하니 참으로 기가 막힌다.

작가는 아마도 17세기 사대부 가문의 일상과 문화를 오롯이 재생한 자신의 작가적 능력에 크게 자부심을 갖고 있는 듯하다. 아닌 게 아니라 그런 측면이 없지 않아 있다. 그러나 모처럼 읽는 재미를 선사하는 그러한 장면들도, 지금껏 말했듯이 작가 자신의 좌충우돌식 개입과 시공을 넘나드는 가히 초현실주의적인(?) 수법에 의해 소설적 파탄 외에는 아무 것도 남기는 게 없다. '요즘 사람들의 근거 없는 반의고적 경향'이라는 말은, 이러한 소설적 파탄을 슬그머니 '경박하고 무식한 요즘 독자'들에 대한 꾸중으로 덮

---

1) 이 '영남 남인의 당파성'은 이문열과 이인화의 소설에서 공통적으로 발견되는 속성이다. 소설의 곳곳에서 영남 남인의 당파성은, '노론(老論)'에 대한 혐오감과 더불어, 은밀히, 때로는 노골적으로 표명된다. 한마디로 어처구니가 없다. '모든 권력을 남인과 그 후예들에게로!' 이들의 소설이 감추고 있는 표어는 이것이다.

어 버리려는 잔꾀에 지나지 않는다.

'의고적'이란 것은 대체 무엇인가? 그것이 현대소설에서 의도적으로 사용될 때 어떤 효과를 내는가? 길게 설명할 것 없이 한 선배 작가의 작품을 예로 들겠다. 『선택』과 비교해 보기 바란다. 고 한무숙 선생의 「이사종(李士宗)의 아내」(1978)나 「생인손」(1981)같은 작품들이다. 길게 언급할 여유가 없으므로 「이사종의 아내」에 대해서만 간단히 살펴보자.

이사종은 당대의 춤꾼으로 선전관의 벼슬을 살고 있는데 천하의 명기 황진이와 살림을 차린다. 이 작품은 이 이사종의 아내가 친정의 외할머니에게 보내는 아홉 편의 편지로 구성되어 있다. 처음 세 편의 편지는 외할아버지의 상을 당해 일년에 한 번씩 외할머니에게 보낸 지극히 의례적인 문안 편지이다.

> 외한마님전 소(疏) 상살이
> 통곡 통곡하오며
> 외한아바님 상사(喪事)는 무슨 말씀을 알외오리까. 춘추 높으시오나 평일에 기력 강건하옵시니 환후(患候)가 비록 침중(沈重)하옵시나 회춘(回春)하옵시기 바랬삽더니 천천만(千千萬) 몽매(夢寐) 밖, 흉음(凶音)이 이를 줄 어찌 뜻하엿사오리까. 졸지에 거창하옵신 일을 당하옵시니 영년 해로하옵신 정리 차마 측량치 못하옵나이다.   (하략)
> 갑자 납월 초엿샛날 외손녀 살이

이런 식의 편지가 삼년상을 마칠 때까지 세 번 계속된다. 이후 삼년간에 걸쳐 이어지는 여섯 번의 편지는, 이 의례적 관용구로 가득찬 앞의 세편의 문안 편지들이 단순한 호사가적 의고체의 박물지적 재현이 아니었음을, 무언가 심상치 않은 사건의 내막을 전달하기 위한 의도적인 장치이었음을 드러낸다. 풍류남아인 남편의 뒷수발을 하는 여인으로서의 한과 원망, 천하 명기 황진이와 남편의 애정 행각에 대한 어쩔 수 없는 질투, 성욕을 지닌 인간으로서의 욕구가 법도(法度)와 금제(禁制)의 서슬푸른 경계선을 아슬아슬하게 건드리면서 참으로 단아한 16세기의 양반 언어로 표출되는 것이다.

오늘밤도 사랑에서는 어느 장화(墻花)를 꺾고 있사온지 귀가치 아니하옵고 존고께서는 사직골 작은 소고(小姑;시누이)댁에 행차하시어 준행 남매만 어미와 집에 머물고 있사와 오래도록 지필(紙筆)을 대하고 있사옵니다. 곁에서 오묵이가 반은 졸며 보선 볼을 대고 있사옵고 밖은 적막칠야이옵니다. 오묵이가 문득 "나리 마님 보선은 참 야릇하게 떨어지오닛가. 볼보다 굼치가 더 많이 떨어져와요" 하옵니다. 백학같이 선인같이 춤추는 그 모습이 안전에 떠오르매 사람과 춤은 남이 보고 춤으로 하여 심히 떨어진 보선 굼치만 지어미가 다스리고 있나이다.

'사람과 춤은 남이 보고 춤으로 하여 심히 떨어진 보선 굼치만 지어미가 다스린다'는, 이 절제될 대로 절제된 표현 속에 함축된 세계의 깊이와 넓이를 보라. 이문열이 말하는 '주변 인물과 배경과 분위기로 사건의 전개를 추상'한다는 것이 이것이 아니겠는가? 『선택』의 어디에 이와 비슷하기라도 한 부분이 있는가? 남편과 시댁 식구들의 마음을 온통 앗아가는 '요물' 황진이에 대한 질투와 외로움을 토로하는 대목을 읽어 보자.

그 구미호와 살림을 갖고부터 사랑의 인품이 달라졌사오니 전에 없이 조용해졌사오며 오히려 자상해지옵고 착실해진 것이옵니다. 남편을 시앗에게 아이옵고 아내는 수발드옵는 수고가 없어졌사오니 이 허전하옴을 어찌 다 알외오닛가. 요물은 요물이어서 행전 하나 보선 하나 때문은 것을 보온 일이 없사오며 방탕기녀로 언제 침선을 배웠삽는지 남편의 의복 일절 손수 짓는다 하오니 존고께서 "체체하고 습습하고 상냥하고 온 그런 기집이 천하에 있겠느냐" 침이 마르시게 칭찬하오시는 것 천근으로 가슴을 누를 따름이옵니다. (중략) 사리밝고 투기 없고 체체한 시앗 가진 본댁네 마음이 어떠하온가를 아시옵니다. 차라리 간악하고 발칙하고 방자하게 구오면 이렇듯 외롭고 슬프지는 아니하올 것이오이다.

「이사종의 아내」는 작가가 창조한 허구의 인물이고, 『선택』의 장씨 부인은 실존의 인물이다. 그러나 허구의 인물인 '이사종의 아내'가 지닌 저렇듯 생생한 구체성과 박진감에 견주면, 실존 인물을 모델로 한 『선택』에서의 '장씨 부인'의 박제화(剝製化)와 추상성은 아예 비교의 대상이 아니다. 「이 사종의 아내」에서 작가는 봉건의 윤리와 질서를 내면화한 한 사대부가(家) 부인의 인간적 갈등을 생생한 중세 언어로 재생해 냈을 뿐만 아니라, '주변 인물과 배경과 분위기로 사건의 전개를 추상케 하는' 수법으로 인물의 심리 묘사까지 이루었다.

나는, 봉건적 윤리의 추상같은 서늘함과 양반 문화의 유한(有閑)한 고아(古雅)함이 작품의 한 축을 이루는 한편, 그것에 대립하는 인간적 욕망의 처절함과 사대부 계급의 위선이 또 다른 한 축을 이루면서 이렇게 팽팽한 긴장을 자아내는 현대소설을 아직껏 보지 못하였다. 적어도 이 정도는 되어야 '의고체'니 '의고적'이니 하는 용어가 무게를 지니는 것이며, 그 가치가 빛을 발하는 것이다. 현대어와 고어가 들쭉날쭉으로 기분내키는 대로 뒤범벅된 문장을 가지고 무슨 대단한 전통이나 재현한 양 잔뜩 목에 힘을 주고서는, 오히려 요즘 독자들의 무식함을 탓하는 『선택』 같은 '불량 상품'에 짜증이 나지 않을래야 않을 도리가 없는 것이다.

3.

『선택』에는, 독자의 눈길을 끌기 위해 일부러 더 심하게 표현한 것이 아닐까 하는 생각이 들 정도로 도착적인 사고, 극단적인 편견이 아무런 문학적 장치의 매개 없이 흘러 넘친다. 그 점에서 그것은 이미 하나의 외설(猥褻)이다. 이인화의 『인간의 길』 역시 『선택』보다 더하면 더했지 결코 덜하지 않다.

'장편소설'이라는 표제를 달고 있기는 하지만, 그것은 이미 소설이기를 포기 또는 거부한다. 그것은 소설이 아닌 다른 어떤 것을 지향한다. 그것은 소설이라기보다는 차라리 현대판 『신통기(神統記)』 또는 현대판 『용비어천가(龍飛御天歌)』 내지는 『왕조실록(王朝實錄)』이다. 누구의 신통기며 어떤 왕조실록인가? 그야 물론 박정희의 신통기 또는 박정희를 시황제(始皇帝)로

하는 유신왕조(維新王朝)의 실록이다. 그러므로 이『신통기』또는『왕조실록』에 좀더 그럴싸한 제목을 붙이자면 이 정도가 될 것이다.

　　『민족영웅구국군신유신시황제신통기
　　　(民族英雄救國軍神維新始皇帝神統記)』
　　또는
　　『유신왕조실록(維新王朝實錄)
　　　기일(其一):선대왕이적기급선대왕비신출귀몰기
　　　　　　　　(先大王異蹟記及先大王妃神出鬼沒記)
　　　기이(其二):유신시황제잠세시만난고초극복기급해내외구적척살기
　　　　　　　　(維新始皇帝潛世時萬難苦楚克服記及海內外仇敵擲殺記)』

　이쯤 접어놓고 읽지 않으면, 박정희교(敎)의 전도사가 외쳐대는 저 광기 서린 주문(呪文), 열에 들뜬 국수주의의 군가(軍歌)를 참고 견딜 도리가 없다. 이 느닷없는 신판『용비어천가』에서 대체 무슨 일이 벌어지고 있는지 잠깐 따라 가 보기로 하자.

　이『용비어천가』에서 유신왕조의 창업군주(創業君主) 박정희의 작품내 이름은 '허정훈'인데, 과연『용비어천가』답게 그 첫 장은 허정훈의 아비(父) 대로부터 시작된다. 그러니까, 허정훈의 아비인 '허선영'은 이『용비어천가』에서 이를테면 선대왕(先大王)쯤 되는 셈이다.(그나마 선대왕쯤에서 시작했으니 망정이지, 원본『용비어천가』처럼 5대나 6대쯤 거슬러 올라갔으면 어쩔 뻔 했는가?)

　아무튼 소설은 '허선영'의 비범한 출생담으로부터 시작된다. "영남 유림이 다 아는 큰 선비, 운헌 선생"이 두려움에 떨며 그 이름 짓기를 꺼리던, 임종의 자리에서 그 아비에게 "절대로 벼슬살이를 시키지 말도록" 신신당부하던 '허선영'이야말로, 때를 잘못 만나 좌절한 영웅의 전형이다. 영웅도 어디 보통 영웅인가? 그는 중국 상고 시대의 전설에 등장하는 곤(鯀)의 현신이다. 곤(鯀)은 요(堯)임금의 신하로서 9년 동안이나 치수(治水)에 애썼어도 보람이 없자 그 벌로 목숨을 잃었다는 전설의 주인공이며 우(禹)임금의

아버지이다. 이런 인물이 세상에, 그것도 조선왕조 말의 난세에 났으니 그 삶이 평탄할 까닭이 없다.

이렇듯 곤(鯀)의 운명을 타고 난 허선영은 그 운명이 가리키는 바를 따라 험난한 삶의 경로를 겪는다. 그는 동학혁명에 뛰어들었다가 '우금치 전투'에서 사로잡혀 형장의 이슬로 사라질 위기에 처한다. 이 위기에서 그를 구출하는 것은 누구인가? 이 현대판 『신통기』는 이 대목에서 다시 한 번 '신(神)들의 계보'를 재현한다. 허선영의 아내 '여희'(女嬉)가 그것이다. 여희라는 이름은 전설에 나오는 '곤(鯀)의 처(妻)'의 이름을 그대로 따온 것인데, 이 여인의 비범함도 역시 사람의 것이 아니다. 그녀는 '낯 선 사람을 생전 처음 보고도 그 사람과 관련된 과거의 어떤 인물을 알아맞히거나', '현세의 사람을 가호하고 있는 조상의 귀신들과 얘기를 나누는' 그런 신령스런 사람이다.

"사람의 눈을 빨아들일 것처럼 맑고 투명한 피부, 그 위에 봉황의 눈을 연상시키는 크고 망울진 눈"의 "고혹적인 매력"을 지닌 '여희'는, 동학도의 처형을 관장하는 장교 김응규를 만나는 순간 "내면에 숨은 신비한 통찰력"으로 김응규의 몸에 달라붙은 역신(疫神)의 정체를 꿰뚫어본다.

> "너는 역질(疫疾)에 걸렸어"
> 갑자기 방안에 있던 사람들이 한결같이 몸을 떨었다. 그것은 젊은 아낙네의 목소리가 아니었다. 백살도 넘은 노파가 뱉어내는 것 같은, 목이 잠겨 쥐어짜는 것 같은 탁한 소리였다. 그 어조는 무덤 속에서 울려 나오는 것처럼 음산했다.
> (중략)
> 한동안 방안에 침묵이 계속되었다. 그 동안 응규는 지옥에 떨어진 인간의 모든 공포를 한꺼번에 맛보았다. 마침내 응규는 공포에 굴복했다.
> "사, 살려 주시오......아낙은? 다, 당신은 대체 누구요? 만신(萬神:무당)이오?"
> (중략)
> "죄없는 사람들을 그렇게 수없이 죽이고도 네 놈은, 네 한 몸은

살고 싶단 말이지?"

"사, 사, 사, 살려 주시오"

웅규는 손발을 바들바들 떨면서 미친 듯이 머리를 도리질쳤다. 이윽고 여희의 입에서 태산같은 무게를 담은 목소리가 신탁(神託)처럼 떨어져 내렸다.

"허선영이를 데려와!"

"예?"

"살려 줄테니 허선영이를 데려오란 말야. 지금 당장!"(1권, 89-93쪽)

이렇듯 중국 상고 시대의 전설적 영웅 '곤'(鯀)과 그의 처 '여희'(女嬉)는 19세기 말의 조선을 배경으로 '허선영'이라는 인물과, 같은 이름의 '여희'라는 인물로 이 소설 속에서 다시 등장한다. 이 부부의 비범함과 신묘한 행적은 이미 그 자체로 한편의 '이적기'(異蹟記)이면서, 동시에 휘황찬란한 장엄함에 둘러싸인 불세출의 대영웅 '허정훈(=박정희)'의 재림(在臨)을 알리는 '신들의 합창(合唱)'이다.

드디어 허정훈의 탄생에 이르러 이 '신화적 상상력'은 절정에 이른다. 허정훈의 아비 허선영은 곤(鯀)의 현신이고 그 어미 '여희' 역시 그러하므로, 이 '신들의 계보' 속에서 주인공 허정훈은 당연히 '우(禹) 임금'이다. 대홍수를 다스린 우임금, 천하의 혼란을 평정한 위대한 성군(聖君)의 신화가 그대로 이 주인공의 한 몸에 현현하는 것이다. 허선영과 여희가 허정훈의 출생에 임박하여 함께 꾸는 태몽의 장면이 그것이다.

처절한 단말마의 비명과 함께 선영의 몸은 목 왼쪽부터 허리 오른쪽까지가 단칼에 두 동강이 났다. 잘려나간 몸으로부터 피가 벼락처럼 분출하며 선영은 찢겨져 땅바닥에 나뒹굴었다. 머리와 오른쪽 팔, 오른쪽 가슴만으로 잘려진 선영은 한 팔로 분수처럼 솟구치는 피보라를 헤치며 남은 자신의 몸통을 보았다. 그 순간 선영은 자신의 눈을 의심했다. 끄아아악! 도저히 이 세상의 것이라 여겨지지 않는 무서운 울부짖음과 함께 선영의 잘려진 몸통에서 뭔가 엄청나게 큰 뱀 같은 것이 꿈틀거리며 기어나오기 시작했던 것이다. 이윽고 그 괴물은 머리를 뒤틀며 발톱으로 허공을 할퀴며 하늘로 오르기 시작했다.

규룡(叫龍).

그것은 온몸이 피의 끈끈한 점액질로 뒤덮인 외뿔달린 용이었다. 동자가 없는 눈은 온통 이글이글 타오르는 불길이었고 억센 칼날같은 이빨은 검은 하늘에 흰빛을 튕기며 번뜩였다 (중략) 이윽고 규룡이 한 번 몸을 틀자 폭풍이 그 날개를 활짝 편 듯 검은 먹장구름이 갈가리 찢겨졌다. 규룡이 내뿜는 엄청난 기(氣)에 선영이 걸어왔던 얼음의 광야가 쩍쩍 갈라졌다.

(중략)

얼음 광야의 유계(幽界) 전체가 붕괴하고 있었다.

선영을 베어버린 불의 신 축융은 애처로운 비명과 함께 갈라지는 땅 속으로 떨어지며 조각조각 박살이 나 버렸다. 두 조각이 난 선영의 몸도 찢겨져 나뒹구는 폐허 속에 이리저리 쏠리며 땅밑으로 꺼지고 있었다. 바로 그 때 한 줄기 붉은 섬광과 함께 하늘에 수직의 획을 그으며 규룡의 꼬리가 완전히 선영의 몸으로부터 떨어져 나왔다.

대우현신(大禹顯身).(1권, 114-115쪽)

이렇듯 신화적 장엄함에 둘러싸인 주인공의 신이(神異)한 출생과, 그 출생의 신이함에 맞먹는 초인적 능력과 비범한 재주, 그리고 그의 앞길을 가로막는 온갖 환란과 고초가 이 작품의 줄거리를 이룬다. 그런가 하면 '인간의 길'을 걷는 신(神)의 운명이 빚어내는 비장미 역시 이 작품의 전반적인 분위기를 이룬다.

보기에 따라서는 기발한 이 신화적 의장(意匠)은, 그러나 단순히 주인공의 신격화만을 불러일으키는 것은 아니다. 오히려 그것은 보다 교묘한 작가적 전략, 즉 사실(事實)과 역사에 대한 모든 의문을 원천적으로 봉쇄하려는 작가적 전략에 관련되어 있다. '신화'에 대해, '용비어천가'에 대해 누가 그 사실성을 문제 삼고 따지려 들겠는가.

그러므로 이 소설 속에서 형상화된 이러저러한 역사적 인물들과 사건에 대해 그 근거없음과 왜곡을 따지는 것은 자칫하면 우스꽝스런 짓이 되기 십상이다. 예컨대 이런 것이다 : 허정훈(=박정희)의 부친이 동학혁명에 참여 하였다는 사실은 박정희 자신의 회고(「나의 어린시절」, 『월간조선』, 1984,5) 에 의한 것인데, 이런 자료는 역사적 사료로서는 물론 아무 신빙성이 없는 것이다. 사료로서의 신빙성이 없기로야, 박정희가 만주군 장교 시절 광복군 과의 연계를 도모하고 국내 진공을 계획하였다는 등의 주장이 대표적인 예 이다. 심지어는 박정희가 광복군의 비밀공작원이었다는 주장도 있다.(장창 국, 『육사졸업생』, 25-6쪽)

『인간의 길』은 사실의 차원에서는 전혀 신빙성이 없는 이러한 내용들을 오히려 서사의 기본적 골격으로 전적으로 수용하면서, 거기에 작가의 주관 과 해석을 마음껏 가미하여 허정훈(=박정희)이라는 영웅을 창조해 내고 있 다. 동학혁명의 피끓는 열정을 선대(先代)로부터 이어받고, 피식민지인으로 서의 굴욕을 '모반의 꿈'으로 전화시키며, 타고난 능력과 초인적 재능으로 만주 군관학교와 일본 육사를 거쳐 관동군의 장교로 나아가는 청년 주인공. 그의 가슴 속에서 은밀히 불타는 '조국 광복에의 원대한 꿈', 그리하여 마 침내는 강대한 국가를 건설하고 모든 혼란을 수습할 운명이 지워진 '우 임 금'의 현신, 이것이 우리의 주인공 허정훈(=박정희)의 형상이다.

무엇이 문제인가? 이미 '신화'임을 선언하고, 창업 군주의 일대기임을 전 제한 마당에 소소한 사실 여부를 따지는 것은 얼마나 우스꽝스런 일이겠는 가? 성경의 기자(記者)나 어전(御前)의 어록(語錄) 작성자에게 부여된 왜곡 과 윤색(潤色)과 미화의 특권은 이 소설의 작가에게서 최대한으로 발휘된다.

바로 이 지점에서 이 소설이 지닌 기묘한 메커니즘이 작동된다. 즉, 모든 인물과 사건은 한낱 부수적인 요소로 전락하면서, 오직 작가 자신의 관념 과 주관이 소설의 모든 공간을 헤집고 설치는, 앞서 이문열의 『선택』에서 보았던 것과 동일한 현상이 나타나는 것이다. 그것의 대표적인 예는 이 소 설에 등장하는 '유건희'라는 인물이다.

이 인물의 비현실성과 성격의 혼란은 도무지 요약이 불가능할 정도이다.

허정훈의 고향 선배인 이 인물은 조선인 출신으로 일찍이 대구 경찰부의 경부로 출세한 인물인데, 간부(姦夫)와 간통한 아내를 살해하고, 만주로 도피한다. 만주에서 허정훈이 우연히 그를 만났을 때 그는 거대한 아편 농장을 경영하는 대사업가가 되어 있다. 그런가 하면 그는 허정훈이 일본 육사를 다니는 동안 동경에서 체포되어 수감되었다가, 일본 헌병을 살해하고 도망친다. 허정훈이 관동군의 장교로 근무하는 동안, 그는 허정훈과 그 동료들의 지하 조직을 후원하는 지도자가 된다. 그의 최후는 온몸에 폭약을 감고 일본군 주재소 하나를 폭파시키고 산화하는 것으로 마감된다.

때로는 '악의 화신'이면서, 때로는 '숨은 지사'이면서, 때로는 '극단의 허무주의자'이면서, 때로는 '신출귀몰의 도사'이면서, 때로는 동서고금을 꿰뚫는 '박학다식의 천재'이면서, 또 때로는 '잔인무도한 살인자'인 이 요령부득의 인물은, 그러나 사실은 작가 자신의 관념과 주관을 마음껏 풀어 놓기 위한 하나의 인형에 지나지 않는다. 이 인물은 언제나 허정훈이나 그밖에 다른 인물들과의 기나긴 논쟁의 장면으로만 주로 등장하는데, 그 논쟁의 내용들은 아무리 이 인물에게 '정신병자 같은 모습'이 부여되어 있다 하더라도, 지나치게 산만하고 일관성이 없다. 가령 허정훈과 그의 동료들에게 "독립운동이란 무용한 심심풀이 도박일 뿐"이라고 냉소를 퍼붓던 유건희가 격렬한 싸움 끝에 내뱉던 다음과 같은 말은, 소설내적 논리로 보아도 이 인물이 이러한 발언을 할 어떠한 계기도 마련되어 있지 않다는 점에서 말도 안 되는 비약이지만, 결국은 이것이 작가 자신이 말하고 싶어하는 것이라는 것, 따라서 이 인물이 오로지 작가의 말을 전달하는 하나의 인형에 지나지 않는 것임을 보여준다.

> 사람들은 아직도 우리 아버지들의 나라를 잊지 못해. 우리 세대들은…유례없는 망국의 설움 때문에 좌절과 자기 비하로 조선 왕조 500년을 혐오하고 거부하지. 그러나 그것은 투정이고 갓난아이들의 응석일 뿐이야. 앞으로도 우리는 그토록 훌륭하고 균형잡힌 나라를 두 번 다시 볼 수 없을 테니까.(2권, 180쪽)

한 마디로 이 인물의 소설적 인물로서의 '성격'을 논하는 것은 불가능하다. 유건희라는 인물만 이렇게 기능하는 것이 아니다. 심지어 주인공 허정훈조차 작가의 관념을 직설적으로 대변하는 인형에 지나지 않는다. 관동군의 장교로서 오매불망 조국의 독립을 꿈꾸는(!) 허정훈은 끝없는 내면적 고뇌와 회의로부터 "독서의 세계로 도피하였다"는 것이다. 그는 "헤겔, 피히테, 슈펭글러, 히틀러의 무겁고 열광에 찬 언어로부터 푸슈킨, 네크라소프, 예세닌의 날아갈 듯 감각적인 시들까지, 후쿠자와 유끼치의 탈아론(脫亞論)부터 오카쿠라 덴신의 흥아론(興亞論)까지, 손에 잡히는 모든 책들을 게걸스럽게 읽어 치웠다"는 것이다.(이 대목에서 '박정희가 정말 그랬을까요?'하고 묻는 독자는 바보다. 다음 대목에 그 해답이 있다).

나는 누구인가. 왜놈들이 미워서 왜놈 군대의 장교가 된 이 불쌍하고 바보같은 자는 누구인가 … (중략) … 저 수 많은 책들 중에 내가 누구인지 말해 줄 수 있는 자는 누구인가……

자, 이 정도니, 이 소설에 대고 "대동아 공영권을 이룩하기 위한 성전(聖戰)에서 목숨을 바쳐 사쿠라와 같이 죽겠습니다"하고 만주 신경군관학교의 수석 졸업생으로서 답사를 하던 오카모토 이노부(岡本實 : 박정희), 5.16 쿠데타 직후 미국으로 가는 길에 동경에 들러, 옛 일본 육사의 은사를 모시고 최경례를 올리며 일본 군가를 부르던 박정희는 어디로 가고, 조국 광복의 원대한 꿈에 심신을 불태우는 구국 영웅 박정희만 있느냐고 묻는다는 것은 일종의 코미디다.

물론 그것은 코미디치고는 참으로 끔찍한 코미디, 악몽같은 코미디이다. 파시즘은 민주주의로, 전체주의는 '강력한 힘에 대한 온당한 복종'으로 미화되는 이 어지러운 전도(顚倒)는 거의 외설(猥褻)의 수준에 도달해 있다. 이 외설의 수준에 이른 전도의 예를 한 가지만 보자. 박정희가 일본 육사 재학 시절 청년 장교들의 쿠데타 미수 사건인 '2·26 사건'에 크게 매료되어 있었고, 훗날 5·16 쿠데타도 거기에서 큰 동기를 얻고 있었다는 것은 잘 알려진 일이다. 이 부분이 이 소설에서 어떻게 서술되는지를 보자.

정훈은 "오래 전부터 숭모하던 정신의 성지"로 발길을 옮긴다. "국가 개조의 정열에 불타던 청년 장교들이 전선사령부로 압류했던" 산노오 호텔은 "신화적 공간의 신비와 서정을 머금고 동경이라는 황혼의 황야 위에 우뚝 서 있었다". 그곳에는 "찢겨진 젊음, 그 상처받은 영혼들이 절망을 향해 불타오른 눈송이 같은 순수가 서려 있었다". 2·26 사건의 주역들이 체포된 그 호텔을 바라보며 정훈은 "뜨거운 눈물을 뚝뚝 흘렸다".

> 나라가 어려운 시기에 감연히 피를 뿌려 청사(靑史)에 남긴 그대들의 대의여. 해와 달을 꿰고 생사를 초탈한 그대들의 영웅혼(英雄魂)이여…(중략)…조선의 정기로 태어난 이 몸이 어찌 그대들에게 질 수 있으랴. 지켜 보라. 총살당한 그대들이여. 무라나까 코오지(村中孝次)의 신령이여. 이소베 아사이치(磯部淺一)의 신령이여……. 내 조국을 위해 그대들보다 더 장렬하게 죽을 이 허정훈이란 인간을.(2권, 88-89쪽)

작가의 설명에 따르면, 2·26 사건은 "파시즘에 반대하는 국체원리파(國體原理派)"의 청년 장교들이 일으킨 것인데, 이들은 "타락한 정당 정치를 종식시키고 천황을 받드는 군사 독재 정권을 출범시켜 국가적 위기를 타개하려 했던" 장교들로서 "일본적 민주주의를 지킬 개혁을 단행"하려 했다는 것이다. 이들은 "군국주의자 내지 파시스트들로 오해"되기도 하는데 그것은 이 사건이 "지극히 일본적인 역설의 정치 게임이었기 때문"이라는 것이다. 그러니까 우리의 주인공 허정훈은 일본적 민주주의의 수립을 꿈꾸던 비운의 청년 장교들을 조상(弔喪)하면서, 그 영령 앞에 자신도 언젠가는 조국을 위해 그처럼 신명을 바칠 것을 엄숙히 선서(그러나 내가 보기에는, 자신도 언젠가는 '한탕 하고야 말 것임'을 맹세) 하는 것이다.

말이나 지식도 이쯤 되면 정말이지 '지독한 역설의 게임'이라고 아니할 수 없다. 도대체 '국체원리파'라는 게 '파시즘'이나 '국수주의'와 얼마나 거리가 있는 것인지 의문이 아닐 수 없고, 그러니 "파시즘에 반대하는 국체원리파"라는 게 대체 무슨 잠꼬대인지 알 수가 없다. 통제파든 황도파든, 일본 내의 정치 게임이 어떻게 되었든, 2·26 사건이라는 것은 갈 데 없는 파시스트 제국주의자들의 한바탕 분탕질이었으며 강력한 전체주의적 욕구의 표현이었을 뿐이었다.

이 사건 주역들의 이론적 무기로 작용했던 깃따 잇끼(北一輝)의 『국가개조안 원리대강』이라는 것만 보자. 작가는 "그 국가개조론의 불씨는 은둔자 간노에 의해 이렇게 새로운 주인공(허정훈 ─ 인용자)에게 전해졌던 것"이라고 말한다. 원래의 제목은 『일본개조법안 대강』인 이 책은 1920년에 깃따에 의해 발표된 이래 무서운 침투력으로 일본의 민간 우익과 군 관계자에게 영향력을 확대하고 있었다. 이 책은 종래의 관념적인 선동서와는 달리 구체적인 행동과 목표를 제시하면서 통일 국가에의 전체주의적인 프로그램까지 갖추고 있었다. "국가는, 또 국가 자신의 발달의 결과, 불법으로 대영토를 독점하여 인류 공존의 천도를 무시하는 자에 대하여 전쟁을 일으킬 권리가 있다"는 이 책의 주장의 요체는 대동아공영권을 위한 세계 전쟁의 정당성, 그것을 가능하게 하는 천황 중심의 친정 체제의 구축 같은 것이다.2) 이것을 '일본적 민주주의의 실현'이나 '반파시즘'으로 해석하고, 그 사건 앞에서 눈물 흘리는 조선 출신의 일본 육사생을 '애국의 화신'으로 미화하는, 이 말의 곡예와 이 곡예로부터 발생하는 어지러운 전도(顚倒)는 이미 중증에 이른 어떤 도착 증세라고밖에는 달리 이해할 길이 없다.

4.

이문열의 『선택』과 이인화의 『인간의 길』이 공통적으로 기반을 두고 있는 것은 '강력한 힘'에 대한 숭배와 찬양이다. 강력한 남성, 강력한 아버지, 강력한 국가의 이미지는 안정된 중앙 집중의 중세적 권력에 대한 향수, 그

---

2) 絲屋受雄, 稻岡道, 윤대원 역 『일본민중운동사(1823-1945)』, 학민사, 1984. 416-417쪽.

권력의 단맛을 누렸던 귀족 가문의 영광스런 기억으로 재현된다. 그런가 하면 강력한 남성상은 유사 이래 가장 강한 권력을 휘둘렀던 한 독재자의 신화화로 재현된다. 박정희는 이 음란한 자본주의 한국의 문화 속에서 힘차게 발기한 남근(男根)의 상징으로 떠오른다. 그것은 휘발유를 선전하는 광고에서 섹시한 외국 여배우가 "강한 걸로 넣어 주세요"라고 속삭이는 것만큼이나 노골적이고 자극적이며, 훨씬 더 가학적(加虐的)이다.

이 강력한 힘에 대한 숭배와 그 힘에 대한 철저한 복종의 찬미는, 자본주의적 일상에 찌들고 소외된 대중의 심리를 위무하면서 그 집단적 공격성과 야수성을 부추긴다. 가학의 쾌감과 피학(被虐)의 쾌감이 함께 어우러지면서 집단적 이데올로기로 화하는 저 역사적 악몽으로서의 국수주의는 이 작품들의 모든 문면과 배후에서 넘실거린다. 현대 사회 생활이 부과하는 엄청난 피로감, 사회적 현실의 온갖 부정성, 개인적 일상의 왜소함과 누추함으로부터, 돌아 가 쉴 곳을 갈망하는 대중의 심리가 이 조작된 신화의 강렬한 유혹을 뿌리칠 수 있을까?

우리 대중 사회의 어떤 부문에서, 어떤 영역에서 이러한 유혹을 뿌리칠 가능성이 있을까? 그것은, 우리 사회의 어떤 영역이 개인의 자발성과 비판 의식을 함양시키고, 진실된 평등에 기초한 합의의 정신을 지키면서 유지되고 있는가, 하는 질문과 통한다. 생래적으로 비관적인 나는, 이 질문 앞에서 더욱 비관적이다. 이 글의 첫머리에서 나는 『선택』과 『인간의 길』을 읽고 놀라고 두려웠다고 말했다. 놀랐던 이유에 대해서는 말했지만 두려움에 대해서는 아직 말하지 않았다. 솔직히 말해서 나는 두렵다. 이 소설들이 표방하는 이러저러한 이데올로기나 혹은 (보기에 따라서는) 어떤 '뻔뻔함'에 분노가 일어나기보다는, 오히려 이제는 두렵기조차 하다. 두려운 이유는, 방금 말했듯이, 그 질문 앞에서 자꾸 비관적인 생각이 들기 때문이다. ■새미

양식사적 고찰이 갖는 의미와 문제
- 김영민, 『한국근대소설사』(솔 출판사, 1997)

양 문 규*

1.

　근대 초창기 한국소설의 전개 과정을 사적으로 고찰하고자 할 경우 우선 맞닥뜨리게 되는 주요한 문제 중의 하나가, 그것이 전대(前代) 우리의 소설 사적 전통과 어떠한 관계를 맺느냐의 문제다. 김영민 교수의 『한국근대소설사』(솔출판사, 1997) 역시 이러한 문제에 대한 해명을 그 연구의 출발점으로 삼는다. 단적으로 말하자면 이 책은 한국 초창기 근대소설이 조선 후기 서사문학의 전통적 맥락 안에 놓여 있으며 그것이 일정한 단계를 거쳐 현재와 같은 의미의 근대소설로 발전해 나간다고 본다. 이 책은 이러한 발전 과정을 각별히 양식들의 변화, 발전 측면에 초점을 맞추어 기술하고 있다는 점에서 종래의 연구와 변별되는 독창성을 드러낸다. 특히 양식의 변화를 통해 근대소설의 탄생과 성장 과정을 살피고자 하기에 이에 조응한 수많은 자료의 섭렵과 아울러 정치한 실증적 연구가 수반되고 있다. 그렇다면 문제는 이러한 양식적 특성을 중심으로 한국 초창기 근대소설의 탄생과

---

* 강릉대 국문학과 교수, 저서로는 『한국 근대소설사 연구』가 있고, 다수의 논문이 있음.

변화 과정을 얼마나 설득력 있게 구성해냈느냐의 문제일 것이다.

2.

이 책의 1장에서는 근대적 서사문학의 출발로 저자가 새롭게 설정한 '서사적 논설'이라는 범주의 양식에 논의의 초점을 맞추고 있다. 즉 이 부분은 이 책의 고유한 주장이 담긴 타래의 첫 실마리다. 여기서 서사적 논설이라 지칭되는 양식은 거칠게 얘기하자면 한말 『독립신문』 등의 신문에 게재되었던 이야기적 요소를 갖춘 논설을 이른다.

종래의 연구가 이러한 서사적 논설을 전혀 언급하지 않았던 바는 아니다. 가령 개화기 토론체 소설 양식의 발생학적 연원을 고구하면서, 그 연원들로서 조선 시대의 설화 및 한문소설에 나타나는 문답 및 대화 형식 그리고 개화기 신문 논설에 등장한 문답형식의 토론 등을 거론한 연구[1]가 있다. 그러나 이 연구는 개화기 신문 논설(저자의 서사적 논설)의 문답 형식들이 이후의 토론체 소설과 어떻게 관련되는 것인가를 규명하는 데 그 관심을 국한시키고 있다.

이에 반해 저자는 이러한 서사적 논설들을 우리의 전통적 이야기 문학 양식인 야담이나 한문 단편 등이 근대적 문화 매체인 신문의 논설과 결합하여 생긴 새로운 서사문학의 한 양식으로 본다. 즉 한말의 지식인들은 야담이나 한문 단편 등 한문 문장 독서의 체험을 한글을 통해 표현하면서 서사적 논설이라는 새로운 문학 양식을 탄생시켰다고 본다. 그리하여 이 서사적 논설은 조선 후기 문학과 개화기 근대문학사 사이의 단절론을 극복하고, 우리 고전 문학의 전통과 근대문학 양식을 잇는 매개로 본다. 가령 서사적 논설의 시작과 마무리에서 발견할 수 있는 편집자 주 형식 및 편집자적 해설의 문장들 그리고 서사적 요소를 통한 교훈의 제시라는 글의 구성법은 조선 후기의 한문 단형 서사양식에서 사용되고 있음을 지적한다.

---

1) 김중하, 「개화기 토론체소설 연구」, 『관악어문연구 제3집』, 1978. 12.

서평자도 서사적 논설이 조선 후기의 단형서사 양식에 영향을 받고 있다는 저자의 새로운 지적에 동의한다. 더불어 서사적 논설이라는 양식의 설정을 통해 신소설에 얽매어 있던 그 동안 개화기 문학 연구의 대상 지평을 넓혔다는 점에서도 그 연구적 의의를 인정할 수 있겠다. 그러나 편집자 주등의 설정이라는 다소 포괄적 성격을 띤 외적 양식에 초점을 맞춰 이들 양 장르의 관련성을 수평적으로 비교, 논의하는 데에는 다소 비약의 무리가 따르는 듯하다. 오히려 이러한 저자의 연구에 암시받아 이 둘의 영향 관계에 대한 좀더 다양한 근거를 제시하는 입체적 천착이 이뤄질 수 있기를 기대해 본다.

2장의 '논설적 서사'는 위의 서사적 논설이 근대적 서사양식의 모습으로 전환해가는 과정을 보여주는 양식으로 설명된다. 저자가 새롭게 명명한 논설적 서사는 기존의 문학사 연구에서 이른바 '토론체 소설'이라고 불리우던 문학 양식이다.2) 이 토론체 소설의 장르는 작중 인물들의 비판과 갈등이 작중 인물의 구체적인 행위 구조를 통해 드러나지 않고 작가의 전달과 주장에 직결되기 때문에 서사문학이 아닌 교술문학에 속한다는 주장3)도 있어 왔다. 그런데 저자는 토론체 소설, 즉 논설적 서사는 스스로가 소설임을 표방하고 나온 문학 양식이라는 점, 그리고 서사적 논설 등의 작품에 직접 등장하던 신문 편집자의 목소리가 사라지고 작가의 목소리가 등장한다는 점 등에서 근대적 서사 양식의 소설사적 전환 과정을 보여주는 문학 양식임을 주장한다.

종래의 연구들은 논설적 서사를 국권 상실이라는 위기 상황에서 나름대로 현실에 기민하게 대응코자 나타났던 특수한 문학 양식으로서 개화기에 잠깐 나타났다가 이후 전승되지 못하고 사라지게 된 장르로 간주한다. 이에 반해 이 책은 논설적 서사가 이전의 서사적 논설을 발전시키며 온전한

---

2) 김재용 외, 『한국근대민족문학사』(한길사, 1993)는 토론체소설을 '시사토론소설'이라고 명명하고 그 담화 양식에 따라 '대화체 소설양식'과 '연설체 소설양식'으로 나눈다.
3) 조동일, 『신소설의 문화적 성격』, 한국문화연구소, 1973, 79쪽.

서사의 형태를 가진 신소설로 이어지는 과정에 놓여 있는 문학 양식으로 보고 있는 것이다. 시기적으로 볼 때 서사적 논설, 논설적 서사, 신소설 등은 거의 공존하고 있는 형국을 드러내고 있지만 저자가 이러한 양식들의 존재 양상을 양식의 발전 과정 안에서 재구성하고 있다는 점이 흥미롭다.

그러나 문제는 그러한 양식상의 발전 양상이 내용상에 있어서도 발전을 담보하고 있느냐이다. 즉 논설적 서사의 발전 형태인 신소설은 논설적 서사에서 보여 주었던 현실 모순의 인식 및 반외세 의식 등을 상대적으로 담아내지 못하고 단절되는 듯한 인상을 준다. 더불어 형식적 특성의 단절도 격심한 편인데 이 문제는 4장 신소설 부분에서 재론코자 한다. 논설적 서사에서 한 마디 더 보태어 본다면 이 양식이 유행하던 시점에『태극학보』, 『서북학회월보』 등의 학회 잡지에는 '항설(巷說)', '담총(談叢)', '가담(街談)' 등의 이름을 내건 서사 양식들도 있는데 이 역시 검토의 대상에 포함시켜야 하지 않을까 생각한다.

3장은 2장의 논설적 서사와 유사한 성격을 지닌 '역사전기소설'에 대한 고찰이다. 논설적 서사가 조선 후기 단형서사 양식의 영향을 받은 서사적 논설의 단계를 거쳐 형성되었듯이, 역사전기소설은 전통적 서사 장르인 전(傳)류 문학과 군담계 소설의 전통이 서사적 논설 단계에 해당된다고 할 수 있는 개화기 신문의 '인물기사' 혹은 '인물고' 등과 접합하여 탄생한 것으로 본다. 따라서 논설적 서사나 역사전기소설의 창작 계층은 일치한다. 즉 이들은 전(前)근대적 교육방식에 의해 한학(漢學)을 수학한 자들로서 국권 상실의 위기 상황에서 현실에 대응키 위해 소설에 관심을 갖게 된 전통적 지식인 계층의 작가들인 것이다. 종래의 연구가 토론체 소설(논설적 서사), 역사전기소설을 개화기에 출현했던 특수한 장르들로서 병렬적으로 나열했던 것에 반해, 이 책은 두 양식의 형성 과정을 사적으로 규명하는 과정에서 그 필연적 연관성을 자연스럽게 유도하고 있다.

그러나 아쉬운 점은, 신채호의『을지문덕』『이순신전』(1908년) 등과 신채호의『최도통전』(1909년), 박은식의『천개소문전』(1911년) 등의 작품을 비교해 볼 때, 전자들이 전(傳) 양식의 서술 규범에 보다 충실한 데 비해 후자들로 갈수록 현저하게 흥미진진한 스토리의 전개와 극적인 서술을 보여 주어 근대의 허구적인 역사소설에 일층 접근하고 있는데[4] 이 책은 역사전기소설 내부에서의 이러한 변화 양상을 주목하지 못하고 있다는 점이다. 이러한 변화 과정을 면밀하게 고찰할 때, 이 책의 5장에서 중요하게 거론된 신채호의 『꿈하늘』 등의 작품 형성을 설명하는데 일층 설득력이 있었을 듯하다.

4장은 그 동안 개화기 문학사에서 가장 중심적인 역할을 해 왔던 신소설에 대한 논의다. 저자는 본격적 논의에 앞서 '신소설'이라는 용어의 형성 과정을 면밀하게 고찰하여 그 용어가 지금까지의 연구 결과처럼 일본과 중국을 통해 수입된 용어가 아니라 우리 문학사 연구 과정 속에서 정착된 고유한 용어라는 결론을 이끌어 내 이 책 전체를 통해 보여 주는 저자의 꼼꼼한 연구 태도의 일면을 새삼 인지케끔 한다.

그리고 이 책 전체의 논지 체계에 따라 신소설 역시 서사적 논설과 논설적 서사의 과정을 거쳐 발전한 서사 양식으로 보고, 신소설 양식자체에 이러한 발전 과정의 흔적을 내부적으로 갖고 있음을 주목한다. 가령 저자는 신소설을 '논설 중심의 신소설'과 '서사 중심의 신소설' 계열로 나눠, 전자가 논설적 서사의 핵심이었던 논설의 속성을 계속 중요하게 생각하는 소설인데 비해, 후자는 논설적 서사에서 서사 부분을 확장시켜 나간 소설로 본다.

그리하여 이인직의 작품을 중심으로 신소설 특히 서사 중심의 신소설을 논의해 나간다. 저자는 서사 중심 신소설에서 아무리 서사적 요소가 중요해진다 하더라도, 계몽을 목적으로 하는 논설적 요소가 적지 않게 포함되어 있음을 강조한다. 따라서 이인직의 작품들은 결국 그의 개화와 친일의 의지를 담기 위한 그릇이었음을 주장한다. 예컨대 이인직 작품들에 대한 철저한 서지 및 내용 연구(『은세계』 분석 등이 그 대표적인 예다.)를 거쳐

---

4) 강영주, 『한국역사소설의 재인식』, 창작과비평사, 1991. 41~3쪽 참고.

그의 작품이 기본적으로 작가 이인직이 지닌 개화와 친일 의지의 표명이라는 논설적 의도의 구체적 반영임을 밝히는 것이다. 그러나 저자는 작가의 논설적 의도와 허구적 서사와의 결합의 역사가 근대소설사의 큰 줄기를 형성한다고 보며 이 점에서 이인직의 신소설은 소설사의 중요한 한 줄기를 차지한다고 보는 것이다.

그런데 앞에서 잠시 지적한 바, 논설적 서사와 이인직의 작품들이 주제의식뿐만 아니라 형식에 있어서 그 연관성이 찾아진다기보다는 격심한 단절의 양상을 보인다는 점이다. 따라서 신소설의 형성 과정에 있어서는 조선 후기의 여타 서사문학과의 영향 관계도 중요하게 고려해야 할 법하다. 가령 조동일은 이미 신소설의 구조가 조선후기의 귀족적 영웅소설의 구조를 계승한 것으로 보고 오히려 그 퇴행적 성격을 지적한 바 있다.5)

그러나 서평자는 이인직 소설과 조선 후기 판소리계 소설의 연관성을 상대적으로 더 강조하고 싶다. 가령 이인직 소설에 나타나는 구어체적 풍요로움과 이를 통한 당대 현실의 반영은 판소리계 소설의 전통을 잇는 것으로 생각해 볼 수 있다. 귀족적 영웅소설의 경우, 국문으로 씌어졌음에도 판소리계 소설과 달리 문어체로 이뤄져 있는 것이다. 당대 식자층들은 문학에서 국문 전용을 주저했었는데, 그 이유 중의 하나가 그들이 부정적으로 인식하고 있던 고소설의 주요 표기 수단이 순국문이었다는 점 때문이다. 그러나 이인직이 생동감 있는 구어체적 순국문의 신소설을 썼다는 점은 양반 지배계급의 문화에 정면으로 도전한 시민 미학의 발로라고 지적할 수 있다. 이인직의 문자의식에서 이미 그의 문학의 반(反)봉건적 의미를 생각해 볼 수 있는 것이다. 그 외에도 이인직 소설의 속담, 고사를 인용한 수사법 등은 식자층에 점유되어 끄리쉐화된 유의 것이 아니다. 이인직 소설의 수사는 오히려 익살 넘치는 속담과 관용구로 조선 후기 사회상을 실감 있게 반영한 판소리계 소설의 수용으로 설명할 수 있다. 이 점은 이해조 작품의 경우에도 일층 적용되니, 이른바 이해조 문학의 시정성(市井性) 역시 이

---

5) 조동일, 앞의 책 참고.

러한 측면에서 설명될 수 있는 것이다. 물론 신소설에 나타난 이러한 구어체적 풍요로움이 통속적으로 귀착되며, 한편 부분적으로 문어체가 나타나는 것은 당대 시민계급으로서 개화파의 역사적 한계와 연결지어 설명할 수도 있는 부분이기도 하다.[6]

따라서 신소설 양식은 조선 후기 여러 서사양식 그 중에서도 판소리계 소설의 연관 관계 안에서 설명될 때 그 문학이 갖고 있는 긍정적 측면과 풍요로운 의미를 폭넓게 설명해 낼 수 있을 법하다. 가령 저자가 신소설의 양식상의 발전을 주장하면서도 이인직 작품의 경우 그것이 고작 개화와 친일 의지를 담기 위한 그릇이었다는 측면에서 본다면 신소설의 발전적 성격을 오히려 폄하하는 꼴이 되어 버린다.

한편 이 책은 또 하나의 신소설 양식으로 '논설 중심의 신소설'을 논하고 있다. 그런데 이 책은 논설 중심의 신소설이 논설적 서사를 적극적으로 이어받은 것이라는 점을 지적할 뿐 그 예로 든 『금수회의록』, 『자유종』 등의 작품들이 왜 논설적 서사가 아닌 신소설의 양식에 포함시켜야 하는지에 대한 뚜렷한 근거는 제시하지 않고 있다. 단순히 논설적 서사에 비교하여 서사적 완성도의 진전에서 그러한 것인지, 아니면 종래의 문학사적 인습에 따라 신소설의 범주에 포함시킨 것[7]인지 이 점이 명료하게 밝혀 있지가 않다.

5장은 역사전기소설의 새로운 단계로 망명지에서 씌어진 신채호의 소설들에 대한 논의다. 이들 역시 이 책의 논지 체계에 따라 서사적 논설과 논설적 서사 그리고 역사전기소설로 연결되는 문학사의 전통 안에 놓여 있는 것으로 보고 있다. 특히 신채호의, 문학의 사회적 효용성에 대한 깊은 신뢰와 기대가 그로 하여금 소설을 구상하고 문자화시키는 방식에 있어서 기존의 그것과 판이한 양상을 드러낸다는 점을 강조하고 있다. 물론 이러한 주」

---

6) 자세한 내용은 졸고, 「이인직 소설의 문체에 관한 연구」, 『한국근대소설사 연구』, 국학자료원, 1994. 참고.
7) 문학사적 인습에 따른다 하더라도 『금수회의록』 등의 작품은 토론체 소설의 범주에서 설명이 되는 예가 많다.

장에 동의를 표하면서 앞에서도 지적한 바, 『꿈하늘』이전 역사전기소설에서 나타나는 단계적 변화를 면밀하게 고찰해야 할 필요가 있었을 듯싶다. 한편으론 신채호뿐만 아니라 다른 망명지 특히 미주 지역 교민단체인 국민회의의 기관지 『신한민보』 등에 게재된 역사전기소설들도 아울러 비교, 검토되었으면 더 좋았을 법하다.[8]

6장은 1910년대 단편소설을, 7장은 이광수의 『무정』을 논의하면서 한말에서 시작한 근대적 서사양식이 어떻게 근대소설로서의 완성에 이르는가를 살피고 있다. 우선 1910년대 단편소설은 1900년대 소설사의 맥락을 크게 벗어나지 않고 있기는 하나, 계몽의 의도가 점차 서사 속으로 스며들어가 간접화된다는 점에서 한국 근대소설사의 발전적 모습을 보여 주고 있다고 본다. 아울러 1910년대 들어 새롭게 나타나는 가장 중요한 소설적 요소는 인간의 내면 심리에 대한 관심이며 이러한 관심은 현실적인 삶의 조건들의 결핍감에서 오는 경우가 대부분임을 주장한다.

1910년대 단편의 근대소설로서의 중요한 성과로 계몽의 의도의 간접화 혹은 내재화로 보는데 이는 서사적 논설에서 시작된 근대소설 초창기의 발전 과정을 저자의 논리 틀에 따라 수미일관 체계화 짓고자 하는 데서 비롯된 결론이라 할 수 있다. 즉 10년대 근대 완성형 단편들에서는 서사와 논설이 거의 완전하게 분리되고 설명을 통해 주제를 논설적으로 보여주던 기존의 작품들과는 달리 주제를 간접적으로 암시하는데, 이는 논설적 방식이 아닌 소설적 주제 전달 방식이라는 점에서 중요한 문학사적 의미를 지닌다는 것이다.

그러나 논설적 방식이 아닌 소설적 주제의 성취를 단순히 양식상의 변화 측면에서만 살펴 볼 수 있는 문제라는 생각이 들지 않는다. 전(前) 시기의 경우도 마찬가지겠지만 이 시기 소설 양식의 변화를 설명하기 위해서는 각별히 당대 사회의 변화 발전 과정을 충분히 고려한 검토가 따라 주어야 할 법하다. 예컨대 앞에서는 비교적 양식의 변화, 발전 과정을 개화기라는 시

---

8) 졸고, 「10년대 민족운동과 망명지 소설」, 『한국근대소설사연구』 참고.

대적 조건과의 관련성 안에서 검토하고 있는데 비해 이 시기의 연구에서는 상대적으로 그러한 점이 약화되고 있는 느낌이다.

마지막으로 이 책은 이광수의 『무정』을 논하면서, 『무정』 직전에 발표된 그의 「농촌계발」이라는 논설에 주목한다. 이 글은 외형상 논설의 양식을 표방하고 있으나 실제 내용은 허구적 서사로 채워져 한말에 발생한 이른바 서사적 논설과 동일한 유형의 글로 본다. 저자는 이 글이 1910년대 이광수의 계몽사상을 구체적으로 드러내고 있으며 소설 『무정』을 예비하고 있는 것으로 본다. 따라서 1910년대 중반 이광수의 문학 활동에서 논설과 서사의 결합이 중요한 부분을 차지하고 있다는 사실은, 그가 단순히 서구 중심의 허구적 서사 계열의 소설사적 흐름을 이어받은 작가가 아니라는 사실을 확인시켜 준다고 본다. 즉 그는 한문학의 글쓰기 체험을 바탕으로 한 전통적인 논설 중심 계열의 소설사적 흐름을 이어받고, 거기에 서구 문학의 체험을 접목시킨 작가인 셈이다. 이 점에서 근대소설가 이광수가 글을 쓰는 목적은 한말 서사적 논설 작가나 논설적 서사 작가들이 글을 쓰던 목적과 일치하는 것이다. 그리고 그는 논설을 활용하는 전통적 글쓰기 방식에다가, 허구적 서사를 더욱 적극적으로 활용하여 『무정』을 탄생시키는 것이다. 따라서 『무정』은 한국의 근대소설의 일단락을 완결짓는 것으로 보는데 이는 한말에서 이 시기에 이르기까지 한국 근대소설사가 추구해 오던 논설과 서사의 만남을 가장 효과적으로 보여주게 된다는 사실에서다. 이는 기존 문학사에서 『무정』이 개화기 문학 즉 신소설을 계승하면서 이를 극복하는 근대소설로서의 계기를 마련했다는 결론과 결과적으로 합치된다. 그러나 역시 여기에서도 『무정』의 양식상의 발전이, 궁극적으로 식민주의에 봉사하고 있는 『무정』의 세계를 어떻게 설명해 내야 하는가 등의 문제가 남는다.

3.

이 책은 한국 초창기 근대소설이 조선 후기 서사문학의 전통적 맥락 안에 놓여 있으며 그것이 일정한 단계를 거쳐 현재와 같은 의미의 근대소설로 발전해 나간다고 본다. 그리고 이러한 발전 과정을 주로 양식의 변화, 발전 측면에 초점을 맞추어 기술하는데, 이 시기의 소설사적 전개과정을 이 정도의 일관된 체계 안에서 엮어 본 것은 아마도 이 책이 처음이 아닐까 생각한다. 그리고 이러한 체계를 뒷받침하기 위한 수많은 자료 섭렵과 실증적 연구 태도가 이 책의 진지함을 돋보이게 한다. 이 자체로서만도 이 책은 국문학 연구의 또 하나의 진전을 보여 준다고 할 수 있겠다.

그러나 근대 초창기 소설사의 다양하고 복합적인 전개 과정을 주로 양식적 체계의 발전 과정 안에서 묶으려다 보니 단순화된 감도 없지 않아 있고 그 논리적 적합성이 의문시되는 부분도 있었다. 그리고 양식상의 발전과 내용상의 발전을 어떻게 결합시켜 보여 줄 수 있는가 하는 문제가 신중하게 고려되지 않은 듯하다. 따라서 근대 초창기 소설의 발전 과정을 설명하는 방식으로 사용되었던 양식적 변화 발전 틀에 일면 공감하면서도 그 틀과 기존의 다양한 소설사적 이해 방법의 틀을 조화롭게 결합시킬 때(가령 양식사적 고찰과 사회사적 고찰의 결합 등등) 이 책을 넘어서 또 하나의 진전된 소설사적 연구가 산출될 수 있을 것으로 기대한다.🔲

한국 문단 작가 연구 총서 2

초판 1쇄 인쇄일 ┃ 2015년 1월 2일
초판 1쇄 발행일 ┃ 2015년 1월 5일

편집인 ┃ 작가 연구
펴낸이 ┃ 정구형
총괄 ┃ 박지연
편집 · 디자인 ┃ 이솔잎 채지영 김민주
마케팅 ┃ 정찬용
관리 ┃ 한미애
인쇄처 ┃ 은혜사
펴낸곳 ┃ **국학자료원**
등록일 2006 11 02 제2007-12호
서울시 강동구 성내동 447-11 현영빌딩 2층
Tel 442-4623 Fax 442-4625
www.kookhak.co.kr
kookhak2001@hanmail.net

ISBN ┃ 978-89-279-0042-9 *94800
978-89-279-0047-4 *94800 [set]
전6권 ┃ 400,000 원

* 저자와의 협의하에 인지는 생략합니다.
잘못된 책은 구입하신 곳에서 교환하여 드립니다.